DICTIONNAIRE SEPTEMBRE DES MÉTIERS ET PROFESSIONS

SUIVI DU GUIDE **Cléo**, DES CLÉS POUR S'ORIENTER

SEPTEMBRE

DICTIONNAIRE **SEPTEMBRE** DES MÉTIERS ET PROFESSIONS, ÉDITION QUÉBÉCOISE

Sous la direction de
Denis Pelletier, c.o.

Coordination du projet
Johanne Boutin

Recherche et rédaction
Johanne Boutin
Hélène Plourde
Ginette Sorel

Collaboration spéciale
Claude Lafleur, *journaliste scientifique pour les textes de présentation des secteurs d'activités professionnelles et les capsules du guide Cléo*
André Mercier, *rédacteur pour les textes des pages 250 à 253*

Conception éditoriale
André Mercier

Conception visuelle
Bernard Méoule

Infographie
Francine Bélanger
Annie Pelletier
Nathalie Perreault

Révision linguistique
Linda Tremblay

Recherche iconographique
France Lehoux

ÉDITIONS SEPTEMBRE
Président
Denis Pelletier
Directeur général
Martin Rochette
Directrice de la diffusion
Anik Theunissen-Delisle

Photographies
AGENCE STOCK, *p. 251, 256 et 257 – Type réaliste (Caroline Hayeur)*
CÉGEP BEAUCE-APPALACHES, *p. 256 et 257 – Type social*
COLLÈGE MÉRICI, *p. 256 et 257 – Type entreprenant*
COLLÈGE O'SULLIVAN, *p. 256 et 257 – Type conventionnel*
LES GRANDS BALLETS CANADIENS, *page couverture – Danseurs (Casse-noisette) (David Street), p. 251, 256 et 257 – Type artistique (David Cooper)*
UNIVERSITÉ DE MONTRÉAL – *Département de géographie, p. 256 et 257 – Type investigateur (André G. Roy)*
PUBLIPHOTO, *page couverture – Champ de tabac (G. Schiele), Charpente de maison (S. Clément), Bourse (Sygma), Infirmières en chirurgie (B.S.I.P.), Salle de contrôle (Diaf), p. 252 et 253, 361, 409 (Photo Researchers), p. 263 (Cornu), p. 287 (Beaulieu), p. 73, 327, 387 (Sygma), p. 341 (J. Lama)*

Dépôt légal – 4e trimestre 1997
Bibliothèque nationale du Québec
Bibliothèque nationale du Canada

ISBN 2-89471-073-9
Imprimé et relié au Québec
Impression: Interglobe inc.

Les Éditions Septembre
2825, chemin des Quatre-Bourgeois, C.P. 9425
Sainte-Foy (Québec) G1V 4B8
Tél.: (418) 658-9123 – Sans frais: 1 800 361-7755
Téléc.: (418) 652-0986

C 'est avec la conviction d'offrir un ouvrage qui rendra service à beaucoup de gens que Les Éditions Septembre publient un dictionnaire des métiers et professions. Le dictionnaire consacre en fait une expertise acquise au cours des quinze dernières années dans le domaine de la carrière et de l'orientation.

Le Dictionnaire Septembre est le fruit d'une suite ininterrompue d'explorations et d'expérimentations. Tout a commencé avec la parution, il y a près de dix ans, d'un répertoire des professions à l'usage des élèves dans le cadre du cours Éducation au choix de carrière. Le répertoire constituait alors une annexe du matériel didactique en usage dans les écoles. La réponse du milieu fut telle que Les Éditions Septembre, pour satisfaire à la demande, publièrent le répertoire sous forme de document autonome. Sans faire l'objet d'aucune publicité particulière, le répertoire a trouvé plus de 20 000 preneurs dans les écoles et les organismes voués à l'orientation, à la formation professionnelle et à la recherche d'emploi.

UN OUVRAGE INÉDIT

Voulant répondre à deux préoccupations majeures de la société québécoise, l'éducation et l'emploi, Les Éditions Septembre ont poussé plus loin le concept à la base du répertoire pour produire le présent dictionnaire.

C'est la première fois, à notre connaissance, qu'un tel document de consultation est mis à la disposition de tous. Non seulement il sera un outil de référence pour les élèves du secondaire et du collégial ou encore pour des demandeurs d'emploi dans divers centres d'emploi, mais il trouvera également sa place dans la bibliothèque familiale. Qui ne ressent pas la curiosité de savoir qu'une profession donnée existe, souvent nouvelle ou liée à des domaines qu'on ignore? Qui ne désire pas, en tant que travailleur, voir dans quel secteur d'activités professionnelles il exerce son métier ou sa profession et avec qui il partage des intérêts communs et des responsabilités similaires? Qui n'est pas intéressé à se donner une vision d'ensemble du monde professionnel et à comprendre ainsi la place qu'il occupe dans la société actuelle? Qui n'est pas dans la nécessité, à un moment ou un autre de sa vie de travail, de s'interroger sur son avenir? Qui n'éprouve pas le besoin de rêver tout haut et d'imaginer diverses tâches et diverses compétences qui pourraient être les siennes? Moyen idéal, n'est-ce pas, de se perdre et de se retrouver à la fois, avec un dictionnaire qui donne d'abord le monde du travail de A à Z et qui fournit en seconde partie des clés pour s'orienter: le guide Cléo.

LA CULTURE DE L'ORIENTATION

Dans la conjoncture actuelle, l'importance d'une culture de l'orientation est indéniable. Les Éditions Septembre désirent, par le présent dictionnaire, rendre accessible à la population une compréhension essentielle et moderne du travail. Jeunes, travailleurs et parents se doivent de s'approprier les connaissances qui leur permettront de mieux s'outiller devant la réalité désormais complexe du monde du travail.

En fait, le Dictionnaire Septembre fait beaucoup plus que décliner et décrire des professions. Il est un instrument d'exploration qui permet au lecteur de réfléchir au genre de personne qu'il est et de découvrir une multitude de professions pouvant lui convenir. Il lui permet d'élargir ses horizons et de dépasser sa connaissance du marché de l'emploi souvent limitée à ce qui constitue son environnement. Dès lors, une partie importante de l'information professionnelle devient accessible à tous. Les travailleurs démunis en raison des mises à pied massives, ceux dont l'emploi est transformé par l'arrivée des nouvelles technologies, les jeunes qui désirent accéder au marché du travail et les parents qui souhaitent voir leurs enfants s'y tailler une place auront accès à un moyen simple, rapide et efficace d'explorer le monde du travail.

UN APPEL À TOUS

Le monde du travail est un monde d'images. Au-delà de la définition que comporte un métier ou une profession, se révèle pour chaque travailleur le besoin de défendre son image, de mettre en valeur son utilité et ses habiletés particulières. Bref, chacun souhaite que les autres aient une représentation positive et respectueuse de ce qu'il fait.

Un dictionnaire comme celui-ci n'est donc pas un objet neutre. Même s'il est bien fait, il pourra parfois décevoir. Qui se sent lié au métier, à la profession, pourra y trouver à redire, considérant la définition tantôt incomplète, tantôt injustement décrite ou mal située dans son contexte. La définition pourrait même ne pas y apparaître, une telle omission constituant le comble de l'erreur!

Cela signifie, entre autres, que nous courons un risque en produisant le premier dictionnaire du genre, risque raisonnable toutefois puisque nous avons procédé à un vaste processus de validation auprès d'établissements d'enseignement, d'associations et d'ordres professionnels en plus de mener une enquête auprès d'un grand nombre d'entreprises.

Le Dictionnaire Septembre n'a pas été conçu expressément pour proposer des définitions correctes d'un point de vue linguistique ou juridique. Il veut d'abord et avant tout fournir une représentation la plus près possible de la réalité du travail tout en tenant compte de l'évolution constante des tâches, du renouvellement perpétuel de la formation professionnelle et des tendances du marché qui suppriment et créent de multiples ouvertures.

Pour atteindre notre objectif, il y a nécessité d'une collaboration étroite et constante avec ceux et celles qui vivent l'actualité du travail et de la formation professionnelle, ce qui n'a pas manqué de se produire jusqu'à maintenant.

REMERCIEMENTS À NOS COLLABORATEURS

Nous tenons à souligner l'importante contribution que nous ont apportée des centaines de répondants en faisant l'analyse critique de nos définitions. Ces répondants proviennent du milieu scolaire et du milieu des entreprises. Nous avons procédé à de nombreuses enquêtes dont les données ont été compilées et mises en texte par un personnel dévoué. Nos remerciements les plus chaleureux leur sont adressés.

Sans l'initiative de celui qui fut à l'origine du premier répertoire, le Dictionnaire Septembre n'aurait sans doute pas été dans un aussi bel état d'élaboration. Aussi, je rends hommage à mon associé de la première heure, Emmanuel Pomerleau, décédé depuis.

Enfin, vive gratitude envers les enseignants et enseignantes en éducation au choix de carrière qui m'ont éveillé au potentiel pédagogique du dictionnaire. Ils m'ont fait comprendre combien les jeunes étaient désireux de découvrir des professions et comment ils aimaient «fouiller» et manipuler ce genre de document.

Que le Septembre des métiers et professions permette à chacun et chacune de mieux s'informer pour mieux choisir! ■

Denis Pelletier, D. Ps.

Professeur associé aux Sciences de l'Éducation de l'Université Laval, membre de l'Ordre professionnel des conseillers et conseillères d'orientation du Québec et président des Éditions Septembre

Le Dictionnaire Septembre des métiers et professions constitue une synthèse de la documentation qui existe dans le domaine, ainsi que de l'information que nous avons obtenue auprès de nombreux collaborateurs.

Le point de départ fut le «Répertoire des professions», ouvrage publié par les Éditions Septembre en 1991. Chacune des définitions proposées dans cette publication a été revue, enrichie, précisée, à l'aide de toutes les sources documentaires que nous avons pu rassembler (répertoires officiels tels que la Classification canadienne descriptive des professions et la Classification nationale des professions, monographies professionnelles, système informatisé «Repères», répertoires des programmes et prospectus des établissements d'enseignement, descriptions de postes fournies par les entreprises, publications d'offres d'emploi, brochures produites par des ministères, associations et ordres professionnels, etc.). Au cours de cette révision, des occupations devenues désuètes ont été retirées de la liste tandis que d'autres, apparues depuis, ont été ajoutées.

Également, un processus de validation fort rigoureux des définitions de professions a permis non seulement de bonifier notre document, mais d'assurer l'exactitude et la mise à jour des données présentées. Les textes descriptifs ont été soumis pour approbation et correction à des associations et ordres professionnels ainsi qu'à des établissements d'enseignement secondaire, collégial et universitaire qui offrent les programmes de formation conduisant aux métiers et professions décrits.

Parallèlement à ce processus de validation, nous avons recouru aux services d'une firme de sondage pour effectuer une consultation auprès d'un grand nombre d'entreprises réparties dans tous les secteurs d'activités économiques. Cette consultation poursuivait plusieurs buts: définir la nature des fonctions de travail exercées dans les entreprises, identifier les occupations touchées au cours des dernières années par des changements ou des apports nouveaux (nouvelle technologie, changement dans les méthodes de travail ou les procédés de production, disparition ou modification de certaines tâches, adaptation à de nouvelles normes ou réglementations), déterminer les professions rares ou nouvelles susceptibles d'être ajoutées au dictionnaire et, enfin, recueillir de l'information sur l'évolution des secteurs d'activités économiques auxquels sont associées les entreprises consultées. L'information obtenue sur ces divers sujets a permis d'actualiser encore davantage nos descriptions en tenant compte du développement technologique et de l'expérience des professionnels à l'emploi des entreprises consultées. Ainsi, quelques professions rares ou issues des nouvelles technologies sont venues enrichir notre liste. Par ailleurs, l'information recueillie sur la situation observée dans les secteurs d'activités économiques a trouvé sa place dans le contenu du guide Cléo.

Au terme de ces remaniements, nous avons finalement formé un comité de lecture composé de membres représentatifs de la clientèle diversifiée à laquelle s'adresse le Dictionnaire Septembre des métiers et professions. Tous ceux et celles qui ont participé à ce comité (étudiants, parents, professionnels des domaines de l'emploi et de l'orientation, travailleurs) ont lu et commenté nos textes dans l'optique d'en confirmer la clarté sur le plan de la linguistique et l'intérêt sur le plan de l'information. Leurs commentaires nous autorisent à croire que cet ouvrage remplit très certainement sa mission: mettre à la portée de tous, en un seul document facile à consulter, une information actuelle et fiable sur les métiers et professions.

UN DICTIONNAIRE SUIVI D'UN GUIDE D'EXPLORATION

Cet ouvrage se compose de deux parties à la fois distinctes et étroitement liées: un dictionnaire, dans lequel sont présentées en ordre alphabétique quelque 1 500 définitions, et un guide pratique intitulé Cléo, destiné à favoriser chez le lecteur une meilleure compréhension du monde du travail ainsi qu'à faciliter son exploration des métiers et professions à des fins personnelles.

Document de référence facile à consulter, le dictionnaire contient de l'information sur la nature spécifique des occupations professionnelles classées de A à Z. S'il décrit bien en quoi consiste chacune des professions, l'ordre alphabétique rend difficile la saisie des liens réels qui existent entre les professions et rend impossible une vision organisée du monde du travail. D'où l'intérêt du guide Cléo dont la fonction consiste, d'une part, à situer dans le contexte du monde du travail les rôles respectifs des travailleurs présentés isolément dans le dictionnaire et, d'autre part, à offrir une présentation cohérente des secteurs d'activités dans lesquels les travailleurs se répartissent ainsi qu'une compréhension d'ensemble de l'organisation du travail.

Aux lecteurs préoccupés par leur avenir professionnel, le guide Cléo fournit des clés d'orientation pratiques pour identifier les caractéristiques personnelles liées à une profession et aussi pour constituer une liste de professions à connaître à partir de profils professionnels.

Exploration des professions d'un côté, exploration de soi et du monde du travail de l'autre, le dictionnaire et le guide Cléo se complètent pour que chaque lecteur tire parti de l'information en fonction de ses besoins particuliers.

LE DICTIONNAIRE: MODE D'EMPLOI

L'APPELLATION

À l'exception des professions dont les titres sont réservés et les pratiques exclusives, les termes employés pour désigner une profession peuvent différer selon les milieux de travail et prendre diverses formes selon la nature du poste occupé dans une entreprise donnée. Lorsqu'ils établissent leur organigramme, les employeurs n'ont pas à se soucier de l'uniformité du vocabulaire des emplois. Nous avons, par conséquent, choisi d'employer l'appellation la plus couramment utilisée dans la documentation professionnelle ayant quelque autorité en la matière – notamment la Classification nationale des professions (CNP) et la Classification canadienne descriptive des professions (CCDP). C'est donc sous ces appellations que sont données dans le dictionnaire les définitions de quelque 1 500 métiers et professions.

Afin de refléter le plus fidèlement possible le marché du travail actuel, les titres des métiers et professions ont été féminisés. Pour ce faire, les règles grammaticales connues et usuelles pour former le féminin ont été respectées.

L'INDEX ALPHABÉTIQUE

En annexe du présent ouvrage, un index alphabétique fournit, en plus de la liste de toutes les appellations de professions employées dans le dictionnaire, des titres de professions synonymes.

CONTENU DES DÉFINITIONS

La nature même du dictionnaire nous oblige à des définitions courtes. La première partie de la définition décrit les principales tâches que comporte le métier ou la profession. La deuxième partie, qui est facultative, donne un aperçu des préoccupations que ressent la personne dans l'exercice de son travail. Quiconque veut enrichir sa recherche d'information sur une profession donnée peut le faire à l'aide des différentes clés présentées dans le guide Cléo.

Sous chaque définition se trouve le code Cléo permettant de retracer la profession dans la deuxième partie de cet ouvrage et l'ordre d'enseignement associé à la profession.

QUELQUES TERMES À CLARIFIER

Métiers et professions: Le métier désigne un ensemble de tâches, la plupart du temps physiques ou manuelles. La profession serait une forme de travail davantage intellectuelle et s'exercerait avec autonomie, de manière libérale. Cependant, la distinction ne semble pas toujours évidente. Dans les faits, la distinction est plutôt sociale. Elle n'est pas aussi nette dans la réalité. Les deux termes ont en effet beaucoup en commun. Métier et profession regroupent les gens qui s'y consacrent en corps professionnel. Ce corps professionnel reconnaît la qualification de ses membres et la qualification vient elle-même de connaissances et de compétences acquises dans le cadre d'un programme de formation.

Formation professionnelle: Elle est la maîtrise d'un savoir et d'un savoir-faire au moyen d'études pratiques, techniques ou abstraites faisant appel aux meilleurs modèles, théories et pratiques qui se sont accumulés à l'intérieur d'un domaine de travail. Une formation professionnelle permet parfois l'exercice de plusieurs professions apparentées. De même, une profession peut être exercée par des gens qui ont des formations différentes.

Occupation: Il s'agit d'un ensemble d'activités qui ne relèvent pas d'un corps professionnel, activités dont on tire ses moyens d'existence, auxquelles on s'adonne avec constance et qui comportent des contraintes comme tout travail.

Le Dictionnaire Septembre contient à la fois toutes ces variantes car toutes sont nécessaires à la compréhension du travail et toutes constituent des choix possibles.

Carrière: Elle désigne l'évolution de la vie de travail. Elle correspond à la succession des emplois occupés et des professions qui ont été exercées au cours d'une période donnée. Le terme renvoie aussi à l'itinéraire d'avancement que l'on retrouve dans des grandes organisations comme les forces armées et la fonction publique.

Choix de carrière: Cette expression connote l'idée du genre de vie professionnelle que l'on souhaite et du type de formation et de cheminement que l'on envisage. Le guide Cléo a été conçu dans le but de favoriser cette démarche. ■

DICTIONNAIRE SEPTEMBRE DES MÉTIERS ET PROFESSIONS

SEPTEMBRE

EXEMPLE D'UNE DÉFINITION

Titre du métier ou de la profession

Définition 1re partie

Description des principales tâches que comporte le métier ou la profession.

Définition 2e partie
(facultative)

Description des préoccupations que ressent la personne dans l'exercice de son travail.

Code Cléo

Le code Cléo renvoie au guide Cléo en 2e partie du document.

ACTEUR, ACTRICE Personne qui interprète un rôle à la scène ou à l'écran dans une production cinématographique, une production théâtrale ou une émission télévisée. À cette fin, elle prend connaissance du texte, étudie la psychologie du personnage afin de mieux comprendre le rôle qui lui est attribué. Elle apprend et répète le texte ainsi que les expressions et gestes associés au rôle et participe à des répétitions sous la supervision du metteur en scène. *Elle étudie avec soin le rôle à jouer de manière à rendre une interprétation réaliste et convaincante de son personnage et ainsi captiver l'intérêt de l'auditoire.*

CLÉO 625.01   U/C

Formation

S: Ordre d'enseignement secondaire ou l'équivalent
C: Ordre d'enseignement collégial ou l'équivalent
U: Ordre d'enseignement universitaire ou l'équivalent

L'ordre d'enseignement présenté en premier correspond au plus courant.

A

ACCORDEUR, ACCORDEUSE DE PIANO Personne qui accorde les pianos dans les maisons privées, les établissements publics ou les ateliers de réparation. Elle vérifie l'état des cordes et des marteaux, ajuste la tension d'une corde à partir du son du diapason et règle la tonalité des autres cordes à partir de la première. *Elle se préoccupe de la justesse des notes de manière que le piano produise des sons mélodieux.*
CLÉO 622.15   S

ACÉRICULTEUR, ACÉRICULTRICE Personne qui assure la gestion et la planification d'une érablière en vue de la fabrication des produits de l'érable. Elle dirige et exécute divers travaux (entailler les arbres, recueillir la sève et la faire bouillir, etc.) liés à la production, à la vente et à la mise en marché des différents produits. *Elle a le souci d'entailler les arbres avec minutie afin de ne pas les endommager et s'efforce de respecter les règles d'hygiène et d'excellence afin d'obtenir des produits de la meilleure qualité possible selon les exigences de la clientèle.*
CLÉO 124.26   C

ACHETEUR, ACHETEUSE Personne qui effectue les achats de marchandises pour la revente dans des commerces de gros et de détail. Elle participe à l'élaboration des politiques d'achat, se renseigne sur les variétés, les qualités et les prix des marchandises avant de faire son choix, négocie le prix, les conditions de crédit et les modalités de livraison. *Elle se préoccupe de rechercher les meilleurs fournisseurs compte tenu du prix et de la qualité des marchandises et assure le suivi des commandes.*
CLÉO 431.02   C

ACHETEUR ADJOINT, ACHETEUSE ADJOINTE Personne qui assiste le responsable des achats dans l'élaboration des stratégies d'achat. À cette fin, elle assure, entre autres, le suivi des commandes et inspecte les marchandises reçues afin de vérifier qu'elles sont en bon état et qu'elles correspondent aux commandes effectuées. *Elle se préoccupe de fournir à la clientèle des marchandises répondant à leurs besoins et veille au respect des délais de livraison.*
CLÉO 431.03   C

ACROBATE Personne qui exécute des exercices d'équilibre et de gymnastique audacieux en veillant à respecter les règles de sécurité établies. À cette fin, elle assume l'élaboration des numéros ou y participe et effectue des répétitions en vue de leur présentation devant un public. *Elle a le souci de monter des numéros périlleux et originaux qui sauront impressionner l'auditoire.*
CLÉO 625.14   C

Les **acrobates** défient les lois de la gravité avec grâce
PHOTO: P. Roussel/Publiphoto

ACTEUR, ACTRICE Personne qui interprète un rôle à la scène ou à l'écran dans une production cinématographique, une production théâtrale ou une émission télévisée. À cette fin, elle prend connaissance du texte, étudie la psychologie du personnage afin de mieux comprendre le rôle qui lui est attribué. Elle apprend et répète le texte ainsi que les expressions et gestes associés au rôle et participe à des répétitions sous la supervision du metteur en scène. *Elle étudie avec soin le rôle à jouer de manière à rendre une interprétation réaliste et convaincante de son personnage et ainsi captiver l'intérêt de l'auditoire.*
CLÉO 625.01   U/C

ACTUAIRE Personne qui analyse des données statistiques et qui effectue des calculs de probabilités en vue de guider des décisions d'ordre économique et d'élaborer des politiques financières. Dans le domaine des assurances, elle élabore les couvertures de différents régimes d'assurances, de retraite ou de sécurité publique, détermine les taux des primes ou les contributions qui doivent être exigées selon les catégories de la population et définit les règles de calcul pour l'attribution équitable des prestations ou des indemnisations. Elle peut également intervenir dans la prévision des tendances sur le marché boursier ou dans le commerce international. *Elle s'efforce d'identifier et d'évaluer rigoureusement les facteurs qui ont une influence sur les questions financières, d'en prévoir les effets et de prendre des décisions en conséquence.*
CLÉO 423.02   U

ACUPUNCTEUR, ACUPUNCTRICE Personne qui procède, selon la méthode traditionnelle orientale, à l'examen clinique de l'état énergétique d'une personne et qui, selon cet examen, détermine et effectue le traitement à l'aide d'aiguilles, chaleur, pressions, courant électrique ou rayon lumineux, dans le but d'améliorer la santé ou de soulager la douleur par la stimulation des muqueuses ou des tissus sous-cutanés. *Elle se préoccupe de la santé globale de la personne et prend ainsi en considération tous les aspects de sa vie, comme les émotions, le travail, les habitudes alimentaires.*
CLÉO 524.03   C

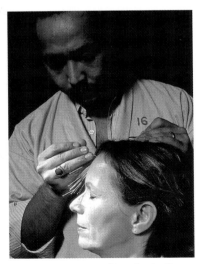

Les **acupuncteurs** utilisent des aiguilles, entre autres moyens, pour traiter les problèmes de santé
PHOTO: Sygma/Publiphoto

ADJOINT ADMINISTRATIF, ADJOINTE ADMINISTRATIVE Personne qui établit et coordonne les procédures administratives, les activités de relations publiques, de recherche et d'analyse pour les ministres, les sous-ministres, les députés, les cadres supérieurs, les comités et les conseils d'administration en vue de les assister dans leurs fonctions administratives. Entre autres, elle analyse les notes de service et les rapports qui arrivent au bureau ou qui en sortent. Elle effectue des recherches, compile des données et prépare des rapports. Elle rencontre des personnes ou des groupes au nom de la direction pour discuter de questions spécifiques.
CLÉO 421.02   C/U

ADMINISTRATEUR, ADMINISTRATRICE Personne qui planifie, organise et supervise, en collaboration avec le personnel cadre sous sa responsabilité, l'ensemble des activités d'une société privée ou publique (entreprise privée, organisme gouvernemental, société d'État, établissement hospitalier, scolaire, banque, etc.). À cette fin, elle gère les ressources humaines, assure la gestion financière de l'entreprise, détermine les besoins en main-d'oeuvre, équipements et fournitures. Elle représente l'entreprise auprès de la clientèle, du public et d'organismes. Elle voit à l'élaboration et à l'application des politiques, normes et règlements de l'entreprise et établit des objectifs de développement et d'amélioration de la qualité des produits ou des services. *Elle veille à mettre sur pied un système de gestion efficace en vue d'assurer le meilleur rendement possible de l'entreprise.*
CLÉO 421.03   U

ADMINISTRATEUR, ADMINISTRATRICE DE BASES DE DONNÉES Personne qui installe, gère et maintient toutes les bases de données et les serveurs de duplication des données informatiques d'une organisation. À cette fin, elle assume l'administration de toutes les opérations de gestion de bases de données (sauvegarde, restauration, recouvrement) de même que les opérations de sécurité (droits et privilèges d'accès, gestion de l'espace et de l'installation des serveurs). *Elle se préoccupe de la cohérence et de l'efficacité dans la gestion de bases de données.*
CLÉO 721.07   C/U

ADMINISTRATEUR, ADMINISTRATRICE DE SYSTÈMES INFORMATIQUES Personne qui élabore des standards et des politiques en vue d'intégrer divers systèmes informatiques en respectant les objectifs et les normes de qualité de l'organisation. Elle a la responsabilité de voir à l'application des normes d'utilisation et des politiques d'accès à l'information et veille à ce que les systèmes informatiques correspondent toujours au développement et à l'évolution technique de l'entreprise. Elle voit également à la transmission de l'information en ce qui concerne les normes et politiques ayant trait à l'informatique.
CLÉO 721.06   C/U

ADMINISTRATEUR, ADMINISTRATRICE FIDUCIAIRE Personne au service d'une société de fiducie qui s'occupe de la gestion comptable et fiscale de l'actif (valeurs mobilières, biens immobiliers) et des dettes de particuliers, de sociétés ou de successions, conformément aux dispositions des mandats en fiducie qui lui sont confiés. Elle recommande ou effectue des placements et des transactions immobilières, gère le remboursement des dettes, produit les états financiers, les déclarations de revenus. Elle fournit également des services de planification testamentaire et d'assistance aux héritiers dans le règlement de la succession et l'administration des legs. *Elle s'efforce de prendre en charge au nom de ses clients toutes les démarches administratives nécessaires au respect des lois et à la protection de leurs biens.*
CLÉO 423.06   U

AFFÛTEUR, AFFÛTEUSE D'OUTILS DE MACHINES À BOIS Personne qui aiguise, entretient et répare le matériel tranchant de différentes machines à bois industrielles à l'aide d'une affûteuse. Elle voit aussi à nettoyer et à régler la tension des lames. *Elle se préoccupe de faire des réglages précis afin que les machines et les outils soient en bon état.*
CLÉO 236.19   S

AFFÛTEUR, AFFÛTEUSE DE SCIES Personne qui affûte, entretient, répare et règle différents outils de coupe tels que des scies circulaires, des scies à ruban, des couteaux divers à l'aide d'outils à main spécialisés. *Elle s'efforce de vérifier régulièrement l'usure et les défauts des outils afin de pouvoir apporter les réparations nécessaires et ainsi assurer en tout temps le bon fonctionnement des outils.*
CLÉO 225.12   S

AGENT, AGENTE AU CLASSEMENT DES DÉTENUS DANS LES PÉNITENCIERS Personne qui détermine le niveau de surveillance nécessaire et les programmes d'intervention les plus favorables à la réadaptation des personnes détenues. Elle a la responsabilité d'assurer un suivi auprès des personnes détenues, de faire des évaluations périodiques et de déterminer si ces personnes sont prêtes à bénéficier d'une libération. *Elle se préoccupe de mettre au point un plan de réadaptation adapté à chaque détenu pour lui permettre de progresser et ainsi faciliter sa réinsertion sociale.*
CLÉO 332.03   U

AGENT COMMERCIAL, AGENTE COMMERCIALE
Personne qui vend des produits à des magasins de gros, de détail ou à d'autres établissements, pour un ou plusieurs fabricants étrangers ou nationaux. Elle fait, entre autres, la promotion des produits et services, met en place des programmes de vente, sollicite de nouveaux clients et assure un suivi auprès de la clientèle. *Elle doit se tenir au courant des tendances de la consommation, des conditions du marché et des nouveautés de manière à pouvoir satisfaire les besoins de sa clientèle.*
CLÉO 432.03   C

AGENT-CONSEIL, AGENTE-CONSEIL DE CRÉDIT
Personne qui, dans un établissement financier, analyse, évalue et traite les demandes de crédit ou de prêt. À cette fin, elle rencontre les personnes qui font les demandes afin de déterminer le type et le montant du prêt (prêt personnel, étudiant, hypothécaire, agricole, commercial) ou du crédit convenant à leurs projets, elle recueille et analyse tous les renseignements relatifs à leur situation financière (revenus, degré de solvabilité, capacité de remboursement, etc.) et remplit les documents requis. Elle s'occupe également des démarches et formalités diverses entourant l'approbation des demandes et assure le suivi des transactions. Elle peut être chargée des services à une clientèle particulière (prêts aux particuliers, prêts agricoles, prêts commerciaux) et porter le titre correspondant à cette fonction. *Elle s'efforce de conseiller adéquatement les clients en fonction de leurs besoins et de leur situation financière et veille à bien les renseigner sur les conditions d'emprunt et leurs obligations de remboursement (taux d'intérêt, modalités et fréquence des remboursements, pénalités de retard, etc.) en cas d'acceptation de leur demande.*
CLÉO 423.09   C

AGENT, AGENTE D'ADMINISTRATION Personne qui, en vue d'assister les cadres supérieurs, les comités et les conseils d'administration, supervise et coordonne les services administratifs. À cette fin, elle étudie, évalue et applique de nouvelles méthodes de travail, participe à la préparation du budget, établit l'ordre de priorité des tâches et répartit le travail.
CLÉO 421.08   C/U

AGENT, AGENTE D'ASSURANCE-EMPLOI Personne qui, dans une administration publique fédérale, est chargée de traiter les demandes de prestations d'assurance-emploi des travailleurs au chômage, conformément aux règles établies. Elle s'occupe, entre autres, de déterminer l'admissibilité des personnes à des prestations et d'en fixer le montant d'après les renseignements fournis par les employeurs et les prestataires éventuels (durée de l'emploi, salaire, raisons de la perte d'emploi), de faire enquête, au besoin, d'assurer le suivi des dossiers pendant la période de chômage et de renseigner les prestataires sur les programmes et services susceptibles de les aider à trouver un autre emploi.
CLÉO 421.20   U

AGENT, AGENTE D'ASSURANCES Personne au service d'une compagnie d'assurances qui offre et vend des polices (incendie, vol, vie, automobile, etc.) à des particuliers ou à des entreprises. Elle propose aux clients la formule de protection convenant le mieux à leurs besoins, fournit tous les renseignements nécessaires sur les risques couverts, les primes et autres clauses du contrat et remplit les formulaires requis pour l'émission de la police. Elle reçoit et traite également les demandes de renouvellement de contrat et prépare les avis d'échéance. *Elle se préoccupe d'offrir à la clientèle un service courtois, rapide et efficace afin de contribuer à la bonne réputation de la compagnie.*
CLÉO 423.43   C

AGENT, AGENTE D'ATTRIBUTION DE LA SÉCURITÉ DU REVENU Personne qui étudie la demande des gens et leur admissibilité au régime d'aide sociale, de la santé et des services sociaux ou de la Commission de la santé et de la sécurité du travail. À cette fin, elle rencontre les personnes afin d'obtenir les documents nécessaires à la demande, elle les renseigne sur les lois et règlements et elle vérifie la véracité de l'information obtenue. *Elle a le souci d'appliquer les lois et règlements en vigueur de manière à éviter les abus et les fraudes.*
CLÉO 531.23   C

AGENT, AGENTE D'INFORMATION Personne qui est chargée, dans une organisation (gouvernement, établissement d'enseignement, association professionnelle), de recueillir et d'adapter des données d'information en vue d'informer la clientèle ou de faire la promotion d'un sujet relatif à ses activités. À cette fin, elle détermine le moyen le plus approprié (réunion des membres, brochure, communiqué de presse, etc.) pour répondre aux besoins de communication ou de transmission d'information, en établit le contenu conformément aux objectifs et au public visés, veille à sa diffusion et répond aux demandes de renseignements verbales ou écrites de la clientèle.
CLÉO 711.11   U

AGENT, AGENTE DE BORD Personne qui assure le service et le confort des passagers à bord d'un avion. Elle doit, entre autres, les accueillir, vérifier les dispositifs de sécurité, offrir des journaux et revues et, selon le vol, des repas et des boissons. *Elle veille à donner aux personnes les soins et services nécessaires afin d'assurer leur confort et leur bien-être à bord.*
CLÉO 433.78   S

AGENT, AGENTE DE CONSERVATION DE LA FAUNE Personne qui effectue des inspections sur les sites de chasse et de pêche sportives pour s'assurer qu'aucune infraction aux lois et règlements sur la faune n'est commise (absence de permis, nature et quantité illégales de poissons ou gibier capturés, méthodes de capture non autorisées) et qui enquête dans le cas de délits afin qu'action soit prise contre les responsables. Dans une optique de prévention, elle renseigne les chasseurs et pêcheurs sur les lois fauniques en vigueur, sur les règlements concernant le site et sur les règles de sécurité relatives au matériel de chasse et de pêche. *Elle se préoccupe de déceler et de prévenir les situations irrégulières ou abusives et de sensibiliser toute personne s'adonnant à la chasse ou à la pêche à l'importance de protéger l'équilibre de la faune.*
CLÉO 131.09   S

AGENT, AGENTE DE DÉVELOPPEMENT ÉCONOMIQUE Personne qui administre des programmes visant à promouvoir les investissements industriels et commerciaux dans une région donnée. Elle veille, entre autres, à localiser les sites industriels, commerciaux et touristiques disponibles. Elle participe à l'élaboration des stratégies de développement, établit un plan d'action et supervise sa mise en oeuvre. Afin d'accélérer le développement industriel de la région, elle identifie les entrepreneurs et investisseurs potentiels, détermine et évalue leurs besoins et leur propose des plans d'action.
CLÉO 411.06   U

Un **agent de développement économique** est en consultation avec des entrepreneurs
PHOTO: Renée Méthot/Univ. Laval–Fac. des sciences de l'agric. et de l'alim.

AGENT, AGENTE DE DOTATION Personne qui s'occupe du recrutement, de la sélection et de l'affectation du personnel dans des postes nouveaux ou vacants d'une organisation. À cette fin, elle met au point et administre des outils de sélection, prépare les concours et sélectionne les candidatures. *Elle a le souci de recruter du personnel compétent en vue de répondre aux objectifs et besoins de l'organisation.*
CLÉO 422.18   U

AGENT, AGENTE DE GESTION IMMOBILIÈRE

Personne qui, pour le compte de propriétaires d'immeubles, négocie et prépare les contrats de location et les baux avec les locataires, veille au respect des ententes contractuelles, perçoit le montant des loyers et donne suite aux réclamations. Elle s'occupe également de négocier et d'administrer les contrats d'entretien et de services, d'embaucher et de superviser le personnel requis, de surveiller le déroulement des travaux et la justification des coûts. Elle tient à jour les dossiers relatifs aux contrats, aux revenus de location et aux coûts d'entretien et prépare des rapports périodiques à l'intention des propriétaires. *Elle se préoccupe de gérer efficacement les immeubles dont elle est responsable afin de donner satisfaction aux propriétaires quant à la rentabilité des immeubles, à leur entretien et à la qualité des relations avec les locataires.*
CLÉO 421.21 S

AGENT, AGENTE DE GUICHET AUTOMATIQUE

Personne qui s'occupe du bon fonctionnement des systèmes de guichets automatiques des institutions bancaires et de l'approvisionnement des guichets en billets bancaires, papier d'impression, fiches de relevés de comptes, enveloppes de dépôts. *Elle s'efforce d'intervenir rapidement lorsque des réparations sont nécessaires et veille à effectuer les opérations d'approvisionnement selon les normes de sécurité afin d'éviter les éventuelles tentatives de vol.*
CLÉO 423.14 S

AGENT, AGENTE DE LA PROTECTION CIVILE

Personne qui, au sein de l'administration publique, élabore des plans d'intervention visant à assurer la protection des citoyens dans des situations éventuelles de catastrophe (tremblement de terre, incendie de forêt ou inondation de grande envergure, catastrophe écologique, épidémie, etc.), de guerre civile, d'attaque par une autre nation ou tout autre danger pouvant menacer la vie, la santé et la sécurité d'un grand nombre de personnes. À cette fin, elle analyse les risques, les causes, le déroulement et les conséquences possibles de diverses situations hypothétiques d'urgence relevant de ses compétences et définit pour chacune divers scénarios d'intervention qui pourraient être mis en oeuvre. *Elle s'efforce de prévoir toutes les éventualités et de mettre au point des scénarios d'intervention efficaces afin que les autorités, en cas d'urgence réelle, puissent réagir rapidement en mobilisant les ressources prévues.*
CLÉO 331.03 U

AGENT, AGENTE DE LIBÉRATION CONDITION-NELLE

Personne qui travaille auprès des personnes détenues bénéficiant d'une libération conditionnelle afin de favoriser leur réinsertion et de s'assurer du respect des conditions de libération. À cette fin, elle rencontre les personnes afin d'évaluer les chances que la libération soit une réussite et établit un programme de réadaptation selon leurs besoins. Elle assure également un suivi, constate l'évolution ou la régression sociale et psychologique de la personne et elle présente des recommandations à une commission de libérations conditionnelles. *Elle est soucieuse de mettre en place les conditions nécessaires au succès de la transition et d'assurer la protection des personnes et de la société.*
CLÉO 332.05 U

AGENT, AGENTE DE LOCATION D'EMPLACE-MENTS POUR PANNEAUX-RÉCLAMES

Personne qui est chargée par une agence de publicité de chercher et de louer des emplacements appropriés (terrains, toits, murs de bâtiments, véhicules publics, etc.) pour installer des panneaux-réclames, des affiches commerciales ou des messages publicitaires électroniques. *Elle s'efforce de localiser les emplacements les plus propices pour atteindre la clientèle visée par la publicité et d'en négocier la location au meilleur prix possible.*
CLÉO 432.39 S

AGENT, AGENTE DE LOCATION DE VÉHICULES

Personne qui, dans une agence de location de véhicules routiers, effectue diverses tâches administratives liées à la gestion des réservations de véhicules, des contrats de location et des assurances. Elle voit à l'inspection des véhicules au départ et à l'arrivée et au moment de la préparation avant la livraison (plein d'essence, entretien général). *Elle doit s'assurer, selon ses fonctions, que les contrats de location sont remplis adéquatement, que les véhicules loués sont en bon état de circulation et de propreté et doit vérifier, à leur retour, si les véhicules ont subi des dommages qui nécessiteraient des démarches auprès de la compagnie d'assurances.*
CLÉO 433.24 S

AGENT, AGENTE DE PISTE D'ATTERRISSAGE

Personne qui travaille au service d'entretien des avions. Elle s'occupe, entre autres, de classer, d'acheminer, de charger et de décharger les bagages, de nettoyer l'intérieur de l'appareil, de faire l'approvisionnement en nourriture, en eau, en articles d'hygiène. *Elle veille à ne rien oublier de façon à assurer le confort et la sécurité des gens et à contribuer à la bonne réputation de la compagnie aérienne.*
CLÉO 433.83 S

AGENT, AGENTE DE POLICE DU PORT

Personne qui assure la surveillance et le respect des lois dans un port. À cette fin, elle parcourt le secteur qui lui est attribué, porte secours aux personnes en danger, participe aux recherches et arrestations de criminels et effectue des enquêtes en cas de délits.
CLÉO 433.61 C

AGENT, AGENTE DE PRÉVENTION DES INCENDIES DE FORÊT Personne qui s'occupe de la prévention des incendies de forêt. À cette fin, elle s'assure que les chantiers et les sites de séjour en milieu forestier sont conformes aux lois, normes de sécurité et mesures de prévention des incendies. Elle participe aussi aux opérations de lutte contre les incendies en activité. *Elle s'efforce de sensibiliser les travailleurs en milieu forestier et le public en général aux causes et aux conséquences des incendies de forêt d'origine humaine. En plus de connaître les techniques de lutte pour maîtriser un incendie de forêt, elle doit aussi maintenir une bonne forme physique pour résister, en cas d'incendie, à l'effort et à la chaleur intenses.*
CLÉO 131.10   S

AGENT, AGENTE DE PROMOTION TOURISTIQUE Personne qui travaille à la promotion et à la commercialisation des services et des produits touristiques d'une région donnée. À cette fin, elle étudie le potentiel touristique de la région (attraits naturels, sites à visiter, possibilités d'activités récréatives, sportives ou culturelles, services d'hébergement, de restauration et de transport, etc.) et procède à des études de marché afin de cibler des clientèles et d'en évaluer les besoins. Elle établit et met en oeuvre des stratégies de promotion dans la région (conférences de presse, tournées promotionnelles, invitations spéciales, etc.), rédige des dépliants publicitaires et fait de la publicité, entre autres dans les médias, auprès des agences de voyage et des compagnies de transport. *Elle s'efforce de mettre au point des stratégies de promotion qui sauront attirer la clientèle visée et d'inciter les organismes du milieu à la création de produits et services touristiques attrayants.*
CLÉO 513.02   C

AGENT, AGENTE DE TRAIN Personne qui, lors des départs ou des arrivées des trains, aide les voyageurs à monter dans le train ou à en descendre. Elle s'assure également que les bagages sont bien rangés, effectue des tournées dans les voitures pour vérifier si tout est en ordre, annonce les gares et donne des renseignements généraux. *Elle se préoccupe de la sécurité des passagers en veillant à signaler toute défectuosité pouvant nuire à la bonne marche du train.*
CLÉO 433.44   S

AGENT, AGENTE DE TRIAGE Personne qui, dans une gare de triage ou un établissement industriel, s'occupe de manoeuvrer des wagons à des endroits précis, d'attacher ou de détacher des wagons en vue du chargement ou du déchargement. À partir des instructions reçues, elle achemine chaque wagon dans la voie qui lui est affectée en faisant diverses manoeuvres de déplacement. *Elle s'assure de bien manipuler les leviers d'accrochage et de débloquer les freins afin de permettre le bon déroulement des opérations.*
CLÉO 433.45   S

AGENT, AGENTE DE VOYAGES Personne qui vend et organise des voyages selon les besoins et les goûts des clients. À cette fin, elle présente les attraits et les services touristiques propres à diverses destinations, fournit des renseignements sur les modalités de voyage et les sites de séjour, fait les réservations nécessaires pour le transport et l'hébergement, s'occupe de l'émission des billets de transport et des assurances et perçoit les paiements. *Elle s'efforce de prévoir tous les détails du voyage et de fournir les renseignements utiles sur la destination choisie afin de faciliter à ses clients l'organisation de leur voyage et de s'assurer de leur entière satisfaction.*
CLÉO 513.09   S

AGENT, AGENTE DES BREVETS Personne spécialisée en droit des affaires, commercial, corporatif, informatique ou autre, qui prépare et soumet à l'Institut canadien des brevets et marques les demandes de brevet présentées par des inventeurs, des chercheurs et des concepteurs de différents domaines. Elle analyse méticuleusement les documents présentés en vue de protéger les droits de propriété intellectuelle ou d'exploitation commerciale du nouveau produit, du procédé technologique ou de la découverte scientifique. *Elle prend soin d'examiner soigneusement le dossier et les brevets octroyés antérieurement dans le même domaine afin d'assurer l'authenticité et la nouveauté des inventions et ainsi éviter les fraudes éventuelles.*
CLÉO 322.11   U

AGENT, AGENTE DES LOYERS Personne qui est chargée de résoudre les litiges entre propriétaires et locataires en appliquant les règlements en matière de location d'immeubles. Elle reçoit les plaintes des propriétaires ou des locataires (conditions sanitaires, installations et services, montant du loyer), renseigne les parties sur leurs obligations et droits respectifs, tente de régler les litiges et, s'il y a lieu, procède à une enquête et rend une décision exécutoire. *Elle s'efforce de proposer des formules de baux susceptibles de prévenir les conflits entre propriétaires et locataires et, s'il y a lieu, d'intervenir de façon impartiale pour protéger les droits des deux parties.*
CLÉO 322.08   C

AGENT, AGENTE DES RESSOURCES HUMAINES Personne qui effectue diverses tâches en gestion des ressources humaines afin d'assurer l'efficacité des services de l'organisation. Entre autres, elle évalue les besoins en personnel, rédige et publie les offres d'emploi, fait la sélection des candidatures,

accueille le nouveau personnel, élabore une politique de gestion des ressources humaines et en évalue les résultats. Elle s'assure également du respect de la Loi sur la santé et la sécurité au travail. *Elle a le souci de sélectionner du personnel compétent et à même de fournir leur plein rendement de façon à assurer la rentabilité et l'efficacité de l'entreprise.*
CLÉO 422.17   U

AGENT, AGENTE DES SERVICES CORRECTION-NELS
Personne qui surveille les personnes détenues en institution en s'assurant que les pratiques et les règlements en vigueur dans le milieu sont respectés. Afin de prévenir toute émeute ou évasion et de maintenir l'ordre, elle effectue des rondes, surveille les portes, les barrières et les dispositifs de sécurité et escorte, au besoin, les personnes détenues. *Elle doit faire preuve de vigilance afin de déceler tout objet dangereux ou illégal, toute activité interdite, infraction aux règlements ou encore toute attitude de résistance, dans le but d'assurer le maintien de l'ordre et un climat de coexistence pacifique.*
CLÉO 332.04   C

AGENT, AGENTE DU SERVICE EXTÉRIEUR DIPLOMATIQUE
Personne qui, en tant que diplomate, représente une province ou un pays et ses citoyens à l'étranger et travaille à défendre leurs intérêts et à faire reconnaître leur valeur en matière politique, commerciale, économique, juridique, culturelle ou autre. Elle participe à l'élaboration de politiques extérieures qui seront proposées et adoptées par son gouvernement puis expliquées aux gouvernements des pays d'accueil. Elle participe à des discussions internationales sur divers sujets et se préoccupe également du bon traitement des compatriotes dans leur pays d'accueil. *Elle a le souci d'entretenir de bonnes relations avec les gouvernements d'autres pays et d'améliorer la position du gouvernement qu'elle représente.*
CLÉO 311.06   U

AGENT IMMOBILIER, AGENTE IMMOBILIÈRE
Personne qui agit à titre d'intermédiaire pour vendre ou louer des maisons, des commerces, des bureaux ou d'autres biens immobiliers. Avec l'accord des propriétaires désireux de vendre ou de louer leur propriété, elle se charge de trouver des acheteurs ou des locataires, de leur faire visiter les lieux et de leur fournir tous les renseignements utiles. Inversement, elle peut recevoir des mandats de recherche d'acheteurs ou de locataires pour trouver la propriété convenant à leurs besoins. *Elle veille à se tenir au courant des offres et des demandes immobilières de son secteur et s'efforce d'assister efficacement ses clients dans leurs démarches afin de s'assurer que les transactions effectuées soient faites à la satisfaction des deux parties.*
CLÉO 423.34   S/C

L'**agent immobilier** se déplace afin de faire visiter les propriétés de ses clients
PHOTO: M. J. Laurence/Publiphoto

AGENT SYNDICAL, AGENTE SYNDICALE
Personne qui aide les représentants syndicaux à défendre les intérêts des membres d'un syndicat. Elle participe, entre autres, à la collecte, au dépôt et à la rédaction de demandes syndicales, aux négociations et à la mise en application des conventions collectives et aux règlements de griefs. *Elle vise l'obtention d'améliorations des conditions de travail et le respect des droits des travailleurs ainsi que des ententes conclues avec l'employeur.*
CLÉO 422.03   U

AGENT VENDEUR, AGENTE VENDEUSE DE BILLETS
Personne qui fournit aux agents de voyage et aux voyageurs indépendants des renseignements sur les tarifs, les horaires et les itinéraires d'une ou plusieurs compagnies de transport (aérien, ferroviaire ou maritime). Elle s'occupe également de la réservation des places, de l'émission des billets et de la perception des paiements. *Elle doit maîtriser le système informatique de réservations et entrer correctement les données sur le terminal afin que les agents de voyages et les voyageurs indépendants obtiennent les places demandées.*
CLÉO 433.15   S

AGRO-ÉCONOMISTE
Personne qui, en tant que spécialiste de l'économie agroalimentaire et du développement en milieu rural, planifie l'utilisation maximale des ressources agricoles, et ce, tant dans le domaine agricole que dans le secteur de l'agroalimentaire. Elle peut agir à titre de conseillère ou d'analyste en financement, en gestion, en mise en marché, en économie, en agronomie, en développement international ou régional. Elle peut conseiller les propriétaires d'entreprises sur la

planification, le financement et la gestion de leur exploitation. Elle peut analyser des dossiers de financement présentés par les propriétaires d'entreprises aux organismes prêteurs ou encore concevoir et administrer des programmes gouvernementaux destinés au secteur agroalimentaire (crédit agricole, assurance agricole, etc.). Elle peut également participer à des projets de développement international dans des pays du tiers-monde ou encore analyser l'évolution des marchés agricoles.
CLÉO 124.01   U

Un **agro-économiste** analyse avec des producteurs agricoles les données d'opération de leur entreprise
PHOTO: Marc Robitaille/Univ. Laval–Fac. des sciences de l'agric. et de l'alim.

AGRONOME Personne qui conseille ou fait des recommandations aux entreprises agricoles, para-agricoles ou alimentaires. À cette fin, elle expérimente, applique, communique ou vulgarise les lois, les procédés et les principes de la culture (plantes agricoles et végétaux), de l'élevage des animaux, de l'aménagement et de l'exploitation des sols et du territoire, de la gestion des entreprises, de l'économie agroalimentaire et rurale et de la conservation, de la transformation et de la commercialisation des produits agricoles. Elle analyse également le milieu, évalue la situation, gère la qualité, diagnostique les problèmes, propose des solutions et établit un plan d'action. Elle élabore des procédés, des méthodes, des normes et effectue le suivi de ses recommandations. *Elle s'efforce de cerner les problèmes de l'entreprise et de proposer les solutions appropriées afin d'obtenir les meilleurs résultats possible, et ce, avec un souci constant de protection de l'environnement.*
CLÉO 124.08   U

AGRONOME-DÉPISTEUR, AGRONOME-DÉPISTEUSE Personne qui est spécialisée dans une production de plantes et qui inspecte des champs de culture afin de détecter tout problème d'infestation d'insectes ou de maladie qui pourrait nuire aux exploitations. En cas de maladie ou d'infestation, elle en évalue l'ampleur et avise les exploitants concernés. Elle surveille les conditions climatiques favorables à l'apparition des infestations et formule des recommandations sur les moyens à utiliser pour protéger les champs en culture et réduire les dommages. *Elle a le souci de se tenir informée des formes de manifestation des insectes et des organismes qui peuvent transmettre des maladies ou des dommages aux plantes.*
CLÉO 124.06   U

AGRONOME DES SERVICES DE VULGARISATION Personne spécialisée dans une production de plantes ou d'animaux ou dans l'analyse économique d'un type d'exploitation et qui vulgarise les derniers progrès technologiques auprès d'entrepreneurs ou d'agronomes s'intéressant à une production donnée. *Elle a le souci de se tenir au courant des plus récents progrès technologiques afin de pouvoir informer les gens et leur donner une formation adéquate et ainsi contribuer à améliorer le rendement de leur exploitation.*
CLÉO 124.02   U

AGRONOME EN AGRICULTURE BIOLOGIQUE Personne spécialisée dans une production de plantes ou d'animaux et qui élabore des techniques propres à l'agriculture biologique. Elle prône l'utilisation de produits naturels et organiques plutôt que d'origine industrielle et synthétique pour subvenir aux besoins des plantes et des animaux ainsi que pour lutter contre les ennemis de la culture. *Elle s'efforce d'identifier les facteurs de succès de la production et de les appliquer pour obtenir de meilleurs résultats. Elle identifie les causes possibles d'échec et les minimise en choisissant les moyens appropriés pour les combattre sans toucher la qualité de l'écosystème.*
CLÉO 124.29   U

AGRONOME EN PRODUCTION ANIMALE Personne qui fait de la recherche sur la production et l'élevage d'animaux. Elle s'intéresse, entre autres, à la génétique, à la reproduction, à la nutrition, aux techniques de production et aux méthodes d'élevage. Elle intervient comme conseillère tant auprès des entreprises agricoles que de l'industrie agroalimentaire, en suggérant des méthodes nouvelles ou améliorées qui permettront de développer ou de rentabiliser les productions animales.
CLÉO 126.01   U

AGRONOME EN PRODUCTION VÉGÉTALE Personne qui conseille les entreprises agricoles à partir d'études qu'elle fait sur les plantes ornementales, potagères et de grande culture en vue de découvrir des méthodes de production ou de reproduction rentables et écologiques et d'obtenir un produit de qualité. À cette fin, elle analyse la production agricole de l'entreprise, elle met au

point des méthodes de lutte contre les mauvaises herbes, les insectes et les maladies des plantes, elle analyse les plantes et le sol afin d'en déterminer les besoins (en eau, en éléments minéraux, en chaux, en matière organique) et fait des recommandations. *Elle s'efforce de déterminer des méthodes efficaces et écologiques de plantation, de culture et de récolte dans le but d'améliorer la qualité et le rendement de la production.*
CLÉO 124.12   U

Un **agronome en production végétale**
examine la croissance in vitro de plantes
qui finiront leur croissance au champ
PHOTO: Renée Méthot/Univ. Laval–Fac. des sciences de l'agric. et de l'alim.

AGRONOME PÉDOLOGUE Personne qui étudie la composition et le comportement des sols afin d'en améliorer la gestion, de préciser les productions végétales qui permettront de mettre les sols en valeur, d'en augmenter la fertilité et la productivité, d'en assurer la conservation, et ce, dans un souci de protection de l'environnement. *Elle s'efforce de bien déterminer les particularités des sols (fertilité, degré de perméabilité, acidité, etc.) afin d'en établir les possibilités et les limites et ainsi maximiser la production de plantes destinées à l'alimentation des humains, des animaux, à des fins ornementales ou à d'autres usages après une transformation industrielle (médicaments, textiles, cosmétiques, etc.).*
CLÉO 124.03   U

AIDE-ARBORICULTEUR, AIDE-ARBORICULTRICE
Personne qui assiste l'arboriculteur dans l'exécution des tâches d'entretien des arbres, dans les lieux publics, privés, commerciaux ou le long des routes. Entre autres, elle enlève les souches, coupe des branches, plante des arbres, applique des traitements à l'aide d'outils manuels ou mécanisés. *Elle a le souci de remplir ses tâches conformément aux directives reçues afin d'améliorer l'aspect et la vigueur des arbres et arbustes.*
CLÉO 125.11   S

AIDE-BOUCHER, AIDE-BOUCHÈRE Personne qui reçoit, entrepose, transporte et prépare les viandes en vue de la coupe et de la vente. Elle procède au déchargement des camions, à l'examen des produits reçus, au contrôle des quantités et veille au bon fonctionnement des outils et de l'équipement de boucherie. *Elle a le souci de s'assurer de la qualité et de la fraîcheur des produits et de respecter les normes d'hygiène afin de satisfaire les exigences de la clientèle.*
CLÉO 432.19   S

AIDE-BOULANGER, AIDE-BOULANGÈRE Personne qui, en vue d'aider le boulanger, effectue différentes tâches telles qu'apporter ou répartir les ingrédients de boulangerie, mélanger et pétrir la pâte, graisser et enfariner les moules, nettoyer l'outillage. *Elle s'efforce de bien suivre les indications reçues de façon à assurer la qualité des produits sur le marché.*
CLÉO 228.27   S

AIDE-CHAUFFEUR, AIDE-CHAUFFEUSE DE CAMION Personne qui, en vue d'aider le chauffeur de camion dans la manutention de marchandises ou de matériaux, charge et décharge les véhicules à la main ou à l'aide de chariots. *Elle s'efforce de disposer la marchandise de façon à utiliser l'espace au maximum et à assurer son bon état au moment de la livraison.*
CLÉO 433.32   S

AIDE-COIFFEUR, AIDE-COIFFEUSE Personne qui effectue diverses tâches liées aux soins capillaires et aux techniques de coiffure en collaboration avec le personnel d'un salon de coiffure. Elle s'occupe, entre autres, de laver et de démêler les cheveux des clients, de faire des traitements capillaires, d'appliquer des produits de coloration ou d'ondulation.
CLÉO 516.08   S

AIDE-CORDONNIER, AIDE-CORDONNIÈRE Personne qui aide le cordonnier à réparer des chaussures. À cette fin, elle effectue différentes tâches telles que fixer les nouveaux talons et les nouvelles semelles aux chaussures, cirer, colorer et teindre les chaussures. *Elle a le souci d'effectuer ses tâches avec précision et selon les directives reçues afin de répondre aux exigences de la clientèle.*
CLÉO 237.24   S

AIDE-CUISINIER, AIDE-CUISINIÈRE Personne qui aide le cuisinier à préparer des repas dans un restaurant, une cafétéria, un hôpital, etc. À cette fin, elle doit, entre autres, laver et peler les fruits et légumes, peser et préparer les ingrédients, nettoyer les ustensiles et les postes de travail. *Elle a le souci de bien suivre les indications reçues afin d'assister adéquatement le cuisinier et d'accélérer les étapes de préparation des mets.*
CLÉO 511.11   S

23

AIDE D'ATELIER D'USINAGE Personne qui, en vue d'aider le personnel en atelier d'usinage, effectue diverses tâches de manutention, de nettoyage et des opérations simples sur des machines-outils. *Elle s'efforce d'effectuer son travail selon les directives reçues afin de contribuer au bon fonctionnement de l'entreprise.*
CLÉO 231.14   S

AIDE-ÉDUCATEUR, AIDE-ÉDUCATRICE EN GARDERIE Personne qui accomplit diverses tâches auprès d'enfants d'âge préscolaire afin d'assister les éducatrices en services de garde dans leur travail. Elle prépare, entre autres, du matériel et des installations pour divers types d'activités intérieures ou extérieures, prépare et sert les goûters, prodigue certains soins physiques, fait de la surveillance et participe à l'animation d'activités éducatives ou physiques. *Elle s'efforce d'établir des relations positives avec les enfants et d'être attentive à leurs besoins afin de contribuer à créer un climat agréable et stimulant pour les enfants.*
CLÉO 611.02   S

AIDE-ÉLECTRICIEN, AIDE-ÉLECTRICIENNE D'ENTRETIEN Personne qui effectue différentes tâches pour aider à monter, à réparer et à entretenir des pièces comme des appareils d'éclairage, des moteurs et des canalisations dans un établissement commercial, industriel ou autre. *Elle s'efforce d'exécuter ses tâches selon les instructions reçues afin d'aider au bon déroulement des réparations.*
CLÉO 224.10   S

AIDE FAMILIAL, AIDE FAMILIALE Personne qui effectue l'entretien ménager et qui fournit des services de soutien familial à domicile (hygiène, garde d'enfants, de personnes âgées, de personnes handicapées, achats, préparation des repas). *Elle doit se montrer responsable dans ses tâches et veiller au bien-être des personnes dont elle a la charge.*
CLÉO 516.01   S

AIDE-FORGEUR, AIDE-FORGEUSE Personne qui aide à forger des pièces de métal en remplissant diverses tâches telles que couper le métal, régulariser la température du four, transporter et nettoyer les pièces, retirer les cendres de la forge. *Elle a le souci de remplir ses tâches conformément aux directives reçues afin d'assurer une production de qualité.*
CLÉO 222.17   S

AIDE-FROMAGER, AIDE-FROMAGÈRE Personne qui aide le fromager en effectuant diverses tâches telles qu'égoutter le lait caillé pour éliminer le petit lait, couper les blocs de fromage, marquer et envelopper le fromage. *Elle s'efforce de faire preuve de minutie dans l'exécution de ses tâches*

de manière à assurer la qualité et la fraîcheur des produits distribués sur le marché.
CLÉO 228.43   S

Des **aides-fromagers** procèdent à l'égouttage des caillés, une étape de la fabrication du fromage en grains
PHOTO: Fromagerie Boivin

AIDE-LAITIER, AIDE-LAITIÈRE Personne qui, en vue d'aider le laitier, effectue différentes tâches telles que nettoyer les accessoires, peser les contenants, couper le beurre. *Elle s'efforce d'effectuer ses tâches avec minutie et selon les directives reçues de manière à assurer la qualité des produits fabriqués.*
CLÉO 228.40   S

AIDE-MÉCANICIEN, AIDE-MÉCANICIENNE D'ENTRETIEN D'ATELIER OU D'USINE Personne qui, dans une usine ou un atelier, aide à l'installation, à l'entretien et à la réparation de la machinerie, de la plomberie, des installations électriques et autres systèmes et qui effectue diverses tâches de réparation et d'entretien des bâtiments. *Elle s'efforce de développer des habiletés dans différents domaines d'entretien afin de pouvoir contribuer efficacement au bon fonctionnement de l'usine ou de l'atelier.*
CLÉO 251.09   S

AIDE-MÉCANICIEN, AIDE-MÉCANICIENNE DE PETITS MOTEURS Personne qui aide le mécanicien à réparer des tondeuses, des souffleuses, des scies à chaîne, des moteurs hors-bord. À cette fin, elle doit, entre autres, transporter et tenir les outils, vérifier les huiles et effectuer la lubrification.
CLÉO 254.26   S

AIDE MÉNAGER, AIDE MÉNAGÈRE Personne qui effectue l'entretien ménager d'une résidence selon les directives des résidents ou, s'il y a lieu, de l'agence de services d'entretien qui l'emploie. *Elle s'efforce de faire preuve de minutie et de discrétion dans ses tâches afin de satisfaire les exigences de la clientèle.*
CLÉO 516.02   S

AIDE-NETTOYEUR, AIDE-NETTOYEUSE À SEC

Personne qui effectue diverses tâches de soutien pour aider au travail d'entretien des articles en tissu dans une entreprise de nettoyage à sec. Elle peut, par exemple, charger, décharger et nettoyer les machines, transporter les lots d'articles d'une aire de travail à l'autre, frotter des taches, suspendre les vêtements sur des cintres, faire l'emballage, agrafer les factures. *Elle s'efforce de suivre consciencieusement les directives reçues afin de contribuer au bon déroulement des étapes de nettoyage.*

CLÉO 516.19 S

AIDE PÉDAGOGIQUE INDIVIDUEL, AIDE PÉDAGOGIQUE INDIVIDUELLE

Personne qui conseille et informe les élèves sur leur choix de programme et de cours et sur l'élaboration d'un horaire de cours au collégial afin de les assister dans l'établissement de leur profil de formation. À cette fin, elle rencontre les élèves, analyse leur dossier, leur donne des renseignements sur les orientations et les cours offerts, sur les débouchés et tout autre élément susceptible d'éclairer leurs choix. *Elle se préoccupe de transmettre des renseignements justes et appropriés afin que les élèves puissent faire un bon choix de cours et ainsi obtenir leur diplôme dans les délais habituels.*

CLÉO 611.33 U

AIDE-PRESSIER, AIDE-PRESSIÈRE

Personne qui effectue des tâches de manutention, de nettoyage et d'emballage pour aider aux travaux d'impression dans une imprimerie. *Elle s'efforce d'assister efficacement le personnel des presses à imprimer et de suivre les directives reçues afin de contribuer au bon déroulement des étapes de l'impression.*

CLÉO 235.09 S

AIDE-REMBOURREUR, AIDE-REMBOURREUSE

Personne qui assiste le rembourreur en effectuant différentes tâches telles que dégarnir les bâtis de meubles, enlever le rembourrage, assembler divers éléments de garnitures, emballer et transporter les meubles. *Elle a le souci d'effectuer ses tâches avec minutie et selon les consignes reçues de manière à satisfaire les exigences de la clientèle.*

CLÉO 236.18 S

AIDE-RÉPARATEUR, AIDE-RÉPARATRICE DE MACHINES À COUDRE

Personne qui aide le mécanicien ou la mécanicienne de machines à coudre à réparer, à régler ou à entretenir les équipements. Elle peut, par exemple, démonter la machine, la nettoyer ou lubrifier les pièces.

CLÉO 252.20 S

AIDE-SOUDEUR, AIDE-SOUDEUSE

Personne qui fait des travaux de manutention et des opérations simples d'assemblage, comme le réglage des machines à souder, le braisage, l'oxycoupage, en collaboration avec la personne responsable du soudage. *Elle s'efforce de faire preuve de précision dans ses tâches et de suivre les indications reçues de manière à garantir la solidité des soudures effectuées.*

CLÉO 222.20 S

AIDE TECHNIQUE EN AMÉNAGEMENT D'INTÉRIEUR

Personne qui apporte son aide et ses conseils aux gens qui ont des projets d'aménagement intérieur pour des espaces résidentiels, institutionnels, commerciaux ou industriels, dans le but de les mettre en valeur. À cette fin, elle s'informe sur les besoins des gens, leurs goûts, leurs exigences. Elle se familiarise avec l'espace à aménager, prend les mesures nécessaires pour réaliser les plans, conseille sur le choix de matériaux, couleurs et accessoires. *Elle s'efforce de créer des décors uniques qui sont fonctionnels et esthétiques et qui correspondent aux goûts de la clientèle.*

CLÉO 626.34 S

Une **aide technique en aménagement d'intérieur** présente un projet d'aménagement
PHOTO: CS Saint-Hyacinthe

AIDE-TRAITEUR, AIDE-TRAITEUSE

Personne qui aide le traiteur dans la préparation de mets cuisinés (hors-d'oeuvre, salades, surveillance de la cuisson, etc.) et qui effectue diverses tâches entourant le service des aliments (disposition des mets sur les tables, la décoration, le service, etc.). *Elle s'efforce de suivre les indications reçues afin de faciliter la préparation des mets et le service des plats et de contribuer à la satisfaction de la clientèle.*

CLÉO 511.18 S

AIGUILLEUR, AIGUILLEUSE DE TÉLÉVISION

Personne qui, dans la production d'une émission de télévision, sélectionne au fur et à mesure parmi des images filmées par différentes caméras celles qui seront transmises en ondes. Elle fait fonctionner généralement le matériel d'aiguillage selon des indications qui lui sont données verbalement par le réalisateur ou autre responsable de l'équipe de production. *Elle doit faire preuve de concentration tout au long de l'émission afin de réagir promptement aux indications données.*

CLÉO 624.73 C

AIGUILLEUR, AIGUILLEUSE DE TRAIN Personne qui règle les départs et les arrivées des trains dans une gare et qui indique les voies à utiliser. À cette fin, elle utilise les horaires de manière à pouvoir ordonner les départs et arrivées et à synchroniser la circulation ferroviaire. *Elle doit faire preuve de concentration et de vigilance afin de bien répartir les trains selon les voies libres et les horaires à des fins sécuritaires.*
CLÉO 433.46   S

AIGUISEUR, AIGUISEUSE Personne qui fait fonctionner une machine servant à aiguiser les lames de couperets de machines et les tranchants d'outils à main utilisés pour la production industrielle.
CLÉO 251.07   S

AJUSTEUR, AJUSTEUSE DE MATRICES Personne qui confectionne, ajuste et assemble des pièces de métal pour fabriquer des moules appelés matrices à estamper qui sont utilisés en industrie pour donner la forme voulue aux objets fabriqués. À cette fin, elle étudie le plan de la matrice et le prototype de la pièce que celle-ci servira à fabriquer, planifie son travail, procède à l'usinage des pièces, les polit, les ajuste et les monte de manière que la matrice finie réponde parfaitement au besoin de fabrication industrielle.
CLÉO 231.10   S

AJUSTEUR-MONTEUR, AJUSTEUSE-MONTEUSE D'AVIATION Personne qui assemble, en usine, la structure des aéronefs. Elle rivète ensemble des éléments préfabriqués (fuselage, sections des ailes et de l'empennage, train d'atterrissage) selon les plans d'assemblage fournis. *Elle a le souci de faire preuve de précision et de respecter les étapes et les plans de préassemblage et d'assemblage afin que le produit fini réponde aux normes de qualité et de sécurité établies par le ministère des Transports.*
CLÉO 232.48   S

ALLERGOLOGUE Personne qui, en tant que médecin spécialiste, voit au dépistage des allergies et au contrôle des troubles physiologiques (difficultés respiratoires, éruptions cutanées, démangeaisons, oedème, larmoiement, écoulement nasal, etc.) qu'elles occasionnent. À cette fin, elle soumet ses patients à différents tests afin d'identifier les agents allergènes auxquels ils sont sensibles, définit des moyens de prévention des allergies aux substances en cause et prescrit, s'il y a lieu, des médicaments pour maîtriser les réactions allergiques. Elle peut également procéder au besoin à l'administration de vaccins désensibilisants servant à réduire la sensibilité à certaines substances. *Les moyens de traitement étant encore limités dans ce domaine, elle doit baser principalement ses interventions cliniques sur le dépistage afin que les patients modifient leurs* habitudes selon les agents allergènes à éviter. *Elle participe aux recherches dans ce domaine en vue d'approfondir ses connaissances sur les causes d'allergies et les mécanismes en jeu et de découvrir des traitements plus efficaces.*
CLÉO 523.08   U

AMBULANCIER, AMBULANCIÈRE Personne qui répond aux appels d'urgence et donne les premiers soins aux malades jusqu'à leur arrivée à l'hôpital. Elle se rend sur les lieux de l'appel, évalue la gravité des blessures ou de la maladie, prend les signes vitaux, donne les soins appropriés, installe la personne sur une civière et effectue le transport à l'hôpital. *Elle veille à communiquer avec l'hôpital de manière à préparer l'arrivée de la personne en transmettant les renseignements utiles sur son état.*
CLÉO 331.09   C

Le travail d'**ambulancier** exige la parfaite maîtrise des premiers soins
PHOTO: D. Alix/Publiphoto

ANALYSTE DE PHOTOGRAPHIES AÉRIENNES Personne qui, à l'aide d'une banque de données, identifie les éléments d'un territoire représentés sur des photographies aériennes et qui reporte sur une carte l'information obtenue (numéros des routes, noms des rues, cours d'eau, industries). Elle peut aussi interpréter des photos aériennes d'un territoire inexploité en vue d'obtenir des renseignements, par exemple, sur la topographie des lieux, les distances, les étendues et l'orientation. *Elle s'efforce d'éviter les erreurs d'identification ou de localisation des éléments d'un territoire afin d'assurer la fiabilité des données reportées sur les cartes.*
CLÉO 112.08   C

ANALYSTE DES EMPLOIS Personne qui recueille et analyse des données sur la nature et les exigences des emplois exercés dans une entreprise ou dans l'ensemble d'un secteur de l'activité économique, en vue de répondre aux besoins des employeurs et des syndicats, des associations professionnelles et de l'État en matière de gestion des ressources humaines et de classification des professions.

Selon son mandat, elle établit des organigrammes et rédige des descriptions de postes aux fins de recrutement et de gestion du personnel; elle analyse les divers emplois et propose une répartition plus fonctionnelle des tâches; elle prévoit les besoins supplémentaires ou futurs en personnel et définit les qualifications professionnelles à exiger pour ces postes. Elle peut également compiler et comparer des données recueillies dans un grand nombre d'entreprises en vue de relever les tâches et les qualifications professionnelles communes à différents postes connexes, de regrouper les emplois par catégories ou encore d'établir une nomenclature commune pour des titres d'emploi équivalents.
CLÉO 411.04   U

ANALYSTE DES MARCHÉS Personne qui effectue des études de marché pour le compte d'entreprises privées, d'associations industrielles ou commerciales ou d'organismes d'aide gouvernementale au développement économique, en vue d'évaluer les débouchés commerciaux éventuels pour de nouveaux produits ou services ou d'élargir les marchés régional, national ou international pour des produits ou services existants. À cette fin, elle analyse l'offre et la demande, le volume des ventes, le chiffre d'affaires des concurrents, les prix, les méthodes de commercialisation, les habitudes de consommation de la clientèle et tente de prévoir les tendances du marché. Elle formule également des recommandations quant à la rentabilité éventuelle des produits ou services en cause, à la création de nouveaux marchés ou à la mise en oeuvre de méthodes de commercialisation plus profitables. *Elle a à coeur de contribuer à la rentabilité des entreprises en les conseillant avec justesse sur l'opportunité d'investir dans la création de nouveaux produits ou services ou sur les moyens de diversifier leur clientèle en exploitant de nouveaux marchés.*
CLÉO 411.05   U

ANALYSTE EN GESTION D'ENTREPRISES Personne qui intervient en tant qu'experte-conseil dans divers types d'entreprises en vue d'en améliorer les méthodes de gestion sur le plan organisationnel (répartition des fonctions et des tâches, hiérarchie des niveaux de responsabilité, méthodes de gestion, procédure administrative, système de classement de l'information) et d'augmenter l'efficacité, la productivité et la rentabilité des activités de l'entreprise. À cette fin, elle analyse différentes facettes de l'organisation de l'entreprise au moyen d'observations, d'entretiens avec le personnel et d'études de la documentation puis formule des recommandations pour résoudre les problèmes observés ou pour atteindre de meilleurs résultats à long terme. Elle peut également participer, en collaboration avec la direction, à l'implantation de nouvelles méthodes de gestion et à la formation du personnel cadre. *Elle se préoccupe de déceler toute source de perte de temps, d'argent*

et d'énergie pouvant nuire à l'efficacité de l'organisation et de proposer des solutions à la fois simples, réalistes et les moins coûteuses possible.
CLÉO 411.07   U

ANALYSTE EN INFORMATIQUE Personne qui analyse les besoins des usagers en matière de traitement de l'information et qui, à partir de cette étude, développe, évalue et met au point des systèmes ou des logiciels d'application qui correspondent aux besoins identifiés. Dans l'étude du projet, elle identifie les ressources nécessaires à l'implantation, elle planifie l'implantation et définit un calendrier de réalisation. Elle établit un plan de développement de la programmation et procède à l'évaluation des programmes et logiciels qu'elle modifie au besoin. Elle s'occupe également de l'élaboration des spécifications fonctionnelles et des spécifications de conception des programmes.
CLÉO 721.05   U

Deux **analystes en informatique** partagent leur expertise
PHOTO: Sygma/Publiphoto

ANALYSTE EN INFORMATIQUE DE GESTION
Personne qui élabore et met au point des programmes informatiques permettant de traiter des données et de régler des problèmes liés au contrôle de la gestion et aux divers domaines de l'activité économique d'une organisation comme la gestion des inventaires, la production, les coûts, le marketing et la distribution en vue de permettre une meilleure gestion et d'optimiser la rentabilité de l'entreprise. À cette fin, elle détermine les besoins de l'organisation, conçoit un système permettant le traitement informatique des multiples données, analyse les résultats de la programmation, modifie au besoin les programmes et établit le système d'exploitation. Elle fournit aussi une analyse des coûts et des économies possibles que pourrait entraîner une gestion informatique. *Elle se préoccupe de présenter des devis simples qui faciliteront l'utilisation du système et de trouver des applications nouvelles qui seraient utiles à l'entreprise.*
CLÉO 721.04   U   27

ANALYSTE FINANCIER, ANALYSTE FINANCIÈRE

Personne qui recueille et analyse des données financières afin d'évaluer les tendances économiques dans un secteur donné et de faire des prévisions sur le rendement d'investissements et de valeurs mobilières à moyen et à long terme. À cette fin, elle effectue une analyse rigoureuse de différentes sources d'information financière (rapports, revues et journaux spécialisés, états financiers et autres publications) et formule des recommandations à ses clients ou à l'établissement financier qui l'emploie, par exemple concernant l'achat ou la vente d'un volume d'actions, la répartition de fonds dans des placements. *Elle a le souci de se tenir au courant de tout indice pouvant influencer les décisions financières, de faire une analyse juste des phénomènes financiers et d'être perspicace dans ses prévisions afin de satisfaire les exigences de ses clients.*
CLÉO 423.03   U

ANATOMISTE Personne qui dirige et effectue des recherches sur la structure, la composition biochimique, le développement, le fonctionnement et les interactions de toutes les formes de tissus et d'organes composant le corps humain ou d'une espèce animale. Elle peut notamment faire des expériences sur les mécanismes de réaction des tissus vivants à différents types d'interventions médicales ou biotechnologiques (greffes d'organes, médication, manipulation génétique, fécondation in vitro, cultures cellulaires). *Elle se préoccupe de vérifier rigoureusement les aspects méthodologiques de ses recherches et expériences afin de pouvoir expliquer les phénomènes observés et veille à communiquer objectivement ses résultats au monde scientifique en vue de favoriser l'avancement d'autres recherches, notamment en médecine et en biologie.*
CLÉO 612.35   U

ANESTHÉSISTE RÉANIMATEUR, ANESTHÉSISTE
RÉANIMATRICE Personne qui, en tant que médecin spécialiste, administre des anesthésiques (produits provoquant la perte de conscience) et des analgésiques (produits enlevant la douleur) au cours de procédures thérapeutiques et diagnostiques (anesthésie générale, régionale ou locale en salle d'opération, analgésie et anesthésie obstétricale, réanimation). À cette fin, elle examine la personne afin de choisir le type d'anesthésie approprié (par inhalation, intraveineuse, etc.) et de déterminer la quantité d'agents anesthésiques nécessaires et veille au maintien des fonctions vitales durant l'intervention. *Elle doit éviter ou traiter toute réaction défavorable à la santé de la personne sous traitement.*
CLÉO 523.67   U

ANIMATEUR, ANIMATRICE (RADIO, TÉLÉVISION)
Personne qui, en vue de divertir ou d'informer le public, anime et présente à la télévision ou à la radio des émissions d'information, de variétés, à caractère artistique ou sportif. À cette fin, elle planifie et prépare le déroulement de l'émission, établit un plan de ses interventions, se documente sur les sujets à aborder et prépare les textes des interviews. Selon le type d'émission, elle commente ou décrit les actualités, les spectacles, les événements spéciaux, présente des invités, réalise des interviews ou elle lit les bulletins d'informations, les nouvelles sportives, les bulletins météorologiques, informe le public sur l'état de la circulation, présente des pièces musicales et des messages publicitaires. *Elle veille à respecter les objectifs de diffusion de la station afin de présenter des émissions de qualité qui sauront plaire tant par le contenu que par l'originalité et la créativité de l'animation.*
CLÉO 712.03   C

L'**antiquaire** offre aux consommateurs les objets qu'il déniche
PHOTO: S. Grandadam/Publiphoto

ANIMATEUR, ANIMATRICE DE PASTORALE

Personne qui organise des services à caractère religieux dans des institutions publiques comme des établissements scolaires, hospitaliers ou carcéraux ou des institutions religieuses comme des paroisses, des mouvements religieux ou des services diocésains. Par exemple, elle peut s'occuper de la préparation aux sacrements ou de l'animation de rencontres à caractère spirituel. *Elle se préoccupe d'aménager des temps et lieux de rencontre et d'accueil favorisant la réflexion, les échanges ou la célébration entourant les valeurs religieuses et leurs rites.*
CLÉO 531.22   U

ANIMATEUR, ANIMATRICE DE VIE ÉTUDIANTE

Personne qui organise, en collaboration avec des groupes de travail étudiant, les activités sociales, culturelles et sportives en milieu scolaire dans le but de créer un climat de vie agréable. À cette fin, elle gère le budget et la mise en place des activités selon les ressources humaines et matérielles de l'établissement et les besoins et intérêts de la clientèle. *Elle est soucieuse d'offrir des activités variées qui susciteront la participation du plus grand nombre possible et s'assure du respect des valeurs éducatives de l'établissement.*
CLÉO 611.22   U

ANTHROPOLOGUE Personne qui fait des recherches sur les cultures et sociétés humaines. Elle étudie et observe leur histoire, leur transformation et leur évolution (modes de vie, caractéristiques physiques, fonctionnements sociaux, systèmes de valeurs) afin de connaître, comprendre et expliquer les divers aspects de l'évolution humaine. Elle peut se spécialiser en ethnologie, en archéologie, en ethnolinguistique ou en anthropologie physique. *Elle a le souci d'être à l'affût des indices, des faits ou des éléments pouvant permettre de mieux comprendre les diverses sociétés et populations et leur évolution.*
CLÉO 631.02   U

ANTIQUAIRE Personne qui achète et vend divers objets anciens tels que meubles, objets d'art et bibelots. Elle vérifie l'authenticité des antiquités trouvées, propose un prix d'achat, fait l'étalage de ses produits et en fixe les prix de vente. Elle accueille la clientèle et la renseigne sur l'histoire et la provenance de l'objet et effectue les transactions de vente. Elle peut restaurer ou faire restaurer certains objets. *Elle a le souci de consulter les ouvrages artistiques, de visiter les expositions et les musées afin d'élargir ses connaissances et cherche à dénicher des objets antiques de manière à offrir à sa clientèle un bon service et la plus grande variété possible d'objets anciens.*
CLÉO 432.41   C

APICULTEUR, APICULTRICE Personne qui dirige une entreprise spécialisée dans l'élevage des abeilles en vue de récolter et vendre le miel et ses dérivés (cire, pollen, etc.). À cette fin, elle organise le fonctionnement et les ressources de l'entreprise, en évalue les résultats et s'occupe de la mise en marché des produits. *Elle doit veiller à l'entretien des ruches et s'assurer que chacune est pourvue d'une reine en santé afin de prévenir les maladies et de favoriser une récolte de miel abondante et de qualité.*
CLÉO 126.21   C

AQUICULTEUR, AQUICULTRICE Personne qui, dans une entreprise d'élevage de poissons ou de crustacés, assiste le technologue en aquiculture. À cette fin, elle prépare les structures d'élevage, elle installe et entretient les cages, elle vérifie la qualité de l'eau, nourrit les poissons et voit à l'entretien du système aquicole. *Elle a le souci d'apporter tous les soins nécessaires à la bonne prolifération des espèces d'élevage.*
CLÉO 126.25   S

ARBITRE Personne qui surveille le déroulement des jeux ou des épreuves sportives comme les parties de hockey ou les combats de boxe afin de faire respecter les règlements en vigueur et de donner les pénalités qui s'imposent en cas d'infractions. Elle s'occupe aussi de signaler les entrées, les fins, les arrêts et les reprises de jeu. *Elle a le souci de faire preuve d'impartialité afin de déceler, d'un côté comme de l'autre, les infractions aux règlements et d'imposer, s'il y a lieu, une punition équitable.*
CLÉO 515.10   C/S

ARBORICULTEUR, ARBORICULTRICE Personne qui assure l'entretien des arbres dans les lieux publics, privés, commerciaux et le long des routes. À cette fin, elle s'occupe de l'ébranchage, du traitement des plaies, de la fertilisation et de l'application de pesticides. *Elle s'assure de bien identifier tout problème lié à l'entretien des arbres (maladies, insectes, branches à couper) de manière à donner les traitements adéquats.*
CLÉO 125.10   S

ARCHÉOLOGUE Personne qui dirige des fouilles archéologiques dans le but de trouver des traces du passé telles que des ossements, des vases, de la monnaie ou des outils qui permettront de reconstituer l'histoire ou de comprendre les modes de vie des personnes ou sociétés ayant vécu sur le site. À cette fin, elle évalue le potentiel archéologique des sites, recommande ou non la fouille, coordonne et dirige les fouilles sur le terrain. Elle catalogue les objets trouvés, les analyse, regroupe les différentes données et les interprète. Elle rédige également des rapports sur les résultats des recherches et travaille au perfectionnement des méthodes d'analyse et d'interprétation du passé. *Elle a le souci de porter attention à tous les indices de manière à pouvoir refléter fidèlement la réalité d'alors et ultimement de mieux comprendre l'évolution des sociétés d'hier à aujourd'hui.*
CLÉO 631.03   U

L'**architecte** travaille aux plans et devis
et se rend également sur le chantier
PHOTO: R. Maisonneuve/Publiphoto

ARCHITECTE Personne qui conçoit des bâtiments résidentiels, commerciaux, industriels ou autres, qui en fait les plans et devis et qui surveille l'exécution des travaux de construction, de rénovation ou de réaménagement. Elle conseille la clientèle sur le genre, le style et les dimensions du projet de construction, sur les matériaux,

29

les coûts et la durée prévue des travaux. Elle peut également offrir des services spécialisés (étude de faisabilité, programmation, restauration architecturale, acoustique, etc.). *Elle doit faire preuve d'imagination et de créativité afin de concevoir des projets de construction fonctionnels qui répondent à la fois aux aspirations de la clientèle et aux besoins d'une société en évolution.*
CLÉO 241.05   U

ARCHITECTE DE SYSTÈMES INFORMATIQUES
Personne qui assume la responsabilité de l'intégration des composantes d'un système informatique. En collaboration avec une équipe de travail en informatique, elle voit, entre autres, au choix des logiciels, des langages de programmation et des banques de données dans le but de développer un système qui réponde aux besoins de la clientèle.
CLÉO 721.02   C/U

ARCHITECTE PAYSAGISTE Personne qui conçoit et assure la réalisation de plans d'aménagements paysagers résidentiels, commerciaux, publics ou routiers afin de mettre les sites en valeur et de contribuer à un environnement harmonieux, écologique et esthétique. À cette fin, elle identifie les besoins, analyse les conditions environnementales (situation géographique, végétation, nature du sol) et élabore les plans d'aménagement. Elle supervise et inspecte les travaux de chantier afin de s'assurer de leur conformité aux plans. *Elle se préoccupe d'offrir des services qui correspondent aux besoins de la clientèle et qui respectent l'environnement.*
CLÉO 125.01   U

ARCHIVISTE Personne qui s'occupe de l'acquisition, de la conservation et du classement de documents qui sont conservés en permanence pour des raisons administratives, légales, scientifiques ou culturelles. Elle sélectionne les documents à archiver selon leur intérêt historique, les classe et en dresse l'index. Elle monte des répertoires et assure la mise à jour du système de gestion. Elle s'occupe aussi de la protection des documents archivés. *Elle se préoccupe de mettre au point un système de classification qui facilite les recherches des personnes autorisées à consulter les documents.*
CLÉO 632.07   U

ARCHIVISTE MÉDICAL, ARCHIVISTE MÉDICALE
Personne qui gère les dossiers des bénéficiaires de services de santé dans le but d'en assurer à la fois la confidentialité et l'accessibilité aux personnes autorisées. Elle traite, codifie, classe ou retire des dossiers, selon la politique et les normes établies, elle recueille des données statistiques sur les admissions, les naissances et les décès, et tient à jour les systèmes de classement.
CLÉO 521.05   C

ARMATEUR, ARMATRICE Personne qui gère l'exploitation commerciale d'un ou de plusieurs navires, dont elle est propriétaire ou locataire, servant au transport international de marchandises ou de voyageurs. À cette fin, elle négocie et gère les contrats de transport avec les clients (importateurs, exportateurs, agences de croisières maritimes), coordonne les voyages et supervise les équipages, la sécurité et l'entretien des navires. Elle s'occupe également des relations internationales avec les administrations portuaires et veille à ce que l'exploitation des navires soit conforme aux lois régissant le transport maritime. *Elle voit à négocier suffisamment de contrats pour que les navires soient constamment en activité et s'assure que les transporteurs soient chargés à pleine capacité à chaque traversée afin de rentabiliser l'exploitation des navires.*
CLÉO 433.56   U

ARMURIER, ARMURIÈRE Personne qui fabrique, répare, entretient et modifie des armes à feu selon des plans et les précisions des clients. À cette fin, elle examine les pièces, rectifie les défauts, monte, fixe, règle ou remplace les pièces défectueuses. *Elle a le souci de vérifier si toutes les pièces de l'arme à feu sont en bon état afin d'en assurer un fonctionnement adéquat et sécuritaire.*
CLÉO 231.26   S

AROMATICIEN, AROMATICIENNE Personne qui, dans un laboratoire rattaché à une industrie de produits alimentaires, de produits d'hygiène ou de beauté (parfums, cosmétiques, savons, détersifs, etc.), participe à la mise au point de nouveaux produits ou à l'amélioration de produits existants. Elle s'occupe, entre autres, de la formulation et du dosage des ingrédients naturels et artificiels (épices, extraits naturels, composés chimiques aromatiques, huiles essentielles, agents colorants, etc.) destinés à relever la saveur, l'odeur, la texture ou l'aspect du produit. *Elle doit avoir de solides connaissances en chimie et en biochimie pour mettre au point un mélange d'ingrédients susceptible de plaire aux consommateurs. Elle doit aussi bien connaître les produits utilisés et la législation relative aux produits fabriqués afin d'établir des formules à la fois adaptées au traitement industriel et aux exigences de qualité, conformes à la loi et sans danger pour la santé.*
CLÉO 211.19   U

ARPENTEUR-GÉOMÈTRE, ARPENTEUSE-GÉOMÈTRE Personne qui est chargée en vertu de la loi d'exécuter en exclusivité tous les travaux d'arpentage de terrains, de mesures aux fins de bornage et de représentation cartographique nécessaires à l'établissement des droits de propriété foncière et à l'aménagement des territoires urbains, ruraux, forestiers et miniers. Elle s'occupe, entre autres, de fabriquer les

certifications de localisation de propriétés, d'établir le bornage et de vérifier le positionnement exact des ouvrages de construction ou d'aménagement du sol (routes, édifices, ponts, infrastructures souterraines, etc.) ainsi que de relever et de traiter les données géomatiques qui lui permettront d'établir la cartographie détaillée et complète de l'ensemble du territoire et des cours d'eau. Elle se spécialise généralement soit en gestion géomatique (arpentage foncier et gestion foncière), soit en génie géomatique (cartographie, photogrammétrie, géodésie, télédétection). *Elle s'efforce de tenir ses connaissances à jour concernant les technologies de pointe en géomatique (télédétection par satellite, logiciels d'interprétation spécialisés, cartographie assistée par ordinateur, systèmes d'information à référence spatiale) dorénavant utilisées pour acquérir, traiter, gérer et diffuser les données d'information sur le territoire.*
CLÉO 112.01   U

Un **arpenteur-géomètre** utilise un appareil qui capte les signaux d'un satellite afin d'obtenir sa position exacte
PHOTO: Univ. Laval–Fac. de foresterie et de géomatique

ARRANGEUR, ARRANGEUSE DE MUSIQUE Personne qui modifie l'écriture ou l'instrumentation d'une oeuvre musicale afin de l'adapter au style d'une formation musicale particulière. *Elle cherche à faire des arrangements qui auront les effets désirés par le groupe musical et qui plairont au public.*
CLÉO 622.03   U

ARTILLEUR, ARTILLEUSE Personne qui, en tant que membre des forces armées, travaille aux opérations de combat. Elle utilise diverses armes qu'elle doit savoir manipuler et entretenir. Elle s'occupe aussi de l'entretien et de la conduite de véhicules à roues ou à chenilles.
CLÉO 333.26   S

ARTILLEUR, ARTILLEUSE DE DÉFENSE AÉRIENNE Personne qui, en tant que membre des forces armées, assure la protection des pistes d'atterrissage contre toute attaque aérienne risquant d'entraver les opérations militaires. Elle s'occupe, entre autres, de la manutention, du tri et de l'entreposage des munitions, du fonctionnement des radios et téléphones de campagne et des radars, de la conduite et de l'entretien de véhicules à roues ou à chenilles et du fonctionnement d'armes variées. *Elle veille à bien suivre les indications reçues en vue d'assurer la protection du territoire.*
CLÉO 333.27   S

ARTISAN, ARTISANE DU CUIR Personne qui fabrique des chaussures, des vêtements ou autres objets en cuir de façon artisanale, en vue de les vendre. À cette fin, elle choisit ou fabrique ses patrons, sélectionne et teint les peaux, les taille et les coud. *Elle se préoccupe de la qualité et de l'esthétisme des produits qu'elle fabrique afin de satisfaire les exigences et les goûts de la clientèle.*
CLÉO 627.17   S

ARTISAN-TISSERAND, ARTISANE-TISSERANDE Personne qui fabrique des tissus ou des vêtements et accessoires (tapis, couvertures, napperons, etc.) dans le but de les vendre. À cette fin, elle choisit ou crée son patron, choisit les fibres, les laines et les couleurs, monte le métier à tisser, tisse les différentes pièces et réalise les finitions (bordures, coutures, ourlets, etc.). *Elle s'efforce de créer des produits originaux qui sauront répondre aux goûts et aux exigences de la clientèle.*
CLÉO 627.19   C

ARTISTE PEINTRE Personne qui produit des oeuvres picturales bidimensionnelles, figuratives ou abstraites, à partir de différents médiums comme l'huile, l'aquarelle, l'acrylique, le pastel et l'encre, afin d'en faire des tableaux dont elle fera la mise en marché. Elle peut se spécialiser dans une technique, un médium ou un sujet et être alors paysagiste, portraitiste, aquarelliste ou fusainiste. *Elle s'efforce de bien rendre le concept, l'émotion ou l'image qu'elle souhaite exprimer dans sa création.*
CLÉO 626.01   U

ASSEMBLEUR-ENCOLLEUR, ASSEMBLEUSE-ENCOLLEUSE À LA MACHINE Personne qui règle et fait fonctionner une machine d'imprimerie servant à assembler et à coller des feuilles imprimées sous forme de carnets ou de tablettes (factures, bons de commande, chèques, etc.). *Elle s'efforce d'effectuer les réglages avec précision afin que l'assemblage soit de bonne qualité.*
CLÉO 235.13   S

ASSEMBLEUR-INTÉGRATEUR, ASSEMBLEUSE-INTÉGRATRICE EN MULTIMÉDIA Personne qui, dans le processus de fabrication d'un produit multimédia (CD-Rom, publication ou jeu électronique, borne interactive, logiciel de simulation ou de formation, etc.), s'occupe, une fois terminée la phase de programmation des diverses composantes du contenu, de réaliser la programmation des aspects interactifs du logiciel de façon à rendre techniquement fonctionnelle l'exploration non séquentielle du contenu. À cette fin, elle met en place le code informatique qui permettra d'établir les liens entre les éléments de contenu et procède au montage final du logiciel en intégrant les enchaînements prévus. *Elle a le souci de tenir ses connaissances à jour en informatique afin de tirer le meilleur rendement possible des logiciels-auteurs et d'obtenir un produit dont l'interactivité est réussie. Aussi, elle s'efforce de réaliser un montage du contenu qui soit à la fois cohérent et bien rythmé.*
CLÉO 722.12   C/U

ASSEMBLEUR-RÉPARATEUR, ASSEMBLEUSE-RÉPARATRICE DE BICYCLETTES Personne qui assemble et répare divers types de bicyclettes comme des vélos de route, de compétition, hybrides, de montagne. Elle reçoit la marchandise, identifie et classe les différents modèles, monte et ajuste les pièces (cadre, roues, siège, guidon, etc.), trouve les problèmes des vélos défectueux et les répare. *Elle veille à bien ajuster et lubrifier les pièces de manière à assurer le bon fonctionnement des mécanismes et d'éviter les bris.*
CLÉO 254.28   S

ASSISTANT, ASSISTANTE À LA RÉALISATION Personne qui accomplit diverses tâches de planification et d'organisation pour assister le réalisateur d'un film ou d'une émission télévisée, en étroite collaboration avec la scripte et le régisseur. Elle peut, par exemple, chercher les lieux d'un futur tournage à l'extérieur, faire la sélection des acteurs secondaires et des figurants, aider au découpage du scénario, diriger des répétitions et des essais de cadrage ou encore guider l'installation du matériel de plateau. Elle peut aussi participer au travail de postproduction (visionnement du matériel tourné, choix des images, montage de la production, etc.) jusqu'à la sortie du film ou de l'émission. *Elle a le souci de bien comprendre les attentes du réalisateur et d'adhérer à sa conception du travail afin de l'assister de façon efficace. Elle doit aussi connaître à fond le déroulement de chaque étape afin de bien planifier et de coordonner le travail artistique et technique.*
CLÉO 624.09   C

ASSISTANT, ASSISTANTE DENTAIRE Personne qui assiste le dentiste ou tout autre spécialiste de la santé dentaire dans son travail. Elle se charge des préparatifs, de l'accueil et de l'installation des patients et fournit au fur et à mesure les instruments et les produits. Elle exécute divers gestes en cours de traitement (aspirer la salive, rincer la bouche, étancher le sang, tenir certains instruments), prend les empreintes, fait certains moulages et les fait parvenir aux laboratoires. Elle s'occupe également de la stérilisation et de l'aiguisage des instruments, de l'entretien des accessoires et des appareils, veille au remplacement du matériel jeté après usage et prend note des besoins d'approvisionnements. *Elle doit s'efforcer d'aller au-devant des besoins techniques et matériels du dentiste et de prendre en charge les tâches de préparation et d'entretien.*
CLÉO 523.83   S

ASSISTANT TECHNIQUE, ASSISTANTE TECHNIQUE EN PHARMACIE Personne qui assiste le pharmacien dans son travail. À cette fin, elle voit, entre autres, à préparer les ordonnances, à assurer le suivi des dossiers de la clientèle et à effectuer l'inventaire des médicaments et des produits pharmaceutiques. Elle reçoit les clients, s'informe de leurs besoins et recueille l'information pour remplir les ordonnances, les dossiers et les demandes de paiement. Elle fait également le comptage des comprimés et des capsules, fait l'embouteillage des liquides et l'empotage des onguents et des crèmes. Elle prépare les étiquettes, fait les factures et effectue les transactions à la caisse. Elle classe et range les médicaments, les dossiers et les ordonnances. *Elle a le souci de bien accueillir le client, de l'informer sur les effets possibles des médicaments et de préparer les ordonnances exactes.*
CLÉO 525.04   S

Une **assistante technique en pharmacie** s'apprête à remplir une ordonnance
PHOTO: CS de Charlesbourg–CFP du Trait-Carré

ASTROLOGUE Personne qui établit le profil de personnalité des gens et qui tente de prédire leur avenir en se basant sur des théories selon lesquelles les gens subissent l'influence de certaines planètes et constellations du zodiaque en fonction du jour et de l'heure de leur naissance. Elle interprète, en référence aux théories astrologiques, les données recueillies sur ses clients et sur la position des planètes qui influencent leur destin afin de faire des prédictions.
CLÉO 516.16 S

ASTRONAUTE Personne qui, en tant que scientifique, participe à des expéditions dans l'espace dans le but de faire des expériences et des relevés scientifiques de tout ordre: chimiques, physiques, anatomiques, biologiques qui serviront à diverses applications et à l'avancement scientifique et technologique. *Elle se préoccupe de répondre aux attentes des responsables de mission afin de couronner de succès la mission extraterrestre.*
CLÉO 612.07 U

ASTRONOME Personne qui observe les phénomènes célestes à l'aide d'outils spécialisés (télescopes terrestres ou spatiaux, détecteurs tels caméras, spectographes et polarimètres) et qui les analyse. Elle s'intéresse aux positions, aux mouvements, à la composition, à la structure et aux caractéristiques des corps célestes et tente de les déterminer et de les interpréter. Elle cherche à comprendre ou à résoudre des problèmes comme le Big Bang, la mort des étoiles (naines blanches, trous noirs) et la formation des planètes. *Elle se doit d'être à l'affût de tout indice pouvant permettre une meilleure compréhension de l'univers et de ses composantes. Elle a le souci également de repérer tout élément qui pourrait laisser entrevoir l'existence d'autres formes de vie dans l'univers.*
CLÉO 612.06 U

ATTACHÉ, ATTACHÉE DE PRESSE Personne qui s'occupe des activités en relation avec les médias, pour le compte d'une société, d'une entreprise, d'une personne, d'un député, d'un ministre ou d'un organisme, afin de transmettre, d'informer et de promouvoir, auprès du public, les services, les produits ou les réalisations de l'organisation. À cette fin, elle prépare et réalise des conférences de presse et rédige des communiqués de presse et entretient les relations avec les médias. *Elle a le souci de faire preuve de diplomatie et de gagner la confiance de la population afin de répandre une bonne image de l'organisation qu'elle représente.*
CLÉO 711.04 U

ATTACHÉ, ATTACHÉE POLITIQUE Personne qui assure le suivi de divers dossiers liés aux domaines d'intervention d'un premier ministre, d'un ministre ou d'un député. À cette fin, elle assume la planification des déplacements de la personne élue et prend tous les arrangements nécessaires, elle gère son agenda, effectue les recherches pour l'étude de certains dossiers et agit à titre de représentante quand cela est nécessaire.
CLÉO 311.13 U

AUBERGISTE Personne qui gère l'exploitation commerciale d'un petit établissement hôtelier (auberge, pension de famille, site d'hébergement familial selon la formule «lit et déjeuner») en vue d'offrir aux voyageurs des services d'hébergement et de restauration (partielle ou complète) personnalisés, et ce, dans une ambiance familiale. Seule ou en collaboration avec le personnel qui l'assiste, elle s'occupe, entre autres, de la promotion des services de l'établissement, des réservations et de l'accueil, de l'entretien des lieux, de la gestion des approvisionnements, de l'élaboration des menus et de la préparation des repas. *Elle se préoccupe de créer un environnement agréable et d'offrir un service courtois et chaleureux afin de satisfaire les goûts de la clientèle et d'assurer la qualité des services.*
CLÉO 512.03 C/U

L'**audiologiste** reçoit en consultation les personnes éprouvant des difficultés d'audition

AUDIOLOGISTE Personne qui, en tant que spécialiste du diagnostic, du traitement et de la prévention des troubles de l'audition, du système auditif et vestibulaire, évalue les capacités auditives des personnes malentendantes et recherche les causes et les facteurs aggravants de leurs déficiences. Elle établit et applique des plans d'intervention afin de rétablir l'aptitude de ses patients à communiquer (appareil de correction auditive, stratégies de communication, langage des signes, réaménagement physique du milieu de vie). Elle travaille également à réduire ou à éliminer les effets affectifs, sociaux ou professionnels du handicap vécu par ses patients et fournit à leur entourage l'information et le soutien nécessaires. *Elle se préoccupe de bien évaluer les besoins de ses patients afin de leur fournir des services adaptés et complets qui favoriseront leur aptitude à communiquer, leur autonomie et leur intégration sociale.*
CLÉO 525.31 U

AUDIOPROTHÉSISTE Personne qui pose, ajuste et vend des prothèses auditives permettant d'améliorer la fonction de l'ouïe chez des personnes atteintes de déficiences auditives. À cette fin, elle procède à des examens pour déterminer le type de prothèse auditive qui convient, prend l'empreinte de l'oreille en vue de la fabrication d'un embout auriculaire approprié à la prothèse choisie, ajuste les composantes de la prothèse. Elle procède également à des examens périodiques en vue de vérifier le rendement de la prothèse et de faire au besoin les corrections ou les ajustements nécessaires. *Elle a le souci d'aider ses clients à s'adapter le mieux possible au port d'une prothèse auditive et veille à bien les informer sur la manière de s'en servir pour une efficacité et un confort maximum.*
CLÉO 525.32   C

AUDITEUR, AUDITRICE – QUALITÉ Personne qui est spécialisée dans la gestion des systèmes d'assurance qualité, détenant un permis d'audit octroyé par les organismes de contrôle nationaux ou internationaux et qui procède à l'évaluation des entreprises inscrites à un programme de qualité (ex.: les normes ISO (International Standards Organisation), QS (Quality Standards) ou AFNOR (Association française de normalisation). À cette fin, elle fait une analyse systématique de certains aspects de l'entreprise (procédés de production, design et fabrication des produits, qualité des services professionnels ou commerciaux, protection de l'environnement, méthodes de gestion, etc.) selon des critères reconnus à l'échelle nationale ou internationale, en vue de s'assurer que les normes de qualité établies sont respectées. Selon le cas, elle émet un certificat d'accréditation, un avantage qui assure à l'entreprise une meilleure position sur le marché concurrentiel ou elle formule des recommandations aux entreprises dont l'accréditation est refusée pour leur indiquer les améliorations à apporter.
CLÉO 211.20   U

AUTEUR-COMPOSITEUR-INTERPRÈTE, AUTEURE-COMPOSITRICE-INTERPRÈTE Personne qui écrit les paroles et la musique de chansons qu'elle interprétera elle-même en spectacle ou sur disque. Généralement, elle compose d'abord les textes qui lui serviront par la suite d'inspiration pour composer la musique. Elle répète par la suite ses chansons, jusqu'à ce qu'elle soit satisfaite de son interprétation. *Elle a le souci de bien travailler son instrument et sa voix de façon à bien rendre les textes qu'elle aura composés.*
CLÉO 622.05   C/U

AUTEUR, AUTEURE DRAMATIQUE Personne qui écrit des textes destinés à être interprétés par des comédiens du théâtre. Elle élabore une histoire faite principalement de dialogues, décrit une situation donnée et choisit un élément déclencheur. À cette fin, elle se documente sur différents aspects de l'histoire (époque, pays, milieu social) et donne parfois des indications relatives aux décors et aux costumes. Elle peut également adapter ou traduire des pièces de théâtre. *Elle est soucieuse de créer des textes qui sauront à la fois tenir le public en haleine du début à la fin de la représentation et lui faire vivre différentes émotions.*
CLÉO 621.02   U

AUTOCLAVISTE Personne qui s'occupe de la cuisson des aliments (fruits, légumes, viandes, condiments, poisson, etc.) en vue de leur mise en conserve ou de l'extraction de produits dérivés. Elle mesure les ingrédients, les fait cuire, surveille la cuisson et s'occupe du nettoyage des chaudrons. Elle peut également placer la nourriture cuite dans des contenants à l'aide d'une machine qui les remplit, les étiquette et les ferme. *Elle a le souci de mesurer les ingrédients avec précision, de respecter les normes d'hygiène et les temps de cuisson afin d'assurer la fraîcheur et la qualité des produits.*
CLÉO 228.17   S

AUXILIAIRE DE RECHERCHE ET D'ENSEIGNEMENT Personne qui assiste un professeur d'université dans ses travaux de recherche et ses séances de travaux pratiques tout en poursuivant sa formation professionnelle. Elle peut corriger des examens ou des travaux, aider les étudiants dans leurs travaux et préparer des documents de référence ou du matériel d'enseignement. *Elle s'efforce d'être disponible pour répondre aux demandes de renseignements des étudiants.*
CLÉO 611.42   U

L'**auxiliaire familiale et sociale** peut s'occuper d'accompagner la personne dans ses déplacements
PHOTO: CS Saint-Hyacinthe

AUXILIAIRE FAMILIAL ET SOCIAL, AUXILIAIRE FAMILIALE ET SOCIALE Personne qui fournit des services à domicile à des personnes en difficulté temporaire ou permanente d'autonomie conformément à un plan d'intervention défini par le personnel infirmier responsable. Elle dispense des soins d'hygiène de base, change des pansements, donne les médicaments prescrits et supervise un programme d'exercices, s'il y a lieu. Elle peut également effectuer différentes tâches ménagères comme la préparation des repas, les achats à l'épicerie, l'entretien ménager, seule ou avec la participation de la personne en difficulté. *Elle s'efforce d'établir une relation positive avec les bénéficiaires et de favoriser le plus possible leur autonomie. Elle veille aussi à signaler au personnel infirmier toute situation pouvant nuire à la santé ou à la sécurité des bénéficiaires.*
CLÉO 522.09   S

Des **aviculteurs** examinent les derniers-nés
d'une entreprise d'élevage de poules pondeuses
PHOTO: Ordre des médecins vétérinaires du Québec

AVICULTEUR, AVICULTRICE (POULES PONDEUSES) Personne qui exploite une ferme spécialisée dans la production d'oeufs ou de poules pondeuses de race et qui exécute divers travaux comme le nettoyage du poulailler et le ramassage des oeufs. Elle s'occupe également d'organiser le fonctionnement, la mise en place et les ressources de l'entreprise et d'en évaluer l'efficacité. *Elle s'efforce de déceler tout symptôme de maladie chez les poules et, le cas échéant, d'y remédier le plus rapidement possible afin d'offrir des produits de bonne qualité.*
CLÉO 126.11   C

AVICULTEUR, AVICULTRICE (PRODUCTION DE VIANDE) Personne qui exploite une ferme spécialisée dans l'élevage de volailles destinées à la vente pour la consommation. Elle dirige et exécute divers travaux entourant l'élevage des volailles (reproduction, engraissement, etc.), l'entretien des bâtiments et la mise en marché des produits. Elle s'occupe également d'organiser le fonctionnement, la mise en place et les ressources de l'entreprise et d'en évaluer les résultats. *Elle a le souci de veiller à la santé des volailles (soins, vaccins, alimentation, hygiène) afin de produire une viande de qualité.*
CLÉO 126.10   C

AVOCAT, AVOCATE Personne qui engage la procédure nécessaire pour défendre les droits et les intérêts de ses clients auprès de personnes, de l'État, d'institutions ou d'entreprises privées ainsi que devant les tribunaux, lorsqu'une cause (familiale, commerciale, criminelle, etc.) le requiert. À cette fin, elle renseigne ses clients sur les lois relatives à leur cause et sur le déroulement de la procédure entreprise, les conseille sur la conduite à adopter pour favoriser le règlement du litige, rédige les documents nécessaires, se documente et rassemble toute l'information utile pour préparer la défense et plaider devant les parties adverses. *Elle s'efforce de trouver les meilleurs arguments possible pour influencer les décisions et obtenir gain de cause.*
CLÉO 321.08   U

AVOCAT, AVOCATE DE LA COURONNE Personne qui pratique le droit civil ou criminel en intentant au nom de l'État des poursuites judiciaires contre des individus, des entreprises ou des institutions engagés dans des causes justifiant une accusation en vertu des lois existantes. Elle procède aux recherches et aux interrogatoires nécessaires pour monter le dossier d'accusation, rassemble tous les documents à l'appui de la poursuite et représente l'État devant les tribunaux en plaidant sa cause tout au long du procès en opposition à la partie défenderesse, représentée par l'avocat de la défense. *Elle se préoccupe de rassembler tous les éléments de preuve à l'appui des poursuites intentées et de développer des arguments convaincants afin d'appuyer l'État dans les actions entreprises pour faire appliquer les lois et maintenir l'ordre social.*
CLÉO 321.07   U

B

BACTÉRIOLOGISTE Personne qui, en tant que spécialiste de la microbiologie, examine et étudie les bactéries, détermine leur nature et leurs caractéristiques. Elle identifie les bactéries, les classe, les isole, en fait des cultures, fait des analyses chimiques et biologiques et observe leurs comportements afin de pouvoir contrôler leur développement et de les éliminer ou de les utiliser, selon le cas, dans des domaines comme la santé, la médecine, l'alimentation, l'agriculture et l'industrie. *Elle se préoccupe de déterminer les effets des bactéries sur l'environnement (humain, végétal, animal) de manière à pouvoir contrer les effets nuisibles comme les épidémies et favoriser les effets bénéfiques comme l'assainissement des eaux.*
CLÉO 612.29   U

BACTÉRIOLOGISTE DE PRODUITS ALIMEN-TAIRES Personne qui, en tant que spécialiste de la microbiologie, étudie la nature et les caractéristiques des bactéries présentes dans des produits alimentaires non transformés (lait, poissons, crustacés, oeufs, etc.) ou en cours de fabrication en industrie, dans les déchets de fabrication ou dans des produits alimentaires contaminés ou avariés, en vue de mettre au point des procédés de conditionnement des aliments et de contrôle de la qualité qui visent à éliminer les risques d'intoxication alimentaire, à prolonger la durée de conservation des produits ou à améliorer les procédés de transformation (fermentation et vieillissement de l'alcool, des fromages, etc.). À cette fin, elle étudie le métabolisme des bactéries responsables de la contamination et de la décomposition des aliments et l'efficacité de méthodes et de produits susceptibles d'en contrer les effets. Elle peut exercer ses tâches dans un secteur spécifique de produits (produits de la pêche, produits laitiers, etc.).
CLÉO 228.02   U

BACTÉRIOLOGISTE DES SOLS Personne qui, en tant que spécialiste de la microbiologie, étudie la nature et les caractéristiques des bactéries présentes dans le sol, leurs effets sur les constituants du sol et les diverses variétés de plantes. À cette fin, elle isole et cultive des bactéries, procède à des tests et des observations en laboratoire et sur le terrain, en vue de comprendre et de contrôler les effets des bactéries sur les sols et les plantes (production d'ammoniaque, fixation de l'azote, transformation de la matière organique, décomposition, etc.), d'évaluer l'efficacité de différents produits destinés à contrer ces phénomènes et de mettre au point des méthodes d'inoculation bactérienne susceptibles de les enrayer de façon naturelle, sans effet nocif sur l'environnement. Ses recherches contribuent à l'amélioration des méthodes de production végétale (agriculture, horticulture, sylviculture) et de la qualité des produits.
CLÉO 124.04   U

BAGAGISTE Personne qui achemine les bagages des voyageurs aux quais d'embarquement ou de distribution appropriés dans une gare de chemin de fer, un terminus d'autobus, une gare maritime ou un aéroport. *Elle a le souci de bien vérifier les étiquettes de destination afin d'acheminer les bagages sans erreur et selon l'horaire prévu.*
CLÉO 433.16   S

BÉDÉISTE Personne qui conçoit le scénario d'une histoire qui sera racontée à l'aide de dessins. À cette fin, elle imagine les personnages, dessine les esquisses et les scènes, les colore et y ajoute les textes. *Elle s'efforce de créer des personnages et des textes originaux qui sauront plaire aux lecteurs.*
CLÉO 626.09   U/C

BIBLIOTHÉCAIRE Personne qui, dans les bibliothèques et les centres de documentation, s'occupe de la gestion, la conservation et la diffusion de l'information contenue dans les livres, les périodiques, les vidéos, les CD-Rom, le réseau Internet afin de rendre accessible à la consultation l'information contenue dans ces documents. À cette fin, elle gère des ressources humaines et les différents services (acquisition, traitement, référence et prêts) et en assure la planification, fonctionnelle et opérationnelle. Elle détermine les catégories de documents à acheter en fonction des besoins de la clientèle et des budgets. Elle peut

aussi offrir des services de consultation auprès de diverses clientèles en ce qui concerne la recherche de données ou encore les logiciels documentaires. *Elle se préoccupe de l'évolution constante de la technologie pouvant permettre l'amélioration des moyens et procédures de traitement et de diffusion de l'information.*
CLÉO 632.01 U

Une **bijoutière-joaillière** monte une bague à l'aide d'un chalumeau
PHOTO: CECQ–Pavillon technique

B
BIJ

BIJOUTIER-JOAILLIER, BIJOUTIÈRE-JOAILLIÈRE
Personne qui conçoit, fabrique ou répare des bijoux à partir de pierres et métaux précieux ou semi-précieux, dans le but de les vendre. Elle conçoit le modèle, prépare les matériaux nécessaires selon la technique choisie (sculpture, coulage à la cire, pliage, soudure), elle le sertit de pierres, le lime, le sable et le polit. Elle estime les coûts des réparations et de fabrication. Elle peut reproduire sa création en plusieurs exemplaires à l'aide de techniques appropriées. *Elle s'efforce de créer des bijoux exclusifs qui sauront répondre aux besoins et aux goûts de la clientèle.*
CLÉO 627.02 S/C

BIOCHIMISTE
Personne qui effectue en laboratoire des recherches et des analyses en vue de mieux comprendre la structure et les propriétés des matières vivantes et les aspects chimiques des fonctions et processus vitaux comme la digestion, la croissance et le vieillissement. Elle s'intéresse aussi aux effets qu'ont les aliments, les médicaments et les hormones sur l'organisme et met au point des sérums, des vaccins ou des méthodes de conservation des aliments. Elle peut également concevoir du matériel, des procédés ou des techniques de recherche et d'analyse. Ces divers travaux et recherches sont menés dans le but de trouver des applications pratiques dans divers domaines comme la médecine, l'agriculture, l'écologie ou la biotechnologie.
CLÉO 612.21 U

BIOCHIMISTE CLINIQUE
Personne qui effectue des recherches et des analyses sur diverses substances comme les enzymes, les hormones et les liquides biologiques à l'aide d'instruments (spectromètres, chromatographes, etc.) en vue de permettre le diagnostic et le traitement d'une maladie donnée. À cette fin, elle analyse les substances présentes, identifie celles qui sont toxiques, interprète les paramètres biochimiques et transmet les résultats de ses analyses au médecin traitant. *Elle se préoccupe de bien analyser les substances présentes afin de permettre au médecin de poser un diagnostic sûr et, le cas échéant, d'apporter le traitement approprié.*
CLÉO 525.22 U

BIOLOGISTE
Personne qui, à titre de spécialiste des organismes vivants et des phénomènes de la vie dans toutes ses manifestations, effectue des recherches axées soit sur l'écologie, soit sur l'étude expérimentale du fonctionnement de l'être vivant et de ses parties, en vue d'accroître les connaissances scientifiques et de découvrir des applications possibles des connaissances sur les phénomènes biologiques dans différents domaines (santé humaine et animale, agriculture, élevage, foresterie, environnement, etc.). Elle peut également effectuer des travaux de terrain (inventaires, surveillance et aménagement des habitats naturels, etc.) en vue d'étudier les caractères spécifiques des espèces, d'en protéger la biodiversité et de contrôler le développement des populations ou fournir des services-conseils dans le cadre de projets relatifs à l'écologie, l'écotourisme ou la diffusion des connaissances scientifiques en biologie. Elle peut se spécialiser dans un domaine particulier de la biologie (botanique, zoologie, biologie marine, biotechnologie, microbiologie, etc.).
CLÉO 113.06 U

BIOLOGISTE DE LA VIE AQUATIQUE
Personne qui, à titre de spécialiste des phénomènes relatifs à la vie des plantes et des animaux aquatiques, effectue des recherches et des travaux de terrain (inventaires, surveillance et aménagement des habitats aquatiques, etc.) en vue d'étudier les caractères spécifiques des espèces, d'en protéger la biodiversité, de contrôler le développement des populations aquatiques ou de découvrir des applications possibles des découvertes sur les phénomènes de la vie aquatique dans différents domaines (pêche, aquiculture, alimentation, pharmacologie, écologie, écotourisme, etc.). Elle peut aussi s'occuper de culture ou d'élevage dans un établissement d'aquiculture, un aquarium ou un institut de recherche ou fournir des services-conseils dans le cadre de projets relatifs à l'exploitation ou la protection de la faune et de la flore aquatiques ou à la diffusion des connaissances scientifiques dans ce domaine.
CLÉO 113.07 U

BIOLOGISTE EN PARASITOLOGIE Personne qui, à titre de spécialiste des parasites et de leurs effets nocifs sur l'organisme humain et animal, effectue des recherches en vue de mettre au point des mesures de prévention, des méthodes de traitement et des médicaments contre les parasites et les maladies qu'ils engendrent et fournit des services-conseils pour résoudre des problèmes d'infestation parasitaire touchant des populations animales ou humaines. *Elle s'efforce de comprendre la structure, les cycles vitaux et les modes d'action des parasites sur l'organisme ainsi que les mécanismes de contagion d'une personne ou d'un animal à l'autre afin d'établir des plans de prévention et de traitement aptes à enrayer complètement les parasites aux différents stades de leur croissance (oeuf, état larvaire, etc.).*
CLÉO 113.08   U

Un **biologiste** s'apprête à baguer des oies des neiges
en vue d'étudier leurs déplacements
PHOTO: Service canadien de la faune

BIOLOGISTE MOLÉCULAIRE Personne qui étudie les phénomènes génétiques et cytologiques (ayant trait à la structure, aux propriétés et à l'évolution des cellules) des êtres vivants afin de comprendre davantage les processus vitaux au niveau moléculaire. Elle organise, dirige et contrôle les programmes de recherche et rédige des rapports ou des articles scientifiques pour faire part des résultats de ses recherches.
CLÉO 612.24   U

BIOPHYSICIEN, BIOPHYSICIENNE Personne qui étudie le fonctionnement des organismes vivants et qui effectue des recherches dans le but de comprendre les phénomènes physiques relatifs aux processus biologiques et aux mécanismes vitaux et de concevoir des méthodes d'analyse, des appareils et des techniques de laboratoire. Elle peut faire, par exemple, des recherches sur le fonctionnement et les mécanismes physiques de la vue, sur les mécanismes de contrôle du système nerveux ou encore sur la manière dont les plantes absorbent l'énergie lumineuse. Elle rédige aussi des rapports et des documents scientifiques pour faire part des résultats de ses recherches.
CLÉO 612.22   U

BOTANISTE Personne qui, à titre de spécialiste des végétaux et des phénomènes entourant leur croissance et leur reproduction, effectue des recherches en vue d'étudier les caractères spécifiques des espèces et leurs utilisations possibles en industrie (alimentation, pharmacologie, cosmétologie, parfumerie, etc.), de développer de nouvelles variétés de plantes ou de mettre au point des procédés de culture ou de produits d'origine végétale. Elle peut également effectuer des travaux de terrain (inventaires botaniques, évaluation et aménagement des habitats naturels) en vue de contrôler le développement des végétaux et d'en protéger la biodiversité, superviser les travaux de culture dans un jardin botanique, une serre ou un institut de recherche ou encore fournir des services-conseils dans différents domaines (agriculture, horticulture, jardinage, environnement, écotourisme) ou dans le cadre de projets liés à la diffusion des connaissances scientifiques en botanique.
CLÉO 113.01   U

BOTTIER, BOTTIÈRE Personne qui confectionne des bottes et des chaussures sur mesure, à la main ou à la machine et qui, au besoin, fabrique des chaussures spéciales pour les clients ayant une déformation des pieds. Elle choisit le patron et le matériau, trace le patron, taille les pièces, les assemble et pose la semelle. Elle procède parfois à la teinture du cuir. *Elle a le souci d'utiliser des matériaux (cuir ou autre matériau) durables et de se conformer aux demandes des clients afin de leur fournir un produit qui saura satisfaire leurs exigences.*
CLÉO 237.22   S

BOUCHER, BOUCHÈRE Personne qui, dans des épiceries ou boucheries, travaille à désosser, préparer, couper et vider la viande, la volaille, les poissons et les crustacés. Elle coupe les quartiers de viande, fait des filets, des côtelettes et des escalopes, prépare et vide le poisson et la volaille et emballe et pèse les pièces. Elle peut donner des renseignements sur les différentes coupes et sur les temps et modes de cuisson. Elle s'occupe également de l'entretien et du nettoyage des outils et des aires de travail. *Elle se préoccupe d'offrir des viandes et des coupes de choix afin de satisfaire les exigences de la clientèle.*
CLÉO 432.18   S   39

BOUCHER, BOUCHÈRE D'ABATTOIR Personne qui abat, dépouille et dépèce des animaux de boucherie (boeufs, porcs, etc.) et les volailles dans un abattoir à l'aide d'outils manuels ou mécaniques. Elle peut faire également le tri des parties comestibles et non comestibles. *Elle a le souci d'effectuer ses tâches selon les méthodes établies et en respectant les normes d'hygiène et de qualité afin de permettre la préparation de coupes et de morceaux de viande de qualité.*
CLÉO 228.35 S

BOULANGER-PÂTISSIER, BOULANGÈRE-PÂTISSIÈRE Personne qui prépare, à la main ou à l'aide des appareils appropriés, et cuit différents types de pains, des muffins, des tartes et des gâteaux afin de les vendre en gros ou au détail. Elle s'occupe également de la production, de l'emballage et de la mise en marché des produits. *Elle a le souci d'utiliser des ingrédients frais afin de fabriquer des produits de qualité qui répondent aux goûts de la clientèle.*
CLÉO 228.26 S

Une **boulangère-pâtissière** retire les pains du four
PHOTO: CSC de Sherbrooke–Centre 24-juin

BRIGADIER, BRIGADIÈRE SCOLAIRE Personne qui voit à ce que les jeunes écoliers respectent les divers règlements de la circulation piétonnière (arrêt aux feux rouges, respect des traverses de piétons, etc.) et qui les aide à traverser la voie publique. À cette fin, elle juge de l'état de la circulation et choisit le moment opportun pour autoriser la traversée. *Elle s'efforce d'être vigilante de manière à assurer la sécurité des jeunes sur le chemin de l'école et ainsi éviter les accidents.*
CLÉO 331.10 S

BRIQUETEUR-MAÇON, BRIQUETEUSE-MAÇONNE Personne qui pose des revêtements et qui fabrique des murs, cloisons, cheminées ou foyers en brique, en pierre, en terre cuite, en béton préfabriqué, en blocs de gypse, de verre ou

d'agrégats. Elle s'occupe de la taille, du sciage, de la pose et du tirage des joints ainsi que de la pose des dispositifs d'ancrage et des isolants rigides. *Elle a le souci de faire preuve d'attention et de minutie dans l'alignement des briques ou autres matériaux afin d'assurer l'esthétisme de ses travaux.*
CLÉO 241.36 S

BROCANTEUR, BROCANTEUSE Personne qui achète ou récupère des articles usagés de toutes sortes (meubles, articles ménagers, équipements de sport, livres, etc.) et qui les revend. *Elle s'efforce de récupérer le plus d'articles possible de façon à participer à la protection de l'environnement. En effet, elle permet d'économiser les ressources naturelles et l'énergie qui seraient nécessaires pour fabriquer des articles neufs.*
CLÉO 432.43 S

BRUITEUR, BRUITEUSE Personne qui, pour les besoins d'une production artistique ou médiatique (film, émission de radio ou de télé, spectacle sur scène, disque, etc.), reproduit des bruits et des ambiances sonores de la réalité ou crée des effets sonores artificiels. Elle peut sélectionner les effets sonores recherchés dans les archives d'une sonothèque, faire un enregistrement préalable sur le terrain ou encore produire artificiellement les sons voulus au moyen d'objets divers ou d'appareils électroniques. Elle fait tous les essais nécessaires à la mise au point des effets recherchés et les organise sur bande sonore en effectuant les traitements requis (réglage de l'intensité, progression, mixage, synchronisation, etc.) aux fins de la production. *Elle s'efforce de maîtriser le fonctionnement des divers appareils servant à produire, enregistrer, sélectionner ou traiter des effets sonores afin de produire une bande de bruitage qui correspond aux besoins de la production.*
CLÉO 624.57 C

C

CADREUR, CADREUSE Personne qui actionne une caméra lors de tournages de films, d'émissions télévisées ou de vidéos afin de filmer les différentes scènes composant la trame visuelle de la production. Elle doit déterminer la composition des images, le cadrage et les meilleurs angles des prises de vue en fonction des effets visuels et de l'atmosphère recherchée par le réalisateur. Elle doit également, pour filmer les scènes, régler, manipuler et déplacer la caméra de façon appropriée. *Elle s'efforce de produire des images nettes, bien composées afin de mettre en valeur les éléments voulus (action des personnages, émotions, détails ou vue d'ensemble du décor, luminosité, etc.).*
CLÉO 624.51   C

Un **cadreur** au travail
sur un plateau de télévision
PHOTO: Explorer/Publiphoto

CAISSIER, CAISSIÈRE D'ÉTABLISSEMENT COMMERCIAL Personne qui s'occupe de recevoir le paiement de la clientèle pour les biens ou les services reçus en utilisant une caisse enregistreuse électronique ou informatisée. Elle prépare le matériel nécessaire à l'ouverture de la caisse (monnaie, rubans, etc.), enregistre les prix, perçoit les montants, remet la monnaie et le coupon de caisse et emballe les articles. *Elle s'efforce de faire preuve d'exactitude et d'attention afin*
d'éviter les erreurs d'enregistrement, de perception ou de remise d'argent et d'assurer l'équilibre des comptes.*
CLÉO 432.11   S

CAISSIER, CAISSIÈRE D'INSTITUTION FINANCIÈRE Personne qui réalise les transactions financières courantes (dépôts, retraits, encaissement de chèques, règlements de factures, transferts de fonds, etc.) demandées au guichet par les clients dans une banque ou une caisse populaire, qui les renseigne sur les produits et services financiers disponibles et qui répond à leurs demandes ou réclamations concernant leurs comptes. Elle peut également être chargée de services comme l'ouverture et la fermeture des comptes, la souscription aux régimes d'épargne, les dépôts commerciaux et la vente de chèques de voyages, de devises étrangères ou de mandats bancaires. *Elle veille à remplir adéquatement toutes les formalités nécessaires au traitement des transactions financières et à respecter la procédure pour chaque type d'opération afin de faciliter le travail ultérieur du personnel du service de la comptabilité.*
CLÉO 423.13   S

CAISSIER, CAISSIÈRE DE BILLETTERIE Personne qui vend des billets d'entrée pour les spectacles, les événements sportifs ou les cinémas. Elle accueille la clientèle, donne des renseignements sur les places disponibles, les horaires, les dates, les coûts, et elle perçoit les paiements. *Elle s'efforce de faire preuve d'exactitude dans ses calculs et dans les perceptions d'argent et d'offrir un service courtois.*
CLÉO 432.36   S

CAISSIER, CAISSIÈRE DE CAFÉTÉRIA Personne qui perçoit et enregistre à l'aide d'une caisse électronique ou informatisée le paiement des repas des clients dans une cafétéria. *Elle a le souci de bien identifier les produits choisis par les clients et de faire les calculs exacts afin d'offrir un service efficace à la clientèle.*
CLÉO 511.21   S

CALORIFUGEUR, CALORIFUGEUSE Personne qui, en vue de réduire les fuites (de chaleur, de froid ou de bruit), prépare et installe des matériaux isolants sur la tuyauterie, les conduits de chauffage, de ventilation, de réfrigération et de climatisation, les fournaises, réservoirs et autres appareils similaires à l'intérieur des bâtiments. *Elle veille à étudier avec soin les plans et devis des bâtiments afin de prévoir adéquatement la disposition des matériaux isolants.*
CLÉO 241.83 S

CAMBISTE Personne qui effectue des opérations de change sur le marché des devises pour le compte d'une institution financière. À cette fin, elle échange une valeur monétaire donnée contre une valeur équivalente en monnaie d'un autre pays soit pour transférer des capitaux à des fins commerciales ou en vue d'un profit éventuel selon les variations des taux de change. *Elle a le souci de bien connaître le marché des devises étrangères et de suivre attentivement les fluctuations des taux de change afin de réaliser des opérations aussi avantageuses que possible.*
CLÉO 423.22 U

CAPITAINE DE BANQUET Personne qui surveille et coordonne le travail du personnel assigné à la préparation des tables et du service au cours d'une réception ou d'un banquet dans un restaurant ou un hôtel. À cette fin, elle détermine les besoins en personnel, en mobilier et couverts, établit les horaires du service des repas et dirige le service. *Elle veille à ce que tout se déroule selon les instructions des clients (service des vins, des plats et boissons, etc.) afin de s'assurer de la satisfaction de la clientèle.*
CLÉO 511.04 S

CAPITAINE DE BATEAU DE PÊCHE Personne qui planifie et dirige les activités liées à l'exploitation d'un bateau de pêche commerciale en vue d'assurer la rentabilité de la pêche, le bon fonctionnement du bateau ainsi que l'efficacité et la sécurité de l'équipage. Elle planifie les activités en mer en fonction des saisons de pêche, embauche le personnel, s'occupe du bon état du bateau et des équipements ainsi que de l'approvisionnement et du chargement. Elle assure le commandement du bateau et de l'équipage, détermine les endroits favorables à de bonnes prises, dirige les opérations de pêche et supervise la navigation, l'organisation du travail et la sécurité. *Elle doit avoir une solide expérience de la navigation, bien connaître les méthodes et les équipements de pêche commerciale et voit au respect des règles de sécurité en navigation et des lois relatives à l'exploitation des ressources aquatiques.*
CLÉO 127.01 S/C

CARDIOLOGUE Personne qui, en tant que médecin spécialiste, voit au dépistage, au diagnostic, au traitement et à la prévention des maladies du coeur et des problèmes de circulation sanguine (souffle au coeur, artère congestionnée, infarctus, etc.). À cette fin, elle fait passer différents tests ou examens au patient (électrocardiogramme, épreuves d'efforts, etc.) en vue d'obtenir des renseignements sur son état de santé, analyse les résultats et pose un diagnostic. Elle prescrit des médicaments et des traitements, s'il y a lieu, donne des conseils sur le mode de vie à suivre (diète, activités physiques, etc.) et dirige le patient en chirurgie lorsque nécessaire. Elle assure le suivi des malades atteints de troubles cardiaques et veille au traitement des personnes hospitalisées aux unités de soins intensifs et à l'unité coronarienne. *Elle veille à tout mettre en oeuvre pour aider les personnes avec un problème cardiaque à mener une vie la plus normale possible.*
CLÉO 523.34 U

CARICATURISTE Personne qui réalise des dessins humoristiques au regard d'événements ou de personnages de l'actualité dans un magazine ou un journal, dans le but d'amuser les lecteurs. Elle réalise ses dessins à la main ou à l'aide d'un logiciel de dessin et peut ajouter une légende ou quelques mots pour aider à saisir le contexte ou ajouter à la blague. *Elle a le souci d'être à l'affût des personnes ou événements qui pourraient lui permettre de réaliser une caricature susceptible de captiver l'intérêt du grand public.*
CLÉO 626.08 U/C

CARILLONNEUR, CARILLONNEUSE Personne qui joue des pièces musicales sur un carillon (ensemble de cloches ayant les tonalités de la gamme) afin de donner des concerts dans des occasions spéciales. Elle s'occupe de choisir et d'arranger les pièces qui conviennent à son instrument. *Elle a le souci de veiller à l'entretien du mécanisme du carillon afin d'assurer la qualité des sons.*
CLÉO 622.14 C

Une **carreleuse** taille des carreaux de céramique avant de les poser

CARRELEUR, CARRELEUSE Personne qui pose, parfois après les avoir taillés, des carreaux de céramique ou d'autres matières (marbre, granit, ardoise, etc.) utilisés comme revêtement des murs, planchers ou autres surfaces généralement à l'intérieur d'un bâtiment. À cette fin, elle prépare les surfaces, applique la base nécessaire pour fixer les matériaux, fait la cimentation des interstices et polit au besoin les revêtements. *Elle veille à faire les mesures et les calculs nécessaires afin de pouvoir disposer correctement les carreaux les uns par rapport aux autres et d'obtenir l'alternance désirée de motifs et de couleurs.*
CLÉO 241.48   S

CARRIER Personne qui, dans une carrière, taille de gros blocs de pierre à l'aide d'un marteau pneumatique ou d'outils à la main. *Elle s'efforce de faire montre de prudence dans l'exécution de ses tâches afin d'éviter tout accident sur le chantier.*
CLÉO 122.07   S

CARROSSIER, CARROSSIÈRE D'USINE Personne qui, dans une usine de montage de véhicules, s'occupe de la préparation et de la finition des surfaces composant la carrosserie des véhicules. *Elle veille à obtenir des surfaces lisses, exemptes de tout défaut, afin d'assurer une finition de qualité répondant aux exigences des consommateurs.*
CLÉO 232.06   S

CASCADEUR, CASCADEUSE Personne qui exécute diverses acrobaties (chutes, sauts, etc.) au cours du tournage des scènes dangereuses d'un film ou d'une production télévisuelle en vue de servir de doublure à un acteur. À cette fin, elle prend connaissance de la scène à tourner, participe à l'analyse des aspects techniques nécessaires à sa réalisation et effectue des répétitions avant la séance de tournage. *Elle s'efforce d'effectuer des prouesses selon les consignes reçues de manière à faire croire à la véracité de la scène et veille à faire preuve de prudence afin d'éviter tout accident.*
CLÉO 624.17   C

CATALOGUEUR, CATALOGUEUSE Personne qui s'occupe du classement, du catalogage et de l'enregistrement des divers documents (livres, revues, encyclopédies, CD-Rom, etc.) dans une bibliothèque ou un centre de documentation. Elle classe les nouveaux documents en choisissant et assignant les rubriques, les codes et les descriptions et elle vérifie les données (titre, auteur, édition, etc.). Elle monte également le catalogue, écrit la description bibliographique et assure la révision et la mise à jour des renseignements bibliographiques. *Elle a le souci d'établir un système de classement à la fois simple et méthodique afin de faciliter les recherches des lecteurs.*
CLÉO 632.06   U

CÉRÉALICULTEUR, CÉRÉALICULTRICE Personne qui assure la gestion et la planification d'une entreprise agricole spécialisée dans la culture de céréales (blé, orge, avoine, son, etc.). À cette fin, elle dirige et exécute divers travaux (semence, fertilisation, récolte, etc.) liés à la production et à la vente de la récolte et s'occupe de la mise en marché des produits. *Elle a le souci de bien préparer et fertiliser ses terres afin d'assurer une récolte abondante et de première qualité. Elle veille également à respecter les normes sanitaires et à utiliser une machinerie spécialisée de façon à obtenir un produit de qualité et à assurer le bon déroulement des travaux.*
CLÉO 124.18   C

CHAMPIGNONNISTE Personne qui assure la gestion et la planification d'une entreprise spécialisée dans la culture de champignons. À cette fin, elle dirige et exécute divers travaux (sélection et mélange du compost, réglage de la température et de l'humidité, cueillette, etc.) liés à la production et à la vente de la récolte et s'occupe de la mise en marché des produits. *Elle a le souci d'utiliser des produits qui favoriseront la croissance des champignons afin d'améliorer la qualité et le rendement de la production.*
CLÉO 124.24   C

CHANTEUR, CHANTEUSE DE CONCERT Personne qui interprète des chants classiques qui correspondent à son registre vocal (soprano, mezzo-soprano, alto, haute-contre, ténor, baryton ou basse) comme soliste ou comme membre d'un ensemble vocal (duo, trio, quatuor). Elle peut également se produire en récital ou faire partie d'une distribution comme un opéra. *Elle se préoccupe de travailler sa voix afin d'en améliorer la souplesse et de donner une expression sensible aux chants à interpréter.*
CLÉO 622.08   U

Une **chanteuse populaire** de l'opéra rock Starmania
PHOTO: Louise Leblanc/Grand Théâtre de Québec

CHANTEUR, CHANTEUSE POPULAIRE Personne qui interprète pour le public des chansons appartenant à un style particulier (rock, blues,

country, etc.). Elle travaille sa voix, apprend la mélodie et les textes, répète avec les musiciens et donne des spectacles. Elle peut négocier ses contrats de production elle-même ou les confier à un agent. *Elle se préoccupe du choix de son répertoire afin de mettre les qualités particulières de sa voix en valeur et de plaire à l'auditoire.*
CLÉO 622.10   C

CHAPELIER, CHAPELIÈRE Personne qui conçoit et fabrique des modèles et des garnitures pour la confection ou la réparation de chapeaux en paille, en feutre, en tissu ou en fourrure. À cette fin, elle fait les patrons, choisit et taille le tissu, assemble, plie, drape, forme, épingle, coud et décore le chapeau. *Elle se préoccupe de suivre les tendances de la mode afin de satisfaire les besoins et goûts de la clientèle.*
CLÉO 237.13   S

CHARCUTIER, CHARCUTIÈRE Personne qui coupe, désosse, transforme et assaisonne des viandes de charcuterie pour en faire des saucisses, des salamis, des boudins, etc., dans le but de les vendre. Elle procède au salage et au fumage des viandes, s'occupe de l'emballage et de l'étalage des produits de charcuterie ainsi que de l'entretien de l'outillage et des équipements. *Elle s'efforce d'utiliser des produits frais et de respecter les normes d'hygiène afin d'offrir à la clientèle des charcuteries de qualité.*
CLÉO 228.30   S

CHARGÉ, CHARGÉE DE PROGRAMMATION (RADIO, TÉLÉVISION) Personne qui planifie et coordonne la programmation d'une station de radio ou de télévision pour un type d'émission (affaires publiques, variétés, cinéma, sports, etc.) et qui en administre le budget. Elle choisit les émissions qui seront diffusées, s'assure que leur contenu et leur style sont conformes aux normes de qualité et en établit l'horaire en fonction du budget, de la vocation du réseau, des projets en cours et des études de marché (préférences du public, cotes d'écoute, heures d'affluence, etc.). Elle peut aussi négocier l'achat de films ou d'émissions avec des producteurs indépendants ainsi que les contrats avec les commanditaires. *Elle se préoccupe de planifier une programmation diversifiée et bien équilibrée qui saura plaire au public visé.*
CLÉO 624.71   U

CHARGÉ, CHARGÉE DE PROJET MULTIMÉDIA Personne qui planifie, coordonne et contrôle le processus de production d'un projet multimédia (CD-Rom, publication électronique, site internet, borne interactive, logiciel de simulation ou de formation, etc.) en vue d'assurer la réalisation d'un produit répondant aux besoins des clients (promotion de produits ou de services, documentation artistique, scientifique, touristique ou autre, simulation et formation technique, éducation, divertissement, etc.). À cette fin, elle recrute le personnel requis pour la réalisation du projet, négocie les contrats, établit un échéancier, planifie et distribue les tâches, coordonne le travail des divers intervenants et assure un suivi constant en cours de production. Elle gère le budget, contrôle les coûts et veille au respect de l'échéancier et des normes de qualité. *Elle doit maîtriser le processus de production multimédia ainsi que la technologie en cause afin de gérer efficacement le déroulement du travail et posséder un haut niveau de leadership afin de mobiliser autour d'un objectif commun une équipe multidisciplinaire d'intervenants.*
CLÉO 722.05   C/U

CHARGÉ, CHARGÉE DE VEILLE STRATÉGIQUE Personne qui, en vue d'aider ses employeurs (industries, associations industrielles, groupes de recherche, institutions financières, gouvernements, etc.) à maintenir une position concurrentielle dans un domaine ou sur un marché donné, est chargée d'utiliser toute source d'information pertinente (relations professionnelles et personnelles, publications de source privée, médias d'information mondiale, autoroute électronique, etc.) pour découvrir de nouveaux faits relatifs aux activités des concurrents, à l'évolution de la technologie ou au développement de la recherche et de transmettre aux autorités concernées toute information susceptible d'influencer leurs activités ou leurs décisions. *Elle s'efforce de mettre en place un réseau d'information utile et des stratégies de recherche efficaces qui lui permettront de découvrir des renseignements pertinents et s'assure de bien analyser l'impact de ces renseignements sur les activités de ses employeurs afin de leur fournir des rapports éclairés sur l'évolution de la situation.*
CLÉO 411.11   U

CHARPENTIER-MENUISIER, CHARPENTIÈRE-MENUISIÈRE Personne qui accomplit plusieurs tâches dans la construction ou la réparation de maisons ou d'immeubles, en participant à toutes les étapes de la construction des fondations jusqu'aux travaux de finition en passant par l'assemblage de la charpente. Elle peut installer les panneaux de gypse, poser les cloisons métalliques, recouvrir les toitures, poser des isolants en utilisant des outils manuels, électriques ou spécialisés. *Elle doit pouvoir se représenter l'aménagement de l'espace selon les plans d'architecture afin de bien situer les pièces et les composantes du bâtiment. Elle doit aussi savoir mesurer, couper et fixer divers types de matériaux avec précision, rapidité et de façon sécuritaire.*
CLÉO 241.32   S

Un **charpentier-menuisier** utilise divers outils qui nécessitent le respect des règles de sécurité au travail

PHOTO: CECQ–École des métiers et occupations de l'ind. de la constr. de Québec

CHARPENTIER-MENUISIER, CHARPENTIÈRE-MENUISIÈRE D'ENTRETIEN Personne qui effectue des travaux de rénovation et de réparation de diverses structures et composantes en bois telles que parquets, escaliers, portes, fenêtres, comptoirs et armoires dans divers types de bâtiments. *Elle s'efforce d'effectuer les travaux avec minutie et dans les meilleurs délais possible afin de donner satisfaction à sa clientèle.*
CLÉO 241.49   S

CHASSEUR, CHASSEUSE D'HÔTEL Personne qui conduit les clients d'un hôtel à leur chambre, qui porte leurs bagages à l'arrivée et au départ, qui s'assure que les chambres assignées sont en ordre. *Elle veille à ce qu'il ne manque rien dans les chambres et à ce que les clients soient bien renseignés sur les installations et les services.*
CLÉO 512.08   S

CHASSEUR, CHASSEUSE DE TÊTES Personne qui s'occupe, pour le compte de différents employeurs (entreprises privées, institutions financières, organismes publics, etc.), de recruter le meilleur candidat possible pour combler un poste administratif ou pour répondre à un besoin en personnel spécialisé. À cette fin, elle analyse la nature et les exigences du poste à combler, établit le profil du candidat recherché, entreprend des démarches nécessaires à la sélection et à l'évaluation des candidats potentiels. Elle s'occupe, selon le cas, de faire paraître l'offre d'emploi dans les médias, de solliciter la candidature de certains professionnels en exercice, de recevoir et d'analyser les curriculum vitae, de passer les entrevues, d'administrer des tests et de ne retenir que le ou les candidats qui semblent correspondre au profil établi. Elle présente à ses clients un rapport d'évaluation des candidats dans lequel elle fait part de ses conclusions et recommandations.
CLÉO 422.20   U

CHAUDRONNIER, CHAUDRONNIÈRE Personne qui dessine, façonne, assemble, répare et soude des structures de chaudronnerie lourde (chaudières, réservoirs, bacs, etc.) en cuivre, en aluminium ou en d'autres métaux non ferreux utilisés dans diverses industries de transformation des matières premières. *Elle accomplit ses tâches avec minutie afin d'assurer une mise en place sécuritaire des structures de chaudronnerie.*
CLÉO 222.15   S

CHAUFFEUR, CHAUFFEUSE D'AUTOBUS Personne qui conduit un autobus pour transporter des passagers selon des itinéraires établis. Il peut s'agir de destinations locales, interurbaines ou éloignées. Elle perçoit les billets ou le paiement en argent des passagers et donne des renseignements relatifs à l'horaire, au parcours ou aux différents arrêts. *Elle a le souci d'observer les règlements du code de la route et de respecter l'horaire établi afin d'assurer le bien-être et la sécurité des passagers.*
CLÉO 433.28   S

CHAUFFEUR, CHAUFFEUSE D'AUTOBUS D'EXCURSION Personne qui conduit un autobus d'excursion pour transporter des passagers vers des destinations locales ou éloignées au cours de voyages. Elle s'assure du bon état de fonctionnement du véhicule, accueille les gens et les renseigne sur les horaires et les points d'intérêts durant le voyage. *Elle a le souci d'observer les règlements du code de la route et de respecter l'horaire établi afin d'assurer le bien-être et la sécurité des passagers.*
CLÉO 433.29   S

CHAUFFEUR, CHAUFFEUSE D'AUTOBUS SCOLAIRE Personne qui conduit un autobus servant au transport des élèves pour aller et revenir des établissements scolaires selon les itinéraires établis. Elle s'occupe de la propreté de l'autobus et s'assure du bon état du véhicule en vérifiant l'huile, la pression des pneus et le niveau d'essence et en signalant tout problème mécanique à l'employeur. *Elle se préoccupe de la sécurité des élèves à bord de l'autobus et lors de l'embarquement et du débarquement.*
CLÉO 433.30   S

CHAUFFEUR, CHAUFFEUSE DE CAMION Personne qui conduit un camion de tonnage moyen sur de courtes ou de longues distances pour le transport de marchandises ou de matériaux. *Elle se préoccupe de respecter les règles de la sécurité routière ainsi que les horaires établis de manière à assurer la livraison des marchandises en bonne condition et dans les délais prévus.*
CLÉO 433.31   S

CHAUFFEUR, CHAUFFEUSE DE CAMION LOURD
Personne qui conduit un véhicule lourd (camion porteur, camion, tracteur avec semi-remorque) sur de courtes ou de longues distances pour le transport et la livraison de marchandises ou de matériaux. *Elle se préoccupe de respecter les règles de la sécurité routière, le trajet ainsi que les horaires établis de manière à assurer la livraison des marchandises en bonne condition et dans les délais prévus.*
CLÉO 433.33   S

Un **chauffeur de camion lourd** se prépare
à effectuer sa livraison
PHOTO: Groupe Dynaco

CHAUFFEUR, CHAUFFEUSE DE CANTINE MOBILE
Personne qui conduit une cantine roulante selon un itinéraire préétabli et qui vend sur place des aliments et des boissons aux personnes intéressées (employés d'une entreprise, automobilistes arrêtés dans une halte routière, clients d'un stade sportif en plein air, etc.). *Elle veille à prendre les mesures nécessaires afin d'assurer la fraîcheur et la qualité de ses produits (réfrigération, rotation des produits, entreposage adéquat, hygiène).*
CLÉO 432.54   S

CHAUFFEUR, CHAUFFEUSE DE FOUR À HYDROGÈNE
Personne qui assure le fonctionnement d'un four à hydrogène servant à enlever l'humidité et les impuretés des pièces de céramique, de verre ou de métal utilisées dans la fabrication d'éléments électroniques. *Elle a le souci d'observer attentivement les indicateurs de débit d'hydrogène et de température afin que les pièces soient en parfaite condition à la sortie du four.*
CLÉO 223.11   S

CHAUFFEUR, CHAUFFEUSE DE MACHINERIE DE DÉNEIGEMENT
Personne qui conduit des véhicules (chasse-neige, niveleuse, épandeuse de sel ou de sable) servant à enlever la neige accumulée sur les routes, les terrains de stationnement ou sur d'autres aires de circulation. *Elle s'efforce d'éliminer les amoncellements de neige et de respecter les normes de sécurité établies afin de faciliter la circulation sur les routes.*
CLÉO 433.34   S

CHAUFFEUR, CHAUFFEUSE DE TAXI
Personne qui conduit une automobile pour transporter des passagers d'un lieu à un autre en échange d'une somme d'argent. Elle aide les personnes à porter leurs bagages ainsi qu'à monter et à descendre du véhicule. *Elle a le souci de bien connaître l'emplacement des rues et des édifices et de choisir le meilleur itinéraire possible selon les conditions de la circulation afin d'assurer à sa clientèle un transport rapide et sécuritaire.*
CLÉO 433.27   S

CHEF ACCESSOIRISTE
Personne qui dirige le personnel responsable de rassembler et de mettre en place les accessoires utilisés dans la mise en scène de spectacles, de productions théâtrales, cinématographiques, télévisuelles ou autres. Elle établit une liste de tous les accessoires requis pour répondre aux besoins matériels de la production et supervise toutes les activités nécessaires pour rechercher et obtenir les accessoires appropriés, les transporter, en fabriquer au besoin, les entreposer et en organiser l'utilisation pendant la production. Elle gère en outre les dépenses relatives à la location, l'achat ou la fabrication d'accessoires et prend les dispositions nécessaires après la production pour la remise du matériel prêté ou l'entreposage des accessoires. *Elle se préoccupe de fournir des accessoires dont le style et les dimensions conviennent au lieu, à l'époque en cause et veille à en définir la place exacte sur la scène ou le plateau de tournage de façon à répondre aux besoins de la production et à pouvoir reproduire le même arrangement visuel d'une fois à l'autre.*
CLÉO 624.34   C

CHEF CONSTRUCTEUR, CHEF CONSTRUCTRICE DE DÉCORS
Personne qui dirige le travail des différents corps de métiers (menuisiers, électriciens, peintres, monteurs, etc.) participant à la construction de décors conçus pour un spectacle sur scène ou une production en cinéma ou en télévision. Elle organise et supervise les différentes étapes du travail selon les plans du concepteur et veille à la sécurité et à la solidité des installations. Elle gère également le budget alloué. *Elle se préoccupe d'organiser le travail de façon fonctionnelle afin de réaliser les décors dans les meilleurs délais possible.*
CLÉO 624.32   C

CHEF COSTUMIER, CHEF COSTUMIÈRE
Personne qui choisit les costumes que porteront les artistes ou autres participants dans une production cinématographique ou télévisuelle ou dans un spectacle sur scène et qui supervise les activités liées à l'obtention et à l'utilisation de ces tenues. À cette fin, elle se charge des démarches auprès des agences, musées, commerçants et commanditaires afin d'acheter, de louer ou d'obtenir le prêt des

articles nécessaires, s'occupe de l'ajustement des costumes, du choix des coiffures, des accessoires et des maquillages complémentaires et des tâches entourant la gestion des costumes (entretien, retouches, transport, rangement, retour des prêts, etc.). Elle gère également le budget alloué et supervise le travail du personnel qui l'assiste dans ses tâches. *Elle s'efforce de fournir des costumes adaptés aux besoins de chaque rôle et aux caractéristiques physiques de chaque participant et veille à respecter les délais et le budget prévus.*
CLÉO 624.36   C

Le métier de **chef cuisinier** fait aussi appel à des capacités artistiques
PHOTO: CS de Charlesbourg–CFP du Trait-Carré

CHEF CUISINIER, CHEF CUISINIÈRE Personne qui est responsable du choix et de l'élaboration des recettes et des mets et de la coordination du personnel des cuisines. Elle doit, entre autres, estimer les besoins en aliments, estimer les frais, faire les commandes, superviser la préparation et la cuisson des mets. Elle s'occupe également de l'entretien, de l'équipement et des aires de travail. Elle peut travailler dans différents milieux tels que les restaurants, les hôtels, les hôpitaux, les écoles. *Elle veille au respect des normes de sécurité et d'hygiène et à la préparation de mets attrayants et savoureux.*
CLÉO 511.08   S

CHEF D'ORCHESTRE Personne qui dirige les musiciens faisant partie d'une formation musicale comme un orchestre symphonique. Elle choisit les pièces et interprétations, auditionne et sélectionne les musiciens, leur indique leur partition et l'interprétation désirée et dirige les répétitions et les concerts. *Elle a le souci de mettre en valeur le talent des instrumentistes, de faire un choix et une interprétation judicieuse des pièces musicales afin de plaire à l'auditoire.*
CLÉO 622.04   U

CHEF DE CABINET Personne qui assume, sous l'autorité d'un ministre, les responsabilités liées à la direction des membres du personnel d'un cabinet, à la coordination, à la gestion et à la direction des activités d'un cabinet ministériel. Elle joue également un rôle conseil auprès du ministre et assure le lien entre le cabinet ministériel et le bureau du sous-ministre et celui du premier ministre. *Elle s'assure que le ministre ait tout le soutien nécessaire à l'accomplissement de ses fonctions.*
CLÉO 311.12   U

CHEF DE GARE Personne qui coordonne le travail du personnel et les différentes activités d'une gare de chemin de fer. Elle s'occupe, entre autres, d'afficher et d'apporter les changements aux horaires des départs et arrivées des trains et de superviser le personnel (billetterie, manutention, entretien, etc.), de donner l'autorisation pour les départs des trains. *Elle veille à faire preuve de vigilance et à respecter les normes de sécurité établies afin d'assurer un service efficace et courtois à la clientèle.*
CLÉO 433.41   S

CHEF DE PUPITRE Personne qui assure la préparation des textes en vue de leur publication dans les journaux, les périodiques, les magazines ou encore à la radio et à la télévision, etc. Elle vérifie la qualité de l'écriture des textes (orthographe, ponctuation, etc.), s'assure de l'exactitude des données fournies, travaille à les rendre plus clairs, hiérarchise les informations et prépare les maquettes des pages. *Elle veille à s'assurer de la clarté et de la qualité des textes publiés et à choisir une mise en pages soignée afin de mettre les articles en valeur et de susciter l'intérêt des lecteurs.*
CLÉO 713.03   C

CHEF DE SERVICE DE PROMOTION DES VENTES Personne qui, au sein d'une entreprise, conçoit et réalise des programmes de promotion des ventes dans le but d'assurer sa rentabilité. À cette fin, elle procède à des analyses de marché, prend connaissance des habitudes des consommateurs, étudie la concurrence, établit des programmes promotionnels selon les objectifs de l'entreprise et évalue les résultats. Elle voit également à la formation de l'équipe des ventes.
CLÉO 432.04   C/U

CHEF DE TRAIN Personne qui supervise le travail du personnel à bord du train, comme l'équipe de la locomotive, le personnel des wagons. Elle prend connaissance des horaires et autres directives et donne les instructions de départ, de manoeuvre d'urgence et de vérification de fonctionnement ainsi que les renseignements relatifs aux divers services à bord du train. *Elle veille à faire respecter les horaires établis et les normes de sécurité afin d'assurer aux passagers un voyage agréable et de tout confort.*
CLÉO 433.42   S

CHEF MÉCANICIEN, CHEF MÉCANICIENNE DE NAVIRE Personne qui dirige et coordonne le travail des mécaniciens responsables de l'entretien et de la réparation des machines et des installations électriques dans la chambre des machines sur un navire (moteurs, pompes, circulateurs, etc.). Elle doit, entre autres, établir l'horaire de travail, inspecter le travail effectué par le personnel technique, veiller au respect des normes et s'occuper de l'inventaire des pièces. Elle accomplit également le travail administratif relatif à ses fonctions.
CLÉO 254.20   C

CHEF OPÉRATEUR, CHEF OPÉRATRICE DU SON
Personne qui, à partir d'un pupitre de commande à la régie technique d'un plateau de tournage ou d'un studio d'enregistrement, dirige les opérations des techniciens du son (preneur de son, perchiste, bruiteur, opérateur de disques, etc.) qui, coiffés d'un casque d'écoute, reçoivent ses directives au fur et à mesure du déroulement de la production. En télévision, elle effectue simultanément en régie le mixage des différentes sources sonores aux fins de la transmission en direct, ou en différé dans le cas des émissions de routine. *Elle doit faire preuve d'une concentration soutenue pour que les micros et le matériel d'enregistrement soient branchés ou mis hors-circuit au moment voulu ou que les sons préenregistrés soient envoyés sans délai conformément au plan de sonorisation établi.*
CLÉO 624.54   C/S

Un **chef opérateur du son** installé à la régie technique d'un plateau de théâtre
PHOTO: Kedl/Grand Théâtre de Québec

CHEF PÂTISSIER, CHEF PÂTISSIÈRE Personne qui, dans un restaurant, est responsable du choix et de l'élaboration des desserts et pâtisseries et qui supervise le travail de ses aides dans la réalisation des desserts. Elle peut, selon les occasions et les demandes de la clientèle, concevoir et préparer des pièces montées ou des desserts particuliers. *Elle s'efforce de présenter des pâtisseries variées, de bon goût et originales afin de satisfaire les goûts de la clientèle.*
CLÉO 511.12   S

CHEF RÉCEPTIONNISTE D'HÔTEL Personne qui surveille et coordonne le travail du personnel chargé des réservations, de l'accueil, de l'inscription et de la facturation des clients d'un hôtel. *Elle s'efforce de bien répartir le travail entre les membres du personnel et d'améliorer la qualité des services afin de satisfaire les exigences de la clientèle et les critères de rendement de l'hôtel.*
CLÉO 512.04   C

CHERCHEUR, CHERCHEUSE EN COMMUNICATION Personne qui, en tant que membre des forces armées, utilise du matériel électronique sophistiqué pour intercepter et étudier les transmissions électroniques ainsi que du matériel de radiogonométrie servant à des opérations de sauvetage. Elle collecte, traite, fait des comptes rendus et diffuse des signaux. Elle prépare, transmet, reçoit, relaie et traite des messages. Elle analyse également des données sur des systèmes de communication étrangers et rédige des comptes rendus.
CLÉO 333.09   S

CHIMISTE Personne qui fait des recherches en laboratoire sur la composition et la structure chimique de la matière, ses propriétés et ses procédés de transformation en vue de mettre au point ou d'améliorer des procédés, des méthodes ou des produits (matériaux plastiques, fibres synthétiques, produits alimentaires, produits pharmaceutiques) ou encore de solutionner divers problèmes liés à l'énergie, l'environnement, l'alimentation et la santé. Elle peut travailler dans des milieux très variés comme celui de l'art (déterminer l'authenticité et l'origine d'une oeuvre), celui de la pharmacie (élaboration de nouveaux médicaments), de la production alimentaire (mise au point de recettes ou de procédés de transformation) ou de la production des pâtes et papiers. *Elle se préoccupe de choisir les matériaux, les procédés et les méthodes de fabrication et de transformation qui permettront d'obtenir un produit ayant les caractéristiques désirées (souplesse ou rigidité, perméabilité ou imperméabilité, etc.) et répondant aux critères de rentabilité souhaitée.*
CLÉO 229.11   U

CHIMISTE SPÉCIALISTE DU CONTRÔLE DE LA QUALITÉ Personne qui analyse et contrôle la qualité des matières premières, des produits intermédiaires et des produits finis ainsi que les procédés chimiques de fabrication en laboratoire ou en usine. À cette fin, elle s'assure de l'efficacité des méthodes d'échantillonnage utilisées et prépare les solutions spéciales destinées aux essais. Elle interprète également les résultats des essais et rédige des rapports. *Elle a le souci d'effectuer une analyse juste des procédés et produits afin d'éliminer tout produit susceptible d'être nocif ou dangereux.*
CLÉO 229.05   U

CHIROPRATICIEN, CHIROPRATICIENNE Personne qui pose un diagnostic sur les problèmes de santé liés à la mobilité du système musculo-squelettique et qui donne à la personne qui consulte les soins chiropratiques appropriés afin de l'aider à retrouver la mobilité optimale et d'améliorer son état de santé. Elle reçoit la personne, s'informe de ses problèmes de santé et procède à un examen afin d'évaluer l'état de son système musculo-squelettique. Elle prend des radiographies, les analyse, transmet les résultats et propose un plan de traitement. Elle fait des ajustements de la colonne vertébrale et d'autres articulations et donne des conseils sur certaines habitudes de vie (repos, exercice et alimentation). Elle peut également agir à titre préventif. *Elle considère l'être humain de façon globale et tient compte de ses pouvoirs naturels de récupération.*
CLÉO 524.01   U

La manipulation d'échantillons de substances dangereuses ou toxiques peut faire partie des tâches des **chimistes**
PHOTO: Maurice Boudreau/Métallurgie Noranda–Fonderie Horne

CHIRURGIEN, CHIRURGIENNE Personne qui, en tant que médecin spécialiste, pratique des interventions chirurgicales pour traiter des maladies, corriger des difformités ou guérir des blessures afin d'améliorer l'état de santé des personnes. À cette fin, elle analyse le dossier médical de la personne qui consulte pour évaluer la nécessité d'une intervention chirurgicale. Elle choisit alors la méthode appropriée, s'informe des réactions de la personne aux médicaments et aux traitements, donne les instructions à l'équipe de travail pour la préparation à l'intervention puis fait l'intervention chirurgicale en collaboration avec d'autres professionnels de la santé. *Elle se préoccupe de répondre aux questions de la personne qui subira l'intervention et de lui donner toutes les explications nécessaires afin de créer un climat de confiance qui favorise la réussite de l'opération et le rétablissement de la personne.*

Elle veille aussi à assurer un suivi à la personne dans la période postopératoire.
CLÉO 523.61   U

CHIRURGIEN BUCCAL ET MAXILLO-FACIAL, CHIRURGIENNE BUCCALE ET MAXILLO-FACIALE Personne qui, en tant que spécialiste de la médecine dentaire, pratique des interventions chirurgicales pour corriger des malformations congénitales ou des anomalies de développement des tissus mous et des os de la cavité buccale, des mâchoires et du visage et qui traite les fractures et autres traumatismes de cette région ainsi que les tumeurs bénignes, les kystes, les excroissances et autres anomalies des tissus buccaux et faciaux. Elle fait une évaluation diagnostique, définit et applique un plan d'intervention approprié pour restaurer les fonctions affectées (élocution, déglutition, mastication, respiration), la santé buccale ou l'esthétique faciale de ses patients. Elle procède, entre autres, à des extractions dentaires simples ou complexes, à des biopsies, à l'ablation de tumeurs, à la réduction des fractures, à la correction des malocclusions, à la pose d'implants buccaux et de prothèses maxillaires. Elle voit également à prévenir et à traiter toute complication pouvant survenir à la suite des traitements (douleur, hémorragie, infection, dysfonction des articulations, etc.) et à assurer un suivi à la personne dans la période postopératoire. *Elle doit faire preuve d'une grande expertise en matière d'anatomie, de fonctionnement et de pathologie des structures buccales et maxillo-faciales afin de pouvoir déterminer et réaliser avec succès les interventions appropriées.*
CLÉO 523.89   U

CHIRURGIEN, CHIRURGIENNE CARDIO-VASCULAIRE Personne qui, en tant que médecin spécialiste du système cardio-vasculaire, corrige et traite au moyen de la chirurgie les anomalies congénitales et les dysfonctionnements du coeur, des artères et des vaisseaux sanguins. Elle procède à des examens diagnostiques en vue d'établir la nécessité d'opérer, de définir les possibilités de traitement non chirurgical et d'évaluer les risques d'une intervention chirurgicale éventuelle selon l'état de santé général du patient et ses antécédents médicaux. Elle détermine les méthodes chirurgicales à utiliser, donne des instructions concernant les examens et soins préopératoires et pratique l'intervention requise selon les techniques appropriées. Dans les cas de greffes cardiaques, elle peut être appelée à superviser les démarches pour trouver un donneur, à coordonner les interventions chirurgicales pratiquées sur le donneur et le receveur ainsi qu'à réaliser la greffe. Elle prescrit également les médicaments et les soins postopératoires nécessaires au rétablissement optimal du patient et exerce un suivi périodique.
CLÉO 523.64   U

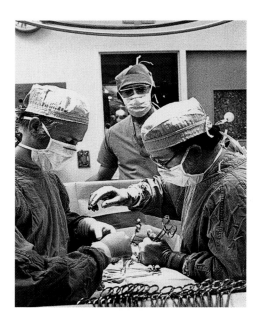

Un **chirurgien thoracique** procède à une intervention en collaboration avec une équipe médicale
PHOTO: Collège des médecins du Québec

CHIRURGIEN, CHIRURGIENNE ORTHOPÉDISTE

Personne qui, en tant que médecin spécialiste, pratique après évaluation diagnostique des personnes qui la consultent des interventions chirurgicales sur les parties atteintes du système musculosquelettique (colonne vertébrale, os, muscles, tendons, articulations) en vue de soulager des douleurs ou des troubles fonctionnels causés par un accident, une maladie, une malformation congénitale ou par une lésion d'origine sportive ou professionnelle. *Elle se préoccupe de déterminer soigneusement les techniques d'intervention chirurgicale à utiliser selon les problèmes identifiés et de faire preuve de la minutie qui s'impose au cours des interventions afin d'obtenir la plus grande amélioration possible de la condition physique de la personne.*
CLÉO 523.63   U

CHIRURGIEN, CHIRURGIENNE PLASTIQUE

Personne qui, en tant que médecin spécialiste, corrige et traite au moyen de la chirurgie le fonctionnement ou l'apparence d'une partie externe du corps, en vue de contribuer au bien-être physique et psychologique des patients. Elle pratique des interventions chirurgicales variées pour corriger des anomalies de naissance, réparer certaines déformations consécutives à des accidents ou des maladies (brûlure, fracture, arthrite, cicatrice chirurgicale, etc.) ou encore pour remodeler certaines parties du corps à des fins esthétiques. Elle peut aussi réaliser des greffes capillaires pour corriger des problèmes de calvitie.
CLÉO 523.62   U

CHIRURGIEN, CHIRURGIENNE THORACIQUE

Personne qui, en tant que médecin spécialiste, diagnostique et traite au moyen de la chirurgie ou à l'aide de soins médicaux appropriés des fractures ou autres lésions de la cage thoracique ou des vertèbres situées au niveau du thorax. À cette fin, elle procède à des examens diagnostiques en vue de définir le traitement approprié et d'évaluer, en collaboration avec d'autres médecins spécialistes, les risques d'une intervention chirurgicale selon l'état de santé général du patient et ses antécédents médicaux. Elle détermine les méthodes chirurgicales à utiliser, donne des instructions concernant les examens et soins préopératoires, veille à la préparation de la salle de chirurgie et pratique l'intervention requise selon les techniques appropriées. Elle prescrit également les médicaments et les soins postopératoires nécessaires au rétablissement optimal du patient et exerce un suivi périodique.
CLÉO 523.66   U

CHOCOLATIER, CHOCOLATIÈRE

Personne qui fabrique, sur une base plus ou moins artisanale, divers produits de confiserie à base de chocolat (fondants, pastilles, truffes, bonbons, tablettes, objets ou personnages moulés, etc.) et qui les vend dans son commerce ou par l'intermédiaire de distributeurs. À cette fin, elle détermine les recettes, établit les procédés de fabrication et choisit le design de présentation. Elle s'occupe également du fonctionnement, de la gestion et de l'entretien de la fabrique ainsi que de la mise en marché de ses produits. *Elle est soucieuse d'adapter sa production aux besoins changeants du marché et de mettre au point de nouveaux produits qui sauront plaire aux clients.*
CLÉO 228.36   S

CHORÉGRAPHE

Personne qui conçoit et élabore, en collaboration avec l'équipe de réalisation, des pas et figures de danse pour un ou plusieurs danseurs en vue d'une représentation sur scène, pour la télévision ou le cinéma. À cette fin, elle étudie la musique, le scénario et crée les danses pour communiquer les idées, les émotions et les histoires appropriées. Elle sélectionne les danseurs et leur enseigne à exécuter les pas de danse et les fait répéter. *Elle a le souci de concevoir une série de figures et de pas s'accordant à la musique choisie et au thème qu'elle veut développer au cours du spectacle.*
CLÉO 623.01   U

CHORISTE

Personne qui chante dans un chœur en tant que membre d'un ensemble vocal spécialisé dans un genre musical (opéra, jazz, rock, chants ethniques, chansons de la Renaissance, hymnes religieux, etc.). Elle participe aux répétitions, à tous les récitals donnés par le groupe ainsi qu'aux concerts dans lesquels le chœur est engagé

pour l'accompagnement vocal et, s'il y a lieu, aux enregistrements de disques produits par l'ensemble vocal. Elle interprète généralement en solo ou en groupe les parties des oeuvres vocales correspondant à son type de voix (soprano, alto, baryton, ténor, etc.).
CLÉO 622.09   U

CHRONIQUEUR, CHRONIQUEUSE Personne qui rédige un article ou une série d'articles sur des sujets, des événements ou des personnalités, pour des journaux, des magazines ou autres publications, dans le but de transmettre de l'information aux lecteurs. À cette fin, elle se documente sur le sujet de la chronique par des rencontres, des lectures et toute autre source d'information et vérifie la validité et l'intérêt de l'information recueillie. *Elle est soucieuse de transmettre de l'information qui saura susciter l'intérêt et la curiosité des lecteurs et est à l'affût de toute information nouvelle qui pourrait agrémenter sa chronique.*
CLÉO 713.07   U

CHRONOMÉTREUR, CHRONOMÉTREUSE Personne qui est responsable de chronométrer le temps requis pour effectuer des parcours dans des compétitions sportives comme la course à pied, la course automobile et les compétitions en natation. *Elle doit veiller au bon fonctionnement du chronomètre afin de s'assurer que les temps de course sont bien calculés.*
CLÉO 515.11   S

CIMENTIER-APPLICATEUR, CIMENTIÈRE-APPLICATRICE Personne qui prépare et coule du ciment pour former les surfaces des planchers, murs, trottoirs et pavages de bâtiments et terrains, qui réalise des revêtements unis et des ornementations en ciment sur diverses surfaces et qui fait l'application des durcisseurs, scellants et membranes d'imperméabilisation nécessaires à l'obtention d'un fini durable. *Elle doit veiller à répandre la quantité requise de ciment afin d'obtenir des surfaces de l'épaisseur et du fini désirés.*
CLÉO 241.30   S

CIREUR, CIREUSE DE CHAUSSURES Personne qui, dans les centres commerciaux ou autres lieux publics, nettoie et cire les chaussures et les bottes des clients. *Elle veille à employer les produits et les accessoires appropriés selon la matière et la couleur des chaussures ou des bottes afin de leur redonner une apparence soignée.*
CLÉO 516.23   S

CISELEUR, CISELEUSE Personne qui grave des motifs (fleurs, formes géométriques, etc.) sur des objets de métal précieux ou semi-précieux comme des vases, des assiettes ou des coupes à l'aide de petits outils comme un marteau et des pointes à graver. *Elle s'efforce d'obtenir un produit*

esthétique qui saura répondre aux exigences de la clientèle.
CLÉO 627.10   S/C

CLASSEUR, CLASSEUSE DE BOIS DE CONSTRUCTION Personne qui, dans une scierie, détermine le volume et la qualité de bois usiné et qui le classe et le marque selon sa qualité, sa dimension, sa couleur ou son espèce en vue de déterminer la meilleure utilisation possible. Elle doit déceler les défauts et les irrégularités du bois (noeuds, taches, piqûres de vers, etc.) et appliquer les normes de l'industrie de façon à permettre une production de bois ou de planches de qualité et ainsi éviter les pertes inutiles.
CLÉO 225.13   S

CLASSEUR-MESUREUR, CLASSEUSE-MESUREUSE Personne qui, en vue de vérifier la conformité d'une compagnie forestière aux normes gouvernementales établies en matière de gestion rationnelle des ressources forestières, calcule, pour un volume donné d'arbres abattus, le rendement du bois marchand obtenu après sciage ainsi que les pertes attribuables aux défauts du bois. Elle s'occupe également de classer le bois débité selon l'essence, les dimensions et l'usage prévu, d'empiler le bois et de l'acheminer vers les aires de séchage. *Elle s'assure de tenir avec soin les registres de rendement et de signaler aux autorités toute infraction aux normes établies.*
CLÉO 123.10   S

Deux **classeurs-mesureurs** procèdent au classement du bois débité
PHOTO: Ministère des Ressources naturelles du Québec

CLIMATOLOGISTE Personne qui étudie des données d'observations météorologiques recueillies sur de longues périodes dans une région ou l'ensemble du globe, en vue de faire des prévisions à long terme ou encore d'expliquer certains phénomènes (effets de la pollution de l'air sur le climat, répartition des pluies acides sur le globe, effets de la diminution de la couche d'ozone sur les températures, etc.). Elle effectue généralement ses recherches dans le cadre de programmes scientifiques universitaires ou nationaux.
CLÉO 114.03   U

CLOWN Personne qui, maquillée et vêtue d'un costume traditionnel de clown ou de vêtements amusants, exécute des bouffonneries, des acrobaties et des tours en vue de divertir et de faire rire le public. À cette fin, elle conçoit ou participe à l'élaboration des numéros, détermine les accessoires nécessaires, répète les numéros et en fait la présentation devant public. Elle peut travailler dans un cirque, participer à des festivals ou encore à des émissions télévisées. *Elle a le souci d'exécuter des numéros originaux qui sauront captiver et amuser le public.*
CLÉO 625.10   C

COIFFEUR, COIFFEUSE Personne qui coupe, traite, colore, frise et coiffe la chevelure des gens selon leurs désirs, les tendances de la mode et leur personnalité. Elle prépare également les factures, conseille et vend des produits capillaires et perçoit les paiements. *Elle s'efforce d'accueillir les clients avec courtoisie et de bien les conseiller sur le type de coiffure qui convient à leur style et aux particularités de leurs cheveux.*
CLÉO 516.07   S

COIFFEUR, COIFFEUSE STYLISTE Personne qui crée et réalise des coiffures de style personnalisé selon la structure morphologique du visage, la silhouette, la personnalité, le style vestimentaire de ses clients et selon les caractéristiques naturelles de leurs cheveux. À cette fin, elle effectue divers traitements des cheveux et du cuir chevelu, modifie la couleur naturelle, réalise une ondulation permanente, fait la coupe, la mise en forme, la mise en pli ou toute autre opération destinée à améliorer l'apparence et la tenue de la coiffure. Elle conseille également ses clients sur les produits et les techniques à utiliser pour entretenir la coiffure et assurer le bon état de la chevelure. *Elle veille à discuter avec ses clients des possibilités de transformation susceptibles d'améliorer leur apparence et à se montrer attentive à leurs désirs afin de créer des coiffures qui sauront leur plaire.*
CLÉO 516.06   S

COMMANDANT, COMMANDANTE DE NAVIRE
Personne qui planifie et dirige les activités en mer d'un navire de passagers ou de marchandise. À cette fin, elle forme l'équipage aux situations d'urgence, assure la gestion des approvisionnements en carburant et en provisions, détermine l'itinéraire à suivre, établit les communications avec les services maritimes, s'assure du respect des règlements par l'inspection du navire et coordonne le travail du personnel de l'entretien et de la navigation. *Elle se préoccupe d'effectuer le voyage dans les meilleures conditions possible en tenant compte des possibilités du navire et de la température et prend soin de consigner dans un journal de bord les activités de l'équipage, les conditions météorologiques, les marées et les courants.*

CLÉO 433.53   C

COMMENTATEUR SPORTIF, COMMENTATRICE SPORTIVE Personne qui recueille et analyse des renseignements au sujet d'événements sportifs en vue de préparer des reportages, d'animer une émission sportive à la radio ou à la télévision, de présenter des bulletins sportifs ou encore de décrire et commenter des événements sportifs (hockey, baseball, etc.). À cette fin, elle évalue l'information dont elle dispose, se rend sur les lieux d'une manifestation sportive, assiste aux conférences de presse, interviewe des personnalités sportives, rédige des nouvelles et des analyses en y ajoutant des renseignements biographiques ou statistiques et suit parfois une équipe sportive dans ses déplacements. *Elle se préoccupe de présenter des renseignements précis et intéressants sur le monde sportif en vue de bien informer le public.*
CLÉO 712.04   U

COMMIS À LA FACTURATION Personne qui prépare les factures et les documents relatifs à la vente et la livraison de marchandises et qui recueille les données nécessaires à la mise à jour des comptes en recouvrement. *Elle veille à vérifier l'exactitude des données recueillies afin d'assurer la mise à jour des documents.*
CLÉO 424.06   S

COMMIS À LA FISCALITÉ Personne qui prépare les déclarations de revenus des personnes ou des entreprises. À cette fin, elle fait les calculs des revenus et des impôts indirects, vérifie les revenus et les documents de paiement, d'encaissement et autres transactions. *Elle s'assure de l'exactitude des données et des calculs de manière à éviter toute erreur.*
CLÉO 424.07   S

COMMIS À LA RÉCEPTION ET À L'EXPÉDITION
Personne qui effectue diverses tâches liées à la réception et à l'expédition des marchandises dans une entreprise manufacturière, une compagnie de transport, un entrepôt ou un commerce. Elle doit, entre autres, vérifier si les marchandises reçues sont conformes aux commandes ou aux bons de livraison, préparer les colis destinés à l'expédition, remplir et acheminer les formulaires requis ou les factures, tenir l'inventaire des marchandises sur ordinateur, etc. *Elle s'efforce d'assurer un service efficace et rapide dans le traitement des marchandises et, en cas de marchandises non conformes, manquantes ou endommagées, d'effectuer sans délai les démarches qui s'imposent.*
CLÉO 433.10   S

COMMIS À LA RÉGULATION ASSISTÉE PAR ORDINATEUR Personne qui, à l'aide d'un système de régulation assistée par un ordinateur, reçoit et transmet les appels d'urgence. Elle dépêche des équipes de travail qui assurent les services de police, d'ambulance et de lutte contre les incendies.

Elle s'efforce de faire preuve de jugement et d'esprit de décision afin de bien établir les priorités et ainsi venir en aide le plus rapidement possible aux personnes en détresse.
CLÉO 331.08   C

COMMIS À LA RÉSERVATION Personne qui, pour le compte d'une entreprise, s'occupe de faire les réservations de billets de train, d'autobus ou d'avion et retient les chambres d'hôtel pour les employés ou les invités et qui fournit divers renseignements, entre autres sur les horaires et les coûts du transport terrestre ou aérien. *Elle se préoccupe de faire preuve de courtoisie et d'efficacité afin que les personnes reçoivent la confirmation de leurs places dans les meilleurs délais.*
CLÉO 433.79   S

La tâche d'une **commis à la saisie de données** exige précision et concentration
PHOTO: CECQ–École Marie-de-l'Incarnation

COMMIS À LA SAISIE DE DONNÉES Personne qui entre de l'information codée dans une banque de données ou encore sur disquette, disque ou bande magnétique afin de les conserver en mémoire. *Elle a le souci de s'assurer que les données enregistrées correspondent aux documents qui lui ont été remis.*
CLÉO 421.15   S

COMMIS AU BUDGET Personne qui participe à la préparation du budget d'une entreprise à l'aide de ceux établis antérieurement et des prévisions des recettes et dépenses. Elle doit, entre autres, prendre connaissance des frais d'exploitation et des ventes, déterminer l'état financier courant et préparer des tableaux statistiques. *Elle veille à recueillir toutes les données nécessaires à l'établissement d'un budget réaliste.*
CLÉO 424.08   S

COMMIS AU CLASSEMENT Personne qui, dans une entreprise, fait le tri de lettres, de factures, de formulaires et de documents divers et qui les classe selon un système de classification particulier (ordre alphabétique, numérique,

chronologique, etc.). *Elle a le souci de classer les documents de façon pratique pour en faciliter l'accès au moment opportun.*
CLÉO 421.14   S

COMMIS AU COURRIER Personne qui, dans une entreprise, dépouille et trie le courrier et les colis reçus en vue de leur distribution dans les divers services et qui prépare le courrier à expédier selon sa destination. Elle pèse le courrier à expédier, calcule les frais postaux, signe ou fait signer par le destinataire le courrier recommandé. *Elle s'efforce de faire le tri correctement et d'éviter les erreurs afin d'accélérer la distribution du courrier.*
CLÉO 433.93   S

COMMIS AU GUICHET DES POSTES Personne qui, au guichet d'un bureau de poste, effectue et enregistre la vente de timbres et de mandats-poste, le traitement du courrier recommandé, le calcul de l'affranchissement des lettres et des colis. Elle reçoit et trie le courrier et remplit les formulaires de changement d'adresse, de vol ou de perte du courrier. *Elle s'efforce de bien comprendre les demandes des clients, d'y répondre avec courtoisie et d'éviter les erreurs de calcul afin d'accélérer le service postal et de satisfaire les exigences du public.*
CLÉO 433.95   S

COMMIS AU PRIX DE REVIENT Personne qui calcule le coût de la main-d'oeuvre, des matériaux et des frais généraux d'exploitation de manière à évaluer le prix de revient des biens produits par l'entreprise. *Elle se préoccupe de bien évaluer les différents frais de l'entreprise afin de permettre à l'administration de fixer des prix justes à même d'assurer des profits.*
CLÉO 424.09   S

C
COM

COMMIS AU RECOUVREMENT Personne qui prend contact avec des personnes ayant fait des chèques sans provision ou dont les comptes sont en souffrance, afin de les prévenir des sommes dues et de convenir des modalités de remboursement. Elle peut travailler dans une administration municipale ou gouvernementale ou encore dans une entreprise, une institution financière ou une agence de recouvrement. *Elle veille à trouver une entente qui permette de récupérer les sommes dues et veille, au besoin, à vérifier la solvabilité des gens.*
CLÉO 424.10   S

COMMIS AU SERVICE DE LA VOIE FERRÉE
Personne qui dresse des rapports concernant les travaux exécutés par les équipes qui travaillent à l'entretien d'un tronçon de voie ferrée. À cette fin, elle fait la liste du matériel utilisé, prend note des travaux en cours et des gens qui les exécutent, inscrit le temps nécessaire aux réparations, tient un registre du personnel et des heures de travail.
CLÉO 433.47   S

COMMIS AU SERVICE DU PERSONNEL Personne qui traite, analyse et consigne des renseignements sur les dossiers du personnel en ce qui a trait à la dotation, au recrutement, à la formation et aux évaluations. À cette fin, elle assure la mise à jour de ces renseignements et répond aux demandes d'information au regard des services du personnel. *Elle a le souci de transmettre l'information exacte et de tenir les dossiers à jour afin que les employés ne soient pas pénalisés dans leurs conditions de travail.*
CLÉO 422.19   C

COMMIS AUX APPROVISIONNEMENTS Personne qui s'occupe des achats du matériel et de l'équipement dans une entreprise et qui tient l'inventaire. Elle examine les demandes afin de s'assurer des besoins de fournitures, prépare les commandes, calcule les coûts, tient à jour les dossiers d'achats. *Elle se préoccupe de veiller au roulement de l'inventaire et de choisir des fournisseurs qui peuvent offrir des articles de qualité au meilleur prix afin de réduire les frais de l'entreprise.*
CLÉO 431.05   C

COMMIS AUX COMPTES À RECEVOIR Personne qui, pour le compte d'une entreprise, assure le suivi comptable de la facturation jusqu'à la réception des paiements à l'aide de données manuscrites ou informatisées. *Elle a le souci de tenir les comptes à jour afin d'éviter toute perte pour l'entreprise et ainsi assurer le meilleur rendement possible.*
CLÉO 424.12   S

COMMIS AUX PETITES ANNONCES Personne qui, dans un journal, écrit ou prépare les textes des petites annonces commandées par la clientèle. Elle donne également des renseignements concernant la parution et les tarifs et calcule le montant des frais. *Elle veille à ce que l'annonce contienne les renseignements donnés afin de satisfaire les exigences de la clientèle.*
CLÉO 432.37   S

COMMIS AUX PLAINTES Personne qui recueille les plaintes de la clientèle au sujet des biens, des services, de la politique d'un établissement ou d'un organisme. Elle doit, entre autres, identifier la nature de la plainte, recueillir les renseignements concernant les faits en cause, déterminer le bien-fondé de la plainte ainsi que la valeur de l'article ou du service et proposer, s'il y a lieu, un échange, un remboursement ou un dédommagement. *Elle veille à offrir à la clientèle des réponses qui sauront assurer sa satisfaction.*
CLÉO 421.13   S

COMMIS D'ASSURANCES Personne qui effectue différentes tâches de bureau relatives à la gestion des dossiers d'assurances. Elle traite les nouvelles demandes, s'occupe des renouvellements (vérification de renseignements sur le client et de la couverture proposée, préparation et émission des polices), effectue les résiliations et les modifications de contrat demandées par les clients, s'occupe des dossiers de réclamations, de facturation et de paiement des primes et tient à jour les registres sur les contrats émis par la compagnie. *Elle s'assure d'inscrire aux dossiers des assurés toutes les données concernant les contrats, les primes et les réclamations afin d'assurer le traitement efficace des dossiers et le bon fonctionnement de la compagnie.*
CLÉO 423.46   C

COMMIS D'INSTITUTION FINANCIÈRE Personne qui, dans un établissement financier (banque, caisse populaire, société de financement, société de placement, etc.), effectue des tâches liées à la compilation, au traitement, à la vérification ou à la mise à jour des opérations financières ou des comptes des clients. Elle s'occupe généralement de tâches comme la compilation des relevés de transactions (dépôts, retraits, frais d'encaissement), la vérification et le bilan des transactions effectuées au guichet automatique, la préparation des relevés de comptes et l'encaissement des paiements ou le suivi des comptes en souffrance. Elle peut également être chargée de répondre aux demandes relatives à des produits ou services particuliers (ouverture de comptes d'épargne, demande de Régime enregistré d'épargne-retraite, location de coffrets de sûreté). *Elle veille à éviter les erreurs et à suivre la procédure établie afin de contribuer à la gestion efficace de l'établissement financier.*
CLÉO 423.12   S

Une **commis de bibliothèque** prépare des documents avant leur classement sur les rayons
PHOTO: Bibliothèque de Québec

COMMIS DE BIBLIOTHÈQUE Personne qui effectue diverses tâches de bureau liées à la commande, à la réception, au prêt et au retour des documents dans une bibliothèque ou un centre de documentation. Elle remplit et envoie les bons de commande, reçoit les documents, en vérifie l'état

et, au besoin, les envoie à la reliure, prépare les documents pour le prêt (étiquette antivol, carte de prêts, etc.), place les livres dans les rayons et travaille au guichet du prêt. *Elle se soucie de classer les documents selon le système établi afin de les rendre accessibles aux usagers.*
CLÉO 632.03   S

COMMIS DE BOURSE Personne qui exécute des opérations boursières par ordinateur selon les ordres d'achat ou de vente qui lui sont donnés par des courtiers en valeurs mobilières. *Elle veille à enregistrer les données sans erreur afin que les opérations en cause s'effectuent selon les conditions indiquées.*
CLÉO 423.23   S

COMMIS DE BUREAU Personne qui effectue diverses tâches liées au travail de bureau et à la comptabilité générale. Elle saisit et reproduit différents textes, ouvre, trie et distribue le courrier et s'occupe du classement des dossiers. *Elle s'efforce d'accomplir ses tâches avec un sens de l'organisation efficace afin que les documents soient constamment à jour et classés à l'endroit approprié.*
CLÉO 421.09   S

COMMIS DE CLUB VIDÉO Personne qui loue ou vend des cassettes et des jeux vidéo dans un commerce. Elle informe la clientèle sur le fonctionnement du club, prépare les cartes de membre, donne des conseils et des renseignements sur les films et classe les cassettes sur les étalages. *Elle veille à offrir un service courtois et à répondre aux besoins de la clientèle afin d'assurer la rentabilité du commerce.*
CLÉO 432.35   S

COMMIS DE DÉPANNEUR Personne qui sert la clientèle dans un dépanneur. À cette fin, elle accueille les clients, donne les renseignements demandés, calcule le montant de la facture et reçoit les paiements. Elle s'occupe également de la réception et de l'étiquetage de la marchandise ainsi que de la propreté des lieux. *Elle veille à percevoir les montants exacts et à ne faire aucune erreur dans la remise de monnaie afin d'éviter les pertes d'argent.*
CLÉO 432.16   S

COMMIS DE SERVICES FINANCIERS Personne qui, dans un établissement financier (banque, caisse populaire, société de financement, société de placement, etc.), rassemble les listes, les dossiers ou tout autre document ayant trait aux opérations financières de l'établissement et qui en assure la mise à jour (actions, obligations, titres ou biens immobiliers détenus, achetés ou vendus). Elle peut aussi répondre, par téléphone ou par courrier, aux demandes de renseignements relatifs aux dossiers des clients. *Elle s'efforce de*

gérer efficacement les dossiers qui lui sont confiés afin de contribuer au bon fonctionnement de l'établissement financier.
CLÉO 423.11   S

COMMIS DE SUPERMARCHÉ Personne qui, dans un supermarché, s'occupe de remplir les rayons et les tablettes de marchandises de façon que la clientèle puisse se procurer tous les produits en tout temps. Elle s'occupe aussi d'emballer, de peser et d'étiqueter la marchandise avant son étalage. *Elle a le souci de procéder à la rotation de la marchandise afin de s'assurer de la fraîcheur des produits et de satisfaire ainsi la clientèle.*
CLÉO 432.15   S

COMMIS DES POSTES AU TRI DU COURRIER Personne qui, dans un bureau de poste, reçoit le courrier, vérifie les adresses et l'affranchissement et s'occupe du tri des lettres et des colis selon leur destination. *Elle s'efforce de faire preuve de rapidité et d'efficacité afin d'éviter les erreurs dans les adresses, d'accélérer la distribution du courrier et de satisfaire les exigences du public.*
CLÉO 433.92   S

Un **commis des postes au tri du courrier** procède à la vérification et au tri du courrier
PHOTO: Société canadienne des postes

COMMIS DU SERVICE DE LA PAIE Personne qui calcule et prépare le paiement des salaires du personnel d'une entreprise en compilant diverses données sur les retenues salariales (exemptions personnelles, impôt, contribution à l'assurance-emploi, à un régime de retraite, etc.). Elle tient également à jour les dossiers sur les heures de travail et les congés. *Elle se soucie de la justesse des calculs de manière à éviter les erreurs dans l'émission des chèques de paie.*
CLÉO 424.13   S

COMMIS-VENDEUR, COMMIS-VENDEUSE Personne qui vend de la marchandise (bijoux, souliers, vaisselle, etc.) dans un magasin de détail. À cette fin, elle renseigne les clients sur les produits offerts et leurs caractéristiques et les conseille au besoin.

Elle est soucieuse de bien connaître la marchandise et son emplacement, d'offrir un service efficace et courtois afin de satisfaire les besoins et exigences de la clientèle et de promouvoir les ventes.
CLÉO 432.20   S

COMMIS-VENDEUR, COMMIS-VENDEUSE D'ANIMALERIE Personne qui vend de petits animaux, des produits alimentaires et des accessoires et qui conseille la clientèle dans ses achats (soins à donner, produits et accessoires nécessaires, etc.). Elle veille également aux soins des animaux (nourrir et toiletter les animaux, nettoyer les cages, etc.). *Elle s'efforce de donner des conseils judicieux et de faire valoir la qualité des produits et services de manière à satisfaire la clientèle et à promouvoir les ventes.*
CLÉO 432.28   S

COMMIS-VENDEUR, COMMIS-VENDEUSE D'ARTICLES DE SPORT Personne qui, dans un commerce ou un magasin spécialisé, vend des articles de sport utilisés pour la chasse, la pêche, le ski et autres sports. Elle accueille la clientèle, s'informe sur ses besoins, la guide et la conseille dans le choix de vêtements, chaussures ou articles de sport et lui donne des renseignements sur l'utilisation et l'entretien des divers produits. *Elle veille à offrir un service courtois et de qualité afin de satisfaire les besoins de la clientèle et de promouvoir les ventes.*
CLÉO 432.25   S

COMMIS-VENDEUR, COMMIS-VENDEUSE DE MATÉRIEL PHOTOGRAPHIQUE Personne qui vend du matériel photographique et optique (loupes, jumelles, télescopes) dans une boutique spécialisée ou dans un grand magasin. Elle s'occupe de l'étalage de la marchandise, étudie le fonctionnement et les caractéristiques des appareils de manière à pouvoir conseiller et renseigner la clientèle sur leur utilisation et leur entretien. Elle prépare également les factures et reçoit les paiements. *Elle est soucieuse de bien cibler les besoins et attentes de la clientèle afin d'offrir des articles qui lui conviennent et de favoriser la rentabilité de l'entreprise.*
CLÉO 432.26   S

COMMIS-VENDEUR, COMMIS-VENDEUSE DE PIÈCES D'ÉQUIPEMENT MOTORISÉ Personne qui vend des pièces de rechange pour les véhicules automobiles ou qui fournit à des mécaniciens les pièces nécessaires aux réparations dans un garage, dans un établissement commercial ou dans un magasin de pièces. Elle prend les commandes des clients au comptoir ou par téléphone, identifie les pièces requises, prépare les factures, tient à jour l'inventaire des pièces.
CLÉO 432.47   S

COMMIS-VENDEUR, COMMIS-VENDEUSE DE POISSONS ET FRUITS DE MER Personne qui, dans un marché d'alimentation ou une poissonnerie, prépare et vend des poissons et des fruits de mer (huîtres, palourdes, crabes, pétoncles, homards, crevettes, etc.). Elle nettoie, prépare, pèse et emballe ses produits et monte les présentoirs de vente. Elle renseigne la clientèle sur les produits offerts et les conseille au besoin. *Elle veille à procéder à la rotation de ses produits afin d'en assurer la fraîcheur et de satisfaire ainsi la clientèle.*
CLÉO 432.17   S

COMMIS-VENDEUR, COMMIS-VENDEUSE DE QUINCAILLERIE Personne qui vend des articles de quincaillerie tels que de la peinture, des outils, des accessoires de plomberie ou électriques, de l'équipement de jardinage et de bricolage. Elle vérifie, classe et dispose le matériel sur les rayons, elle guide la clientèle dans le choix et la quantité des matériaux ainsi que dans le choix du matériel nécessaire à certains travaux. *Elle est soucieuse de bien connaître ses produits et équipements afin de répondre aux besoins spécifiques de la clientèle et de pouvoir lui donner des conseils judicieux.*
CLÉO 432. 27   S

Les **commis-vendeurs de quincaillerie** donnent des conseils à la clientèle pour le choix et l'utilisation des produits et matériaux disponibles
PHOTO: Groupe Dynaco

COMMIS-VENDEUR, COMMIS-VENDEUSE DE VÊTEMENTS Personne qui vend des vêtements et accessoires dans un magasin de détail. Elle accueille et guide la clientèle dans l'achat de vêtements. À cette fin, elle s'informe des goûts et des besoins de la personne, lui propose des vêtements qui lui conviennent et la renseigne sur les caractéristiques et le mode d'entretien des vêtements.
CLÉO 432.22   S

COMMIS-VENDEUR, COMMIS-VENDEUSE EN HORTICULTURE ORNEMENTALE Personne qui conseille la clientèle dans l'achat de fleurs, plantes, arbustes, semis et autres fournitures de jardin. Elle effectue les ventes, s'occupe de l'approvisionnement, de l'étiquetage, de l'étalage et de

l'entretien des végétaux. Elle donne également des conseils afin de guider la clientèle pour l'aménagement paysager. *Elle a le souci de bien entretenir les végétaux offerts et s'efforce de donner des conseils judicieux sur le choix, la culture et l'entretien des végétaux afin de répondre aux exigences et demandes de la clientèle.*
CLÉO 125.06   S

COMMISSAIRE DE BORD Personne qui dirige et assiste le personnel de service à bord d'un transporteur aérien. Elle procède, entre autres, aux vérifications des approvisionnements, à l'accueil des passagers et à l'explication des règles de sécurité et des mesures d'urgence. *Elle veille à offrir un service courtois et efficace aux passagers afin d'assurer leur bien-être et leur confort.*
CLÉO 433.77   S

COMPOSITEUR, COMPOSITRICE Personne qui compose et écrit de la musique pour des chansons, la mélodie d'un film, l'indicatif musical d'un message publicitaire ou d'une émission télévisée. À cette fin, elle crée des structures mélodiques, des harmonies et des rythmes en se basant sur son inspiration et ses connaissances musicales, elle transcrit sa musique et conseille les musiciens sur la manière d'interpréter la pièce musicale. Elle peut composer divers types de musique (jazz, rock, musique contemporaine, musique d'opéra, etc.) pour une voix, un instrument ou encore un ensemble instrumental. *Elle s'efforce de créer des oeuvres originales qui séduiront le public et de transmettre par la musique les idées ou émotions qu'elle veut exprimer.*
CLÉO 622.01   U

COMPTABLE ADJOINT, COMPTABLE ADJOINTE Personne qui supervise et coordonne les activités des commis à la comptabilité d'une entreprise de manière à assurer le bon fonctionnement du système comptable. Elle surveille le travail du personnel subalterne, vérifie les écritures comptables, produit des états financiers et forme le personnel. Elle veille à atteindre les objectifs de rentabilité fixés par la direction.
CLÉO 424.04   U/C

COMPTABLE AGRÉÉ, COMPTABLE AGRÉÉE Personne qui vérifie les états financiers d'une entreprise en vue de s'assurer que ceux-ci correspondent à sa réalité financière en contrôlant les opérations comptables. Elle puise des données auprès de différents services comme la fiscalité ou l'insolvabilité qui serviront à l'entreprise pour prendre des décisions relatives à sa gestion et à l'investissement. *Elle veille à faire preuve de rigueur dans ses vérifications afin que les états financiers produits soient à la fois fiables, révélateurs et conformes aux lois.*
CLÉO 424.01   U

COMPTABLE DE SUCCURSALE DE BANQUE Personne qui supervise et administre les activités et les systèmes comptables d'une succursale bancaire, qui est responsable des services offerts à la clientèle et de l'autorisation des prêts. Elle doit, entre autres, organiser le travail de bureau, examiner les livres comptables, discuter des méthodes comptables avec le personnel et veiller à la formation et à l'évaluation du personnel. *Elle veille à ce que les opérations comptables soient faites selon les normes établies afin d'offrir à la clientèle un service à la hauteur de ses attentes.*
CLÉO 424.14   U

COMPTABLE EN MANAGEMENT ACCRÉDITÉ, COMPTABLE EN MANAGEMENT ACCRÉDITÉE (CMA) Personne qui s'occupe de la planification, de l'organisation et du contrôle des activités financières d'une entreprise. Elle met en place des systèmes de traitement de l'information et en assume la gestion en vue d'établir des objectifs, des politiques et des stratégies qui optimiseront l'utilisation des ressources financières. *Elle s'efforce de bien compiler les différents frais engagés par la production de biens ou de services afin de pouvoir présenter à la direction de l'entreprise un rapport à même de l'aider à fixer le prix de vente de chaque article et à maximiser ses profits.*
CLÉO 424.03   U

COMPTABLE GÉNÉRAL LICENCIÉ, COMPTABLE GÉNÉRALE LICENCIÉE (CGA) Personne qui élabore des budgets, dresse des rapports financiers, instaure un système de contrôle interne pour protéger l'actif d'une entreprise, conçoit des stratégies fiscales pour minimiser ses impôts et s'assure de sa conformité aux lois fiscales. *Elle est soucieuse de maximiser le rendement de l'entreprise afin d'assurer sa santé financière et de promouvoir sa croissance.*
CLÉO 424.02   U

CONCEPTEUR, CONCEPTRICE D'ANIMATION 3D Personne qui est spécialisée dans la création d'images animées en trois dimensions, réalistes ou fantaisistes, pour les besoins d'une production électronique (habillage télévisuel, couverture infographique d'une émission, film d'animation, vidéo) ou d'un produit multimédia (CD-Rom, publication ou jeu électronique, borne interactive, logiciel de simulation, etc.). Elle établit un plan détaillé de chaque séquence, appelé «storyboard», selon un scénario préétabli et à l'aide de logiciels spécialisés et s'occupe de la conception, la transformation et du montage d'images 3D, depuis la modélisation et l'organisation des objets en mouvement (formes, couleurs, éclairages, profondeur de champ, angles de caméra, etc.) jusqu'au transfert sur bande vidéo. *Elle s'efforce d'évaluer avec justesse la faisabilité technique d'un projet, les* *coûts de production et le temps de réalisation. Elle doit également intégrer de façon créative ses habiletés en arts visuels et sa maîtrise de la technologie d'animation électronique afin de réaliser des produits répondant aux besoins de communication de la clientèle.*

CLÉO 626.11   U

CONCEPTEUR, CONCEPTRICE DE DÉCORS Personne qui est chargée de concevoir des décors pour des spectacles sur scène ou pour des productions cinématographiques ou télévisuelles et qui en supervise la construction. À cette fin, elle élabore un projet de décors (dessins, plans, maquette), le présente au réalisateur, au producteur ou au metteur en scène pour approbation, prépare les maquettes pour guider le travail de l'équipe qui s'occupe de la construction et veille à ce que les décors soient construits conformément à ses plans. *Elle s'efforce de concevoir des décors qui sauront créer l'atmosphère visuelle recherchée et représenter les lieux et l'époque en cause, tout en tenant compte de l'espace disponible, du budget et en s'assurant de la solidité et de la sécurité des décors.*

CLÉO 624.31   U/C

CONCEPTEUR, CONCEPTRICE DE JEUX ÉLECTRONIQUES Personne qui conçoit et coordonne la production de jeux électroniques interactifs ou d'autres types de produits multimédias destinés au divertissement. À cette fin, elle définit l'idée générale d'un jeu (contenu et traitement artistique) puis en élabore le scénario en prévoyant les enchaînements d'événements, de textes, d'images et de sons selon une structure arborescente propre aux produits interactifs. Elle prépare le devis de production et de programmation du produit en mettant en place le design d'interface du logiciel et exerce un suivi en cours de production afin d'assurer la qualité technique du produit et sa conformité au scénario établi. Elle peut aussi réaliser l'ensemble du processus, de la conception préliminaire à la mise en marché du jeu électronique. *Elle veille à faire preuve d'une grande imagination pour élaborer des scénarios virtuels de science-fiction, d'aventures fantaisistes ou autres dont les revirements capteront l'intérêt des joueurs. Elle s'efforce également d'être à la fine pointe de la technologie numérisée afin que les jeux soient adaptés à la capacité des ordinateurs et des logiciels en constante évolution.*

CLÉO 722.04   C/U

CONCEPTEUR, CONCEPTRICE DE LOGICIELS Personne qui conçoit et met au point des logiciels permettant le traitement de l'information et la réalisation de recherches ou de travaux dans différents domaines. Elle fait également la mise à jour de ces logiciels et travaille à la résolution de problèmes et au soutien technique en informatique.

À cette fin, elle utilise divers outils, techniques, langages et méthodes de développement. *Elle se préoccupe d'utiliser de la meilleure manière les propriétés du système dans la conception, l'implantation et les tests de logiciels, de façon à répondre aux besoins de l'organisation et des utilisateurs du système.*

CLÉO 721.03   C/U

CONCEPTEUR-DESIGNER, CONCEPTRICE-DESIGNER D'EXPOSITIONS Personne qui travaille à la conception du contenu et du design de présentation d'expositions thématiques à caractère culturel, éducatif ou commercial pour le compte de divers clients (musées, galeries d'art, centres d'interprétation de la nature, entreprises privées, etc.). En collaboration avec les organisateurs de l'exposition, elle définit les objectifs de communication de l'événement, les caractéristiques de la clientèle visée et du site d'exposition, le contenu qui doit être mis en valeur (oeuvres d'art, objets de collection, produits commerciaux, etc.), le budget alloué et les contraintes matérielles ou techniques. À partir de ces données, elle met en place le concept de base qui servira de guide à l'élaboration du projet, prépare le plan d'aménagement de l'exposition et planifie sa réalisation. Elle réalise ou supervise la conception et le montage de l'exposition (conception et présentation graphique de textes de soutien, construction des étalages, des vitrines d'exposition, mise au point des stratégies d'animation, transport et installation du matériel).

CLÉO 626.35   C/U

Un **concepteur-designer d'expositions** observe la maquette qu'il a réalisée
PHOTO: Patrick Altman/Musée du Québec

CONCEPTEUR-IDÉATEUR, CONCEPTRICE-IDÉATRICE DE PRODUITS MULTIMÉDIAS Personne qui crée le concept de base et le synopsis préliminaire d'un produit multimédia (CD-Rom, site internet, publication électronique, borne interactive, logiciel de simulation ou de formation, etc.)

de type informatif, promotionnel, transactionnel, artistique ou autre, en vue de développer et de diffuser un contenu d'information sous une forme interactive, attrayante et intéressante. Elle conçoit les idées qui serviront de base pour mettre au point le produit, en détermine les principales caractéristiques et les paramètres généraux compte tenu du support électronique choisi, du budget et des besoins du client. Elle définit les types de contenus (images fixes et animées, séquences vidéo, textes, voix, musique, effets sonores, etc.) qui devront être intégrés, prépare une maquette du projet pour guider le travail de l'équipe de production et la fait approuver. Elle participe en général, en collaboration avec l'équipe de production, à la mise au point du concept. *Elle s'efforce de mettre au point des concepts originaux adaptés aux demandes des clients et aux particularités du marché visé tout en tenant compte des possibilités et des contraintes du support électronique utilisé ainsi que du budget alloué.*
CLÉO 722.03   C/U

CONCESSIONNAIRE D'AUTOMOBILES Personne qui dirige, coordonne et planifie les activités des employés d'un commerce où l'on vend des véhicules automobiles d'une marque donnée et où l'on assure le service après-vente. *Elle a le souci d'offrir à sa clientèle des automobiles de qualité et de lui assurer un bon service après-vente afin d'assurer la rentabilité de l'entreprise.*
CLÉO 432.44   C/U

CONCIERGE Personne qui assure la propreté d'un immeuble en faisant l'entretien intérieur et extérieur (édifice commercial, industriel, d'habitation, hôpital, hôtel, école, usine, etc.). Elle nettoie les tapis, les murs, les salles de bains, les terrasses et elle tond la pelouse. Elle peut aussi avoir la responsabilité de la location des appartements. *Elle a le souci d'assurer un entretien constant des lieux afin d'en prévenir une usure prématurée et s'efforce de prévoir les besoins et demandes des usagers afin de leur offrir un service de qualité.*
CLÉO 253.02   S

CONCILIATEUR, CONCILIATRICE EN RELATIONS DU TRAVAIL Personne qui tient des pourparlers avec la partie syndicale et la partie patronale dans le but de résoudre des différends de travail. À cette fin, elle se renseigne sur les opinions ou demandes des deux parties, identifie l'origine du litige, évalue les points de vue, anime et dirige les discussions. Elle doit également informer les deux parties de leurs droits et obligations en ce qui a trait à la législation du travail. *Elle s'efforce de proposer des solutions de rechange, d'amener les parties à faire des compromis afin d'arriver à une entente ou à un règlement satisfaisant de part et d'autre.*
CLÉO 422.02   U

CONDUCTEUR, CONDUCTRICE AU RAFFINAGE DU PÉTROLE Personne qui surveille le fonctionnement des appareils de raffinage et de traitement du pétrole servant à la production de dérivés du pétrole tels que l'essence, le kérosène, les huiles de combustion. *Elle a le souci de surveiller les indicateurs (température, pression, débit) et de détecter rapidement toute défectuosité des appareils afin de permettre un fonctionnement continu et conforme aux conditions de sécurité et d'efficacité.*
CLÉO 229.07   S

CONDUCTEUR, CONDUCTRICE D'APPAREILS À COLLER LES MÉTAUX Personne qui fait fonctionner des presses et des autoclaves servant à coller les pièces métalliques d'un aéronef en vue de l'assemblage de ces pièces. *Elle veille à bien régler la température de la presse et la pression afin que le collage des pièces métalliques soit résistant.*
CLÉO 232.45   S

CONDUCTEUR, CONDUCTRICE D'INSTALLATION À FAIRE LA PÂTE À CIMENT Personne qui, à partir d'un tableau de commandes, fait fonctionner des chargeurs-peseurs vibrants, des convoyeurs, des broyeurs, des mélangeurs, des pompes et des silos servant à faire la pâte de ciment dans une industrie de fabrication de ciment. *Elle a le souci de suivre les instructions reçues et de bien régler le débit afin que la pâte de ciment soit conforme aux normes établies.*
CLÉO 223.03   S

CONDUCTEUR, CONDUCTRICE D'INSTALLATION DE CENTRALE HYDROÉLECTRIQUE Personne qui, à partir d'un tableau de commandes ou de commandes manuelles, fait fonctionner des turbines, des chaudières, des génératrices et de l'équipement connexe dans le but de produire ou transmettre de l'électricité. Elle s'occupe également d'inspecter le matériel servant à la production de l'énergie. *Elle a le souci de surveiller attentivement les indicateurs afin d'assurer la régulation et la distribution de l'énergie électrique et pour éviter les surcharges.*
CLÉO 224.11   S

CONDUCTEUR, CONDUCTRICE D'INSTALLATION DE RÉFRIGÉRATION Personne qui fait fonctionner des installations de réfrigération de haute capacité dans des établissements industriels ou commerciaux, qui en assure le réglage et l'entretien. *Elle s'efforce de surveiller régulièrement les indicateurs (température, pression, niveau de fluide réfrigérant) afin d'assurer le fonctionnement optimal et sécuritaire des équipements tout en économisant l'énergie le plus possible.*
CLÉO 253.10   S

CONDUCTEUR, CONDUCTRICE DE BROYEUR ET D'APPAREIL DE FLOTTATION Personne qui fait fonctionner des broyeurs, des classificateurs, des conditionneurs et des dispositifs d'alimentation de réactifs pour broyer le minerai et affiner les métaux dans une industrie de transformation du minerai. *Elle veille à l'application des règles de sécurité et à l'entretien des machines afin d'éviter les accidents et de permettre le bon déroulement des étapes de traitement du minerai.*
CLÉO 221.05   S

CONDUCTEUR, CONDUCTRICE DE CAMION LOURD HORS ROUTE Personne qui conduit un camion équipé d'une benne basculante pour le transport et le déchargement de matériaux tels que du sable, du gravier, du minerai, de la pierre concassée ou des matériaux bitumineux pour divers travaux. *Elle a le souci de respecter les règles de sécurité en vigueur afin d'éviter tout accident au cours du chargement ou du déchargement de la benne.*
CLÉO 122.09   S

CONDUCTEUR, CONDUCTRICE DE CAROTTEUR Personne qui fait fonctionner le matériel de forage pour recueillir des carottes (échantillons de forme allongée des couches de formation rocheuse) sur un site de prospection minière. Elle s'occupe également du transport et de l'installation de ce matériel, de l'utilisation adéquate de l'équipement et du démantèlement de celui-ci à la fin des opérations. *Elle s'efforce de bien suivre les instructions fournies sur la carte du site afin de prélever les échantillons aux endroits identifiés.*
CLÉO 111.09   S

CONDUCTEUR, CONDUCTRICE DE CHAUDIÈRE Personne qui, dans une usine, assure le bon fonctionnement des chaudières à haute pression qui servent au chauffage des bâtiments et à la production d'énergie pour la machinerie industrielle. À cette fin, elle surveille et règle le niveau d'eau, l'alimentation en combustible, la pression, la combustion, la ventilation, etc., en vue de produire l'énergie de façon sécuritaire, s'occupe du nettoyage des chaudières et effectue ou fait faire des réparations s'il y a lieu.
CLÉO 253.11   S

CONDUCTEUR, CONDUCTRICE DE FOUR À FUSION Personne qui, dans une industrie métallurgique, fait fonctionner un four pour faire fondre un métal avant de le couler. À cette fin, elle calcule la quantité nécessaire d'additifs, règle le voltage et prélève des échantillons. *Elle a le souci de surveiller régulièrement les indicateurs afin d'obtenir un métal répondant aux normes de qualité établies.*
CLÉO 222.04   S

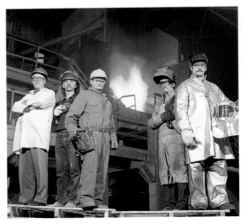

Des **conducteurs de four à fusion** travaillent en collaboration avec d'autres ouvriers
PHOTO: Contractuelle/Métallurgie Noranda–Fonderie Horne

CONDUCTEUR, CONDUCTRICE DE LESSIVEUR EN CONTINU Personne qui, à partir d'un tableau de commandes, fait fonctionner une machine pour transformer les copeaux de bois en pâte dans une usine de pâtes et papiers. À cette fin, elle doit déterminer avec précision la teneur de la lessive et le temps de cuisson nécessaire à l'obtention d'une pâte de qualité. Elle est soucieuse de surveiller les indicateurs et de détecter rapidement toute défectuosité afin de permettre un fonctionnement continu des machines.
CLÉO 226.08   S

CONDUCTEUR, CONDUCTRICE DE MACHINE À COULER SOUS PRESSION Personne qui, dans une industrie métallurgique, fait fonctionner une machine à couler le métal sous pression pour fabriquer et couler des pièces de garnitures d'automobiles, des pièces de moteurs, d'appareils électriques et ménagers. *Elle s'efforce d'observer attentivement les indicateurs et de faire les réglages nécessaires afin d'obtenir des pièces coulées qui correspondent aux normes de qualité établies.*
CLÉO 222.09   S

CONDUCTEUR, CONDUCTRICE DE MACHINE À DÉPECER LE POISSON Personne qui, dans une industrie de transformation des produits alimentaires, fait fonctionner une machine servant à dépecer le poisson pour en faire des filets. À cette fin, elle règle les couteaux et les mécanismes d'alimentation en fonction de la grosseur des poissons et du genre de filet désiré. Elle s'occupe également de l'affûtage des couteaux, du nettoyage, de la désinfection et du graissage des machines utilisées. *Elle a le souci de vérifier la coupe des filets et de procéder au réglage de la ou des machines, s'il y a lieu, afin de produire des filets correspondant aux normes établies.*
CLÉO 228.48   S

CONDUCTEUR, CONDUCTRICE DE MACHINE À FINIR LE PAPIER Personne qui, dans une industrie de pâtes et papiers, fait fonctionner une machine pour sécher, glacer et remettre en rouleau le papier ou le carton. Elle règle la température de séchage, l'entrée d'air chaud et la vitesse d'enroulement du papier. *Elle est soucieuse de détecter et d'identifier les imperfections du papier et d'apporter des ajustements au besoin afin de produire un papier correspondant aux normes établies.*
CLÉO 226.10 S

CONDUCTEUR, CONDUCTRICE DE MACHINE À PAPIER Personne qui, à partir d'un tableau de commandes, fait fonctionner une machine pour fabriquer du papier. Elle contrôle la quantité et la vitesse d'écoulement de la pâte de manière à obtenir le produit désiré. *Elle s'efforce de détecter toute défectuosité afin d'obtenir un papier de qualité qui répond aux normes de fabrication établies.*
CLÉO 226.09 S

CONDUCTEUR, CONDUCTRICE DE MACHINE À PIQUER Personne qui, dans une industrie de textile, fait fonctionner une machine pour piquer, assembler, ourler, renforcer, coudre ou décorer des articles comme des vêtements, des draps, des tentes ou des gants. Elle s'occupe également du nettoyage et de la lubrification de la machine. *Elle s'efforce de choisir ce qui est approprié au vêtement, de bien régler la machine et de faire preuve de précision afin que les coutures et les ourlets soient solides.*
CLÉO 237.07 S

Une **conductrice de machine à piquer** s'affaire à coudre une chemise
PHOTO: CECQ–École Wilbrod-Bherer

CONDUCTEUR, CONDUCTRICE DE MACHINE À USINER LA TÔLE Personne qui, dans une industrie de transformation des métaux, fait fonctionner une machine pour couper, plier, tailler et riveter le métal dans le but de fabriquer divers objets métalliques (gouttières, tuyaux, etc.). Elle s'occupe également du nettoyage et de la lubrification de l'équipement. *Elle a le souci de régler les appareils avec précision afin de produire des pièces conformes aux instructions reçues.*
CLÉO 222.11 S

CONDUCTEUR, CONDUCTRICE DE MACHINES À MOULER LE VERRE Personne qui s'occupe du fonctionnement des machines qui pressent ou soufflent le verre fondu dans des moules en vue de fabriquer des bouteilles, des verres ou des bocaux. À cette fin, elle s'occupe, entre autres, de mettre en place les moules et les accessoires, elle règle les commandes, elle fait les ajustements nécessaires et elle examine un échantillon pour s'assurer de la conformité aux normes de qualité. *Elle veille à procéder régulièrement au nettoyage et à la lubrification de la machine afin d'éviter les bris et les pertes de temps.*
CLÉO 223.07 S

CONDUCTEUR, CONDUCTRICE DE MACHINES AGRICOLES Personne qui conduit des machines agricoles telles que des tracteurs, des faucheuses, des moissonneuses-batteuses pour cultiver, semer, récolter et transporter les produits agricoles. *Elle a le souci de bien entretenir la machinerie et d'effectuer les réparations mineures qui s'imposent afin d'effectuer les travaux dans les délais prévus et d'assurer une production abondante et de qualité.*
CLÉO 124.33 S

CONDUCTEUR, CONDUCTRICE DE MACHINES DIESELS FIXES Personne qui assure le bon fonctionnement de la machinerie diesel (générateurs, compresseurs, pompes, etc.) qui sert au chauffage, à l'éclairage et à la climatisation de grands bâtiments ou d'installations industrielles ainsi qu'aux besoins de réfrigération. À cette fin, elle met les machines en marche, règle les commandes, surveille le fonctionnement des systèmes, s'occupe de l'entretien préventif des machines (ajustements, lubrification) ainsi que des réparations mineures et fait appel à des spécialistes en cas de bris majeur. *Elle veille à assurer un entretien préventif de la machinerie afin d'assurer le meilleur rendement possible et la sécurité des installations.*
CLÉO 253.12 S

CONDUCTEUR, CONDUCTRICE DE MACHINES-OUTILS À COMMANDE NUMÉRIQUE Personne qui, dans une usine de fabrication industrielle, fait fonctionner des machines à commande numérique qui font automatiquement le fraisage, le perçage et l'alésage de pièces de métal. *Elle a le souci de choisir l'outillage approprié à la pièce à usiner et de surveiller le déroulement de l'usinage afin de respecter les plans, les spécifications et les normes de sécurité établies.*
CLÉO 231.06 S

CONDUCTEUR, CONDUCTRICE DE MÉTIER À TISSER

Personne qui, dans une industrie de fabrication textile, fabrique des tissus, nappes, napperons, linges à vaisselle, vêtements de laine, couverture, tapis, etc., à l'aide d'un métier à tisser (métier artisanal, métier mécanique, métier jacquard, etc.) en vue de les vendre. *Elle a le souci de bien régler les métiers, d'observer attentivement le tissage et de signaler ou déceler tout défaut afin d'apporter les modifications nécessaires.*
CLÉO 227.07   S

CONDUCTEUR, CONDUCTRICE DE MÉTRO

Personne qui est chargée de conduire une rame de métro pour le transport des usagers. Elle doit, entre autres, surveiller la signalisation et commander l'ouverture et la fermeture des portes. *Elle est soucieuse de respecter les normes de sécurité établies afin d'assurer le bien-être et la sécurité des passagers à bord, à leur entrée dans le métro et à leur sortie.*
CLÉO 433.49   S

CONDUCTEUR, CONDUCTRICE DE PLIEUSE

Personne qui, dans une imprimerie, fait fonctionner une machine pour plier et couper les feuilles imprimées en vue de la reliure. *Elle s'efforce d'effectuer les réglages avec précision afin que toutes les feuilles soient de la bonne dimension.*
CLÉO 235.12   S

CONDUCTEUR, CONDUCTRICE DE PRESSE À FORGER

Personne qui, dans une usine de transformation des métaux, fait fonctionner une machine pour forger des pièces de métal. Elle doit, entre autres, placer et aligner les matrices, actionner les commandes et sortir la pièce du four. *Elle a le souci de bien régler la machine de façon à obtenir des pièces de métal conformes aux critères de qualité établis.*
CLÉO 222.10   S

CONDUCTEUR, CONDUCTRICE DE VOITURE BLINDÉE

Personne qui conduit des voitures blindées servant au transport et à la livraison d'argent, d'objets de valeur ou de documents importants dans différents établissements et qui en assure la garde. Elle doit, entre autres, inspecter le véhicule, prendre connaissance de la liste des objets à transporter, enregistrer les heures d'arrivée et de départ ainsi que les points de contrôle franchis. Elle doit également rester dans le véhicule pendant la livraison et le chargement et surveiller constamment les environs pour déceler tout danger, activité louche et obstruction. *Elle a le souci de respecter l'horaire et l'itinéraire établis afin d'assurer la livraison rapide et la protection du chargement qu'elle transporte.*
CLÉO 331.06   S

Un **conducteur de métier à tisser** utilise un équipement hautement informatisé
PHOTO: Dominion Textiles

CONFECTIONNEUR, CONFECTIONNEUSE D'INSTRUMENTS MÉCANIQUES

Personne qui, dans une industrie, fabrique, modifie ou répare des instruments mécaniques comme des manomètres et des servomécanismes, à l'aide de machines-outils. *Elle a le souci de la qualité et du bon rendement des instruments et veille à éviter ou à corriger toute défectuosité afin d'assurer une production efficace.*
CLÉO 231.23   S

CONFECTIONNEUR, CONFECTIONNEUSE DE GLACES ET SORBETS EN BÂTONNETS

Personne qui, dans une industrie alimentaire, moule des glaces et sorbets en forme de bâtonnets, les congèle et les enrobe à l'aide de machines et appareils spécialisés. Elle doit, entre autres, mesurer et préparer les ingrédients (essence, eau, sucre, colorants, etc.) qui entrent dans la composition des produits et nettoyer les machines utilisées. *Elle s'efforce d'effectuer les diverses tâches avec soin et selon les indications reçues afin d'obtenir des produits qui sauront satisfaire la clientèle.*
CLÉO 228.41   S

CONFISEUR, CONFISEUSE

Personne qui, dans une industrie alimentaire, moule, taille et forme des sucreries de toutes sortes (bonbons, glaces, fruits confits, etc.) à l'aide de machines multifonctionnelles, de procédés industriels ou de machines à fonction unique. Elle doit également mesurer et préparer les ingrédients et nettoyer les outils et machines utilisées. *Elle est soucieuse de bien régler les machines et de déceler toute imperfection afin d'obtenir des produits de qualité qui sauront plaire à la clientèle.*
CLÉO 228.33   S

CONSEILLER, CONSEILLÈRE À LA VENTE DE VÉHICULES AUTOMOBILES

Personne qui vend des automobiles neuves ou d'occasion chez un concessionnaire. Elle accueille la clientèle, cible ses besoins et ses attentes, lui montre les véhicules susceptibles de lui convenir, lui donne

des renseignements sur l'équipement, la garantie, le financement et, selon le cas, explique les conditions de vente et prépare le contrat. *Elle a le souci de bien connaître les caractéristiques des voitures offertes et d'en faire valoir les qualités afin de pouvoir répondre aux besoins de la clientèle et de promouvoir les ventes.*
CLÉO 432.45   S

Une **conseillère à la vente de véhicules automobiles** donne de l'information sur les particularités de l'automobile à une acheteuse potentielle
PHOTO: Archives Éditions Septembre

CONSEILLER, CONSEILLÈRE D'ORIENTATION

Personne qui assiste des particuliers ou des groupes dans toute situation relative à leur vie personnelle et professionnelle nécessitant une aide sur le plan de l'information, décisionnel, éducatif ou psychologique. À cette fin, elle conçoit ou utilise différents moyens de consultation, entre autres des tests psychométriques, des méthodes de recherche d'emploi ou d'orientation scolaire et professionnelle ou des programmes de développement d'habiletés. Elle peut, entre autres, apporter son aide dans le choix d'une formation, la gestion d'une carrière, dans l'insertion sociale ou professionnelle, dans la sélection de personnel, la préparation à la retraite, les difficultés au travail, la médiation familiale ou la psychothérapie. *Elle veille à instaurer des conditions d'écoute pour comprendre les besoins des gens ou des groupes et pour pouvoir les aider dans leur démarche de prise de décision et de développement personnel et professionnel.*
CLÉO 531.08   U

CONSEILLER, CONSEILLÈRE EN COMMUNICATION ÉLECTRONIQUE

Personne qui agit à titre d'experte-conseil auprès de clients potentiels (organismes publics, institutions, entreprises privées, etc.) pour des produits multimédias en vue de définir les stratégies et les outils de communication électronique les plus appropriés à leurs besoins de communication ou de formation par un réseau électronique interne ou externe. À cette fin, elle analyse les besoins et les objectifs d'affaires des clients (marketing, image d'entreprise, catalogue électronique, formation technique par simulation, etc.), évalue les options multimédias susceptibles de convenir et conseille les clients sur les stratégies à utiliser pour tirer parti du produit choisi (site internet, CD-Rom, logiciel de simulation ou de formation, réseau, intranet, etc.), en assurer l'accès à la clientèle visée et, s'il y a lieu, la sécurité. *Elle s'efforce d'être à la fine pointe des technologies multimédias et de suivre de près l'évolution des outils de communication électronique afin d'être en mesure de conseiller adéquatement ses clients.*
CLÉO 722.01   C/U

CONSEILLER, CONSEILLÈRE EN CONDITIONNEMENT PHYSIQUE

Personne qui, dans un centre de conditionnement, évalue la condition physique de la clientèle et établit des programmes de conditionnement selon les besoins et les capacités de chaque personne. *Elle veille à proposer des programmes adéquats et à sensibiliser la clientèle à l'importance de l'activité physique.*
CLÉO 515.05   U

CONSEILLER, CONSEILLÈRE EN COULEURS

Personne qui conseille les gens sur les choix et les nuances de couleurs à privilégier dans leur tenue vestimentaire et leur maquillage en se basant sur la pigmentation de leur peau, la couleur de leurs yeux ainsi que de leurs cheveux. *Elle s'efforce d'accueillir les gens avec courtoisie et de les conseiller avec tact afin de mettre en valeur leur apparence physique et de répondre à leurs besoins.*
CLÉO 516.13   S

CONSEILLER, CONSEILLÈRE EN ÉCONOMIE D'ÉNERGIE

Personne qui analyse les besoins et la consommation énergétiques (électricité, gaz naturel et autres combustibles) des industries, des commerces ou autres édifices publics ou privés, en vue de proposer des mesures qui permettraient d'augmenter le rendement des installations ou de réduire la consommation. Elle doit, entre autres, évaluer les coûts liés à l'implantation des mesures proposées et calculer les économies que ces mesures permettraient de réaliser. Elle donne aussi des conseils à la clientèle par rapport à l'utilisation de l'énergie et au rendement thermique. *Elle a le souci de détecter les pertes d'énergie afin de proposer des solutions qui sauront répondre aux besoins de la clientèle.*
CLÉO 224.05   C

CONSEILLER, CONSEILLÈRE EN EMPLOI

Personne qui donne des renseignements et des conseils à des personnes ou à des groupes de personnes sur divers aspects de la recherche d'emploi, du choix d'une carrière et du marché du travail. À cette fin, elle cible les besoins et objectifs du client, lui précise les obstacles à l'emploi et l'initie aux méthodes, techniques et stratégies de recherche d'emploi. *Elle a le souci de recueillir*

l'information nécessaire (antécédents professionnels et scolaires, objectifs professionnels) et d'assurer un suivi afin d'aider la clientèle à trouver un emploi, à développer ses compétences et à acquérir des aptitudes et stratégies de recherche d'emploi.
CLÉO 422.14   U

CONSEILLER, CONSEILLÈRE EN FINANCEMENT AGRICOLE Personne qui analyse les demandes de financement d'entreprises agricoles pour le compte d'une institution financière (banque, caisse populaire ou société gouvernementale de financement). À cette fin, elle évalue la situation financière de l'entreprise et les projets des propriétaires afin de déterminer leur admissibilité à une aide financière, le produit financier approprié (prêt à terme, marge de crédit, hypothèque) et le montant du crédit qui peut être octroyé. Elle peut aussi rechercher des partenaires financiers susceptibles de s'associer aux projets en cause ou proposer des changements dans la gestion de l'entreprise qui permettraient d'obtenir les fonds nécessaires à moindre risque financier. Elle prépare tous les documents relatifs à la solution de financement retenue, les soumet à l'approbation d'un directeur de service et donne suite à la demande selon les termes de l'entente.
CLÉO 423.15   U

CONSEILLER, CONSEILLÈRE EN GESTION DE CARRIÈRE Personne qui agit à titre d'experte-conseil auprès de professionnels de différents domaines en vue de les aider à établir un plan de carrière conforme à leurs objectifs et à définir des stratégies qui leur permettront de les atteindre. À cette fin, elle établit un profil détaillé du client (formation, expérience, champs d'intérêt, aptitudes, personnalité), définit ses aspirations à moyen et long terme (fonctions ou statut professionnel visés, milieu de travail et conditions d'emploi souhaitées, etc.) et lui propose différents scénarios susceptibles de lui permettre d'atteindre ses buts. Elle aide également son client à développer des habiletés interpersonnelles et à établir un réseau de relations et le conseille dans certaines décisions professionnelles (pertinence de poser sa candidature à un poste donné, de solliciter une promotion, de suivre une formation, etc.). Elle peut aussi surveiller sur le marché national ou international les offres d'emploi ou les activités professionnelles (congrès, recherches, formation de comités, etc.) pouvant aider son client à progresser.
CLÉO 531.09   U

CONSEILLER, CONSEILLÈRE EN IMPORTATION ET EXPORTATION Personne qui aide des dirigeants d'entreprise à développer leur marché d'exportation ou d'importation et à implanter un système de gestion adéquat des activités commerciales. À cette fin, elle détermine les objectifs et les besoins de l'entreprise en matière de commerce international, renseigne et conseille l'entreprise sur les débouchés pour l'exportation de ses produits ou services, sur les fournisseurs potentiels et sur les conditions du marché (concurrence, caractéristiques et besoins de la clientèle cible, avantages offerts par certains fournisseurs, modalités et coûts de transport, règlements et tarifs douaniers, etc.). Elle peut aider l'entreprise à établir un plan d'action ou encore en assurer la prise en charge et la mise en place (promotion à l'étranger des biens et services de l'entreprise, recherche de clients et de fournisseurs, négociation des ententes d'échange commercial, formation du personnel de l'entreprise relativement à la procédure en matière d'importation et d'exportation).
CLÉO 411.10   U

CONSEILLER, CONSEILLÈRE EN INFORMATION SCOLAIRE ET PROFESSIONNELLE Personne qui informe et conseille la clientèle étudiante en ce qui concerne les choix de cours, les programmes de formation, les cheminements de carrière et le marché du travail en vue de les aider à faire un choix éclairé. Elle rencontre les personnes individuellement, organise et anime des séances d'information et gère parfois un centre de documentation en information scolaire et professionnelle. *Elle veille à bien cerner les besoins de la clientèle afin de leur donner le soutien et l'information nécessaires. Elle s'occupe aussi de tenir à jour les renseignements scolaires et professionnels.*
CLÉO 611.18   U

CONSEILLER, CONSEILLÈRE EN LOCATION Personne qui s'occupe de la location de bureaux et de locaux industriels ou commerciaux pour le compte d'une société immobilière qui en est propriétaire ou gestionnaire. Elle doit, entre autres, promouvoir les services de la société auprès de locataires éventuels en vue de louer les espaces libres, faire visiter les lieux, négocier les conditions des baux et les modalités d'application des clauses locatives et coordonner la préparation des offres de location. Elle s'occupe également, dans le cas d'un centre commercial ou d'un édifice à bureaux, de planifier l'attribution des espaces de manière à établir une combinaison adéquate de locataires qui offrent des biens ou des services variés et complémentaires.
CLÉO 423.36   S/C

CONSEILLER, CONSEILLÈRE EN ORGANISATION DU TRAVAIL Personne qui étudie le fonctionnement d'une organisation, détermine les difficultés organisationnelles et en recherche les causes en vue de proposer des améliorations aux méthodes et systèmes et ainsi accroître la productivité. *Elle veille à proposer des améliorations qui contribueront à augmenter l'efficacité et à diminuer les frais d'exploitation.*
CLÉO 422.12   U

CONSEILLER, CONSEILLÈRE EN PRODUITS DE BEAUTÉ Personne qui, dans un commerce où l'on vend des produits de parfumerie, de maquillage et de soins de beauté, aide les clients à choisir les produits convenant le mieux à leurs besoins (effet recherché, type de peau, pigmentation, etc.) et leur budget et qui les renseigne sur la manière d'utiliser ou d'appliquer les produits. Elle offre des échantillons, fait des démonstrations sur les techniques de soins ou de maquillage et fournit des renseignements sur les produits (composition, prix, etc.). Elle s'occupe également de préparer les factures et de recevoir les paiements. Elle peut être chargée des relations avec les représentants des fabricants et de la gestion des approvisionnements.
CLÉO 432.24 S

CONSEILLER, CONSEILLÈRE EN RÉADAPTATION Personne qui intervient auprès de personnes qui ont des problèmes d'incapacité physique ou mentale et qui vivent des difficultés d'adaptation sociale afin de les aider dans leur démarche de recherche d'emploi et de réinsertion. À cette fin, elle fait des rencontres individuelles pour déterminer les besoins de la personne au regard d'une réadaptation sociale ou professionnelle et lui donne des renseignements sur les professions et les formations. *Elle se préoccupe d'examiner avec soin chaque cas et de trouver une solution appropriée afin de favoriser l'insertion sociale de la personne.*
CLÉO 531.17 U

CONSEILLER, CONSEILLÈRE EN RELATIONS INDUSTRIELLES Personne qui établit, maintient ou modifie des relations entre le patron et le personnel en instaurant des mesures visant la qualité de vie au travail. À cette fin, elle établit et veille à l'application d'une politique organisationnelle (embauche, recrutement, promotions, vacances, etc.) susceptible de régulariser et d'aménager les rapports sociaux au travail et apporte son aide aux directeurs de services pour l'interprétation et la mise en application des normes gouvernementales en matière de travail.
CLÉO 422.13 U

CONSEILLER, CONSEILLÈRE EN RELATIONS PUBLIQUES Personne qui conseille des professionnels exerçant un important rôle public sur les mesures susceptibles d'améliorer leur image et leurs performances. À cette fin, elle analyse les aspects physiques et comportementaux susceptibles d'avoir une incidence sur l'image de ses clients et recommande des changements, s'il y a lieu (style vestimentaire, coiffure, maquillage, expression faciale, gestuelle, démarche, diction, etc.). Elle les renseigne sur les exigences de leur rôle en matière de performances publiques (relations avec la presse, discours, conférence, événement officiel, etc.), sur l'étiquette générale et le protocole qui régit les cérémonies ou rencontres officielles, les guide parfois dans le choix d'activités para-professionnelles et les accompagne à titre d'observateur. *Elle veille à faire preuve d'une grande diplomatie dans ses relations avec ses clients et d'un jugement éclairé sur les exigences de la vie publique dans différents domaines (politique, spectacle, télévision, communication publique, etc.) afin de donner des conseils judicieux.*
CLÉO 711.03 U

CONSEILLER, CONSEILLÈRE EN RETRAITE Personne qui met en place et anime des ateliers, des rencontres, des réunions et des conférences afin de renseigner et de conseiller le personnel d'une entreprise ou d'un gouvernement sur le thème de la retraite. Elle aborde les questions financières, explique les prestations selon les programmes sociaux de l'entreprise. Elle fait également une évaluation des besoins des futurs retraités afin de discuter avec eux de certains aspects liés à la retraite. Elle peut aussi participer à l'élaboration et à l'évaluation du programme de retraite. *Elle veille à donner aux futurs retraités toute l'information et le soutien nécessaires afin de faciliter la prise de la retraite.*
CLÉO 422.15 U

CONSEILLER, CONSEILLÈRE EN TOXICOMANIE Personne qui intervient auprès de personnes ou de groupes de personnes aux prises avec des problèmes de consommation de drogues ou d'alcool afin de les aider à sortir de leur dépendance et de favoriser leur intégration sociale. À cette fin, elle rencontre la clientèle afin d'identifier et de comprendre les différents facteurs en cause (facteurs sociaux, économiques, psychologiques ou médicaux) et établit des stratégies d'intervention selon les causes et l'ampleur de la toxicomanie. Elle informe la clientèle au sujet des services d'aide existants et lui assure un suivi dans sa démarche.
CLÉO 531.18 U

CONSEILLER, CONSEILLÈRE EN TRANSPORT DE MARCHANDISES Personne au service d'une compagnie de transport aérien, maritime ou ferroviaire de marchandises qui fournit des services d'information et d'organisation en matière d'expédition de marchandises. À cette fin, elle renseigne et conseille les clients (manufacturiers, commerçants, particuliers) sur les modalités et les tarifs d'expédition, planifie, coordonne et surveille les étapes d'expédition (enlèvement, entreposage, transport, livraison), prépare et achemine les documents nécessaires. Elle s'occupe également des réclamations auprès des organismes concernés (compagnie d'assurances, bureau des douanes, etc.) en cas de perte, dommages ou coûts excessifs. *Elle s'efforce de fournir un service efficace et rapide au meilleur coût possible afin d'assurer la satisfaction de la clientèle et la rentabilité de l'entreprise.*
CLÉO 433.07 C

CONSEILLER, CONSEILLÈRE EN VALEURS MOBILIÈRES Personne qui, pour le compte de clients détenteurs d'un certain capital (particuliers ou sociétés), surveille quotidiennement les fluctuations des titres sur le marché boursier en vue d'informer ses clients des transactions profitables possibles (achat ou vente d'actions, d'obligations, de devises, etc.). Avec leur accord, elle achète ou vend les produits en cause par l'intermédiaire d'un courtier (négociateur à la bourse) et remplit les formalités pour l'enregistrement et l'émission des transactions. *Elle doit faire preuve d'une vigilance et d'une perspicacité constantes afin de déceler les occasions de transactions qui permettraient de maximiser les profits de ses clients et de minimiser leurs pertes.*
CLÉO 423.21   U

CONSEILLER, CONSEILLÈRE JURIDIQUE Personne qui pratique le droit des affaires, le droit corporatif ou autre spécialité en agissant comme experte-conseil auprès d'entreprises privées ou d'institutions. Selon les mandats qui lui sont confiés, elle conseille les dirigeants sur les stratégies à mettre en oeuvre pour se conformer à la législation s'appliquant à leur secteur d'activité (lois commerciales, fiscales, environnementales, du travail, etc.), pour protéger leurs droits éventuels de propriété intellectuelle ou d'exclusivité commerciale ou pour prévenir et résoudre les litiges de tout ordre concernant leurs activités ou les personnes à leur service. Elle analyse les activités ou les affaires en cause en fonction des lois existantes et des risques inhérents au domaine concerné, définit, rédige et négocie les contrats nécessaires à la protection de l'entreprise ou de l'institution (licences, marques de commerce, droits d'usage ou de diffusion de matériel protégé, contrats de travail, de sous-traitance, etc.) et assure leur défense en cas de poursuite judiciaire.
CLÉO 321.09   U

CONSEILLER, CONSEILLÈRE PÉDAGOGIQUE Personne qui renseigne et conseille la direction et le personnel enseignant des établissements scolaires sur les programmes d'enseignement, l'organisation des cours et le choix des méthodes d'enseignement et du matériel scolaire. Elle s'occupe, entre autres, de l'évaluation continue des programmes et méthodes, du perfectionnement du personnel enseignant et des rencontres avec celui-ci. *Elle veille à apporter tout le soutien nécessaire au personnel enseignant et s'efforce d'être à l'affût des changements et innovations pédagogiques afin de favoriser le développement et la qualité de l'enseignement.*
CLÉO 611.17   U

CONSEILLER, CONSEILLÈRE POLITIQUE Personne qui intervient auprès du premier ministre ou d'un ministre pour le renseigner sur différents

dossiers et le conseiller relativement à l'adoption ou à la modification d'un projet de loi, au suivi des travaux parlementaires, à une intervention en commission parlementaire, à la préparation de la séance de questions à l'Assemblée nationale ou à la préparation d'interventions à faire auprès de la population, d'un organisme, d'une société d'État ou d'un organisme paragouvernemental. Elle prépare également des discours politiques dans lesquels elle fait valoir les idées, les options et les opinions du gouvernement, en vue d'informer la population et d'expliquer les prises de position. *Elle s'efforce de prendre en considération tous les éléments d'une situation donnée afin d'être en mesure de se faire une opinion éclairée et de pouvoir être de bon conseil auprès de la personne élue.*
CLÉO 311.14   U

CONSEILLER, CONSEILLÈRE TECHNIQUE EN PÂTES ET PAPIERS Personne qui vend des produits et services servant à la transformation et à la fabrication de produits dans l'industrie manufacturière. À cette fin, elle rencontre son client afin d'analyser et d'évaluer ses besoins. Elle propose des produits, des solutions et des améliorations aux procédés de fabrication, donne des conseils sur leur utilisation et assure un suivi auprès du client. *Elle se préoccupe d'offrir un service efficace et de fournir des produits de qualité afin de répondre aux besoins de la clientèle.*
CLÉO 226.12   C

Un **conservateur de musée** sélectionne des oeuvres avec les membres du comité d'acquisition de son établissement
PHOTO: Patrick Altman/Musée du Québec

CONSERVATEUR, CONSERVATRICE DE MUSÉE Personne qui organise les diverses activités d'un musée et qui assure la conservation, l'entretien, la présentation et la diffusion des collections. Elle organise des expositions, rédige des articles servant à la promotion des expositions et à la diffusion des connaissances artistiques, fait des recherches concernant l'histoire artistique et gère le budget et les activités dont elle a la responsabilité.

*Elle se préoccupe de la transmission du patri-
moine artistique et culturel et veille à organiser
des expositions qui susciteront l'intérêt de la
population.*
CLÉO 632.08   U

**CONSTRUCTEUR, CONSTRUCTRICE DE PROTO-
TYPES DE VÉHICULES** Personne qui construit
des modèles expérimentaux de véhicules (automobiles, motocyclettes, camions, etc.) selon des
plans et indications techniques fournis par les
services d'ingénierie, qui fait l'essai de ces
véhicules afin d'en tester la qualité et le rendement
et qui recommande, s'il y a lieu, les améliorations
souhaitables. *Elle veille à monter les prototypes
de véhicules selon les plans et à signaler tout ce
qui pourrait permettre d'améliorer la conception du véhicule.*
CLÉO 232.02   C

CONTORSIONNISTE Personne qui conçoit et
présente en spectacle des numéros d'acrobatie
constitués d'un enchaînement de mouvements
spectaculaires dans lesquels les parties du corps
sont tordues, pliées ou contractées dans des
positions anormales défiant les lois de l'anatomie.
CLÉO 625.15   C

**CONTREMAÎTRE, CONTREMAÎTRESSE D'ÉBÉ-
NISTES ET DE MENUISIERS EN MEUBLES** Personne qui surveille et coordonne les activités liées
à la fabrication de meubles en bois. À cette fin, elle
planifie et répartit les tâches, détermine les
méthodes de fabrication, commande les fournitures
et matières premières, assure la formation des
travailleurs et veille à l'application des normes de
sécurité. *Elle s'efforce d'analyser et de résoudre
les difficultés rencontrées aux différentes étapes
du travail afin d'assurer une bonne productivité et une qualité du travail qui correspond
aux normes et aux plans établis.*
CLÉO 236.02   C

**CONTREMAÎTRE, CONTREMAÎTRESSE DE
MÉCANICIENS DE VÉHICULES AUTOMOBILES**
Personne qui supervise et coordonne les services
d'entretien et de réparation de véhicules automobiles. À cette fin, elle planifie et répartit les tâches,
établit les horaires, s'assure de la qualité du travail,
commande le matériel et les fournitures. *Elle
veille à ce que le travail soit effectué dans les
délais fixés et s'efforce de régler tout problème
pouvant nuire à la productivité afin d'offrir un
service de qualité et de satisfaire la clientèle.*
CLÉO 254.02   S

**CONTREMAÎTRE, CONTREMAÎTRESSE DE
SALAISON ET DE CONSERVE DE POISSON**
Personne qui surveille et coordonne le travail des
ouvriers chargés de la préparation, la mise en
conserve ou l'emballage des produits de la mer

(poissons, crustacés, mollusques, etc.). À cette fin,
elle établit des méthodes de travail et participe
à la mise en place de programmes de contrôle
et de qualité. *Elle veille à l'application des
règles d'hygiène et de sécurité afin d'assurer la
qualité du produit.*
CLÉO 228.45   C

**CONTREMAÎTRE, CONTREMAÎTRESSE DE
TRAVAILLEURS FORESTIERS** Personne qui
surveille et coordonne le travail d'ouvriers chargés
de la coupe du bois, de son évaluation ainsi que du
transport des billes du lieu d'abattage aux zones
d'entreposage. *Elle a le souci d'organiser le travail de façon à rentabiliser l'exploitation
forestière tout en se préoccupant de la protection de l'environnement.*
CLÉO 123.03   C/S

**CONTREMAÎTRE INSTALLATEUR, CONTRE-
MAÎTRESSE INSTALLATRICE EN ÉQUIPEMENTS
PÉTROLIERS** Personne qui coordonne, dirige et
surveille les travaux de construction, de modification, d'entretien et de démolition d'équipements
pétroliers (réservoirs et tuyauterie) en établissant
des méthodes de travail qui permettent de respecter un calendrier de production (autorisation
des travaux, ordre des opérations, matériel,
main-d'œuvre, outillage, etc.). *Elle s'efforce d'appliquer les normes prescrites par la loi ainsi
que les règlements sur les produits pétroliers et
de respecter les codes de sécurité afin de s'assurer qu'il n'y a pas de fuite d'essence et que les
établissements (stations-service, postes de
marina, etc.) respectent les règles en vigueur.*
CLÉO 241.38   S

**CONTRÔLEUR, CONTRÔLEUSE À LA SALLE DE
COMMANDE** Personne qui contrôle la production et l'acheminement du courant électrique
dans une usine ou un autre établissement. Elle
doit, entre autres, veiller à ce que les machines et
instruments utilisés puissent recevoir l'énergie
nécessaire à leur bon fonctionnement et déceler
toute défectuosité du matériel. *Elle a le souci de
bien surveiller les indicateurs afin d'éviter les
surcharges et de s'assurer que l'alimentation en
électricité suffit à la demande.*
CLÉO 224.08   S

**CONTRÔLEUR, CONTRÔLEUSE D'OUTILS ET DE
CALIBRES** Personne qui, dans une industrie,
vérifie, essaie et règle les outils, les matrices, les
gabarits, les calibres et les instruments de mesure
et d'essai pour s'assurer que ceux-ci sont conformes
aux normes de qualité (précision) et aux plans et
devis de production. *Elle a le souci de déterminer
avec justesse le degré d'usure d'un outil, d'un
calibre ou d'un instrument afin d'être en
mesure d'effectuer les ajustements requis.*
CLÉO 231.13   S

CONTRÔLEUR, CONTRÔLEUSE DE LA CIRCULATION AÉRIENNE Personne qui dirige et contrôle le mouvement des avions et des autres véhicules sur l'aire de manoeuvre de l'aéroport en vue d'assurer une circulation sécuritaire. À cette fin, elle repère les mouvements d'aéronefs, autorise les atterrissages et les décollages, vérifie les plans de vol et maintient la liaison entre les aéronefs et la tour de contrôle. *Elle s'efforce de faire preuve de vigilance dans son travail afin d'éviter les accidents et s'occupe d'alerter les services de secours en cas de besoin.*
CLÉO 433.81 C

Un **contrôleur de montages et d'équipements d'aéronefs** s'assure que le montage du moteur est bien effectué
PHOTO: Bombardier Aéronautique

CONTRÔLEUR, CONTRÔLEUSE DE MONTAGES ET D'ÉQUIPEMENTS D'AÉRONEFS Personne qui, dans une usine de construction aéronautique, s'occupe d'inspecter l'assemblage de la structure extérieure des aéronefs (fuselage, ailes, empennage, train d'atterrissage) ainsi que le montage de certains systèmes et équipements (moteurs, circuits électriques, systèmes de chauffage, de ventilation, etc.) pour s'assurer de leur conformité aux plans, aux exigences de qualité et aux normes de sécurité gouvernementales. *Elle se préoccupe de déceler et de faire corriger tout défaut de montage ou d'assemblage afin que le produit fini soit en bon état de navigabilité.*
CLÉO 232.46 C

CONTRÔLEUR, CONTRÔLEUSE DE PETITS APPAREILS ÉLECTRIQUES Personne qui, dans une usine de fabrication, vérifie et met à l'essai de petits appareils électriques (mélangeurs, grille-pain, séchoirs à cheveux, etc.) afin de vérifier leur état (égratignure, tache) et de s'assurer de leur bon fonctionnement. *Elle a le souci de détecter toute anomalie et de la corriger afin que les produits finis répondent aux normes de qualité.*
CLÉO 233.10 S

CONTRÔLEUR, CONTRÔLEUSE DE PRODUITS PHARMACEUTIQUES Personne qui dirige les travaux d'essai et de contrôle de la qualité au cours de la fabrication de produits pharmaceutiques. À cette fin, elle participe à l'élaboration des méthodes d'essai et de contrôle de la qualité, vérifie les matières premières et les procédés utilisés dans la fabrication des produits et recommande la mise en production des articles dont les échantillons ont été approuvés. *Elle veille à ce que les produits soient conformes aux normes et règlements s'appliquant à l'industrie pharmaceutique afin d'offrir au public un produit de qualité et sécuritaire.*
CLÉO 229.14 C/U

CONTRÔLEUR, CONTRÔLEUSE DE SYSTÈMES ÉLECTRONIQUES Personne qui vérifie et met à l'essai des systèmes électroniques (ordinateurs, téléviseurs, radios, etc.) à leur sortie de la chaîne de montage afin de s'assurer que le montage des câblages et des circuits électroniques est conforme aux normes de fabrication établies. *Elle s'efforce de détecter toute anomalie et de la corriger afin de mettre sur le marché des produits de qualité.*
CLÉO 233.06 C

CONTRÔLEUR, CONTRÔLEUSE DE TÉLÉVISEURS Personne qui, dans une usine de production, vérifie le châssis des téléviseurs et les téléviseurs (emplacement et choix des pièces, puissance du récepteur, soudure des fils conducteurs, qualité de l'image, solidité de l'appareil, etc.). Elle détecte le problème des appareils défectueux et les envoie à la réparation. *Elle a le souci de s'assurer que les produits mis en marché sont en bon état de fonctionnement et d'éviter ainsi les retours de marchandises.*
CLÉO 233.09 S

CONTRÔLEUR VÉRIFICATEUR, CONTRÔLEUSE VÉRIFICATRICE D'INSTRUMENTS Personne qui, dans une usine de construction aéronautique, s'occupe de vérifier, au moyen de tests et d'essais, le bon fonctionnement et la précision des systèmes de navigation, de communication et des instruments de bord (radar, pilote automatique, altimètre, synoscope, radio, etc.). *Elle se préoccupe de déceler et de faire corriger tout défaut des systèmes et des instruments sous sa responsabilité afin d'assurer leur fiabilité et leur conformité aux normes gouvernementales.*
CLÉO 232.44 C

COORDONNATEUR, COORDONNATRICE DE CASCADES Personne qui planifie et dirige la réalisation de cascades (scènes dangereuses, actions spectaculaires, performances, etc.) exécutées par des spécialistes qui remplacent, s'il y a lieu, les acteurs concernés dans un film ou une production télévisuelle. Elle définit les moyens techniques et matériels nécessaires pour produire les effets recherchés, choisit et supervise les cascadeurs ainsi que le personnel technique.

Elle dirige également l'installation du matériel, les répétitions, les mises au point techniques ainsi que la réalisation du tournage. Elle se spécialise généralement dans un type de cascades (accidents de véhicules, explosions, chutes spectaculaires, etc.) et travaille en collaboration avec une équipe formée en conséquence. *Elle se préoccupe de mettre au point des cascades qui produiront à l'écran l'effet spectaculaire recherché tout en assurant le mieux possible la sécurité des cascadeurs et en respectant le budget établi.*
CLÉO 624.16   C

COORDONNATEUR, COORDONNATRICE DE DÉPARTEMENT DANS UN COLLÈGE
Personne qui coordonne les activités pédagogiques, la sélection, l'affectation et l'appréciation des membres du personnel enseignant d'un département d'enseignement en vue d'assurer la qualité de l'enseignement. Elle élabore les lignes de conduite, les programmes et la gestion des activités scolaires, établit des méthodes d'évaluation des cours et fait les prévisions budgétaires. *Elle s'efforce de tenir compte des programmes à dispenser, des budgets alloués et des normes établies dans la convention collective afin d'assurer le bon fonctionnement des activités pédagogiques.*
CLÉO 611.34   U

COORDONNATEUR, COORDONNATRICE DE LA PRODUCTION
Personne qui, dans une usine ou un atelier, coordonne les activités de production en organisant l'utilisation des ressources humaines et matérielles en fonction des objectifs et programmes fixés. À cette fin, elle répartit les tâches, prépare les horaires de travail et les calendriers de production, évalue les besoins en matériaux et en main-d'oeuvre et supervise le travail en cours de production. *Elle s'efforce de respecter les demandes et les exigences de la direction ainsi que les délais fixés afin d'assurer une production optimale de l'entreprise.*
CLÉO 211.09   C

Un coordonnateur des congrès et des banquets doit posséder des capacités de planification
PHOTO: Image actuelle/Publiphoto

COORDONNATEUR, COORDONNATRICE DES CONGRÈS ET DES BANQUETS
Personne qui, dans un établissement hôtelier, gère les services de location de salles, de restauration et de soutien technique pour la tenue de banquets, de congrès ou autres événements spéciaux. À cette fin, elle planifie et met en oeuvre des stratégies de promotion des services, négocie les ententes contractuelles et les modalités d'organisation avec les clients, planifie et supervise l'organisation des événements et dirige le personnel désigné aux différents services. *Elle s'efforce d'établir une planification juste et réaliste des événements afin d'assurer la satisfaction des participants et veille à déceler toute lacune en vue d'améliorer sans cesse la qualité des services.*
CLÉO 512.02   C

COORDONNATEUR, COORDONNATRICE DES SERVICES DE TOURISME
Personne qui analyse les services et les aménagements touristiques d'une région donnée en vue d'assurer leur amélioration et leur développement. À cette fin, elle travaille en collaboration avec les responsables des sites à vocation touristique (parcs, musées, centres de villégiature, centres récréatifs, etc.), les gestionnaires des services d'hébergement, de restauration et de transport et diverses personnes-ressources du milieu en vue de participer à la mise en valeur du patrimoine. Elle analyse les attraits du milieu, propose et coordonne des projets de mise en valeur du milieu et d'amélioration des services, rédige du matériel informatif ou publicitaire à l'intention du public et met en place une infrastructure de coordination des services (stand d'information touristique, office touristique régional, etc.). *Elle s'efforce de déterminer des moyens de stimuler l'essor touristique de la région en cause et d'obtenir la collaboration des personnes qui travaillent dans cette industrie afin de mener à bien des projets de mise en valeur du milieu.*
CLÉO 513.01   U

COORDONNATEUR, COORDONNATRICE DU TRANSPORT DE VOYAGEURS PAR AUTOBUS
Personne qui planifie et organise les activités liées à l'établissement des horaires et des itinéraires des autobus. Elle effectue des études pour déterminer les besoins de la clientèle et les paramètres qui devront guider la planification des horaires et des parcours (demandes de services, nombre moyen de passagers, distances, temps de parcours, heures de pointe, etc.) et supervise le personnel technique chargé d'établir les plans. Elle s'occupe également d'assigner les itinéraires et les véhicules aux chauffeurs et de planifier l'horaire des équipes de travail. *Elle se préoccupe d'offrir le meilleur service possible à la clientèle et de maintenir des frais d'exploitation acceptables afin de satisfaire la clientèle et d'assurer la rentabilité de la compagnie.*
CLÉO 433.14   C

CORDONNIER, CORDONNIÈRE Personne qui répare ou modifie différents articles tels que des chaussures, des bottes, des ceintures, des valises, des sacs à main et d'autres articles en cuir, en toile ou d'autres matériaux souples, à l'aide de machines à coudre, à polir et d'autre équipement approprié. *Elle s'efforce de faire une estimation juste des coûts, de réparer avec minutie les articles endommagés et de leur redonner un aspect neuf (beauté, solidité) afin de répondre aux exigences de la clientèle.*
CLÉO 237.23   S

CORONER Personne qui est chargée d'enquêter sur les circonstances et les causes de décès dans les cas de mort non naturelle (accident, empoisonnement, meurtre, etc.) en vue de déterminer s'il y aura des poursuites. Elle doit, entre autres, interroger des témoins, ordonner des autopsies, prendre l'avis d'experts et témoigner des résultats de son enquête devant les tribunaux. Elle peut, s'il y a lieu, formuler des accusations d'homicide, engager des poursuites et émettre des mandats d'arrêt. *Elle veille à faire preuve de perspicacité et de rigueur au cours de ses enquêtes afin de tirer des conclusions justes et probantes sur les causes de décès et d'éviter toute accusation non fondée.*
CLÉO 322.01   U

CORRECTEUR, CORRECTRICE D'ÉPREUVES Personne qui lit les textes retranscrits aux fins de publication afin de relever les fautes d'orthographe ou de frappe et d'indiquer les corrections à faire. *Elle veille à ce que les épreuves correspondent à la copie fournie et à indiquer clairement ses corrections afin que la copie destinée au montage puis à l'impression soit la plus parfaite possible.*
CLÉO 713.09   U

COULEUR, COULEUSE D'OBJETS ARTISTIQUES Personne qui coule du plâtre de Paris dans des moules pour fabriquer des objets tels que des statues, des figurines et des consoles de façon industrielle ou artisanale. Elle doit, entre autres, préparer le plâtre, le couler dans les moules, le secouer pour enlever les bulles d'air, le laisser figer et démouler les pièces. Elle doit également, au besoin, éliminer les joints et boucher certains trous formés par des bulles d'air. *Elle s'efforce de bien préparer le plâtre et de respecter les conditions de coulage afin d'éviter les imperfections des pièces à mouler.*
CLÉO 223.13   S

COULEUR, COULEUSE DE FONDERIE Personne qui, dans une industrie métallurgique, coule le métal en fusion dans des moules en vue de la production de pièces moulées ou de lingots. Elle doit, entre autres, chauffer les poches de coulée, s'assurer de la propreté des moules, procéder au remplissage et nettoyer l'outillage et l'équipement. *Elle s'efforce de*

suivre les normes établies et de surveiller les indicateurs de température de façon à éviter les explosions causées par une trop grande chaleur.
CLÉO 222.08   S

COUPEUR, COUPEUSE À LA COUPEUSE ÉLECTRIQUE PORTATIVE Personne qui, dans une industrie manufacturière, coupe, à l'aide d'une coupeuse électrique portative, plusieurs épaisseurs de tissu en suivant le contour des pièces ou les points de repère (ex.: crans de raccordement, emplacement des poches, etc.) qu'elle doit identifier clairement pour faciliter la confection et l'assemblage du vêtement. *Elle doit faire preuve de précision afin que toutes les pièces soient identiques pour l'assemblage final du vêtement.*
CLÉO 237.06   S

COUPEUR, COUPEUSE À LA MAIN (CONFECTION) Personne qui, dans une entreprise de fabrication de vêtements, coupe à la main des pièces de tissu, de cuir ou d'autres matériaux en suivant le contour des patrons ou les points de repère tracés sur le tissu et qu'elle identifie clairement pour faciliter l'assemblage. *Elle s'efforce de faire preuve de minutie afin de bien préparer les pièces pour l'assemblage et la confection et d'éviter les pertes de tissu.*
CLÉO 237.12   S

COUPEUR, COUPEUSE DE FOURRURE Personne qui, dans une entreprise de confection de vêtements de fourrure, choisit, coupe et modifie les peaux en vue de la confection, de la modification ou de la réparation de pièces de vêtements ou d'autres articles de fourrure. *Elle s'assure de bien assortir les peaux selon leur dimension, leur couleur et leur texture afin de les mettre en valeur dans les vêtements à confectionner.*
CLÉO 237.16   S

COUPEUR, COUPEUSE DE PIÈCES DE CUIR Personne qui, dans une usine de confection, coupe du cuir ou d'autres matériaux en suivant le contour des pièces, en vue de la fabrication d'articles en cuir (chaussures, sacs à main, porte-monnaie, etc.). *Elle s'efforce de faire preuve de minutie et de produire des pièces de qualité afin d'éviter les pertes de cuir et de rentabiliser la production.*
CLÉO 237.19   S

COUREUR, COUREUSE AUTOMOBILE Personne qui participe à des compétitions professionnelles de course automobile. À cette fin, elle fait des courses d'essai en vue de se qualifier aux épreuves éliminatoires. *Elle se préoccupe de surveiller attentivement les indicateurs et d'être attentive aux autres voitures afin d'adopter des tactiques gagnantes, d'éviter les dangers en compétition et d'augmenter ses chances de victoire.*
CLÉO 515.14   C

Une **couturière** utilise un mannequin
pour ajuster une robe
PHOTO: CSC de Sherbrooke–Centre 24-juin

COURTIER, COURTIÈRE D'ASSURANCES Personne qui offre et vend des polices d'assurances (incendie, vol, vie, automobile, etc.) à des personnes ou à des entreprises pour le compte de différentes compagnies d'assurances. Elle propose aux clients intéressés un plan de protection convenant à leurs besoins, leur fournit tous les renseignements nécessaires sur les garanties, les avantages, les primes et autres clauses du contrat et remplit les formulaires requis pour la délivrance de la police. *Elle veille à établir de bonnes stratégies afin de recruter de nouveaux clients et à exercer un suivi régulier auprès de ses clients (contrats en vigueur, demandes de règlement en cas de sinistre, etc.) afin de conserver sa clientèle.*
CLÉO 423.42   C

COURTIER, COURTIÈRE EN DOUANE Personne qui prend en charge pour le compte de ses clients (exportateurs, importateurs, grossistes, entreprises manufacturières, etc.) les formalités de dédouanement des marchandises à leur arrivée au pays ou au départ. Elle s'occupe, entre autres, d'obtenir et de préparer les documents de dédouanement, de payer les droits et les taxes exigés sur les marchandises et d'acheminer les documents nécessaires aux organismes gouvernementaux concernés. *Elle veille à bien informer ses clients sur les restrictions touchant l'importation ou l'exportation de marchandises ainsi que sur les tarifs douaniers et les coûts d'assurances afin d'éviter tout litige éventuel dans le règlement des formalités douanières.*
CLÉO 433.02   C

COUSEUR, COUSEUSE DE CHAUSSURES À LA MAIN Personne qui confectionne à la main des parties de chaussures (hauts de talon, pièces rapportées) ou des chaussures en cuir dans une manufacture de chaussures. *Elle veille à choisir des pièces de cuir de qualité, à bien les assembler et à bien polir les coutures afin d'offrir un produit à la fois esthétique et de qualité.*
CLÉO 237.21   S

COUTURIER, COUTURIÈRE Personne qui crée, fabrique, transforme ou répare des vêtements, à la main ou à la machine, de manière à produire des vêtements aux goûts de la clientèle. Elle rencontre la clientèle, détermine ses besoins, étudie le modèle à produire, prend les mesures nécessaires et procède, selon le cas, au taillage et à l'assemblage ou aux réparations désirées. *Elle se préoccupe de faire tous les ajustements nécessaires et de donner les conseils et renseignements demandés afin de satisfaire la clientèle.*
CLÉO 237.11   S

COUTURIER, COUTURIÈRE DE HAUTE COUTURE Personne qui conçoit, dessine et fabrique, à l'unité et selon les demandes, des modèles de vêtements ou des accessoires personnalisés. À cette fin, elle rencontre la clientèle, détermine ses besoins et ses goûts (tissus, modèles ou patrons), prend les mesures nécessaires à la confection, fait exécuter ou exécute le patron, le taillage, l'assemblage et l'ajustement du vêtement. Elle peut également créer chaque saison une collection de vêtements haut de gamme et la présenter au cours de défilés de mode. *Elle porte une attention spéciale aux nouveautés et aux tendances dans les tissus et les styles, afin de concevoir un produit à la fois de qualité et esthétique et de satisfaire les besoins, les goûts et les désirs de la clientèle.*
CLÉO 237.09   C

C
CRE

COUVREUR, COUVREUSE DE REVÊTEMENT DE TOITURES Personne qui recouvre, imperméabilise et répare des toitures de bâtiments à l'aide de goudron, de bardeaux d'asphalte, de métal et d'autres matériaux. Elle doit, entre autres, déterminer la quantité de matériaux et choisir les méthodes adéquates de recouvrement. *Elle veille à s'assurer de l'étanchéité de la toiture afin d'éviter toute infiltration d'eau.*
CLÉO 241.42   S

CRACHEUR, CRACHEUSE DE FEU Personne qui produit des flammes semblant jaillir de sa bouche selon une technique qui consiste à cracher avec force un jet de liquide inflammable qu'elle allume aussitôt de manière à produire une traînée de flammes spectaculaire et qui présente ses performances en spectacle. *Elle veille à maîtriser la technique et à faire preuve de prudence afin d'épater les spectateurs et d'éviter tout accident ou brûlure.*
CLÉO 625.18   C

CRÉATEUR, CRÉATRICE DE COSTUMES Personne qui est chargée de concevoir et de confectionner des costumes pour des spectacles sur scène ou pour des productions cinématographiques ou télévisuelles. À cette fin, elle définit les styles de costumes selon le genre de production, l'époque et les lieux en cause et les rôles des participants.

Elle dessine les modèles de costumes, choisit les accessoires, les coiffures et les maquillages complémentaires et fait approuver le tout par les responsables de la production. Elle supervise la confection des costumes (engagement du personnel, achat du matériel, préparation des patrons, couture, ajustements, etc.) afin d'assurer leur conformité aux modèles prévus et la qualité de la confection. Selon son mandat, elle peut superviser également le travail des maquilleurs et des coiffeurs. *Elle s'efforce de créer des costumes originaux et adaptés aux caractéristiques de chaque personnage (rôle, constitution et apparence physique, action prévue, etc.) afin de créer l'atmosphère recherchée.*
CLÉO 624.35   U/C

CRIEUR, CRIEUSE Personne qui circule dans un stade ou un lieu de divertissement public afin de vendre aux spectateurs des rafraîchissements, des aliments divers, des programmes ou des souvenirs qu'elle transporte dans une cantine portative ou un chariot roulant. *Elle s'efforce d'être vue par la clientèle et d'annoncer ses produits à voix haute de manière à faire le plus de ventes possible. Elle doit aussi savoir calculer rapidement le montant dû et la monnaie à rendre afin que les transactions s'effectuent sans perte de temps.*
CLÉO 432.42   S

CRIMINOLOGUE Personne qui analyse, étudie et évalue la conduite de contrevenants à partir des motifs, des circonstances et de la gravité des délits et qui intervient par différents moyens, méthodes ou programmes, en vue de les resociabiliser et de protéger la collectivité. Elle prend en considération les antécédents familiaux et le milieu social de la personne contrevenante, de manière à pouvoir comprendre le comportement déviant et à apporter l'aide appropriée. Elle peut travailler en milieu de détention, en maison de transition, dans un centre de protection de l'enfance et de la jeunesse ou encore dans centre d'accueil et de réadaptation. Elle peut intervenir, entre autres, auprès de jeunes ou d'adultes, auprès de personnes adultes condamnées à des sentences autres que la détention et auprès de victimes d'actes criminels. *Elle veille à apporter son soutien aux personnes contrevenantes afin de prévenir la criminalité et de favoriser leur intégration sociale.*
CLÉO 332.01   U

CRITIQUE D'ART Personne qui suit et analyse les événements du domaine artistique en vue d'en informer le public et d'exprimer ses opinions sur les performances des artistes et sur la qualité des oeuvres par l'intermédiaire d'articles de revues ou de journaux ou dans le cadre d'émissions à la radio ou à la télévision. Elle assiste aux spectacles, concerts, représentations théâtrales, projections de film, expositions ou autres types de représentations dans différents domaines artistiques, prend connaissance des nouveaux produits lancés sur le marché (livres d'art, disques, vidéo-clips, etc.), réalise des entrevues avec des personnalités du domaine artistique et se documente sur la vie et l'oeuvre des artistes.
CLÉO 713.06   U/C

CRITIQUE LITTÉRAIRE Personne qui lit des livres et des revues littéraires et qui, à partir de ses connaissances, son jugement et son expérience, formule ou rédige des commentaires sur la valeur des documents et des critiques en vue de leur diffusion dans les journaux, à la télévision, à la radio ou par d'autres médias. *Elle veille à présenter une description la plus fidèle possible du livre en tenant compte de points précis tels que le sujet traité, le style utilisé afin de bien informer le public.*
CLÉO 621.10   U

CROUPIER, CROUPIÈRE Personne qui, dans un casino, anime le déroulement d'un jeu en fonction des règlements établis, ramasse l'argent parié sur les mises et qui, pour le compte de l'établissement, paie les joueurs gagnants. Elle doit également surveiller les joueurs afin qu'aucune tricherie ou infraction aux règles ne soit commise.
CLÉO 514.13   S

CUEILLEUR, CUEILLEUSE DE FRUITS Personne qui, dans une exploitation horticole, effectue des tâches liées à la cueillette des fruits. Elle cueille les fruits à la main ou à l'aide d'outils, les équeute, les lave, les trie et les déverse dans des contenants. *Elle a le souci de cueillir les fruits lorsqu'ils sont mûrs à point afin d'éviter les pertes et de maximiser la production.*
CLÉO 124.21   S

CUISINIER, CUISINIÈRE Personne qui, dans un service de restauration, prépare et cuit les aliments en vue de réaliser un mets. À cette fin, elle participe à l'élaboration des menus et supervise le personnel à la cuisine. Elle peut travailler dans différents types d'établissements tels que des restaurants, des cafétérias, des cantines, des hôpitaux, des écoles. *Elle veille au respect des règles de sécurité et d'hygiène afin d'offrir des mets qui sauront satisfaire la clientèle.*
CLÉO 511.10   S

D

DANSEUR, DANSEUSE Personne qui fait des mouvements de corps, des pas et des figures selon un rythme, une musique et une chorégraphie, seule ou avec des partenaires en vue d'un spectacle sur la scène ou à la télévision. Elle mémorise les pas, s'exerce pour conserver sa souplesse et interprète les danses de manière sensible et esthétique. *Elle a le souci de respecter la chorégraphie et de travailler suffisamment les pas afin de donner une bonne performance au cours des représentations.*
CLÉO 623.03   U

DÉBARDEUR, DÉBARDEUSE Personne qui s'occupe de charger et de décharger les navires à l'aide de machines telles que des grues, des treuils mécaniques qu'elle conduit et manoeuvre. *Elle s'efforce de manipuler les marchandises avec soin et de faire ses manoeuvres de façon sécuritaire afin de ne pas endommager le contenu des caisses et d'éviter des accidents.*
CLÉO 433.57   S

DÉBOSSELEUR, DÉBOSSELEUSE Personne qui répare et retouche les parties endommagées de la carrosserie et l'intérieur des véhicules automobiles. Elle doit, entre autres, examiner les dommages afin d'évaluer les coûts des réparations et procéder au débosselage, au remplissage des creux et au redressement du châssis. *Elle s'efforce d'effectuer rapidement les réparations nécessaires afin de pouvoir remettre le véhicule au propriétaire dans les plus brefs délais.*
CLÉO 254.10   S

DÉCORATEUR, DÉCORATRICE DE MEUBLES Personne qui reproduit des motifs décoratifs sur les meubles à l'aide de divers matériaux comme la laque, le vernis et la dorure. Elle fait les mélanges de peinture, dorure ou vernis, prépare les pochoirs et trace les lignes guides qui serviront à faire les motifs désirés. *Elle s'efforce de respecter les consignes reçues et les particularités du traitement des matériaux afin que le produit fini allie qualité et esthétisme.*
CLÉO 236.14   S

Un **danseur** exécute une performance
au cours d'un spectacle de danse
PHOTO: Sygma/Publiphoto

DÉCORATEUR-ENSEMBLIER, DÉCORATRICE-ENSEMBLIÈRE Personne qui conçoit et réalise des plans d'aménagement intérieur en vue de créer des espaces de vie à la fois esthétiques, fonctionnels et adaptés aux besoins et exigences de la clientèle. À cette fin, elle visite les lieux et rencontre la clientèle pour connaître ses besoins et exigences, analyse les ressources et contraintes du lieu, réalise des plans préliminaires, les fait approuver, évalue les coûts des travaux et réalise les plans d'aménagement. Elle supervise la réalisation des travaux pour s'assurer de leur conformité aux plans et aux exigences de la clientèle. Elle peut travailler dans des projets d'aménagement résidentiel, commercial, institutionnel ou industriel. *Elle se préoccupe de donner toute l'information nécessaire en ce qui concerne le choix des couleurs, des accessoires, du mobilier, des revêtements de planchers, de l'habillage des fenêtres et de l'éclairage afin de faciliter l'aménagement.*
CLÉO 626.33   U/C

DÉCORATEUR-ÉTALAGISTE, DÉCORATRICE-ÉTALAGISTE Personne qui conçoit et réalise des étalages pour mettre en valeur les divers produits ou services offerts dans des compagnies et commerces en vue d'attirer la clientèle. Elle doit, entre autres, préparer des croquis, monter les étalages, agencer les produits et habiller les mannequins.

Elle s'efforce de cibler les goûts des clients afin d'être en mesure de créer un étalage qui convient à leurs exigences (styles, images, couleurs, etc.) et qui saura attirer l'attention des passants.
CLÉO 626.37   S

DÉGUSTATEUR, DÉGUSTATRICE DE BOISSONS
Personne qui goûte divers échantillons de produits comme le vin, le thé et le café en vue d'en évaluer la saveur et la qualité et de s'assurer que chaque produit est conforme aux normes de qualité établies. *Elle a le souci de garder son sens du goût développé afin de pouvoir juger les différentes boissons qu'elle aura à déguster et de faire part de commentaires précis afin de contribuer, s'il y a lieu, à l'amélioration ou à la correction des procédés de fabrication.*
CLÉO 228.24   S

DÉMÉNAGEUR, DÉMÉNAGEUSE Personne qui transporte d'un endroit à un autre, à l'aide d'un camion et du matériel de manutention approprié, des objets tels que des meubles, des appareils électroménagers, du matériel de bureau. Elle charge et décharge les articles du camion et les place aux endroits indiqués. Elle peut également emballer et déballer les marchandises. *Elle s'efforce de prendre des précautions au moment du chargement et du déchargement afin de ne pas endommager les biens.*
CLÉO 433.25   S

DÉMOGRAPHE Personne qui recueille, compile et analyse des données sur la composition et le développement des populations humaines en vue de fournir aux spécialistes de différents domaines (éducation, économique, santé, sociologie, etc.) l'information dont ils ont besoin pour résoudre divers problèmes d'ordre économique ou social et pour planifier l'avenir de la société. Elle applique différentes méthodes de recherche (enquêtes, analyses statistiques, recensement, etc.) pour étudier une population donnée sous différents aspects (dimension, répartition géographique, structure par âge, sexe, instruction, emploi, revenu, état civil, etc.), tente d'expliquer les causes de certains phénomènes démographiques (baisse de natalité, vieillissement des populations, augmentation des familles monoparentales, etc.), de déterminer les conséquences de ces phénomènes sur le fonctionnement social et de dégager les tendances futures dans l'évolution des populations. *Elle veille à effectuer ses recherches selon une méthodologie rigoureuse afin que ses travaux servent à orienter de nombreuses décisions relatives, par exemple, à l'élaboration de politiques et de programmes de sécurité sociale, d'aide à l'emploi ou de retraite ou encore à la planification des services de santé, d'éducation, de transport ou d'aménagement urbain.*
CLÉO 612.41   U

DENTELLIÈRE Personne qui réalise à la main des ouvrages de dentelle (nappes, lingerie fine, vêtements, bordures ornementales, etc.) dont elle conçoit généralement le patron et l'agencement des motifs et qui les vend. Elle façonne des dentelles de fils de lin, de soie, de coton ou de laine à l'aide de diverses techniques artisanales (dentelle à l'aiguille, au crochet, aux fuseaux, etc.). *Elle veille à faire preuve de minutie afin de produire des dentelles qui, pour les amateurs, ont une qualité esthétique unique.*
CLÉO 627.20   S

DENTISTE Personne qui voit à la prévention, au dépistage, au diagnostic et au traitement des maladies, des déficiences et des anomalies de la dentition et de la cavité buccale. À cette fin, elle fait passer des examens et des radiographies en vue de dresser un bilan de l'état bucco-dentaire de son patient, définit ses besoins dans la perspective de maintenir ou de restaurer le système bucco-dentaire et lui propose un plan de traitement. Elle applique le traitement prévu qui peut inclure, selon le cas, le nettoyage préventif, le curetage sous-gingival, la restauration de dents atteintes par la carie, l'extraction de dents malades ou nuisibles à l'occlusion ou encore le remplacement de dents manquantes (couronnes, ponts, prothèses). Elle peut également procéder à des traitements visant à améliorer l'esthétique buccale comme le blanchiment des dents et la restauration de l'émail. Elle peut axer sa pratique sur les traitements les plus courants et diriger ses patients vers d'autres spécialistes selon leurs besoins.
CLÉO 523.81   U

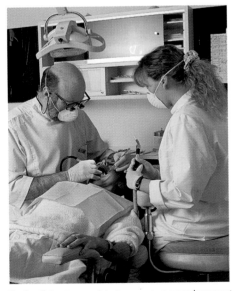

Un **dentiste** et son assistante respectent scrupuleusement les règles d'hygiène requises par leur profession
PHOTO: M. Gabr/Publiphoto

DENTISTE EN SANTÉ PUBLIQUE Personne qui, en tant que spécialiste de la médecine dentaire, conçoit et met en oeuvre différents moyens de prévention et de contrôle des maladies bucco-dentaires dans une perspective de santé communautaire. À cette fin, elle planifie et supervise la conception et l'implantation de programmes d'éducation en santé dentaire, l'élaboration et la diffusion de documents promotionnels ainsi que la réalisation d'activités de recherche susceptibles de faire progresser la qualité des soins professionnels et l'identification des besoins de la population en matière de santé dentaire. Elle participe également à l'établissement et à l'application des normes de protection en santé publique et agit à titre de conseillère en matière de prévention auprès des dentistes, des médecins, des institutions et des organismes communautaires desservant des clientèles variées. *Elle veille à mettre en place des moyens variés et efficaces de sensibiliser la population à l'importance de la santé dentaire.*
CLÉO 523.95   U

DENTUROLOGISTE Personne qui fabrique, ajuste et restaure des prothèses dentaires amovibles en fonction des besoins des clients et qui les vend pour son compte ou celui d'un laboratoire. À cette fin, elle analyse les besoins fonctionnels et esthétiques des clients, prend des mesures et des empreintes pour déterminer les paramètres de la prothèse partielle ou complète à fabriquer (dimensions, alignement, articulation, support, fixation, hauteur, couleur, etc.) et réalise sa fabrication (fabrication de porte-empreintes et de maquettes, moulage et coulage des modèles, essais en bouche, ajustements, coloration, polissage). Elle fournit également des services d'ajustement, d'entretien et de réparation de prothèses. *Elle veille à suppléer efficacement à la perte de dents naturelles en fabriquant des prothèses fonctionnelles (mastication, phonétique), d'apparence naturelle, adaptées aux dents restantes ou à la morphologie de la bouche et du visage.*
CLÉO 523.91   C

DÉPISTEUR, DÉPISTEUSE EN SPORT PROFESSIONNEL Personne qui recherche des personnes sportives douées en vue de les recruter pour le sport professionnel. À cette fin, elle visite des équipes de sport amateur, observe les performances, détermine des recrues possibles, évalue leurs qualités athlétiques et présente le résultat de ses recherches à la direction de l'équipe sportive professionnelle. *Elle est soucieuse de bien évaluer le potentiel des éventuelles recrues afin de permettre à la direction de faire des choix judicieux.*
CLÉO 515.07   C

DERMATOLOGUE Personne qui, en tant que médecin spécialiste, diagnostique les maladies de la peau et les traite, selon le cas, au moyen de médicaments, de procédés thérapeutiques spécialisés (radiothérapie, électrocoagulation, cryothérapie, abrasion chimique, etc.) ou en recourant à l'ablation chirurgicale. *Elle se préoccupe de poser des diagnotics justes et de recommander les traitements appropriés et veille à garder ses connaissances à jour afin d'offrir un service de qualité à la clientèle.*
CLÉO 523.09   U

DESIGNER D'INTERFACE MULTIMÉDIA Personne qui, dans le processus de création d'un produit multimédia (CD-Rom, publication ou jeu électronique, site internet, borne interactive, etc.) intégrant plus d'une forme d'information (textes, tableaux et graphiques, photos, séquences vidéo, voix, musique, animation, etc.), s'occupe d'organiser le réseau de liens entre les multiples composantes du contenu afin que l'usager puisse explorer l'information interactive. À cette fin, elle prend charge de tout ce que l'utilisateur pourra voir à l'écran, entendre et ressentir en expérimentant les possibilités du produit et elle prévoit les manipulations (souris, clavier, boutons, écran tactile) qui rendront cette expérience possible. Elle détermine les modalités d'entrée et de navigation, les moyens d'évitement et de sortie, en basant ses choix sur la prévision des réactions probables de l'utilisateur devant un type d'information donné. *Elle s'efforce d'appliquer de façon innovatrice son expertise en communication interactive (non verbale) afin de mettre au point des interfaces qui soient stimulantes pour l'utilisateur, accessibles, fonctionnelles et bien rythmées.*
CLÉO 722.10   C/U

DESIGNER DE L'ENVIRONNEMENT Personne qui, dans le cadre d'un projet d'aménagement d'un site naturel ou urbain (parc, complexe architectural, halte touristique, site récréatif, etc.), est chargée de concevoir les plans d'aménagement de l'espace et le design de certains objets qui en feront partie (bancs de parc, lampadaires, fontaines, jardinières, poubelles, etc.) afin de rendre les lieux esthétiques, confortables et fonctionnels pour les usagers. *Elle s'efforce d'aménager l'espace en tenant compte de tous les facteurs présents afin que les éléments naturels et humains de l'environnement soient en harmonie (lumière naturelle et artificielle, formes, couleurs, sons ambiants) et que les usagers prennent plaisir à fréquenter les lieux.*
CLÉO 241.16   U

DESIGNER INDUSTRIEL, DESIGNER INDUSTRIELLE Personne qui crée des modèles de produits divers (accessoires ménagers, mobiliers, véhicules, abris, etc.) en vue d'une fabrication

industrielle de ces produits. À cette fin, elle identifie les besoins et les objectifs visés, procède à des études de marché, conçoit et fait les dessins de prototypes et détermine le choix des matériaux et des couleurs. *Elle crée des produits utiles, attrayants, économiques et de qualité en tenant compte de critères esthétiques et fonctionnels, afin de répondre aux exigences de la clientèle et d'optimiser la production industrielle.*
CLÉO 626.31   U

Un **designer industriel** travaille à la conception
d'un équipement en téléphonie
PHOTO: Nortel

DESIGNER VISUEL, DESIGNER VISUELLE EN MULTIMÉDIA Personne qui travaille à la production de composantes visuelles propres à un art particulier (peinture, dessin d'illustration, photographie, lettrage, etc.) pour les besoins spécifiques de produits multimédias. Elle réalise des oeuvres originales adaptables au traitement électronique en mode numérique et en fait la préparation par ordinateur selon l'utilisation prévue dans le produit multimédia. *Elle doit être en mesure de travailler avec du matériel digitalisé et de répondre aux normes de production particulières de l'univers électronique et elle doit s'efforcer d'adapter sa vision artistique aux objectifs de production et au style visuel de l'ensemble du contenu.*
CLÉO 722.08   U/C

DESSINATEUR-CONCEPTEUR, DESSINATRICE-CONCEPTRICE EN MÉCANIQUE DU BÂTIMENT Personne qui dessine, à la main ou à l'aide d'un ordinateur, les plans de différents systèmes de la mécanique du bâtiment (chauffage, ventilation, climatisation, protection contre l'incendie, plomberie, réfrigération) selon des plans d'architecture d'un bâtiment et les indications fournies par l'ingénieur. *Elle veille à indiquer sur les plans toutes les spécifications requises afin de faciliter les travaux d'installation.*
CLÉO 241.72   C

DESSINATEUR, DESSINATRICE D'ANIMATION 2D Personne qui crée des dessins animés réalistes

ou fantaisistes pour les besoins d'une production audiovisuelle (film, vidéo, publicité ou émission télévisée) ou d'un produit multimédia (CD-Rom, publication ou jeu électronique, borne interactive, logiciel de simulation ou de formation, etc.) en concevant des images fixes en deux dimensions et en les organisant de façon séquentielle pour créer à l'écran l'illusion du mouvement. À cette fin, elle conçoit les éléments visuels de la situation (personnages, objets, décors, etc.) à partir du scénario d'un thème, établit le contenu détaillé de chaque image nécessaire pour représenter les phases de l'action et créer l'effet du mouvement, prépare les dessins et réalise l'animation à l'aide d'un logiciel d'animation 2D. *Elle doit avoir un sens manifeste du mouvement et du rythme et un grand souci du détail afin de pouvoir construire image par image des séquences dont l'animation paraîtra naturelle et cohérente à l'écran.*
CLÉO 626.10   U

DESSINATEUR, DESSINATRICE D'ARCHITEC-TURE Personne qui exécute, à la main ou à l'aide d'un ordinateur, des dessins pour représenter des structures, des charpentes ou autres éléments architecturaux destinés à la construction d'un bâtiment. Elle doit, entre autres, indiquer le tracé des plans, des élévations des coupes, des détails types et fournir les données nécessaires à l'exécution des plans. *Elle s'efforce de faire des plans conformes aux données, devis et esquisses qui lui ont été remis par l'architecte ou l'ingénieur.*
CLÉO 241.07   S

DESSINATEUR, DESSINATRICE D'INSTALLA-TIONS ÉLECTRIQUES Personne qui réalise, à l'aide d'un ordinateur ou de matériel de dessin, des dessins et des schémas de câblage destinés au montage, à l'installation et à l'entretien de circuits et de systèmes électriques dans des établissements publics, résidentiels, commerciaux et industriels ainsi que dans les réseaux de distribution d'électricité. *Elle veille à estimer avec soin les besoins en électricité des bâtiments afin de planifier tous les circuits en fonction des dimensions et de la disposition des lieux et s'efforce de prévoir des installations conformes aux normes de sécurité.*
CLÉO 233.04   S

DESSINATEUR, DESSINATRICE DE MATÉRIEL ÉLECTRONIQUE Personne qui réalise, à la main ou à l'aide d'un ordinateur, des dessins et des schémas d'agencement destinés à la fabrication, au montage et à l'installation d'appareils électroniques (téléviseurs, amplificateurs, calculatrices, etc.). *Elle s'efforce de reproduire fidèlement et avec précision les circuits et réseaux afin d'assurer la fabrication de produits de qualité et de permettre aux utilisateurs de consulter les plans sans problème.*
CLÉO 233.03   C

DESSINATEUR, DESSINATRICE DE PARCOURS ÉQUESTRES Personne qui, en vue de compétitions équestres, conçoit et dessine les plans de parcours de sauts d'obstacles selon le niveau de la compétition prévue. À cette fin, elle étudie le site de la compétition (caractéristiques du terrain, obstacles naturels, distances, etc.) et elle planifie l'emplacement, l'aménagement et les dimensions des barrières, des murets, des plans d'eau et des autres obstacles qui devront être franchis par les cavaliers en un temps limite.
CLÉO 515.23   C

DESSINATEUR, DESSINATRICE DE PUBLICITÉ Personne qui conçoit et exécute, à la main ou à l'aide d'un ordinateur, des dessins destinés à la publicité d'un produit dans des revues, des journaux, sur des affiches pour des commerces, entreprises ou industries. À cette fin, elle détermine les besoins, étudie les demandes, fait des esquisses, les présente pour approbation, les corrige au besoin et réalise l'illustration finale. *Elle a le souci de créer des dessins de qualité qui sauront attirer l'attention et promouvoir les ventes du produit exposé.*
CLÉO 711.08   C/U

DESSINATEUR, DESSINATRICE EN CONCEPTION ASSISTÉE PAR ORDINATEUR Personne qui prépare, à l'aide d'un ordinateur, des modèles ou des dessins d'ingénierie (matériel mécanique, matériel informatique, etc.) à partir des esquisses, des concepts préliminaires, des devis ou autres données fournies par les ingénieurs. *Elle est soucieuse de produire des dessins conformes aux devis et comportant toutes les données requises.*
CLÉO 211.16   C

DESSINATEUR, DESSINATRICE EN CONSTRUCTION NAVALE Personne qui réalise, à la main ou à l'aide d'un ordinateur, des plans de construction, de modification ou de restauration de navires, selon les indications fournies par les services d'ingénierie navale. *Elle veille à transposer avec précision sur les plans les dimensions prévues pour les divers éléments de construction et à indiquer toutes les données techniques nécessaires afin de permettre le bon déroulement des travaux.*
CLÉO 232.34   C

DESSINATEUR, DESSINATRICE EN GÉNIE CIVIL Personne qui dessine des croquis, des schémas ou des plans de structures ou d'infrastructures et de leurs composantes en vue de leur réalisation (ponts, bâtiments, tunnels, etc.). À cette fin, elle analyse et utilise diverses données comme des levées et des cartes topographiques, fait des calculs géométriques complexes et réalise les dessins. *Elle est soucieuse de vérifier la conformité des dessins avec les données relatives au projet afin de produire des plans justes et précis.*
CLÉO 241.04   C

DESSINATEUR, DESSINATRICE EN MÉCANIQUE INDUSTRIELLE Personne qui exécute, à la main ou à l'aide d'un ordinateur, des dessins techniques de moteurs, de pièces, d'outils ou de machinerie destinés à la conception et à la fabrication d'appareils mécaniques. *Elle s'efforce de faire preuve de minutie et de précision et d'indiquer tous les détails pertinents afin de faciliter l'assemblage des appareils.*
CLÉO 231.03   S

DESSINATEUR-MODÉLISTE, DESSINATRICE-MODÉLISTE DE MEUBLES Personne qui conçoit des modèles de meubles ou de mobiliers selon les tendances de la mode et les techniques de fabrication. À cette fin, elle consulte des clients, des ingénieurs et des spécialistes en production, tient compte des propriétés des matériaux et exécute ses dessins en indiquant tous les détails nécessaires à la fabrication. *Elle s'efforce de faire preuve de créativité et d'originalité dans ses créations et d'être à l'affût des tendances du moment (styles, types de matériaux, tissus à recouvrement) afin de répondre aux demandes de la clientèle.*
CLÉO 236.01   C

DÉTECTIVE PRIVÉ, DÉTECTIVE PRIVÉE Personne qui travaille à son compte et qui, à la demande d'un particulier, enquête sur des personnes (filature, vérifications diverses, etc.), des disparitions de personnes, des crimes, des vols, etc. *Elle s'efforce de faire preuve d'un bon sens de l'observation et de perspicacité afin d'élucider rapidement les cas qui lui sont confiés.*
CLÉO 331.11   C

Les **dessinateurs en génie civil** travaillent principalement dans l'industrie de la construction et des travaux publics
PHOTO: Cégep Beauce-Appalaches

DIÉTÉTISTE Personne qui guide les choix alimentaires de personnes ou de collectivités de tous âges, selon les principes de la nutrition, en vue de promouvoir la santé par une saine alimentation. Selon son mandat, elle évalue le comportement alimentaire, établit et applique un traitement nutritionnel, élabore des menus et supervise l'approvisionnement, la production et la distribution des aliments et repas. Elle planifie, applique et évalue des programmes de santé, offre des services de consultation individuelle, met au point des services d'alimentation, rédige des documents d'information, planifie et organise des programmes de recherche. Elle peut travailler, entre autres, dans un centre hospitalier, un restaurant ou une industrie alimentaire. Elle peut intervenir dans différents secteurs: la nutrition clinique, la gestion des services alimentaires ou encore l'enseignement et la recherche. *Elle s'efforce de tenir compte de la valeur nutritive et de la qualité des aliments afin de contribuer à l'amélioration ou au maintien de la santé des gens.*

CLÉO 518.03   U

Une **diététiste** évalue la valeur nutritive et l'équilibre des repas offerts dans un service de restauration
PHOTO: Renée Méthot/Univ. Laval–Fac. des sciences de l'agric. et de l'alim.

DIRECTEUR ADMINISTRATIF, DIRECTRICE ADMINISTRATIVE Personne qui planifie, organise, dirige et contrôle, par l'intermédiaire du personnel cadre sous sa responsabilité, les activités administratives d'un service dans une entreprise donnée. À cette fin, elle planifie, administre et gère les budgets. Elle trace l'organigramme de son service et détermine les fonctions des directeurs et autres chefs subalternes. Elle établit les méthodes de travail favorables à l'application des programmes et des directives de la direction.

CLÉO 421.01   U

DIRECTEUR, DIRECTRICE ARTISTIQUE Personne qui dirige le travail artistique des divers intervenants dans la réalisation d'un spectacle sur scène, d'une production vidéo, cinématographique ou télévisuelle ou d'un produit multimédia. À cette fin, elle définit le style artistique de la production en tenant compte des objectifs, de la clientèle visée, du sujet, des lieux et des époques en cause et oriente la conception des composantes artistiques de la production. Dans les domaines du cinéma, de la télévision et du spectacle, elle s'occupe plus particulièrement de l'harmonisation des éléments scénographiques visuels (décors, costumes, mobilier et accessoires de scène, jeux d'éclairage, effets visuels). Dans le domaine du multimédia, elle assume généralement la responsabilité de toutes les dimensions artistiques du contenu, visuelles ou sonores (photographie, illustration, animation d'images, calligraphie, son, design de l'interface, interactivité, etc.). *Elle veille à ce que les diverses composantes artistiques de la production soient conformes au style défini et en harmonie les unes avec les autres afin de créer un ensemble cohérent qui contribuera à la qualité de la production.*

CLÉO 624.12   U

DIRECTEUR, DIRECTRICE D'AGENCE DE RENCONTRES Personne qui met en place et gère des services permettant de mettre en contact en fonction de leur personnalité et de leurs attentes des personnes à la recherche d'un ou d'une partenaire à des fins amicales, amoureuses ou matrimoniales. Selon la technologie et les méthodes utilisées, elle offre divers services: la sélection de partenaires par ordinateur, l'enregistrement de vidéos ou de messages téléphoniques de présentation, la publication de catalogues ou d'annonces personnalisées, etc. Elle s'occupe également des tâches administratives inhérentes à la gestion d'une entreprise (facturation, comptabilité, supervision du personnel, entretien des équipements, etc.). *Elle veille à bien renseigner la clientèle sur la nature, le coût et les règles d'utilisation des services et s'efforce d'assurer un suivi afin d'améliorer ses méthodes au besoin et d'assurer ainsi, à long terme, la crédibilité et la rentabilité de l'entreprise.*

CLÉO 516.17   S

DIRECTEUR, DIRECTRICE D'AGENCE DE VOYAGES Personne qui planifie et dirige les activités liées à l'exploitation d'une agence de voyages pour son propre compte ou celui du propriétaire. Elle doit, entre autres, définir les produits et les services à promouvoir selon l'orientation de l'agence et prendre contact avec les compagnies de transport, les hôtels et les sites touristiques afin de négocier des ententes concernant les prix et les services. Elle embauche et supervise le personnel, s'occupe de la publicité et visite des destinations de voyage afin d'en évaluer

l'intérêt et la qualité des services. *Elle s'efforce de promouvoir et d'offrir des voyages correspondant aux goûts et besoins des clients et de faire toutes les démarches nécessaires pour faciliter au maximum l'organisation du transport, de l'hébergement et des activités sur place.*
CLÉO 513.07 U

DIRECTEUR, DIRECTRICE D'ÉCOLE Personne qui supervise et coordonne les activités éducatives et administratives et le travail du personnel (enseignant ou non) d'un établissement d'enseignement, en vue d'assurer le bon fonctionnement et la qualité de l'enseignement. À cette fin, elle détermine, en collaboration avec différents comités, les objectifs de l'établissement et des programmes, supervise les différents services et veille à la réalisation et à l'évaluation des programmes et orientations selon les normes du ministère de l'Éducation.
CLÉO 611.04 U

DIRECTEUR, DIRECTRICE D'ÉQUIPE DE SPORT PROFESSIONNEL Personne qui administre et dirige les activités du personnel (dépistage, entraînement) entourant une équipe sportive. Elle négocie les activités d'échange de joueurs, les salaires du personnel et des joueurs et s'occupe des finances ainsi que de l'organisation des voyages. *Elle veille à gérer efficacement les diverses activités de l'équipe afin d'assurer le bon fonctionnement de celle-ci.*
CLÉO 515.06 U

DIRECTEUR, DIRECTRICE D'ÉTABLISSEMENT DE LOISIRS Personne qui planifie, dirige et supervise les activités d'un organisme ou d'un établissement offrant des services de loisirs. À cette fin, elle administre les budgets, organise des campagnes de financement, met en oeuvre des programmes et des services de loisirs, prépare des programmes de publicité et de relations publiques et assure la gestion du personnel. *Elle s'efforce d'offrir une grande diversité d'activités afin de satisfaire les besoins de la clientèle et d'assurer le bon fonctionnement de l'établissement.*
CLÉO 514.02 U

DIRECTEUR, DIRECTRICE D'ÉTABLISSEMENT TOURISTIQUE Personne qui planifie et supervise les activités liées à l'exploitation d'un site ou d'un établissement touristique (musée, centre d'interprétation de la nature, parc récréatif, site historique, etc.) pour le compte des propriétaires ou d'un organisme gouvernemental. À cette fin, elle embauche et supervise le personnel, gère le budget, assure le bon fonctionnement des activités et des services offerts et s'occupe parfois de la mise en oeuvre de services et activités ainsi que de la promotion. *Elle se préoccupe de respecter la vocation de l'établissement, les objectifs d'exploitation et de rentabilité établis ainsi que*

les contraintes budgétaires afin de mettre en valeur le plein potentiel touristique du site ou de l'établissement.
CLÉO 513.03 U

DIRECTEUR, DIRECTRICE D'EXPLOITATION DES TRANSPORTS ROUTIERS Personne qui dirige et contrôle les activités d'une compagnie de transport routier de marchandises ou de voyageurs. Elle embauche et supervise le personnel, s'occupe de l'acquisition ou du remplacement des véhicules et du matériel et contrôle les frais d'exploitation de la compagnie en vue d'en assurer la rentabilité. *Elle veille à exercer un suivi des activités afin d'améliorer l'efficacité et la rentabilité des services à la clientèle et d'assurer le bon fonctionnement de la compagnie.*
CLÉO 433.03 U

DIRECTEUR, DIRECTRICE D'HIPPODROME Personne qui organise, dirige et contrôle les activités liées à l'exploitation d'un champ de course de chevaux (inscription des chevaux, choix des juges, organisation des paris, calendrier des courses, etc.). À cette fin, elle supervise le personnel et veille à la gestion et à l'entretien des bâtiments et des champs de course. *Elle a le souci de monter un programme de courses intéressant et d'assurer le bon fonctionnement et la rentabilité de l'hippodrome.*
CLÉO 515.21 U

DIRECTEUR, DIRECTRICE D'INSTITUTION FINANCIÈRE Personne qui planifie, dirige et contrôle l'ensemble des activités d'un établissement financier (succursale de banque ou de caisse populaire, société de placement, compagnie d'assurances, etc.) en collaboration avec le directeur adjoint. Elle établit des objectifs et des politiques de promotion et de gestion des différents services et produits financiers et conseille le personnel en vue d'assurer de façon générale le bon fonctionnement et la rentabilité optimale des ressources financières, humaines et matérielles de l'établissement. *Elle s'efforce d'implanter de nouveaux produits répondant le mieux possible aux besoins de la clientèle visée afin d'améliorer sans cesse la qualité des services offerts.*
CLÉO 423.04 U

DIRECTEUR, DIRECTRICE D'USINE DE PRODUCTION DE TEXTILES Personne qui planifie, supervise et contrôle l'ensemble des activités liées à la fabrication de textiles dans une industrie manufacturière. Elle s'occupe, entre autres, de la gestion de la production et du contrôle de la qualité en vue d'assurer la rentabilité de l'usine. *Elle veille à respecter les normes et les critères de fabrication établis et le calendrier de production afin d'assurer la rentabilité de l'entreprise.*
CLÉO 227.01 U

DIRECTEUR, DIRECTRICE D'USINE DE PRODUCTION DE VÊTEMENTS Personne qui planifie, dirige et coordonne les activités de production dans les différents ateliers d'une industrie manufacturière de vêtements. Elle gère les budgets et les services de production, dirige le programme de contrôle de la qualité et établit des mesures sur l'utilisation efficace des matériaux, de la main-d'oeuvre et de l'équipement. *Elle veille à s'assurer du bon déroulement des différentes activités afin d'obtenir une production de qualité dans les délais requis et de favoriser la rentabilité de l'entreprise.*
CLÉO 237.01   C/U

Le **directeur d'usine de production de vêtements** contrôle toutes les étapes de production des ateliers
PHOTO: B. Carierre/Publiphoto

DIRECTEUR, DIRECTRICE DE CAMP Personne qui dirige et coordonne les activités dans un camp de vacances. À cette fin, elle assure l'administration du camp en collaboration avec le conseil d'administration. Elle doit, entre autres, concevoir et approuver des programmes d'activités de plein air à caractère récréatif ou éducatif, planifier l'organisation matérielle du camp et gérer le personnel. Elle s'occupe également d'établir les règlements nécessaires au bon fonctionnement du camp et de sa promotion auprès du grand public. *Elle se préoccupe d'établir des programmes d'activités adaptés aux besoins de la clientèle et d'assurer en tout temps la sécurité des vacanciers.*
CLÉO 514.05   U/C

DIRECTEUR, DIRECTRICE DE CIMETIÈRE Personne qui planifie, coordonne et supervise les activités entourant la gestion et l'entretien d'un cimetière. Elle s'occupe, entre autres, d'embaucher et de superviser le personnel préposé aux différents services (enterrement, entretien du cimetière et renseignements à la clientèle) et de vendre les emplacements destinés à l'ensevelissement ou à la mise en caveau ainsi que les monuments et ornements funéraires. *Elle se préoccupe de préserver le calme et la propreté des lieux afin d'offrir aux familles éprouvées par un décès un service efficace et respectueux.*
CLÉO 517.05   C

DIRECTEUR, DIRECTRICE DE DÉPARTEMENT D'UNIVERSITÉ Personne qui planifie, organise et coordonne les activités éducatives et de recherche d'un département dans une université. À cette fin, elle établit les priorités et orientations du département, veille à l'application des règlements et à la mise en place des programmes et participe à l'élaboration et à la gestion des budgets du département. *Elle se préoccupe de respecter les normes, règlements et budgets afin d'assurer la qualité de l'enseignement.*
CLÉO 611.40   U

DIRECTEUR, DIRECTRICE DE DÉPARTEMENT DE SOINS HOSPITALIERS Personne qui dirige un département de services de soins en vue d'assurer son bon fonctionnement et la qualité des services. Elle s'occupe, entre autres, de la gestion des ressources humaines, matérielles et financières du service, de la planification et de l'organisation des soins et du fonctionnement ainsi que de l'établissement de systèmes d'évaluation. Elle peut travailler, selon ses compétences et sa formation, dans un service d'anesthésie, d'ergothérapie, de chirurgie, de soins de santé à domicile ou encore dans une clinique médicale ou au service des urgences d'un centre hospitalier. *Elle est soucieuse de la bonne utilisation des ressources humaines, matérielles et financières afin de prodiguer des soins de qualité et d'assurer la rentabilité du département.*
CLÉO 521.02   U

DIRECTEUR, DIRECTRICE DE FUNÉRAILLES Personne qui informe et conseille les familles éprouvées par un décès sur le choix des services funéraires et qui planifie et dirige les funérailles. *Elle se préoccupe d'assister le mieux possible les familles dans leur deuil afin de les libérer de tout souci pratique concernant l'organisation et le déroulement des activités funéraires.*
CLÉO 517.02   C

DIRECTEUR, DIRECTRICE DE LA DISTRIBUTION Personne qui sélectionne et évalue des acteurs pour un film ou une production télévisuelle afin que le réalisateur et le producteur fassent le choix final. À cette fin, elle fait passer des auditions, des entrevues et des bouts d'essai filmés pour évaluer les qualités des acteurs et leur aptitude à assumer le rôle envisagé, elle formule ses recommandations pour le choix final et négocie les contrats avec les acteurs retenus. *Elle s'assure de bien saisir les intérêts établis par le réalisateur, les exigences de chaque rôle et les qualités d'interprétation à rechercher chez les acteurs afin d'effectuer une sélection qui facilitera le choix final.*
CLÉO 624.05   U

DIRECTEUR, DIRECTRICE DE LA PHOTOGRAPHIE

Personne qui, en vue d'assurer la qualité des images d'un film ou d'une production télévisuelle, planifie le choix et la gestion du matériel et des méthodes de prise de vue. Elle doit, entre autres, étudier le scénario afin de déterminer les besoins d'images (luminosité, ambiance, intensité des couleurs, cadrage, perspective, effets spéciaux, etc.) et définir avec le réalisateur la nature des prises de vue problématiques afin de trouver des stratégies qui permettront de les réaliser. Elle choisit également les pellicules, les caméras et le matériel de tournage, détermine l'emplacement des caméras sur le plateau et en planifie les déplacements. Elle supervise l'installation du matériel et le travail des techniciens au cours du tournage, vérifie la qualité des pellicules développées et, au besoin, décide d'apporter les retouches sur les négatifs ou de reprendre une prise de vue. Elle participe généralement au montage des films en conseillant l'équipe de réalisation sur les images à retenir.
CLÉO 624.13   U

DIRECTEUR, DIRECTRICE DE LA RESTAURATION

Personne qui s'occupe de la gestion hôtelière des services de cuisine, de salle à manger et de bar des grands hôtels ou restaurants en vue d'assurer la qualité, l'efficacité et la rentabilité des services. À cette fin, elle organise, dirige et contrôle le budget et les activités, assure la gestion du personnel (besoins en personnel, embauche, horaire, répartition des tâches), planifie les réceptions et évalue la qualité des produits et services offerts. *Elle se préoccupe de faire une analyse périodique de la qualité des services afin d'assurer la satisfaction de la clientèle et la rentabilité de l'entreprise.*
CLÉO 511.03   C

Un **directeur de la restauration** se préoccupe
de l'excellence des produits et services
de son établissement
PHOTO: Collège Mérici

DIRECTEUR, DIRECTRICE DE PARC DE VÉHICULES

Personne qui coordonne et gère les activités de l'ensemble des véhicules dans une compagnie de transport et qui dirige les ressources humaines, financières et matérielles assignées à son entretien. Elle s'occupe de l'achat des véhicules et du matériel connexe, veille à l'entretien préventif et aux réparations nécessaires et dirige le personnel technique. *Elle s'efforce d'obtenir un rendement optimal des ressources mises à sa disposition afin de répondre le plus efficacement possible aux besoins de la compagnie à des coûts avantageux.*
CLÉO 433.17   S

DIRECTEUR, DIRECTRICE DE PRODUCTION (CINÉMA, TÉLÉVISION)

Personne qui dirige le travail de production dans la réalisation d'un film ou d'une émission télévisée selon les délais et les budgets établis. À cette fin, elle définit les besoins en personnel (artistes et techniciens), constitue l'équipe de production en collaboration avec le réalisateur et le producteur, négocie les contrats de travail, gère le budget de production et veille à résoudre en cours de production tout problème relatif à l'organisation du travail et du personnel. *Elle se préoccupe de constituer une équipe compétente afin de répondre à tous les besoins artistiques et techniques de la production sans dépasser le budget alloué ni les délais fixés.*
CLÉO 624.04   U

DIRECTEUR, DIRECTRICE DE PRODUCTION DES MATIÈRES PREMIÈRES

Personne qui planifie, organise, dirige et contrôle les activités d'une industrie du secteur primaire en vue de réaliser les objectifs de productivité et d'efficacité. À cette fin, elle étudie, analyse, planifie et surveille les travaux et activités selon les objectifs des gestionnaires, elle détermine les besoins en main-d'oeuvre et en matériel, elle évalue l'efficacité des sites de production et recommande des améliorations visant à maximiser la production et la rentabilité de l'entreprise.
CLÉO 211.02   U

DIRECTEUR, DIRECTRICE DE PRODUCTION INDUSTRIELLE

Personne qui planifie, organise, dirige et contrôle les différentes activités de production dans une usine ou un atelier en vue de réaliser les objectifs de productivité établis. Elle met en place des programmes visant l'utilisation efficace des matériaux, de la main-d'oeuvre et des équipements, en prévoit et en applique les changements et établit des méthodes de travail et de contrôle de la qualité. Elle s'occupe également de la préparation et de la gestion des budgets et des calendriers de production. *Elle a le souci de mettre en place un mode de fonctionnement efficace et de résoudre rapidement les problèmes liés à la production afin d'assurer le rendement optimal de l'entreprise.*
CLÉO 211.01   U

DIRECTEUR, DIRECTRICE DE PRODUCTION MULTIMÉDIA Personne qui est chargée, dans une entreprise de production multimédia, de la gestion de l'ensemble des projets en cours. À cette fin, elle participe au travail de préproduction (conception, scénarisation, définition des paramètres techniques, préparation des devis), supervise la réalisation du projet et intervient au besoin pour résoudre les problèmes de ressources humaines, technologiques, financières, d'échéancier ou de production. Elle participe également à la préparation des offres de service pour l'obtention de contrats, à la négociation d'ententes légales (droits de propriété intellectuelle sur les contenus, droits en matière informatique, en télécommunications, en audiovisuel, etc.), à l'achat d'équipement, à la sélection de personnel et de sous-traitants ainsi qu'aux études de marché relatives à la commercialisation des produits.
CLÉO 722.02   C/U

DIRECTEUR, DIRECTRICE DES ACHATS DE MARCHANDISES Personne qui planifie, organise, dirige et coordonne les activités liées à l'achat de marchandises destinées à la vente dans un commerce de gros ou de détail. Elle établit des politiques d'achat, contrôle les budgets, évalue le coût et la qualité des produits et supervise la négociation des contrats d'achat. *Elle veille à analyser et à bien cerner les besoins de la clientèle afin d'effectuer les achats appropriés et assure l'utilisation optimale des marchandises achetées afin de rentabiliser l'entreprise.*
CLÉO 431.01   U/C

DIRECTEUR, DIRECTRICE DES COMMUNICATIONS (POLITIQUE) Personne qui, au cabinet du premier ministre ou d'un ministre, assume la responsabilité des stratégies de communication du gouvernement ou d'un ministère, selon le cas, et qui coordonne les activités médiatiques et les interventions en collaboration avec la direction des services des communications du ministère ou encore avec les conseillers politiques. Elle s'occupe également de la diffusion des messages et des communiqués aux différents médias. *Elle veille à la planification des communications du cabinet en concordance avec la planification gouvernementale et législative.*
CLÉO 311.15   U

DIRECTEUR, DIRECTRICE DES RESSOURCES HUMAINES Personne qui planifie, organise, dirige et contrôle les activités du service des ressources humaines. À cette fin, elle s'occupe de l'élaboration d'une politique de recrutement et de perfectionnement des employés, de la sélection et de la formation du personnel, du perfectionnement des cadres, de l'établissement et de la hiérarchisation des tâches ainsi que de l'administration de la rémunération et des avantages sociaux.
CLÉO 422.11   U

DIRECTEUR, DIRECTRICE DES SERVICES AUX ÉTUDIANTS Personne qui, dans un établissement d'enseignement collégial ou universitaire, planifie, coordonne et dirige l'ensemble des services parascolaires offerts aux étudiants pour répondre à différents besoins d'aide et d'animation. À cette fin, elle établit, avec les responsables des différents services (santé, orientation professionnelle, consultation psychologique, animation socioculturelle, sports, pastorale, aide financière, etc.), les orientations et les politiques des programmes, planifie les ressources nécessaires et gère les budgets. Elle s'assure également du bon fonctionnement des services, veille à régler tout problème relatif aux ressources matérielles, au personnel ou à la qualité des services et assure la liaison entre l'administration de l'établissement et les associations étudiantes.
CLÉO 611.32   U

DIRECTEUR, DIRECTRICE DES SOINS INFIRMIERS Personne qui dirige et contrôle un programme global de services infirmiers dans un hôpital, une maison de repos ou un établissement de soins prolongés en vue d'assurer la qualité des soins. Elle gère les ressources humaines, matérielles et financières du service en définissant les horaires et les tâches du personnel, en établissant des programmes de soins et des systèmes d'évaluation des soins et en s'assurant de l'utilisation adéquate des installations et des ressources matérielles du service. *Elle est soucieuse de la qualité des soins prodigués aux bénéficiaires et s'efforce de mettre en place des stratégies les incitant à prendre leur santé en main.*
CLÉO 521.03   U

DIRECTEUR, DIRECTRICE DU SERVICE DE DIÉTÉTIQUE Personne qui planifie, organise et dirige les activités relatives à la nutrition dans une institution ou un milieu hospitalier en vue d'assurer une alimentation saine aux bénéficiaires. Elle s'occupe, entre autres, de la gestion des ressources humaines, matérielles et financières et de la mise en place de programmes de recherche qui permettent des ajustements au regard de l'évolution du marché tout en s'assurant une alimentation de qualité. *Elle se préoccupe de l'application des normes d'hygiène et veille à ce que les menus soient adaptés aux besoins spécifiques de la clientèle.*
CLÉO 518.01   U

DIRECTEUR GÉNÉRAL, DIRECTRICE GÉNÉRALE D'ÉTABLISSEMENTS HÔTELIERS Personne qui planifie, organise, coordonne et contrôle les services d'hébergement et de restauration d'un hôtel, d'un motel, d'une auberge ou autre établissement d'hébergement, pour son propre compte ou le compte du propriétaire. Elle assure le bon fonctionnement de l'établissement et dirige les activités du personnel dans les différents services (réception, entretien, comptabilité, achats, cuisine, etc.). *Elle veille à l'application des lois commerciales et des normes d'hygiène et de sécurité qui régissent le domaine hôtelier et s'assure que le personnel fournit des services de qualité de manière à rentabiliser l'établissement.*

CLÉO 512.01   C

DIRECTEUR GÉNÉRAL, DIRECTRICE GÉNÉRALE DE CENTRE HOSPITALIER

Personne qui planifie, dirige et coordonne les activités des différents départements d'un centre hospitalier en vue d'assurer des services répondant aux besoins des bénéficiaires. À cette fin, elle établit des objectifs, formule et approuve des politiques et programmes en collaboration constante avec le conseil d'administration et accorde les ressources financières nécessaires à leur mise en oeuvre. *Elle est soucieuse d'assurer un suivi administratif et financier et veille à ce que les bénéficiaires reçoivent des services adéquats afin d'augmenter la rentabilité du centre hospitalier et de permettre le bon fonctionnement de chaque service.*

CLÉO 521.01   U

DIRECTEUR GÉNÉRAL, DIRECTRICE GÉNÉRALE DES VENTES ET DE LA PUBLICITÉ

Personne qui, en tant que spécialiste de la gestion promotionnelle, organise, met en oeuvre, supervise et contrôle les activités liées à la publicité et à la vente en vue de faire la promotion de produits ou services dans une entreprise. À cette fin, elle établit des objectifs et des stratégies de publicité et de vente, évalue les résultats, procède à des contrôles administratifs et met en oeuvre des programmes de motivation pour le personnel des ventes. *Elle s'efforce de faire valoir la qualité des produits et services en vue d'atteindre les objectifs financiers de l'entreprise et d'assurer sa rentabilité.*

CLÉO 711.01   U

DIRECTEUR-GÉRANT, DIRECTRICE-GÉRANTE DE RESTAURANT

Personne qui planifie, organise, dirige et surveille l'exploitation d'un restaurant, pour son propre compte ou pour le compte du propriétaire, en vue d'assurer le bon fonctionnement de l'entreprise et d'offrir à la clientèle des services de qualité. À cette fin, elle s'occupe du recrutement et de la formation du personnel, établit les horaires de travail, évalue le rendement des employés, analyse les ventes et les dépenses, conçoit et planifie les menus en collaboration avec le chef cuisiner et négocie avec les fournisseurs. *Elle veille au respect des règles d'hygiène, à la propreté de l'établissement et à la qualité des différents services afin d'assurer la satisfaction de la clientèle et la rentabilité de l'entreprise.*

CLÉO 511.01   C

DIRECTEUR, DIRECTRICE INFORMATIQUE MULTIMÉDIA

Personne qui planifie et dirige la mise en forme informatique d'un produit multimédia (CD-Rom, publication électronique, borne interactive, logiciel de simulation, etc.) en vue d'en assurer la qualité sur les plans de la programmation des contenus, de l'intégration des divers médias (textes, images, sons, animation) et des modes de navigation offerts à l'utilisateur. À cette fin, elle oriente la définition de la structure arborescente des contenus et le choix des stratégies d'interactivité afin d'assurer que le logiciel produit soit fonctionnel et facile d'utilisation, prépare les devis techniques pour la programmation informatique des contenus et dirige le travail de l'équipe informatique qui en fera la réalisation. *Elle doit bien connaître les capacités et les contraintes d'utilisation des équipements et des logiciels spécifiques à la production multimédia afin de pouvoir traduire en langage technique les divers contenus et les modes d'interactivité mis au point par les concepteurs et d'assurer à l'utilisateur une navigation interactive aisée.*

CLÉO 722.11   C/U

DIRECTEUR, DIRECTRICE LITTÉRAIRE

Personne qui, pour le compte d'une maison d'édition, évalue des manuscrits afin de déterminer la pertinence de les publier. À cette fin, elle lit les manuscrits qui lui sont présentés (romans, biographies, manuels scolaires, pièces de théâtre, etc.), fait des recommandations sur les textes à publier et les conditions du contrat et suggère des modifications au manuscrit. Elle discute également avec l'auteur d'aspects tels que les redevances, le tirage et la date de parution. *Elle veille à sélectionner des manuscrits qui sauront éveiller l'intérêt des lecteurs et ainsi assurer un haut taux de vente à la maison d'édition.*

CLÉO 621.03   U

DIRECTEUR MUSICAL, DIRECTRICE MUSICALE

Personne qui établit la partie musicale d'une production cinématographique, télévisuelle ou d'un spectacle sur scène et qui dirige le personnel chargé de sa réalisation. Elle sélectionne des oeuvres musicales pouvant convenir aux diverses séquences, en confie l'adaptation à un orchestrateur ou à un arrangeur de musique ou engage un compositeur pour créer une musique originale à partir de ses indications. Elle s'occupe également de faire passer les auditions et d'engager les instrumentistes ou les chanteurs, veille à l'enregistrement de la musique, à la production des bandes sonores et à la gestion du budget. *Elle vise à ce que la musique choisie ou composée pour les besoins de la production s'intègre harmonieusement à l'ensemble et crée l'ambiance voulue.*

CLÉO 624.14   U

DIRECTEUR, DIRECTRICE TECHNIQUE DE PRODUCTIONS ARTISTIQUES Personne qui dirige l'aspect technique de la scénographie et de la sonorisation dans la réalisation d'un spectacle sur scène (concert, pièce de théâtre, danse, etc.) en vue d'en assurer la qualité visuelle et sonore. À cette fin, elle établit les besoins en équipement audiovisuel, détermine la machinerie et les procédés nécessaires à la mise en place du matériel de scène ou à la réalisation d'effets visuels ou sonores spéciaux, veille à obtenir le matériel et le personnel requis à la réalisation technique, et coordonne le travail d'exécution technique afin d'assurer la qualité et la sécurité des installations. *Elle s'efforce de choisir les moyens techniques appropriés et de mobiliser les efforts de l'équipe vers l'atteinte des meilleurs résultats possible afin de mettre en valeur le contenu de la production.* CLÉO 624.15 U

DISCOTHÉCAIRE Personne qui s'occupe de conserver en archives les disques acquis au fil des ans par une société de production radiophonique ou autre en vue de répondre à des besoins de diffusion radiophonique selon une programmation établie ou encore de production télévisuelle, cinématographique ou autre. À cette fin, elle répertorie le contenu musical de chaque disque, en fait la classification selon un système d'archivage précis et en tient l'inventaire. *Elle s'efforce d'établir un système d'archivage précis et efficace afin de pouvoir déterminer facilement si la discothèque contient la pièce musicale demandée et d'en trouver rapidement l'enregistrement.* CLÉO 624.60 C

DISTRIBUTEUR, DISTRIBUTRICE DE FILMS Personne qui achète des films à des producteurs et qui les revend à des propriétaires de salles de cinéma. À cette fin, elle se tient au courant des films en voie de réalisation afin de planifier ses achats et participe à l'occasion au financement de films prometteurs. Elle négocie les contrats avec les producteurs et les propriétaires de salles, fixe la date de sortie en salle des films qu'elle acquiert et en assure la promotion. Elle se spécialise généralement dans un type de films en particulier et établit en conséquence son réseau de distribution. *Elle se préoccupe d'évaluer avec justesse les chances de rentabilité des films qu'elle achète et de susciter l'intérêt du public en faisant une promotion judicieuse des films.* CLÉO 432.34 C

DOCUMENTALISTE Personne qui fait de la recherche bibliographique (livres, revues, vidéos, documents informatisés) sur un sujet ou un thème particulier en vue de dresser une liste d'ouvrages de référence ou d'élaborer un texte destiné à un professeur, à un écrivain ou à une autre personne qui en a fait la demande. *Elle a le souci de bien*

cerner les besoins de la personne afin de lui fournir une documentation pertinente qui saura faciliter son travail. CLÉO 632.05 U

DOMPTEUR, DOMPTEUSE Personne qui apprivoise des animaux sauvages (fauves, ours, éléphants, phoques, etc.) et qui leur apprend à exécuter sous ses ordres des actes de soumission, des tours d'adresse ou des performances inusitées en vue de présenter un numéro dans un programme de cirque ou un autre type de spectacle. Elle s'occupe généralement de la conception artistique et technique du numéro, du dressage des animaux et des soins dont ils ont besoin. CLÉO 625.17 C

DRESSEUR, DRESSEUSE DE CHIENS Personne qui montre à des chiens à exécuter des actions précises (donner la patte, chercher un objet, s'asseoir, etc.), selon les besoins spécifiques de la clientèle (pour la chasse, la garde des propriétés, pour le cirque, pour guider les non-voyants, etc.). *Elle a le souci de déterminer un programme de dressage approprié à l'animal afin de l'amener à exécuter certains mouvements en réponse aux ordres donnés.* CLÉO 126.20 S

Une équipe de **dynamiteurs** au travail:
le respect des règles de sécurité est primordial
PHOTO: CSC de Sherbrooke–Centre 24-juin

DYNAMITEUR, DYNAMITEUSE Personne qui, dans une mine, une carrière ou un chantier de construction, est chargée de manipuler et de mettre à feu des charges explosives afin de faciliter l'extraction du minerai ou de la pierre ou l'exécution des travaux de construction (tunnel, métro, route, etc.). À cette fin, elle doit, entre autres, déterminer l'emplacement des trous, la puissance et la nature de l'explosion, fixer les amorces ou les fils au détonateur et faire détoner la charge. *Elle a le souci de respecter les normes établies et de prévenir tout risque d'accident (éboulements, trop fortes charges explosives, etc.) afin d'assurer la sécurité des travailleurs.* CLÉO 122.06 S

E

ÉBÉNISTE Personne qui fabrique et répare des meubles et accessoires (tables, armoires, chaises, lits, etc.) en bois ou en panneaux dérivés du bois à l'aide de divers outils ou machines (scies, toupies, varlopes, rabots, etc.). Elle effectue les diverses étapes de fabrication du meuble, de l'étude des plans jusqu'à la finition. *Elle a le souci d'exécuter ses tâches selon les spécifications et dessins fournis afin d'offrir des produits à la fois solides et esthétiques qui sauront satisfaire les exigences de la clientèle.*
CLÉO 236.20   S/C

ÉBOUEUR, ÉBOUEUSE Personne qui effectue par camion l'enlèvement à domicile des ordures ménagères et qui les transporte dans un site d'enfouissement ou à l'incinérateur. *Elle a le souci d'assurer un bon service à la population et d'aider ainsi à préserver l'environnement.*
CLÉO 132.11   S

ÉCHASSIER, ÉCHASSIÈRE Personne qui, à l'occasion de spectacles de rue, défilés ou autres types de représentations, déambule sur ses échasses (longs bâtons munis d'un étrier sur lequel on pose le pied), vêtue d'un costume qui les recouvre, donnant ainsi l'impression d'un personnage géant. *Elle veille à bien maîtriser son art et à exécuter des acrobaties de nature à mettre en valeur son adresse et son sens de l'équilibre afin de captiver l'intérêt du public.*
CLÉO 625.13   C

ÉCLAIRAGISTE Personne qui s'occupe de produire l'éclairage et les jeux de lumière pour le tournage de films ou d'émissions de télévision ou pour des spectacles sur scène. À cette fin, elle établit les besoins d'éclairage et d'atmosphère visuelle avec l'équipe de production, conçoit et réalise les plans d'éclairage en fonction des lieux et détermine le matériel nécessaire. Elle installe et règle l'équipement d'éclairage en cours de production, le démonte après utilisation et veille à son entretien. *Elle se préoccupe de répondre adéquatement aux besoins d'éclairage (intensité, emplacement, couleur, atmosphère, effets*

visuels, etc.) et d'assurer le bon fonctionnement de l'équipement tout au long de la production.
CLÉO 624.52   C

Une **éclairagiste** installe et ajuste des projecteurs de manière à créer les effets visuels désirés pour la production artistique
PHOTO: Caroline Hayeur/Agence Stock

ÉCLUSIER, ÉCLUSIÈRE Personne qui actionne les mécanismes réglant l'ouverture et la fermeture des portes d'écluses pour permettre le passage des bateaux. Elle surveille le passage des bateaux dans l'écluse et renseigne le responsable des écluses sur le genre, la destination et l'origine du navire. *Elle veille à surveiller avec vigilance le passage des bateaux dans l'écluse afin d'assurer la sécurité des embarcations et des passagers.*
CLÉO 433.59   S

ÉCOGÉOLOGUE Personne qui effectue des recherches en vue de trouver des solutions pour atténuer les effets négatifs des activités humaines sur la croûte terrestre, l'atmosphère, les sols et l'eau. À cette fin, elle analyse les impacts écologiques de certaines transformations du milieu par l'homme (ex.: exploitation minière, enfouissement souterrain des déchets, détournement des cours d'eau, etc.), étude des solutions possibles aux problèmes du stockage des déchets nucléaires ou chimiques et aux problèmes de l'érosion et de la détérioration des sols causés par l'agriculture intensive, l'usage abusif d'engrais chimiques et le déboisement. *Elle tente de convaincre les scientifiques et les autorités gouvernementales de la nécessité d'intensifier les recherches pour résoudre les problèmes de dégradation terrestre et prévenir leur aggravation.*

CLÉO 131.02 U

ÉCOLOGISTE Personne qui effectue des recherches sur les milieux où vivent différentes espèces d'êtres vivants et sur les rapports de ces êtres avec leur milieu. Elle vise généralement à résoudre un problème particulier touchant la survie, la reproduction ou l'équilibre des espèces dans un milieu donné, à mesurer et à maîtriser les impacts des activités humaines sur la vie de certaines espèces ou à favoriser une gestion plus rationnelle des ressources utilisées par l'homme. *Elle se préoccupe de sauvegarder la diversité des formes de vie sur Terre et tente de sensibiliser les industries et le public à la conservation, la protection de l'environnement et à l'économie des ressources.*

CLÉO 131.04 U

E
ECO

Un **économiste** présente une étude qu'il a réalisée à titre d'expert-conseil
PHOTO: PSI/Publiphoto

ÉCONOMISTE Personne qui, pour le compte d'une entreprise (organisme gouvernemental, société d'État, industrie, commerce, etc.) ou à titre d'experte-conseil, réalise des études visant à évaluer, expliquer ou prévoir des phénomènes relatifs à l'activité économique dans un domaine particulier ou dans un ensemble de secteurs. Selon son mandat, elle établit des plans pour résoudre un problème ou pour atteindre un objectif économique donné (création d'emplois, compressions budgétaires, augmentation des profits, moyens de financement, etc.), elle évalue l'impact économique de diverses décisions passées ou futures ou encore elle gère des investissements. *Elle s'efforce de tenir compte dans ses analyses des divers facteurs (sociaux, politiques, humains) qui influencent la productivité, la rentabilité ou la santé financière d'un système en vue de fournir des plans ou des évaluations réalistes.*

CLÉO 411.01 U

ÉCONOMISTE DES TRANSPORTS Personne qui réalise des études pour des compagnies de transport public ou privé en vue d'évaluer les aspects économiques de nouveaux services de transport (personnes ou marchandises), d'améliorer la rentabilité des services existants ou de prévoir les impacts éventuels de certains changements comme une hausse de tarifs, un changement d'itinéraire ou l'ajout de véhicules. Elle évalue les investissements financiers nécessaires à la réalisation de certains projets dans le domaine du transport ou recommande les moyens de financement les plus efficaces pour assurer leur réalisation. *Elle s'efforce de tenir compte, dans ses analyses, des divers facteurs économiques et sociaux qui peuvent influencer la gestion des services afin d'assurer la meilleure rentabilité possible des compagnies de transport.*

CLÉO 433.01 U

ÉCONOMISTE DU TRAVAIL Personne qui, pour le compte d'organismes gouvernementaux, de syndicats ou de regroupements d'employeurs, réalise des études sur l'état du marché du travail ou sur différents faits relatifs à la main-d'oeuvre (taux d'emploi par secteur, moyenne salariale, conditions de travail, etc.), en vue d'aider aux prises de décision en matière de programmes d'aide à l'emploi, de législation du travail, de politique d'embauche ou de négociation des conventions collectives. *Elle s'efforce d'analyser avec rigueur les causes, les effets et l'évolution des situations observées afin de prédire en conséquence les tendances futures ou les effets probables d'une décision et de faire des recommandations fiables.*

CLÉO 411.03 U

ÉCONOMISTE EN COMMERCE INTERNATIONAL
Personne qui, pour le compte d'organismes gouvernementaux, d'institutions financières ou d'entreprises multinationales, réalise des études sur divers aspects des échanges commerciaux avec d'autres pays en vue d'aider aux prises de décision en matière d'activités ou de transactions

commerciales internationales (investissements, transferts de capitaux, contrôle des importations et des exportations, etc.) ou de recommander des solutions à un litige commercial (embargo, imposition d'un quota, règlement douanier, etc.). *Elle s'efforce de bien analyser toutes les données utiles et de bien identifier les facteurs susceptibles d'influencer les décisions afin de faire des recommandations fiables.*

CLÉO 411.08   U

ÉCONOMISTE EN DÉVELOPPEMENT INTERNATIONAL
Personne qui, en collaboration avec les autorités politiques et les organismes gouvernementaux, participe à la mise en place dans des pays en voie de développement de structures favorables à leur croissance économique. À cette fin, elle réalise diverses études sur les possibilités d'implantation de nouvelles industries dans le pays donné ou sur la modernisation de l'infrastructure industrielle existante, en tenant compte des ressources naturelles et de la main-d'oeuvre locales, des exigences technologiques de la production envisagée, des politiques nationales et des marchés d'exportation. *Elle se préoccupe de contribuer efficacement à la croissance économique des pays en voie de développement tout en servant les intérêts politiques et économiques de son propre pays et en recherchant les meilleures conditions possibles pour les industriels qui investissent à l'étranger.*

CLÉO 411.09   U

ÉCONOMISTE EN ORGANISATION DES RESSOURCES
Personne qui, en collaboration avec les industries et les organismes gouvernementaux, réalise des études pour déterminer des mesures visant à favoriser une exploitation plus efficace et plus rationnelle des ressources naturelles (eau, sol, forêts, gisements miniers, pétrole, etc.) et à contrer les risques de pénurie de ressources à long terme. À cette fin, elle analyse, évalue et prévoit les aspects économiques de l'utilisation et de la conservation des ressources à court, moyen ou long terme (production et consommation de ressources renouvelables, consommation et réserve de ressources non renouvelables, coûts de production ou d'exploitation des ressources, problèmes liés au transport, à la commercialisation et à la distribution des produits, sources de financement des industries, etc.) et fait des recommandations susceptibles d'en améliorer la gestion économique et d'en assurer la disponibilité future. *Elle s'efforce de proposer des moyens réalistes de réduire le gaspillage tant en ce qui concerne les ressources que les moyens de les exploiter sans nuire aux intérêts financiers des industriels concernés.*

CLÉO 131.01   U

ÉCONOMISTE FINANCIER, ÉCONOMISTE FINANCIÈRE
Personne qui, pour le compte du gouvernement, d'une institution financière ou d'une société d'investissement, analyse l'origine, les causes et les impacts de situations ou d'événements qui affectent l'économie en général ou un aspect particulier des finances publiques ou privées en vue de recommander des politiques et des stratégies financières susceptibles de résoudre les problèmes identifiés. Elle cherche à prévoir la situation économique qui prévaudra dans un secteur donné à court, moyen ou long terme de manière à élaborer des stratégies de contrôle qui assainiront les finances et favoriseront le développement économique. Selon son mandat, elle peut être amenée à résoudre des problèmes relatifs à la monnaie, au crédit, aux sources de financement, aux investissements de capitaux, aux compressions budgétaires ou à tout autre aspect lié aux finances de l'État ou d'une organisation.

CLÉO 423.01   U

ÉCONOMISTE INDUSTRIEL, ÉCONOMISTE INDUSTRIELLE
Personne qui agit à titre d'experte-conseil auprès d'entreprises privées en vue de les aider à améliorer leur productivité et leur rentabilité, à aborder de nouveaux marchés et à maintenir une position concurrentielle dans leur domaine. À cette fin, elle analyse les différentes facettes de l'activité économique de l'entreprise (sources de financement, méthodes et coûts de production, d'approvisionnement, de mise en marché et de distribution des marchandises, politiques salariales, règles de fixation des prix, investissements, etc.), réalise des études de marché et fait des recommandations en vue d'améliorer la rentabilité de l'entreprise. *Elle veille à fonder ses recommandations sur une analyse approfondie de la gestion des affaires de l'entreprise afin de résoudre les problèmes de gestion identifiés et de permettre à l'entreprise de générer de meilleurs profits.*

CLÉO 411.02   U

ÉCRIVAIN, ÉCRIVAINE
Personne qui compose des ouvrages littéraires (romans, essais, nouvelles, poésie, biographies, contes, etc.) en vue de les publier. À cette fin, elle définit le sujet, le style littéraire ou l'intrigue, procède à la rédaction (histoire fictive ou réelle, fait ou événement, réflexions ou recherches sur un sujet particulier, etc.) et présente son document à une ou plusieurs maisons d'édition pour trouver un éditeur qui en assurera la publication. Selon l'entente avec l'éditeur, elle remanie son texte, approuve les corrections apportées, la conception graphique et les illustrations. Elle peut également être sollicitée par des producteurs de différents domaines ou par des éditeurs pour composer des textes et, selon le cas, se spécialiser dans un genre littéraire et porter un titre particulier (romancier, biographe, poète, etc.).

CLÉO 621.01   U   87

ÉDITEUR, ÉDITRICE Personne qui, en tant que responsable d'une maison d'édition, dirige les activités de publication et de commercialisation d'ouvrages imprimés (oeuvres littéraires, ouvrages documentaires, manuels scolaires, revues, etc.) ou de produits électroniques (CD-Rom, publications électroniques, logiciels de simulation, etc.), en vue d'assurer la qualité des publications et la rentabilité de l'entreprise. À cette fin, elle étudie les ouvrages ou projets qui lui sont présentés, sélectionne ceux qui seront publiés en fondant ses décisions sur la situation financière de l'entreprise, les orientations littéraires des collections mises sur pied, la valeur littéraire de l'oeuvre et ses chances de succès auprès de la clientèle. Elle s'occupe également des relations avec les auteurs (remaniements de contenu ou de style, négociation des contrats), de la gestion des budgets relatifs à l'édition et à la production et de la mise en marché des ouvrages imprimés (publicité, lancement relations avec les distributeurs, participation à des foires commerciales).
CLÉO 621.04   U

ÉDITORIALISTE Personne qui écrit des textes d'opinion sur des sujets d'actualité destinés à être publiés dans un journal ou une revue. Elle étudie et analyse les événements, fait des recherches afin de recueillir de l'information, propose et fait approuver des sujets d'éditoriaux et des prises de position au cours de rencontres du conseil de rédaction et procède à la composition de ses textes. *Elle se préoccupe d'écrire des textes qui susciteront la réflexion et qui influenceront l'opinion publique.*
CLÉO 713.02   U

L'**éducatrice en garderie** met en place des activités qui contribuent au développement global des jeunes enfants
PHOTO: Cégep Beauce-Appalaches

ÉDUCATEUR, ÉDUCATRICE EN GARDERIE
Personne qui s'occupe du bien-être, de la sécurité et du développement global et harmonieux de jeunes enfants fréquentant un service de garde (garderie de quartier, garde en milieu de travail,

en milieu familial, parascolaire, etc.). À cette fin, elle conçoit, planifie et anime des activités propres à favoriser le développement socio-affectif, psychomoteur et intellectuel des enfants, prodigue des soins physiques aux jeunes enfants, assure la surveillance nécessaire à leur sécurité et rend compte aux parents des progrès de leur enfant et de tout problème ou besoin pouvant nécessiter une aide particulière. *Elle s'efforce de créer et de maintenir une relation chaleureuse et sécurisante avec les enfants et d'adapter ses interventions à leurs besoins individuels afin de stimuler leur plein développement.*
CLÉO 611.01   C

ÉDUCATEUR, ÉDUCATRICE EN RÉHABILITATION DES AVEUGLES Personne qui enseigne les matières de base à des élèves qui ont un handicap visuel en vue de favoriser le développement de leurs connaissances et aptitudes. Elle enseigne également l'écriture braille, la manipulation et l'exploration de cartes, de graphiques et de tableaux en relief en adaptant son programme et ses méthodes d'enseignement aux besoins particuliers de ses élèves. *Elle se soucie d'éveiller l'intérêt de ses élèves et de stimuler leur curiosité afin d'assurer leur développement cognitif, affectif, psychomoteur et social.*
CLÉO 611.13   U

ÉDUCATEUR, ÉDUCATRICE PHYSIQUE KINÉSIOLOGIQUE Personne qui planifie, offre et évalue des programmes éducatifs d'activité physique adaptés aux capacités des adultes ou des personnes âgées dans les milieux de travail, les centres d'hébergement ou les centres de loisirs, en vue d'améliorer leur condition physique et leur santé. Lorsqu'elle intervient en milieu de travail, elle prépare des activités propres à combattre la fatigue physique et mentale et, par conséquent, elle contribue à augmenter la productivité et la rentabilité et à diminuer le stress, les accidents de travail et le taux d'absentéisme. *Elle a le souci d'éduquer les gens à la pratique régulière, efficace, agréable et sécuritaire de l'activité physique et de contribuer ainsi à améliorer leur qualité de vie.*
CLÉO 515.02   U

ÉDUCATEUR, ÉDUCATRICE PHYSIQUE PLEINAIRISTE Personne qui planifie, offre et évalue des programmes d'activités de plein air pour divers organismes comme les écoles, les camps de vacances ou les organismes privés en vue d'améliorer la santé globale des participants par l'expérimentation et la pratique d'activités physiques en plein air. *Elle a le souci de proposer des activités susceptibles de développer les intérêts et les habiletés pour les activités de plein air de telle sorte que les participants les intègrent à leur mode de vie.*
CLÉO 515.04   U

ÉDUCATEUR PHYSIQUE RÉADAPTATEUR, ÉDUCATRICE PHYSIQUE RÉADAPTATRICE

Personne qui planifie, met sur pied et évalue des programmes d'éducation physique auprès de clientèles ou populations spéciales (centres d'accueil, centres de réadaptation pour déficiences motrices, visuelles ou autres, milieu carcéral, etc.) en vue de faciliter le processus de réadaptation physique, mentale ou sociale ou de développer des capacités compensatoires visant à diminuer les effets des incapacités, maladies, traitements ou l'hospitalisation. *Elle veille à tenir compte de l'âge, de l'état, de la déficience ou de l'incapacité, des habitudes de vie et du milieu de vie de la personne, afin de lui proposer un programme d'éducation physique favorable à sa réadaptation.*
CLÉO 515.03   U

ÉLECTRICIEN, ÉLECTRICIENNE

Personne qui construit, rénove, modifie, répare et entretient, dans les bâtiments, les installations électriques (fils, câbles, conduits, accessoires, dispositifs d'éclairage, etc.) servant au chauffage, à l'éclairage et à l'alimentation en énergie des divers appareils électriques. *Elle veille à effectuer les travaux selon les plans et devis afin d'assurer des installations sécuritaires répondant aux normes de l'industrie de la construction.*
CLÉO 241.84   S

ÉLECTRICIEN, ÉLECTRICIENNE D'ENTRETIEN

Personne qui installe, répare et assure l'entretien des circuits et des systèmes électriques ou électroniques (moteurs, systèmes de commutation et de commande, chauffage, éclairage, équipements spécialisés, etc.) dans les bâtiments commerciaux ou industriels. *Elle s'efforce de bien connaître la structure et les modes de fonctionnement des équipements afin de déceler rapidement les causes des défectuosités et de les régler dans les meilleurs délais possible.*
CLÉO 251.02   S

ÉLECTRICIEN, ÉLECTRICIENNE DE CENTRALE ÉLECTRIQUE

Personne qui installe, répare, modifie et entretient le matériel électrique (transformateurs, générateurs, régulateurs, etc.) dans une centrale d'énergie électrique ou une usine génératrice d'électricité. Elle doit, entre autres, déterminer les causes de mauvais fonctionnement ou de panne, réparer et remplacer les relais, les interrupteurs et les commandes et entretenir le matériel de transport d'énergie comme les disjoncteurs et les transformateurs. *Elle s'efforce de remédier rapidement aux problèmes lorsqu'ils surviennent et d'assurer un entretien préventif du matériel afin d'éviter les pannes.*
CLÉO 224.09   S

ÉLECTRICIEN, ÉLECTRICIENNE DE VÉHICULES AUTOMOBILES

Personne qui vérifie, répare et entretient les éléments électriques et électroniques des automobiles, des autobus et des camions (système d'allumage, lumières, alternateur, etc.). Elle doit déterminer la cause de la défectuosité à l'aide d'appareils de contrôle et remplacer les pièces défectueuses. *Elle se préoccupe de poser un diagnostic juste et rapide afin d'offrir un bon service à la clientèle.*
CLÉO 254.05   S

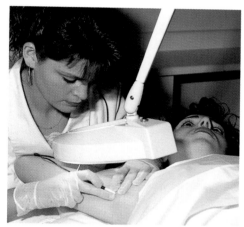

Une **électrolyste** manipule un appareil d'épilation à l'électricité
PHOTO: CECQ–École Marie-de-l'Incarnation

ÉLECTROLYSTE

Personne qui, dans un institut de beauté, élimine de façon progressive et définitive les poils superflus du visage ou d'autres parties du corps selon la technique d'épilation à l'électricité, qui permet de détruire la racine du poil (introduction d'une aiguille faisant passer un faible courant électrique). *Elle veille à bien informer les personnes sur la technique utilisée, sur le nombre de traitements et les coûts à prévoir et sur les moyens à prendre après un traitement pour favoriser une guérison rapide.*
CLÉO 516.10   S

ÉLECTROMÉCANICIEN, ÉLECTROMÉCANICIENNE D'APPAREILS ÉLECTROMÉNAGERS

Personne qui entretient et répare, à domicile ou en atelier, les gros appareils domestiques tels que les laveuses, les sécheuses automatiques, les cuisinières et les réfrigérateurs. Elle doit, entre autres, estimer le coût de la réparation, remplacer les éléments défectueux et procéder à la vérification et au réglage de l'appareil. *Elle a le souci de déterminer avec précision la nature de la défectuosité (mécanique, électrique) afin de remettre l'appareil en état de fonctionnement le plus rapidement possible.*
CLÉO 252.02   S

89

ÉLECTROMÉCANICIEN, ÉLECTROMÉCANICIENNE DE MACHINES DE BUREAU Personne qui installe, entretient et répare de l'équipement de bureau (machines à écrire électroniques, photocopieurs, télécopieurs, caisses enregistreuses électroniques, imprimantes au laser, etc.). Elle doit, entre autres, estimer le coût de la réparation ou de l'entretien et réparer ou remplacer les pièces usées. *Elle s'efforce de travailler avec précision et minutie afin de déceler ou prévenir toute défectuosité et d'assurer ainsi le bon fonctionnement de l'équipement de bureau.*
CLÉO 252.01   S

ÉLECTROMÉCANICIEN, ÉLECTROMÉCANICIENNE DE MACHINES DISTRIBUTRICES Personne qui répare et assure l'entretien des distributeurs automatiques dans différents établissements. Elle doit, entre autres, vérifier et réparer les systèmes de réfrigération, de distribution électrique ou de remise de la monnaie et remplacer les pièces usées ou défectueuses. *Elle s'efforce d'assurer un entretien préventif des machines et d'effectuer rapidement les réparations nécessaires en cas de défectuosité afin d'offrir un bon service à la clientèle.*
CLÉO 252.04   S

Un **électromécanicien de systèmes automatisés** s'affaire à vérifier le fonctionnement d'un panneau de contrôle
PHOTO: CECQ–Pavillon technique

ÉLECTROMÉCANICIEN, ÉLECTROMÉCANICIENNE DE SYSTÈMES AUTOMATISÉS Personne qui entretient et répare des équipements de production automatisés (machines qui effectuent certaines tâches ou qui font fonctionner d'autres machines sans intervention humaine). Elle doit, entre autres, vérifier le fonctionnement de la machine, effectuer des essais, déterminer la cause de la panne, vérifier l'usure des pièces et réparer ou remplacer les pièces défectueuses.

Elle a le souci d'assurer le bon fonctionnement des machines et de trouver rapidement les défectuosités dans les cas de panne afin d'assurer la reprise de la production dans les meilleurs délais.
CLÉO 252.07   S

ÉLECTRONICIEN, ÉLECTRONICIENNE D'APPAREILS ÉLECTRODOMESTIQUES Personne qui installe et répare, à domicile ou en atelier, les téléviseurs, les appareils de radio, les magnétophones, les appareils stéréophoniques, les magnétoscopes, le matériel audio et vidéo, les fours à micro-ondes, etc. Elle doit, entre autres, déterminer la cause de la panne, estimer le coût de la réparation et assurer le remplacement des pièces défectueuses. *Elle s'efforce de prendre note des remarques des clients pour déterminer les causes du mauvais fonctionnement des appareils et assurer leur remise en bon état le plus rapidement possible.*
CLÉO 252.05   S

ÉLECTRONICIEN, ÉLECTRONICIENNE D'ENTRETIEN Personne qui entretient et répare le matériel électronique (installations de radar, de guidage de missiles, de télémesure, de communication) pour une clientèle diversifiée dotée d'installations électroniques. Elle doit, entre autres, vérifier et tester le matériel, déterminer la cause de la panne, remplacer ou réparer les pièces défectueuses. *Elle a le souci de bien tester le matériel et de déterminer la nature de la défectuosité afin de pouvoir remettre les appareils en état de fonctionnement le plus rapidement possible.*
CLÉO 252.08   S

ÉLECTRONICIEN, ÉLECTRONICIENNE D'ENTRETIEN DE MATÉRIEL INFORMATIQUE Personne qui installe, entretient, répare et modifie le matériel informatique tel que micro-ordinateur, imprimante, modem, appareils périphériques. Selon son mandat, elle met en place et connecte les systèmes informatiques et le matériel connexe et vérifie le rendement de l'appareil ou encore elle teste, inspecte et règle le matériel et procède à la réparation ou au remplacement des pièces défectueuses. *Elle a le souci de bien interpréter les schémas d'utilisation du fabricant et de faire les ajustements nécessaires afin de ne pas retarder le travail des usagers.*
CLÉO 252.13   S

ÉLECTRONICIEN, ÉLECTRONICIENNE DE SYSTÈMES D'ALARME Personne qui installe, répare et entretient les systèmes électroniques de protection comme des avertisseurs d'incendie et des dispositifs d'alarme antivol dans les maisons privées, les édifices commerciaux ou industriels. À cette fin, elle conseille la clientèle sur le type de protection susceptible de lui convenir, procède

à l'installation des systèmes et appareils (caméras, horlogeries, alarmes, etc.) et règle et vérifie le fonctionnement des avertisseurs. *Elle est soucieuse de l'efficacité de ses installations afin d'assurer la protection et la sécurité de sa clientèle.*
CLÉO 241.85 S

Un **électromécanicien d'appareils électrodomestiques** cherche à déterminer la cause d'une défectuosité
PHOTO: CSC de Sherbrooke–Centre 24-juin

ÉLEVEUR, ÉLEVEUSE DE CHIENS Personne qui élève des chiens dans un chenil en vue de leur vente. À cette fin, elle assure le bon fonctionnement du chenil et s'occupe de la réalisation et de l'évaluation des programmes de reproduction et d'alimentation. Elle veille également, selon le type de chien (chien reproducteur, chien guide, chien policier, etc.), à la mise sur pied d'un programme de dressage approprié. *Elle se préoccupe des soins de santé et d'hygiène des chiens et de l'entretien des bâtiments afin de maintenir et d'améliorer la qualité de la race.*
CLÉO 126.19 S

EMBALLEUR, EMBALLEUSE Personne qui, dans une entreprise commerciale ou industrielle, s'occupe d'emballer divers articles manufacturés (meubles, machines, moteurs, etc.) dans des emballages de forme et de dimensions appropriées. À cette fin, elle ajoute les matériaux de protection nécessaires pour le transport et l'entreposage et prépare les étiquettes et tout autre document requis pour l'expédition.
CLÉO 433.12 S

EMBOUTEILLEUR, EMBOUTEILLEUSE D'EAU DE SOURCE Personne qui gère les activités liées à l'exploitation commerciale d'une source dont elle détient les droits de propriété ou le permis d'exploitation, en vue d'embouteiller l'eau et de la vendre par l'intermédiaire de distributeurs.

À cette fin, elle assure le recrutement et la supervision du personnel, la gestion des approvisionnements, l'entretien des équipements, la mise en marché des produits et les relations avec les distributeurs. *Elle se préoccupe de préserver la qualité de la nappe d'eau souterraine en veillant à ce qu'aucun agent de pollution ne vienne contaminer l'environnement et s'assure que l'embouteillage s'effectue dans les meilleures conditions sanitaires possible.*
CLÉO 121.06 S

EMPAQUETEUR, EMPAQUETEUSE D'ARTICLES DE PÂTISSERIE Personne qui, dans une industrie alimentaire, fait fonctionner une machine servant à remplir, à envelopper, à fermer et à étiqueter des boîtes d'articles de pâtisserie (tartes, beignets, gâteaux) qui seront entreposés, transportés puis vendus. *Elle a le souci de détecter les anomalies (papier déchiré, étiquettes mal placées, date d'empaquetage erronée, etc.) et de faire les corrections qui s'imposent afin de respecter les normes de fraîcheur, d'hygiène et de qualité des produits.*
CLÉO 228.29 S

EMPAQUETEUR, EMPAQUETEUSE DE FRUITS ET DE LÉGUMES Personne qui, dans une exploitation horticole, trie et empaquette les fruits et légumes, à la main ou à l'aide d'une machine, en vue de les protéger contre les meurtrissures et de conserver leur fraîcheur. *Elle a le souci de bien trier les fruits et les légumes (poids, nature, qualité) et de bien étiqueter les emballages afin que le produit livré soit conforme aux attentes du destinataire.*
CLÉO 124.31 S

ENCADREUR, ENCADREUSE Personne qui fait des encadrements pour des tableaux, des photographies ou des diplômes à partir de moulures ou de cadres préfabriqués. À cette fin, elle mesure la pièce à encadrer, taille le passe-partout, le verre et toute autre pièce nécessaire et fait l'encadrement. *Elle s'efforce de bien choisir le type de cadre afin de mettre en valeur les pièces encadrées.*
CLÉO 627.14 S/C

ENCANTEUR, ENCANTEUSE Personne qui vend aux enchères des meubles, des articles divers, des objets d'art, etc. À cette fin, elle évalue et met en lot au préalable la marchandise afin de pouvoir déterminer les prix d'ouverture, elle décrit la marchandise au cours de la vente, suggère une offre initiale, appelle les offres et adjuge l'objet à la personne la plus offrante. *Elle veille à faire valoir les qualités de l'objet à vendre de façon à stimuler les surenchères et à augmenter ainsi les profits des ventes.*
CLÉO 432.40 C

ENDOCRINOLOGUE Personne qui, en tant que médecin spécialiste, voit au diagnostic et au traitement des maladies des glandes endocrines (thyroïde, hypophyse, etc.) et des problèmes métaboliques. À cette fin, elle examine la personne, effectue des tests afin d'obtenir des renseignements sur son état de santé, analyse les résultats et pose un diagnostic. Elle prescrit les traitements appropriés (médicaments, diète, chirurgie, activités déterminées, etc.) ou dirige le patient en chirurgie, selon le cas, et assure le suivi du patient jusqu'à son rétablissement. *Elle veille à poser le bon diagnostic afin de prescrire au patient le traitement qui l'aidera à améliorer son état de santé.*
CLÉO 523.32   U

ENDODONTISTE Personne qui, en tant que spécialiste de la médecine dentaire, assure le traitement des infections, des détériorations et de l'hypersensibilité de la pulpe dentaire (tissu mou qui contient les nerfs et les vaisseaux sanguins de la dent), entre autres par le traitement de canal, une intervention qui consiste à enlever la pulpe infectée ou endommagée, à nettoyer le canal de la racine de la dent et à l'obturer avec un matériau scellant. *Elle s'efforce de faire preuve d'une grande précision et de minutie dans ses interventions et l'exécution de ses traitements afin d'enrayer définitivement l'infection et d'éviter la réapparition de la douleur.*
CLÉO 523.85   U

ENQUÊTEUR, ENQUÊTEUSE Personne qui travaille pour un service de police et qui enquête sur des crimes tels que des vols, des homicides, des incendies, la vente illicite de stupéfiants ou d'alcool en vue de découvrir les preuves nécessaires à l'arrestation des coupables. À cette fin, elle étudie les circonstances du crime, recueille des indices ou des preuves en vue de leur présentation devant le tribunal, interroge les victimes, les témoins et les suspects, organise des perquisitions et des projets de surveillance, procède à l'arrestation des contrevenants, rédige des rapports et met en place des réseaux d'informateurs. *Elle s'efforce d'élucider rapidement les crimes afin de procéder à l'arrestation des criminels et d'assurer ainsi la sécurité du public.*
CLÉO 322.04   C

ENQUÊTEUR, ENQUÊTEUSE EN RECOUVREMENT Personne qui a la responsabilité de chercher et trouver les personnes qui ont changé d'adresse sans avis et qui ont des créanciers (municipalités, gouvernements, entreprises, magasins, etc.). *Elle veille à faire toutes les recherches pouvant permettre de retracer les personnes disparues afin que les créanciers puissent récupérer leur argent.*
CLÉO 424.11   S

ENSEIGNANT, ENSEIGNANTE AU PRÉSCOLAIRE Personne qui enseigne aux jeunes enfants les rudiments de plusieurs disciplines comme la musique, le français et la mathématique et qui les guide dans des activités récréatives de façon à éveiller leur intérêt et à développer leurs habiletés d'apprentissage et de socialisation en vue de leur entrée à l'école primaire. À cette fin, elle établit des programmes d'activités, planifie les horaires, fait l'animation des activités de sciences naturelles et des jeux et suscite la participation de tous. *Elle veille à stimuler les initiatives et l'expression des enfants afin de leur donner le goût et la curiosité nécessaires à l'apprentissage.*
CLÉO 611.03   U

ENSEIGNANT, ENSEIGNANTE AU PRIMAIRE Personne qui est responsable d'une classe d'élèves dans une école primaire et qui est chargée d'enseigner plusieurs disciplines (français, mathématique, sciences humaines, sciences de la nature, etc.) en fonction des objectifs de chaque programme du ministère de l'Éducation. Son rôle consiste principalement à favoriser le développement optimal des élèves sur les plans intellectuel, social, affectif et moral au moyen d'activités d'apprentissage variées (leçons, expériences, discussions, ateliers, exercices) qui permettront aux élèves d'acquérir les connaissances de base et de développer leurs habiletés intellectuelles. Elle est également responsable de l'évaluation des apprentissages et des relations avec les parents. *Elle se soucie d'instaurer dans sa classe les conditions propices à la pleine participation de tous les élèves, d'éveiller leur curiosité, de soutenir leur intérêt et de les aider à surmonter leurs difficultés sur les plans intellectuel, psychologique ou social afin de favoriser leur développement..*
CLÉO 611.05   U

ENSEIGNANT, ENSEIGNANTE AUX ADULTES Personne qui donne à des adultes des cours de formation générale professionnelle ou des cours de perfectionnement en milieu scolaire, en entreprise ou dans les organismes publics. À cette fin, elle prépare et donne les cours, les ateliers pratiques et prévoit des évaluations selon les programmes et en fonction des besoins spécifiques de la clientèle. *Elle se préoccupe de mettre en valeur les connaissances antérieures et de permettre l'intégration de nouvelles connaissances et le perfectionnement des élèves.*
CLÉO 611.51   U

ENTOMOLOGISTE Personne qui, à titre de spécialiste des insectes, de leur mode de vie, de leur rôle dans les écosystèmes et de leur action sur l'environnement, effectue des recherches en vue d'étudier les caractères spécifiques des espèces, de mettre au point des mesures de lutte biologique ou chimique contre les insectes nuisibles aux cultures,

E
<u>END</u>

aux forêts ou à la santé humaine et animale ou encore des méthodes d'utilisation contrôlée des insectes utiles pour les besoins de l'agriculture, la foresterie, l'environnement ou autre domaine. Elle effectue également des travaux de terrain (inventaires, évaluations diagnostiques, prescriptions de traitements pesticides, etc.) en vue de prévenir ou de résoudre des problèmes liés aux ravages et aux maladies causées par des insectes et fournit des services-conseils dans le cadre de projets relatifs à l'environnement, l'écotourisme et la diffusion des connaissances scientifiques en entomologie.

CLÉO 113.12   U

ENTRAÎNEUR, ENTRAÎNEUSE D'ATHLÈTES Personne qui planifie, réalise et évalue des programmes d'entraînement en vue d'améliorer la performance des personnes qui s'entraînent. À cette fin, elle évalue les qualités de l'athlète, analyse son cheminement et établit des objectifs. Dans le cas d'une personne débutante, elle lui enseigne les éléments de base et lui établit un programme de nature à développer ses capacités d'athlète. Dans le cas d'un athlète d'élite, elle planifie sa carrière en veillant sur son développement physique, technique, tactique, psychologique et social, en vue de l'amener à son plus haut niveau de performance. Selon son mandat, elle peut également s'occuper du recrutement et de la sélection d'athlètes en vue d'un événement sportif.

CLÉO 515.09   U

ENTRAÎNEUR, ENTRAÎNEUSE D'ÉQUIPE SPORTIVE Personne qui assure l'entraînement des joueurs d'une équipe sportive en observant leur rendement, en signalant leurs défauts et leurs qualités et en développant leur esprit d'équipe en vue de compétitions sportives. À cette fin, elle planifie les séances d'entraînement, établit des stratégies et tactiques de jeu, motive et prépare les athlètes pour les compétitions. *Elle s'efforce de mettre en place un programme d'entraînement qui saura augmenter les performances de l'équipe afin d'optimiser le rendement au cours des compétitions sportives.*

CLÉO 515.08   U

ENTRAÎNEUR, ENTRAÎNEUSE DE CHEVAUX Personne qui applique un programme d'entraînement spécifique à des chevaux en vue de les dresser pour la course, l'équitation ou le sport équestre. Elle doit, entre autres, apprivoiser les chevaux et les habituer aux guides, au harnais, à l'attelage et au fait d'avoir un cavalier. *Elle s'efforce d'évaluer avec rigueur le potentiel du cheval afin de déterminer le type de programme qui lui convient (cheval de course, d'équitation, de sport équestre, etc.) et de faire preuve de patience afin de dresser le cheval selon les attentes de son propriétaire.*

CLÉO 126.17   C

ENTREPRENEUR, ENTREPRENEURE EN AMÉNAGEMENT PAYSAGER Personne qui gère et dirige une entreprise où l'on conçoit et réalise des aménagements paysagers. Elle rencontre les clients, détermine leurs besoins en aménagement paysager et les conseille, prépare des plans et prévoit les coûts en fonction des besoins en matériaux et en main-d'oeuvre. Elle s'occupe également de planifier et superviser les travaux d'aménagement. *Elle veille à produire des aménagements esthétiques et à offrir des services et des produits de qualité afin de satisfaire les besoins de la clientèle et d'assurer la rentabilité de l'entreprise.*

CLÉO 125.05   C

Un **entrepreneur en aménagement paysager** s'assure de la qualité des travaux sur le chantier
PHOTO: Le Regard vert

ENTREPRENEUR, ENTREPRENEURE EN CONSTRUCTION Personne qui dirige, planifie et organise des travaux de construction, d'entretien, de rénovation ou de modernisation d'installations diverses (bâtiments, routes, voies ferrées, ponts, aéroports). Elle peut s'occuper de l'ensemble d'un projet ou se spécialiser dans la réalisation de travaux spécifiques (électricité, mécanique du bâtiment, pavage, etc.). *Elle s'assure que les travaux sont exécutés selon les plans établis et dans les meilleurs délais possible afin de satisfaire les exigences de la clientèle.*

CLÉO 241.08   C/U

ENTREPRENEUR, ENTREPRENEURE EN PAVAGE Personne qui gère pour son compte une entreprise spécialisée dans les travaux de fondation, de pavage et de revêtement de routes, trottoirs, aires de stationnement, allées et autres voies de circulation publiques, commerciales, industrielles ou résidentielles. À cette fin, elle s'occupe de la préparation des soumissions à des appels d'offres, de l'évaluation de travaux résidentiels, établit les échéanciers et veille à l'achat et à l'entretien des matériaux, des machines et de l'équipement nécessaires. Elle assume la gestion de la comptabilité, la supervision du personnel et la coordination des travaux en vue d'assurer la bonne marche de l'entreprise et la qualité des travaux.

CLÉO 241.15   S   93

ENTREPRENEUR, ENTREPRENEURE EN SER-VICES DE NETTOYAGE Personne qui gère pour son compte une entreprise fournissant des services d'entretien ménager, de nettoyage des tapis et tissus d'ameublement ou de nettoyage après sinistre (incendie, inondation, etc.). À cette fin, elle s'occupe de la promotion des services de l'entreprise, de l'évaluation des travaux, de la préparation des contrats de services, de l'établissement d'un calendrier de travail, de l'achat et de l'entretien des produits, des machines et de l'équipement ainsi que de l'embauche du personnel d'entretien. Elle assume la gestion de la comptabilité, la coordination des travaux et la supervision du personnel de manière à honorer tous ses engagements dans les délais prévus et à assurer la bonne marche de l'entreprise.
CLÉO 253.04 S

ENTREPRENEUR, ENTREPRENEURE EN TRANS-PORT Personne qui dirige pour son compte une entreprise spécialisée dans le transport local, longue distance ou outre-mer de biens, de marchandises ou de produits particuliers (marchandises commerciales, automobiles, liquides en vrac, maisons préfabriquées, biens mobiliers personnels, matières dangereuses, etc.) et qui en coordonne l'exploitation en vue d'assurer la rentabilité de l'entreprise. Elle s'occupe, entre autres, en collaboration avec le personnel cadre, de négocier les contrats de service avec les clients, de planifier les agendas de transport, d'établir les itinéraires de chaque véhicule selon les engagements de collecte et de livraison et de prendre, s'il y a lieu, des arrangements avec d'autres compagnies de transport (aérien, maritime, ferroviaire). Elle s'occupe également de tout ce qui entoure la gestion des ressources humaines, matérielles et financières de l'entreprise.
CLÉO 433.08 S

ENTREPRENEUR, ENTREPRENEURE EN TRAVAUX PUBLICS Personne qui dirige pour son compte une entreprise spécialisée dans la construction et l'entretien d'ouvrages comme les systèmes d'aqueduc, d'égouts et autres canalisations souterraines, les travaux de voirie, la construction de ponts, etc. À cette fin, elle prépare des soumissions pour répondre aux appels d'offres de la fonction publique et elle s'occupe de l'achat et de l'entretien des matériaux, des machines et de l'équipement nécessaires et négocie, s'il y a lieu, les contrats donnés en sous-traitance. Elle s'occupe également de diriger les travaux confiés à l'entreprise, d'en assurer la qualité et le bon déroulement, de veiller au respect de ses engagements (échéanciers, plans et devis, etc.) et d'assumer la gestion de l'entreprise.
CLÉO 241.13 C/U

ÉPIDÉMIOLOGISTE Personne qui dirige ou effectue des recherches visant à mieux comprendre et à maîtriser les mécanismes de propagation des maladies contagieuses et les facteurs qui influencent leur fréquence, leur distribution dans une population donnée et leur évolution à l'état d'épidémie. À cette fin, elle met au point des mesures sanitaires et médicales permettant de prévenir l'apparition de ces maladies, d'en contrôler les facteurs de contagion et d'enrayer les épidémies. Elle participe également à la planification et à la mise en oeuvre de programmes locaux, nationaux ou internationaux de contrôle sanitaire ou de vaccination ainsi qu'à l'élaboration de campagnes d'information et de prévention.
CLÉO 612.31 U

ÉPISSEUR, ÉPISSEUSE DE CÂBLES Personne qui effectue le raccordement des câbles (aériens et souterrains) des réseaux téléphoniques, télégraphiques ou de distribution d'électricité. *Elle a le souci de raccorder les câbles de façon adéquate et sécuritaire et de respecter les normes de sécurité afin d'assurer le bon fonctionnement des réseaux de communication et de distribution d'électricité.*
CLÉO 252.11 S

ÉQUILIBRISTE Personne qui présente en spectacle des tours d'adresse et d'équilibre sur un fil de fer, sur des tables ou des chaises en vue de divertir le public. À cette fin, elle conçoit ou participe à l'élaboration des numéros, détermine le matériel nécessaire et effectue des répétitions en vue de leur présentation devant un public. *Elle s'efforce d'exécuter des numéros originaux qui sauront mettre en valeur son sens de l'équilibre et tenir l'auditoire en haleine.*
CLÉO 625.12 C

ERGONOMISTE Personne qui effectue des analyses et des recherches pour mettre au point des outils, des environnements et des méthodes de travail mieux adaptés aux besoins humains. À cette fin, elle analyse (observations, tests techniques, entrevues avec les travailleurs) les diverses facettes de l'activité au travail (exigences physiques et mentales, disposition spatiale des machines, des outils et du mobilier, gestes et déplacements des travailleurs, malaises ressentis en cours de travail, etc.) en vue de recommander des mesures pour améliorer le confort et le rendement fonctionnel des travailleurs et pour éliminer les conditions responsables de maladies professionnelles, de blessures ou de troubles physiques. Elle peut également se spécialiser dans la conception de produits manufacturés d'usage domestique ou professionnel (outils, véhicules, équipement informatique, mobilier, accessoires de sport, etc.) en vue d'adapter le design de l'objet aux besoins des utilisateurs.
CLÉO 211.17 U

ERGOTHÉRAPEUTE Personne qui planifie et supervise des programmes d'activités pour des personnes atteintes d'une incapacité physique, psychologique ou mentale, permanente ou temporaire, en vue d'améliorer leur fonctionnement dans la vie quotidienne, de faciliter leur intégration dans leur milieu et le développement optimal de leurs capacités tout en s'adaptant à leurs limites. À cette fin, elle analyse la condition physique et mentale des personnes, évalue leur potentiel, leurs intérêts et leur limites, définit des objectifs individuels et les amène à participer à des activités propres à améliorer leurs capacités fonctionnelles et leurs habiletés (travail manuel, tâches domestiques, expression artistique, activités physiques et sportives, jeux éducatifs et récréatifs, etc.). Elle aide également les bénéficiaires à adapter leur environnement à leurs limites fonctionnelles, leur propose des moyens de réaliser plus facilement leurs activités et leur recommande au besoin l'utilisation d'orthèses ou de prothèses. *Elle se préoccupe de stimuler le désir d'autonomie des bénéficiaires et de mettre en place les conditions nécessaires à leur prise en charge progressive, au plein développement de leur potentiel et à leur intégration sociale.*
CLÉO 525.37 U

ESSAYEUR, ESSAYEUSE D'ALIMENTS Personne qui, à l'aide d'appareils de laboratoire, fait des expériences, des essais et des analyses sur des ingrédients et produits alimentaires en vue de déterminer leurs propriétés (acidité, teneur en sel, en matières grasses, solubilité, etc.) et de s'assurer de leur conformité aux normes de qualité. À cette fin, elle prélève des échantillons dont elle teste l'odeur, la saveur et l'apparence. *Elle a le souci de faire preuve de minutie et de précision au cours des tests afin que les produits offerts soient conformes aux normes de qualité établies et aux attentes des consommateurs.*
CLÉO 228.06 C

ESSAYEUR, ESSAYEUSE DE MÉTAUX PRÉCIEUX Personne qui, à l'aide d'appareils de laboratoire et de matériel de chimie et de physique, procède à l'analyse d'échantillons de minerais en vue de déterminer la valeur, les propriétés et les quantités de métaux précieux (or, argent, platine, etc.). *Elle s'efforce de faire preuve de précision au cours des tests et analyses afin d'exercer un contrôle fiable de la qualité interne des métaux et de respecter les méthodes établies.*
CLÉO 221.03 C

ESSAYEUR, ESSAYEUSE DE TEXTILES Personne qui, en laboratoire, effectue des analyses et des tests chimiques et physiques sur des tissus et des produits textiles à toutes les étapes de fabrication en vue de vérifier et de déterminer les caractéristiques et la composition des tissus (résistance, degré d'humidité, type de fibres, degré d'absorption, solidité des couleurs, etc.). *Elle a le souci de vérifier si les échantillons sont résistants, lavables, détachables, afin que le produit fini réponde aux besoins de la clientèle.*
CLÉO 227.09 S

Une **esthéticienne** désinfecte la peau d'une cliente au moyen d'un appareil à haute fréquence
PHOTO: CECQ–École Marie-de-l'Incarnation

ESTHÉTICIEN, ESTHÉTICIENNE Personne qui donne divers soins faciaux et corporels dans un but esthétique en vue d'améliorer l'apparence, le tonus et l'éclat de la peau, de contrôler certains effets cutanés du vieillissement ou de traiter certains problèmes corporels mineurs jugés indésirables (cellulite, couperose, poils superflus, etc.). À cette fin, elle détermine les besoins de ses clients et lui conseille un produit ou un traitement, selon le cas. Elle effectue également des maquillages personnalisés et conseille les clientes sur les techniques et les produits de maquillage à utiliser pour mettre leur visage en valeur. *Elle doit bien connaître les techniques de soins et les propriétés des produits d'esthétique afin de donner des traitements adaptés aux besoins de la clientèle.*
CLÉO 516.09 S

ESTIMATEUR, ESTIMATRICE DES DOMMAGES DE VÉHICULES AUTOMOBILES Personne qui fait l'examen des véhicules accidentés en vue d'évaluer les dommages et de déterminer le coût des réparations de carrosserie et de mécanique à effectuer (pièces et main-d'œuvre). *Elle s'efforce de faire un examen minutieux des véhicules afin d'établir une estimation juste du coût des réparations.*
CLÉO 254.15 S

ESTIMATEUR, ESTIMATRICE EN ÉLECTRICITÉ DE CONSTRUCTION Personne qui, pour le compte d'un entrepreneur, calcule le coût éventuel des travaux de montage et d'installation électrique dans un bâtiment en construction en vue de présenter une soumission. *Elle s'efforce d'étudier soigneusement les plans des bâtiments et de tenir compte de tous les coûts directs et indirects des travaux (matériaux, équipements, main-d'oeuvre, durée des travaux, etc.) afin de produire une estimation aussi juste que possible.*
CLÉO 241.86   S

ESTIMATEUR, ESTIMATRICE EN IMPRIMERIE Personne qui, en vue de déterminer le montant global des contrats d'imprimerie, évalue la nature des travaux (préparation, impression, finition) nécessaires pour remplir les demandes des clients et en calcule le coût de réalisation (main-d'oeuvre, temps, matériel). *Elle s'efforce de prévoir tous les coûts directs et indirects des travaux afin que les prix fixés soient réalistes et compétitifs tout en générant un profit raisonnable pour l'entreprise.*
CLÉO 235.02   C

L'**estimateur en imprimerie** peut travailler dans le secteur des communications graphiques, dans les imprimeries ou les ateliers de production
PHOTO: Cégep Beauce-Appalaches

ESTIMATEUR, ESTIMATRICE EN INVENTAIRE FORESTIER Personne qui fait l'inventaire de zones forestières (composition et maturité des peuplements forestiers), qui calcule le volume de bois exploitable, qui prend note de données sur les conditions du terrain et qui élabore des cartes topographiques en vue de planifier l'abattage du bois (construction de chemins et opérations de coupe). *Elle a le souci d'examiner avec soin les zones d'échantillonnage afin de faire une évaluation la plus juste possible du rendement qu'il est permis de prévoir et des difficultés qui devront être résolues.*
CLÉO 123.04   S

ÉTALAGISTE Personne qui conçoit et réalise des décors de présentation de produits pour divers établissements commerciaux, afin de mettre en valeur les produits et d'attirer la clientèle. À cette fin, elle trace des croquis, fait le montage des décors et dispose la marchandise sur les étalages. *Elle se préoccupe de mettre en valeur les produits en vente dans l'établissement afin d'attirer la clientèle.*
CLÉO 626.38   S

ETHNOLOGUE Personne qui effectue des recherches sur le fonctionnement de groupes humains (groupes ethniques, culturels ou professionnels), afin de connaître, décrire et expliquer leurs caractéristiques et leurs interactions avec d'autres groupes, de cerner et comprendre certains problèmes socioculturels et de faciliter l'intervention auprès des groupes. Elle rédige des rapports, des articles ou donne des conférences et entretiens auprès de divers organismes pour diffuser le résultat de ses recherches et participe à la conception et à la réalisation de programmes de développement pour les minorités ethniques. *Elle se préoccupe de bien analyser et interpréter les données recueillies afin de dresser un portrait fidèle du groupe étudié.*
CLÉO 631.01   U

ÉTIQUETEUR, ÉTIQUETEUSE DE PRIX Personne qui, dans un commerce de gros ou de détail, s'occupe d'apposer les prix sur les produits destinés à la vente. Elle effectue un classement provisoire de la marchandise afin de pouvoir l'étiqueter, elle prend note des quantités d'articles et place les produits sur les étalages.
CLÉO 432.14   S

ÉVALUATEUR AGRÉÉ, ÉVALUATRICE AGRÉÉE Personne qui, pour le compte de particuliers, d'entreprises, d'institutions ou d'organismes gouvernementaux, détermine de façon précise la valeur marchande de biens immobiliers à une date donnée. À cette fin, elle procède à l'évaluation des propriétés résidentielles, commerciales, agricoles, industrielles ou institutionnelles, notamment pour l'établissement de la taxation municipale, de prix d'achat ou de vente des biens immobiliers, pour le règlement de successions, de cas d'expropriation, de faillite, d'assurances ou pour la réalisation d'études de rentabilité. *Elle veille à tenir compte dans ses évaluations de tous les facteurs susceptibles d'influencer la valeur des biens immobiliers (conditions du marché, nature, état, dimensions des biens, coûts d'entretien, revenus de location, etc.) afin que son jugement soit précis et équitable pour les parties concernées.*
CLÉO 423.31   U

ÉVALUATEUR COMMERCIAL, ÉVALUATRICE COMMERCIALE Personne qui est chargée, par une banque, une compagnie d'assurances, un cabinet d'avocats, un organisme gouvernemental ou toute autre société, de déterminer la valeur marchande des biens immobiliers (terrain, bâtiment, équipement et machinerie) d'une entreprise industrielle ou commerciale dans les cas de vente, d'achat, de faillite ou de litige fiscal. *Elle s'efforce de faire une évaluation méthodique et impartiale des biens immobiliers en tenant compte de tous les facteurs susceptibles d'en influencer la valeur (conditions du marché, nature, état, dimensions des biens, coûts d'entretien, etc.) afin que son jugement soit précis et équitable pour les parties concernées.*
CLÉO 423.32   U

EXAMINATEUR, EXAMINATRICE DE PERMIS DE CONDUIRE Personne qui délivre, renouvelle, suspend ou révoque des permis de conduire pour différentes catégories de véhicules motorisés, en fonction des résultats obtenus aux examens visuels et d'aptitudes par les apprentis conducteurs, du dossier des conducteurs au cours d'une période donnée (accidents, infractions au code de la route) ou des examens médicaux exigés dans certaines circonstances. *Elle s'efforce de déceler les conducteurs dont les aptitudes et les comportements insatisfaisants au volant justifient une interdiction de conduire afin de contribuer à la sécurité routière.*
CLÉO 322.09   S

EXAMINATEUR, EXAMINATRICE DES RÉCLAMATIONS D'ASSURANCES Personne qui vérifie, pour le compte d'une compagnie d'assurances, les propositions d'indemnités offertes après enquête aux assurés victimes d'un sinistre (incendie, vol, accident, pertes matérielles, etc.) en vue d'autoriser le paiement des sommes et de procéder à leur règlement selon la politique de la compagnie. *Elle veille à étudier les cas douteux ou litigieux afin de pouvoir établir la responsabilité réelle de la compagnie à l'égard des assurés.*
CLÉO 423.45   C

EXAMINATEUR, EXAMINATRICE DES TITRES DE PROPRIÉTÉ Personne qui, pour le compte d'un cabinet d'avocats, d'une étude de notaire, d'une institution financière ou de la fonction publique, effectue des recherches en matière immobilière dans les archives publiques en vue de vérifier la validité de contrats immobiliers quant au contenu et à la forme et de déterminer la procédure à prendre pour les rectifier, s'il y a lieu. *Elle doit connaître à fond les lois qui régissent la propriété immobilière et se tenir au courant de toute modification apportée aux lois et susceptible d'influencer ses analyses.*
CLÉO 322.10   C

EXOBIOLOGISTE Personne qui, à titre de spécialiste scientifique (physique, astronomie, chimie, biologie, etc.), participe, en collaboration avec des spécialistes d'autres domaines, à un programme de recherche, ordinairement subventionné par l'État, visant à détecter des formes de vie extraterrestre ou tout indice de vie actuelle ou passée dans le système solaire et au-delà de celui-ci. Elle contribue à définir des hypothèses de recherche relatives aux conditions qui devraient être réunies sur d'autres planètes pour qu'une forme de vie quelconque, même rudimentaire puisse y exister et à examiner ces hypothèses à la lumière des données d'exploration extraterrestre recueillies à ce jour au moyen de sondes spatiales, de radiotélescopes et d'autres instruments de détection ultra-puissants. Elle participe également à l'établissement des objectifs de recherche et des moyens à mettre en oeuvre pour recueillir de plus amples données dans le cadre de programmes d'exploration spatiale.
CLÉO 612.08   U

EXPERT-CONSEIL, EXPERTE-CONSEIL EN COMMERCIALISATION Personne qui conseille les entreprises industrielles et commerciales au sujet de la distribution, la mise en marché et la vente de leurs produits, en vue d'apporter des améliorations propres à maximiser leur rentabilité. À cette fin, elle étudie les demandes de la clientèle de l'entreprise, détermine les débouchés possibles et analyse les différentes possibilités de commercialisation. *Elle veille à offrir des conseils judicieux afin de permettre à l'entreprise d'être à la fois concurrentielle et rentable dans les produits et services offerts.*
CLÉO 432.01   U

EXPERT-CONSEIL, EXPERTE-CONSEIL EN INFORMATIQUE Personne qui agit à titre de conseillère auprès d'entreprises en ce qui concerne le développement, l'organisation et l'application de systèmes informatiques en vue de fournir des services informatiques adaptés à leurs besoins. À cette fin, elle rencontre le client pour déterminer ses besoins et ses ressources, lui propose un devis pour les travaux et l'installation d'un système, exécute le contrat et donne au personnel de l'entreprise la formation nécessaire à l'utilisation du système. *Elle veille à bien cerner les besoins de l'entreprise, à bien se renseigner sur les projets de développement de l'entreprise et à assurer un suivi afin de proposer le matériel informatique approprié et la satisfaction de son client.*
CLÉO 721.13   U

EXPERT, EXPERTE EN SINISTRES (ASSURANCES) Personne qui, pour le compte d'une compagnie d'assurances, enquête sur les circonstances des sinistres (incendie, vol, accident, pertes matérielles, etc.) déclarés par les assurés afin de

vérifier leur déclaration, de calculer la somme des pertes ou des dommages couverts par leur police et de négocier un juste règlement des indemnités par la compagnie. *Elle s'efforce de faire preuve de tact et de vigilance au cours de ses enquêtes auprès des victimes et des témoins afin de faire une évaluation équitable des pertes et des dommages subis et de déceler les cas de fraude.*
CLÉO 423.44 C

EXPERT MÉDICO-LÉGAL, EXPERTE MÉDICO-LÉGALE Personne qui, en tant que médecin généraliste, psychiatre ou autre spécialiste de la médecine, effectue à la demande d'un tribunal, d'une compagnie d'assurances ou de l'État (Société de l'assurance automobile, Commission de la santé et de la sécurité au travail, etc.), l'évaluation de l'état de santé physique ou mentale de personnes envers lesquelles une décision doit être prise en fonction de leur état de santé. À cette fin, elle émet son avis pour éclairer le tribunal sur des séquelles physiques ou psychologiques subies par une victime d'acte criminel, d'accident ou de négligence professionnelle, pour justifier le règlement d'une indemnité réclamée par un assuré ou encore pour régler un litige administratif en matière d'emploi (retrait préventif, réintégration en emploi, harcèlement sexuel, etc.). Elle doit fournir au demandeur un rapport d'expertise dans lequel elle expose son opinion et peut être appelée à témoigner en cour ou à une commission d'enquête.
CLÉO 321.15 U

EXPERT PSYCHO-LÉGAL, EXPERTE PSYCHO-LÉGALE Personne qui, à titre de spécialiste en psychologie, effectue à la demande d'un tribunal l'évaluation psychologique de certaines personnes (victime, inculpé ou témoin) dans une cause juridique relative à la protection de la jeunesse, à la délinquance, à la criminalité, à la violence conjugale, etc. À cette fin, elle émet son avis pour éclairer le tribunal sur les motivations et les facteurs à l'origine du comportement de la personne, sur la crédibilité des allégations d'enfants victimes de sévices physiques ou sexuels ou encore sur l'authenticité d'un témoignage douteux ou toute autre question du même ordre. Elle doit fournir au tribunal un rapport d'évaluation dans lequel elle expose son opinion et peut être appelée à témoigner en cour.
CLÉO 321.16 U

EXPLOITANT, EXPLOITANTE AGRICOLE Personne qui assure la gestion et la planification d'une entreprise spécialisée dans l'élevage d'animaux, la production horticole (fruits et légumes) ou la production de céréales. À cette fin, elle dirige et exécute divers travaux (préparation du sol, récolte, soins des animaux) liés à la production et à la vente de ses produits et veille à leur mise en marché. *Elle a le souci d'utiliser des méthodes*

efficaces de gestion afin d'assurer la rentabilité de l'entreprise et d'offrir des produits de qualité.
CLÉO 124.16 C

EXPLOITANT, EXPLOITANTE DE FERME LAITIÈRE Personne qui assure la gestion et l'exploitation d'une entreprise agricole spécialisée dans la production laitière en vue de la vente de ses produits. À cette fin, elle dirige l'entreprise, veille à la réalisation et à l'évaluation des tâches agricoles (programmes d'élevage, d'alimentation et de traite des vaches) et s'occupe de produire les aliments (fourrage et céréale) qui serviront à nourrir le bétail. *Elle se préoccupe des conditions de salubrité des bâtiments afin de fournir des produits de qualité et de s'assurer de la rentabilité de l'entreprise. Elle a le souci également de recycler les déchets organiques d'élevage en vue d'une autre production agricole.*
CLÉO 126.04 C

Un **exploitant agricole** spécialisé dans l'élevage de veaux de grain destinés à la consommation
PHOTO: Marc Robitaille/Univ. Laval–Fac. des sciences de l'agric. et de l'alim.

EXTERMINATEUR, EXTERMINATRICE Personne qui procède, au moyen de traitements chimiques et de pièges, à l'élimination de petits animaux et d'insectes indésirables (rats, fourmis, blattes, etc.) dans les maisons privées, les établissements commerciaux et les édifices publics. *Elle s'efforce de prendre les mesures nécessaires pour éliminer complètement les indésirables, éviter leur réapparition et veille à prévenir tout danger d'empoisonnement ou de blessure pour les personnes de l'endroit.*
CLÉO 253.08 S

EXTRACTEUR, EXTRACTEUSE D'HUILE VÉGÉTALE Personne qui, à l'aide de machines, extrait les huiles comestibles et les sous-produits du soya, du germe de maïs, etc. À cette fin, elle vérifie la qualité des graines (teneur en eau, etc.) afin de déterminer le degré de séchage nécessaire à l'extraction optimale de l'huile et procède à l'examen des résidus afin de vérifier la qualité du broyage. *Elle se préoccupe de bien régler les mécanismes de commande et de vérifier les indicateurs tout au long du procédé afin de mettre sur le marché des produits de bonne qualité.*
CLÉO 228.15 S

F

FAÇONNEUR, FAÇONNEUSE D'ISOLATEURS
Personne qui, à l'aide de sections d'isolateurs déjà
formées (argile pétrie), construit de gros isolateurs électriques qui serviront à soutenir des fils
conducteurs d'électricité. *Elle a le souci d'éliminer les pièces défectueuses ou celles qui ne
sont pas réglementaires.*
CLÉO 223.10   S

FACTEUR, FACTRICE Personne qui trie et distribue le courrier, à pied ou en véhicule, dans les
résidences privées, les commerces, les édifices
publics d'un secteur donné selon un itinéraire
déterminé. Elle doit, entre autres, laisser des avis
aux destinataires pour leur indiquer où et quand
récupérer le courrier qui n'a pu leur être livré et
obtenir une signature du destinataire dans le cas de
courrier recommandé.
CLÉO 433.94   S

FANTASSIN Personne qui, en tant que membre
des forces armées, manipule des armes variées
au cours d'opérations militaires. Elle s'occupe
également de l'inspection des systèmes d'armes,
des véhicules et de l'équipement (trousse de survie
et équipement personnel) et participe parfois à
des opérations spéciales comme des opérations
aéroportées, amphibies et environnementales. *Elle
se préoccupe de mettre en pratique les règles de
camouflage, de dissimulation, de sécurité
interne, de patrouille, des tactiques d'évasion et
de récupération afin d'assurer la bonne marche
des opérations militaires.*
CLÉO 333.24   S

FERRAILLEUR, FERRAILLEUSE Personne qui
assemble, place et fixe, à l'aide d'outils, des tiges
et des treillis de fer à l'intérieur des formes
pour renforcer le béton dans la construction de
coffrages, colonnes, poutres et dalles servant
à édifier des bâtiments, des ponts ou des réservoirs. *Elle s'efforce de déterminer correctement
le nombre, les dimensions, les formes et les
emplacements des armatures et des treillis afin
d'assurer la solidité des travaux.*
CLÉO 241.28   S

FERRONNIER, FERRONNIÈRE D'ART Personne
qui conçoit et fabrique des pièces métalliques
architecturales comme des grilles, des rampes, des
portails et des supports ornementaux ou des pièces
décoratives comme des lampes, des appliques, des
objets d'art religieux ou des meubles. À cette fin,
elle conçoit la pièce à fabriquer, en trace le dessin,
dessine les gabarits, chauffe, plie, coupe et martèle
le métal, assemble les pièces en les soudant et
polit les surfaces pour obtenir le fini désiré. *Elle se
préoccupe de créer des objets esthétiques et
solides afin de satisfaire la clientèle.*
CLÉO 627.11   S/C

Un **ferronnier d'art** occupé à un travail d'assemblage
d'une grille ornementale
PHOTO: Sygma/Publiphoto

FINISSEUR, FINISSEUSE DE BÉTON Personne qui
moule et lisse le béton frais à l'aide d'outils manuels
ou de machines en vue de la construction de routes,
de trottoirs et d'escaliers. Elle s'occupe, entre autres,
de vérifier la précision des coffrages, de répandre,
lisser et profiler le béton et de former les joints et les
bordures. *Elle veille à produire des surfaces
égales afin que les constructions répondent aux
critères d'esthétisme et de sécurité établis.*
CLÉO 241.29   S

FINISSEUR, FINISSEUSE DE MEUBLES Personne
qui, dans une usine de fabrication en série,
applique des produits de finition sur les meubles
en bois (apprêts, vernis, peinture, teinture). À
cette fin, elle prépare les surfaces à finir, choisit
les produits et en détermine la quantité, fait les

mélanges au besoin et assure la propreté de son aire de travail. *Elle a le souci de bien préparer le meuble et de faire preuve de minutie dans l'application des produits afin d'obtenir un article à la fois esthétique et durable dont la finition correspond à celle demandée.*
CLÉO 236.11   S

FINISSEUR, FINISSEUSE DE MOULES Personne qui, à l'aide de meules ou d'outils, répare, dresse et lisse les surfaces des moules de métal et en fait le polissage à la main dans une industrie d'usinage des métaux. *Elle s'efforce de faire preuve de minutie dans l'exécution de ses tâches afin d'obtenir des moules qui pourront reproduire fidèlement les pièces désirées.*
CLÉO 222.07   S

FINISSEUR-RETOUCHEUR, FINISSEUSE-RETOUCHEUSE DE MEUBLES Personne qui, dans une usine de fabrication en série, examine les meubles finis afin de déceler puis de corriger les imperfections (éraflures, fissures, etc.). À cette fin, elle essuie, gratte, repolit le meuble et le réenduit d'un produit de finition. *Elle s'efforce de détecter puis d'éliminer tout défaut afin d'obtenir un produit de qualité et esthétique.*
CLÉO 236.12   S

F
FIN

FISCALISTE Personne qui, pour le compte de particuliers ou d'entreprises, planifie et administre la comptabilité en vue de réduire leur fardeau fiscal. Elle analyse la situation financière de ses clients (revenus, budget, épargne, placements, gestion des affaires, etc.), recommande des mesures qui permettront de diminuer l'impôt à payer telles que des placements judicieux, une contribution à des régimes de retraite ou la modification des méthodes de gestion de manière à profiter des déductions fiscales ou d'autres types d'abris admis par la loi. Selon son mandat, elle peut assurer la gestion de la comptabilité de son client, préparer ses déclarations de revenus et lui proposer des services de planification financière à long terme. *Elle est soucieuse de connaître à fond toutes les lois fiscales afin de pouvoir conseiller judicieusement sa clientèle et veille à se tenir au courant de toute modification aux lois pouvant avoir des répercussions sur la comptabilité de ses clients.*
CLÉO 423.08   U

FLEURISTE Personne qui, pour son compte ou le compte du propriétaire du commerce, crée, réalise et vend des arrangements de fleurs et de plantes naturelles, séchées ou artificielles. *Elle s'efforce de concevoir des arrangements nouveaux et esthétiques qui sauront plaire à la clientèle et d'entretenir les plantes et les fleurs en magasin afin d'offrir des produits de qualité.*
CLÉO 432.32   S

Des **fleuristes** s'occupent de monter des arrangements floraux
PHOTO: CS Saint-Hyacinthe

FLORICULTEUR, FLORICULTRICE Personne qui dirige et gère une entreprise spécialisée dans la culture de fleurs, de bulbes à fleurs, d'arbustes en vue de leur vente. Elle embauche, forme et supervise le personnel, détermine les variétés et quantités de produits à cultiver, établit et règle les conditions environnementales (température, humidité, etc.), s'occupe de la préparation des sols, des plantes et des semis et conseille la clientèle dans le choix de ses produits. *Elle veille à donner des conseils judicieux et à offrir des produits qui vont satisfaire les besoins de la clientèle.*
CLÉO 125.09   C

FONDEUR, FONDEUSE Personne qui est responsable du chargement, de l'alimentation, du réglage de température et de pression d'un haut fourneau qui sert à fondre le métal dans une industrie métallurgique. Elle doit évaluer la qualité du métal pendant la fusion et au cours du coulage. *Elle s'efforce de suivre les indications reçues et de respecter les normes de qualité et de sécurité afin d'éviter tout incident fâcheux (déversement de coulée) et de produire de belles pièces moulées.*
CLÉO 222.03   S

FONDEUR, FONDEUSE DE CHOCOLAT Personne qui, dans une fabrique de chocolat, fait fondre le chocolat à l'aide de chaudrons ou d'appareils qu'elle nettoie après utilisation. *Elle est soucieuse de bien régler la température et d'observer le thermomètre afin d'obtenir un produit de qualité et d'éviter les pertes.*
CLÉO 228.31   S

FOREUR, FOREUSE Personne qui perce la roche et le sous-sol à l'aide de foreuses à diamant ou d'autres foreuses spécialisées pour évaluer les formations géologiques ou pour construire des puits, des tunnels ou des passages souterrains. *Elle se préoccupe de respecter les normes de sécurité afin d'assurer la sécurité des travailleurs.*
CLÉO 122.05   S

Deux **foreurs** consultent les plans du programme de forage d'extraction avant de procéder aux opérations
PHOTO: Cambior

FOREUR, FOREUSE D'INSTALLATION DE FORAGE EN MER Personne qui est chargée du fonctionnement du matériel de forage (treuils, trains de tiges, pompes, etc.) utilisé pour forer des puits de pétrole à partir d'une plate-forme de forage en mer. *Elle a le souci de respecter les normes établies afin d'assurer la sécurité de l'équipage au cours des opérations de forage.*
CLÉO 122.10   C/S

FORFAITISTE Personne qui planifie des voyages organisés ou des séjours à forfait (certains frais inclus dans le prix) pour un grossiste en voyage ou pour une agence. Elle met au point le programme du voyage (itinéraire, sites à visiter, activités de divertissement, modalités de transport, d'hébergement et de restauration, etc.), négocie les ententes de services avec les transporteurs, les hôtels et les différents sites afin de déterminer le prix du forfait et s'occupe de la publicité entourant la vente du voyage. Elle exerce un suivi auprès du grossiste ou de l'agence pour évaluer la satisfaction de la clientèle. *Elle s'efforce de mettre au point une gamme variée de voyages (croisière, circuit touristique, tournée culturelle, voyage à thèmes, etc.) à des prix abordables afin de satisfaire les goûts de plusieurs types de clientèle.*
CLÉO 513.08   C

FORGERON, FORGERONNE Personne qui forge et façonne le métal chaud pour fabriquer ou réparer des outils et des accessoires divers tels que des chaînes, des outils et des pièces de charpente métallique. À cette fin, elle chauffe la pièce de métal, la martèle, la perce ou la coupe en se servant de divers instruments comme des tenailles, des ciseaux et un marteau et elle trempe les pièces forgées, les durcit ou les recuit jusqu'à l'obtention de la finition désirée. *Elle a le souci de produire des articles solides et veille à respecter les normes de sécurité établies afin d'éviter des accidents.*
CLÉO 222.16   S

FORMATEUR, FORMATRICE EN ENTREPRISE Personne qui, dans une entreprise, est chargée de former des travailleurs en vue de l'apprentissage ou du perfectionnement nécessaire à certaines activités. À cette fin, elle définit les besoins d'information et de perfectionnement du personnel, met sur pied le programme de formation à partir d'objectifs précis, définit des stratégies et des moyens d'apprentissage et évalue les progrès. *Elle se préoccupe de donner aux personnes le soutien et l'encouragement nécessaires dans leur démarche d'apprentissage.*
CLÉO 611.52   S/C

FOSSOYEUR, FOSSOYEUSE Personne qui est responsable de la préparation et du remplissage des fosses de même que de l'entretien des cryptes et du terrain du cimetière. Elle s'occupe, entre autres, de tailler le gazon et les arbustes, d'entretenir les plantes et les fleurs et de déblayer les voies d'accès au cimetière.
CLÉO 517.06   S

FRIPIER, FRIPIÈRE Personne qui achète ou récupère des vêtements usagés et qui les revend d'occasion. *Elle s'efforce de récupérer tout vêtement susceptible de trouver preneur, contribuant ainsi à l'économie des ressources naturelles et de l'énergie qui seraient nécessaires pour fabriquer des vêtements neufs et à la protection de l'environnement.*
CLÉO 432.23   C/U

F
FUM

FROMAGER, FROMAGÈRE Personne qui fabrique du fromage (cottage, cheddar, brie, etc.) à l'aide d'appareils permettant la pasteurisation, la cuisson, la fermentation du lait ou de la crème jusqu'à sa transformation. Elle doit, entre autres, surveiller la température tout au long du procédé, ajouter les ferments lactiques et la présure et séparer le caillé du petit lait. *Elle a le souci de produire des fromages de qualité, recherchés pour leur saveur et leur texture afin de répondre aux goûts et aux besoins de la clientèle.*
CLÉO 228.42   S

FUMEUR, FUMEUSE DE VIANDE Personne qui fait fonctionner des fumoirs où des pièces de viande sont fumées, cuites et séchées. À cette fin, elle allume le feu, règle l'ouverture des clapets pour régulariser le fumage, la cuisson et le séchage, règle la vitesse des ventilateurs et s'occupe de nettoyer les fumoirs et les instruments. *Elle a le souci de surveiller les indicateurs et d'examiner la couleur et la texture de la viande afin de s'assurer que le fumage, la cuisson et le séchage respectent les critères de qualité établis.*
CLÉO 228.37   S

G

GABARIEUR, GABARIEUSE (BOIS) Personne qui, dans une usine de fabrication en série, fabrique des gabarits qui seront utilisés comme guides dans l'assemblage de meubles ou d'articles en bois. À cette fin, elle mesure et trace des repères qui permettront de couper et de fabriquer des modèles manufacturés dont les formes et les dimensions sont précises et constantes. Elle fait la vérification des gabarits en procédant elle-même à l'assemblage d'un prototype. *Elle est soucieuse de respecter les plans et dessins qui lui sont fournis afin de fabriquer des gabarits de précision qui permettront la reproduction d'objets identiques.*
CLÉO 236.04   S

Une **gabarieuse** utilise une défonceuse et un gabarit pour sculpter un dessin sur une planche de bois
PHOTO: École québécoise du meuble et du bois ouvré

GABARIEUR-MODELEUR, GABARIEUSE-MODELEUSE Personne qui, à partir de plans, fabrique des gabarits en divers matériaux (bois, acier, aluminium, etc.) qui serviront de modèles (forme et dimensions) au moment du façonnage en usine d'articles manufacturés (appareils électroménagers, pièces d'aéronefs, articles de sport, etc.).
CLÉO 231.09   S

GALÉRISTE Personne qui gère pour son compte une galerie d'art où elle présente des expositions temporaires mettant en valeur, en vue de les vendre, les oeuvres d'un seul artiste à la fois (peintre, aquarelliste, sculpteur, photographe, etc.) ou un inventaire permanent d'oeuvres variées de différents artistes. Elle sélectionne les oeuvres, en détermine les prix et convient avec les artistes du pourcentage qui sera prélevé sur le montant des ventes pour les frais de service. Elle s'occupe de la publicité, de l'organisation des vernissages et des autres événements promotionnels, de la mise en valeur des oeuvres dans la galerie, de l'accueil de la clientèle et de la vente des oeuvres (négociation du prix, transactions, emballage, expédition). Certains galéristes spécialisés peuvent aussi acquérir sur le marché international des oeuvres d'artistes contemporains de divers pays ou des oeuvres de grands maîtres provenant de collections privées ou de ventes aux enchères.
CLÉO 432.33   U

GARAGISTE Personne qui dirige, pour son compte ou pour le compte du propriétaire, les activités liées à l'exploitation d'un garage où l'on effectue l'entretien et la réparation de véhicules automobiles et où l'on vend de l'essence. Elle doit, entre autres, planifier et coordonner le travail du personnel, préparer les horaires et les registres de production et s'assurer de la qualité du travail du personnel.
CLÉO 254.01   S

GARDE FORESTIER, GARDE FORESTIÈRE Personne qui assure la protection d'un territoire forestier, notamment contre le braconnage, les incendies, les maladies et aussi contre les insectes qui peuvent affecter les arbres. Elle veille également à l'application des lois, règlements et mesures de prévention en vigueur auprès des usagers. *Elle s'efforce de bien connaître le territoire qui lui est confié et d'être à l'affût de tout signe de dommage ou de danger afin d'intervenir à temps ou de signaler la situation aux autorités concernées.*
CLÉO 131.08   S

GARDIEN, GARDIENNE D'ENFANTS Personne qui, à domicile, s'occupe du bien-être et de la sécurité des enfants qui lui sont confiés temporairement. Elle divertit et surveille les enfants, donne les soins d'hygiène nécessaires, sert les repas ou les collations et, selon le cas, effectue certaines tâches d'entretien. *Elle veille à se*

montrer attentive aux besoins des enfants dont elle a la responsabilité et à intervenir adéquatement en cas de problème afin de susciter et mériter la confiance des parents.
CLÉO 516.04   S

GARDIEN, GARDIENNE DE JARDIN ZOOLOGIQUE Personne qui donne des soins aux animaux gardés en captivité ou en liberté surveillée dans un jardin zoologique, une réserve faunique ou un parc de conservation. Elle s'occupe, entre autres, de nourrir les animaux et de leur donner à boire. Elle observe leur comportement, leur alimentation et leur reproduction. Elle nettoie les cages et les enclos et rédige des rapports quotidiens pour rendre compte de ses observations.
CLÉO 131.13   C

GARDIEN, GARDIENNE DE MAISON Personne qui assure la garde et l'entretien d'un domicile (courrier, messages téléphoniques, pelouse, déneigement, etc.) en l'absence des résidents et qui s'occupe, s'il y a lieu, des animaux et des plantes. *Elle veille à faire le nécessaire pour donner à la maison l'apparence d'être habitée et à se conformer aux instructions d'entretien reçues afin que les résidents retrouvent la maison propre et en bon état.*
CLÉO 516.05   S

GARDIEN, GARDIENNE DE SÉCURITÉ Personne qui assure la protection d'une propriété industrielle, commerciale ou privée contre le feu, le vol et le vandalisme. Elle surveille les lieux au moyen d'un système télévisé, fait des rondes régulières, applique les règlements de l'établissement relatifs à la circulation intérieure et extérieure (personnel, visiteurs, usagers et fournisseurs), maintient l'ordre, tente de prévenir toute agitation indue, infraction ou vol et rédige des rapports quotidiens de surveillance. *Elle a le souci de respecter les directives reçues afin d'éviter tout dommage aux biens et aux bâtiments surveillés et veille à alerter rapidement la police, les pompiers et les ambulanciers au besoin.*
CLÉO 331.04   S

GARDIEN, GARDIENNE DE TERRAIN DE STATIONNEMENT Personne qui assure la surveillance d'un terrain de stationnement et qui contrôle les allées et venues des automobilistes. À cette fin, elle remet des billets de stationnement, perçoit les montants dus, indique les espaces libres aux automobilistes ou les dirige vers les espaces réservés et intervient en cas d'incident ou de problème pour régulariser la situation. *Elle a le souci d'appliquer les directives internes relatives à la tarification et à l'utilisation des espaces disponibles et veille à maintenir l'ordre, la propreté et la sécurité du terrain.*
CLÉO 331.07   S

GASTRO-ENTÉROLOGUE Personne qui, en tant que médecin spécialiste, voit au diagnostic et au traitement des maladies du tube digestif (estomac, foie, oesophage, intestins, pancréas, etc.). À cette fin, elle examine la personne, effectue des tests afin d'obtenir des renseignements sur son état de santé, analyse les résultats et pose un diagnostic. Elle prescrit les médicaments appropriés et un régime alimentaire à son patient ou le dirige en chirurgie, selon le cas, et assure le suivi du patient jusqu'à son rétablissement. *Elle veille à poser le bon diagnostic afin de prescrire au patient le traitement approprié.*
CLÉO 523.33   U

GASTRONOME PROFESSIONNEL, GASTRONOME PROFESSIONNELLE Personne qui, à titre de spécialiste en gastronomie, agit comme experte-conseil ou met au point divers produits en matière culinaire. Elle peut, entre autres, concevoir ou expérimenter des recettes ou des menus gastronomiques en vue de la publication d'un livre de cuisine, de la rédaction d'une chronique culinaire d'un journal ou d'une revue ou de l'animation à la télévision ou à la radio d'une émission consacrée à la cuisine. Elle peut également être sollicitée pour évaluer et classer, en fonction de différents critères, les tables d'hôte des grands restaurants d'une région donnée, en vue de la publication d'un répertoire gastronomique ou d'un guide touristique. Elle peut aussi donner des cours de cuisine.
CLÉO 228.05   S

GEMMOLOGISTE Personne qui, à l'aide d'appareils spéciaux et de solutions chimiques, évalue les pierres précieuses en vue d'en déterminer les caractéristiques (couleur, densité, dureté, etc.) et la valeur marchande et d'identifier les spécimens rares. *Elle s'efforce de déterminer la qualité et l'authenticité des pierres afin de mieux les évaluer en tenant compte, par exemple, de la pureté du diamant, du clivage ou de la couleur.*
CLÉO 627.03   S/C

GÉNÉTICIEN, GÉNÉTICIENNE Personne qui, en tant que spécialiste de la microbiologie, effectue des recherches sur les phénomènes de l'hérédité chez les organismes vivants (animaux, végétaux, êtres humains, micro-organismes, etc.) et sur la composition génétique de ces organismes. À cette fin, elle analyse et détermine les caractères héréditaires, les propriétés physiques et chimiques des gènes et fait des mutations sur des espèces animales et végétales en vue d'améliorer les espèces. *Elle s'efforce d'identifier les ressemblances et les différences, de trouver des moyens biochimiques et physiologiques afin de les reconnaître et de mieux comprendre les lois fondamentales de l'hérédité.*
CLÉO 612.36   U

GÉOCHIMISTE Personne qui est spécialisée dans l'étude des composés chimiques des roches, des minéraux et des hydrocarbures (pétrole, gaz naturel) et qui analyse des échantillons d'eau, de plantes, de sol, de sédiments ou de roches d'une région donnée pour y relever toute trace chimique de minéraux ou de combustibles pouvant mener à la découverte de nouveaux sédiments. Elle analyse la composition chimique d'échantillons de pétrole et de gaz naturel afin d'évaluer leur qualité et la rentabilité éventuelle de leur extraction et, selon son mandat, analyse exactement les concentrations de substances minérales pour identifier celles qui pourraient représenter un danger pour l'environnement et la santé des cours d'eau.
CLÉO 111.07   U

GÉOGRAPHE Personne qui étudie les diverses régions de la Terre en vue de décrire et d'expliquer les phénomènes physiques (climat, hydrographie et ressources naturelles), les phénomènes humains (mode de vie des populations, systèmes politiques, culture, etc.) ainsi que leurs relations réciproques. Elle peut effectuer des recherches pour le compte d'un organisme scientifique ou universitaire, faire de l'enseignement, écrire des articles ou des livres, s'occuper de la gestion d'un système d'information géographique (banque informatique de données sur l'ensemble des régions). Elle peut également fournir des avis sur les répercussions de certaines décisions politiques concernant l'industrie, les services publics, l'environnement ou tout autre projet qui peut toucher le territoire et les populations. Elle se spécialise généralement soit en géographie physique soit en géographie humaine.
CLÉO 612.12/612.53   U

Des **géographes** mesurent le débit d'une rivière afin d'analyser l'érosion et les déplacements du cours d'eau à travers le temps
PHOTO: André G. Roy/Univ. de Montréal–Dép. de géographie

GÉOLOGUE Personne qui étudie la structure et la composition de la croûte terrestre en vue de découvrir des gisements souterrains exploitables (minerais, métaux précieux, pétrole, gaz naturel,

nappes d'eau) ou d'évaluer la faisabilité et les moyens de réalisation de grands travaux de construction ou d'aménagement tels que des routes, des tunnels, de gros édifices, des sites d'enfouissement. Elle peut également fournir des avis sur l'éventualité de phénomènes destructeurs qui pourraient affecter la structure des formations géologiques (glissements de terrain, tremblements de terre, érosion, éboulis, inondations) et proposer des mesures pour prévenir ces risques ou en contrer les impacts.
CLÉO 111.01   U

GÉOLOGUE PÉTROLIER, GÉOLOGUE PÉTROLIÈRE Personne qui étudie la disposition des strates de l'écorce terrestre ainsi que la composition et la structure de la Terre en vue de dresser des cartes géologiques et de repérer les gisements de pétrole et de gaz naturel. *Elle se préoccupe d'analyser toutes les données techniques provenant de divers spécialistes afin de faire les recommandations appropriées pour l'exploitation et la mise en valeur des gisements de pétrole.*
CLÉO 111.10   U

GÉOPHYSICIEN, GÉOPHYSICIENNE Personne qui étudie les propriétés physiques (champ magnétique, propagation des ondes, élasticité) des formations rocheuses et autres matériaux terrestres et qui tente d'expliquer certains phénomènes qui affectent la Terre, tels que les plissements de l'écorce terrestre et les dislocations. Elle participe à la recherche de gisements de minéraux ou de combustibles exploitables, à la prévision des impacts géophysiques liés à l'exploitation du sol, du sous-sol ou des cours d'eau et à l'évaluation des phénomènes destructeurs (glissements de terrain, tremblements de terre, érosion, éboulis, inondations, éruptions volcaniques) qui peuvent affecter une zone exploitée.
CLÉO 111.04   U

GÉOPHYSICIEN-PROSPECTEUR, GÉOPHYSICIENNE-PROSPECTRICE Personne qui étudie la structure des formations rocheuses en effectuant différentes mesures et en les interprétant afin de situer les gisements de pétrole, de gaz et de minéraux. *Elle a le souci de bien interpréter les résultats d'études sur le terrain afin de localiser avec précision les nappes souterraines de pétrole et d'en évaluer l'importance.*
CLÉO 111.05   U

GÉRANT, GÉRANTE D'ENTREPÔT Personne qui gère l'exploitation commerciale d'un entrepôt privé en vue d'assurer la qualité des services et la rentabilité de l'entreprise et qui s'occupe de louer à court ou à long terme les espaces d'entreposage disponibles (conteneurs, hangars privés, voûtes à linge, entrepôts frigorifiques). À cette fin, elle détermine les besoins de sa clientèle (commerciale,

industrielle ou résidentielle) et, selon le cas, offre des locaux à température contrôlée, des lieux surveillés en permanence, pourvus d'installations de sécurité et couverts par des assurances contre les risques de vol, d'incendie ou autre sinistre. Elle fournit également, en général, des services de déménagement, de transport et de manutention des biens destinés à l'entreposage et organise au besoin l'expédition de marchandises commerciales en transit de l'entrepôt vers d'autres destinations (locales, longue distance, outre-mer).
CLÉO 433.09   C

GÉRANT, GÉRANTE D'IMPRIMERIE Personne qui gère l'ensemble des activités d'une imprimerie pour le compte des propriétaires. À cette fin, elle prend connaissance des commandes d'impression (livres, revues, affiches, étiquettes, faire-part, etc.) et négocie les ententes contractuelles avec les clients. Elle détermine le papier à utiliser, le mode de fabrication de l'imprimé et l'équipement à utiliser et coordonne le travail de production de manière à contrôler la qualité du produit et les coûts de production. *Elle s'efforce de bien connaître les procédés de fabrication d'un imprimé, les matières premières et l'équipement utilisés aux diverses étapes de production afin d'être en mesure de coordonner le travail du personnel et de contrôler la qualité des produits.*
CLÉO 235.01   C/U

G
GER

GÉRANT, GÉRANTE DE BOUTIQUE DE VÊTE-MENTS Personne qui planifie et dirige les activités d'une boutique de vêtements en vue de vendre le plus de marchandises possible. À cette fin, elle s'occupe de la gestion et de la formation du personnel, de la répartition des tâches, de la préparation des horaires de travail, de la disposition de la boutique et du service à la clientèle. Elle veille à ce que les clients reçoivent un service courtois et trouvent la marchandise qui leur convient. *Elle s'efforce de mettre en valeur les collections de vêtements qu'elle doit promouvoir afin d'en faciliter la vente et d'assurer la rentabilité de la boutique.*
CLÉO 432.21   C

GÉRANT, GÉRANTE DE COMMERCE DE DÉTAIL Personne qui dirige les activités liées à l'exploitation d'un commerce (dépanneur, magasin de vêtements, etc.) et qui supervise le travail du personnel en vue d'assurer la rentabilité de l'entreprise. À cette fin, elle analyse les demandes de la clientèle, évalue les besoins de marchandises, planifie les horaires de travail et assure la gestion du personnel. *Elle se préoccupe d'offrir un service courtois et de qualité afin de contribuer à la bonne renommée de l'établissement et de satisfaire les besoins et exigences de la clientèle.*
CLÉO 432.10   C

GÉRANT, GÉRANTE DE CYBERCAFÉ Personne qui, pour son compte ou le compte du propriétaire, planifie et dirige les activités liées à l'exploitation d'un café-bistro offrant à sa clientèle la possibilité de naviguer sur le réseau internet ou d'utiliser des produits multimédia (CD-Rom, jeux électroniques, etc.) tout en se restaurant. À cette fin, elle met à la disposition des clients, moyennant un tarif d'utilisation à la minute ou à l'heure, des équipements et des produits de communication électronique et, selon le cas, initie les clients à la navigation et les dépanne au besoin. *Elle se préoccupe d'acquérir des produits multimédias susceptibles d'intéresser plusieurs types de clientèle (intellectuels, étudiants, artistes, joueurs, etc.) et d'entretenir les équipements de l'établissement afin d'offrir un service pouvant convenir à différents clients à la fois.*
CLÉO 511.22   C/U

GÉRANT IMMOBILIER, GÉRANTE IMMOBILIÈRE Personne qui, pour le compte de particuliers ou de sociétés, gère un portefeuille d'investissements immobiliers. À cette fin, elle fait l'acquisition d'immeubles locatifs (immeubles résidentiels, locaux commerciaux ou professionnels), en assume la gestion et les revend avec profit au moment opportun. *Elle se préoccupe d'être à l'affût des bonnes occasions d'acheter ou de vendre afin de faire croître les profits de ses clients.*
CLÉO 423.35   S/C

GÉRIATRE Personne qui, en tant que médecin spécialiste, s'occupe du diagnostic et du traitement des maladies des personnes âgées. À cette fin, elle prend connaissance des antécédents médicaux de la personne, effectue des analyses ou pose un diagnostic, donne les soins, prescrit les médicaments ou les traitements appropriés et recommande des services à domicile au besoin. *Elle veille à assurer un suivi médical afin de favoriser les meilleures conditions possible de santé et le mieux-être de la personne.*
CLÉO 523.71   U

GESTIONNAIRE DE RÉSEAU Personne qui fait l'installation de micro-ordinateurs (station ou serveur) et du matériel périphérique (imprimantes, scanners, etc.) dans un réseau informatique interne. Elle s'occupe de monter, de tester, de dépanner, de faire la configuration des ordinateurs et des périphériques et veille à la sauvegarde et à la sécurité des données. Elle intervient également pour résoudre les problèmes électroniques et informatiques du réseau. *Elle se préoccupe d'assurer un lien adéquat et efficace entre les unités de façon à assurer le bon fonctionnement du réseau.*
CLÉO 721.08   C/U

GOUVERNANT, GOUVERNANTE Personne qui, en résidence familiale, s'occupe du bien-être, de la sécurité et de l'éducation d'un ou de plusieurs enfants afin d'aider ou de jouer le rôle des parents en leur absence. Elle s'occupe, entre autres, de divertir et surveiller les enfants, de leur donner et enseigner les soins d'hygiène, de voir à leur développement personnel et social en collaboration avec les parents et d'effectuer des tâches d'entretien ménager et de soutien familial qui lui sont demandées. *Elle s'efforce d'établir une relation de confiance chaleureuse avec les enfants et de jouer un rôle à la fois actif dans leur éducation et en accord avec les valeurs et les principes des parents.*
CLÉO 516.03   S

GRAPHISTE Personne qui conçoit, réalise et met en page du matériel graphique et visuel (images fixes, montages de textes et d'images, graphiques, etc.) généralement destiné à des publications imprimées (livres, revues, journaux, affiches publicitaires, etc.). À cette fin, elle analyse les besoins du client, prépare des esquisses, les présente pour approbation, apporte des corrections, s'il y a lieu, et réalise ou fait réaliser le matériel dans sa forme finale à l'aide de logiciels de conception et de traitement graphique. Lorsque l'essentiel de son travail s'effectue au moyen de nouvelles technologies de l'information, on la désigne plutôt sous le nom d'infographiste. Elle peut, dans ce cas, appliquer ses compétences dans d'autres domaines que l'imprimé, notamment en production audiovisuelle ou multimédia (design de pages-écran destinées à des publications électroniques, des CD-Rom, des sites internet, etc.). *Elle doit faire preuve de créativité et de sens artistique afin de créer des concepts visuels originaux, bien adaptés aux besoins de communication du client et aux caractéristiques du public cible.*
CLÉO 626.04   U/C

Un **graphiste** travaille sur des images
à sa table de numérisation
PHOTO: Sygma/Publiphoto

GRAPHOANALYSTE Personne qui analyse et compare des spécimens d'écriture en vue d'établir l'authenticité d'un document, d'en identifier l'auteur ou de déceler une imposture dans certaines affaires juridiques ou qui établit le profil de personnalité d'une personne à partir d'une analyse des éléments caractéristiques de son écriture. *Elle veille à fonder ses jugements sur une analyse minutieuse afin de fournir une expertise fiable.*
CLÉO 531.24   C

GRAVEUR, GRAVEUSE D'ART Personne qui conçoit des oeuvres picturales qu'elle réalise en plusieurs exemplaires à partir de plaques de métal, de pierres ou de linoléum qu'elle grave à l'aide d'un burin ou à l'eau forte. Elle réalise toutes les étapes (conception, dessins, gravure, application des couleurs et impressions). *Elle s'efforce de faire preuve d'originalité et de ne négliger aucun détail afin de produire des estampes de qualité.*
CLÉO 626.07   U

GRAVEUR, GRAVEUSE D'ART (ORFÈVRERIE) Personne qui grave, à l'aide de fins outils, des motifs ou des inscriptions sur des articles en métal comme de l'argenterie, des trophées et des bijoux. À cette fin, elle revêt la pièce à graver d'une fine poudre, inscrit les points de repère nécessaires et trace le motif ou l'inscription à l'aide de pointes à graver. *Elle s'efforce de faire preuve d'originalité et de ne négliger aucun détail afin de produire des travaux de grande qualité.*
CLÉO 627.06   U

G
GRE

GRÉEUR, GRÉEUSE Personne qui installe et répare le gréement (objets et appareils de propulsion et de manoeuvre) des navires et les appareils de levage servant à hisser, à déplacer et à mettre en place les machines, l'équipement et les marchandises. *Elle s'efforce de respecter les mesures de sécurité afin d'éviter tout risque d'accident.*
CLÉO 232.35   S

GREFFIER, GREFFIÈRE Personne qui, à titre d'officier de justice, est responsable de l'administration du greffe d'un tribunal, lieu où l'on conserve les archives, les actes de procédure, les pièces qui les appuient et les minutes des jugements. Elle exerce des fonctions administratives liées à la préparation des audiences, à la planification des agendas de la cour, à la transcription des témoignages ou encore à la formation des jurés. Dans certains greffes (Cour d'appel, Cour provinciale, Cour supérieure), elle est investie, en plus de ses fonctions administratives, du pouvoir de rendre jugement dans des causes non contestées par la partie défenderesse ou liées à la procédure d'appel. *Elle doit connaître à fond la procédure entourant la préparation, le déroulement et le suivi des audiences afin*

d'administrer efficacement le greffe dont elle est responsable et d'exercer, s'il y a lieu, ses pouvoirs judiciaires de façon impartiale et dans le respect des lois s'appliquant aux causes dont elle s'occupe.
CLÉO 321.04   C/U

GREFFIER-AUDIENCIER, GREFFIÈRE-AUDIENCIÈRE Personne qui, à titre d'officier de justice, assiste le tribunal au cours de l'audition d'une cause. Elle doit, entre autres, accompagner le juge pour assurer sa sécurité, veiller à l'application du protocole de la cour, assermenter les témoins, maintenir l'ordre dans la salle d'audience, recueillir les pièces à conviction déposées par les parties et s'occuper de la procédure entourant la conduite des témoins, des avocats et des jurés. *Elle se préoccupe de seconder efficacement le juge en veillant au bon déroulement des audiences afin de maintenir l'ordre et d'accélérer la procédure.*
CLÉO 321.03   C/U

GRUTIER, GRUTIÈRE Personne qui conduit une grue servant à hisser, à déplacer divers objets et à mettre en place de l'équipement et des matériaux dans les chantiers maritimes, les chantiers de construction et les sites industriels. *Elle s'efforce d'effectuer avec soin les différentes manoeuvres et de respecter les normes établies de manière à assurer la sécurité du personnel.*
CLÉO 241.22   S

GUIDE ACCOMPAGNATEUR, GUIDE ACCOMPAGNATRICE Personne qui accueille les participants d'un voyage organisé au point de départ et qui les accompagne tout au long du voyage afin de voir à son bon déroulement, de prendre en charge les démarches d'organisation (vérification de réservations d'hôtel et de transport, règlement des problèmes d'itinéraire ou d'hébergement, planification des repas et des activités, etc.), d'animer les différentes visites en présentant les points d'intérêt et de s'occuper du bien-être et de la sécurité des voyageurs. *Elle veille à planifier soigneusement tous les aspects du voyage (itinéraire, activités, horaire, transport, repas, etc.) et à bien se renseigner sur les sites visités afin d'assurer le bon déroulement du voyage.*
CLÉO 513.05   C

GUIDE DE CHASSE ET DE PÊCHE Personne qui accompagne les gens dans les excursions de chasse ou de pêche pour leur indiquer les endroits où le gibier et les poissons sont en plus grand nombre. Elle s'occupe, entre autres, de l'établissement de l'itinéraire des expéditions, de l'organisation du transport et de la préparation du matériel et des accessoires. Elle donne également des conseils sur les mesures de sécurité et assure

les premiers soins dans les cas d'urgence. Elle prépare, s'il y a lieu, les repas pour les membres du groupe et organise le campement. *Elle s'efforce de bien conseiller ses clients sur le type d'armes ou d'appâts à utiliser afin de leur assurer de bonnes prises et de veiller à ce qu'aucune infraction à la loi ne soit commise.*
CLÉO 514.09   S

Une **guide touristique** amène un groupe de touristes en croisière
PHOTO: Collège Mérici

GUIDE TOURISTIQUE Personne qui accompagne des groupes de personnes ou des personnes au cours d'excursions ou de visites d'un lieu particulier (musée, parc, site historique, etc.) ou de divers lieux d'une région donnée afin de les renseigner sur les points d'intérêt du site ou sur la géographie, l'histoire et le milieu naturel de la région visitée. *Elle veille à bien connaître les particularités du site ou des différents lieux visités afin de pouvoir renseigner les gens et rendre ainsi leur visite intéressante et agréable.*
CLÉO 513.04   C

H

HABILLEUR, HABILLEUSE Personne qui aide les artistes de la scène (spectacle, cinéma, télévision, théâtre, etc.) à revêtir et à enlever leurs costumes et qui effectue les tâches relatives à la gestion des costumes (pressage, nettoyage, retouches, rangement, transport, etc.). *Elle veille à ce que les costumes soient prêts en temps voulu et demeurent impeccables pendant la durée de la production.*
CLÉO 624.37   S

HÉMATOLOGUE Personne qui, en tant que médecin spécialiste, voit au diagnostic, au traitement et à la prévention des maladies du sang (anémie, cancer, etc.) et des organes où se forment les globules (moelle osseuse, rate, ganglions, etc.). À cette fin, elle examine la personne, lui fait passer des tests et analyses afin d'obtenir des renseignements sur son état de santé, analyse les résultats et pose un diagnostic. Elle prescrit à son patient les médicaments ou les traitements appropriés, lui donne des conseils sur son régime alimentaire et assure un suivi dans le cas de traitements. Elle est également responsable de la qualité et de l'interprétation des analyses effectuées au laboratoire d'hématologie. *Elle veille à être précise dans son diagnostic afin de donner les meilleurs soins possible à ses patients.*
CLÉO 523.36   U

HÉRALDISTE Personne qui conçoit et réalise des modèles et dessins pour des emblèmes diversifiés (armoiries, emblèmes sportifs) en vue d'illustrer les traditions ou les caractéristiques de sa clientèle. *Elle a le souci de créer des armoiries et des emblèmes originaux (forme, couleur, précision du symbole utilisé) qui correspondent aux demandes des clients.*
CLÉO 626.12   C/U

HERPÉTOLOGISTE Personne qui, à titre de spécialiste des reptiles, de leur mode de vie et de leur rôle dans les écosystèmes, effectue des recherches et des travaux de terrain (inventaire, surveillance et aménagement des habitats naturels, etc.) en vue d'étudier les caractères spécifiques des espèces, d'en protéger la biodiversité, de contrôler

le développement des populations ou de mettre au point des antidotes au venin de certaines espèces ou des utilisations possibles des reptiles et des produits qu'on peut en tirer. Elle peut aussi soigner des reptiles élevés en captivité ou en liberté surveillée dans un établissement écotouristique, une réserve faunique ou un institut de recherche et fournir des services-conseil dans le cadre de projets relatifs à l'écologie, l'écotourisme ou la diffusion des connaissances scientifiques sur les reptiles.
CLÉO 113.15   U

HISTORIEN, HISTORIENNE Personne qui effectue des recherches en vue de reconstituer et d'interpréter les faits (sociaux, humains, économiques, politiques) qui ont marqué l'histoire d'une collectivité humaine et son évolution au cours d'une période plus ou moins longue du passé. À cette fin, elle recueille de l'information par l'intermédiaire de documents, d'archives, d'objets d'époque et de témoignages, en évalue l'authenticité et la valeur historique, met les faits en relation, en établit l'ordre chronologique, tente d'en expliquer les causes et les facteurs d'influence et présente le résultat de ses recherches sous une forme écrite ou orale (livre, article de revue, rapport de recherche, conférence, film documentaire, etc.). Elle peut également se consacrer à l'enseignement de l'histoire ou s'occuper de la conservation et de la mise en valeur de lieux, de documents ou d'objets historiques pour le compte d'un service gouvernemental, d'une société ou d'un musée voué à l'histoire.
CLÉO 631.04   U

HISTORIEN, HISTORIENNE DE L'ART Personne qui, à titre de spécialiste des courants artistiques et des différentes formes d'art (peinture, sculpture, orfèvrerie, architecture, etc.) depuis l'Antiquité jusqu'à nos jours, effectue des recherches pour approfondir la compréhension de l'art et la connaissance des oeuvres dans un domaine particulier, s'occupe de la conservation et de la diffusion d'oeuvres d'art pour le compte d'un musée, d'une société privée ou d'un service gouvernemental voué aux arts et à la culture, est responsable,

dans une bibliothèque universitaire ou publique, de l'achat et du classement de divers types de documents sur l'art (livres d'art, documents visuels et audiovisuels) ou encore agit comme critique d'art pour le compte d'un média d'information. Elle peut également se consacrer à l'enseignement de l'histoire de l'art ou rédiger des textes sur l'art destinés à divers produits (livres, films, documentaires télévisés, CD-Rom, etc.).
CLÉO 631.05   U

HOMÉOPATHE Personne qui soigne les gens au moyen de remèdes dont les substances, à doses extrêmement diluées, produisent les mêmes symptômes que la maladie et la combattent ainsi en stimulant la résistance de l'organisme. Par les antécédents médicaux de la personne, elle diagnostique la pathologie, prescrit la médication susceptible de permettre une amélioration de l'état de santé et donne des conseils et de l'information qui visent à responsabiliser la personne dans sa démarche de recouvrement de la santé.
CLÉO 524.04   U

HOMME, FEMME D'ÉQUIPAGE DE CHAR D'ASSAUT Personne qui, en tant que membre des forces armées, est responsable du fonctionnement et de l'entretien d'un véhicule de reconnaissance ou d'un char d'assaut et des armes et appareils de télécommunication de ces véhicules. Elle doit, entre autres, conduire le véhicule, charger et utiliser les armes au besoin, entretenir l'équipement de télécommunication, utiliser l'équipement radio, rassembler et transmettre l'information sur l'ennemi. *Elle se préoccupe du bon fonctionnement de son véhicule afin de contribuer au succès de la mission.*
CLÉO 333.28   S

HORLOGER, HORLOGÈRE Personne qui démonte, répare, nettoie, règle et assemble les différentes parties des mécanismes des montres et des horloges (barillet à ressort, balancier, roue de rencontre, mécanisme de réglage, etc.) en vue de les mettre en bon état de fonctionnement. Elle examine les montres et horloges défectueuses afin d'identifier le problème et d'évaluer les coûts de réparation puis procède à la réparation. *Elle a le souci de bien examiner les pièces pour déceler toute défectuosité afin d'offrir un service de qualité.*
CLÉO 231.21   S

HORLOGER-RHABILLEUR, HORLOGÈRE-RHABILLEUSE Personne qui répare, nettoie, règle et fabrique les pièces et les mécanismes d'horlogerie et de minuterie dans plusieurs appareils horaires électriques, mécaniques ou électroniques. Elle examine l'appareil, détecte le problème, évalue le coût des réparations, en avise le client puis procède à la remise en état. *Elle a le souci d'exa-*

miner avec attention les différentes pièces qui composent les mécanismes (balanciers, roues, spirales, etc.) afin de déceler toute défectuosité et ainsi apporter les réparations nécessaires.
CLÉO 231.22   S

HUISSIER, HUISSIÈRE Personne qui est chargée de remettre en mains propres aux personnes concernées les actes de procédure émanant des tribunaux (assignation à comparaître, requête en divorce, poursuite civile ou criminelle, etc.), de voir à l'exécution de jugements rendus par la cour (saisie de biens, mandat d'amener, ordre d'expulsion, injonction de paiement, etc.) et de procéder à des constatations matérielles visant à recueillir des éléments de preuve dans certaines causes. *Elle veille à agir avec impartialité et diplomatie auprès des personnes en cause et à faire preuve de fermeté au besoin afin d'éviter les affrontements que ses interventions peuvent provoquer.*
CLÉO 321.05   C

HUMORISTE Personne qui conçoit et présente en public un spectacle (monologue, sketch, mime, imitation, etc.) en vue de faire rire ou d'amuser son auditoire.
CLÉO 625.02   U

HYDROGÉOLOGUE Personne qui effectue des recherches et des analyses sur les nappes d'eau souterraines, sur la qualité de ces eaux, l'implantation de puits, la préservation de la qualité des nappes exploitées et leur décontamination. Elle est responsable du choix des emplacements de puits, des procédés de forage, de la conception des installations, de l'équipement et des matériaux requis, bref, de tous les travaux techniques entourant l'exploitation de l'eau souterraine. Elle peut également s'occuper de la gestion des ressources humaines, matérielles et financières nécessaires à la réalisation des projets.
CLÉO 111.17   U

HYDROGRAPHE Personne qui utilise des techniques de télédétection (images de la Terre fournies par satellite) et des instruments électroniques sophistiqués pour établir des cartes des rives, des cours d'eau, des fonds marins, des marées et des courants. Elle peut également localiser la position précise en mer de balises, plates-formes de forage ou autres éléments de surface.
CLÉO 112.11   U

HYDROLOGUE Personne qui effectue des recherches sur les propriétés des eaux du globe (cours d'eau, océans, nappes souterraines), leur distribution, leur circulation et leur utilisation par l'homme. À cette fin, elle participe à la conception d'aménagements (barrages, digues, égouts pluviaux, etc.) destinés à maîtriser l'écoulement

des eaux de pluie ou de crues, le débit et le niveau des cours d'eau et l'érosion des berges, elle évalue la qualité de l'eau et les réserves disponibles et met en place des programmes de lutte contre la pollution de l'eau.
CLÉO 111.15 U

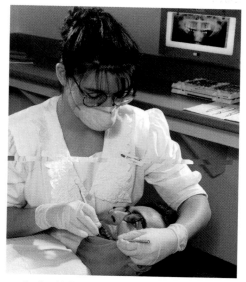

Une **hygiéniste dentaire** procède à un nettoyage des dents afin d'enlever la plaque et le tartre
PHOTO: Collège François-Xavier-Garneau

HYGIÉNISTE DENTAIRE Personne qui s'occupe de la prévention des maladies des dents et des gencives en éduquant la clientèle sur les soins d'hygiène nécessaires à une bonne santé bucco-dentaire et en effectuant les nettoyages et les polissages destinés à éliminer les taches, la plaque et les dépôts de tartre à l'origine des caries et des maladies gingivales. Elle doit, entre autres, signaler au dentiste tout signe de déficience ou de lésion bucco-dentaire qu'elle décèle au cours du nettoyage et se charge aussi de prendre et de développer les radiographies dont le dentiste a besoin pour évaluer l'état de santé bucco-dentaire de ses patients. *Elle s'efforce de faire preuve de tact et de persuasion afin d'inciter les clients à adopter de bonnes habitudes d'hygiène dentaire. Elle doit aussi effectuer les nettoyages avec minutie afin de préserver la santé des dents et des gencives.*
CLÉO 523.82 C

HYGIÉNISTE INDUSTRIEL, HYGIÉNISTE INDUSTRIELLE Personne qui étudie les conditions de travail (santé et sécurité) et évalue les dangers physiques, chimiques et le stress présents dans le milieu en vue de favoriser un rendement optimal. Elle vérifie, entre autres, la qualité de l'air, l'efficacité de l'éclairage, l'intensité des bruits en

effectuant des tests et des analyses, et propose des mesures et des moyens visant à éliminer ou réduire les risques et dangers potentiels. *Elle est soucieuse de bien instaurer les programmes d'hygiène et d'informer le personnel sur les moyens d'éviter les maladies, les blessures ou l'inconfort.*
CLÉO 211.12 U

HYPNOTHÉRAPEUTE Personne qui hypnotise une personne, c'est-à-dire qui l'amène à un état d'abandon de sa volonté, afin de lui apporter une aide. Elle peut intervenir avec d'autres spécialistes, par exemple, en obstétrique ou en dentisterie, pour permettre des interventions sans douleur ou encore pour travailler à la résolution de problèmes liés à l'anxiété, à l'alimentation, aux phobies ou au tabagisme. *Elle se préoccupe de créer un climat de confiance propice à la création d'un état hypnotique afin de pouvoir apporter l'aide nécessaire à la personne.*
CLÉO 531.03 C/U

H
HYP

ICHTYOLOGISTE Personne qui, à titre de spécialiste des poissons, de leur mode de vie et de leur rôle dans les écosystèmes aquatiques, effectue des recherches et des travaux de terrain (inventaire, surveillance et aménagement des habitats naturels, etc.) en vue d'étudier les caractères spécifiques des espèces, d'en protéger la biodiversité, de contrôler le développement des populations et de découvrir des applications possibles des découvertes sur les poissons dans différents domaines (pisciculture, pêche, alimentation, médecine, etc.). Elle peut aussi diriger les activités d'aménagement et d'élevage d'un établissement piscicole, d'un aquarium public ou d'un institut de recherche ou fournir des services-conseil dans le cadre de projets relatifs à l'exploitation ou à la protection des ressources piscicoles ainsi qu'à la diffusion des connaissances scientifiques sur les poissons.
CLÉO 113.13   U

IDÉATEUR, IDÉATRICE Personne qui agit à titre de conseillère auprès de producteurs de différents domaines culturels ou artistiques (édition, télévision, cinéma, muséologie, tourisme récréatif, multimédia, etc.) en vue d'élaborer le concept préliminaire, le style de présentation et les grandes orientations d'un projet de production qui serviront de base à sa réalisation. À cette fin, elle effectue une analyse des objectifs de communication de la production, du type de contenu envisagé, des caractéristiques de la clientèle visée et des contraintes matérielles ou techniques dont elle doit tenir compte. Elle cherche l'idée maîtresse qui pourrait répondre aux paramètres du projet et elle fournit des avis sur différents aspects de la production (développement et organisation du contenu, style artistique ou littéraire, format et support de présentation) en vue d'orienter le travail de l'équipe de réalisation et d'assurer la cohérence et l'harmonie de l'ensemble et présente généralement au client un document dans lequel elle expose sa vision du projet. *Elle veille à bien cerner les objectifs visés, à trouver l'idée maîtresse idéale et à faire preuve d'originalité et de créativité afin d'assurer le succès du projet.*
CLÉO 711.05   U

Malgré les progrès en informatique, les pinceaux et les crayons ont toujours leur place sur la table de l'**illustrateur**
PHOTO: Explorer/Publiphoto

ILLUSTRATEUR, ILLUSTRATRICE Personne qui conçoit et réalise, à la main ou à l'aide d'un logiciel de dessin, des illustrations destinées à représenter en images divers contenus d'information à caractère réaliste ou fantaisiste, pour les besoins d'un imprimé (livre, revue, affiche publicitaire, emballage ou couverture d'un produit, etc.) ou d'une production électronique (publicité ou émission télévisée, vidéo, film, produit multimédia). Elle peut travailler à son compte ou dans une entreprise du domaine des communications (agence de publicité, maison d'édition, studio de graphisme, etc.) et se spécialiser dans un type particulier d'illustration (enfantine, publicitaire, éditoriale, humoristique, scientifique, etc.). Elle peut également faire du dessin d'animation ou de l'illustration par ordinateur. *Elle se préoccupe de bien saisir le sens du texte, l'idée, l'émotion ou le concept à illustrer et de produire des illustrations originales afin de répondre aux besoins de communication des clients.*
CLÉO 626.02   C/U

ILLUSTRATEUR, ILLUSTRATRICE DE PUBLICATION TECHNIQUE Personne qui fait ou choisit les illustrations destinées à accompagner les textes dans divers types de publications (journal, magazine, livre, etc.). Elle choisit et dispose les illustrations et prépare les dessins ou maquettes qui serviront à la présentation visuelle d'un ouvrage. *Elle a le souci de s'assurer que les illustrations conviennent aux articles et soient bien disposées afin d'obtenir une publication de qualité.*
CLÉO 626.03   C

IMITATEUR, IMITATRICE Personne qui conçoit et présente au public des numéros dans lesquels elle imite la voix, l'expression faciale et gestuelle ainsi que le comportement de personnalités connues (artistes, animateurs, politiciens, etc.) en vue de divertir et de faire rire les spectateurs.
CLÉO 625.04   C

Une **immunologue** devant un incubateur de cellules pour la culture in vitro
PHOTO: Marc Robitaille/Univ. Laval–Centre de production multimédia

IMMUNOLOGUE Personne qui, à titre de spécialiste de la microbiologie, effectue des recherches sur les mécanismes de défense de l'organisme humain contre les microbes, les virus, les tumeurs et toute substance qui induit la formation d'anticorps et sur les mécanismes de résistance et les problèmes liés aux transplantations d'organes et aux allergies. À cette fin, elle effectue des prélèvements, des tests et des analyses visant à identifier le problème, pose un diagnostic et apporte les traitements appropriés. Elle travaille également à la mise au point de traitements pour des maladies chroniques (allergies, sclérose, etc.), assure parfois la coordination d'une équipe de recherche et rédige des rapports et des articles scientifiques. *Elle se préoccupe de l'avancement des méthodes diagnostiques et des traitements.*
CLÉO 612.33   U

IMPORTATEUR-EXPORTATEUR, IMPORTATRICE-EXPORTATRICE Personne qui planifie et dirige les activités liées à l'exploitation d'un commerce d'importation ou d'exportation de marchandises. Elle s'occupe, selon le cas, des commandes de marchandises à l'étranger, de la gestion des inventaires, de l'entreposage et de la distribution des importations ou de la vente de marchandises à l'étranger et de leur expédition par l'intermédiaire des compagnies de transport appropriées. *Elle se préoccupe d'effectuer les transactions commerciales les plus avantageuses possible afin d'assurer la rentabilité de l'entreprise.*
CLÉO 432.02   C

IMPRÉSARIO Personne qui s'occupe de gérer la carrière d'artistes ou de groupes artistiques dans un domaine particulier du spectacle (cinéma, théâtre, musique, danse, etc.). À cette fin, elle présente les artistes qu'elle représente aux producteurs et à la colonie artistique afin de les faire connaître, de leur procurer des engagements professionnels, de négocier leurs cachets et les modalités de leurs contrats. Elle s'occupe également de tous les arrangements entourant la publicité, des relations avec les médias, des événements promotionnels, de l'agenda de travail et conseille les artistes sur toute question relative à leur image publique et à leur carrière. *Elle doit avoir de nombreuses relations dans le milieu artistique et médiatique et veille à se tenir à l'affût de tous les projets de production en préparation afin d'amener aux artistes qu'elle représente des occasions d'engagement.*
CLÉO 624.06   U

INFIRMIER, INFIRMIÈRE Personne qui identifie les besoins des gens en matière de santé et qui planifie et prodigue les soins nécessaires au rétablissement ou au maintien de leur bien-être. Elle surveille l'état de santé de la personne, lui administre les traitements et les médicaments selon l'ordonnance du médecin, observe ses réactions et tient un dossier médical afin d'informer le médecin. *Elle a le souci de surveiller attentivement les réactions de la personne au traitement ou aux médicaments afin de prévenir les personnes responsables en cas de problème et de permettre d'apporter les changements ou rectifications aux soins de santé.*
CLÉO 522.06   C

INFIRMIER, INFIRMIÈRE AUXILIAIRE Personne qui donne les soins généraux de santé aux personnes dans des centres hospitaliers, des centres d'accueil ou à domicile. Elle s'occupe, entre autres, de prendre la température, le pouls, la tension artérielle, de donner les médicaments, de distribuer les repas et de donner les bains. *Elle veille à observer attentivement les comportements et réactions de la personne et à déceler tout changement d'état afin de le signaler et de donner des soins appropriés et efficaces.*
CLÉO 522.07   S

INFIRMIER, INFIRMIÈRE DE SERVICE TÉLÉPHONIQUE Personne qui fournit des services d'assistance téléphonique dans le cadre d'un programme cible et de référence en matière de santé (Info-santé, Centre anti-poison, etc.) en vue d'évaluer la nécessité ou l'urgence d'une intervention médicale, de diriger les gens vers les services de santé appropriés et de leur indiquer les soins à donner pour soigner un malaise sans gravité ou pour soulager une douleur passagère. Elle répond également à toute demande d'information et

d'assistance sur tout sujet relatif à la santé en général (grossesse, allaitement, alimentation, maladie sexuellement transmissible, etc.). *Elle s'efforce de faire preuve d'une grande capacité d'écoute et d'un solide jugement afin de comprendre la nature du problème décrit et d'évaluer correctement la situation afin de diriger les gens vers les ressources adéquates au besoin.*
CLÉO 522.12 C

INFIRMIER, INFIRMIÈRE EN CHEF Personne qui est responsable de l'ensemble des activités de soins infirmiers d'une unité ou d'un service de soins et qui s'assure que l'on répond aux besoins de la clientèle en matière de soins. À cette fin, elle participe à la mise sur pied des politiques et de la procédure à respecter dans l'unité de soins, veille à leur application, supervise et encourage le personnel et assume la gestion des ressources humaines, matérielles et financières du département. *Elle veille au bon fonctionnement du département, au maintien de la qualité et de l'efficacité des soins donnés aux bénéficiaires.*
CLÉO 522.05 U

Une **infirmière auxiliaire** injecte un médicament par voie sous-cutanée
PHOTO: Ordre des infirmières et infirmiers auxiliaires du Québec

INFIRMIER, INFIRMIÈRE EN CHIRURGIE Personne qui assure les soins infirmiers à donner avant, pendant et après une intervention chirurgicale et qui assiste l'équipe de chirurgie en salle d'opération en vue de collaborer au bon déroulement de l'intervention chirurgicale. Elle doit, entre autres, évaluer, planifier et donner les soins nécessaires

pendant les périodes pré, per et postopératoire, donner un soutien psychologique à la personne et préparer les appareils, instruments et matériel nécessaires en salle d'opération. *Elle est soucieuse de la stérilité de l'environnement et des instruments afin d'assurer la sécurité de la personne opérée et le succès de l'intervention.*
CLÉO 523.68 C

INFIRMIER, INFIRMIÈRE EN SANTÉ AU TRAVAIL Personne qui donne des soins infirmiers et des services de santé dans un milieu de travail. Elle travaille, entre autres, à la prévention, à l'évaluation clinique et au dépistage de maladies. Elle applique des programmes de promotion de la santé, évalue les postes de travail en vue de retraits préventifs, donne les premiers soins en cas d'urgence et assume la gestion des dossiers de lésions ou de maladies professionnelles. *Elle veille à favoriser le bien-être et le rendement du personnel.*
CLÉO 522.11 C

INFIRMIER, INFIRMIÈRE PSYCHIATRIQUE Personne qui donne des soins infirmiers spécifiques à des personnes atteintes de maladie mentale, de troubles psychiques ou de désordres émotionnels nécessitant un traitement en milieu psychiatrique. À cette fin, elle applique les ordonnances médicales, participe à l'élaboration d'un plan de traitement en collaboration avec d'autres intervenants (psychiatre, psychologue, travailleur social, etc.) et assiste les patients et leurs proches, s'il y a lieu, dans l'acquisition de nouvelles habitudes, de comportements ou d'attitudes visant à faciliter leur réintégration dans leur milieu familial, social et professionnel. *Elle se préoccupe d'établir une relation efficace avec les patients afin de favoriser le rétablissement optimal de leur santé mentale ou de leur équilibre émotionnel. Elle veille à déceler tout signe annonciateur d'une amélioration ou d'une détérioration de l'état des patients afin d'adapter ses interventions en conséquence ou de signaler leurs besoins aux professionnels responsables.*
CLÉO 523.74 C

INFIRMIER, INFIRMIÈRE SCOLAIRE Personne qui donne des soins infirmiers et des services de santé en milieu scolaire en vue de favoriser l'adoption de saines habitudes. À cette fin, elle conçoit des programmes de santé adaptés aux besoins des jeunes, offre des services de consultation individuelle, prépare des interventions éducatives de groupe au sujet de l'hygiène, des maladies et de leur prévention et administre les premiers soins en cas d'urgence. *Elle se préoccupe de la santé globale des élèves et veille à donner le soutien nécessaire au personnel enseignant afin de favoriser l'autoresponsabilisation des jeunes quant à leur santé.*
CLÉO 522.10 C

INFOGRAPHE EN PRÉIMPRESSION Personne qui effectue à l'ordinateur la réalisation technique de documents graphiques destinés à être imprimés et qui les reproduit sur des supports d'impression. À cette fin, elle prend connaissance des indications fournies par le graphiste, saisit sur ordinateur les différents éléments du document (titres, textes, dessins, photos, graphiques et tableaux de données), en réalise l'assemblage et la disposition selon la maquette, effectue des retouches et la sélection des couleurs, produit les épreuves de vérification et prépare les films, les plaques et autres supports pour l'impression du document. Elle peut se spécialiser en conception typographique et s'occuper de concevoir et de réaliser la mise en pages sur ordinateur des composantes d'un document à imprimer ou encore en traitement de l'image en se chargeant de déterminer les moyens de reproduction d'un document en couleurs selon les conditions d'impression prévues. *Elle doit faire preuve d'une grande minutie pour produire un montage conforme aux indications reçues et rester à l'affût des nouvelles technologies ou méthodes de travail susceptibles d'élargir ses compétences.*
CLÉO 235.03   C

INFOGRAPHISTE Personne qui, à l'aide de logiciels de conception graphique et de traitement visuel de l'information, conçoit et réalise le design visuel de pages destinées à l'impression ou de pages-écrans destinées à une production audiovisuelle ou multimédia. À cette fin, elle prend connaissance du concept du produit ou des spécifications fournies et, selon le type de produit auquel elle travaille (livre, revue, affiche, film d'animation, publicité télévisée, CD-Rom, site web, etc.), conçoit ou agence entre elles des composantes visuelles et graphiques variées (dessins d'illustration, images de synthèse, titres et autres éléments calligraphiques, montage d'images et de textes, graphiques et tableaux de données, etc.), fixes ou animées, en deux ou trois dimensions. *Elle s'efforce de traiter efficacement tous les aspects artistiques et techniques afin de mettre au point le véhicule le plus efficace et esthétique possible pour transmettre l'idée, le message ou le contenu donné.*
CLÉO 626.05   U/C

INGÉNIEUR, INGÉNIEURE AGRICOLE Personne qui étudie et propose des solutions en vue de résoudre divers problèmes liés à l'exploitation agricole et à l'industrie agroalimentaire. Elle conçoit, planifie et supervise la fabrication et l'entretien de bâtiments, de machines et d'outils agricoles, de machines destinées à la mécanisation des travaux agricoles et de systèmes et procédés pour la manutention. Elle peut également planifier la fabrication de systèmes pour le traitement, la conservation et la transformation de produits agricoles et alimentaires ou encore de systèmes de gestion des sols, de l'eau (drainage, irrigation, etc.), des déchets animaux et d'utilisation de l'énergie. Elle se spécialise habituellement dans l'un ou l'autre des domaines mentionnés ci-dessus. *Elle a le souci de proposer des solutions qui permettent d'accroître la production des entreprises et la commercialisation des produits et d'améliorer la protection de l'environnement agricole.*
CLÉO 124.09   U

L'expertise des **ingénieurs agricoles** a permis la conception de ce prototype adapté à la culture des canneberges
PHOTO: Michel Bourassa/Univ. Laval–Centre de production multimédia

INGÉNIEUR ALIMENTAIRE, INGÉNIEURE ALIMENTAIRE (REPRÉSENTATION TECHNIQUE ET VENTE) Personne qui agit comme experte-conseil auprès des entreprises du domaine de la transformation des produits alimentaires. Elle participe également à la mise au point de nouveaux procédés et équipements en vue de les vendre aux entreprises. À cette fin, elle détermine les besoins de l'entreprise, lui propose de l'équipement et des procédés et donne la formation nécessaire à l'utilisation du nouveau matériel. *Elle a le souci d'assurer un suivi auprès des clients en leur offrant des services techniques.*
CLÉO 228.19   U

INGÉNIEUR BIOMÉDICAL, INGÉNIEURE BIOMÉDICALE Personne qui conçoit et élabore des méthodes, de l'équipement et des instruments servant en clinique et aux diagnostics médicaux et en assure l'installation. Elle conseille les administrateurs hospitaliers en ce qui concerne la planification, l'acquisition, l'utilisation et l'entretien de l'appareillage médical. *Elle veille à assurer une bonne gestion des technologies médicales et à être à la fine pointe des découvertes scientifiques afin de pouvoir assurer le mieux-être des personnes malades et d'améliorer leur traitement.*
CLÉO 525.11   U

INGÉNIEUR, INGÉNIEURE CHIMISTE Personne qui conçoit et met au point des procédés de fabrication de produits destinés à la transformation chimique ainsi que les installations nécessaires pour effectuer ces transformations

(raffinage du pétrole, fabrication du papier, etc.). Elle s'occupe, entre autres, de superviser la construction des installations et d'en vérifier le fonctionnement. Elle assure également la qualité des produits en cherchant à améliorer les procédés utilisés pour la transformation des matières premières. Elle peut travailler dans différents secteurs tels que la pétrochimie, les pâtes et papiers, les produits pharmaceutiques, l'alimentation ou les plastiques. *Elle veille à assurer l'efficacité et la rentabilité des procédés tout en veillant à la prévention et à l'élimination de la pollution.*
CLÉO 229.01 U

INGÉNIEUR, INGÉNIEURE CHIMISTE DE LA PRODUCTION

Personne qui surveille, à l'aide de divers appareils et instruments, le traitement industriel et la fabrication de produits soumis à des traitements chimiques en vue de s'assurer que les installations et les appareils utilisés répondent aux normes établies. Elle doit, entre autres, déceler tout défaut de fonctionnement et adopter des mesures correctives qui permettront d'assurer un rendement maximum. Elle peut travailler dans différents secteurs tels que la pétrochimie, les pâtes et papiers, les produits pharmaceutiques, l'alimentation et les plastiques. *Elle a le souci de s'assurer de la sécurité des installations de production et du respect des normes environnementales afin de fabriquer des produits répondant à la fois aux critères de qualité et de rentabilité établis.*
CLÉO 229.04 U

INGÉNIEUR, INGÉNIEURE CHIMISTE EN RECHERCHE

Personne qui effectue des recherches et des expériences pour mettre au point de nouveaux produits et procédés de fabrication ou pour les améliorer. Elle peut travailler dans différents secteurs de l'industrie (pâtes et papiers, produits pharmaceutiques, produits alimentaires, etc.). *Elle se préoccupe de la qualité, de l'efficacité et de la rentabilité des produits et procédés.*
CLÉO 229.10 U

INGÉNIEUR, INGÉNIEURE CHIMISTE SPÉCIALISTE DES ÉTUDES ET PROJETS

Personne qui effectue des recherches et qui conçoit du matériel et des installations servant à la transformation chimique en vue de la fabrication industrielle de produits nouveaux ou améliorés (produits du pétrole, produits explosifs, etc.). Elle dirige les études de faisabilité, supervise les recherches sur la mise au point des procédés de transformation, de stockage, de transport et d'emballage et procède à l'essai des installations. *Elle veille au contrôle stratégique de la production et s'assure de la conformité aux normes tant pour les matières premières que pour les produits ou les déchets de production.*
CLÉO 229.03 U

INGÉNIEUR CIVIL, INGÉNIEURE CIVILE

Personne qui conçoit et dirige la construction de structures et d'infrastructures comme des ponts, des bâtiments, des barrages, des aéroports, des réseaux d'aqueduc et d'égouts et des réseaux routiers. À cette fin, elle procède à des études d'impact, analyse les devis estimatifs, établit des plans détaillés, visite les chantiers, surveille et coordonne les travaux. Elle peut se spécialiser en construction, en environnement, en géotechnique, en hydraulique, en structure ou encore en transport. *Elle est soucieuse de la sécurité, du respect et de la protection des gens et de l'environnement.*
CLÉO 241.01 U

INGÉNIEUR CIVIL, INGÉNIEURE CIVILE DES RESSOURCES HYDRIQUES

Personne qui, à titre d'ingénieur civil spécialisé, conçoit et coordonne la construction de structures, de bâtiments, d'aménagements et d'installations hydrauliques permettant d'utiliser l'eau des cours d'eau pour la consommation humaine (réseaux souterrains d'aqueduc et d'égouts, usines d'épuration, systèmes d'irrigation), pour le transport (aménagements portuaires, écluses) et pour la production d'énergie (barrages, turbines, centrales hydroélectriques). Elle s'occupe également de la conception et de la coordination d'aménagements nécessaires à la régulation du débit des cours d'eau, à la maîtrise des inondations et de l'érosion des rives (barrages, digues, égouts pluviaux, aménagement des berges). *Elle se préoccupe de concevoir des aménagements répondant le mieux possible aux besoins humains tout en ayant le moins possible de retombées sur l'environnement.*
CLÉO 121.01 U

INGÉNIEUR CIVIL, INGÉNIEURE CIVILE EN ÉCOLOGIE GÉNÉRALE

Personne qui conçoit divers aménagements du milieu destinés à traiter les polluants domestiques et à en maîtriser les effets sur l'eau, l'air, le sol et la santé. À cette fin, elle met au point les procédés de traitement, l'équipement et les plans de construction d'usines d'épuration de l'eau, les plans de systèmes d'évacuation des eaux d'égout, d'incinérateurs et autres moyens d'élimination des déchets domestiques, conçoit des appareils en vue de diminuer la pollution (filtreurs, ventilateurs, etc.) et veille à la réalisation des travaux d'installation et d'entretien. Elle peut également réaliser des études, déterminer les effets qu'entraîneraient certains projets (industriels, civils ou autres) sur l'environnement. *Elle s'efforce d'améliorer l'efficacité des procédés permettant de contrer la pollution et de concevoir des mesures susceptibles de minimiser les impacts sur l'environnement.*
CLÉO 132.02 U

INGÉNIEUR-CONCEPTEUR, INGÉNIEURE-CONCEPTRICE POUR LES INDUSTRIES ALIMENTAIRES Personne qui conçoit des équipements et des procédés destinés à l'industrie alimentaire en vue d'optimiser la production, d'en diminuer les coûts et de préserver ou augmenter la qualité du produit. À cette fin, elle fait des recherches auprès des utilisateurs et des chercheurs, prépare et planifie ses projets de conception et en réalise les plans et devis. *Elle s'efforce de mettre au point des équipements fiables et de qualité en tenant compte à la fois du respect de l'environnement, de la santé et de la sécurité au travail.*
CLÉO 228.07   U

INGÉNIEUR-CONSEIL, INGÉNIEURE-CONSEIL Personne qui offre des conseils sur la gestion, la production, l'inspection, l'essai, le contrôle de la qualité et les coûts rattachés à la réalisation de projets de toutes sortes. À cette fin, elle procède à des études de faisabilité et estime les coûts et le temps nécessaire à la réalisation du projet. Elle offre des services d'études et de perfectionnement au regard des méthodes de travail ou de production et d'adaptation de systèmes de commande automatique. *Elle s'efforce de faire les recommandations appropriées afin d'assurer le bon déroulement du projet.*
CLÉO 211.06   U

INGÉNIEUR, INGÉNIEURE DE L'ENVIRONNEMENT Personne qui conçoit des procédés et des équipements d'assainissement et de prévention en vue de résoudre des problèmes de pollution de l'eau, de l'air et du sol engendrés par les activités d'une industrie et qui s'occupe des travaux nécessaires à leur implantation. Elle veille également à l'application des lois et des normes gouvernementales visant à réduire la pollution de source industrielle et les risques de contamination inhérents à la manipulation, au traitement et au transport des matières et déchets toxiques. *Elle se préoccupe de mettre au point des procédés efficaces et économiques pour diminuer et contrer la pollution tout en respectant les contraintes de production et les exigences de qualité de l'industrie.*
CLÉO 132.03   U

INGÉNIEUR, INGÉNIEURE DE LA PRODUCTION AUTOMATISÉE Personne qui effectue des recherches en vue de mettre au point des systèmes d'instrumentation, de commande et d'automatisation des procédés de fabrication industrielle (robot, système de commande par ordinateur, etc.) pour les besoins des industries manufacturières. À cette fin, elle détermine, à l'aide de recherches, les objectifs et les besoins d'automatisation de l'entreprise, conçoit des systèmes de robotique adaptés aux procédés et aux exigences de fabrication des produits, prépare l'estimation des coûts

et les devis de conception, supervise l'installation et prévoit les mesures d'entretien nécessaires pour assurer leur bon fonctionnement. Elle peut également travailler à la modification de systèmes existants en vue d'en améliorer les performances. *Elle s'efforce de mettre au point des systèmes robotiques performants afin de permettre à l'entreprise d'augmenter sa productivité et la qualité de ses produits à un coût minimum.*
CLÉO 234.07   U

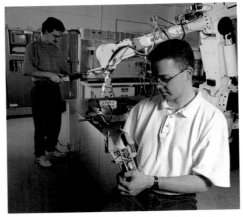

Un **ingénieur de la production automatisée** procède à la mise au point d'un système robotique
PHOTO: Paul Laliberté/Univ. Laval—Centre de production multimédia

INGÉNIEUR, INGÉNIEURE DES MÉTHODES DE PRODUCTION Personne qui élabore, planifie et instaure des méthodes de production à la chaîne afin d'obtenir le meilleur rendement possible. À cette fin, elle détermine l'ordre des opérations, organise le programme de production selon l'ordre et la durée des opérations, selon les besoins en outillage, en matières premières et en main-d'oeuvre et prépare des rapports et tableaux pour rendre compte de la production et de l'avancement des travaux. *Elle se préoccupe de concevoir des méthodes de production et de travail efficaces en vue de permettre à l'entreprise d'obtenir un rendement optimal.*
CLÉO 211.07   U

INGÉNIEUR, INGÉNIEURE DES TECHNIQUES DE FABRICATION Personne qui analyse les méthodes et procédés de fabrication et étudie le fonctionnement de l'outillage et du matériel utilisé en vue d'augmenter l'efficacité du travail et du rendement de la production de l'entreprise. À cette fin, elle détermine les besoins et les objectifs de l'entreprise et évalue le rendement de l'outillage et du matériel. *Elle veille à faire une analyse sérieuse afin d'émettre, s'il y a lieu, des recommandations de remplacement ou de modification de l'outillage et des procédés de fabrication.*
CLÉO 211.10   U

INGÉNIEUR, INGÉNIEURE DU CONTRÔLE DE LA QUALITÉ INDUSTRIELLE Personne qui élabore et met en oeuvre des programmes permettant l'évaluation constante des normes de contrôle de la qualité. À cette fin, elle conçoit des méthodes de contrôle et met au point des pratiques d'inspection, d'épreuve et d'évaluation des nouveaux matériaux et produits finis. Elle aide également les services techniques et des ventes à fixer les normes de qualité, de rendement et de fiabilité. *Elle se préoccupe de faire respecter les lois et normes établies en matière de qualité et de sécurité.* CLÉO 211.11   U

INGÉNIEUR, INGÉNIEURE DU PÉTROLE Personne qui, pour le compte d'une compagnie pétrolière, planifie, organise et coordonne les différents travaux entourant la prospection de champs pétrolifères ou de gaz naturel, le forage des puits, l'extraction du pétrole et du gaz et leur acheminement vers les pipelines. Elle détermine l'emplacement des puits, établit les méthodes de forage et le matériel nécessaire et supervise les travaux techniques. *Elle se préoccupe de la sécurité des installations afin de prévenir tout risque d'émanation, de fuite, d'incendie ou autre danger qui menacerait la vie des travailleurs et l'environnement naturel.* CLÉO 111.11   U

INGÉNIEUR, INGÉNIEURE DU SON Personne qui planifie le matériel et les méthodes d'enregistrement du son en vue d'assurer la qualité sonore d'un film, d'une émission télévisuelle ou d'un disque. À cette fin, elle établit les besoins en matériel en fonction des lieux et du déroulement prévu de la production, détermine la position et la distance des micros fixes, prévoit les déplacements des micros mobiles, règle, à l'aide de techniques acoustiques, les problèmes d'intensité sonore, de bruits indésirables ou d'écho et supervise l'installation du matériel de son ainsi que le travail des techniciens au cours des enregistrements et des séances de mixage des bandes sonores. *Elle veille à avoir une connaissance approfondie des appareils et des techniques de son afin de tirer le meilleur rendement possible des équipements et de prévoir un plan fonctionnel d'enregistrement qui permettra d'obtenir une qualité sonore aussi parfaite que possible.* CLÉO 624.53   C/S

INGÉNIEUR, INGÉNIEURE DU TEXTILE Personne qui conçoit et met au point des méthodes de fabrication, des machines et des procédés pour la fabrication de textiles en vue de répondre aux besoins particuliers de la clientèle, d'assurer l'efficacité de la production et la qualité des produits. *Elle s'efforce de mettre au point des méthodes et procédés adaptés aux besoins de son client afin d'assurer la qualité des produits et la rentabilité de l'entreprise.* CLÉO 227.02   U

INGÉNIEUR ÉLECTRICIEN, INGÉNIEURE ÉLECTRICIENNE Personne qui conçoit des plans d'installations électriques pour la production, la transmission, la distribution et l'utilisation domestique et industrielle de l'électricité. À cette fin, elle met au point des logiciels spécifiques d'exploitation et d'application, fait l'estimation des coûts et du temps nécessaires pour l'installation des systèmes et prépare les devis de conception. Elle s'occupe également de superviser la fabrication, l'installation, l'entretien et la réparation des installations électriques, d'établir des normes d'entretien et d'exploitation des systèmes et appareils électriques, de prévoir les documents contractuels et d'analyser les soumissions. *Elle s'efforce de concevoir des plans d'installations électriques sécuritaires afin de répondre aux besoins des utilisateurs en matière de chauffage, de réfrigération et d'éclairage.* CLÉO 224.04   U

INGÉNIEUR ÉLECTRONICIEN, INGÉNIEURE ÉLECTRONICIENNE Personne qui conçoit et met à l'essai des installations et des éléments électroniques utilisés dans plusieurs secteurs tels que la communication, l'informatique et la télécommunication. À cette fin, elle estime les coûts de fabrication, surveille la fabrication, le montage, la vérification et l'entretien des produits, surveille le montage des prototypes et la fabrication, l'essai et l'installation d'appareils électroniques en vue d'assurer une fabrication de haute qualité. Elle s'occupe également de rédiger des guides d'évaluation, de fonctionnement et d'entretien des installations et des éléments électroniques. *Elle veille à ce que le produit conçu réponde aux normes de sécurité et de qualité ainsi qu'aux spécifications techniques.* CLÉO 233.01   U

Des **ingénieurs en aérospatiale** travaillent au développement d'ailes à haute performance
PHOTO: Bombardier Aéronautique

INGÉNIEUR, INGÉNIEURE EN AÉROSPATIALE Personne qui conçoit divers types de véhicules aérospatiaux (avions, hélicoptères, fusées, satellites, etc.). À cette fin, elle analyse et règle toutes les questions relatives à la structure du véhicule, au choix et à la mise au point des systèmes, équipements et instruments qui en assurent le fonctionnement.

119

Elle s'occupe également de la préparation des plans et devis nécessaires à la construction ou à l'installation des composantes de l'aéronef, de la supervision des travaux et des essais de rendement et de l'établissement des mesures d'entretien et de réparation. *Elle veille au respect des conditions techniques et des normes de construction établies afin d'assurer le rendement et la sécurité du véhicule aérospatial.*
CLÉO 232.41 U

INGÉNIEUR, INGÉNIEURE EN CONSTRUCTION NAVALE

Personne qui conçoit divers types de navires, embarcations et structures flottantes. À cette fin, elle effectue des études et des calculs pour régler toutes les questions relatives au déplacement optimal, à la résistance et au rendement du bâtiment naval, dirige la préparation des plans et devis relatifs à sa construction et à l'installation des équipements choisis et surveille l'exécution des travaux de construction, d'installation, d'essai et d'inspection. *Elle veille au respect des conditions techniques et des normes de construction établies afin d'assurer la qualité et la sécurité du bâtiment naval auprès de l'armateur.*
CLÉO 232.32 U

INGÉNIEUR, INGÉNIEURE EN GÉNIE MARITIME

Personne qui conçoit divers types de machines et installations nécessaires à la propulsion et à l'utilisation des bâtiments navals (systèmes propulseurs, moteurs, installations de chauffage et de ventilation, systèmes de chargement, etc.). À cette fin, elle effectue des études et des calculs en vue de résoudre les questions relatives au choix et à la mise au point des procédés de fonctionnement, dirige la préparation des plans et des documents techniques nécessaires à la construction de la machinerie et des systèmes, surveille l'exécution des travaux de construction, d'essai et d'inspection et planifie les programmes d'entretien. *Elle s'efforce de mettre au point des machines et des systèmes aussi performants et économiques que possible.*
CLÉO 232.31 U

INGÉNIEUR, INGÉNIEURE EN GÉNIE UNIFIÉ

Personne qui intervient dans divers projets d'ingénierie qui font appel à des compétences diverses dans les domaines du génie physique, civil, électrique, mécanique ou métallurgique. Elle peut, par exemple, travailler à la conception, à la fabrication, à l'exploitation de systèmes industriels, à la gestion de projets, au marketing de produits technologiques ou encore à la planification et à l'entretien d'équipements et de bâtiments. *Elle se préoccupe à la fois des aspects technologiques et socioéconomiques et veille à proposer des solutions qui tiennent compte de l'ensemble de la situation.*
CLÉO 211.03 U

INGÉNIEUR, INGÉNIEURE EN INFORMATIQUE

Personne qui travaille à la conception et à l'exploitation d'équipements informatiques, de langages informatiques et de logiciels spécialisés en vue de leur utilisation dans des entreprises manufacturières et commerciales ou qui fournit une expertise-conseil pour aider les entreprises à choisir et à implanter des systèmes informatiques adaptés à leurs besoins. Elle peut travailler chez des fabricants d'équipements informatiques pour qui elle développe des systèmes matériels et logiciels servant à recevoir l'information, supervise la fabrication de ces systèmes et voit à leur mise en marché. À titre d'experte-conseil en entreprise, elle doit, entre autres, analyser les besoins de l'entreprise en informatique, recommander des appareils appropriés et s'occuper de l'installation des systèmes et de leur mise en opération. *Elle se préoccupe de concevoir des appareils et des logiciels informatiques adaptés aux besoins des usagers en tenant compte des facteurs humains, sociaux et économiques qui se rattachent à leur utilisation.*
CLÉO 234.01 U

INGÉNIEUR, INGÉNIEURE EN INTELLIGENCE ARTIFICIELLE

Personne qui fait des recherches en vue de créer des ordinateurs ayant une forme de raisonnement et d'intelligence semblable à celle de l'être humain. À cette fin, elle étudie et analyse le fonctionnement du cerveau humain et conçoit des systèmes et des circuits dont les modes de fonctionnement et d'apprentissage sont plus près de ceux du cerveau humain que de ceux des machines. *Elle s'efforce de produire des systèmes performants qui permettent de capter et décoder des données non déchiffrables pour les autres systèmes et de traiter les données recueillies le plus efficacement possible.*
CLÉO 612.09 U

INGÉNIEUR, INGÉNIEURE EN MÉCANIQUE DES SOLS

Personne qui analyse les caractéristiques du sol (composition, perméabilité, pollution, etc.) dans les grands projets de construction en vue de déterminer sa résistance à supporter les travaux prévus, de définir les méthodes d'excavation et de nivellement appropriées et d'établir les mesures préventives à prendre pour protéger le sol et les ouvrages construits contre les risques identifiés (éboulements, inondations, etc.). *Elle se préoccupe de faire une analyse rigoureuse du sol afin de faire les recommandations appropriées et d'assurer ainsi la résistance et la sécurité des constructions.*
CLÉO 241.02 U

INGÉNIEUR, INGÉNIEURE EN MÉCANIQUE DU BÂTIMENT

Personne qui planifie et supervise la conception, l'installation et la régulation des différents systèmes de la mécanique du bâtiment

I
ING

(chauffage, ventilation, climatisation, plomberie, protection contre l'incendie et réfrigération) dans des projets de construction. À cette fin, elle détermine les types de systèmes et les équipements requis en fonction des besoins auxquels ils devront répondre, prévoit l'alimentation en énergie, l'agencement des systèmes et les installations de réglage automatique qui permettront de les contrôler. Elle s'occupe également de préparer les plans et devis des installations à partir des plans d'architecture du bâtiment et de gérer les aspects administratifs et techniques des travaux d'installation (appels d'offres, étude des soumissions, octroi des contrats, surveillance des travaux, résolution des problèmes techniques). Elle peut également participer à des projets de recherche visant à concevoir de nouveaux procédés de fonctionnement ou de régulation ou à améliorer le rendement de systèmes existants. *Elle se préoccupe de concevoir des systèmes qui répondront le mieux possible aux besoins des usagers, à des coûts d'installation, de consommation d'énergie et d'entretien raisonnables et veille à s'assurer de la conformité des systèmes aux normes de construction et de sécurité établies.*
CLÉO 241.71   U

INGÉNIEUR, INGÉNIEURE EN MÉTALLURGIE PHYSIQUE
Personne qui effectue des travaux relatifs aux propriétés des métaux (poids, dureté, degré de résistance à la chaleur, à la corrosion, etc.) en vue de mettre au point de nouveaux alliages et qui donne des avis sur les usages possibles de ceux-ci. Elle conseille les entreprises sur le choix des matériaux et leurs modes de fabrication et veille à la conception de procédés de contrôle de la qualité des matériaux. *Elle doit faire preuve d'initiative et de créativité afin de concevoir de nouveaux alliages qui seront quasi indestructibles ou recyclables.*
CLÉO 222.01   U

Un **ingénieur en télécommunication** effectue des tests sur l'équipement de transmission
PHOTO: Nortel

INGÉNIEUR, INGÉNIEURE EN SCIENCES NUCLÉAIRES
Personne qui participe à la conception, à la construction et à l'exploitation de centrales nucléaires et de l'équipement servant au contrôle et à l'utilisation de l'énergie. Elle s'occupe, entre autres, de planifier et surveiller la fabrication, l'implantation, l'entretien et la réparation des installations et des outillages et tente de mettre au point des moyens et des techniques d'utilisation de l'énergie nucléaire pour l'industrie (aérospatiale, armements, etc.) et la science médicale. *Elle se préoccupe de la production efficace et sécuritaire de l'énergie atomique et veille à l'application stricte des règles de sécurité afin d'éviter les accidents liés à l'exposition aux radiations.*
CLÉO 224.01   U

INGÉNIEUR, INGÉNIEURE EN SYSTÈME AQUICOLE
Personne qui, à titre de spécialiste en aménagements et équipements pour les élevages de poissons, effectue des analyses et des recherches en vue de confirmer la pertinence de construire une installation d'élevage aquicole à un endroit donné et de conseiller le client sur le choix des aménagements et équipements et sur les méthodes d'alimentation, de capture et de gestion des déchets de l'élevage. À cette fin, elle analyse les besoins actuels et futurs du client, elle vérifie la qualité et la quantité de l'approvisionnement en eau, établit les critères de construction, prépare les plans et devis et détermine les matériaux et les équipements à utiliser. Elle peut travailler sur des aménagements d'élevage en eau courante, en étang, bassins abrités ou confinés dans des cages en mer.
CLÉO 126.22   U

INGÉNIEUR, INGÉNIEURE EN TÉLÉCOMMUNICATION
Personne qui effectue et dirige des recherches en matière de faisabilité, de conception, d'exploitation et de performance des systèmes électroniques de communication utilisés pour transmettre des sons, des images et des données numériques à travers des câbles de cuivre, des fibres optiques ou des satellites. À cette fin, elle élabore des logiciels spécifiques d'exploitation et d'application, fait l'estimation des coûts, prépare les devis de conception, établit des normes d'entretien et d'exploitation et détermine à l'aide de recherches les causes de défaillances du matériel électronique. Elle peut travailler dans trois secteurs majeurs des télécommunications: l'infrastructure des communications entre ordinateurs et réseaux, la téléphonie cellulaire, la câblodistribution et la radiodiffusion. *Elle se préoccupe de tenir ses connaissances à jour afin de pouvoir travailler à l'implantation de nouvelles technologies qui puissent correspondre aux besoins actuels et futurs des organisations.*
CLÉO 721.01   U

INGÉNIEUR, INGÉNIEURE EN TRANSFORMATION DES MATÉRIAUX COMPOSITES

Personne qui effectue des travaux relatifs aux propriétés des matériaux en vue de mettre au point de nouveaux matériaux composites et qui donne des avis sur les usages possibles de ceux-ci. Elle conseille les entreprises sur le choix des matériaux et leurs modes de fabrication et veille à la conception des procédés de fabrication et de contrôle de la qualité des matériaux. *Elle a le souci d'optimiser les procédés de fabrication, la fiabilité et la durabilité des matériaux.*
CLÉO 229.15   U

INGÉNIEUR, INGÉNIEURE EN TRANSPORT ALIMENTAIRE

Personne qui planifie la conception et l'installation d'équipements spécifiques au transport des aliments fragiles (viandes, fruits et légumes frais) pour le transport routier, ferroviaire, naval ou aérien, en s'intéressant plus particulièrement aux systèmes de manutention et aux dispositifs de conservation. À cette fin, elle conçoit ou adapte des mécanismes, des contenants, des systèmes de ventilation et de refroidissement, prépare des croquis des mécanismes et des schémas de fonctionnement de l'ensemble ainsi que des plans et des devis en vue de l'assemblage du véhicule.
CLÉO 232.01   U

Un **ingénieur forestier en sciences du bois**
fait des essais mécaniques sur différents produits
de la transformation du bois
PHOTO: Marc Robitaille/Univ. Laval–Fac. de foresterie et de géomatique

INGÉNIEUR FORESTIER, INGÉNIEURE FORESTIÈRE EN SCIENCES DU BOIS

Personne qui travaille à la conversion des ressources forestières en produits utilisables, à l'amélioration et à l'optimisation des procédés de transformation du bois par des techniques modernes de contrôle et de gestion ainsi qu'à la mise au point de nouveaux produits. *Elle a le souci d'améliorer et d'augmenter le rendement et la qualité finale du bois afin d'éviter le gaspillage et de contribuer ainsi à la conservation de la forêt.*
CLÉO 225.01   U

INGÉNIEUR FORESTIER, INGÉNIEURE FORESTIÈRE (OPÉRATIONS FORESTIÈRES)

Personne qui planifie et dirige des travaux liés à l'aménagement des forêts, à la récolte et à l'utilisation rationnelle du bois ainsi qu'à la protection de l'ensemble des ressources forestières. Elle gère en général l'ensemble d'un territoire pour le compte d'une compagnie forestière. Elle doit, entre autres, veiller à la santé, au rendement et à la régénération des peuplements forestiers, s'occuper de la négociation des contrats de coupe et des autres ententes avec les autorités gouvernementales et s'assurer de l'efficacité et de la rentabilité des opérations d'abattage (personnel, méthodes et équipements). *Elle se préoccupe avant tout d'assurer de façon durable la disponibilité et la qualité des ressources forestières en utilisant des méthodes d'aménagement et de récolte qui respectent la capacité productive des forêts et le milieu environnant tout en évitant le gaspillage.*
CLÉO 123.01   U

INGÉNIEUR, INGÉNIEURE GÉOLOGUE

Personne qui fait des analyses et des études sur l'utilisation du sol, du sous-sol et de ses ressources, en vue de répondre à des besoins précis dans l'industrie minérale ou l'industrie de la construction. Dans l'industrie minérale, elle cherche et évalue les gisements souterrains exploitables (minerais, métaux précieux, pétrole, gaz naturel, nappes d'eau), en estime les teneurs et les réserves et guide le choix des techniques liées à leur exploitation. Dans l'industrie de la construction, elle fait l'étude du sol et du sous-sol destinés à de grands projets (routes, tunnels, gros édifices), évalue l'éventualité de phénomènes destructeurs qui pourraient affecter ces constructions (glissements de terrain, tremblements de terre, érosion, éboulis, inondations) et fait des recommandations sur les techniques et matériaux de construction à utiliser relativement aux risques identifiés. *Elle se préoccupe de bien analyser le sol et le sous-sol et d'évaluer les risques que peuvent entraîner les projets de construction ou d'exploitation minière afin que des mesures préventives soient prises pour protéger la vie humaine et l'environnement.*
CLÉO 111.02   U

INGÉNIEUR INDUSTRIEL, INGÉNIEURE INDUSTRIELLE

Personne qui établit et dirige des programmes de production fondés sur l'utilisation optimale des ressources humaines, de la machinerie et des matériaux en vue d'assurer la rentabilité et l'efficacité d'une entreprise. À cette fin, elle conçoit et établit des plans d'aménagement, met au point des systèmes et méthodes de fabrication et analyse les coûts de production. *Elle a le souci d'atteindre les objectifs économiques fixés tout en tenant compte de la qualité des produits et de la sécurité du personnel.*
CLÉO 211.04   U

INGÉNIEUR MÉCANICIEN, INGÉNIEURE MÉCANICIENNE
Personne qui conçoit et fabrique des machines et instruments (moteurs, machines-outils, presses d'imprimerie, matériel de forage pétrolier, machines pour les pâtes et papiers, etc.) destinés à la production de biens et de produits variés. Elle conçoit des moyens d'utiliser, de produire et de convertir l'énergie. Elle s'occupe également de la mise au point de procédés d'installation, d'entretien et de réparation des machines. *Elle se préoccupe à la fois des aspects techniques et économiques et du respect des ressources humaines et de l'environnement dans ses recherches afin de concevoir des façons efficaces de transformer les matières en produits ou de rendre les sources d'énergie utilisables.*
CLÉO 231.01   U

INGÉNIEUR, INGÉNIEURE MÉTALLURGISTE
Personne qui, dans une industrie de traitement de minerai, supervise, organise, planifie, contrôle les opérations et les procédés de traitement du minerai en vue de l'extraction de métaux ou de minéraux non métalliques (pierre, argile, silice, etc.). À cette fin, elle étudie les propriétés des métaux, met au point les techniques d'extraction et d'affinage des métaux à partir des minerais puis évalue la qualité des procédés de traitement et la rentabilité des méthodes. *Elle veille à établir des méthodes permettant la production en grande quantité, à obtenir la meilleure qualité de produit possible et à assurer la rentabilité des procédés.*
CLÉO 221.01   U

INGÉNIEUR MINIER, INGÉNIEURE MINIÈRE
Personne qui peut intervenir à toutes les étapes de l'exploitation d'une mine, de l'analyse du sol à l'extraction du minerai. Elle conçoit les plans d'aménagement d'une mine et de ses installations, planifie et dirige les travaux liés à l'exploitation, assure la gestion des ressources humaines et matérielles. En tant que spécialiste des excavations dans le roc, elle participe également à la réalisation de grands projets de construction (métros, barrages hydroélectriques, routes, tunnels, etc.). *Elle a le souci d'obtenir le meilleur rendement possible des gisements, d'accorder une grande importance à la santé et à la sécurité des travailleurs ainsi qu'à la protection de l'environnement.*
CLÉO 122.01   U

INGÉNIEUR PHYSICIEN, INGÉNIEURE PHYSICIENNE
Personne qui effectue des expériences en laboratoire en vue de la conception, de l'expérimentation et de la mise au point d'instruments ou de méthodes de haute technologie dans des domaines comme l'aérospatiale, l'optique, le biomédical, la métallurgie ou l'électronique.

À cette fin, elle étudie les propriétés de la matière, les formes d'énergie, les divers appareils spécialisés (lasers, satellites, etc.). Elle peut travailler en équipe multidisciplinaire ou diriger une équipe de chercheurs.
CLÉO 612.01   U

Les **ingénieurs physiciens** peuvent concevoir, entre autres, des systèmes de contrôle utilisant la technologie optique
PHOTO: Optel Technologies

INGÉNIEUR, INGÉNIEURE SPÉCIALISTE DE L'INSTALLATION DES SYSTÈMES ALIMENTAIRES
Personne qui planifie et supervise l'installation et le rodage des systèmes, des équipements et des procédés utilisés dans l'industrie agroalimentaire. À cette fin, elle étudie les plans et devis, détermine le matériel nécessaire à l'installation, planifie l'échéancier des travaux de mise en place et supervise les travaux. Elle assure aussi la formation nécessaire à l'utilisation des équipements. *Elle veille au respect des normes de protection de l'environnement et des normes de sécurité pour les travailleurs dans la réalisation de ses travaux et cherche à favoriser une productivité maximale afin d'assurer la rentabilité de l'entreprise.*
CLÉO 228.09   U

INGÉNIEUR, INGÉNIEURE SPÉCIALISTE DE LA GESTION DES PROCÉDÉS ALIMENTAIRES
Personne qui s'occupe de la gestion des procédés de production dans une usine alimentaire en répartissant les activités selon les ressources humaines, techniques et financières de l'entreprise. À cette fin, elle effectue des études de faisabilité, prévoit les installations nécessaires, établit un programme d'entretien et de réparation du système de production et veille à l'approvisionnement en matières premières. *Elle vise une production rentable à des coûts minimums tout en respectant les critères de qualité et de sécurité établis.*
CLÉO 228.10   U

INGÉNIEUR, INGÉNIEURE SPÉCIALISTE DE LA QUALITÉ DES PROCÉDÉS ALIMENTAIRES Personne qui veille à l'établissement et à l'implantation de normes et de méthodes permettant d'évaluer la qualité des procédés et des équipements de fabrication, de transformation et de conservation des produits alimentaires et au respect des normes gouvernementales. À cette fin, elle met en oeuvre des programmes d'assainissement et d'entretien, vérifie la conception sanitaire des équipements et procédés et établit une procédure de rappel des produits en cas de contamination. *Elle veille à se tenir au courant des normes municipales, provinciales, nationales et internationales sur les exigences sanitaires des établissements et des procédés afin de s'assurer que les procédés alimentaires y sont conformes.*
CLÉO 228.11   U

Des **ingénieurs spécialistes de la qualité des procédés alimentaires** veillent à maintenir la production et les aliments dans les meilleures conditions
PHOTO: Renée Méthot/Univ. Laval–Fac. des sciences de l'agric. et de l'alim.

INGÉNIEUR, INGÉNIEURE SPÉCIALISTE DES INSTALLATIONS D'ÉNERGIE Personne qui, à titre d'ingénieur mécanique spécialisé dans les systèmes de production d'énergie, conçoit les plans de centrales d'énergie électrique, thermique ou nucléaire pour les besoins de l'industrie et des sociétés d'État. À cette fin, elle détermine les modes de production énergétique et le fonctionnement des systèmes en fonction des besoins d'énergie à combler et des caractéristiques de l'environnement, elle élabore les plans d'installation de la centrale et supervise les travaux de construction. Elle planifie également les méthodes de contrôle et d'entretien des installations en vue d'en assurer la sécurité et le rendement optimal, elle forme le personnel et elle intervient au besoin pour résoudre certains problèmes de fonctionnement.
CLÉO 224.02   U

INHALOTHÉRAPEUTE Personne qui, dans un centre hospitalier, s'occupe des soins du système cardio-respiratoire. Elle intervient dans toute situation d'urgence (arrêt cardiaque ou respiratoire, urgence traumatologique) et dans le traitement de certaines maladies respiratoires (asthme, emphysème, fibrose kystique, etc.) pour maintenir, rétablir ou assister la fonction des voies respiratoires par l'utilisation d'un respirateur artificiel ou de tout autre appareil d'oxygénation ou par l'administration de médicaments par les voies respiratoires. Elle travaille dans les diverses unités de soins d'un centre hospitalier (urgence, soins intensifs, néonatalogie, physiologie respiratoire, etc.) et assiste les anesthésistes en salle de chirurgie pour surveiller les fonctions vitales du patient et assurer le bon fonctionnement des appareils utilisés. Elle collabore également avec les médecins à l'évaluation diagnostique des troubles respiratoires ainsi qu'à l'évaluation de l'état cardio-respiratoire du malade avant, pendant et après le traitement. Elle peut aussi faire partie d'une équipe de soins hors-institution (CLSC, centres d'accueil, etc.) et s'occuper du suivi à domicile, des soins et de la rééducation respiratoire de personnes souffrant de maladies cardio-respiratoires.
CLÉO 523.41   C

INSPECTEUR, INSPECTRICE D'INSTALLATIONS ÉLECTRIQUES Personne qui examine le matériel, l'installation et le fonctionnement des équipements électriques neufs ou modifiés dans les bâtiments résidentiels, commerciaux ou autres en vue de délivrer à l'entrepreneur un certificat de conformité aux normes exigé par la loi ou d'indiquer les modifications qui devront être apportées. *Elle doit être en mesure de déceler toute défectuosité ou erreur qui pourrait entraîner un risque de surcharge ou d'incendie.*
CLÉO 241.87   C

INSPECTEUR, INSPECTRICE D'INSTITUTIONS FINANCIÈRES Personne qui, pour le compte du gouvernement, examine les documents financiers des banques, des caisses populaires, des sociétés de crédit, des compagnies d'assurances ou autre type d'établissement financier en vue d'assurer le respect des lois et des règlements qui régissent leurs activités. En cas de manquement aux lois ou au code d'éthique, elle prépare un dossier des irrégularités constatées afin qu'action soit prise pour corriger la situation ou engager des poursuites judiciaires, s'il y a lieu. *Elle veille à vérifier minutieusement les documents financiers afin de déceler les infractions ou les fraudes éventuelles portant préjudice aux clients des établissements ou à l'État.*
CLÉO 423.05   U

INSPECTEUR, INSPECTRICE DE L'IMMIGRATION Personne qui prend les décisions relatives aux demandes d'immigration ou de séjour prolongé au Canada après enquête sur l'admissibilité des

requérants et qui s'occupe de certains aspects de l'intégration des immigrants au pays (accueil, information sur les services sociaux et les possibilités d'emploi, etc.). Elle s'occupe également des enquêtes, des négociations et des formalités entourant l'expulsion d'immigrants illégaux, la déportation de criminels étrangers ou le rapatriement de citoyens canadiens en mission à l'étranger. *Elle s'efforce de juger équitablement les demandes d'immigration en se basant sur les politiques, les lois et les critères établis et de faire preuve de diplomatie dans les cas litigieux.*
CLÉO 322.05   U

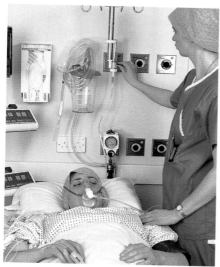

Une **inhalothérapeute** vérifie la condition respiratoire d'une nouvelle opérée
PHOTO: Science Photo Library/Publiphoto

INSPECTEUR, INSPECTRICE DE LA CIRCULATION PAR AUTOBUS
Personne qui supervise le travail du personnel et qui coordonne les services d'autobus dans un secteur donné afin d'assurer le respect des horaires, des trajets et des règlements. Elle s'occupe, entre autres, de surveiller les fluctuations du trafic afin de recommander la diminution ou l'augmentation du nombre d'autobus, de faire enquête sur les causes de retard et d'évaluer le travail des chauffeurs. *Elle a le souci de bien analyser les trajets et les horaires afin d'assurer aux usagers un service répondant à leurs besoins.*
CLÉO 433.21   S

INSPECTEUR, INSPECTRICE DE LA PRÉVENTION DES INCENDIES
Personne qui assure la protection des personnes, des biens et de l'environnement en éliminant les risques de sinistres. À cette fin, elle inspecte, dans les bâtiments commerciaux et résidentiels, le matériel d'autoprotection et les équipements servant à combattre les incendies afin de s'assurer de leur conformité aux normes établies

et de leur bon fonctionnement. Elle s'occupe de vérifier les méthodes de manipulation et d'entreposage des produits dangereux et de faire les recommandations appropriées. Elle sensibilise et informe le public et les gestionnaires d'une entreprise sur les dangers potentiels et les moyens de les prévenir. *Elle a le souci de faire respecter les normes de sécurité en vigueur afin de prévenir tout danger d'incendie et d'assurer ainsi la protection des citoyens.*
CLÉO 331.01   S/C

INSPECTEUR, INSPECTRICE DE LA SÉCURITÉ (ENTREPRISE PRIVÉE)
Personne qui inspecte les machines et les appareils utilisés dans une entreprise et qui vérifie les conditions de travail des employés (port de vêtements protecteurs, rangement des produits toxiques et dangereux, etc.) afin de s'assurer que les normes sanitaires et de sécurité et les règlements de prévention des incendies sont respectés. *Elle s'efforce de déceler tout manquement aux normes et règlements et de faire les recommandations qui s'imposent au besoin afin d'assurer la sécurité des gens.*
CLÉO 211.18   C

INSPECTEUR, INSPECTRICE DES DOUANES
Personne qui, dans les aéroports, les ports et les postes frontière, veille à ce que les marchandises rapportées de l'étranger soient admissibles en vertu de la loi sur l'importation et conformes aux déclarations des voyageurs. À cette fin, elle fait un examen des biens ou des papiers réglementaires, émet ou non le permis d'entrée et perçoit, s'il y a lieu, les taxes et les droits de douane. Elle inspecte également le chargement des camions, avions, navires ou autres transporteurs afin de contrôler la nature et la quantité des marchandises importées et de percevoir le montant des droits correspondant. *Elle veille à éviter l'entrée au pays de marchandises illicites ou non déclarées et à procéder, en cas de doute, à une fouille minutieuse des voyageurs, des bagages ou des transporteurs.*
CLÉO 322.07   C

INSPECTEUR, INSPECTRICE DES MESURES ANTI-POLLUTION
Personne qui, dans la fonction publique, s'occupe de détecter les sources de pollution d'origine industrielle, municipale, agricole, privée ou autre et de veiller à ce que les responsables prennent les mesures correctives ou préventives nécessaires pour respecter les normes gouvernementales établies en matière de qualité de l'environnement. Elle inspecte également des installations de contrôle de la pollution (systèmes d'évacuation des eaux usées, ventilateurs, filtreurs, etc.) afin de vérifier leur efficacité. *Elle se soucie de favoriser et de maintenir un environnement de la meilleure qualité possible en ce qui concerne l'air, l'eau, le sol et le niveau de bruit.*
CLÉO 132.07   C

INSPECTEUR, INSPECTRICE DES MINES Personne qui visite les installations minières et examine les méthodes et les conditions de travail en vue de déceler les risques d'accident ou d'incendie, d'enquêter sur les explosions ou les accidents qui sont survenus et de vérifier si les installations sont conformes aux normes de sécurité établies. *Elle a le souci de déceler tout indice ou élément de risque afin d'assurer aux travailleurs un lieu de travail conforme aux règles de sécurité en vigueur et de recommander des mesures pour diminuer les risques d'accident.* CLÉO 122.03 C

INSPECTEUR, INSPECTRICE DES NORMES SANITAIRES Personne qui a la responsabilité de faire respecter les lois et les règlements concernant les normes sanitaires dans les endroits publics, les usines de fabrication, de traitement, de distribution de produits alimentaires, pharmaceutiques, cosmétiques, etc. À cette fin, elle visite les établissements, vérifie la propreté, s'assure de la qualité de l'eau potable et du bon fonctionnement du chauffage et de la ventilation. *Elle veille à dépister toute défectuosité et à s'assurer que les matériaux et procédés ne représentent aucun danger afin de contribuer à la sécurité et à la santé publique.* CLÉO 211.14 C

INSPECTEUR, INSPECTRICE DES PÊCHES Personne qui dirige les activités de contrôle de la qualité au cours de la transformation des produits de la pêche dans les usines de traitement du poisson, les entrepôts frigorifiques et les bateaux de pêche en vue de s'assurer de la mise en application des lois et règlements relatifs à la qualité des produits et à la sécurité du matériel. *Elle a le souci de faire diverses analyses chimiques et bactériologiques pour vérifier la nature et la qualité des produits afin d'être en mesure de faire les recommandations appropriées aux responsables de l'entreprise et d'assurer ainsi aux gens la consommation de produits frais.* CLÉO 228.44 C

INSPECTEUR, INSPECTRICE DES PRODUITS ALIMENTAIRES Personne qui visite les établissements de transformation, de fabrication et d'entreposage des produits alimentaires en vue de vérifier les procédés et méthodes utilisés et d'assurer l'application des lois et règlements régissant l'innocuité, la salubrité et la qualité des produits alimentaires et des lieux de conservation. À cette fin, elle procède, entre autres, à des échantillonnages, à la vérification du classement des produits et à la vérification de l'étiquetage et des emballages. *Elle a le souci de faire respecter les normes d'hygiène afin que les produits de consommation destinés au public répondent aux normes de qualité.* CLÉO 228.20 C

INSPECTEUR, INSPECTRICE DES PRODUITS ANIMAUX Personne qui inspecte les abattoirs pour vérifier si les normes d'hygiène et de qualité sont respectées au cours de la manutention avant l'abattage, au cours de l'abattage, au cours de la transformation, de l'emballage et de l'entreposage en vue d'assurer la qualité des viandes destinées à la consommation. *Elle est soucieuse de détecter tout indice d'insalubrité afin d'empêcher la propagation de maladies.* CLÉO 228.34 C

INSPECTEUR, INSPECTRICE DES PRODUITS VÉGÉTAUX Personne qui contrôle et vérifie les différentes étapes de production et de transformation des produits végétaux (céréales, fruits, légumes, etc.), des produits de l'érable et apicoles (miel) afin d'assurer la qualité du produit et le respect des normes gouvernementales. *Elle s'efforce de faire preuve de minutie au cours de son inspection et de procéder à l'analyse d'échantillons pour vérifier si les normes d'hygiène sont respectées.* CLÉO 124.15 C

INSPECTEUR, INSPECTRICE DU SERVICE DE RESTAURATION Personne qui est employée par une société de transport ferroviaire pour faire l'inspection des services de restauration en vue de s'assurer de leur conformité aux normes et règlements sur l'hygiène et la qualité des services. Elle s'occupe, entre autres, d'examiner les produits utilisés, d'observer le service et de vérifier les réserves. *Elle veille à être attentive aux plaintes formulées afin de rétablir la situation au besoin et de satisfaire la clientèle.* CLÉO 433.48 C

INSPECTEUR, INSPECTRICE DU TRANSPORT MOTORISÉ Personne qui veille à l'application des lois et des normes de sécurité s'appliquant au transport motorisé. À cette fin, elle exerce des fonctions liées, par exemple, aux services d'enregistrement et de remisage des véhicules, à la surveillance des services de taxi, de camionnage et de transport scolaire, au contrôle des permis d'exploitation des commerces faisant la location ou la vente de véhicules d'occasion ou encore au dépistage des véhicules défectueux qui ne sont plus en état de circuler. CLÉO 322.06 C/U

INSPECTEUR, INSPECTRICE EN BÂTIMENTS (CONSTRUCTION) Personne qui surveille et inspecte les bâtiments sur le chantier de construction en vue de s'assurer qu'ils sont conformes aux plans et devis et aux codes du bâtiment (niveau, alignement et élévation du bâtiment, travaux finis comme les boiseries, moulures, armoires, etc.). *Elle veille à faire une inspection minutieuse et à recommander les modifications*

nécessaires, s'il y a lieu, afin d'assurer la qualité des constructions.
CLÉO 241.09   C

Un **inspecteur** et une **inspectrice en bâtiments**
vérifient des plans sur un chantier de construction
PHOTO: Explorer/Publiphoto

INSPECTEUR, INSPECTRICE EN CONSTRUCTION (TRAVAUX PUBLICS)
Personne qui surveille et inspecte la construction de routes, tunnels, ponts et autres travaux publics afin de vérifier leur conformité aux contrats, plans et devis ainsi qu'aux normes et règlements gouvernementaux. À cette fin, elle évalue, entre autres, l'exactitude des mesures et de l'emplacement des ouvrages, la qualité d'exécution des travaux, la résistance des matériaux et des produits utilisés ainsi que la qualité de l'excavation, du terrassement et des revêtements. Dans le cas de travaux non conformes aux exigences, elle ordonne l'arrêt des travaux, exige les modifications qui s'imposent et procède à une inspection finale aux fins d'approbation des travaux. *Elle s'assure de vérifier tous les aspects des travaux en lien avec les contrats et les normes afin d'éviter que des défauts ou négligences non décelés entraînent une détérioration prématurée des ouvrages ou des dangers pour la sécurité publique.*
CLÉO 241.14   C

INSPECTEUR, INSPECTRICE EN ENVIRONNEMENT AGRICOLE
Personne qui analyse les plans d'aménagements et les projets d'entreprises agricoles en vue de s'assurer de l'application des lois ou des réglementations concernant la protection de l'environnement en milieu rural. À cette fin, elle analyse les plans de construction des bâtiments d'élevage et des installations d'entreposage ou d'épuration des déchets animaux au regard de la réglementation en vigueur, s'assure que la localisation de la construction, les éléments de construction et les technologies utilisées permettront de protéger les cours d'eau, la nappe d'eau souterraine, les sols en culture et ne causeront pas de nuisance par les odeurs

aux résidents voisins. Elle s'occupe également d'accorder ou de refuser le certificat de conformité nécessaire à l'obtention du permis de construction.
CLÉO 124.11   C

INSPECTEUR, INSPECTRICE EN PROTECTION ANIMALE
Personne qui enquête sur les cas de négligence, le manque de soins ou la cruauté envers les animaux dans les chenils, les fermes d'élevage, les laboratoires de recherche ou les abattoirs. Elle doit, entre autres, discerner les cas justifiant une poursuite, émettre des mandats de comparution, s'il y a lieu, et comparaître et témoigner devant le tribunal dans certains cas. *Elle se préoccupe de faire respecter les lois et les règlements et de faire de la prévention afin que les animaux soient traités convenablement.*
CLÉO 126.26   C

INSPECTEUR, INSPECTRICE EN SÉCURITÉ DES BÂTIMENTS (GOUVERNEMENT)
Personne qui inspecte les divers matériaux et installations des bâtiments tels que les fondations, les charpentes, les systèmes électriques, les systèmes de protection contre les incendies, la tuyauterie, les canalisations d'eau et d'égouts, pendant ou après la construction, afin de s'assurer que les lois et règlements régissant la sécurité sont respectés. Elle renseigne les entrepreneurs sur les lois et règlements, fait des recommandations, ordonne l'arrêt de travaux au besoin ou condamne et interdit une installation non conforme. *Elle veille à l'application rigoureuse des règlements afin d'éliminer les risques d'accident et d'assurer la sécurité des gens.*
CLÉO 241.10   C

INSPECTEUR MUNICIPAL, INSPECTRICE MUNICIPALE
Personne qui participe à la gestion d'un territoire municipal en inspectant les constructions et aménagements des milieux résidentiels, commerciaux, industriels ou agricoles afin de vérifier leur conformité, sur les plans de la qualité, de l'esthétique, de la sécurité et de l'utilisation, aux règles et normes municipales en matière d'urbanisme. *Elle a le souci de faire respecter le plan d'urbanisme de la municipalité afin d'assurer une utilisation rationnelle de l'espace, de préserver l'harmonie des différents milieux et la qualité de vie des citoyens.*
CLÉO 132.13   C

INSTALLATEUR, INSTALLATRICE D'ANTENNES
Personne qui monte, installe, vérifie et entretient les antennes et les pylônes pour la réception ou la transmission d'émissions émises sur bandes haute fréquence et qui inspecte les installations existantes pour déceler les défectuosités. Elle doit, entre autres, analyser la configuration des lieux pour le câblage et le perçage, assembler les câbles

et les connecteurs, orienter les antennes, vérifier et mettre en marche les antennes et le système de distribution de signaux. *Elle a le souci de bien installer les mâts, antennes et câbles de transmission, de bien raccorder l'ensemble des éléments et de déceler toute défectuosité afin de permettre une bonne réception et une bonne transmission (son et images).*
CLÉO 252.14　　　　　　　　　　　　　　　S

INSTALLATEUR, INSTALLATRICE D'ANTENNES PARABOLIQUES Personne qui fait l'installation d'antennes à réflecteur parabolique permettant de capter des émissions de télévision provenant directement des satellites. *Elle a le souci d'effectuer l'installation selon les directives du fabricant afin d'assurer la retransmission du plus grand nombre de chaînes possible ainsi que des images d'une grande précision.*
CLÉO 252.15　　　　　　　　　　　　　　　S

INSTALLATEUR, INSTALLATRICE D'ÉQUIPEMENT AUTOMOBILE Personne qui, dans un centre de service pour véhicules automobiles, installe ou remplace sur des véhicules automobiles divers accessoires et pièces d'équipement secondaire (appareil radio, système antivol, chauffe-moteur, climatiseur, housse de siège, etc.). *Elle veille à fixer correctement les pièces selon les instructions du fabricant et à faire les ajustements nécessaires afin d'assurer le bon fonctionnement des appareils.*
CLÉO 254.04　　　　　　　　　　　　　　　S

INSTALLATEUR, INSTALLATRICE DE CLÔTURES Personne qui installe des clôtures en métal grillagé ou en bois autour de terrains, piscines, parcs ou autres emplacements résidentiels ou non résidentiels en vue d'en limiter l'accès ou d'en améliorer l'apparence. *Elle veille à se conformer aux précisions des clients quant au choix des matériaux, à la hauteur et à l'emplacement des clôtures et à bien délimiter l'alignement afin de ne pas empiéter sur une propriété voisine.*
CLÉO 241.51　　　　　　　　　　　　　　　S

INSTALLATEUR, INSTALLATRICE DE COMPTEURS D'ÉLECTRICITÉ Personne qui installe, vérifie et répare les compteurs d'électricité dans des maisons privées ou des établissements commerciaux. *Elle s'assure de faire une installation conforme au Code de la construction afin que la consommation d'électricité par les personnes abonnées au réseau soit enregistrée correctement.*
CLÉO 224.14　　　　　　　　　　　　　　　S

INSTALLATEUR, INSTALLATRICE DE POSTES TÉLÉPHONIQUES Personne qui fait l'installation de téléphones publics ou privés et de standards téléphoniques. À cette fin, elle installe les fils extérieurs, raccorde les câbles téléphoniques aux fils extérieurs, monte le matériel, installe les fils intérieurs, effectue les essais et fait les ajustements nécessaires à la mise en service. *Elle a le souci d'effectuer l'installation avec minutie afin d'assurer un service téléphonique adéquat.*
CLÉO 252.12　　　　　　　　　　　　　　　S

INSTALLATEUR, INSTALLATRICE DE REVÊTEMENTS EXTÉRIEURS Personne qui pose ou remplace divers types de revêtements extérieurs en bois, métal, plastique ou autre matériau à clouer ou visser sur les murs de bâtiments résidentiels ou non résidentiels, ainsi que des accessoires de protection ou d'embellissement tels que gouttières, boiseries extérieures de fenêtres, volets. *Elle s'efforce d'organiser son travail de manière à minimiser les déplacements pour mesurer, tailler et transporter les matériaux et veille à appliquer les techniques de pose appropriées afin d'obtenir l'effet recherché de protection et d'embellissement.*
CLÉO 241.41　　　　　　　　　　　　　　　S

INSTALLATEUR-RÉPARATEUR, INSTALLATRICE-RÉPARATRICE DE MATÉRIEL DE TÉLÉCOMMUNICATION Personne qui installe, raccorde, entretient et répare de l'équipement de télécommunication tel que des interphones, des postes téléphoniques et d'autre matériel de communication. Elle doit, entre autres, effectuer l'installation du matériel selon les plans et devis et, dans les cas de panne, identifier la source et procéder à la réparation ou au remplacement des pièces défectueuses. *Elle a le souci de respecter les plans d'assemblage et de respecter le matériel à l'essai afin d'en assurer le bon fonctionnement.*
CLÉO 252.09　　　　　　　　　　　　　　　S

INSTRUCTEUR, INSTRUCTRICE D'ART MARTIAL Personne qui enseigne pour le compte d'un centre sportif privé ou public les techniques de combat propres à un art martial particulier (aïkido, judo, karaté, kung-fu, taekwon do, etc.) et qui en transmet la philosophie, le code moral et le protocole. *Elle veille à établir des programmes d'apprentissage progressifs, rigoureux et conformes aux règles et à l'éthique de la discipline.*
CLÉO 515.24　　　　　　　　　　　　　　　C

INSTRUCTEUR, INSTRUCTRICE DE CONDITIONNEMENT PHYSIQUE AÉROBIQUE Personne qui enseigne, dans un club de mise en forme ou pour un service de loisirs, les mouvements de base et les enchaînements d'un programme de conditionnement physique en musique (danse aérobique, work-out, step, etc.) en vue d'améliorer la condition cardio-vasculaire, le tonus et la souplesse musculaire et de favoriser la détente et le bien-être général. À cette fin, elle met au point des programmes adaptés à sa clientèle et anime les séances d'entraînement des groupes dont elle est responsable.
CLÉO 515.27　　　　　　　　　　　　　　　U

I
INS

INSTRUCTEUR, INSTRUCTRICE DE PILOTE D'AVION Personne qui donne des cours de pilotage d'avion et qui enseigne les manoeuvres normales et d'urgence ainsi que les vérifications des instruments de vol et du moteur. *Elle veille à bien évaluer les élèves afin de s'assurer de leur intégration pratique et théorique des leçons.*
CLÉO 433.71   C

INSTRUMENTISTE Personne qui joue d'un ou de plusieurs instruments (guitare, piano, flûte, violon, harpe, etc.) comme soliste ou accompagnatrice, en vue de donner une interprétation sensible de la musique. Elle peut également faire la transposition ou la transcription d'une oeuvre ou encore faire une improvisation inspirée d'une oeuvre musicale. *Elle se préoccupe de développer ses habiletés en s'exerçant assidûment.*
CLÉO 622.07   U

INTERNISTE Personne qui, en tant que médecin spécialiste ayant une expertise dans plusieurs disciplines médicales (cardiologie, pneumologie, gastroentérologie, gynécologie, chirurgie, radiologie, etc.), veille au diagnostic et au traitement de problèmes de santé difficiles à évaluer par une approche conventionnelle ou de problèmes liés à plusieurs systèmes de l'organisme ou qui intervient auprès de malades qui lui sont envoyés par des généralistes et des spécialistes en vue d'émettre une opinion diagnostique et des recommandations de traitement. À cette fin, elle fait un bilan complet et approfondi de l'état de santé de la personne à l'aide de divers tests et d'examens spécialisés (radiographie, scanner, médecine nucléaire, tests microbiologiques, etc.), propose et applique un plan de traitement complet qui tient compte de sa vision globale de l'organisme et des relations entre les différents systèmes atteints par la maladie. Elle peut également intervenir en soins intensifs hospitaliers à la suite d'une intervention chirurgicale, d'un accident ou d'une maladie grave.
CLÉO 523.31   U

INTERPRÈTE Personne qui, au cours de conférences, de débats, de conversations, etc., traduit oralement dans une langue, de façon consécutive (après) ou simultanée (en même temps), ce qui a été dit dans une autre langue. À cette fin, elle doit se préparer en s'informant sur le sujet en cause. Elle peut également servir d'interprète auprès de personnes ou de petits groupes au cours de voyages ou d'autres activités. *Elle doit saisir exactement et rapidement la pensée émise dans la langue de départ afin de la transposer le plus fidèlement possible.*
CLÉO 621.11   U

INTERPRÈTE DE L'ENVIRONNEMENT NATUREL ET BIOLOGIQUE Personne qui prépare de l'information sur la nature environnante et l'histoire d'un site donné et qui anime, auprès de touristes ou de groupes, des activités (randonnées guidées, expositions, jeux éducatifs, etc.) en vue de faire connaître ce milieu. *Elle s'efforce de susciter l'intérêt et le respect des gens envers les ressources de la nature et de les sensibiliser à l'importance de protéger l'environnement.*
CLÉO 131.14   C

Un **interprète de l'environnement naturel et biologique** anime une randonnée dans un parc
PHOTO: F. Klus/MEF/Publiphoto

INTERPRÈTE GESTUEL, INTERPRÈTE GESTUELLE Personne qui, en vue de permettre la communication entre une personne malentendante et une personne entendante, transmet les conversations par une interprétation gestuelle ou orale. Elle peut faire de l'interprétation au tribunal, à la télévision, au cours de présentations artistiques, etc. *Elle a le souci de bien exécuter les signes et l'expression et de respecter l'intégralité du message afin que la personne malentendante comprenne le message transmis et que son message soit bien compris.*
CLÉO 621.12   C

INTERVIEWEUR, INTERVIEWEUSE Personne qui interroge une clientèle déterminée (candidats à un poste, clientèle d'un établissement, participants à une recherche scientifique, etc.) selon un protocole d'entrevue préétabli en vue de recueillir de l'information sur divers sujets ou d'évaluer des compétences, comportements et autres types de données mesurables. À cette fin, elle interviewe les gens en face-à-face dans un lieu aménagé pour faciliter l'entretien, sur le terrain (rue, lieu public, établissement commercial, etc.) ou par téléphone, elle s'occupe de présenter les buts de l'interview, de poser les questions et d'enregistrer les données ou l'ensemble de l'entretien selon les modalités prévues (formulaires d'entrevue, grille d'évaluation, codification par ordinateur, magnétophone, vidéo, etc.). Elle peut avoir à rédiger des rapports d'entrevue pour rendre compte du déroulement de l'entretien et de l'information obtenue et à présenter les résultats et les motifs de son évaluation.
CLÉO 612.54   C

J K L

JARDINIER PAYSAGISTE, JARDINIÈRE PAYSAGISTE Personne qui exécute des travaux d'aménagement paysager conformément aux spécifications d'un plan. Elle s'occupe de préparer le terrain, d'aménager des rocailles, des plates-bandes et des plans d'eau et d'y planter les arbres, les arbustes et les fleurs prévus aux emplacements spécifiés par le plan. Elle installe aussi des systèmes d'irrigation et d'éclairage. Elle peut également être responsable de l'entretien régulier des aménagements paysagers de résidences, de commerces ou autres.
CLÉO 125.03   S

Des **jardiniers paysagistes** aménagent une plate-bande dans un jardin public
PHOTO: Jacques Allard/Les Amis du Jardin Van den Hende

JONGLEUR, JONGLEUSE Personne qui conçoit ou participe à la mise au point de numéros dans lesquels elle jongle avec divers objets en vue de leur présentation devant un public. Elle peut travailler dans le domaine du cirque et participer à des fêtes, des festivals et des émissions télévisées. *Elle a le souci de mettre au point des numéros originaux qui sauront démontrer son adresse et épater le public.*
CLÉO 625.09   C

JOURNALISTE Personne qui recueille des renseignements sur des événements d'intérêt public en vue d'écrire des articles pour des journaux, des magazines ou d'autres publications ou en vue de les communiquer au cours de reportages diffusés à la radio ou à la télévision, et ce, afin d'informer le public et de lui permettre de se renseigner sur des sujets d'actualité. À cette fin, elle effectue une collecte d'information, procède à des interviews, des enquêtes, des entrevues. Elle se rend sur les lieux de l'événement, assiste à des conférences de presse. Elle procède ensuite à l'analyse des contenus et effectue la rédaction d'un article ou d'une série d'articles ou, dans le cas de la presse parlée, rédige les textes en vue de leur diffusion. Elle s'occupe également de recevoir et d'analyser les nouvelles pour en vérifier l'exactitude, de sélectionner les idées de reportage qui lui sont communiquées et de trouver des sujets à traiter. Elle peut se spécialiser dans un domaine en particulier comme les arts, les sports, la politique, l'économie ou les sciences. *Elle est à l'affût de tout événement ou information susceptible d'intéresser le public et se soucie de rapporter le plus fidèlement possible les faits touchant l'actualité locale, nationale ou internationale afin de bien renseigner le public.*
CLÉO 712.01/713.04   U/C

JOURNALISTE SPORTIF, JOURNALISTE SPORTIVE Personne qui écrit des articles pour des journaux, des magazines ou autres publications en vue d'informer le public sur les événements sportifs. À cette fin, elle procède à la collecte d'information (enquête, observation, entrevue, etc.), analyse et synthétise les contenus et rédige l'article. *Elle veille à fournir des renseignements précis et à être à l'affût des événements qui pourraient faire la primeur afin d'attirer un grand nombre de lecteurs.*
CLÉO 713.05   U/C

JUGE Personne qui est nommée par le cabinet provincial ou fédéral pour appliquer la loi dans un tribunal. Elle doit, entre autres, présider les audiences, entendre les causes en matière civile ou criminelle, prendre connaissance des faits et des éléments de preuve présentés et prononcer un verdict en se basant sur les lois existantes, la jurisprudence et les faits relatifs à la cause entendue.

131

S'il y a lieu, elle doit déterminer la peine d'emprisonnement, fixer le montant des dommages et intérêts à verser aux victimes ou rendre une décision exécutoire appropriée. *Elle veille à interpréter et à appliquer la loi de façon impartiale afin de favoriser la justice et l'égalité des droits dans la société.*
CLÉO 321.01   U

LAMINEUR, LAMINEUSE DE FIBRE DE VERRE
Personne qui superpose des couches de fibre de verre et de résine sur des moules de plastique, d'acier ou de bois pour fabriquer des pièces d'objets ou des objets en plastique tels que canots, yachts, bouées, carrosseries de moto, de voiture. *Elle a le souci de faire preuve de minutie au cours des différentes étapes (préparation des moules, mélange des résines, découpage, ajustage) afin de produire des pièces de qualité.*
CLÉO 229.20   S

LAVEUR, LAVEUSE DE VITRES
Personne qui nettoie les fenêtres et les surfaces vitrées à l'intérieur et à l'extérieur d'une maison ou d'un édifice en utilisant des échafaudages ou des plates-formes. *Elle s'efforce de faire preuve de prudence pour éviter les chutes.*
CLÉO 253.05   S

LECTEUR, LECTRICE DE NOUVELLES
Personne qui présente à la télévision ou à la radio les nouvelles locales, nationales ou internationales en vue d'informer le public. À cette fin, elle lit les nouvelles, interviewe des personnes sur des événements d'actualité, présente les journalistes ayant un reportage à diffuser et les questionne sur l'événement en cause. *Elle s'efforce de transmettre l'information de façon claire et précise, de poser des questions pertinentes aux personnes interviewées et de réagir rapidement lorsque les informations de dernière minute lui sont transmises.*
CLÉO 712.02   U/C

LÉGISTE
Personne qui, à titre de spécialiste des lois, fait la rédaction d'avant-projets de loi et effectue l'étude, la rédaction, la mise à jour et la classification de lois pour le gouvernement. À cette fin, elle réalise des études de droit comparé de façon à déterminer le contenu de la loi, analyse les effets possibles de celle-ci, rédige l'avant-projet de loi et procède, après consultation, à la rédaction du projet de loi et du mémoire explicatif à l'intention du Conseil des ministres. *Elle se préoccupe de la cohérence du projet de loi au regard de l'ensemble des lois en vigueur.*
CLÉO 311.10   U

LESSIVEUR, LESSIVEUSE DE PÂTE ÉCRUE
Personne qui, dans une usine de pâtes et papier, fait fonctionner, à partir d'un tableau de commande, une machine pour filtrer la pâte à papier et la débarrasser de la lessive (eau et produits de fabrication). Elle surveille chacune des étapes et coordonne les différentes manoeuvres. *Elle s'efforce de régler avec justesse le jet de solution de lavage et d'eau et de maintenir la solution au degré de concentration voulu afin de permettre la fabrication d'un papier répondant aux normes établies.*
CLÉO 226.07   S

LETTREUR, LETTREUSE
Personne qui dessine des chiffres, des lettres et des logos qui serviront à communiquer des renseignements ou un message sur des vitrines, des panneaux-réclames ou encore sur des véhicules utilisés à des fins publicitaires. À cette fin, elle étudie les besoins du client, choisit la taille et le caractère des éléments à dessiner, établit la disposition du texte, fait un croquis et exécute le lettrage.
CLÉO 626.14   S

LEXICOGRAPHE
Personne qui compose des définitions de mots en vue de l'élaboration d'un dictionnaire. Elle doit, entre autres, en se référant à différentes sources documentaires et en recourant à ses connaissances en étymologie, donner le sens de chaque mot et ses dérivés, préciser son origine, son utilisation et sa transcription phonétique. *Elle a le souci de formuler des définitions claires et précises qui permettront aux lecteurs de connaître et de comprendre la signification des mots et d'en faire une utilisation juste.*
CLÉO 621.07   U

LIBRAIRE
Personne qui vend des livres de tout genre comme des romans, des dictionnaires ou d'autres ouvrages. À cette fin, elle se familiarise avec sa marchandise, se tient au courant des nouvelles parutions et renseigne les clients sur les ouvrages offerts. *Elle se préoccupe de garder une grande variété de volumes en magasin et de donner des conseils judicieux afin de satisfaire les exigences de sa clientèle.*
CLÉO 432.29   C

LIEUTENANT, LIEUTENANTE DE LA MARINE MARCHANDE
Personne qui surveille et coordonne le travail de l'équipage d'un navire en vue d'assurer la sécurité et le bon déroulement du chargement et du déchargement de la cargaison. Elle planifie également l'entretien du navire, assume la répartition et l'organisation du travail au sein de l'équipe et assure le commandement du navire en l'absence du commandant. *Elle veille à l'exécution des travaux et au bon déroulement des activités et manoeuvres sur le navire afin d'assurer le transport de la marchandise et la sécurité des gens qui se trouvent à bord.*
CLÉO 433.52   C

Un **lieutenant de la marine marchande** à sa table
de cartes marines dans la timonerie
PHOTO: Institut maritime du Québec

LINGUISTE Personne qui étudie l'origine,
la structure et l'évolution des langues et qui
applique des théories linguistiques à l'enseignement, à la traduction et à la communication en
général. À cette fin, elle analyse et décrit les
langues anciennes et modernes, étudie divers
aspects de l'acquisition et de l'apprentissage des
langues, du fonctionnement des langues (phono-
logie, morphologie, sémantique, syntaxe, etc.) et
des structures fondamentales du langage humain
et analyse et interprète les caractéristiques linguistiques en fonction des régions, des niveaux de
langue et des époques.
CLÉO 621.06   U

LIVREUR, LIVREUSE Personne qui effectue des
livraisons à domicile (épicerie, dossiers, colis, produits pharmaceutiques, etc.) et qui perçoit les
montants dus pour les produits commandés. *Elle
a le souci d'effectuer les livraisons dans les
meilleurs délais possible afin de satisfaire les
exigences de la clientèle.*
CLÉO 433.36   S

LIVREUR, LIVREUSE DE JOURNAUX Personne
qui livre les journaux à la clientèle d'un secteur
donné et qui perçoit les montants dus. *Elle
s'efforce de distribuer les journaux à l'heure
prévue et aux adresses indiquées afin de procurer un bon service à la clientèle.*
CLÉO 433.97   S

LIVREUR, LIVREUSE DE METS PRÉPARÉS Personne qui, en auto ou en camion, effectue la livraison à domicile de mets préparés et qui reçoit les
paiements dus pour les repas commandés. *Elle
s'efforce d'effectuer les livraisons dans les plus
courts délais possible afin d'assurer la qualité
des aliments et la satisfaction de la clientèle.*
CLÉO 433.37   S

LOBBYISTE Personne qui est chargée par
un groupe d'industriels, de producteurs ou de
commerçants dans un secteur économique particulier ou par une association de professionnels
ou de citoyens, de représenter leurs intérêts
auprès des dirigeants politiques et des hauts
fonctionnaires de l'administration publique, en
vue d'influencer leurs décisions, de faire pression
pour accélérer le règlement d'une situation ou de
suggérer des solutions à un problème précis. À
cette fin, elle établit et entretient un réseau de
relations avec des personnes jouissant d'un
pouvoir d'influence ou de décision (députés, sous-
ministres, ministres, conseillers municipaux,
hauts fonctionnaires de l'administration municipale, provinciale ou fédérale), elle sollicite
des entretiens avec ces personnes pour les
sensibiliser aux intérêts et aux problèmes du
groupe qu'elle représente, elle participe aux
assemblées politiques dans lesquelles elle peut
être entendue et à tout événement susceptible de
lui fournir de l'information sur les tendances politiques, les projets de loi ou de règlement ou les
intentions des dirigeants au regard des dossiers
qui la concernent. *Elle s'efforce de bien saisir la
problématique du groupe qu'elle représente
afin de présenter des arguments convaincants
et doit bien évaluer la portée de l'information
qu'elle obtient afin de pouvoir anticiper l'évolution d'une situation et réagir en conséquence.*
CLÉO 311.11   U

LUDOTHÉRAPEUTE Personne qui planifie,
organise et dirige des activités récréatives
d'une visée thérapeutique auprès de personnes
vivant en milieu institutionnel. Elle s'occupe, entre
autres, de concevoir des programmes adaptés
aux aptitudes, aux capacités et aux goûts de la
clientèle, d'animer et de surveiller les activités
individuelles ou collectives, de donner du soutien
et des encouragements et d'évaluer l'évolution
des bénéficiaires. *Elle s'efforce de proposer des
activités convenant aux bénéficiaires afin de
faciliter leur réhabilitation personnelle et
sociale.*
CLÉO 524.09   C

LUTHIER, LUTHIÈRE Personne qui fabrique,
répare et restaure des instruments de musique
en bois (violons, violoncelles, guitares, etc.) en vue
d'assurer la qualité sonore des instruments. À
cette fin, elle fabrique des gabarits, sélectionne
le bois, le taille, le plie, l'entaille, le creuse ou
le sculpte, assemble les différentes parties de
l'instrument, le vernit et le polit. *Elle a le souci
d'effectuer ses tâches avec précision et minutie
afin d'assurer à la fois l'esthétisme de l'instrument et sa bonne sonorité.*
CLÉO 627.13   C

M

MACHINISTE (USINAGE) Personne qui fabrique, répare ou modifie des pièces complexes composées de métaux et d'alliages spéciaux (moteurs, roues d'engrenage, etc.) à l'aide de différentes machines-outils. À cette fin, elle étudie et analyse les plans et devis et les modèles fournis, elle coordonne les diverses opérations et règle les machines-outils qui lui permettront de fabriquer les pièces. *Elle s'efforce de respecter les spécifications et les paramètres d'usinage afin de fabriquer des pièces selon les normes de qualité et de sécurité établies.*
CLÉO 231.08   S

Un **machiniste** d'atelier d'usinage à son poste
de travail dans une fonderie
PHOTO: Contractuelle/Métallurgie Noranda–Fonderie Horne

MACHINISTE DE PLATEAU Personne qui s'occupe du montage, de l'installation et du démontage des décors, du matériel de scène ou des équipements de tournage pour des spectacles sur scène ou pour des productions cinématographiques ou télévisuelles, à l'aide de la machinerie appropriée (grue, treuil, câble, plate-forme mobile, etc.). Elle s'occupe également des changements de décors au cours d'une représentation ainsi que des manoeuvres pour actionner ou déplacer des éléments de scène. *Elle s'efforce d'installer le matériel conformément aux plans de scène et de façon sécuritaire et veille à manoeuvrer la machinerie de manière à ne rien endommager afin d'assurer le bon déroulement des spectacles ou des productions.*
CLÉO 624.39   S

MAGASINIER, MAGASINIÈRE Personne qui commande, distribue et entrepose les fournitures, le matériel ou l'équipement dont le personnel a besoin pour son travail dans une usine, un hôpital, un établissement scolaire, public, etc. *Elle veille à tenir l'inventaire des stocks à jour et à s'assurer que l'approvisionnement est toujours suffisant afin de pouvoir répondre aux besoins matériels des différents services.*
CLÉO 431.04   S

MAGASINIER-CONSEIL, MAGASINIÈRE-CONSEIL Personne qui fournit, pour son propre compte, des services de magasinage à des particuliers. Elle s'occupe de chercher et d'acheter pour les clients qui recourent à ses services les biens de consommation de toutes sortes dont ils ont besoin pour eux-mêmes ou destinés à être offerts en cadeau. À cette fin, elle répond à des demandes variées allant de l'épicerie hebdomadaire pour des personnes âgées au choix de cadeaux à offrir pour des gens débordés.
CLÉO 516.24   S

MAGICIEN, MAGICIENNE Personne qui conçoit et met au point différents numéros de magie (faire apparaître ou disparaître des objets, créer des illusions, etc.) en vue de les présenter devant le public dans le cadre d'un spectacle. À cette fin, elle répète ses numéros et prévoit les accessoires. *Elle s'efforce de faire preuve d'originalité et de créativité dans l'élaboration de ses numéros afin de divertir et de fasciner le public.*
CLÉO 625.08   C

MAÎTRE BRASSEUR, MAÎTRE BRASSEUSE Personne qui s'occupe, dans une industrie où l'on fabrique de la bière, de la mise au point de nouvelles formules de bière, de l'amélioration des produits existants, de la création de procédés de

135

fabrication (macération, houblonnage, fermentation, embouteillage) plus performants et plus économiques, de la surveillance des diverses étapes de fabrication et du contrôle de la qualité. *Elle se préoccupe d'assurer la fabrication de bières de qualité, qui sauront plaire aux consommateurs et qui seront produites aux moindres coûts possible afin de contribuer à la rentabilité et à la notoriété de la brasserie.*
CLÉO 228.22   S

MAÎTRE D'HÔTEL Personne qui coordonne le travail du personnel des salles à manger dans les grands hôtels ou restaurants, qui s'occupe de l'accueil des clients et qui les accompagne aux tables. Elle doit, entre autres, veiller à la bonne présentation de la salle à manger et du personnel, s'occuper des réservations, s'assurer de la satisfaction de la clientèle pendant les repas et veiller à la remise en ordre de la salle. *Elle se préoccupe de répondre aux besoins et attentes de la clientèle afin de garantir la renommée de l'établissement et de contribuer ainsi à sa rentabilité.*
CLÉO 511.05   S

MAÎTRE DE POSTE Personne qui supervise et coordonne le travail du personnel chargé du service postal (levée, tri, distribution du courrier, etc.) dans une région donnée. *Elle veille à ce que le personnel accomplisse ses tâches avec soin et efficacité afin d'assurer un bon service postal aux citoyens.*
CLÉO 433.91   C

MAÎTRE FOURREUR, MAÎTRE FOURREUSE
Personne qui confectionne, retouche, transforme, répare et rajeunit des vêtements et des accessoires de fourrure naturelle. À cette fin, elle conçoit le modèle, évalue les coûts de la réparation ou de la confection et procède aux différentes étapes du travail (sélection, préparation, coupe, pose ou assemblage des peaux). *Elle se préoccupe de bien sélectionner les peaux pour la confection et de faire preuve de minutie au cours des réparations afin que l'article de fourrure corresponde aux goûts et aux besoins du client.*
CLÉO 237.17   S

MALHERBOLOGISTE Personne qui, à titre de spécialiste des mauvaises herbes et des plantes nuisibles aux cultures, aux forêts ou à la santé humaine (allergies), fournit des services-conseil pour résoudre des problèmes de prolifération de végétaux nuisibles dans les milieux agricoles, forestiers ou urbains ou effectue des recherches en vue de mettre au point des outils pour les identifier à des stades précoces de croissance et des herbicides chimiques ou des méthodes de contrôle biologique qui permettront de les éliminer sans effet nocif sur le milieu ambiant.
CLÉO 113.03   U

MANNEQUIN Personne qui présente des vêtements (manteaux, robes, maillots de bain, etc.) au cours de défilés de mode, d'expositions commerciales ou d'annonces publicitaires en vue de les mettre en valeur. *Elle a le souci de présenter les vêtements de manière à mettre en valeur la coupe, le style et la qualité du tissu utilisé afin d'en promouvoir la vente.*
CLÉO 711.09   S

MANOEUVRE À L'ENTRETIEN DES TRAVAUX PUBLICS Personne qui effectue diverses tâches liées à l'entretien des trottoirs, des rues, des routes, des parcs et autres endroits publics. Elle peut travailler pour un entrepreneur en travaux publics, le gouvernement ou encore une municipalité. *Elle s'efforce d'exécuter ses tâches avec soin afin de préserver le bon état et la propreté des lieux publics.*
CLÉO 241.26   S

MANOEUVRE À LA FABRICATION DU PLASTIQUE Personne qui alimente en plastique les machines à injection et qui prépare tout le matériel requis pour la fabrication d'objets de matière plastique. *Elle s'efforce de faire un entretien préventif des appareils d'alimentation afin de ne pas ralentir la production.*
CLÉO 229.22   S

MANOEUVRE AGRICOLE Personne qui effectue divers travaux pour aider le personnel d'une exploitation agricole. Elle aide, entre autres, à ensemencer, à sarcler, elle nourrit les animaux, nettoie les enclos et participe à la récolte. *Elle s'efforce de faire son travail selon les consignes reçues afin d'aider l'exploitant agricole à produire une récolte abondante et de qualité.*
CLÉO 124.32   S

MANOEUVRE AU TRAITEMENT DU BOIS
Personne qui, dans une usine de traitement du bois, remplit diverses tâches telles que le nettoyage des postes de travail et le transport des matériaux. *Elle a le souci de remplir ses tâches conformément aux directives reçues afin de permettre un bon roulement de la production.*
CLÉO 225.11   S

Deux **malherbologistes** à la recherche de plantes nuisibles à la culture des pommes de terre
PHOTO: Univ. Laval–Fac. des sciences de l'agric. et de l'alim.

MANOEUVRE DE SCIERIE Personne qui, dans une scierie, remplit diverses tâches telles que placer les billes sur un chariot, transporter des pièces de bois, les empiler, nettoyer les postes de travail, enlever les accumulations d'écorce et de sciure de bois, charger les camions, à la main ou à l'aide d'équipement. *Elle a le souci de remplir ses tâches conformément aux directives reçues afin de permettre un bon roulement de la production.*
CLÉO 225.07   S

MANOEUVRE EN CONSTRUCTION Personne qui, dans des chantiers de construction, de réparation ou de démolition de bâtiments, de routes, de tunnels, etc., exécute diverses tâches de manutention telles que dresser et monter des échafaudages, transporter des matériaux, installer des barrières. *Elle a le souci de respecter les indications reçues et les règles de sécurité établies afin de contribuer au bon déroulement des divers travaux.*
CLÉO 241.25   S

MANOEUVRE EN FERBLANTERIE Personne qui effectue diverses tâches liées à la manutention de feuilles de métal et à la production d'objets métalliques (tuyaux, boîtes) à la main ou à l'aide de divers outils appropriés. *Elle s'efforce d'examiner attentivement les feuilles de métal et d'effectuer un triage efficace.*
CLÉO 241.43   S

MANOEUVRE EN TERRASSEMENT ET EN AMÉNAGEMENT PAYSAGER Personne qui réalise des travaux manuels de menuiserie et de maçonnerie liés à l'aménagement paysager d'un lieu. Elle construit des patios, des murs, des escaliers, des rocailles, elle installe des systèmes d'irrigation, de drainage et d'éclairage. *Elle a le souci d'accomplir ses tâches avec soin et selon les consignes reçues afin de respecter l'esthétisme et l'harmonie des lieux aménagés.*
CLÉO 125.04   S

MANOEUVRIER, MANOEUVRIÈRE Personne qui, en tant que membre des forces armées, effectue diverses tâches d'entretien des surfaces, du matériel et de la machinerie sur un navire. Elle s'occupe, entre autres, de faire fonctionner les équipements servant à la manutention, les ancres et les cordages, les petites embarcations et organise et dirige les activités relatives à l'entreposage, à l'entretien, aux démolitions, aux munitions et au maniement d'armes. *Elle s'efforce de se conformer aux indications reçues afin d'assurer le bon déroulement des diverses opérations.*
CLÉO 333.48   S

MANUCURE Personne qui nettoie, traite, taille, polit, colore et vernit les ongles (doigts et orteils) dans un but esthétique. *Elle s'efforce de donner* *une apparence soignée et esthétique aux ongles de ses clients en tenant compte de leurs préférences ainsi que de l'état et de la forme naturelle de leurs ongles.*
CLÉO 516.12   S

Aux commandes de son chariot élévateur,
une **manutentionnaire** déplace des matériaux lourds
PHOTO: Caroline Hayeur/Agence Stock

MANUTENTIONNAIRE Personne qui range, déplace ou transporte des marchandises ou du matériel dans une usine, un magasin, un entrepôt, etc., ou qui s'occupe de charger et décharger les camions. *Elle veille à manipuler les marchandises avec soin afin d'éviter les bris, les dommages et les accidents.*
CLÉO 433.11   S

MANUTENTIONNAIRE DE PAPIER RECYCLÉ Personne qui trie et met en paquets le papier de rebut récupéré auprès d'industries, de commerces ou de résidences en vue de son recyclage. *Elle a le souci de trier adéquatement le papier et de s'assurer qu'aucun déchet de verre ou de métal ne demeure dans le papier.*
CLÉO 226.11   S

MAQUETTISTE Personne qui fabrique des modèles réduits d'ensembles architecturaux, de décors, de personnages ou d'objets destinés à des expositions, à des démonstrations promotionnelles ou à des études de prototypes industriels (véhicules, machines, design de produits d'aménagement, etc.). Elle peut aussi fabriquer des reproductions de décors et de personnages à échelle réduite ou en grandeur nature pour les besoins de productions cinématographiques ou télévisuelles ou de produits multimédias (CD-Rom, jeux électroniques, etc.) en vue, par exemple, de la réalisation des séquences filmées, d'effets spéciaux spectaculaires ou de scènes d'animation. Elle reproduit fidèlement la réalité à partir de plans, de photographies ou de modèles ou conçoit et réalise de toutes pièces les modèles selon les besoins de sa clientèle. Elle peut également fabriquer des maquettes pourvues de dispositifs mécaniques, électriques ou électroniques

137

permettant d'actionner ou d'animer les composantes. Dans le domaine du graphisme, elle prépare l'esquisse d'ensemble d'un panneau publicitaire ou d'un document graphique en vue de l'approbation du projet par le client ou pour servir de modèle au personnel qui en fera la réalisation technique.
CLÉO 626.39   C

MAQUILLEUR-COIFFEUR, MAQUILLEUSE-COIFFEUSE Personne qui maquille ou coiffe des artistes, des animateurs, des mannequins ou autres professionnels, en vue d'une production sur scène ou devant les caméras. À cette fin, elle réalise des maquillages ou des coiffures pour mettre en valeur l'apparence naturelle des personnes ou pour transformer la coiffure, les traits du visage ou d'autres parties du corps de la personne en fonction d'un rôle particulier et elle recourt à divers artifices (postiches, perruques, ongles, cils et sourcils artificiels, masques, moulages de cire) pour créer des effets spéciaux. *Elle veille à tenir compte de plusieurs facteurs (circonstances, exigences du rôle, caractéristiques physiques naturelles de la personne, costume ou tenue vestimentaire prévue, éclairage ambiant, etc.) afin de réussir des maquillages ou des coiffures adaptés aux besoins.*
CLÉO 624.38   S

MARCHAND, MARCHANDE DES QUATRE SAISONS Personne qui vend diverses marchandises comme des fruits et légumes ou de la crème glacée, en passant dans les rues et les endroits public. *Elle s'efforce d'attirer l'attention des gens en faisant jouer de la musique, afin de promouvoir ses ventes.*
CLÉO 432.52   S

MARÉCHAL-FERRANT, MARÉCHALE-FERRANTE Personne qui façonne, ajuste et cloue les fers aux sabots des chevaux en vue de protéger les chevaux de blessures ou d'améliorer leurs performances. *Elle s'efforce de déterminer le genre de fer le plus approprié aux sabots du cheval et d'effectuer un suivi afin de s'assurer que les sabots sont en bon état.*
CLÉO 126.16   S

MARIONNETTISTE Personne qui conçoit et met au point des spectacles ou des numéros dans lesquels elle anime ou fait bouger un personnage créé à partir d'une matière inerte, en vue de répondre aux besoins d'un spectacle, d'une production cinématographique ou télévisuelle. À cette fin, elle détermine les mouvements les plus appropriés, effectue des répétitions et choisit de parler ou de chanter pendant le spectacle de manière à donner l'illusion que la marionnette a une voix. *Elle s'efforce de mettre au point des numéros qui rendront les personnages réels afin de captiver l'intérêt du public.*
CLÉO 625.07   C

MAROQUINIER, MAROQUINIÈRE Personne qui fabrique et répare des articles et des vêtements en cuir (gants, porte-monnaie, chaussures, ceintures, etc.). À cette fin, elle réalise des patrons, pare, étire, teint et taille le cuir, assemble les pièces de l'article, fait la finition de l'objet et, selon le cas, s'occupe aussi de la vente de ses produits. *Elle s'efforce de choisir un cuir résistant et de faire preuve de minutie dans la confection des articles afin d'offrir un produit de qualité et conforme aux exigences de la clientèle.*
CLÉO 237.20   S

MASSEUR, MASSEUSE Personne qui, dans un centre de conditionnement physique, un établissement thermal ou autre endroit analogue, effectue des massages corporels et administre divers traitements à la vapeur, à l'eau, à la chaleur ou aux rayons ultraviolets et infrarouges en vue de favoriser la relaxation et le bien-être physique de ses clients et de prodiguer certains effets thérapeutiques (soulagement des douleurs musculaires et articulaires, activation de la circulation sanguine, etc.). *Elle veille à travailler dans un environnement calme et discret afin de favoriser la détente de ses clients et à faire preuve d'un savoir-faire qui leur procurera le bien-être attendu.*
CLÉO 516.15   S

MASSOTHÉRAPEUTE Personne qui donne des soins thérapeutiques corporels tels que massages et traitements (compresses, exposition aux lampes à infrarouge ou à rayons ultraviolets, bains à remous, etc.) en vue de soulager la douleur et d'améliorer la condition physique de la personne. *Elle se préoccupe de donner les traitements les mieux appropriés à la personne afin de lui procurer le bien-être attendu.*
CLÉO 524.02   C

Une **mécanicienne d'aéronefs** se prépare à vérifier l'hélice d'un hélicoptère
PHOTO: Caroline Hayeur/Agence Stock

MATELOT Personne qui, à bord d'un navire, s'occupe des travaux d'entretien, de mouillage et d'amarrage du navire ainsi que de la manutention du matériel. Elle s'occupe, entre autres, des manoeuvres d'accostage ou de la mise en mer, du nettoyage du pont, des commandes de la passerelle et de l'entretien de l'outillage et du matériel de pont. Elle signale également les objets ou obstacles observés au large comme les bouées, les phares, les autres navires et les récifs. *Elle doit faire preuve de vigilance dans ses diverses tâches afin d'assurer la sécurité des passagers et le bon fonctionnement du navire.*
CLÉO 433.55   S

MATHÉMATICIEN, MATHÉMATICIENNE DE MATHÉMATIQUES APPLIQUÉES Personne qui fait des calculs et des analyses pour trouver des solutions à des problèmes de quantification, de mesure, de prévision ou autre dans des domaines comme le génie civil, l'organisation industrielle, la recherche, l'administration, etc. À cette fin, elle applique les théories et les principes mathématiques, recherche des moyens de représenter les données d'une situation au moyen de symboles, de formules et d'algorithmes mathématiques en vue de résoudre les problèmes à l'étude. *Elle s'efforce d'élaborer de nouvelles théories dans le domaine et de découvrir de nouvelles applications aux théories existantes.*
CLÉO 612.10   U

MÉCANICIEN, MÉCANICIENNE D'AÉRONEFS Personne qui fait l'inspection, vérifie, modifie et entretient les aéronefs en vue de les maintenir en état de navigabilité. Elle s'occupe, entre autres, de l'entretien et de la réparation de plusieurs éléments ou systèmes (structure de l'aéronef, équipements de bord, commandes de vol, systèmes hydrauliques et pneumatiques, moteurs, réacteurs, trains d'atterrissage, hélices) et veille à produire des rapports techniques pour rendre compte des travaux d'entretien et de réparation effectués. *Elle se préoccupe du respect des normes et de la réglementation sur l'entretien des aéronefs et veille à déceler les causes de pannes ou d'ennuis techniques afin d'y remédier et même de les prévenir.*
CLÉO 254.23   C

MÉCANICIEN, MÉCANICIENNE D'ASCENSEURS Personne qui installe, répare et assure l'entretien de systèmes de déplacement mécanisé tels que des ascenseurs, des escaliers roulants, des monte-charge, etc. À cette fin, elle prend connaissance des plans, procède à l'installation des rails, des charpentes, des contrepoids, etc., pose le câblage du matériel de commande et vérifie et règle le fonctionnement du matériel en vue d'en assurer une utilisation sécuritaire. *Elle s'efforce de faire preuve d'attention afin de détecter tout bruit suspect et d'assurer l'entretien préventif des installations.*
CLÉO 241.81   S

Le **mécanicien d'automobiles** dispose de plusieurs outils électroniques de diagnostic
PHOTO: CS de Coaticook

MÉCANICIEN, MÉCANICIENNE D'AUTOMOBILES Personne qui répare et entretient les éléments mécaniques, électriques et électroniques (freins, climatiseurs, systèmes d'échappement, radiateurs, etc.) de véhicules automobiles (automobiles, autobus, camions, etc.). À cette fin, elle examine le véhicule afin d'identifier la nature et l'importance des problèmes et des réparations à faire, elle démonte, répare ou remplace les pièces, les remonte et fait les réglages nécessaires en vue de permettre le fonctionnement optimal du véhicule. *Elle s'efforce de localiser rapidement la cause de la défectuosité selon les indications fournies afin d'effectuer les réparations nécessaires et de remettre le véhicule en bon état.*
CLÉO 254.03   S

MÉCANICIEN, MÉCANICIENNE D'INSTRUMENTS DE BORD Personne qui installe, répare et entretient les différents instruments du tableau de bord d'un avion tels que l'altimètre, le gyroscope, les cadrans, l'indicateur de pression d'huile, le pilote automatique. À cette fin, elle examine les différents instruments, démonte et remplace les pièces défectueuses et nettoie et lubrifie les pièces. *Elle doit faire preuve de minutie et de précision afin que les instruments soient en parfaite condition et s'efforce d'être à l'affût des nouvelles technologies liées à l'utilisation des ordinateurs et des détecteurs afin d'offrir un service des plus perfectionnés.*
CLÉO 254.22   C

MÉCANICIEN, MÉCANICIENNE DE BATEAUX À MOTEUR Personne qui installe et répare des moteurs et des équipements mécaniques ou électroniques sur divers types de bateaux et qui en assure l'entretien. *Elle veille à faire un entretien préventif des équipements afin de contribuer à la sécurité des gens qui en feront l'utilisation.*
CLÉO 127.05   S

MÉCANICIEN, MÉCANICIENNE DE CHANTIER

Personne qui s'occupe de l'installation, de l'entretien et de la réparation des engins de chantier et des équipements mécaniques, hydrauliques et pneumatiques dans les chantiers de construction ou de travaux publics. *Elle veille à faire l'installation de la machinerie et des équipements selon les consignes reçues afin de permettre le déroulement efficace des travaux.*
CLÉO 251.08   S

Un **mécanicien de chantier** utilise un extracteur hydraulique pour retirer un barbotin de son axe sur un bouteur
PHOTO: CECQ–École Wilbrod-Bherer

MÉCANICIEN, MÉCANICIENNE DE CLIMATISEURS COMMERCIAUX

Personne qui installe, entretient et répare des systèmes de climatisation de grande capacité dans des établissements commerciaux et des immeubles d'habitation et à bureaux. *Elle veille à installer et à raccorder les composantes du système selon les plans et devis afin d'assurer une régulation de l'atmosphère dans l'ensemble du bâtiment.*
CLÉO 241.78   S

MÉCANICIEN, MÉCANICIENNE DE LOCOMOTIVE

Personne qui conduit une locomotive sur les voies ferrées pour effectuer le transport de passagers ou de marchandises. Elle s'occupe, entre autres, de vérifier les câbles électriques, les relais de protection, les indicateurs d'huile et de combustible, les freins, etc., d'actionner le train et d'observer la voie afin de s'assurer de l'absence d'obstacles. *Elle veille à respecter les règles de la sécurité ferroviaire et à respecter l'horaire des arrivées et des départs afin d'assurer la sécurité des passagers et un bon service à la clientèle.*
CLÉO 433.43   S

MÉCANICIEN, MÉCANICIENNE DE MACHINERIE LÉGÈRE

Personne qui répare, entretient et vérifie les motoneiges, les tondeuses, les scies à chaîne, les souffleuses à neige, les mini-tracteurs, les moteurs hors-bord, etc. À cette fin, elle examine les pièces afin de déceler toute défectuosité, estime le coût des réparations, règle, remplace ou répare les éléments défectueux et procède à la vérification du fonctionnement de l'appareil. *Elle s'efforce de bien déterminer la cause des défectuosités des moteurs et de procéder aux réparations nécessaires dans les meilleurs délais afin de remettre les appareils en bon état de fonctionnement et d'assurer un service de qualité.*
CLÉO 254.25   S

MÉCANICIEN, MÉCANICIENNE DE MACHINERIE LOURDE DE CONSTRUCTION

Personne qui inspecte, entretient et répare la machinerie lourde de construction (niveleuses, grues, pelles mécaniques, etc.) dans un chantier conformément au programme d'entretien de chaque machine. Elle s'occupe, entre autres, de vérifier le fonctionnement des machines, de déceler toute défectuosité, de déterminer la nature du problème et de procéder aux réparations nécessaires. *Elle est soucieuse de bien examiner l'équipement afin d'apporter les réparations nécessaires au besoin.*
CLÉO 241.23   S

MÉCANICIEN, MÉCANICIENNE DE MACHINES À COUDRE

Personne qui entretient, règle ou répare les machines à coudre ordinaires ou automatiques, domestiques ou industrielles. À cette fin, elle examine les machines, vérifie le fonctionnement afin de déceler toute défectuosité, estime le coût des réparations, répare, remplace et règle les pièces ou les mécanismes défectueux et procède à la vérification du fonctionnement de la machine. *Elle veille à donner des conseils appropriés sur les techniques d'entretien afin de permettre un fonctionnement optimal de la machine.*
CLÉO 252.19   S

MÉCANICIEN, MÉCANICIENNE DE MACHINES AGRICOLES

Personne qui entretient et répare les machines utilisées dans les entreprises agricoles telles que des tracteurs, des faucheuses, des moissonneuses-batteuses, à l'aide d'outils manuels ou mécaniques. À cette fin, elle vérifie le fonctionnement des machines en vue de déceler toute défectuosité et remplace ou répare les pièces défectueuses. *Elle a le souci de déceler toute défectuosité de l'équipement et de faire les réparations nécessaires dans les plus brefs délais afin de ne pas interrompre la production.*
CLÉO 124.34   S

MÉCANICIEN, MÉCANICIENNE DE MACHINES D'IMPRIMERIE Personne qui installe, entretient et répare des machines d'imprimerie telles que des presses offset, des presses rotatives, de l'équipement de photogravure, de l'équipement de finition. *Elle s'efforce de déceler rapidement les causes de toute défectuosité et de rétablir le bon fonctionnement des machines dans les meilleurs délais possible afin d'éviter des retards dans l'échéancier de production de l'entreprise.*
CLÉO 235.08 S

MÉCANICIEN, MÉCANICIENNE DE MACHINES FIXES Personne qui répare, règle et entretient diverses machines (chaudières à haute pression, turbines, compresseurs, moteurs, générateurs, etc.) qui servent au chauffage, à la ventilation, à la climatisation, à l'éclairage d'urgence et à l'alimentation en énergie d'équipements spécialisés dans les bâtiments publics, commerciaux et industriels. *Elle s'efforce de faire un entretien préventif des systèmes et de réparer les défectuosités dans les meilleurs délais possible afin d'assurer le confort des gens et, s'il y a lieu, le bon déroulement des travaux.*
CLÉO 241.82 S

Un **mécanicien de machines fixes** effectue l'inspection d'une chaudière dans un bâtiment public
PHOTO: CECQ–Pavillon technique

MÉCANICIEN, MÉCANICIENNE DE MOTEURS À INJECTION Personne qui vérifie, répare et calibre les injecteurs et les systèmes de commande électronique des moteurs à l'aide d'outils manuels ou d'instruments spécialisés, en vue du bon fonctionnement du moteur. *Elle veille à faire toutes les vérifications, les essais et réglages nécessaires afin d'assurer le fonctionnement optimal du moteur.*
CLÉO 254.07 S

MÉCANICIEN, MÉCANICIENNE DE MOTEURS ÉLECTRIQUES Personne qui répare et entretient en atelier divers types d'appareils et d'outils portatifs à moteur électrique comme les tondeuses à gazon, les souffleuses à neige, les scies à chaîne, les ventilateurs, etc. À cette fin, elle procède à des essais pour déceler l'origine de la défectuosité, remplace les pièces défectueuses, nettoie, repeint ou lubrifie les pièces selon les besoins.
CLÉO 252.21 S

MÉCANICIEN, MÉCANICIENNE DE MOTEURS HORS-BORD Personne qui met au point ou répare les éléments électriques et mécaniques des moteurs hors-bord. Elle démonte et examine le moteur afin d'identifier et de remplacer les pièces défectueuses, règle le carburateur et l'allumage et procède à la vérification du fonctionnement du moteur. *Elle veille à bien vérifier l'équipement réparé et à le régler afin d'en assurer un fonctionnement adéquat et sécuritaire.*
CLÉO 254.21 S

MÉCANICIEN, MÉCANICIENNE DE VÉHICULES LOURDS ROUTIERS Personne qui répare et entretient les moteurs diesels de véhicules lourds routiers et de diverses machines industrielles et de construction. À cette fin, elle vérifie le fonctionnement du moteur afin de détecter les défectuosités, démonte le moteur, change ou répare les pièces défectueuses, remonte le moteur et fait des essais afin d'apporter les ajustements nécessaires. *Elle se préoccupe de bien examiner les différentes pièces du moteur et de déceler toute trace d'usure ou toute défectuosité du moteur afin de pouvoir effectuer rapidement les réparations qui s'imposent.*
CLÉO 254.06 S

MÉCANICIEN, MÉCANICIENNE DE VÉHICULES RÉCRÉATIFS Personne qui vérifie, répare et remplace les fils électriques, la plomberie, les armoires, les portes, les moteurs électriques et la charpente de véhicules récréatifs tels que remorques et caravanes. *Elle a le souci de bien vérifier tous les systèmes avant la mise en route, afin que le client puisse utiliser le véhicule en toute sécurité.*
CLÉO 254.24 S

MÉCANICIEN, MÉCANICIENNE EN RÉFRIGÉRATION ET EN CLIMATISATION Personne qui installe, modifie, répare et entretient, dans des bâtiments résidentiels, commerciaux ou industriels, des systèmes de réfrigération et de climatisation de forte capacité, y compris la tuyauterie, les appareils, accessoires et dispositifs assurant la distribution des liquides et des gaz ainsi que la production du froid. *Elle veille à faire preuve de prudence et à se méfier de la toxicité de certains gaz utilisés afin d'éviter tout accident, risque d'électrocution ou danger.*
CLÉO 241.77 S

MÉCANICIEN INDUSTRIEL, MÉCANICIENNE INDUSTRIELLE Personne qui installe, entretient, dépanne et répare, dans une industrie, les machines fixes, les systèmes mécaniques, hydrauliques et pneumatiques assistés par ordinateur ou par automate programmable. *Elle s'efforce de bien connaître la structure et les modes de fonctionnement des systèmes industriels afin de déceler rapidement les causes des défectuosités et de les résoudre dans les meilleurs délais possible.*
CLÉO 251.05   S

MÉCANICIEN, MÉCANICIENNE MOTORISTE Personne qui vérifie et répare les moteurs à essence et les moteurs diesels des véhicules automobiles. Elle s'occupe, entre autres, de mesurer la compression des cylindres, la pression d'huile, de détecter les fuites, de vérifier la pompe à l'huile. *Elle a le souci d'essayer les moteurs réparés et de les ajuster correctement afin de s'assurer de leur fonctionnement optimal.*
CLÉO 254.08   S

MÉDECIN EN MÉDECINE D'URGENCE Personne qui traite les personnes blessées ou atteintes de souffrances aiguës au service des urgences d'un hôpital. Elle s'occupe, entre autres, d'évaluer les cas, d'établir l'ordre d'urgence, d'émettre rapidement des diagnostics et de donner les soins appropriés. *Elle veille à intervenir le plus efficacement possible afin d'assurer un soulagement aux personnes souffrantes et, dans la mesure du possible, de sauver les personnes qui arrivent aux urgences dans un état critique.*
CLÉO 522.02   U

MÉDECIN ESTHÉTICIEN, MÉDECIN ESTHÉTICIENNE Personne qui, en tant que médecin, donne différents soins esthétiques en vue de ,traiter des problèmes tels que des varices, de la couperose, des rides, des cicatrices d'acné ou des vergetures, à l'aide d'injections, d'applications locales de produits pharmaceutiques ou de techniques spécialisées. *Elle veille à parfaire continuellement ses connaissances dans les soins esthétiques médicaux afin d'offrir à sa clientèle des services de qualité.*
CLÉO 522.03   U

MÉDECIN HYGIÉNISTE Personne qui dirige et assure la mise en application de mesures en vue d'améliorer l'hygiène publique dans une ville, un comté, un district ou une région. À cette fin, elle assure l'inspection de maisons de santé, d'institutions, d'usines, etc., et de diverses installations d'hygiène publique comme les égouts et agit à titre d'experte-conseil auprès d'organismes, d'entreprises, de municipalités, etc. *Elle s'efforce de faire un travail de prévention afin de préserver et d'améliorer la santé de la population et de prévenir les maladies contagieuses et les épidémies.*
CLÉO 522.04   U

MÉDECIN LÉGISTE Personne qui, dans les cas de décès d'origine criminelle, effectue, à partir d'une ordonnance de justice, l'autopsie complète ou partielle des cadavres en vue de déterminer la cause du décès et de recueillir de l'information sur les circonstances probables du décès. Elle doit également fournir un rapport pour rendre compte de ses constatations et de ses hypothèses (confirmation d'identité, nature des blessures, indices sur l'arme utilisée et sur les circonstances de l'agression, date, heure et lieu du décès, etc.) et présenter son témoignage à l'occasion du procès. *Elle s'efforce de déceler avec objectivité tous les indices susceptibles d'éclairer les circonstances de la mort et d'appuyer ses déductions sur des constats rigoureux afin de fournir un avis fiable.*
CLÉO 321.13   U

MÉDECIN SPÉCIALISTE EN RADIOLOGIE DIAGNOSTIQUE Personne qui, en tant que médecin spécialiste, diagnostique des maladies et des lésions affectant le squelette et les organes du corps humain au moyen de radiographies et d'autres types d'examens radio-diagnostiques qui fournissent des images de l'anatomie interne (angiographie, échographie, imagerie par résonance magnétique (IRM), scanographie, tomodensitométrie, ou scan, ou taco). À cette fin, elle analyse les images produites au cours des examens prescrits, auxquels elle assiste au besoin, formule un diagnostic en collaboration avec d'autres spécialistes (gynécologue, orthopédiste, neurologue, etc.) et participe au traitement de certaines maladies qui nécessitent une intervention locale précise. *Elle doit posséder des connaissances étendues de l'anatomie et des fonctions organiques afin d'être en mesure de déceler sur divers types d'images médicales les anomalies indicatrices de maladie et d'en interpréter correctement la nature et la gravité.*
CLÉO 523.51   U

MÉDECIN SPÉCIALISTE EN RADIO-ONCOLOGIE Personne qui, en tant que médecin spécialiste, traite des tumeurs, généralement cancéreuses, au moyen de radiations ionisantes et de substances radioactives (radio-isotopes). Elle définit la nature, les modalités, la dose et la durée des traitements requis en fonction de la région à traiter, supervise l'administration des traitements, en évalue les effets et apporte au besoin les changements nécessaires. Elle effectue également un suivi régulier des patients avant, pendant et après les traitements, procède aux examens de contrôle et renseigne les patients sur leur état de santé ainsi que sur les résultats et les effets secondaires des traitements. *Elle doit faire preuve d'une grande compétence dans le dosage des radiations et des substances radioactives afin d'obtenir le maximum de chances de guérison sans endommager les tissus sains.*
CLÉO 523.55   U

MÉDIATEUR, MÉDIATRICE Personne qui, à titre de spécialiste en droit, agit comme intermédiaire entre deux parties en vue de régler à l'amiable, hors cour, des causes de divorce non litigieuses, des conflits de travail, des litiges commerciaux ou autres. Son rôle consiste à renseigner les deux parties sur leurs droits et obligations respectives en vertu des lois, à exposer les options possibles et leurs conséquences éventuelles en vue de faciliter l'accord des deux parties sur chaque point devant être résolu. Elle s'occupe également de rédiger les documents juridiques et d'effectuer les démarches nécessaires à l'officialisation des ententes convenues entre les parties.
CLÉO 321.18   U

MÉDIATEUR FAMILIAL, MÉDIATRICE FAMILIALE
Personne qui intervient auprès de couples en instance de divorce en vue d'amener les conjoints à s'entendre à l'amiable sur la garde des enfants, les droits de visite, la répartition des biens, le versement d'une pension alimentaire, etc. À cette fin, elle renseigne le couple sur leurs droits et obligations respectifs en vertu des lois, facilite l'accord des deux parties sur les points devant être résolus, présente les options possibles. Elle peut intervenir plus particulièrement auprès de conjoints hostiles aux prises avec des difficultés de négociation, porter, dans ce cas, une attention spéciale en vue d'assurer les meilleures conditions de vie possible aux enfants sur les plans matériel et affectif et s'occupe de transmettre le dossier au tribunal pour la procédure de divorce qui rendra officielle les ententes convenues entre les parties. Elle peut également être chargée par un tribunal d'intervenir dans des cas de litiges relatifs à l'exécution d'un jugement de divorce pour amener les parties à respecter leurs engagements selon le jugement et éviter que des poursuites judiciaires soient engagées.
CLÉO 531.10   U

MÉLANGEUR, MÉLANGEUSE DE CAOUTCHOUC MOUSSE Personne qui fait fonctionner la machine permettant de produire le composé qui sert à fabriquer des articles tels que des coussins et des matelas. *Elle se préoccupe du bon fonctionnement des appareils afin d'assurer le rendement optimal de l'entreprise.*
CLÉO 229.09   S

MENUISIER, MENUISIÈRE D'ATELIER DE BOIS OUVRÉ Personne qui travaille dans un atelier de menuiserie à la fabrication d'éléments en bois qui serviront à la confection de comptoirs, d'armoires et de meubles, à l'aide d'outils manuels ou mécaniques. À cette fin, elle étudie les plans, évalue les besoins en matériaux et équipements, taille le bois et assemble les diverses parties. *Elle s'efforce de bien étudier et respecter les plans et de prêter une attention particulière aux détails afin d'offrir des produits sans défauts qui allient qualité et durabilité.*
CLÉO 236.05   S

MENUISIER, MENUISIÈRE D'ATELIER DE CONSTRUCTION Personne qui fait l'assemblage de différents articles en bois comme des meubles, des cadres, des fenêtres ou des portes à l'aide d'une machine automatisée. Elle place les pièces de bois précoupées selon l'ordre et la position voulus, règle la machine aux dimensions des pièces et en assure le fonctionnement. *Elle se préoccupe de produire des articles de qualité et d'assurer un fonctionnement optimal en vue de la bonne rentabilité de l'entreprise.*
CLÉO 241.50   S

MESSAGER, MESSAGÈRE Personne qui recueille et livre des lettres, des colis, des messages ou autres articles à l'intérieur d'un même établissement ou d'un établissement à un autre. Dans ce dernier cas, elle peut effectuer ses livraisons à pied, à bicyclette ou en véhicule motorisé. Elle doit faire signer la feuille de livraison par le destinataire et percevoir, au besoin, le paiement des articles livrés. *Elle s'assure d'effectuer les livraisons dans les délais prévus afin d'assurer la satisfaction de la clientèle.*
CLÉO 433.96   S

MESUREUR, MESUREUSE DE BILLES Personne qui, pour le compte d'une industrie forestière, mesure en forêt la dimension des arbres matures en vue de calculer la quantité de bois marchand qu'il sera possible d'en tirer comme bois de construction ou comme bois destiné à la production de pâtes et papiers.
CLÉO 123.09   S

MÉTÉOROLOGUE Personne qui, à l'aide d'instruments de mesure, d'outils de communication électronique et de photographies transmises par satellite, recueille, consigne et interprète des données sur les phénomènes atmosphériques (température, direction et vitesse des vents, pression, humidité, nature et volume des précipitations, etc.) en vue de préparer et de diffuser l'information sur les conditions météorologiques et les prévisions du temps à court et moyen terme pour diverses régions. Elle peut également effectuer des recherches sur les phénomènes météorologiques et climatiques en vue de tenter d'expliquer des phénomènes particuliers ou d'aider à la planification de projets influencés par les conditions climatiques. *Elle s'efforce d'interpréter les données avec justesse afin de minimiser les risques et les inconvénients que des prévisions erronées pourraient causer au public en général, mais surtout aux gens dans les domaines de l'aviation, de la navigation, de l'agriculture ou autres dont les activités professionnelles dépendent de la météo.*
CLÉO 114.01   U

METTEUR, METTEUSE EN SCÈNE DE THÉÂTRE
Personne qui prend en charge la mise en spectacle d'une pièce de théâtre, qui dirige le jeu dramatique des acteurs et qui oriente la conception des effets scéniques (décors, costumes, éclairage, musique, etc.) en vue d'obtenir une interprétation artistique et une atmosphère conformes à la fois à sa compréhension de l'oeuvre et au contexte (social, historique, politique, dramatique, etc.) dans lequel elle s'inscrit. À cette fin, elle participe au choix des acteurs, dirige les répétitions et guide les choix artistiques, techniques et matériels de l'équipe de production. *Elle se préoccupe de transmettre clairement sa vision de l'oeuvre aux acteurs et au personnel de scène afin qu'ils s'en inspirent et la traduisent adéquatement.*
CLÉO 624.07   U

MEUNIER, MEUNIÈRE Personne qui fait fonctionner des concasseurs, un moulin, un broyeur, un moulin à meules pour transformer des grains (maïs, blé, avoine) en farine et fabriquer des moulées. *Elle s'efforce de régler la pression des cylindres ou des pierres meulières selon la grosseur et la dureté du grain afin de maintenir la qualité de la production au plus haut niveau possible.*
CLÉO 228.25   S

Les **meuniers** peuvent travailler dans de vastes complexes, telle cette meunerie adjointe à un centre de grains
PHOTO: Groupe Dynaco

MICROBIOLOGISTE Personne qui fait des recherches sur la structure, la physiologie, le métabolisme, la génétique et l'écologie de micro-organismes (virus, champignons, bactéries, etc.) en vue de contrer la propagation des micro-organismes nuisibles et de trouver des applications à ses découvertes (traitement des eaux usées, fermentation, etc.). Elle observe la relation des micro-organismes avec l'environnement, leur action, leur reproduction, etc., et rédige des rapports et des articles scientifiques pour faire part du résultat de ses recherches. Elle peut se spécialiser en virologie, en bactériologie, en mycologie, en parasitologie, en immunologie, en génétique, en toxicologie ou en physiologie et peut travailler dans divers domaines comme la médecine, la médecine vétérinaire, la santé publique, l'agriculture ou les industries chimiques et alimentaires. *Elle se préoccupe d'augmenter les connaissances sur les espèces nuisibles et utiles afin de permettre de maîtriser les unes ou la propagation des autres, selon les besoins.*
CLÉO 612.26   U

MICROBIOLOGISTE MÉDICAL, MICROBIOLOGISTE MÉDICALE Personne qui, à titre de spécialiste de la microbiologie appliquée au domaine médical, étudie les micro-organismes susceptibles d'être pathogènes pour l'être humain. À cette fin, elle fait des analyses en laboratoire pour les identifier, tester la virulence des bactéries et l'efficacité des traitements et rédige aussi des rapports et des articles scientifiques pour faire part du résultat de ses recherches. *Elle veille à contribuer à l'élargissement des connaissances sur les micro-organismes pathogènes afin de permettre la découverte de nouvelles formes de traitements.*
CLÉO 612.27   U

MIME Personne qui met au point des numéros dans lesquels elle exprime des sentiments, reproduit des situations à l'aide de gestes, de mouvements corporels ou d'expressions du visage sans utiliser la parole en vue de leur présentation devant un public. À cette fin, elle prend connaissance du rôle à jouer, analyse les éléments de la situation à reproduire et répète les gestes et les mimiques appropriés (interprétations sérieuses, humoristiques, burlesques ou des scènes dramatiques). *Elle s'efforce de bien étudier le personnage ou l'action qu'elle mimera afin de pouvoir les recréer correctement et d'offrir un spectacle qui saura captiver l'intérêt du public.*
CLÉO 625.05   C

MINÉRALOGISTE Personne qui étudie et analyse les minéraux ou les pierres précieuses en vue de définir leurs propriétés, de les identifier, de fournir des avis sur leur utilisation possible et de mettre au point de nouveaux usages ou procédés de traitement.
CLÉO 111.13   U

MINEUR, MINEUSE Personne qui, à l'aide d'outils et de machinerie (chargeuse à navette, chariot de perforation ou de chargement de minerai, tracteur sur roues), procède à l'extraction de substances minérales (minerai, roche, charbon, etc.) dans une exploitation minière souterraine ou à ciel ouvert en vue de la production de la matière première. À cette fin, elle doit, entre autres, percer différents types de galeries et de rampes, installer des tiges de structure ou autre pièce de sécurité, poser les conduites à l'air, à l'eau et de ventilation et accomplir les vérifications requises. *Elle se préoccupe de respecter les procédés d'excavation et les instructions reçues et de réagir promptement aux situations imprévues (éboulements,*

explosions, etc.) afin d'assurer un bon rende-
ment dans les opérations de forage, de dyna-
mitage, de creusage, d'extraction, etc.
CLÉO 122.04   S

MINISTRE DU CULTE Personne qui dirige et
accomplit les activités entourant les rites d'une reli-
gion en vue de promouvoir la foi et la pratique
religieuse. À cette fin, elle donne des conseils
d'ordre spirituel ou moral, supervise l'enseignement religieux et préside aux rassemblements
rituels ou délibératifs de sa communauté ou de son
groupe religieux. *Elle se préoccupe d'éveiller la*
foi, de communiquer les enseignements reli-
gieux et de favoriser l'engagement des person-
nes dans la communauté.
CLÉO 531.20   U

MODELEUR, MODELEUSE Personne qui fabrique, à partir de plans et de devis techniques,
des matrices (modèles) en bois ou en métal qui
serviront à la confection de moules pour couler des
pièces de fonderie. *Elle a le souci de fabriquer*
avec précision ses modèles afin qu'ils soient
conformes aux plans qui lui ont été soumis.
CLÉO 222.05   S

MODÉLISTE DE CHAUSSURES Personne qui
conçoit et dessine, à l'aide de l'ordinateur ou à la
main, des modèles de chaussures en vue de préparer des patrons qui serviront à leur confection.
À cette fin, elle réalise le premier patron, exécute
un prototype et fait les ajustements nécessaires
à la production en série. *Elle veille à faire*
preuve d'originalité dans la création de ses
différents modèles et à présenter des chaus-
sures qui allient confort et esthétique afin de
répondre aux tendances de la mode et aux
exigences de la clientèle.
CLÉO 237.18   C

MODÉLISTE EN CÉRAMIQUE Personne qui
conçoit et crée des modèles d'objets en céramique
qui serviront à la fabrication en série. À cette fin,
elle dessine les modèles, les confectionne, les cuit,
peint les motifs décoratifs et applique l'émail.
Elle s'efforce de créer des modèles inédits qui
sauront plaire à la clientèle.
CLÉO 223.12   C/U

MODÉLISTE EN FOURRURE Personne qui
crée des modèles et prépare des patrons de vêtements et d'articles en fourrure tels que manteaux,
capes, étoles et chapeaux. À cette fin, elle fait le
croquis, trace le patron et confectionne un modèle
d'essai qui lui permettra de faire les ajustements
nécessaires. *Elle s'efforce de tenir compte des*
tendances de la mode et de mettre les fourrures
en valeur afin de créer des modèles qui répon-
dent aux goûts des clients.
CLÉO 237.15   C

MODÉLISTE EN TEXTILES Personne qui travaille
à la conception de tissus en créant des imprimés,
en choisissant des types de fibres, de tissage et de
couleurs qui seront utilisés dans la fabrication des
tissus. À cette fin, elle identifie les besoins et les
goûts de la clientèle, fait les dessins modèles, note
les spécifications de tissage, de couleur et de fibres,
vérifie les échantillons et apporte des changements
au besoin. *Elle s'efforce de tenir compte à la fois*
des tendances de la mode et de l'utilisation des
tissus (nappes, vêtements, draps, etc.) afin de
concevoir des modèles qui plairont à la clientèle.
CLÉO 227.04   C

Des **modélistes en textiles** ont créé des tissus
PHOTO: Sunset/Publiphoto

MODÉLISTE EN VÊTEMENTS Personne qui,
souvent à partir du croquis d'un styliste, crée des
modèles de vêtements (manteaux, robes, pantalons, etc.) et qui dessine, à la main ou à l'aide
d'un ordinateur, les patrons qui seront utilisés
pour leur confection. À cette fin, elle dessine les
différentes pièces du patron, note les détails
nécessaires au montage d'un modèle d'essai,
examine l'échantillon et apporte des modifications
au besoin afin que le vêtement soit conforme au
croquis. *Elle s'efforce de tenir compte des*
tendances de la mode et de faire preuve de bon
goût dans ses suggestions de coloris et de tissus
afin de permettre la confection de vêtements
qui sauront plaire à la clientèle.
CLÉO 237.03   C

MONITEUR, MONITRICE DE CAMP Personne qui
organise et anime des activités récréatives dans un
camp et qui a la responsabilité d'un groupe de
vacanciers. Elle supervise l'arrivée des gens et les
encadre pendant leur séjour. *Elle a le souci*
d'organiser des activités qui sauront susciter
l'intérêt des participants et d'assurer leur
sécurité en tout temps.
CLÉO 514.06   C

MONITEUR, MONITRICE DE CONDUITE AUTOMOBILE Personne qui donne des cours de conduite automobile, enseigne les techniques de conduite et le fonctionnement du véhicule. Elle supervise les personnes au cours des exercices de conduite et explique les règlements de la circulation routière ainsi que les lois concernant les assurances.
CLÉO 433.22   C

MONITEUR, MONITRICE DE CONDUITE DE MOTOCYCLETTE Personne qui donne des cours de conduite d'une motocyclette, enseigne les techniques de conduite et le fonctionnement du véhicule. Elle supervise les personnes au cours des exercices de conduite et explique les règlements de la circulation routière ainsi que les lois concernant les assurances.
CLÉO 433.23   C

MONITEUR, MONITRICE DE LOISIRS Personne qui coordonne et anime les activités de loisirs (sport, jeux, musique, théâtre, artisanat, etc.) dans un centre de plein air, un centre communautaire, un club sportif ou pour un organisme municipal. À cette fin, elle veille à l'organisation des ressources matérielles nécessaires au déroulement des activités et enseigne les éléments techniques, théoriques ou pratiques liés aux activités proposées. *Elle s'efforce de choisir des activités qui favoriseront la participation des gens et qui sauront les satisfaire.*
CLÉO 514.04   C

MONITEUR, MONITRICE DE NATATION Personne qui enseigne la nage, le plongeon, le sauvetage et la sécurité aquatique à des personnes ou à des groupes de personnes en vue de leur permettre de développer les habiletés nécessaires à la pratique de la natation. *Elle a le souci de veiller à la sécurité des élèves et de bien suivre leur progression.*
CLÉO 515.15   S

MONITEUR, MONITRICE DE SKI Personne qui enseigne les différentes techniques du ski à des particuliers ou à des groupes de personnes en vue de leur permettre de descendre les pentes de façon agréable et sécuritaire. À cette fin, elle leur apprend à garder l'équilibre, à plier les genoux, à tourner, à arrêter. *Elle veille à ce que les élèves assimilent bien la matière enseignée afin de leur permettre de profiter sans danger des joies de ce sport.*
CLÉO 515.18   S

MONOLOGUISTE Personne qui compose des monologues pour elle-même ou pour d'autres artistes en vue de leur présentation devant un auditoire dans le cadre d'un spectacle ou d'une émission télévisée. *Elle s'efforce de composer des textes qui sauront transmettre les émotions, les sentiments et les renseignements voulus afin de divertir ou de faire réfléchir le public, selon le cas.*
CLÉO 625.03   C

MONTEUR-AJUSTEUR, MONTEUSE-AJUSTEUSE DE MÉTIERS À TISSER Personne qui entretient, monte, ajuste et répare les métiers à tisser dans les usines textiles en vue d'assurer le bon fonctionnement des machines. *Elle s'efforce de prévenir les défectuosités et de remplacer les pièces usées ou défectueuses dans les plus brefs délais afin de ne pas ralentir la production.*
CLÉO 227.06   S

Une **monteuse d'installations au gaz** se déplace afin de réparer ou d'entretenir des installations
PHOTO: Caroline Hayeur/Agence Stock

MONTEUR, MONTEUSE D'APPAREILS ÉLECTRO-MÉNAGERS Personne qui, dans une usine, fabrique des appareils électroménagers tels que cafetières, fours grille-pain, aspirateurs, réfrigérateurs et cuisinières. Elle doit, entre autres, assembler les différentes pièces, mettre l'isolant, essayer les câblages. *Elle a le souci de monter les appreils selon les normes de fabrication établies afin d'en assurer le bon fonctionnement.*
CLÉO 233.08   S

MONTEUR, MONTEUSE D'ARTICLES MÉTAL-LIQUES Personne qui fait le montage et l'assemblage de divers éléments métalliques pour produire des articles tels que des fenêtres et des portes en aluminium, des contre-portes en métal et des auvents. *Elle s'efforce de fabriquer des produits de qualité qui sauront allier utilité (protection contre le vent, la pluie, etc.) et esthétisme afin de répondre aux besoins de la clientèle.*
CLÉO 222.14   S

MONTEUR, MONTEUSE D'ÉLÉMENTS D'AUTO-MOBILE À ENGRENAGE Personne qui met en place et assemble, en atelier ou dans une chaîne de montage, les pièces d'un système à engrenage (boîte de vitesses, différentiel, etc.) d'une automobile. *Elle s'efforce de vérifier les jeux d'engrenage des pièces afin d'assurer le bon fonctionnement des systèmes.*
CLÉO 232.04   S

MONTEUR, MONTEUSE D'INSTALLATIONS AU GAZ Personne qui installe, vérifie, entretient et répare les installations au gaz dans les maisons, les commerces ou les industries ainsi que l'équipement connexe comme les compteurs, les régulateurs, les canalisations, les appareils de chauffage. À cette fin, elle prend connaissance des plans et devis, détermine l'emplacement des installations, établit la liste du matériel nécessaire, procède à l'installation, la met à l'essai et fait des ajustements au besoin. *Elle a le souci de trouver ou de réparer tout raccordement défectueux afin de prévenir ou de déceler les fuites et de respecter les normes de sécurité établies.*
CLÉO 241.79   S

MONTEUR, MONTEUSE D'INSTALLATIONS DE PROTECTION CONTRE LES INCENDIES Personne qui installe, répare, modifie ou entretient les systèmes de giclement automatique servant à prévenir et à combattre les incendies dans les édifices résidentiels, industriels ou commerciaux. À cette fin, elle prend connaissance des plans et devis, établit le tracé du réseau et procède à l'installation des tuyaux, des bouteilles sous pression et des détecteurs de chaleur. *Elle se préoccupe de l'étanchéité du réseau et procède à des tests afin de s'assurer du bon fonctionnement des installations.*
CLÉO 241.80   S

MONTEUR, MONTEUSE DE BOGGIES Personne qui met en place et assemble les châssis, les longerons (poutres parallèles), les freins et les ressorts qui composent les wagons d'un train de chemin de fer ou de métro. *Elle s'efforce de réaliser le montage conformément aux plans établis et de bien ajuster les pièces les unes aux autres afin de minimiser les frictions et les chocs pendant le roulement.*
CLÉO 232.21   S

MONTEUR, MONTEUSE DE CHARPENTES MÉTALLIQUES Personne qui monte, assemble, soude et boulonne, à l'aide de divers outils, matériaux et appareils de levage, des éléments en fer et en acier tels que des escaliers, des garde-fou, des poutrelles ou des rampes en vue de l'installation de charpentes métalliques qui entrent dans la construction d'immeubles, de ponts, de viaducs, etc., en utilisant divers outils et matériaux et à l'aide d'appareils de levage. *Elle veille à respecter les plans dans la mise en place, l'ajustement et le soudage des pièces à assembler afin que les structures soient sécuritaires et conformes aux critères établis.*
CLÉO 241.27   S

MONTEUR, MONTEUSE DE CIRCUITS INTÉGRÉS Personne qui assemble et essaie du matériel, des pièces et des composantes électroniques comme des circuits intégrés, des microprocesseurs, des puces et des transistors. À cette fin, elle soude, nettoie et monte le matériel à l'aide d'outils de précision et de machines automatiques ou semi-automatiques. *Elle s'efforce de faire preuve de minutie dans l'exécution de ses tâches afin de produire du matériel conforme aux normes établies.*
CLÉO 234.04   S

Une **monteuse de circuits intégrés** dans une usine de composantes informatiques
PHOTO: Sygma/Publiphoto

MONTEUR, MONTEUSE DE DISTRIBUTEURS AUTOMATIQUES Personne qui effectue l'assemblage et le montage des distributeurs automatiques de produits alimentaires, de boissons, etc. Elle s'occupe, entre autres, d'assembler les pièces, de poser les mécanismes d'enclenchement et les mécanismes à monnaie, d'ajuster les portes. *Elle s'efforce de respecter les spécifications fournies et les normes établies afin d'assurer la réalisation de produits de qualité.*
CLÉO 233.07   S

MONTEUR, MONTEUSE DE FILMS Personne qui assemble dans l'ordre du scénario les différentes séquences filmées séparément, en vue de composer la bande-image finale d'un film ou d'une émission télévisée. À cette fin, elle analyse le

147

matériel filmé en collaboration avec le réalisateur, détermine les séquences nécessaires à la continuité logique de l'action, choisit les meilleures images pour chaque séquence, élimine les images superflues et procède au raccord des segments de pellicule correspondants. *Elle se préoccupe de produire une bande-image qui reflétera les attentes du réalisateur quant au contenu, à l'ambiance visuelle recherchée et à l'esthétique des images afin de mettre au point un produit de qualité.*
CLÉO 624.61   C

MONTEUR, MONTEUSE DE LIGNES DE DISTRIBUTION D'ÉLECTRICITÉ Personne qui monte, installe et répare des lignes électriques et leurs accessoires dans les réseaux de distribution d'électricité. Elle s'occupe de préparer l'emplacement et les bases des poteaux, de les monter et de les installer, de poser les conducteurs suspendus, les condensateurs ainsi que les dispositifs de commutation, d'isolation et de protection. Elle s'occupe également de l'entretien des réseaux de distribution d'électricité.
CLÉO 224.13   S

MONTEUR, MONTEUSE DE LIGNES DE PRODUCTION D'ÉLECTRICITÉ Personne qui effectue le montage et l'entretien des réseaux aériens ou souterrains de lignes à haute tension qui servent à la production de l'électricité. Elle doit, entre autres, préparer l'emplacement et les bases des pylônes, les monter et les installer, poser les conducteurs et les câbles primaires d'électricité (suspendus ou souterrains) et monter les condensateurs, les dispositifs de commutation, d'isolation et de protection des réseaux. Elle s'occupe également de l'entretien des réseaux de production et de transport d'électricité.
CLÉO 224.12   S

MONTEUR, MONTEUSE DE LOCOMOTIVES Personne qui, à partir de plans et d'instructions techniques, met en place et réalise l'assemblage des pièces et des systèmes qui composent l'intérieur et l'extérieur d'une locomotive, y compris les ensembles mécaniques. *Elle s'efforce de réaliser le montage conformément aux plans établis afin d'assurer le bon fonctionnement et la sécurité des locomotives.*
CLÉO 232.22   S/C

MONTEUR, MONTEUSE DE MACHINES TEXTILES Personne qui installe, entretient, règle et répare les machines qui servent à fabriquer et à traiter le fil dans une usine de fabrication textile. *Elle s'efforce d'assurer un entretien préventif des machines et de réparer ou de remplacer toute pièce défectueuse dans les plus brefs délais afin de ne pas ralentir la production.*
CLÉO 227.05   S

Une **monteuse de machines textiles** prépare un métier à filer
PHOTO: Dominion Textiles

MONTEUR, MONTEUSE DE MATÉRIEL DE COMMANDE ÉLECTRIQUE Personne qui installe des éléments et des câbles de raccordement dans des tableaux d'électricité comme des dispositifs de protection d'usine, des appareils de commande, des panneaux de distribution, etc. À cette fin, elle prend connaissance des plans, marque ses repères, monte les éléments électriques (disjoncteurs, relais, etc.) et mécaniques (courroies, poulies, etc.). *Elle veille à vérifier scrupuleusement le fonctionnement des dispositifs afin d'en assurer le fonctionnement optimal et sécuritaire.*
CLÉO 233.05   S

MONTEUR, MONTEUSE DE MATÉRIEL DE COMMUNICATION Personne qui prépare le montage et assemble les différents éléments qui servent à la fabrication d'appareils électroniques comme les émetteurs du matériel radar et les systèmes de télémesure. *Elle veille à respecter les plans de fabrication fournis afin d'assurer le bon fonctionnement des appareils.*
CLÉO 234.05   S

MONTEUR, MONTEUSE DE MATÉRIEL ÉLECTRONIQUE AÉRONAUTIQUE Personne qui installe du matériel électronique et de télécommunication (radars, récepteurs, etc.) qui sert aux appareils de navigation aérienne. Elle doit, entre autres, assembler les divers éléments, procéder à des essais et apporter des ajustements au besoin. *Elle veille à effectuer avec soin chacune des étapes de l'installation afin de fournir des équipements sécuritaires.*
CLÉO 234.06   S

MONTEUR, MONTEUSE DE MEUBLES Personne qui monte et assemble des éléments ou des parties de meubles en bois à l'aide d'outils, de machines ou d'équipements spécialisés. Elle s'occupe, entre autres, de fixer les accessoires de renforcement (agrafes, clous), les glissières, les fermetures de tiroirs, les moulures, les charnières, les poignées et les roulettes, etc., de classer et sélectionner des pièces à monter, de choisir les outils appropriés et de régler les machines servant au montage. *Elle veille à faire preuve de minutie au cours de l'assemblage afin que les sections de meubles ou les meubles montés soient solides et conformes aux devis.*
CLÉO 236.07 S

MONTEUR, MONTEUSE DE MOTEURS À LA CHAÎNE Personne qui, dans une chaîne de montage, met en place et assemble les mêmes pièces spécifiques des blocs-moteurs au fur et à mesure que ceux-ci avancent sur le transporteur. *Elle s'efforce d'exécuter ses tâches avec précision et efficacité et dans les délais prévus afin de ne pas ralentir la production.*
CLÉO 232.03 S

MONTEUR, MONTEUSE DE PORTES ET FENÊTRES Personne qui assemble les pièces préusinées de divers types de portes et de fenêtres en vue d'obtenir des produits finis. *Elle s'efforce de procéder avec soin et méthode afin que les produits finis soient de qualité et solides.*
CLÉO 241.62 S

MONTEUR, MONTEUSE DE STRUCTURES D'AÉRONEFS Personne qui pose et ajuste des revêtements métalliques et des pièces de fuselage sur des aéronefs. À cette fin, elle étudie les plans et les interprète, procède au montage et à l'ajustement des divers éléments des structures (revêtements, commandes de pilotage, systèmes mécaniques et hydrauliques) et s'occupe de l'installation des appareils et des systèmes de circulation d'air. *Elle veille à respecter les plans de montage afin que les pièces soient solides, sécuritaires et conformes aux normes de sécurité du ministère des Transports.*
CLÉO 232.47 S

MONTEUR, MONTEUSE DE VÉHICULES AUTOMOBILES Personne qui, dans une chaîne de montage, met en place et assemble les mêmes pièces préfabriquées qui composent l'intérieur ou l'extérieur d'automobiles, de camions ou d'autobus, au fur et à mesure que les véhicules en montage avancent sur le transporteur. *Elle s'efforce d'exécuter ses tâches avec précision et efficacité et dans les délais prévus afin de ne pas ralentir la production.*
CLÉO 232.05 S

MONTEUR-ÉBÉNISTE, MONTEUSE-ÉBÉNISTE Personne qui assemble à la main les éléments préfabriqués de meubles en bois ou d'autres produits d'ébénisterie pour le compte d'une industrie manufacturière ou d'un commerçant de meubles. Elle assemble, ajuste et fixe les pièces selon les plans de montage établis et pose les ferrures et les accessoires de finition (poignées, pentures, etc.). *Elle veille à faire preuve de dextérité et de précision afin de monter des produits solides, stables et conformes au modèle prévu.*
CLÉO 236.08 S

MONTEUR, MONTEUSE SONORE Personne qui effectue les différentes tâches nécessaires pour réunir sur une seule bande toute l'information sonore (dialogues, musique, bruitage, effets d'ambiance) d'une production cinématographique ou télévisuelle contenue sur des bandes distinctes. À cette fin, elle ordonne les divers contenus sonores, les équilibre les uns par rapport aux autres, en ajuste l'intensité et la progression et les synchronise parfaitement avec le déroulement de la bande-image. *Elle doit bien maîtriser le fonctionnement des équipements afin de trouver et de repiquer les séquences nécessaires dans l'ordre approprié et de produire une bande sonore d'une haute qualité technique.*
CLÉO 624.62 C

MOSAÏSTE EN PHOTOGRAPHIES AÉRIENNES Personne qui rassemble, dispose et agence sous forme de mosaïque diverses photographies aériennes d'une zone géographique donnée en vue de la transposition de cette zone sous forme de carte. À cette fin, elle marque certains points de repère sur les photographies et les situe sur une carte-guide qui servira aux cartographes. *Elle veille à déterminer avec exactitude la position des photographies contiguës afin que la transposition des mesures à l'échelle soit fiable.*
CLÉO 112.05 C

MOULEUR, MOULEUSE DE CRAIES Personne qui fabrique des pastels et des craies de couleur à l'aide d'une machine qui sert à mouler et à mélanger les ingrédients. *Elle se préoccupe de respecter la formule fournie quant aux ingrédients à utiliser afin de produire des craies et pastels qui correspondent aux normes établies.*
CLÉO 223.14 S

MOULEUR, MOULEUSE EN SABLE Personne qui fabrique des moules en sable qui serviront à couler le métal en fusion en vue de la fabrication et de la production de pièces diverses (garnitures d'automobiles, pièces de moteurs, etc.) à partir de modèles en bois. *Elle veille à fabriquer des moules qui produiront des objets tout à fait conformes aux modèles.*
CLÉO 222.06 S

MUSICIEN, MUSICIENNE Personne qui joue d'un ou de plusieurs instruments de musique comme interprète solo, comme membre d'une formation musicale ou d'un orchestre ou qui compose de la musique. À cette fin, elle étudie la partition et travaille son instrument jusqu'à ce qu'elle l'ait bien intégrée de manière à faire ressortir les subtilités et les beautés de la musique. *Elle se préoccupe de développer ses habiletés et sa sensibilité musicale et de travailler son instrument afin de donner une interprétation qui saura toucher l'auditoire.*
CLÉO 622.06   U

Une **musicienne** étudie une partition musicale
PHOTO: Imagix

MUSICIEN, MUSICIENNE DE RUE Personne qui, en vue de susciter les dons d'argent des passants et de divertir le public, joue d'un instrument de musique ou chante en s'accompagnant d'un instrument dans un endroit où circulent des piétons (trottoir, couloir de métro, entrée d'un lieu public, etc.). *Elle veille à respecter les lois municipales et à se produire uniquement aux endroits permis.*
CLÉO 622.13   C

MUSICIEN, MUSICIENNE POPULAIRE Personne qui interprète ou compose de la musique de répertoire populaire à l'aide d'un ou de plusieurs instruments, en solo ou comme accompagnatrice (blues, rock, folklore, etc.) en vue de donner des spectacles ou de faire des enregistrements. À cette fin, elle étudie et répète les partitions en vue de pouvoir faire de bonnes interprétations. Elle peut jouer de plusieurs instruments, seule, comme accompagnatrice ou comme membre d'un ensemble. *Elle travaille beaucoup son instrument afin de maîtriser les aspects techniques et de faire une interprétation sensible qui saura plaire à l'auditoire.*
CLÉO 622.12   C

MUSICOLOGUE Personne qui, en tant que spécialiste de la théorie, de l'esthétique et de l'histoire de la musique de différentes époques, agit à titre d'experte-conseil en vue d'assurer la diffusion et la conservation de la culture musicale. Elle peut, entre autres, enseigner et faire de la recherche en musicologie. Elle peut choisir et commenter des oeuvres musicales pour des émissions radiophoniques consacrées à un style musical particulier ou s'occuper de l'animation d'une chronique musicale à la radio ou à la télévision. Elle peut aussi rédiger des articles ou des documents destinés à la publication d'ouvrages documentaires sur la musique (livres, répertoires, biographies de compositeurs, articles spécialisés, matériel didactique, etc.), travailler comme critique pour le compte d'un journal, d'une revue spécialisée, d'une station de radio ou de télévision ou encore agir à titre de conseillère dans diverses productions artistiques (films, pièces de théâtre, spectacles de danse, etc.) ou pour la constitution d'une discothèque et la classification d'oeuvres.
CLÉO 631.06   U

MUSICOTHÉRAPEUTE Personne qui utilise la musique pour aider au rétablissement, à l'amélioration et au maintien de la santé physique et psychologique de ses clients. À cette fin, elle identifie les besoins de son client, elle établit des objectifs et réalise un programme d'intervention musicale (initiation au chant ou aux instruments, improvisation, écoute, etc.) individuel ou de groupe. *Elle se préoccupe de créer des programmes personnalisés afin de favoriser le bien-être de la clientèle.*
CLÉO 524.08   U

MYCOLOGUE Personne qui, à titre de spécialiste des champignons, de leur action sur le milieu et des affections ou des maladies qu'ils peuvent engendrer, effectue des recherches en milieu naturel ou en laboratoire en vue d'accroître les connaissances scientifiques, de découvrir des utilisations possibles de l'action bénéfique des champignons en agriculture (décomposition organique), en médecine (mise au point de traitements ou de médicaments à base de champignons) et dans l'industrie de l'alimentation (levure, moisissure) ou encore en vue de mettre au point des méthodes d'élimination des champignons nuisibles aux cultures ou des traitements pour les maladies d'origine mycologique.
CLÉO 113.04   U

N

NARRATEUR, NARRATRICE Personne qui effectue la lecture orale de textes descriptifs ou narratifs ou qui interprète des dialogues de personnages aux fins d'enregistrement d'une émission radiophonique, d'un message de boîte vocale ou d'une bande sonore destinée à accompagner la bande-image d'une production audiovisuelle (film, émission de télévision, vidéo, produit multimédia) ou à en traduire la bande sonore originale. *Elle veille à soigner sa diction et à faire preuve d'adaptation afin de pouvoir lire un texte avec l'intonation appropriée au sens, à l'émotion et au personnage interprété. S'il y a lieu, elle doit aussi veiller à synchroniser sa lecture ou son interprétation avec l'image, selon les instructions qui lui sont données.*
CLÉO 624.19   U

NATUROPRATICIEN, NATUROPRATICIENNE
Personne qui aide les gens à améliorer leur état de santé par l'adoption de saines habitudes de vie. À cette fin, elle évalue le caractère, le tempérament, certains paramètres physiques et physiologiques et la condition physique de la personne, veille à déceler tout signe de carence alimentaire et propose à la personne des modifications progressives à apporter à ses habitudes de vie. *Elle veille à ce que la personne retrouve tous les éléments essentiels à son bon fonctionnement par des moyens naturels comme l'alimentation, l'exercice, le repos.*
CLÉO 524.07   U

NAVIGATEUR, NAVIGATRICE (TRANSPORT AÉRIEN)
Personne qui assiste la conduite d'un avion par la surveillance de la consommation de carburant, le fonctionnement des moteurs et circuits de vol et par l'observation de la position de l'appareil et de l'itinéraire à suivre. *Elle a le souci de bien interpréter l'information donnée par les appareils de navigation afin d'assurer la sécurité des passagers.*
CLÉO 433.76   C

NÉGOCIATEUR, NÉGOCIATRICE EN BOURSE
Personne qui négocie l'achat et la vente de produits financiers (actions, obligations, devises, etc.) sur le marché boursier pour le compte d'agents en placements qui travaillent dans les banques, les compagnies d'assurances, les courtiers en valeurs mobilières et autres établissements financiers. *Elle veille à tenir à jour ses connaissances sur le système et le marché boursier et à faire preuve de perspicacité afin de négocier avec succès, au moment opportun, l'achat ou la vente de produits financiers.*
CLÉO 423.24   U

Un **négociateur en bourse** utilise la technologie dans l'exercice de ses fonctions
PHOTO: Bourse de Montréal

NÉPHROLOGUE Personne qui, en tant que médecin spécialiste, voit au diagnostic, au traitement et à la prévention des affections et des maladies du rein (néphrite, néphrose, néphropathie, etc.). À cette fin, elle examine la personne, effectue des tests ou examens afin d'obtenir des renseignements sur son état de santé, pose un diagnostic, prescrit les médicaments et le traitement (médical ou chirurgical) approprié, pratique les interventions chirurgicales nécessaires et assure, au besoin, le suivi du patient. *Elle se préoccupe de découvrir les causes et les symptômes de la maladie de ses patients afin de choisir le traitement le plus approprié.*
CLÉO 523.38   U   151

NETTOYEUR, NETTOYEUSE À SEC Personne qui procède au nettoyage à sec d'articles divers (vêtements, literie, rideaux, tapis, etc.) à l'aide de machines et de produits d'entretien conçus à cet effet. *Elle veille à trier les lots d'articles à nettoyer en fonction des tissus, des couleurs et des traitements à apporter afin d'éviter d'endommager des articles avec des produits ou des traitements inadéquats et de satisfaire les exigences de la clientèle.*
CLÉO 516.18   S

NETTOYEUR, NETTOYEUSE D'ÉDIFICES À BUREAUX Personne qui assure l'entretien ménager dans des édifices à bureaux. À cette fin, elle balaie et lave les planchers, fait l'époussetage, nettoie les bureaux de travail et les salles de bains. *Elle a le souci d'effectuer ses tâches avec rigueur afin d'assurer la propreté et la salubrité des locaux.*
CLÉO 253.07   S

NETTOYEUR, NETTOYEUSE DE TAPIS Personne qui nettoie les tapis à l'aide d'une machine dans des maisons ou des établissements privés ou publics. Elle examine l'état et l'étendue du revêtement et évalue le coût du nettoyage des tapis. Elle nettoie parfois du mobilier comme des fauteuils, canapés. *Elle veille à bien enlever la saleté en surface, à brosser vigoureusement le tapis et à bien le rincer afin d'éliminer les taches et la saleté incrustées.*
CLÉO 253.06   S

NETTOYEUR, NETTOYEUSE DE VÉHICULES MOTORISÉS Personne qui nettoie l'intérieur et l'extérieur des camions, des autobus, des caravanes ou autres véhicules motorisés pour le compte d'une compagnie de transport privée ou publique ou pour un concessionnaire de véhicules. Elle s'occupe, entre autres, d'enlever les déchets, de passer l'aspirateur, de laver les vitres, la carrosserie et les parois intérieures des véhicules et, selon le cas, de réparer les déchirures ou autres dommages mineurs des surfaces de tissu ou de vinyle.
CLÉO 254.14   S

NEUROCHIRURGIEN, NEUROCHIRURGIENNE Personne qui, en tant que médecin spécialiste, pratique des interventions chirurgicales du cerveau, de l'épine dorsale et des nerfs de personnes atteintes de maladies neurologiques ou de lésions du système nerveux. Elle procède à une évaluation de l'état de santé des patients qui lui sont généralement envoyés par des neurologues, détermine la pertinence d'opérer, la nature et les modalités de l'intervention et planifie et réalise les interventions chirurgicales s'il y a lieu. Elle voit aux soins préopératoires des patients, prescrit la médication, les soins postopératoires, les traitements de réhabilitation physique nécessaires et effectue un suivi afin d'évaluer le processus de guérison et les résultats de la chirurgie. *Elle se préoccupe de planifier soigneusement les techniques d'intervention chirurgicale à mettre en oeuvre selon les besoins des patients et de les opérer avec toute la minutie qui s'impose afin d'obtenir la meilleure amélioration possible de leur état.*
CLÉO 523.65   U

NEUROLOGUE Personne qui, en tant que médecin spécialiste, voit au diagnostic et au traitement des diverses maladies et dysfonctions qui affectent le système nerveux central et périphérique. Elle soigne notamment des maladies cérébrales telles que la maladie de Parkinson, l'épilepsie, la sclérose en plaques, la migraine chronique ou les troubles consécutifs à un accident cérébro-vasculaire ainsi que les maladies du système nerveux périphérique comme la dystrophie musculaire ou le syndrome de Guillain. À cette fin, elle identifie la nature des affections du système nerveux au moyen d'examens, d'analyses en laboratoire et de divers tests spécialisés, prescrit le traitement requis (médication, chirurgie, programme de réhabilitation, changements environnementaux, etc.) et exerce un suivi des patients afin d'évaluer le processus de guérison et d'adapter leur traitement en conséquence. *Elle se préoccupe de déterminer avec justesse la nature, la gravité et l'étendue des affections neurologiques afin d'établir le meilleur traitement possible pour maîtriser, sinon enrayer la maladie et pour améliorer la qualité de vie des personnes atteintes de maladies dégénératives incurables.*
CLÉO 523.25   U

NEUROPSYCHOLOGUE Personne qui évalue les capacités psychologiques et mentales de personnes ayant subi un dommage cérébral en vue d'en évaluer les conséquences sur leur fonctionnement et leur autonomie et de fournir l'aide nécessaire à leur réadaptation. À cette fin, elle évalue les diverses fonctions intellectuelles et psychologiques de la personne (capacité d'apprentissage, raisonnement logique, mémoire, contrôle des émotions, communication, etc.) au moyen d'instruments de mesure et d'autres techniques diagnostiques appropriées et définit un plan d'intervention susceptible d'aider la personne à s'adapter aux conséquences du traumatisme subi et à surmonter, au moyen d'activités de rééducation, les problèmes identifiés. Elle rédige également à l'intention du médecin traitant un rapport détaillé dans lequel elle présente son diagnostic et son plan de traitement et veille à l'application du traitement dans les meilleures conditions possible.
CLÉO 531.02   U

NOTAIRE Personne qui informe et conseille les gens sur les moyens de protéger leurs droits et intérêts dans différents domaines régis par des lois

(mariage, famille, succession, affaires commerciales, propriété immobilière, etc.) et qui rédige, authentifie et conserve les documents relatifs aux ententes conclues entre les parties (acte de mariage, testament, contrat immobilier, etc.). Elle représente également ses clients devant les tribunaux et les organismes gouvernementaux dans les cas qui ne font pas l'objet de poursuites. *Elle veille à conseiller les personnes de façon impartiale sur les clauses à prévoir dans les contrats et autres documents afin de prévenir les conflits juridiques et de protéger au mieux les intérêts des personnes.*
CLÉO 321.10   U

Le **notaire** est habilité, entre autres, à rédiger et à interpréter des documents à portée légale
PHOTO: M.J. Laurence/Publiphoto

NUMISMATE Personne qui se spécialise dans la connaissance des monnaies et des médailles et qui en fait la vente ou l'échange. *Elle veille à toujours élargir ses connaissances sur les monnaies et les médailles afin de pouvoir renseigner le public sur la provenance et l'âge des pièces.*
CLÉO 432.30   S

O

OBSERVATEUR, OBSERVATRICE EN MER Personne qui est chargée d'observer l'exploitation des ressources halieutiques (concernant la pêche) en haute mer en vue de recueillir des données techniques (quantité des prises, lieu, etc.) et biologiques (espèces, dimensions, état de santé, etc.) sur les activités de pêche commerciale qui serviront à établir ou à modifier les lois et règlements sur la pêche commerciale hauturière (en haute mer). *Elle veille à assurer une observation rigoureuse afin de favoriser la protection de la faune marine et la conservation des réserves exploitables.*
CLÉO 131.15   C

OBSTÉTRICIEN-GYNÉCOLOGUE, OBSTÉTRICIENNE-GYNÉCOLOGUE Personne qui, en tant que médecin spécialiste, voit au dépistage, au diagnostic, au traitement et à la prévention des maladies de l'appareil reproducteur de la femme (infections, cancer, etc.) et qui prodigue les soins liés à la grossesse, à l'accouchement et au post-partum. À cette fin, elle prescrit les médicaments ou les traitements appropriés et pratique les interventions obstétricales ou chirurgicales nécessaires. Elle conseille également les femmes relativement à la contraception, la fertilisation (infertilité), les troubles menstruels, la ménopause, le cancer, la sexualité. Elle peut se spécialiser dans des domaines tels que l'oncologie, la fertilité et la médecine foeto-maternelle (périnatalité). *Elle se préoccupe d'être à la fine pointe des découvertes médicales et technologiques afin d'en faire bénéficier ses patientes.*
CLÉO 523.40   U

OCÉANOGRAPHE Personne qui étudie les fonds marins, les océans, les organismes animaux et végétaux qui y vivent ainsi que l'utilisation de ces ressources en vue de mieux connaître les formes de vie marine et les caractéristiques des divers milieux océaniques, d'évaluer la qualité et les réserves de ressources exploitables et de résoudre des problèmes relatifs, par exemple, à la pollution des mers, aux pêches intensives ou à l'utilisation abusive des richesses océaniques. *Elle se pré-*

occupe d'informer les autorités de tout danger que pourrait représenter une utilisation non rationnelle des ressources marines afin que des mesures soient prises pour protéger la diversité animale et végétale des océans.
CLÉO 111.19   U

Un **océanographe** prépare une bouteille de prélèvement en vue d'échantillonner de l'eau de mer
PHOTO: Consultants RIVES

OCULARISTE Personne qui fabrique, ajuste et vend, en fonction des besoins de chaque client, des prothèses oculaires en verre ou en plastique destinées à remplacer un globe oculaire manquant. *Elle s'efforce de fabriquer dans chaque cas une prothèse assortie à l'autre oeil de son client (forme, couleur, dimension, éclat, etc.) et veille à ce qu'elle soit parfaitement ajustée à l'orbite.*
CLÉO 523.06   C

OENOLOGUE Personne qui planifie et dirige les activités liées à l'exploitation d'une usine spécialisée dans la fabrication et la conservation des vins. *Elle veille à assurer le bon déroulement des diverses étapes de fabrication afin d'obtenir un vin de qualité au meilleur coût possible.*
CLÉO 228.21   U

OFFICIER, OFFICIÈRE D'ARTILLERIE OU DE BLINDÉS Personne qui, en tant que membre des forces armées, planifie, commande et coordonne les activités des troupes d'artillerie ou de blindés en vue d'assurer l'efficacité des opérations militaires. Elle s'occupe, entre autres, d'assurer le bon état du matériel ainsi que le maintien de la discipline, de l'entraînement et du moral des troupes. *Elle s'occupe d'exploiter la flexibilité, la mobilité et la force des troupes afin d'assurer leur efficacité.*
CLÉO 333.25   U

Le travail d'une **officière de contrôle aérospatial** peut s'effectuer à partir d'une tour de contrôle ou encore à bord des avions de détection aérienne
PHOTO: Forces canadiennes

OFFICIER, OFFICIÈRE D'INFANTERIE Personne qui, en tant que membre des forces armées, commande et coordonne l'activité des troupes à l'entraînement ou au combat. Elle veille, entre autres, à leur entraînement, au maintien de la discipline et au bon moral des troupes. *Elle se préoccupe de stimuler la flexibilité, la mobilité et la puissance des troupes afin d'assurer leur efficacité.*
CLÉO 333.23   U

OFFICIER, OFFICIÈRE DE CONTRÔLE AÉROSPATIAL Personne qui, en tant que membre des forces armées, assure la surveillance radar d'un secteur d'espace aérien en vue de repérer tout aéronef dans le territoire et d'assurer un contrôle de la circulation. Elle s'occupe également de la direction et de la coordination des activités des chasseurs d'interception des appareils non identifiés. *Elle se préoccupe de la sécurité du territoire dont elle assure la surveillance.*
CLÉO 333.32   U

OFFICIER, OFFICIÈRE DE GARDE CÔTIÈRE CANADIENNE Personne qui assure la sécurité des navires au cours d'opérations de déglaçage, de sauvetage, de recherche ou d'approvisionnement des zones éloignées. À cette fin, elle effectue la veille visuelle et auditive de la périphérie afin de détecter tout indice pouvant aider aux diverses opérations et elle vérifie la position du navire. *Elle veille à assurer une surveillance rigoureuse afin que la circulation maritime s'effectue sans problème et en toute sécurité.*
CLÉO 433.51   C

OFFICIER, OFFICIÈRE DE GÉNIE MILITAIRE Personne qui, en tant que membre des forces armées, planifie et conçoit l'aménagement de bases permanentes ou temporaires et en supervise les travaux de construction (routes, bâtiments, obstacles, fortifications). Elle s'occupe également de la gestion et du contrôle des ressources humaines, matérielles et financières qui sont liées aux projets. *Elle se préoccupe de concevoir un environnement adapté et des méthodes de construction efficaces afin de répondre aux besoins et d'assurer la sécurité du personnel militaire, selon les situations.*
CLÉO 333.21   U

OFFICIER, OFFICIÈRE DE LOGISTIQUE Personne qui, en tant que membre des forces armées, coordonne le travail du personnel chargé d'assurer l'approvisionnement des services financiers, administratifs, alimentaires ou de transport en vue d'assurer la disponibilité de tout le matériel nécessaire.
CLÉO 333.02   U

OFFICIER, OFFICIÈRE DES AFFAIRES PUBLIQUES Personne qui, en tant que membre des forces armées, planifie, met en oeuvre et évalue les programmes de relations publiques. Elle s'occupe de la transmission des renseignements au sujet des activités et des événements relatifs aux forces armées et des relations avec les différents médias.
CLÉO 333.01   U

OFFICIER, OFFICIÈRE DES COMMUNICATIONS ET DE L'ÉLECTRONIQUE Personne qui, en tant que membre des forces armées, est responsable des politiques, de la planification, de la conception, de l'acquisition, de l'entretien et de l'exportation des systèmes électroniques et des systèmes de communication électroniques, tactiques et stratégiques. *Elle veille à être à l'affût des nouveautés dans le domaine afin d'assurer une utilisation optimale des ressources.*
CLÉO 333.07   U

OFFICIER, OFFICIÈRE DES OPÉRATIONS MARITIMES DE SURFACE ET SOUS-MARINES Personne qui, en tant que membre des forces armées, assure la direction, la coordination et la supervision des opérations maritimes à bord d'un navire ou d'un sous-marin au cours des missions. *Elle se préoccupe de faire preuve de stratégie et de tactique afin de contribuer au succès de la mission.*
CLÉO 333.49   U

OFFICIER, OFFICIÈRE EN GÉNIE AÉROSPATIAL
Personne qui, en tant que membre des forces armées, est responsable de l'entretien des aéronefs, du matériel et des installations connexes. À cette fin, elle supervise les travaux d'entretien et de réparation et dirige la conception, la production, la modification et la mise à l'essai de nouveaux systèmes liés aux aéronefs ou de systèmes existants. *Elle veille à effectuer un entretien préventif des appareils et systèmes afin d'assurer leur bon fonctionnement.*
CLÉO 333.31   U

OFFICIER, OFFICIÈRE EN GÉNIE ÉLECTRIQUE ET MÉCANIQUE TERRESTRE
Personne qui, en tant que membre des forces armées, participe à la conception, à la mise au point, à l'évaluation et à l'acquisition des systèmes d'armes et à l'entretien et à l'amélioration de ce matériel. Elle effectue des tâches de nature technique, tactique et administrative et assume la direction d'autres militaires.
CLÉO 333.06   U

OFFICIER, OFFICIÈRE EN GÉNIE MARITIME
Personne qui, en tant que membre des forces armées, travaille à la conception, à la construction, à l'exploitation, à l'entretien, à la modification et à la réparation d'installations navales. Elle peut travailler dans quatre domaines particuliers: la mécanique navale, les systèmes de combat, l'architecture navale et la construction navale.
CLÉO 333.41   C

OFFICIER MÉCANICIEN, OFFICIÈRE MÉCANICIENNE DE MARINE
Personne qui assure le fonctionnement, l'entretien et la réparation de la machinerie d'un navire (chaudières, appareils à gouverner, pompes, génératrices, etc.) et qui dirige et coordonne le travail effectué à la salle des machines. À cette fin, elle fait fonctionner les machines de propulsion selon les ordres reçus de la passerelle, elle règle la vitesse et elle s'assure du bon fonctionnement des pompes, des circulateurs et des compresseurs. *Elle veille à bien tenir le journal de bord en y inscrivant les ordres reçus et les données relevées sur les indicateurs de la machinerie et de s'assurer du bon fonctionnement de la machinerie.*
CLÉO 254.19   C

OFFICIER NAVIGATEUR AÉRIEN, OFFICIÈRE NAVIGATRICE AÉRIENNE
Personne qui, en tant que membre des forces armées, fait de la navigation de précision dans un aéronef en vue de diriger le pilote. Elle effectue également la détection, le repérage et la destruction des cibles identifiées et s'occupe des communications, de la guerre électronique et de la télédétection.
CLÉO 333.34   C

OFFICIER, OFFICIÈRE PILOTE
Personne qui, en tant que membre des forces armées, pilote un avion militaire servant au transport des troupes, du matériel ou au combat. Elle étudie le plan de vol, prend connaissance de sa mission, vérifie les instruments et les commandes. *Elle se préoccupe de respecter la procédure en vigueur au décollage, en vol et à l'atterrissage afin de contribuer au succès des opérations militaires.*
CLÉO 333.35   C

OMNIPRATICIEN, OMNIPRATICIENNE
Personne qui, en tant que médecin, offre un éventail de services médicaux tels que le diagnostic, le traitement et le suivi à des personnes de tout âge, en vue de prévenir ou de soigner les maladies. À cette fin, elle examine la personne, fait effectuer des tests ou analyses s'il y a lieu, pose un diagnostic, prescrit des médicaments ou traitements et donne des conseils pour maintenir, améliorer ou recouvrer la santé. Elle pratique dans différents milieux comme les CLSC, le service des urgences, les cliniques médicales, les établissements de soins prolongés. *Elle veille à bien identifier le problème de santé des personnes qui la consultent et à les diriger vers des spécialistes en cas de besoin afin de pouvoir apporter les soins nécessaires le plus rapidement possible.*
CLÉO 522.01   U

Un **omnipraticien** reçoit une patiente à son cabinet de consultation
PHOTO: Collège des médecins du Québec

ONCOLOGUE MÉDICAL, ONCOLOGUE MÉDICALE
Personne qui, en tant que médecin spécialiste, diagnostique et traite, par la chirurgie, la chimiothérapie, des rayonnements ionisants ou d'autres moyens appropriés, les maladies cancéreuses des cellules, des tissus et des organes du corps humain. Elle s'occupe, entre autres, d'établir un diagnostic au moyen d'examens cliniques, radiodiagnostiques et biologiques, de définir, selon le cas, le traitement (chimique, radioactif ou chirurgical) approprié pour enrayer le cancer ou en limiter l'évolution, d'effectuer, s'il y a lieu, l'intervention chirurgicale requise ou encore de recommander et de superviser l'application d'un traitement chimique ou radioactif. Elle assure également un suivi du patient afin d'évaluer les effets du traitement et de traiter les effets secondaires qu'il peut entraîner.
CLÉO 523.37   U

OPÉRATEUR, OPÉRATRICE À LA SAISIE DES DONNÉES Personne qui fait fonctionner un système informatique pour enregistrer et mémoriser sur un disque d'ordinateur des données d'information nécessaires à la gestion d'une entreprise financière, commerciale, gouvernementale ou autre. Elle peut, selon le cas, entrer des données telles que des transactions commerciales par carte de crédit, des états de compte, des renseignements sur la clientèle ou des inventaires. *Elle doit faire preuve de minutie dans la saisie des données afin d'éviter toute erreur de transcription ou toute omission.*
CLÉO 721.25   S

OPÉRATEUR, OPÉRATRICE ACOUSTIQUE NAVALE Personne qui, en tant que membre des forces armées, est responsable du fonctionnement de l'équipement sous-marin de détection et de communication et de l'équipement servant à enregistrer la température de l'océan. Elle s'occupe, entre autres, de recueillir, détecter, évaluer, classifier et repérer les données, d'en faire un compte rendu, de réunir et d'évaluer les données océanographiques et d'assurer la compilation et l'analyse de données recueillies par sonar ou par les services de renseignement. *Elle se préoccupe de fournir tous les renseignements et données nécessaires afin d'apporter sa contribution aux prises de décision du personnel de commandement.*
CLÉO 333.47   S

O
OPE

Un **opérateur d'appareils de traitement du lait**
devant un équipement de pasteurisation d'une fromagerie
PHOTO: Agropur

OPÉRATEUR, OPÉRATRICE D'APPAREILS DE TRAITEMENT DU LAIT Personne qui fait fonctionner différents appareils, comme un centrifugeur, un homogénéisateur, un pasteurisateur, etc., utilisés pour le traitement et la transformation du lait et de la crème. À cette fin, elle surveille les indicateurs (température, pression, etc.), assure le nettoyage des appareils et l'emballage des produits. *Elle a le souci de respecter les indications reçues et de suivre les conditions d'hygiène afin d'obtenir le produit désiré (lait entier, écrémé, crème 15 %, 35 %, etc.).*
CLÉO 228.39   C

OPÉRATEUR, OPÉRATRICE D'INFORMATION DE COMBATS NAVALS Personne qui, en tant que membre des forces armées, fait fonctionner et utilise divers équipements et systèmes radars ou de communication servant à l'organisation d'information tactique du navire. Elle s'occupe, entre autres, d'identifier, d'évaluer, de classifier et de repérer les données provenant des radars et des services de renseignement et d'en faire un compte rendu. *Elle se préoccupe du bon fonctionnement des appareils et procède à des vérifications périodiques afin de pouvoir aider efficacement le personnel de commandement.*
CLÉO 333.51   S

OPÉRATEUR, OPÉRATRICE D'ORDINATEUR Personne qui, dans un centre de traitement informatique, assure la mise en marche et le bon fonctionnement d'un réseau d'ordinateurs et des équipements périphériques (disques, logiciels, imprimantes, dérouleurs de bandes, etc.) en vue de produire des rapports provenant d'ordinateurs terminaux et de les acheminer aux utilisateurs chargés d'en faire l'analyse. À cette fin, elle met les appareils en marche, installe le matériel et les logiciels nécessaires à l'utilisation des fonctions désirées et vérifie le fonctionnement des diverses composantes de l'équipement afin d'assurer le traitement et l'impression des données. Elle s'occupe également de résoudre les problèmes des systèmes en cours de production et de signaler toute défaillance technique au personnel d'entretien afin de rétablir le service sans délai. *Elle doit bien maîtriser le fonctionnement des équipements et l'utilisation des divers logiciels afin que les usagers disposent des rapports nécessaires dans les délais requis.*
CLÉO 721.26   S

OPÉRATEUR, OPÉRATRICE D'UNITÉ DE TRAITEMENT DE TEXTE Personne qui tape, modifie et imprime des documents à l'aide d'une machine de traitement de texte. *Elle s'efforce de faire preuve d'attention de manière à éviter les fautes de frappe.*
CLÉO 421.16   S

OPÉRATEUR, OPÉRATRICE D'UNITÉS DE PRO-DUCTION (PÂTES ET PAPIERS) Personne qui fait fonctionner des équipements et des systèmes qui servent à produire le papier (machine à papier, atelier de mise en pâte, désencrage, etc.) et qui veille au fonctionnement efficace et sécuritaire des machines. *Elle est soucieuse de détecter rapidement toute situation anormale afin d'assurer le bon rendement des équipements, la continuité, la quantité et la qualité de la production.*
CLÉO 226.04   C

OPÉRATEUR, OPÉRATRICE D'USINE D'ÉPURA-TION DES EAUX USÉES Personne qui, dans une usine d'épuration des eaux usées, fait fonctionner des installations mécaniques et des systèmes de commande informatisés servant au traitement, à la décantation et à l'évacuation des boues d'égouts. *Elle veille à programmer et à surveiller attentivement les étapes de traitement afin que toute situation anormale puisse être corrigée à temps.*
CLÉO 121.04   S

OPÉRATEUR, OPÉRATRICE D'USINE D'INCINÉ-RATION Personne qui, dans une usine d'incinération des déchets, effectue différentes tâches telles que coordonner la circulation et le déchargement des camions de déchets, faire fonctionner de l'équipement mécanique pour charger les fours, actionner les commandes d'ouverture des portes et de la combustion ou s'occuper de l'enlèvement et du transport des cendres vers les aires d'enfouissement. *Elle veille à respecter les consignes reçues afin de contribuer au bon fonctionnement et à la rentabilité de l'usine.*
CLÉO 132.12   S

OPÉRATEUR, OPÉRATRICE D'USINE DE TRAITE-MENT DES EAUX POTABLES Personne qui, dans une usine de traitement des eaux potables, fait fonctionner des installations mécaniques et des systèmes de commande informatisés servant au pompage, au filtrage et au traitement chimique de l'eau destinée à la consommation humaine. *Elle veille à programmer et à surveiller attentivement les étapes de traitement afin que toute situation anormale puisse être corrigée à temps.*
CLÉO 121.03   S/C

OPÉRATEUR, OPÉRATRICE DE BLANCHISSEUSE À PAPIER Personne qui fait fonctionner, à l'aide de commandes, les machines utilisées (tambours rotatifs, malaxeurs, tours d'absorption, etc.) pour le blanchiment de la pâte à papier. Elle s'occupe, entre autres, de vérifier et d'assurer le fonctionnement des machines, d'ajuster et de régler le matériel de fabrication et de vérifier la qualité de la pâte. *Elle se préoccupe du bon fonctionnement des machines afin de permettre une production constante et de qualité.*
CLÉO 226.06   S

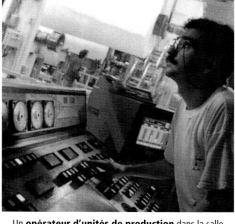

Un **opérateur d'unités de production** dans la salle de contrôle d'une papetière
PHOTO: Domtar

OPÉRATEUR, OPÉRATRICE DE DÉLIGNEUSE AUTOMATIQUE EN SCIERIE Personne qui, dans une industrie, conduit, règle et surveille, à partir d'un panneau de commande, une déligneuse à lames multiples pour redresser les rives inégales des pièces de bois et scier des pièces en planches d'épaisseur déterminée. *Elle a le souci de bien régler l'appareil afin de produire des planches de forme unie et de l'épaisseur voulue.*
CLÉO 225.08   S

OPÉRATEUR, OPÉRATRICE DE DÉTECTEUR ÉLECTRONIQUE NAVAL Personne qui, en tant que membre des forces armées, s'occupe du fonctionnement des détecteurs d'interception de guerre électronique, des brouilleurs d'émetteurs, du matériel de détection en surface et du matériel de conduite de tir à bord d'un navire ou d'un sous-marin. Elle s'occupe de faire fonctionner les appareils, de recueillir, détecter, évaluer les données et d'en faire un compte rendu. *Elle se préoccupe du bon fonctionnement des équipements et procède à des vérifications périodiques afin de pouvoir aider efficacement le personnel de commandement.*
CLÉO 333.46   S

OPÉRATEUR, OPÉRATRICE DE MACHINERIE FORESTIÈRE Personne qui conduit et fait fonctionner des machines utilisées pour la récolte du bois dans un chantier forestier (abatteuses, ébrancheuses, tronçonneuses, débusqueuses, chargeuses, etc.) et qui en assure l'entretien. *Elle veille à utiliser la machinerie selon les modalités d'intervention en milieu forestier, les normes de protection de l'environnement et les règles de sécurité établies afin de contribuer à la protection de l'environnement et à éviter les accidents.*
CLÉO 123.06   S

OPÉRATEUR, OPÉRATRICE DE MACHINES À MOULER LES MATIÈRES PLASTIQUES

Personne qui, dans une usine, règle et fait fonctionner des machines servant à mouler des matières plastiques en vue de la fabrication de pièces et de produits en plastique (bols, ustensiles, verres, etc.). Elle s'occupe, entre autres, d'examiner et d'évaluer les premières pièces produites afin de s'assurer de leur conformité aux normes de qualité établies. *Elle veille à suivre les devis et à bien régler les commandes (température, pression) afin de produire des matières plastiques de qualité.*
CLÉO 229.19   S

Un **opérateur de machines à mouler les matières plastiques** procède à l'ajustement des paramètres de moulage sur une presse à injection de thermoplastiques
PHOTO: Bernard Dufour/CS de Bellechasse–Centre sectoriel des plastiques

OPÉRATEUR, OPÉRATRICE DE MACHINES FIXES

Personne qui, dans une usine, règle et fait fonctionne différents types de machines-outils (scies, perceuses, presses mécaniques, etc.) servant à fabriquer des pièces métalliques préusinées entrant dans la composition de véhicules, d'équipement motorisé, de machinerie industrielle, etc. *Elle veille à bien régler les machines afin de fabriquer des pièces conformes aux plans établis et à respecter les règles de sécurité afin d'éviter les accidents en cours de travail.*
CLÉO 231.05   S

OPÉRATEUR, OPÉRATRICE DE MACHINES LOURDES DE CONSTRUCTION

Personne qui conduit des machines lourdes telles que pelle, chargeur, niveleuse, bétonnière, excavateur, tracteur, etc., pour creuser, déplacer, charger et niveler de la terre, de la roche et autres matériaux au cours de travaux de construction. Elle effectue également certaines tâches d'entretien des machines comme le nettoyage, la lubrification et la mise au point de l'embrayage. *Elle veille à respecter les règles de sécurité établies afin d'éviter tout accident sur les chantiers de construction.*
CLÉO 241.21   S

OPÉRATEUR, OPÉRATRICE DE PHOTOCOPIEUR

Personne qui fait des copies de documents divers en sélectionnant les commandes appropriées d'un photocopieur électronique selon les besoins (nombre de copies, recto verso, agrandissement, réduction, couleur, etc.) et qui effectue au besoin des opérations comme la reliure, la perforation, la plastification et le laminage sur bois. *Elle doit bien connaître le fonctionnement du photocopieur afin de répondre aux demandes parfois complexes de la clientèle (recadrage d'originaux, agrandissement, insertion de pages de couleur, etc.).*
CLÉO 235.14   S

OPÉRATEUR, OPÉRATRICE DE POLYGRAPHE

Personne qui fait fonctionner un polygraphe (détecteur de mensonges), un appareil utilisé à des fins juridiques en vue d'établir la véracité des allégations d'une personne impliquée dans une cause criminelle. Elle installe sur le sujet les électrodes qui permettront d'enregistrer différentes données (rythme cardiaque, tension artérielle, transpiration, etc.), assure le fonctionnement du matériel au cours de l'interrogatoire et interprète les courbes graphiques obtenues afin d'évaluer si le témoignage du sujet est crédible ou non. Elle fait généralement partie du personnel d'un département d'enquêtes criminelles dans les services de police provinciale ou fédérale.
CLÉO 321.17   S

OPÉRATEUR, OPÉRATRICE DE RABOTEUSE

Personne qui, dans une usine, règle et conduit, à partir d'un panneau de commande, une machine servant à aplanir la surface du bois raboté en vue de lui donner la forme voulue et d'en faire une pièce prête à utiliser. *Elle s'efforce d'observer les indications reçues et de faire montre de précision et de minutie afin d'obtenir des pièces ayant les dimensions et la forme voulues.*
CLÉO 225.09   S

OPÉRATEUR, OPÉRATRICE DE SCIE MULTI-LAMES POUR BILLES

Personne qui, dans une usine, conduit, règle et surveille, à partir d'un panneau de commande, une scie qui sert à débiter et à refendre les pièces de bois provenant de la scie principale. *Elle s'efforce de bien régler l'appareil et, au besoin, d'enlever les gros nœuds, les cailloux et les clous de billes à l'aide d'une hache ou d'une scie à chaîne afin de produire des pièces de bois de qualité et de la forme voulue.*
CLÉO 225.06   S

OPÉRATEUR, OPÉRATRICE DE SCIE PRINCIPALE

Personne qui, dans une usine, conduit, règle et surveille, à partir d'un panneau de commande, une installation munie d'une scie principale, d'un chariot à billes et d'un convoyeur utilisée pour

débiter les billes en planches et leur donner la forme et les dimensions voulues. *Elle s'efforce de bien examiner les billes (dimensions, état, qualité), de décider des coupes appropriées et de bien régler la lame afin d'obtenir des coupes selon les normes établies.*
CLÉO 225.05   S

OPÉRATEUR, OPÉRATRICE DE SÉCHOIRS À BOIS
Personne qui fait fonctionner les séchoirs à bois, les cuves de traitement et autres appareils utilisés pour sécher le bois d'oeuvre et les autres produits du bois en vue d'éliminer, en partie ou en totalité, l'eau incorporée dans le bois. *Elle veille à surveiller attentivement les indicateurs et à régler les commandes avec précision (séchage, degré d'humidité, etc.) afin d'obtenir un bois au degré d'humidité voulu.*
CLÉO 225.10   S

OPÉRATEUR, OPÉRATRICE DE SYSTÈMES D'ÉDITIQUE
Personne qui s'occupe de taper à l'ordinateur des textes destinés à être reproduits (journaux, revues, livres, publications scientifiques, etc.), de les corriger ou de les modifier et d'en faire le montage. *Elle veille à choisir des caractères typographiques et une disposition appropriés et à s'assurer qu'il n'y a aucune faute de frappe dans la version finale.*
CLÉO 713.10   S/C

OPÉRATEUR, OPÉRATRICE DE TÉLÉSOUFFLEUR
Personne qui fait fonctionner un appareil électronique, appelé télésouffleur, pour faire défiler sur un écran placé devant les caméras un texte au fur et à mesure que l'animateur le lit oralement avec l'intonation appropriée (présentation d'un téléjournal, reportage documentaire, etc.). *Elle veille à faire défiler le texte selon le débit de la présentation afin que l'animateur puisse en faire une lecture aisée, naturelle et constante et donner l'impression qu'il s'adresse directement au public.*
CLÉO 624.58   C

OPÉRATEUR, OPÉRATRICE DE TRACTEUR FORESTIER
Personne qui conduit et fait fonctionner des machines utilisées dans la construction et l'entretien des chemins forestiers (pelles mécaniques, pelles hydrauliques, niveleuses, etc.) et qui en assure l'entretien. *Elle veille à construire les chemins aux emplacements prévus et selon les normes établies afin de contribuer à la protection de l'environnement et à utiliser la machinerie de façon sécuritaire afin d'éviter les accidents.*
CLÉO 123.07   S

OPÉRATEUR, OPÉRATRICE EN TOPOGRAPHIE
Personne qui effectue différents travaux d'arpentage. Elle s'occupe, entre autres, de transporter et d'installer le matériel, de dégager les débris et broussailles qui encombrent les lignes d'arpentage, de recueillir certaines données à l'aide d'un théodolite et d'autres instruments et de placer les piquets servant à délimiter un terrain. Elle peut également participer à la préparation des plans.
CLÉO 112.03   S

OPÉRATEUR, OPÉRATRICE OCÉANOGRAPHIQUE
Personne qui, en tant que membre des forces armées, interprète les signatures (sons produits par des objets se déplaçant sous l'eau) captées par sonar afin d'identifier l'objet, son emplacement, sa direction et son appartenance (ami ou ennemi). À cette fin, elle s'occupe de la mise en marche et du fonctionnement du matériel océanographique, détermine les données significatives, tient à jour la présentation visuelle des données et fait des rapports détaillés des données analysées. *Elle se soucie de l'exactitude des données et veille à faire preuve de discrétion et de loyauté dans l'accomplissement de ses tâches afin d'aider efficacement le personnel de commandement.*
CLÉO 333.43   S

OPÉRATEUR, OPÉRATRICE RADIO NAVALE
Personne qui, en tant que membre des forces armées, est responsable d'envoyer et de recevoir des messages en phonie et en télégraphie à l'aide de divers appareils émetteurs et récepteurs et de matériel de communication mobile, aéroporté et fixe. Elle utilise également au besoin des codes tactiques et d'authentification pour assurer la sécurité de la communication. *Elle se préoccupe du bon fonctionnement des appareils et s'assure de bien effectuer le traitement des messages.*
CLÉO 333.44   S

OPHTALMOLOGISTE
Personne qui, en tant que médecin spécialiste des soins de l'oeil, s'occupe de la prévention, du diagnostic et du traitement des troubles de la vue et des affections de l'oeil. Selon le cas, elle recommande des soins et des exercices oculaires ou elle traite les maladies au moyen de médicaments ou de la chirurgie. Elle peut également corriger certaines anomalies de la vision (myopie, hypermétropie, astigmatisme) au moyen de la chirurgie au laser ou en prescrivant le port de verres correcteurs ou de lentilles cornéennes. *Elle se préoccupe de préserver ou de restaurer la santé des yeux ou de la vision de ses patients et veille à se tenir au courant des recherches dans son domaine afin de toujours améliorer sa pratique professionnelle.*
CLÉO 523.01   U

OPTICIEN, OPTICIENNE D'ORDONNANCES Personne qui fabrique et vend des lunettes ou des verres de contact aux gens atteints de déficiences visuelles, conformément aux ordonnances des optométristes ou des ophtalmologistes. Elle tient à jour les dossiers des clients, s'occupe de la facturation et effectue, s'il y a lieu, les tâches administratives liées à la gestion d'un commerce (comptabilité, approvisionnement et inventaire, entretien du commerce, etc.). *Elle veille à fournir à son client un produit conforme à ses besoins et bien ajusté et s'efforce de conseiller des montures appropriées à la morphologie de la tête, aux caractéristiques du visage et aux yeux de son client.*
CLÉO 523.03   C

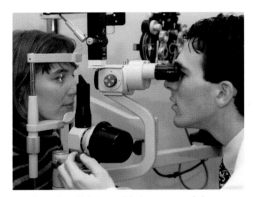

Un **optométriste** procède à un examen de la vue
PHOTO: Univ. de Montréal–École d'optométrie

OPTOMÉTRISTE Personne qui effectue des examens des yeux et du fonctionnement visuel en vue d'évaluer la santé oculaire, qui diagnostique les déficiences de la vision et qui prescrit les traitements correctifs nécessaires (lentilles de contact, lunettes, programme de rééducation visuelle, référence à d'autres spécialistes en cas d'état pathologique). Elle donne également des conseils d'hygiène visuelle et de sécurité au travail et peut fournir des services adaptés à des clientèles particulières (demi-voyants, jeunes enfants, personnes sourdes, etc.) qui nécessitent des examens plus spécialisés ou des techniques d'intervention spéciales. *Elle veille à poser des diagnostics précis et à recourir aux traitements appropriés pour corriger les déficiences visuelles afin de procurer à chaque patient une vision plus claire.*
CLÉO 523.02   U

ORCHESTRATEUR, ORCHESTRATRICE Personne qui adapte, crée ou modifie l'instrumentation des oeuvres musicales en vue d'obtenir un effet sonore précis et de créer un style particulier. À cette fin, elle transpose la musique d'une voix ou d'un instrument à l'autre et en améliore le rythme, les accords, les harmonies et la puissance. Elle s'occupe également d'écrire les partitions pour les musiciens ou chanteurs qui auront à interpréter l'oeuvre musicale. Elle peut travailler pour des orchestres, des formations musicales, des compagnies d'enregistrement, etc. *Elle s'efforce de mettre l'oeuvre en valeur par l'utilisation judicieuse des instruments et par sa connaissance de l'harmonie et de la forme musicale.*
CLÉO 622.02   U

ORFÈVRE Personne qui monte et répare des pièces d'orfèvrerie en argent telles que des plateaux, des ustensiles, des crémiers, des sauciers, etc. Elle effectue différentes tâches telles qu'amollir le métal au four, attacher les pièces et les souder, boucher les fissures et les trous ou conduire un tour pour façonner des objets en argenterie (théières, coupes, etc.). *Elle se préoccupe d'assembler minutieusement chaque pièce afin d'obtenir un article solide et esthétique qui satisfera les exigences de la clientèle.*
CLÉO 627.01   S/C

ORGANISATEUR, ORGANISATRICE DE CONGRÈS ET AUTRES ÉVÉNEMENTS SPÉCIAUX Personne qui assure l'organisation et la coordination des services offerts aux participants à l'occasion d'un congrès, d'une exposition commerciale ou autre événement d'envergure, pour le compte d'associations professionnelles, sociales ou autres. Elle établit le budget avec les commanditaires et les responsables de l'événement, s'occupe du transport, de l'hébergement et du séjour des participants, planifie la mise en place des installations et des équipements nécessaires aux activités prévues, s'occupe de l'inscription des participants, de l'impression des programmes et de la publicité de l'événement, organise les divertissements, banquets et autres célébrations demandées et supervise le personnel. *Elle se préoccupe de prévoir en détail l'organisation de l'événement, de faire toutes les démarches et réservations nécessaires et de résoudre les imprévus afin que le séjour des participants se déroule à leur entière satisfaction.*
CLÉO 513.10   U

ORGANISATEUR, ORGANISATRICE DE L'INSTRUCTION RELIGIEUSE Personne qui participe à la conception, à l'organisation et à la coordination de programmes d'enseignement religieux en vue de développer les connaissances religieuses des participants et de favoriser la participation aux activités religieuses. À cette fin, elle organise, en collaboration avec le ministre du culte, des programmes d'études adaptés aux différents groupes d'âge, elle embauche et supervise les enseignants, elle rencontre les fidèles et sollicite leur participation aux diverses activités parascolaires.
CLÉO 611.09   U

ORNITHOLOGUE Personne qui, à titre de spécialiste des oiseaux, de leur mode de vie et de leur rôle dans les écosystèmes, effectue des recherches et des travaux de terrain (inventaires, surveillance et aménagement des habitats naturels, etc.) en vue d'étudier les caractères spécifiques des espèces, d'en protéger la biodiversité, de contrôler le développement des populations ou de découvrir des utilisations possibles des oiseaux et des produits qu'on peut en tirer. Elle peut aussi soigner des oiseaux élevés en captivité ou en liberté surveillée dans un établissement écotouristique, une réserve faunique ou un institut de recherche et fournir des services-conseil dans le cadre de projets relatifs à l'écologie, l'écotourisme ou la diffusion des connaissances scientifiques en ornithologie.

CLÉO 113.14   U

ORTHÉSISTE-PROTHÉSISTE Personne qui conçoit, fabrique, ajuste et répare des appareils de soutien (orthèses) et des appareils de remplacement (prothèses) destinés à corriger des troubles fonctionnels ou des déformités corporelles ou encore à pallier la perte totale ou partielle de membres ou d'autres parties du corps. À cette fin, elle détermine les besoins d'appareillage à partir de l'ordonnance du médecin, prend les mesures et les empreintes nécessaires, conçoit les plans ou les prototypes des appareils, les fabrique selon les techniques propres à la profession, effectue les ajustements et les modifications nécessaires et assure un suivi des clients afin d'entretenir, de réparer ou d'ajuster les appareils. Elle s'occupe également des tâches administratives liées à la gestion d'un commerce (facturation, comptabilité, approvisionnement, etc.). *Elle se préoccupe de fournir aux clients des appareils fonctionnels, aussi confortables et discrets que possible, et veille à leur fournir le soutien nécessaire afin de favoriser leur adaptation physique et psychologique au port d'une prothèse ou d'une orthèse.*

CLÉO 523.22   U

ORTHODONTISTE Personne qui, en tant que spécialiste de la médecine dentaire, voit au dépistage ou à la correction, au moyen d'appareils correcteurs fixes ou amovibles, des anomalies pouvant survenir en cours de croissance dans le positionnement ou l'alignement des dents et des mâchoires. À cette fin, elle effectue des examens et des radiographies, pose un diagnostic, établit un plan de traitement, prépare les devis descriptifs des appareils correcteurs en vue de leur fabrication en laboratoire et procède à la pose et aux ajustements périodiques des appareils. Elle s'occupe également de renseigner la clientèle sur la nature, les modalités et les objectifs préventifs ou curatifs du traitement, sur les soins d'hygiène à domicile, sur les contraintes d'alimentation en cours de traitement et leur fournit le soutien nécessaire en vue de faciliter leur adaptation au port d'un appareil correcteur.

Elle veille à faire un suivi régulier de la clientèle afin de surveiller l'évolution du traitement et de s'assurer qu'il produit les effets escomptés.

CLÉO 523.86   U

ORTHOPÉDAGOGUE Personne qui fournit une aide à des élèves du primaire ou du secondaire qui éprouvent des difficultés d'adaptation ou d'apprentissage scolaire, individuellement ou en petits groupes, en vue but de faciliter leur apprentissage et leur intégration dans une classe ordinaire. À cette fin, elle détermine les difficultés en cause (langage, raisonnement, développement psychomoteur), enseigne la lecture, l'écriture, etc., au moyen de techniques particulières de l'orthopédagogie et fournit un soutien éducatif à l'enseignant et aux parents. Elle peut également, dans certains cas, apporter de l'aide à plusieurs élèves issus de classes différentes ou avoir la responsabilité d'un groupe. *Elle est soucieuse de bien cerner les difficultés de l'élève afin d'établir un programme d'études adapté à ses besoins.*

CLÉO 611.06   U

ORTHOPHONISTE Personne qui s'occupe du dépistage, du diagnostic, du traitement et de la prévention des troubles de la parole, de la voix, du langage et des fonctions de communication. À cette fin, elle évalue la nature, l'étendue et la gravité des troubles observés (défaut d'articulation, trouble vocal, dyslexie, aphasie, trouble cognitivo-linguistique, bégaiement, etc.), en recherche les facteurs responsables (physiologiques, neurologiques, affectifs, familiaux, sociaux, etc.), planifie et réalise des interventions thérapeutiques et éducatives auprès du patient et offre un soutien à son entourage. *Elle se préoccupe d'établir des programmes d'intervention adaptés aux besoins, aux habiletés et aux limites des personnes atteintes et d'obtenir la collaboration de leur entourage et des divers milieux où elles évoluent afin de favoriser leur progrès, leur autonomie et leur intégration sociale.*

CLÉO 525.33   U

Un **orthophoniste** reçoit un jeune qui éprouve des troubles de la parole

PHOTO: Ordre des orthophonistes et audiologistes du Québec

163

ORTHOPTICIEN, ORTHOPTICIENNE Personne qui établit et recommande des programmes de rééducation ou de correction des habiletés oculo-visuelles essentielles à une bonne vision (alignement oculaire, coordination des deux yeux, focalisation, mouvements oculaires, perception périphérique, etc.). À cette fin, elle procède à divers tests et examens afin de déterminer la nature et l'ampleur des déficiences oculo-visuelles, montre à ses clients les exercices à faire à la maison pour améliorer les habiletés en cause, supervise certains exercices correctifs nécessitant l'usage d'appareils spécialisés en cabinet et exerce un suivi afin d'évaluer les progrès et l'état des patients. *Elle s'efforce de bien évaluer les déficiences oculo-visuelles de ses patients et de recommander les exercices appropriés afin de les aider à recouvrer une bonne vision.*
CLÉO 523.04   C/U

OTO-RHINO-LARYNGOLOGISTE Personne qui, en tant que médecin spécialiste, voit au diagnostic, au traitement et à la prévention des maladies infectieuses aiguës ou chroniques de l'oreille, du nez, de la gorge (otites, laryngites, amygdalites, sinusites), de la région cervico-faciale dans son ensemble et des maladies cancéreuses affectant l'oreille, le nez, les sinus, la gorge et le cou. À cette fin, elle procède à des examens cliniques et à des tests afin de déterminer la nature, l'étendue et la gravité des pathologies en cause, prescrit les médicaments ou les traitements thérapeutiques appropriés et pratique les interventions chirurgicales nécessaires. *Elle se préoccupe de poser un diagnostic juste et de recommander le traitement adéquat (médical ou chirurgical) afin d'aider son patient à recouvrer la santé.*
CLÉO 523.07   U

OUTILLEUR-AJUSTEUR, OUTILLEUSE-AJUSTEUSE Personne qui fabrique, répare et modifie des outils à l'aide de machines-outils et qui met au point des matrices, des gabarits et des outillages qui permettront de produire des pièces mécaniques de formes et dimensions précises. À cette fin, elle prend connaissance des plans et devis, elle indique les repères qui serviront à fabriquer la forme et procède à sa fabrication à l'aide de moules, de matrices ou de fraiseuses. *Elle s'efforce de tracer, régler et usiner les blocs de métal selon les devis et d'effectuer des essais de montage afin de permettre la production de pièces mécaniques selon les normes établies.*
CLÉO 231.11   S

OUTILLEUR-MOULISTE, OUTILLEUSE-MOULISTE Personne qui fabrique, répare et modifie, à l'aide de machines-outils, des moules utilisés dans la fabrication de produits en plastique. *Elle a le souci de bien régler les machines-outils afin de produire des moules répondant aux spécifications reçues.*
CLÉO 229.18   S

OUTILLEUR-RECTIFIEUR, OUTILLEUSE-RECTIFIEUSE Personne qui règle et fait fonctionner divers types de machines à rectifier (rectifieuse-surfaceuse, rectifieuse universelle, rectifieuse d'outils de coupe) pour réaliser des outils de coupe, des calibres, des gabarits et des pièces de précision. À cette fin, elle prend connaissance des plans et devis, procède à la rectification de la pièce à usiner et vérifie si celle-ci correspond aux plans et spécifications.
CLÉO 231.12   S

OUVRIER, OUVRIÈRE À L'ÉCHANTILLONNAGE DES MATÉRIAUX DE CONSTRUCTION Personne qui analyse des échantillons de matériaux (gravier, sable, etc.) destinés à la construction d'ouvrages ou de matériaux de construction en vue d'en évaluer la qualité et de s'assurer de leur conformité aux devis et normes de la construction. Elle s'occupe, entre autres, de déterminer les caractéristiques physiques des matériaux (humidité, granulosité, etc.) et d'en vérifier la dureté, la friabilité, la densité à l'aide d'analyses en laboratoire. *Elle s'efforce de faire preuve de minutie dans l'examen des divers échantillons afin d'assurer la solidité et la durabilité des travaux de construction.*
CLÉO 241.12   S

OUVRIER, OUVRIÈRE À LA FABRICATION DE BLOCS DE BÉTON Personne qui exécute différentes tâches liées à la fabrication de blocs de béton telles que nettoyer et assembler les moules, égaliser le béton et séparer les moules des blocs. *Elle s'efforce de suivre les indications reçues afin de produire des pièces de qualité.*
CLÉO 223.04   S

OUVRIER, OUVRIÈRE À LA POSE DE GAZON Personne qui exécute différentes tâches liées à l'aménagement et à l'entretien paysager telles que préparer le terrain (niveler, étendre la terre, etc.) et poser des plaques de gazon sur des terrains privés, publics, industriels ou commerciaux, à l'aide d'outils de jardinage manuels ou mécanisés.
CLÉO 125.13   S

OUVRIER, OUVRIÈRE AU BROYEUR Personne qui fait fonctionner une machine pour broyer de la roche, du charbon, etc., en vue de la transformation de ces matières pour différents usages (béton, asphalte, etc.). *Elle s'efforce de détecter tout problème qui pourrait nuire au bon fonctionnement de la machine et d'y remédier le plus rapidement possible afin de permettre une production optimale.*
CLÉO 223.02   S

OUVRIER, OUVRIÈRE AU FOUR DE BRIQUETERIE

Personne qui fait fonctionner un four à vapeur sous pression servant à cuire les briques de chaux. Elle s'occupe, entre autres, de placer les briques dans le four, de régler la pression de vapeur et de surveiller la cuisson. *Elle a le souci de surveiller les différentes étapes de cuisson afin d'obtenir un produit de qualité conforme aux normes établies.*

CLÉO 223.05   S

OUVRIER, OUVRIÈRE AU FUMOIR À POISSON

Personne qui accomplit diverses tâches liées au fumage du poisson comme allumer le feu, placer les chevalets de poisson, régler le débit de la fumée, etc., en vue d'obtenir un produit de consommation de qualité (esturgeon fumé, saumon fumé, etc.). Elle veille également à l'entretien du fumoir et des outils servant au fumage. *Elle est soucieuse d'obtenir des poissons fumés dont la texture et la couleur respectent les normes de qualité établies.*

CLÉO 228.47   S

OUVRIER, OUVRIÈRE AU HOUBLONNAGE

Personne qui fait fonctionner les chaudières pour faire bouillir le houblon (plante utilisée pour la fabrication de la bière) et les extracteurs pour retirer le houblon. Elle veille à maintenir la température et la pression à un niveau constant et s'assure de l'entretien des chaudières et des extracteurs. *Elle veille à respecter les conditions d'hygiène et les normes de fabrication et à bien surveiller les différents indicateurs afin de produire une bière de qualité.*

CLÉO 228.23   S

OUVRIER, OUVRIÈRE AU TRAITEMENT DES PRODUITS DE POISSON

Personne qui règle et assure le fonctionnement de machines (autoclave, presse-poisson, séchoir, broyeur, etc.) qui servent au traitement du poisson, à l'extraction de l'huile de poisson cuit, à la production et à l'emballage des sous-produits de la pêche. Elle s'occupe également de l'entretien et du nettoyage des appareils. *Elle a le souci de bien régler les machines et d'appliquer les méthodes établies afin d'obtenir un produit de qualité qui satisfera les exigences de la clientèle.*

CLÉO 228.46   S

OUVRIER, OUVRIÈRE AUX CUVES DE PRÉCIPITATION

Personne qui, dans une usine de transformation du minerai, fait fonctionner les cuves de précipitation du minerai. Elle prélève des échantillons à toutes les étapes de raffinement et dirige les ouvriers qui s'occupent de l'entretien des cuves.

CLÉO 221.04   S

OUVRIER, OUVRIÈRE AVICOLE

Personne qui effectue divers travaux dans une exploitation spécialisée dans l'élevage de volailles destinées à la production d'oeufs ou de viande (donner à manger et à boire aux volailles, pointer le bec des volailles pour empêcher le cannibalisme et les batailles, tailler les ailes, entretenir les bâtiments, etc.). *Elle veille à respecter les indications reçues (alimentation, entretien, etc.) afin de créer les meilleures conditions possible d'élevage.*

CLÉO 126.12   S

OUVRIER, OUVRIÈRE D'ATELIER DE LAMINAGE

Personne qui effectue en atelier le collage de photos, de reproductions d'oeuvres d'art, d'affiches et d'autres documents en papier ou en carton sur un matériau et qui lui donne un fini durable pour servir de tableau, de panneau d'affichage. Elle peut également maîtriser les techniques de transfert de documents sur toile. *Elle veille à tailler les matériaux aux dimensions appropriées et à faire une finition impeccable afin de satisfaire pleinement la clientèle.*

CLÉO 235.15   S/C

OUVRIER, OUVRIÈRE D'ATELIER DE RELIURE

Personne qui règle et fait fonctionner une ou plusieurs machines utilisées pour les travaux de reliure et de finition de livres, revues, cahiers et autres imprimés. Elle peut utiliser alternativement des machines servant à plier, couper, brocher, coudre, coller ou perforer les pages, à rogner ou à presser les livres, à arrondir les dos. *Elle s'efforce de bien maîtriser le fonctionnement des machines afin de produire des reliures de qualité et veille à respecter les règles de sécurité pour éviter les accidents de travail.*

CLÉO 235.11   S

OUVRIER, OUVRIÈRE D'ENTRETIEN DE L'OUTILLAGE

Personne qui entretient et répare les outils, les machines-outils et le matériel utilisés pour divers travaux spécialisés en industrie ou sur des chantiers. *Elle veille à vérifier régulièrement les équipements afin de les maintenir propres et en bon état de fonctionnement et d'éviter les bris causés par un manque d'entretien.*

CLÉO 251.01   S

OUVRIER, OUVRIÈRE D'ENTRETIEN DE MACHINES À MOULER LE VERRE

Personne qui participe au montage, au réglage et à la réparation de l'outillage et des machines qui permettent de façonner des bouteilles et autres articles en verre. *Elle a le souci de faire un entretien rigoureux des machines et des outils afin de prévenir les bris.*

CLÉO 223.06   S

OUVRIER, OUVRIÈRE D'ENTRETIEN GÉNÉRAL D'USINE OU D'ATELIER Personne qui effectue différentes tâches d'entretien telles qu'enlever les déchets et ranger le matériel dans des établissements industriels en vue d'assurer l'ordre et la propreté des lieux. *Elle veille à effectuer toutes les tâches de nettoyage nécessaires afin de prévenir la détérioration prématurée des lieux et de créer un environnement de travail agréable.*
CLÉO 251.04   S

OUVRIER, OUVRIÈRE D'ÉRABLIÈRE Personne qui, dans une érablière, effectue diverses tâches liées à la fabrication des produits de l'érable et à l'entretien de l'érablière. Au printemps, elle s'occupe, entre autres, d'entailler les érables, de fixer les chalumeaux et les seaux servant à recueillir la sève, de la récolter régulièrement et de la transporter à la cabane à sucre. Dans les érablières pourvues d'un système automatique de récolte, elle peut s'occuper du branchement et de l'entretien d'un tel système. Elle peut également assurer l'entretien des installations servant à fabriquer les produits de l'érable, participer au travail de fabrication et, hors saison, travailler à l'entretien de l'érablière (soin des érables, coupes d'éclaircie, entretien des sentiers, nettoyage du matériel).
CLÉO 124.27   S

OUVRIER, OUVRIÈRE D'EXPLOITATION FORESTIÈRE Personne qui effectue l'abattage, l'ébranchage et le tronçonnage des arbres dans un chantier forestier, à l'aide d'une scie à chaîne ou d'autres outils à main. *Elle veille à préparer les billes de bois pour qu'il y ait le moins de pertes possible et à respecter les règles d'opération et de sécurité sur le chantier.*
CLÉO 123.05   S

OUVRIER, OUVRIÈRE D'EXPLOITATION LAITIÈRE Personne qui effectue différents travaux dans une exploitation laitière tels que nourrir et soigner le bétail, nettoyer les bâtiments, entretenir la machinerie, conduire les machines agricoles pour planter, récolter des plantes fourragères, préparer le sol pour les semences, semer, produire et entreposer les plantes servant à l'alimentation du troupeau en vue de favoriser les meilleures conditions d'exploitation possible et de participer ainsi au bon fonctionnement de l'entreprise. *Elle s'efforce d'apporter les soins nécessaires au bétail et d'assurer l'entretien des bâtiments et des machines afin d'obtenir une production laitière de très haute qualité.*
CLÉO 126.05   S

OUVRIER, OUVRIÈRE DE CONFISERIE CHOCOLATIÈRE Personne qui fait fonctionner des machines servant à mélanger et à former des produits à base de sucre comme des fondants, des mélanges caramélisés, etc. À cette fin, elle mesure et verse les ingrédients, règle les minuteries et thermostats, surveille le malaxage et la température en vue d'obtenir les mélanges, les couleurs et les consistances appropriés. *Elle veille à faire ses tâches de façon rigoureuse de manière à obtenir des produits conformes aux normes établies.*
CLÉO 228.32   S

OUVRIER, OUVRIÈRE DE CONSERVERIE Personne qui effectue diverses tâches liées à la conservation des produits alimentaires telles que mettre en boîte, faire congeler, mettre en conserve. *Elle s'efforce d'effectuer les diverses tâches selon les normes d'hygiène établies afin d'assurer la qualité et la fraîcheur des produits alimentaires mis sur le marché.*
CLÉO 228.16   S

OUVRIER, OUVRIÈRE DE DOCK Personne qui, en vue du chargement ou du déplacement des navires, aide à positionner le navire, fait fonctionner les pompes et les valves pour régler le niveau d'eau dans le bassin. *Elle veille à suivre les instructions reçues afin de mener à bien les opérations.*
CLÉO 433.58   S

OUVRIER, OUVRIÈRE DE FERME D'ÉLEVAGE Personne qui effectue différents travaux dans une ferme d'élevage tels que s'occuper du bétail (bovins, moutons, chevaux, etc.), préparer le sol pour les semis, faire les récoltes, entretenir les bâtiments et la machinerie. *Elle s'efforce d'obtenir les meilleures conditions d'élevage possible et de veiller à la santé des bêtes afin d'obtenir une production de qualité.*
CLÉO 126.03   S

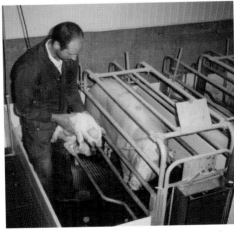

Un **ouvrier de ferme d'élevage** examine un porcelet
PHOTO: CS de Coaticook

O
OUV

OUVRIER, OUVRIÈRE DE LA PRODUCTION D'HABITATIONS PRÉUSINÉES Personne qui, dans une chaîne d'assemblage d'habitations préfabriquées, participe à la construction des toits, des murs, des plafonds ou des planchers, à l'assemblage des composantes modulaires, à la pose des revêtements, des portes, des fenêtres ou des autres éléments préfabriqués, à l'installation des systèmes de plomberie, d'électricité ou de chauffage ou encore à la finition. *Elle s'efforce d'accomplir ses tâches selon les instructions reçues afin d'assurer le bon déroulement des étapes subséquentes et d'obtenir, en bout de ligne, une habitation conforme aux exigences de qualité.*
CLÉO 241.61   S

OUVRIER, OUVRIÈRE EN PAVAGE Personne qui effectue, pour le compte d'un entrepreneur, des travaux de fondation, de pavage ou de revêtement de routes, trottoirs, aires de stationnement, allées et autres voies de circulation publiques, commerciales, industrielles ou résidentielles, à l'aide d'outils à main, d'outils pneumatiques ou mécaniques ou de machines spécialisées (niveleuse, bétonnière, bitumeuse-goudronneuse). Elle peut travailler au nivellement du sol, à la construction de coffrages pour mouler les trottoirs et les bordures de chemin, à la pose de renforts en treillis métallique, à l'épandage et au lissage de matériaux de recouvrement ou de revêtement (gravier, béton, asphalte, ciment, dalles, etc.). Elle porte généralement un titre correspondant à ses fonctions (lisseur de béton, poseur d'armature en treillis, conducteur de bitumeuse-goudronneuse, etc.).
CLÉO 241.52   S

OUVRIER, OUVRIÈRE PÉPINIÉRISTE Personne qui, dans une pépinière ou une serre, exécute différentes tâches liées à la culture de jeunes arbres, arbustes, plantes vivaces ou annuelles destinés à la vente. Elle s'occupe, entre autres, de préparer la terre et de planter, arroser, fertiliser et traiter les jeunes plants ornementaux. *Elle s'efforce de prendre soin des plantes et arbustes afin d'obtenir un produit en santé et de qualité pour la mise en marché.*
CLÉO 125.08   S

OUVRIER, OUVRIÈRE SYLVICOLE Personne qui effectue différentes tâches liées au reboisement des forêts ainsi qu'à la culture, à la plantation et à l'entretien des arbres dans une serre, une pépinière ou une plantation forestière. *Elle s'efforce d'apporter adéquatement les soins requis aux arbres (élagage, arrosage avec des produits insecticides, fertilisation, etc.) afin d'assurer leur bonne croissance.*
CLÉO 131.06   S

Un **ouvrier sylvicole** effectue un travail d'entretien des arbres
PHOTO: Ministère des Ressources naturelles du Québec

P

PALEFRENIER, PALEFRENIÈRE Personne qui exé-cute tous les travaux concernant les soins à donner aux chevaux dans une ferme d'élevage, un centre équestre ou un ranch (alimentation, interventions sanitaires, surveillance du pâturage, etc.) et qui effectue les tâches liées à l'entretien des bâtiments. *Elle veille à suivre les directives reçues et à déceler tout problème ou indice de maladie afin que les chevaux bénéficient de soins de qualité.*
CLÉO 126.15   S

PALÉONTOLOGUE Personne qui effectue des recherches, sur le terrain et en laboratoire, sur des organismes fossiles végétaux (semences, pollen, organismes unicellulaires, grands végétaux terrestres) ou animaux (coraux, mollusques, poissons, mammifères, reptiles) présents dans les formations rocheuses en vue de la collecte d'infor-mation sur les formes de vie et l'environnement des temps reculés et sur l'évolution des organismes vivants au cours de l'histoire terrestre, de la reconstitution et de la mise en valeur des fossiles pour les fins de la recherche, de l'enseignement et des musées. Elle peut également participer à la recherche de gisements de pétrole. *Elle doit faire preuve d'un véritable esprit de recherche (rigueur, minutie, capacité d'analyse et de déduction, curiosité, etc.) afin que les résultats de ses recherches soient fiables.*
CLÉO 612.11   U

Une équipe de **paléontologues** dégage des ossements de dinosaures découverts à Aude, en France
PHOTO: Sygma/Publiphoto

PAREUR, PAREUSE DE WAGON DE CHEMIN DE FER Personne qui met en place et fixe les éléments intérieurs des wagons d'un train (de chemin de fer ou de métro) comme les banquettes, les fenêtres, les stores, les revêtements de sol et les rampes d'éclairage. *Elle s'assure de poser le matériel conformément aux devis afin que les installa-tions soient solides et sécuritaires.*
CLÉO 232.23   S

PARODONTISTE Personne qui, en tant que spé-cialiste de la médecine dentaire, voit à la préven-tion, au diagnostic et au traitement des maladies affectant les gencives et les os qui supportent les dents. À cette fin, elle procède aux examens et aux radiographies nécessaires à l'établissement d'un bilan diagnostique, définit et administre les traitements nécessaires (médication, curetage des racines, chirurgie, etc.) en vue d'arrêter la progression de la maladie qui détériore la gencive et l'os des mâchoires, d'éviter sa réapparition ou de reconstruire les tissus détruits. En cas de détérioration trop avancée des tissus de support, elle procède aux traitements d'extraction et de remplacement dentaire qui s'imposent ou dirige ses patients vers les spécialistes concernés. *Elle veille à promouvoir le dépistage précoce et l'adoption d'une hygiène dentaire rigoureuse afin de prévenir la perte des dents que peut entraîner à long terme la détérioration des gencives et des tissus osseux des mâchoires.*
CLÉO 523.84   U

PATHOLOGISTE MÉDICAL, PATHOLOGISTE MÉDI-CALE Personne qui examine en laboratoire des tissus humains prélevés chirurgicalement en vue de poser ou de confirmer un diagnostic sur la maladie (nature, cause, étendue, gravité) dont souffre le pa-tient et de déterminer, en considérant les paramètres appropriés, l'évolution probable de la maladie et son traitement. Elle procède également, dans les cas d'autopsie, aux examens nécessaires pour déterminer la cause de certains décès accidentels ou médicale-ment douteux. *Elle s'efforce de faire des examens rigoureux afin de poser des diagnostics justes.*
CLÉO 525.21   U

PATHOLOGISTE VÉTÉRINAIRE Personne qui étudie la nature, la cause et le développement des maladies chez les animaux afin d'établir des diagnostics, de déterminer les sources d'infection et de contamination et de recommander des méthodes de prévention des épidémies. *Elle s'efforce de bien analyser tous les éléments en cause afin de conseiller judicieusement les vétérinaires cliniciens et de faire les recommandations qui s'imposent.*
CLÉO 126.28   U

PATINEUR ARTISTIQUE, PATINEUSE ARTISTIQUE Personne qui exécute des figures chorégraphiques en vue de la présentation de spectacles de patinage sur glace. À cette fin, elle s'entraîne à développer sa souplesse, sa technique et son sens artistique et mémorise les pas et les mouvements de la chorégraphie. *Elle veille à être expressive dans l'exécution de ses mouvements et dans son interprétation afin de bien communiquer le sens de l'histoire, de l'événement ou de l'émotion en cause.*
CLÉO 625.16   C

PÂTISSIER, PÂTISSIÈRE Personne qui fabrique des pâtisseries et des desserts variés en vue de les vendre. À cette fin, elle planifie sa production, conçoit et réalise ses recettes, s'occupe de la cuisson, de la décoration, de l'emballage et de la mise en marché de ses produits. Elle peut également faire des pièces montées telles que des gâteaux de noces. *Elle se préoccupe de la fraîcheur des aliments et veille à proposer des produits alléchants, savoureux et uniques afin de répondre aux goûts de sa clientèle.*
CLÉO 228.28   S

PATRONNIER, PATRONNIÈRE EN MODE FÉMININE ET MASCULINE Personne qui, en collaboration avec le modéliste, fabrique des patrons pour la réalisation d'articles cousus (robes, jupes, vestes, etc.). À cette fin, elle étudie les dessins, les explications et les modèles d'essai, détermine le nombre, la forme et les dimensions des pièces du patron, dessine sur carton les différentes parties du patron (dos, devant, col, manches, etc.), inscrit les notes explicatives à l'assemblage et évalue les quantités de tissu nécessaires à la fabrication. *Elle s'efforce de faire preuve de précision dans le dessin de ses patrons et dans les notes relatives à l'assemblage afin de produire des patrons clairs, justes et précis.*
CLÉO 237.04   C

PATROUILLEUR, PATROUILLEUSE DES PENTES DE SKI Personne qui parcourt les pistes et les pentes de ski pour donner les premiers soins aux personnes en difficulté ainsi que pour faire respecter les règles élémentaires de la sécurité en ski. *Elle se doit d'être vigilante afin de secourir les personnes le plus tôt possible et veille à*

s'assurer du respect des règles de sécurité afin d'éviter les accidents.
CLÉO 515.19   S

PÊCHEUR, PÊCHEUSE Personne qui, à l'aide de divers instruments de pêche (filets, casiers, chaluts), capture des poissons ou autres animaux aquatiques (homards, crevettes, pétoncles, etc.) à des fins commerciales. Elle peut travailler pour son propre compte ou faire partie de l'équipage d'un bateau de pêche.
CLÉO 127.03   S

Une équipe de **pêcheurs** s'adonne à la pêche au hareng à l'aide de filets maillants
PHOTO: Centre spécialisé des pêches de Grande-Rivière

PÉDIATRE Personne qui, en tant que médecin spécialiste, s'occupe de prévenir, dépister et traiter les maladies des enfants de 0 à 18 ans en vue de favoriser leur développement optimal. À cette fin, elle questionne les parents, examine l'enfant, fait effectuer des tests ou analyses, s'il y a lieu, prescrit des médicaments en cas de besoin. *Elle se préoccupe de déceler toute maladie et de recommander les médicaments ou traitements appropriés afin de promouvoir la santé des enfants et de favoriser leur croissance.*
CLÉO 523.72   U

PÉDODONTISTE Personne qui, en tant que spécialiste de la médecine dentaire, pratique la médecine dentaire auprès des enfants et des adolescents qui nécessitent des soins particuliers en raison de problèmes de développement, de handicaps ou de troubles émotionnels. Elle surveille, entre autres, la formation de la dentition, l'état des gencives et des tissus buccaux, la croissance des maxillaires, de la bouche et de la figure, en vue de dépister et de remédier à toute anomalie (défaut d'implantation, d'alignement ou d'occlusion, asymétrie, malformation, etc.) susceptible d'entraîner des troubles de la mastication, de la déglutition, de la respiration ou de la prononciation phonétique. Elle fournit également les soins préventifs et curatifs offerts par un dentiste

généraliste à de jeunes patients qui présentent des troubles de la communication ou du comportement ou atteints de handicaps physiques ou mentaux et qui doivent, de ce fait, bénéficier d'interventions adaptées à leurs besoins particuliers. *Elle veille à inculquer à sa clientèle dès le plus jeune âge de bonnes habitudes d'hygiène et d'alimentation afin de favoriser la formation et le maintien d'une dentition fonctionnelle, saine et esthétique.*
CLÉO 523.87   U

PEINTRE D'AUTOMOBILES Personne qui repeint la carrosserie des véhicules automobiles. À cette fin, elle enlève la vieille peinture, remodèle là où c'est nécessaire, sable et masque certaines parties (pare-chocs, glaces, etc.), applique une couche de base puis la couche de finition. *Elle a le souci d'effectuer son travail avec minutie et précision et à l'aide des produits appropriés afin que la surface du véhicule soit bien protégée et facile d'entretien.*
CLÉO 254.11   S

Une **peintre d'automobiles** prépare une voiture en vue de la repeindre
PHOTO: Centre Étape

PEINTRE EN BÂTIMENT Personne qui applique sur des surfaces intérieures ou extérieures de bâtiment diverses substances liquides ou gommeuses (peinture, teinture, résine, vernis, etc.) destinées à les protéger et à les embellir. Elle peut également coller sur des murs intérieurs divers revêtements tels que du papier peint et du tissu. *Elle s'assure de bien préparer les surfaces à recouvrir et les matières utilisées afin d'obtenir le fini recherché.*
CLÉO 241.47   S

PEINTRE-SCÉNOGRAPHE Personne qui conçoit et peint des toiles de fond destinées à reproduire artificiellement des lieux ou à créer une ambiance visuelle particulière pour la production de spectacles sur scène, de films ou d'émissions télévisées. À cette fin, elle prend connaissance de la demande scénographique, établit et planifie le projet, se documente au besoin pour reproduire fidèlement un lieu existant, compose l'image à l'échelle selon la superficie prévue, présente son projet aux responsables de la production pour approbation et peint la toile de fond dans les règles de l'art. *Elle doit bien maîtriser les techniques nécessaires pour peindre en grandes surfaces des scènes réalistes ou fantaisistes afin de créer l'atmosphère recherchée ou de donner à l'écran l'illusion d'un décor naturel.*
CLÉO 624.33   U

PÉPINIÉRISTE Personne qui dirige, organise et gère une entreprise spécialisée dans la culture de plantes, d'arbres et d'arbustes ornementaux en vue de leur vente. À cette fin, elle supervise et exécute différentes tâches telles que déterminer les variétés et les quantités de produits à cultiver, établir et maintenir les conditions environnementales (température, humidité, etc.), préparer les sols, plantes et semis, faire des repiquages et transplantations. *Elle se préoccupe de donner des conseils judicieux et d'offrir des produits de qualité afin de satisfaire les besoins de la clientèle.*
CLÉO 125.07   C

PERCHISTE Personne qui, sur un plateau de tournage, en studio d'enregistrement ou sur scène, s'occupe de déplacer, à l'aide d'une perche réglable, un microphone mobile en vue de le maintenir à la distance requise de personnes ou de situations en mouvement. *Elle veille à manipuler l'équipement avec dextérité et précision afin que la prise de son soit constante et à s'assurer que les instruments et leurs ombres demeurent invisibles dans l'image ou le décor de la scène.*
CLÉO 624.55   C/S

PERRUQUIER, PERRUQUIÈRE Personne qui conçoit, fabrique et entretient des perruques et des postiches (toupets, moustaches, barbes, etc.) de cheveux ou de poils naturels ou synthétiques, pour les besoins de l'esthétique personnelle, de l'industrie de la mode (agences de mannequins, salons de coiffure) ou pour les besoins de productions artistiques (théâtre, cinéma, télévision, spectacle). Elle s'occupe, entre autres, des relations avec les clients, de la conception et de la fabrication des modèles, de l'achat du matériel et des équipements dont elle a besoin et des tâches liées à la gestion de l'entreprise (comptabilité, supervision du personnel, etc.).
CLÉO 237.25   S

PHARMACIEN, PHARMACIENNE Personne qui prépare les médicaments et exécute les ordonnances prescrites à sa clientèle. À cette fin, elle doit revoir les ordonnances pour s'assurer de la dose exacte, superviser la préparation des ordonnances, renseigner les clients ou les spécialistes de la santé sur l'administration, l'usage, les effets des médicaments, l'incompatibilité de certains médicaments et les contre-indications. Elle s'occupe également de conseiller les gens sur le choix et la façon d'utiliser les médicaments sans ordonnance, d'entreposer, conserver et commander des vaccins, des sérums, etc., de tenir un registre des ordonnance exécutées et des substances toxiques et narcotiques vendues et de tenir à jour les dossiers de la clientèle. *Elle veille à être bien informée sur les nouveaux produits pharmaceutiques offerts sur le marché et à s'assurer de l'usage efficace, sécuritaire et approprié des médicaments consommés par ses clients afin d'améliorer leur santé et leur qualité de vie.*
CLÉO 525.03   U

PHARMACIEN, PHARMACIENNE D'HÔPITAL
Personne qui, dans un centre hospitalier, prépare les médicaments et exécute les ordonnances prescrites aux patients. À cette fin, elle doit renseigner les spécialistes de la santé et les patients sur les médicaments et leurs effets thérapeutiques. Elle s'occupe également de contrôler la distribution et l'utilisation des médicaments dans l'établissement, d'informer les membres du personnel et les bénéficiaires des règles d'utilisation et de tenir un registre des médicaments, des substances toxiques et des narcotiques distribués et retournés. *Elle veille à être bien informée sur les nouveaux produits pharmaceutiques offerts sur le marché et à s'assurer de l'usage efficace, sécuritaire et approprié des médicaments consommés par les patients afin d'améliorer leur santé et leur qualité de vie.*
CLÉO 525.02   U

PHARMACIEN, PHARMACIENNE D'INDUSTRIE
Personne qui, dans une industrie pharmaceutique, s'occupe de la mise au point ou de la mise en marché de nouveaux médicaments. Dans le cadre de recherches visant à mettre au point de nouveaux médicaments, elle participe à la formulation des produits pharmaceutiques (choix des substances et des ingrédients, dosage respectif, forme, etc.), à l'étude des effets thérapeutiques et secondaires des médicaments sur l'organisme, à la mise au point des procédés de fabrication industrielle, au contrôle de la qualité ou aux essais cliniques pour tester l'efficacité et la sécurité des nouveaux produits. En ce qui concerne la mise en marché de nouveaux médicaments, elle participe à l'élaboration de stratégies de vente, agit comme représentante pharmaceutique dans le milieu médical ou assure la formation et la direction d'une équipe de représentants. *Elle s'efforce de contribuer à la mise au point de produits efficaces et sécuritaires et à l'utilisation rationnelle des médicaments dans le milieu médical et le public en général.*
CLÉO 525.01   U

PHILATÉLISTE Personne qui se spécialise dans la connaissance des timbres-poste et qui en fait la vente ou l'échange. *Elle se préoccupe de connaître la valeur des timbres-poste, leur provenance, leur histoire, date d'émission, etc., afin de pouvoir renseigner les gens et d'acquérir des timbres de valeur.*
CLÉO 432.31   S

PHILOSOPHE Personne qui effectue des recherches, qui réfléchit sur l'existence et les réalisations humaines au regard des fondements, des finalités et du sens de la vie et des événements et qui communique le fruit de ses réflexions par des conférences, des cours, des entrevues, des publications. Elle peut s'intéresser aux sciences (psychologie, politique, physique, etc.), aux données de l'existence humaine (amour, liberté, volonté, etc.) ou aux questions sociales (éthique, éducation, etc.) ou aux réalisations humaines (la littérature, l'architecture, la technologie). *Elle veille à être à la fine pointe de l'évolution des connaissances afin de pouvoir faire une critique rationnelle des phénomènes observés.*
CLÉO 612.52   U

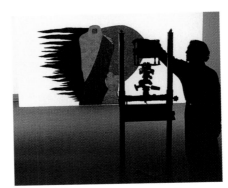

Un **photographe** prend un cliché d'un tableau en vue de la publication d'un catalogue d'exposition
PHOTO: Denis Legendre/Musée du Québec

PHOTOGRAPHE Personne qui prend des photographies de personnes, d'événements, de scènes, etc., qui seront utilisées pour des fins commerciales ou des créations artistiques. À cette fin, elle détermine le genre d'appareil et de pellicule selon le type de photographie à produire, ajuste l'éclairage et l'appareil, prend la photographie et développe la pellicule. *Elle s'efforce de produire une photographie qui sera impeccable sur le*

plan technique (lumière, ombres, clarté de l'image, etc.) et qui sera esthétique.
CLÉO 626.15   S/C

PHOTOGRAPHE DE MODE Personne qui prend des photographies de mannequins destinées à être publiées dans des revues de mode, des journaux, etc., en vue de présenter les tendances de la mode. À cette fin, elle analyse les besoins de la clientèle, choisit et met en place les décors, conseille les habilleurs, les coiffeurs et les maquilleurs, choisit les accessoires photographiques et les pellicules qui conviennent et prend plusieurs photos pour ensuite faire une sélection. *Elle s'efforce de choisir un décor adéquat ainsi qu'un cadrage et un éclairage judicieux afin de mettre le vêtement en valeur.*
CLÉO 711.10   C

PHOTOGRAPHE DE PRESSE Personne qui prend des photographies des personnages et événements d'actualité particuliers ou imprévus destinées à être publiées dans un magazine, un journal ou tout autre type de publication en vue d'illustrer les nouvelles ou les reportages. À cette fin, elle se rend sur les lieux de l'événement avec son matériel, prend plusieurs photographies, identifie les clichés en fonction de l'événement et envoie développer ou développe elle-même les photographies. *Elle s'efforce de saisir les événements sur le vif et de tenir compte de l'idéologie du journal auquel elle est rattachée afin de satisfaire les attentes de la clientèle.*
CLÉO 713.08   C

PHOTOGRAPHE PUBLICITAIRE Personne qui prend des photographies de marchandises, de produits, de lieux, etc., destinées à la publicité et à diverses publications commerciales ou industrielles. À cette fin, elle détermine les besoins du client, consulte le service de publicité de l'entreprise, prépare les lieux, les accessoires, les éclairages, les décors, réalise les photographies, développe les clichés et présente les résultats à son client. *Elle s'efforce de mettre en valeur les sujets de ses clichés afin de contribuer à la promotion de l'entreprise.*
CLÉO 711.07   U/C

PHOTOGRAPHE-PORTRAITISTE Personne qui prend des photographies de personnes ou de groupes de personnes, le plus souvent dans un studio ou dans un décor précis. À cette fin, elle ajuste l'éclairage pour obtenir les jeux d'ombres et de lumière désirés, elle conseille la personne sur la pose à prendre, procède au développement de la pellicule et à l'impression des photos. *Elle a le souci de mettre ses clients à l'aise avant de prendre des photographies afin de saisir la meilleure expression de ses sujets.*
CLÉO 626.16   S/C

PHOTOLITHOGRAPHE Personne qui, dans une imprimerie, transpose sur des plaques spéciales, à l'aide d'un procédé de gravure photochimique, des films de documents qui ont été réalisés dans une agence de graphisme, une maison d'édition ou autre entreprise du genre, en vue de l'installation de ces plaques sur une presse à imprimer. *Elle veille à choisir les plaques appropriées et à les traiter en fonction de la commande (type de presse, nombre de couleurs, tirage, format du papier d'impression, etc.) afin que l'impression soit conforme aux indications reçues et de qualité uniforme.*
CLÉO 235.06   C

PHYSIATRE Personne qui, en tant que médecin spécialiste, voit au diagnostic, au traitement et à la prévention des douleurs et des troubles fonctionnels du système musculo-squelettique (colonne vertébrale, os, muscles, tendons, articulations) causés par un accident, une maladie, une malformation congénitale ou par une lésion d'origine sportive ou professionnelle. À cette fin, elle procède à des examens diagnostiques afin d'évaluer la nature, l'étendue et la gravité des problèmes, pose un diagnostic, définit un plan de traitement (médication orale, infiltration médicamenteuse, port d'une orthèse, physiothérapie, chirurgie, etc.), veille à son application ou, s'il y a lieu, dirige les patients vers d'autres spécialistes et exerce un suivi. *Elle se préoccupe de soulager ses patients et de leur donner une meilleure mobilité afin d'améliorer leur qualité de vie, leur autonomie et leur fonctionnement social et professionnel.*
CLÉO 523.21   U

PHYSICIEN, PHYSICIENNE Personne qui dirige et effectue des recherches sur des phénomènes physiques comme la chaleur, la lumière, le magnétisme et l'acoustique en vue d'en tirer des applications sur les plans scientifique et commercial. À cette fin, elle conçoit des expérimentations, analyse des résultats, rédige des rapports et établit ou modifie des hypothèses, des théories ou des principes physiques. Elle peut s'intéresser aux corps en mouvement et au repos, aux particules constituantes de la matière, aux formes d'énergie et à leurs effets sur la matière. Elle peut travailler dans différents milieux comme les universités, les laboratoires gouvernementaux, les industries, les hôpitaux, etc. *Elle veille à faire preuve de rigueur dans ses recherches afin de contribuer à l'avancement général des connaissances de même qu'à la mise au point d'applications d'intérêt public ou industriel (technologie de pointe).*
CLÉO 612.02   U

PHYSICIEN, PHYSICIENNE NUCLÉAIRE Personne qui étudie la nature, la structure, la force et le comportement des noyaux atomiques en vue de comprendre leur formation et la nature de leurs interactions et de permettre la mise au point de nouvelles méthodes et de nouveaux équipements industriels, expérimentaux ou médicaux. À cette fin, elle fait des hypothèses, les vérifie, construit ou améliore des appareils d'analyse et divers dispositifs utilisés dans des domaines comme l'électronique, la physique des lasers, la médecine, la radiologie et la santé, tout en se préoccupant de l'aspect sécuritaire des appareils et procédés. *Elle est à l'affût des recherches et découvertes dans le domaine, cherche à faire connaître les résultats de ses travaux de manière à favoriser le développement de nouvelles applications.*
CLÉO 612.04   U

PHYSIOLOGISTE Personne qui, à titre de spécialiste de la microbiologie, étudie et dirige des recherches sur les fonctions et les systèmes biologiques chez les végétaux, les animaux ou les êtres humains en vue de trouver des applications pratiques dans des domaines comme la génétique ou les biotechnologies. À cette fin, elle étudie, entre autres, la respiration, la digestion, le mouvement et l'activité nerveuse dans des conditions normales ou pathologiques, l'effet des changements de l'environnement sur les fonctions vitales et elle fait des expériences et des analyses. Elle peut s'intéresser plus particulièrement à la physiologie de la cellule, des insectes, des plantes, à la physiologie médicale ou encore à la physiologie vétérinaire. *Elle veille à faire connaître le résultat de ses recherches en rédigeant des rapports ou des articles.*
CLÉO 612.34   U

PHYSIONOMISTE PROFESSIONNEL, PHYSIONO-MISTE PROFESSIONNELLE Personne qui est chargée de surveiller la clientèle d'un établissement de jeu, d'un commerce ou autre lieu public en vue de déceler la présence éventuelle et de contrôler les agissements de personnes soupçonnées d'activité criminelle (fraude, vol à l'étalage, trafic de drogues, etc.) ou recherchées par la police. Elle peut être au service d'un établissement qui nécessite une surveillance constante et qui recourt à des méthodes sophistiquées de contrôle (enregistrement filmé des allées et venues et analyse régulière des bandes) ou fournir des services de surveillance temporaire, des services de police et d'enquête privés.
CLÉO 331.12   S

PHYSIOTHÉRAPEUTE Personne qui intervient auprès de gens atteints d'une incapacité physique de nature orthopédique, rhumatismale, cardio-respiratoire ou neurologique en vue de rétablir leur fonctionnement physique optimal.

À cette fin, elle procède à une évaluation de la nature, des causes et de l'étendue des troubles fonctionnels des patients au moyen de tests (mobilité des articulations, force, endurance et tonus musculaires, posture, démarche, capacité pulmonaire, perception, sensation, etc.), établit les objectifs de réadaptation, planifie un plan de traitement et fait des recommandations. Elle veille à l'application du traitement en partie en recourant, selon le cas, à des exercices de renforcement et d'assouplissement, à des techniques de thérapie manuelles (massages, tractions, manipulations) et à divers agents thérapeutiques (chaleur, froid, électricité, eau, ultrasons, etc.) et assure un suivi afin d'évaluer les progrès obtenus et adapter le traitement, s'il y a lieu. *Elle veille à apporter à ses patients tout le soutien physique et psychologique dont ils ont besoin afin de rétablir progressivement et le mieux possible leur fonctionnement physique et leur autonomie.*
CLÉO 525.34   U

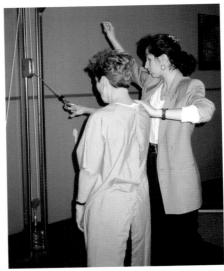

Une **physiothérapeute** établit un plan de traitement en vue d'une réadaptation fonctionnelle de la patiente
PHOTO: L'Esprit Sport

PHYTOPATHOLOGISTE Personne qui, à titre de spécialiste des maladies des plantes, des causes biologiques et environnementales de celles-ci et de leurs modes de contagion, effectue des recherches en milieu naturel ou en laboratoire en vue d'accroître les connaissances scientifiques et de mettre au point des mesures de lutte contre les maladies végétales. Elle effectue, à titre d'experte-conseil, des travaux de dépistage, de diagnostic et de traitement des maladies végétales qui affectent les cultures, les forêts ou d'autres milieux naturels ou humains.
CLÉO 113.05   U

PHYTOTHÉRAPEUTE Personne qui soigne ou prévient les maladies par l'utilisation de plantes médicinales. À cette fin, elle détermine le problème, propose les traitements appropriés, donne des renseignements sur les effets des plantes utilisées et des conseils sur l'alimentation et l'hygiène de vie. *Elle veille à aider le client à découvrir les causes de ses problèmes de santé afin de le responsabiliser dans sa démarche vers un mieux-être et de lui permettre de maintenir ou de recouvrer la santé.*
CLÉO 524.06   C

PILOTE D'AVION Personne qui conduit un avion et assure le commandement de l'équipage. À cette fin, elle doit, entre autres, étudier le plan de vol, se tenir au courant des données météorologiques, vérifier les instruments et les commandes et procéder au décollage et à l'atterrissage. *Elle a le souci de respecter les normes et règlements établis à toutes les étapes du vol afin d'assurer la sécurité des passagers.*
CLÉO 433.75
                                                                        C

PILOTE D'ESSAI (TRANSPORT AÉRIEN) Personne qui fait l'essai en vol d'avions neufs ou modernisés afin d'en évaluer les performances, le fonctionnement et la sécurité. Elle vérifie, entre autres, le fonctionnement des commandes, des freins, des appareils de communication. *Elle veille à déceler toute défectuosité afin d'apporter les correctifs qui s'imposent.*
CLÉO 433.74   C

PILOTE D'HÉLICOPTÈRE Personne qui conduit un hélicoptère pour transporter des passagers ou des marchandises. Elle doit, entre autres, étudier son plan de vol, se renseigner sur les données météorologiques, vérifier le niveau d'huile et de carburant ainsi que la pression et la température. *Elle se préoccupe de respecter les normes et règlements établis afin d'effectuer les vols de façon sécuritaire.*
CLÉO 433.72   C

PILOTE DE BROUSSE Personne qui conduit divers types d'avions munis de flotteurs ou de skis, servant à transporter des gens ou de la marchandise en région éloignée. Elle doit, entre autres, vérifier l'état de l'appareil, étudier le plan de vol, faire le plein de carburant, s'occuper du chargement des bagages. *Elle veille à faire preuve de vigilance dans l'exécution de ses tâches afin d'assurer la sécurité des biens et des personnes qui voyagent.*
CLÉO 433.73   C

PILOTE DE NAVIRES Personne qui, grâce à sa connaissance approfondie des lieux, conseille le capitaine d'un navire en vue de le guider dans des endroits de navigation particuliers (à l'entrée, à la sortie des ports, dans les détroits, dans les fleuves, etc.). Elle donne, entre autres, des renseignements sur les conditions et les règles locales, recommande la route et la vitesse à prendre et effectue certaines manoeuvres comme l'accostage et l'appareillage. *Elle s'efforce de réagir rapidement aux situations difficiles (courants locaux, récifs, hauts-fonds, etc.) et de donner des conseils judicieux afin d'assurer la conduite sécuritaire du navire.*
CLÉO 433.54   C

PLACIER, PLACIÈRE Personne qui, dans un lieu de spectacle (cinéma, théâtre, salle de concert, etc.), est chargée de l'accueil et de l'orientation des spectateurs. Elle s'occupe, entre autres, de vérifier les billets d'entrée, de distribuer les programmes, de diriger les gens vers leur siège, d'assurer l'ouverture et la fermeture des portes aux heures prévues et de fournir les renseignements demandés. *Elle veille à accueillir les spectateurs avec courtoisie et à assurer la tranquillité des lieux pendant la représentation en intervenant avec tact au besoin.*
CLÉO 624.78   S

PLANIFICATEUR FINANCIER, PLANIFICATRICE FINANCIÈRE Personne qui, pour son compte ou à titre d'employée dans un établissement financier (banque, caisse populaire, société d'investissements, etc.), fait la planification financière de particuliers ou d'entreprises, en vue d'assurer la meilleure gestion possible de leur argent et leur sécurité financière. À cette fin, elle définit les objectifs et les besoins financiers de ses clients, analyse les données relatives à leur situation financière et fait des recommandations concernant la gestion budgétaire, les placements financiers, la couverture d'assurance, la planification de la retraite et la succession. Elle s'occupe également des démarches relatives à l'achat ou la vente de produits financiers (régimes d'assurances et de retraite, valeurs mobilières ou autres fonds d'investissement) qu'elle recommande à ses clients. *Elle s'efforce d'analyser rigoureusement la situation financière de ses clients en considérant tous les facteurs pertinents (revenus, placements actuels, dettes, budget, projets de retraite, etc.) afin de faire une planification bien adaptée à leurs besoins.*
CLÉO 423.07   U

PLANTEUR, PLANTEUSE D'ARBRES Personne qui transplante des plants dans des zones de reboisement en vue de la reconstitution d'une partie de la forêt à la suite de travaux de coupe. *Elle s'efforce de repiquer les plants selon les indications reçues (dimensions des trous, disposition des racines, espacement des plants) afin de favoriser leur bonne croissance.*
CLÉO 131.07   S

PLÂTRIER, PLÂTRIÈRE Personne qui pose des enduits calcaires (plâtre, mortier, ciment, stuc, etc.) sur les surfaces intérieures ou extérieures des bâtiments en vue de leur finition, qui tire et remplit les joints des murs de gypse pour les préparer au recouvrement prévu et qui effectue des travaux d'ornementation en plâtre (moulures de plafond, coulage et pose de frises ornementales, etc.). *Elle doit faire preuve d'une grande dextérité afin d'obtenir les textures voulues et avoir un bon sens de l'équilibre afin de pouvoir effectuer les travaux en hauteur.*
CLÉO 241.34   S

PLOMBIER, PLOMBIÈRE Personne qui s'occupe de l'installation, de l'entretien et de la réparation de la tuyauterie et des accessoires qui servent à la distribution de l'eau et à l'évacuation des eaux usées (toilettes, lavabos, baignoires, douches, etc.) dans les maisons ou dans les édifices privés, publics ou industriels. À cette fin, elle étudie les plans et devis, assemble et met en place la tuyauterie, installe les lavabos et les baignoires. *Elle veille à bien effectuer l'installation des conduites et des renvois afin d'éviter toute fuite et à déceler rapidement les défectuosités afin d'effectuer les réparations nécessaires dans les plus courts délais.*
CLÉO 241.76   S

P
PLA

PLONGEUR, PLONGEUSE Personne qui s'occupe de laver la vaisselle, les ustensiles, les verres et les casseroles dans un restaurant ou un hôtel, à l'aide d'un lave-vaisselle ou à la main. *Elle s'efforce d'effectuer ses tâches avec soin afin de présenter des couverts impeccables à la clientèle.*
CLÉO 511.15   S

PLONGEUR, PLONGEUSE DE PLONGÉE SOUS-MARINE Personne qui, en tant que spécialiste de la plongée sous-marine, offre divers services comme l'enseignement, la participation à des expéditions sous-marines d'exploration des fonds marins ou encore la recherche de personnes disparues lors de noyades. *Elle se préoccupe d'observer des règles strictes de sécurité afin d'assurer le bon déroulement de ses plongées.*
CLÉO 515.17   C

PNEUMOLOGUE Personne qui, en tant que médecin spécialiste, voit au diagnostic et au traitement des maladies pulmonaires (pneumonie, tuberculose, lésions pulmonaires, etc.). À cette fin, elle examine la personne, lui fait passer des examens et des tests afin d'obtenir des renseignements sur son état de santé, analyse les résultats, pose un diagnostic et prescrit les médicaments ou les traitements appropriés. Elle dirige son patient en chirurgie lorsque c'est nécessaire et assure, au besoin, un suivi jusqu'à son rétablissement. *Elle a le souci de poser un diagnostic juste afin de*

recommander à son patient le traitement approprié à sa guérison.*
CLÉO 523.35   U

PODIATRE Personne qui, en tant que médecin spécialiste, voit à l'évaluation diagnostique et au traitement des blessures, difformités, malformations, affections et lésions des différentes parties du pied. À cette fin, elle procède à des examens, des radiographies et d'autres tests afin d'évaluer la nature, l'étendue et la gravité des problèmes (fracture, malformation osseuse, pieds plats, cors, ongles incarnés, lésions ulcéreuses, orteils en marteau) affectant la motricité, la santé ou le confort des clients, prescrit les médicaments ou le support orthopédique requis (orthèses plantaires, chaussures de soutien, etc.) ou effectue les traitements thérapeutiques appropriés (chirurgie mineure, pose de plâtres, thérapie de rééducation du pied, etc.). *Elle se préoccupe d'évaluer et de traiter efficacement les problèmes dont souffrent ses patients afin de soulager leurs douleurs et d'améliorer le rendement fonctionnel de leurs membres inférieurs.*
CLÉO 523.24   U

Une des tâches du **policier** est d'assurer la sécurité routière
PHOTO: Robert Greffard/Ville de Québec–Service de police

POLICIER, POLICIÈRE Personne qui veille au maintien de l'ordre et de la paix, à l'application des lois et règlements, à la protection du public et à la prévention du crime. À cette fin, elle doit, entre autres, patrouiller dans les secteurs qui lui sont désignés, surveiller la circulation automobile, secourir les victimes d'accidents et de délits criminels, identifier les personnes en cas d'accident ou d'infraction à la loi, recueillir des preuves matérielles pour les besoins d'enquête et effectuer les enquêtes au besoin. Elle doit également procéder à l'arrestation de suspects et rédiger

des rapports pour rendre compte des arrestations et des accidents. *Elle se préoccupe de réagir rapidement aux situations critiques (accidents routiers, vols, agressions, etc.) afin d'assurer en tout temps la protection du public.*
CLÉO 322.02   C

POLICIER, POLICIÈRE COMMUNAUTAIRE Personne faisant partie du corps policier d'une communauté urbaine qui a comme rôle d'agir auprès de la population d'un quartier de manière à prévenir la délinquance et la criminalité sous toutes ses formes tout en assurant la sécurité des citoyens. Plutôt que d'intervenir uniquement sur demande ou en cas de contravention à la loi, elle visite les gens à domicile, fait la tournée des commerces et des lieux publics, se mêle le plus possible à la vie du quartier, afin d'établir de bonnes relations avec les citoyens, de s'informer des problèmes relatifs au climat social, à l'ordre public et à la sécurité des gens dans le quartier et d'assurer une présence policière qui, en elle-même, contribue à dissuader les actes répréhensibles. Elle exerce une surveillance discrète des personnes et des lieux «à risque» et s'efforce d'être vigilante afin de déceler toute situation indicatrice d'un problème (violence, drogue, abus sexuels, criminalité ou autre). Elle cherche à prévenir ces situations dans la mesure du possible et à diriger les délinquants et les victimes vers les services d'aide appropriés, mais elle doit aussi exercer ses pouvoirs policiers lorsque nécessaire.
CLÉO 322.03   C

POLICIER, POLICIÈRE MILITAIRE Personne qui, en tant que membre des forces armées, veille à l'application de la loi dans les forces militaires. À cette fin, elle s'occupe de la surveillance de la circulation et de la patrouille de sécurité, participe aux enquêtes sur les incidents et assure la protection du personnel, des renseignements et du matériel. *Elle veille à faire preuve de rigueur et de vigilance afin de contribuer à la prévention du crime.*
CLÉO 333.11   C

POLITICOLOGUE Personne qui étudie les systèmes et les institutions politiques en place en vue d'acquérir et de transmettre une meilleure compréhension des phénomènes liés à l'exercice du pouvoir à tous les paliers de gouvernement (municipal, provincial, fédéral) et sur le plan international. À cette fin, elle analyse, explique et commente l'histoire et l'actualité politique nationale ou étrangère, dégage les enjeux et les facteurs d'influence (situation économique, problèmes sociaux, opinion publique, groupes de pression, relations diplomatiques, etc.) à l'origine des événements et des décisions politiques et tente d'en prévoir les conséquences. Elle peut se consacrer à l'enseignement supérieur, à la recherche et à la préparation de diverses publications

(livres, articles, rapports de recherche, etc.) ou encore travailler dans le domaine des relations publiques et du journalisme ou dans l'administration publique pour conseiller les hauts fonctionnaires et les dirigeants sur les stratégies et les décisions à adopter. *Elle s'efforce d'analyser les faits de façon rigoureuse et objective afin de fournir un commentaire juste.*
CLÉO 311.16   U

POMICULTEUR, POMICULTRICE Personne qui assure la gestion et la planification d'une entreprise horticole spécialisée dans la culture de fruits à pépins (pommes, poires, pêches, etc.). À cette fin, elle dirige et exécute divers travaux (élagage des arbres, récolte et emballage des fruits) liés à la production et à la vente de la récolte et s'occupe de la mise en marché des produits. *Elle veille à ce que les plants aient tous les soins requis (eau, fertilisation, lutte aux ennemis de culture) afin d'obtenir une récolte abondante et de qualité.*
CLÉO 124.19   C

POMPIER, POMPIÈRE Personne qui lutte contre les incendies de toute nature dans les endroits publics ou privés en vue de sauver des vies humaines et de limiter les pertes matérielles. Elle porte également secours aux victimes de sinistres naturels ou industriels autres que les incendies. Dans les cas de sauvetage, elle collabore aux activités de recherche, donne les premiers soins et évacue les victimes. Elle participe également à l'inspection des bâtiments, à l'élaboration et à la mise en oeuvre de plans d'intervention.
CLÉO 331.02   S

P

P
POM

Une **pompière** vêtue de son habit de travail et munie des outils nécessaires pour combattre les incendies
PHOTO: Caroline Hayeur/Agence Stock

177

POMPIER FORESTIER, POMPIÈRE FORESTIÈRE

Personne qui participe aux mesures de lutte visant à maîtriser la propagation d'un incendie de forêt. Elle peut superviser, sur le terrain ou par avion, les opérations de lutte contre l'incendie ou y participer, elle peut intervenir dans les opérations entourant l'évaluation de l'incendie (étendue de l'incendie, vitesse de progression, direction des vents, population menacée, etc.), dans les travaux de lutte au sol pour contenir l'incendie dans un périmètre limité, dans les opérations d'arrosage des zones forestières au moyen d'avions-citernes ou encore dans les opérations de sauvetage ou d'évacuation. *Elle doit faire preuve d'un bon esprit d'équipe afin de coordonner ses efforts aux autres et de réussir à maîtriser l'incendie.*
CLÉO 131.11   S

POMPISTE

Personne qui effectue divers travaux dans une station-service comme le service à la pompe, le nettoyage du pare-brise, la vérification du niveau d'huile, la vente de lubrifiants et d'accessoires d'automobiles et la vérification de la pression d'air dans les pneus. *Elle s'efforce de faire preuve de courtoisie et d'efficacité afin d'assurer un bon service à la clientèle.*
CLÉO 254.12   S

PONCEUR, PONCEUSE

Personne qui adoucit et polit les surfaces d'articles en bois comme des sections de meubles, des chaises et des cadres de miroirs et de tableaux, à la main avec un abrasif ou à l'aide d'outils de ponçage, en vue de préparer les articles à recevoir un enduit de finition (teinture, vernis, etc.). À cette fin, elle choisit l'outil de ponçage et les abrasifs appropriés et ponce l'objet en ayant soin de respecter les propriétés du bois (dureté, grain du bois, etc.) et les formes de l'objet (courbes, angles, etc.). *Elle s'efforce de faire preuve de minutie et de suivre les consignes reçues afin de ne pas abîmer le bois et d'effectuer un ponçage de qualité.*
CLÉO 236.09   S

Un **poseur de systèmes intérieurs**
installe un plafond suspendu
PHOTO: CECQ–École des métiers et occupations de l'ind. de la constr. de Québec

PORTIER, PORTIÈRE

Personne qui surveille les allées et venues à la porte d'un hôtel, d'un restaurant ou d'un autre type d'établissement afin d'éviter l'entrée de visiteurs indésirables et de rendre aux clients de menus services tels qu'ouvrir la porte, porter les bagages, héler un taxi, assister les personnes âgées ou handicapées dans leurs déplacements, expliquer l'itinéraire pour se rendre à un lieu donné. *Elle veille à faire preuve de courtoisie envers les clients et à se montrer diplomate lorsqu'elle intervient auprès de clients ou de visiteurs tapageurs.*
CLÉO 512.07   S

POSEUR, POSEUSE D'ONGLES ET DE CILS

Personne qui, dans un institut de beauté, pose des ongles et des cils artificiels dans un but esthétique. *Elle veille à se montrer minutieuse, à bien connaître les techniques de pose et à bien expliquer les soins d'entretien à domicile afin d'assurer la satisfaction de sa clientèle.*
CLÉO 516.11   S

POSEUR, POSEUSE DE REVÊTEMENTS SOUPLES

Personne qui pose, remplace ou répare dans les bâtiments des moquettes, des tapis d'escalier et d'autres revêtements souples de sol en vinyle, en linoléum. *Elle veille à effectuer les mesures et les calculs nécessaires afin de couvrir les surfaces de façon esthétique et d'éviter les pertes et s'efforce de placer les joints, s'il y a lieu, aux endroits les moins visibles.*
CLÉO 241.45   S

POSEUR, POSEUSE DE SILENCIEUX

Personne qui, dans un centre de service pour véhicules automobiles, remplace sur des véhicules automobiles les tuyaux d'échappement défectueux, le collecteur, le silencieux et autres pièces du système servant à l'amortissement du bruit et à l'évacuation des gaz. *Elle veille à choisir les pièces de rechange appropriées (marque, modèle, année du véhicule) et à les installer adéquatement afin d'assurer le bon fonctionnement et la solidité du système.*
CLÉO 254.09   S

POSEUR, POSEUSE DE SYSTÈMES INTÉRIEURS

Personne qui, dans la construction de bâtiments commerciaux, industriels et publics, s'occupe de poser les montants et les treillis de métal servant de structure pour la construction des plafonds suspendus, murs ou cloisons métalliques et qui y fixe divers matériaux (panneaux de gypse et de matériau composite, carreaux acoustiques). *Elle veille à bien maîtriser les diverses méthodes de pose afin que le travail fini soit solide et conforme aux normes établies.*
CLÉO 241.31   S

POSEUR, POSEUSE DE TAPIS Personne qui pose, remplace ou répare des tapis dans les maisons privées, les immeubles résidentiels, commerciaux et industriels. À cette fin, elle prépare la surface à couvrir (enlèvement du vieux revêtement de sol, grattage des planchers, colmatage des trous et des fissures, application d'un apprêt, etc.), taille le tapis, le fixe ou le colle au plancher en veillant à ce que les joints s'ajustent le mieux possible. Elle peut également faire la pose d'autres types de revêtements de sol (carreaux synthétiques, linoléum, céramique) pour le compte d'un commerce spécialisé dans la vente de revêtements divers pour les planchers.

CLÉO 241.46   S

POTIER, POTIÈRE CÉRAMISTE Personne qui conçoit et fabrique, de façon artisanale, des objets en céramique tels que des vases, des tasses, des bols, des sculptures, etc., en vue de les vendre. Elle doit, entre autres, déterminer le genre de terre à utiliser, façonner la terre à la main ou à l'aide d'outils comme les tours, graver des motifs, faire une première cuisson et appliquer les glaçures. *Elle a le souci de créer des modèles originaux afin de satisfaire les exigences de la clientèle.*

CLÉO 627.07   C/S

POURVOYEUR, POURVOYEUSE DE CHASSE ET PÊCHE Personne qui exploite et administre une pourvoirie. À cette fin, elle organise diverses activités de chasse, de pêche et d'excursion et met à la disposition de sa clientèle des installations et des services tels que l'hébergement, le transport, la location d'équipements nécessaires à la pratique de son sport. Elle s'occupe également de rédiger des rapports d'activité à l'intention du gouvernement. *Elle a le souci de répondre aux besoins de sa clientèle et de veiller en tout temps à sa sécurité afin de rendre son séjour agréable.*

CLÉO 514.07   C

PRENEUR, PRENEUSE DE SON Personne qui, dans le cadre d'une réalisation artistique ou médiatique (film, émission de radio ou de télévision, disque, spectacle, etc.) s'occupe d'amplifier, de diffuser ou d'enregistrer le son. Elle détermine et installe le matériel requis (microphones, amplificateurs, magnétophones, etc.) en fonction des besoins de la production et de l'acoustique des lieux, effectue les prises de son, surveille le fonctionnement des appareils et démonte l'équipement. *Elle doit connaître à fond le fonctionnement de l'équipement qu'elle utilise afin d'en tirer le meilleur rendement possible et d'assurer la qualité sonore de la production.*

CLÉO 624.56   C/S

PRÉPARATEUR, PRÉPARATRICE D'ASPHALTE POUR COUVERTURE Personne qui fait fonctionner les appareils servant à mélanger les ingrédients (goudron, fibre d'amiante, asphalte, etc.) pour fabriquer un enduit ou un ciment de couverture. *Elle a le souci de s'assurer que le mélange est conforme à la formule établie afin de produire une matière répondant aux critères de qualité.*

CLÉO 229.08   S

PRÉPARATEUR, PRÉPARATRICE DE PÂTE À PAPIER Personne qui, à partir d'un tableau de commande, fait fonctionner des machines pour préparer la pâte et raccourcir les fibres en vue d'obtenir la pâte qui servira à la fabrication du papier et surveille le traitement de la pâte à l'aide d'indicateurs et de jauges. *Elle a le souci d'examiner la consistance de la pâte, de bien surveiller les indicateurs et de faire les ajustements nécessaires afin de produire une pâte de qualité conforme aux normes de fabrication établies.*

CLÉO 226.05   S

PRÉPARATEUR, PRÉPARATRICE DE PLATEAUX À LA CHAÎNE Personne qui prépare, selon des menus précis, des plateaux pour les repas destinés aux personnes dans un établissement de santé, une cafétéria, un hôpital. *Elle a le souci de respecter les directives quant aux quantités, aux portions des aliments et à la disposition des éléments afin d'assurer un service efficace et de qualité.*

CLÉO 511.20   S

PRÉPARATEUR, PRÉPARATRICE DE POISSON Personne qui fait fonctionner des machines servant à couper, à cuire et à refroidir le poisson en vue de la production de filets ou de bâtonnets de poisson pané. Elle doit, entre autres, régler la température pour la cuisson et le refroidissement et régler le niveau de pâte à frire ou de panure. *Elle s'efforce de remplacer les couteaux usés, de déceler tout défaut des appareils et de procéder aux ajustements nécessaires afin de ne pas ralentir la production.*

CLÉO 228.49   S

PRÉPARATEUR, PRÉPARATRICE DE REPAS CONGELÉS Personne qui place divers aliments dans des contenants ou emballages, à la main ou à l'aide de machines distributrices, en vue de la congélation de plats garnis précuits, de pâtés, de desserts, etc.

CLÉO 228.18   S

PRÉPOSÉ, PRÉPOSÉE À L'AUDITOIRE Personne qui, dans une station de radio ou de télévision, s'occupe par téléphone et par courrier des

relations avec le public. À cette fin, elle fournit des renseignements sur la programmation, prend note des commentaires, des critiques ou des suggestions de l'auditoire, les transmet au personnel concerné, fait parvenir, s'il y a lieu, de la documentation écrite ou des copies d'enregistrement au public et gère le courrier et les appels relatifs à un concours. *Elle s'efforce de répondre au public avec courtoisie afin de contribuer à la bonne réputation de la station qu'elle représente.*
CLÉO 624.76   C

PRÉPOSÉ, PRÉPOSÉE À L'EMBALLAGE Personne qui, dans un magasin à rayons ou une épicerie, met dans des sacs ou des boîtes les marchandises achetées par les clients au fur et à mesure qu'elles sont enregistrées à la caisse. *Elle veille à travailler à la fois avec minutie et efficacité afin de ne pas abîmer les articles déposés dans le sac ou la boîte.*
CLÉO 432.13   S

PRÉPOSÉ, PRÉPOSÉE À L'ENTRETIEN DE MACHINERIE LOURDE Personne qui exécute des travaux légers d'entretien, tels que le graissage, la vidange, l'ajout de liquide, etc., sur les machineries lourdes des chantiers de construction, industriels ou autres (grues, pelles mécaniques, bouteurs, etc.). *Elle veille à suivre rigoureusement un calendrier d'entretien et à signaler toute anomalie de fonctionnement afin de prévenir les bris qui retarderaient les travaux de chantier.*
CLÉO 241.24   S

PRÉPOSÉ, PRÉPOSÉE À L'ENTRETIEN DE TERRAIN DE CAMPING Personne qui assure l'entretien des sites, des équipements et des installations d'un terrain de camping. Elle s'occupe, entre autres, de ramasser les ordures, de replacer les tables de pique-nique, de nettoyer les aires d'emplacement de feu, d'entretenir les aires de jeux extérieurs et les installations sportives et de nettoyer et désinfecter les installations sanitaires (douches, toilettes, lavabos). *Elle a le souci d'assurer en tout temps le bon état et la propreté des lieux afin de rendre agréable le séjour de la clientèle.*
CLÉO 514.10   S

PRÉPOSÉ, PRÉPOSÉE À L'ENTRETIEN DES CHAMBRES Personne qui remet en ordre et nettoie les chambres d'un établissement d'hébergement pendant et après le séjour des clients. Elle fait les lits, change les draps et serviettes, épousette, passe l'aspirateur, nettoie la salle de bains. *Elle veille à effectuer ses tâches selon les règles d'entretien de l'établissement afin d'assurer un séjour confortable aux clients.*
CLÉO 512.06   S

PRÉPOSÉ, PRÉPOSÉE À L'ENTRETIEN DES PARCS Personne qui entretient les terrains et les bâtiments des parcs (fédéraux, provinciaux, municipaux ou privés) en vue d'assurer la propreté et la beauté des lieux. Elle s'occupe, entre autres, de tondre et traiter le gazon, d'arroser les plantes et les fleurs, de nettoyer les sentiers et d'assurer le bon état et la propreté des équipements (jeux, bancs, etc.) et bâtiments. *Elle s'efforce d'effectuer un entretien préventif des lieux afin de prévenir leur détérioration prématurée et de s'assurer du bien-être des usagers.*
CLÉO 125.14   S

PRÉPOSÉ, PRÉPOSÉE À L'ENTRETIEN DU LINGE Personne qui effectue, dans une buanderie institutionnelle ou commerciale (hôpital, hôtel, restaurant, entreprise de nettoyage, etc.), diverses tâches de nettoyage et de remise à neuf des vêtements, de la literie, du linge de table et autres articles en tissu. Elle s'occupe, entre autres, de laver, détacher, blanchir, sécher, repasser, réparer, plier, teindre. *Elle s'efforce de tenir compte de la nature des tissus et des taches présentes sur les articles afin d'apporter au linge les soins appropriés et d'éviter d'endommager les articles.*
CLÉO 516.22   S

PRÉPOSÉ, PRÉPOSÉE À L'ENTRETIEN GÉNÉRAL D'IMMEUBLES Personne qui effectue diverses tâches d'entretien et de réparation à l'extérieur et à l'intérieur d'un édifice (immeuble d'habitation, édifice commercial, école, etc.) à l'aide d'outils à la main ou mécaniques. Elle s'occupe, entre autres, de réparer les interrupteurs, de remplacer des fusibles, des ampoules et des commutateurs, de poser des tablettes et établit un programme d'entretien périodique qu'elle s'efforce de respecter. *Elle est soucieuse de détecter tout problème et d'en aviser les responsables afin d'assurer la sécurité, la salubrité et le confort des lieux.*
CLÉO 253.03   S

Un **préposé à l'entretien général d'immeubles** calfeutre une fenêtre avant la saison froide
PHOTO: CSC de Sherbrooke–Centre 24-juin

PRÉPOSÉ, PRÉPOSÉE À L'ÉQUIPEMENT DE SPORT Personne qui loue et distribue des articles et équipements sportifs, qui tient l'inventaire et assure le bon état du matériel en vue de contribuer au bon déroulement des épreuves sportives. Elle s'occupe également de tenir un registre des prêts, de recevoir les paiements de location et d'assurer l'entretien du matériel.
CLÉO 515.26   S

PRÉPOSÉ, PRÉPOSÉE À LA CUEILLETTE DES MATIÈRES RECYCLABLES Personne qui effectue par camion l'enlèvement des matières recyclables et qui les transporte à un centre de récupération où elles seront triées et compactées en vue de leur acheminement vers les usines qui les recyclent pour fabriquer de nouveaux produits.
CLÉO 132.09   S

PRÉPOSÉ, PRÉPOSÉE À LA LOCATION D'OUTILS Personne qui loue des outils et de la marchandise et qui renseigne les clients sur l'utilisation de la marchandise, le coût et les conditions de location. Elle s'occupe également de préparer le contrat de location et de recevoir les paiements. *Elle veille à s'assurer du bon fonctionnement des outils avant et au retour de la location.*
CLÉO 432.50   S

PRÉPOSÉ, PRÉPOSÉE À LA MORGUE Personne qui s'occupe des cadavres et de leurs effets personnels à leur arrivée à la morgue d'un hôpital ou d'un laboratoire médico-légal et qui effectue diverses tâches pour préparer les corps aux formalités d'identification, à l'examen externe, à l'autopsie, s'il y a lieu, et à leur acheminement vers les services funéraires. *Elle doit faire preuve de respect à l'égard des défunts et veiller à effectuer ses tâches avec tact et efficacité afin de contribuer au bon fonctionnement de la morgue.*
CLÉO 517.07   S

PRÉPOSÉ, PRÉPOSÉE À LA RÉCUPÉRATION Personne qui, dans une usine de récupération, effectue le tri, le compactage des matériaux recyclables et qui prépare leur acheminement vers les usines où ils seront recyclés. *Elle veille à participer aux efforts collectifs pour économiser les matières premières et l'énergie afin de protéger l'environnement.*
CLÉO 132.10   S

PRÉPOSÉ, PRÉPOSÉE À LA RÉCUPÉRATION DE PIÈCES D'AUTO Personne qui démonte les voitures usagées ou accidentées afin de récupérer les pièces qui peuvent être vendues pour réutilisation. Elle s'occupe, entre autres, d'identifier les pièces avec précision, de les nettoyer et de les classer. *Elle s'efforce de repérer les pièces utilisables afin de les récupérer et d'éviter ainsi le gaspillage.*
CLÉO 254.16   S

PRÉPOSÉ, PRÉPOSÉE À LA RESTAURATION RAPIDE Personne qui prépare, fait chauffer et cuire des aliments et des plats simples dans des établissements de restauration rapide. Elle doit, entre autres, s'assurer de la fraîcheur des aliments, préparer les mets, composer les plats, effectuer le rangement et le nettoyage. *Elle s'efforce d'effectuer ses tâches avec efficacité et selon les règles établies afin de contribuer à la satisfaction de la clientèle.*
CLÉO 511.19   S

PRÉPOSÉ, PRÉPOSÉE À LA SALLE DE QUILLES Personne qui surveille et coordonne l'utilisation des allées de quilles. À cette fin, elle prend en note les réservations, loue les souliers, vérifie l'état des allées, actionne le système électronique de pointage et perçoit les paiements pour les parties jouées. *Elle a le souci de vérifier en tout temps le bon fonctionnement de l'équipement afin d'assurer la satisfaction de la clientèle.*
CLÉO 514.12   S

PRÉPOSÉ, PRÉPOSÉE À LA VENTE DE LIENS ÉLECTRONIQUES Personne qui, pour le compte d'une entreprise de télécommunication, fournit aux utilisateurs de l'autoroute électronique des services de branchement à des ordinateurs de grande capacité (serveurs) pour le captage et la transmission de l'information entre les points du réseau universel et l'ordinateur de l'usager. Elle s'occupe également des relations avec la clientèle (promotion des services, demandes de branchement, renseignements, dépannage), de la facturation et du contrôle de la qualité des services. *Elle se préoccupe de fournir un service efficace à la clientèle et de suivre l'évolution technologique dans le domaine des ordinateurs afin d'adapter ses services en conséquence.*
CLÉO 432.07   C/U

PRÉPOSÉ, PRÉPOSÉE AU DÉVELOPPEMENT DE PHOTOS Personne qui s'occupe de faire fonctionner des appareils automatiques servant à développer des négatifs ou des diapositives et à transférer ces images sur papier. À cette fin, elle règle les équipements servant au développement ou à la transposition d'images en tenant compte des écarts de densité des épreuves. *Elle veille à faire preuve de minutie au cours des manipulations afin d'arriver à un fini de qualité.*
CLÉO 235.05   S

PRÉPOSÉ, PRÉPOSÉE AU FOUR CRÉMATOIRE Personne qui effectue différentes tâches liées à l'incinération des corps et à la collecte des cendres des défunts au cours des cérémonies de crémation et qui assure l'entretien du four crématoire et des installations connexes. *Elle veille à faire un entretien préventif des équipements afin d'assurer leur bon fonctionnement au moment des cérémonies.*
CLÉO 517.04   S

PRÉPOSÉ, PRÉPOSÉE AU LAVAGE DES VOITURES Personne qui effectue le nettoyage intérieur et extérieur des automobiles et des camions, à la main ou dans un lave-auto. À cette fin, elle nettoie les glaces, les tapis, etc. et elle applique des cires pour protéger et faire briller la carrosserie. *Elle a le souci de nettoyer les voitures avec soin afin d'assurer la satisfaction de la clientèle.*
CLÉO 254.13   S

PRÉPOSÉ, PRÉPOSÉE AU PUBLIPOSTAGE Personne qui prépare les envois par la poste de matériel publicitaire ou promotionnel (prospectus, catalogues, offres d'achat ou de service, échantillons, etc.) pour le compte d'une entreprise commerciale ou pour une entreprise fournissant des services de publipostage ou qui prépare et fait la distribution porte-à-porte de sacs contenant du matériel publicitaire émanant de différents établissements d'une région.
CLÉO 711.12   S

PRÉPOSÉ, PRÉPOSÉE AU REMONTE-PENTE Personne qui aide les personnes à monter ou descendre des appareils (remonte-pente, télésiège, téléski ou télébenne) servant à les amener au sommet des pentes de ski. *Elle se préoccupe du bon état des appareils afin d'assurer le transport sécuritaire des usagers.*
CLÉO 515.20   S

PRÉPOSÉ, PRÉPOSÉE AU SERVICE À LA CLIENTÈLE Personne qui, dans un commerce au détail, s'occupe des remboursements, des échanges, des mises de côté, qui répond aux demandes de renseignements et aux plaintes et qui interroge la clientèle sur les raisons du retour de la marchandise. *Elle veille à effectuer ses tâches avec efficacité et courtoisie afin d'offrir un service après-vente de qualité et de contribuer ainsi à la rentabilité du commerce.*
CLÉO 432.12   S

PRÉPOSÉ, PRÉPOSÉE AU TERRAIN D'EXERCICE DE GOLF Personne qui ramasse et nettoie les balles de golf utilisées dans un champ de pratique en vue de leur réutilisation, qui nettoie les bâtons de location, qui vérifie les aires de départ et qui effectue l'entretien des tapis et accessoires. *Elle veille à assurer en tout temps le bon état du matériel afin de contribuer à la satisfaction de la clientèle.*
CLÉO 514.11   S

PRÉPOSÉ, PRÉPOSÉE AU TRANSPORT DES MATIÈRES DANGEREUSES Personne qui, pour le compte d'industries ou de laboratoires, s'occupe du transport des produits et déchets toxiques, inflammables ou polluants. Elle doit, entre autres, enregistrer les matières dangereuses selon la réglementation en vigueur et les acheminer par camion vers les centres de traitement ou d'entreposage appropriés. *Elle veille à respecter les règles de sécurité en matière de manipulation et de transport routier des matières dangereuses, solides ou liquides, afin d'éviter les risques d'intoxication pour les personnes et les conséquences d'un accident routier éventuel.*
CLÉO 132.08   S

PRÉPOSÉ, PRÉPOSÉE AU VESTIAIRE Personne qui, dans un restaurant, un bar, un hôtel ou tout autre établissement public, recueille et garde en dépôt au vestiaire divers articles appartenant à la clientèle, comme les manteaux, bottes, paquets, parapluies et qui en assure la surveillance. *Elle a le souci de ranger les différents articles selon un ordre précis afin de pouvoir les repérer facilement au moment du départ du client.*
CLÉO 511.16   S

Des **préposées aux bénéficiaires** installent une personne pour le repas dans un centre hospitalier
PHOTO: CSC de Sherbrooke–Centre 24-juin

PRÉPOSÉ, PRÉPOSÉE AUX BÉNÉFICIAIRES Personne qui, dans un centre hospitalier ou dans un centre de soins prolongés, donne les soins de base, assure une présence et une assistance physique aux bénéficiaires en vue de contribuer à leur rétablissement ou de les aider à maintenir leur état de santé et en vue d'aider le personnel infirmier. À cette fin, elle aide les personnes au lever, aux repas, au coucher, elle les aide à se laver, à se vêtir ou à se dévêtir et elle change la literie. *Elle veille à donner aux bénéficiaires les soins appropriés, à respecter leur intégrité et leur dignité et à suivre les consignes reçues afin de contribuer à leur bien-être.*
CLÉO 522.08   S

PRÉPOSÉ, PRÉPOSÉE AUX ENVOLÉES Personne qui assure la préparation, la coordination et le suivi des vols en vue d'en assurer la sécurité. À cette fin, elle vérifie les conditions atmosphériques, évalue les besoins en carburant selon la lourdeur des bagages, suit le mouvement des appareils en vol et coordonne le travail des gens au sol selon les heures d'arrivée, de départ ou les retards possibles.

Elle est soucieuse de recommander des modifications de plan de vol, des changements de route ou des annulations si cela est nécessaire afin d'assurer la sécurité du vol.
CLÉO 433.80   S

PRÉPOSÉ, PRÉPOSÉE AUX ÉTABLISSEMENTS DE SPORTS
Personne qui dirige et surveille l'utilisation des installations sportives dans un établissement et qui répond aux besoins de la clientèle. Elle s'occupe, entre autres, de dresser l'horaire des utilisations, de prendre les réservations, d'accueillir les personnes, de donner des renseignements, de distribuer le matériel requis et de percevoir les paiements. *Elle veille à faire respecter les règles de l'établissement et s'assure du bon état des équipements afin de répondre aux exigences de la clientèle.*
CLÉO 515.13   S

PRÉPOSÉ, PRÉPOSÉE AUX RENSEIGNEMENTS
Personne qui, dans un bureau, un centre commercial ou tout autre établissement, est chargée de fournir des réponses aux demandes de gens concernant les services, l'emplacement des locaux, les horaires, les activités. Elle s'efforce de répondre aux gens avec courtoisie afin de donner une bonne image de la compagnie qu'elle représente.
CLÉO 421.12   S

En mobylette, un **préposé aux renseignements touristiques** va au-devant des besoins des touristes
PHOTO: Michel Gagnon/Office du tourisme et des congrès de la CUQ

PRÉPOSÉ, PRÉPOSÉE AUX RENSEIGNEMENTS TOURISTIQUES
Personne qui fournit des renseignements touristiques dans un stand ou un bureau d'information touristique (stand régional, aéroport, hôtel, agence de tourisme, etc.). *Elle doit connaître à fond les attraits, les services et les sites touristiques de la région en cause, les* programmes d'activités récréatives, sportives et culturelles ainsi que la géographie routière du milieu afin d'être en mesure de conseiller les touristes et de répondre à leurs questions.
CLÉO 513.06   S

PRÉPOSÉ, PRÉPOSÉE AUX SOINS DES ANIMAUX D'AGRÉMENT
Personne qui assure les soins de propreté et d'esthétique aux petits animaux domestiques (lavage, brossage, tonte, etc.) et qui s'occupe de les nourrir dans une clinique, un hôpital vétérinaire, un chenil ou un laboratoire de recherche. *Elle a le souci de bien connaître les soins à apporter aux différents animaux afin d'assurer leur santé, leur bien-être et leur belle apparence.*
CLÉO 126.31   S

PRÉPOSÉ, PRÉPOSÉE AUX TABLES
Personne qui dresse les couverts, dessert et nettoie les tables dans un restaurant, un hôtel, une auberge, etc. *Elle veille à faire preuve d'efficacité et à monter les tables selon les règles afin de satisfaire la clientèle et de participer à la bonne renommée de l'établissement.*
CLÉO 511.14   S

PRÉPOSÉ, PRÉPOSÉE AUX VOITURES
Personne qui accueille les clients à l'entrée d'un établissement hôtelier ou d'un restaurant, qui stationne leur voiture dans l'aire de stationnement, qui prend note des données nécessaires (marque, numéro d'immatriculation, état de la voiture), qui remet les clés à la personne responsable de la surveillance des véhicules et qui, à la demande des clients, rapporte la voiture à l'entrée de l'établissement. *Elle veille à conduire et à stationner la voiture des clients avec soin afin d'éviter de l'endommager.*
CLÉO 512.09   S

PRÉPOSÉ, PRÉPOSÉE D'ÉTABLISSEMENT PISCICOLE OU AQUICOLE
Personne qui nourrit les animaux aquatiques, nettoie les bassins, vérifie la température de l'eau et exécute diverses tâches de manutention et de soutien dans une entreprise aquicole (faune aquatique d'eau douce ou salée) ou piscicole (faune aquatique d'eau douce). *Elle s'efforce de signaler toute anomalie observée au cours de ses rondes d'inspection (maladie, poissons morts) afin que des mesures correctives soient prises, au besoin.*
CLÉO 126.24   S

PRODUCTEUR, PRODUCTRICE
Personne qui, pour le compte d'une société de production ou pour son propre compte, décide de la mise en oeuvre d'un projet de production artistique ou médiatique (film, émission de radio ou de télévision, pièce de théâtre, etc.), s'occupe du financement du projet de production et en gère la réalisation. À cette fin, elle évalue l'intérêt du

projet de production pour le public et ses chances de rentabilité, établit un budget détaillé, trouve des sources de financement et supervise la réalisation du projet en vue d'en assurer la qualité artistique et technique et le respect du budget. Elle définit les orientations de la réalisation et les exigences à respecter et conserve un droit de regard sur tous les aspects artistiques et administratifs du projet (contenu, forme, rentabilité de la production). *Elle veille à trouver les fonds nécessaires pour financer la réalisation et à faire en sorte qu'elle soit rentable afin que les distributeurs de films, les commanditaires, les sociétés de télévision et les banques) y trouvent le profit escompté.*
CLÉO 624.03   U

PRODUCTEUR AUDIO, PRODUCTRICE AUDIO EN MULTIMÉDIA Personne qui, dans le processus de création d'un produit multimédia (CD-Rom, publication ou jeu électronique, logiciel de simulation ou de formation, etc.), prend en charge la production de la trame sonore destinée à renforcer le contenu visuel, à créer les atmosphères recherchées ou à fournir des repères sonores pour les étapes de navigation dans le produit. À cette fin, elle s'occupe de créer une trame sonore originale ou d'adapter des contenus sonores existants à l'aide des ressources des audiothèques ou des banques de sons, elle détermine les besoins en matière d'enregistrements vocaux, le style et les thèmes musicaux selon les orientations artistiques et le contenu du produit et choisit les effets sonores et les bruitages requis. Elle s'occupe également d'engager le personnel artistique et technique, s'il y a lieu (musiciens, arrangeur musical, bruiteur, narrateur, etc.), de planifier et de superviser les séances d'enregistrement en studio et d'assurer le traitement numérique du son. *Elle doit avoir de solides connaissances sur les divers types de contenus sonores (voix, musique, bruitage, effets spéciaux) et dans la technologie de production audio afin de pouvoir répondre à des demandes diversifiées et résoudre les problèmes d'ordre artistique ou technique qu'elles peuvent poser.*
CLÉO 722.09   C/U

PRODUCTEUR, PRODUCTRICE D'ANIMAUX À FOURRURE Personne qui dirige une exploitation d'élevage et de reproduction d'animaux dont la fourrure est recherchée (chinchilla, vison, etc.), en vue de vendre les peaux qui serviront à fabriquer des vêtements ou autres articles. Elle s'occupe, entre autres, de leur reproduction, de leur alimentation, des soins nécessaires à leur bonne santé et de la mise en marché de ses produits. *Elle s'efforce d'assurer la santé des animaux afin d'obtenir des peaux de qualité.*
CLÉO 126.18   C

PRODUCTEUR, PRODUCTRICE D'OVINS Personne qui dirige une exploitation agricole consacrée à l'élevage d'ovins (moutons, béliers, brebis) en vue de la production de la laine, de la vente des bêtes pour la boucherie, la reproduction ou la participation à des expositions. À cette fin, elle dirige et exécute les divers travaux, planifie la production et assure le bon fonctionnement de l'entreprise. Elle s'occupe également de la production de fourrages et de céréales pour alimenter le troupeau et de la mise en marché de ses produits. *Elle veille à se préoccuper des conditions de salubrité de l'entreprise et à recycler les déchets organiques d'élevage afin d'obtenir un produit de haute qualité et d'assurer la rentabilité de son entreprise.*
CLÉO 126.08   C

PRODUCTEUR, PRODUCTRICE DE BOVINS Personne qui dirige une exploitation agricole consacrée à l'élevage de bovins destinés à la boucherie ou à d'autres éleveurs. À cette fin, elle veille à la réalisation et à l'évaluation des programmes de reproduction, d'engraissement et de mise en marché des bovins et s'occupe de produire les fourrages et les céréales destinés à nourrir le bétail. *Elle veille à être attentive aux soins d'hygiène et de santé du troupeau et à l'entretien des machineries et des bâtiments afin d'assurer une production de qualité. Elle a le souci également de recycler les déchets organiques d'élevage.*
CLÉO 126.06   C

PRODUCTEUR, PRODUCTRICE DE CHEVAUX Personne qui dirige une ferme d'élevage de chevaux destinés aux courses, à l'équitation ou à la boucherie. À cette fin, elle planifie et dirige les travaux liés à l'élevage et s'occupe, entre autres, de la reproduction, de l'engraissement, des soins d'hygiène et de santé des animaux et de l'entretien des bâtiments. *Elle s'efforce de prodiguer les soins nécessaires à la santé des chevaux et de s'assurer de la reproduction de l'espèce afin de pouvoir offrir des animaux de qualité et d'en faciliter la vente.*
CLÉO 126.13   C

PRODUCTEUR, PRODUCTRICE DE FRUITS Personne qui assure la gestion et la planification d'une entreprise horticole spécialisée dans la culture de petits fruits (fraises, framboises, bleuets, etc.). À cette fin, elle dirige et exécute divers travaux (préparation du sol, ensemencement, traitement des plantes, cueillette) liés à la production et à la vente de la récolte et veille à la mise en marché des produits. *Elle veille à ce que les plants aient tous les soins requis (eau, température, fertilisation, lutte aux ennemis de culture) afin d'obtenir une récolte abondante et de qualité.*
CLÉO 124.20   C

PRODUCTEUR, PRODUCTRICE DE FRUITS ET LÉGUMES ÉCOLOGIQUES Personne qui assure la gestion et la planification d'une entreprise spécialisée dans la culture de fruits et légumes écologiques, c'est-à-dire cultivés à l'aide de méthodes de production respectueuses de l'environnement. À cette fin, elle dirige et exécute divers travaux liés à la production (semence, récolte, etc.), s'assure de l'utilisation de produits naturels et dégradables pour subvenir aux besoins alimentaires de la plante et pour lutter contre les ennemis de culture et s'occupe de la vente et de la mise en marché de ses produits. *Elle veille à utiliser des produits qui garantissent à la fois la qualité des fruits et des légumes récoltés et la préservation de l'environnement et à respecter les normes établies afin de répondre aux besoins de la clientèle visée.*
CLÉO 124.30 								C

PRODUCTEUR, PRODUCTRICE DE GAZON Personne qui assure la gestion et la planification d'une entreprise horticole spécialisée dans la culture de gazon. À cette fin, elle dirige et exécute divers travaux (plantation, irrigation, tonte de gazon, etc.) liés à la production et à la vente de la récolte et veille à la mise en marché du produit. *Elle se préoccupe de produire un gazon de qualité et de fournir les renseignements adéquats quant à la manière de poser et d'entretenir les pelouses afin d'assurer la satisfaction de sa clientèle.*
CLÉO 125.12 								C

PRODUCTEUR, PRODUCTRICE DE LAPINS Personne qui dirige une exploitation agricole spécialisée dans l'élevage de lapins en vue de la vente des bêtes pour la boucherie ou la reproduction d'animaux de race. À cette fin, elle dirige et exécute les divers travaux, planifie la production, assure le bon fonctionnement de l'entreprise. *Elle veille à choisir des lapins propres à la reproduction, à prodiguer les soins nécessaires aux lapereaux (alimentation saine, hygiène appropriée, etc.) et à s'occuper de la salubrité des lieux afin d'assurer la qualité de la race de l'élevage.*
CLÉO 126.09 								C

PRODUCTEUR, PRODUCTRICE DE LÉGUMES Personne qui assure la gestion et la planification d'une entreprise agricole spécialisée dans la culture de légumes, en serre ou en plein champ. À cette fin, elle dirige et exécute divers travaux (plantation), contrôle de la pousse, cueillette, triage et emballage des légumes) liés à la production et à la vente de la récolte et veille à la mise en marché des produits. *Elle veille à ce que les plants aient tous les soins requis (température, éclairage, humidité, lutte aux ennemis de culture, etc.) afin d'obtenir une récolte abondante et de qualité.*
CLÉO 124.22 								C

PRODUCTEUR, PRODUCTRICE DE POMMES DE TERRE Personne qui assure la gestion et la planification d'une entreprise agricole spécialisée dans la culture des pommes de terres. À cette fin, elle dirige et exécute divers travaux (semence, récolte, fertilisation, etc.) liés à la production et à la vente de la récolte et veille à la mise en marché des produits. *Elle veille à ce que les plants aient tous les soins requis (eau, fertilisation, lutte aux ennemis de culture) afin d'obtenir une récolte abondante et de qualité.*
CLÉO 124.23 								C

PRODUCTEUR, PRODUCTRICE DE PORCINS Personne qui dirige une exploitation agricole spécialisée dans l'élevage et la reproduction de porcs destinés à la boucherie ou à la vente à d'autres éleveurs. À cette fin, elle veille à la réalisation et à l'évaluation des programmes de reproduction, d'engraissement, d'élevage, de mise en marché des porcs et d'entretien des bâtiments. *Elle se préoccupe de maintenir le troupeau en santé (alimentation, hygiène, etc.) afin d'assurer à la fois un produit de qualité et la rentabilité de l'entreprise.*
CLÉO 126.07 								C

PRODUCTEUR, PRODUCTRICE DE SEMENCES Personne qui assure la gestion et la planification d'une entreprise agricole spécialisée dans la culture de graines utilisées pour les semences. À cette fin, elle dirige et exécute divers travaux (semence, traitement des semences contre les mauvaises herbes, ensachage des graines, etc.) liés à la production et à la vente de la récolte et veille à la mise en marché des produits. *Elle veille à respecter les normes sanitaires établies et à produire des graines de grande qualité afin de mettre sur le marché un produit offrant un haut rendement de production.*
CLÉO 124.17 								C

Un **producteur de tabac** s'acquitte des tâches nécessaires à la bonne production de ses cultures
PHOTO: G. Schiele/Publiphoto

PRODUCTEUR, PRODUCTRICE DE TABAC Personne qui assure la gestion et la planification d'une entreprise spécialisée dans la culture du tabac. À cette fin, elle dirige et exécute divers

185

travaux (huilage, séchage, jaunissement des feuilles, etc.) liés à la production et à la vente de la récolte et veille à la mise en marché du produit. *Elle s'efforce de déceler rapidement toute trace de maladie ou de présence d'insectes afin d'intervenir adéquatement et rapidement et d'assurer ainsi une production optimale et de qualité.*
CLÉO 124.28   C

PROFESSEUR, PROFESSEURE AU SECONDAIRE
Personne qui enseigne dans un établissement d'enseignement secondaire un programme particulier (français, mathématique, biologie, chimie, histoire, etc.) en fonction des objectifs définis par le ministère de l'Éducation. À cette fin, elle propose aux élèves des activités stimulantes et variées (leçons, expériences, discussions, ateliers, exercices, etc.) en vue de favoriser l'acquisition des connaissances, le développement des habiletés intellectuelles, des savoir-faire attendus et, selon le cas, des comportements et des valeurs morales nécessaires à la vie en société et d'aider les élèves en difficulté d'apprentissage ou d'adaptation. Elle est également responsable de la discipline des élèves, de l'évaluation des apprentissages et des relations avec les parents et participe aux réunions et autres activités du personnel enseignant. *Elle veille à créer en classe un climat de groupe et des conditions d'apprentissage favorables à la réussite des élèves afin de stimuler leur intérêt et de favoriser l'apprentissage.*
CLÉO 611.14   U

PROFESSEUR, PROFESSEURE D'ART DRAMATIQUE
Personne qui montre aux élèves les diverses techniques ayant trait à l'élocution, à l'interprétation d'un rôle, au costume, au maquillage, au jeu sur scène en vue d'assurer leur formation de futurs comédiens. À cette fin, elle prépare et donne les cours, évalue l'apprentissage des élèves et les guide dans leur apprentissage. *Elle se préoccupe de respecter la personnalité et les caractéristiques de chaque élève afin de lui permettre de développer ses aptitudes.*
CLÉO 611.38   U

PROFESSEUR, PROFESSEURE D'ARTS PLASTIQUES
Personne qui donne des cours d'arts, en particulier, à un seul élève ou à un groupe (dessin, aquarelle, sculpture, etc.) dans une école publique, privée, un centre culturel, etc. À cette fin, elle prépare les leçons, donne les enseignements et les exercices nécessaires à l'apprentissage technique et évalue les aptitudes des élèves. *Elle veille à stimuler la créativité des élèves afin qu'ils produisent des pièces ou des dessins exprimant leur goût, leur personnalité et leur originalité.*
CLÉO 611.07   U

PROFESSEUR, PROFESSEURE D'ÉDUCATION AU CHOIX DE CARRIÈRE
Personne qui donne des cours d'éducation au choix de carrière en vue d'aider les jeunes à explorer le monde du travail et le monde de la formation et de faciliter leur orientation scolaire et professionnelle. À cette fin, elle prépare et donne les cours, planifie des séances d'information ou des visites de milieux de travail ou d'établissements scolaires et prévoit des évaluations afin de vérifier l'intégration des connaissances. *Elle se préoccupe de développer chez les jeunes la connaissance de soi, du monde scolaire et professionnel et des métiers et professions afin de les amener à faire des choix éclairés qui correspondent à leurs aspirations.*
CLÉO 611.16   U

Un **professeur d'éducation physique** supervise un entraînement de jeunes gymnastes
PHOTO : J.C. Hurni/Dubois/Publiphoto

PROFESSEUR, PROFESSEURE D'ÉDUCATION PHYSIQUE
Personne qui enseigne des pratiques de sports ou d'exercices physiques dans des établissements publics ou privés, en vue de maintenir ou d'améliorer la condition physique des élèves. Elle s'occupe, entre autres, de préparer les formations, d'enseigner les principes d'une bonne condition physique, les exercices physiques, les jeux et leurs règlements et d'intervenir de façon à prévenir la maladie et les blessures. *Elle veille à évaluer soigneusement les besoins de chaque élève afin de lui offrir des services adaptés à ses besoins et s'efforce d'inculquer de bonnes habitudes de vie à ses élèves afin de contribuer non seulement à leur bonne santé physique mais à leur santé mentale et sociale.*
CLÉO 515.01   U

PROFESSEUR, PROFESSEURE D'ENSEIGNEMENT GÉNÉRAL AU CÉGEP
Personne qui enseigne dans un établissement d'enseignement collégial afin de transmettre des connaissances et d'aider les élèves à développer des aptitudes et compétences nécessaires à la poursuite de leur formation ou à leur entrée sur le marché du travail. À cette fin, elle prépare et donne des cours, prépare, donne et corrige les travaux et procède à l'évaluation des apprentissages. *Elle se préoccupe de susciter l'intérêt des élèves afin de favoriser l'intégration des connaissances.*
CLÉO 611.35   U

PROFESSEUR, PROFESSEURE D'ENSEIGNEMENT PROFESSIONNEL AU SECONDAIRE Personne qui enseigne des programmes de formation professionnelle dans un établissement d'enseignement secondaire en vue de préparer les élèves à exercer une profession dans un secteur d'activités professionnelles (électrotechnique, agrotechnique, fabrication mécanique, secrétariat, décoration intérieure, ébénisterie, etc.). À cette fin, elle établit le plan de ses cours, en présente le contenu aux élèves (discussions, séances de travaux pratiques, moyens audiovisuels, etc.) et évalue les progrès réalisés par les élèves.
CLÉO 611.15   U

PROFESSEUR, PROFESSEURE D'ÉQUITATION Personne qui enseigne à monter à cheval, à seller et à faire obéir le cheval (marche, trot, petit galop), à l'aide de différentes techniques et méthodes. Elle intervient également pour corriger les mauvaises habitudes du cavalier qui pourraient lui nuire dans son apprentissage.
CLÉO 515.22   C

PROFESSEUR, PROFESSEURE D'UNIVERSITÉ Personne qui enseigne dans un établissement d'enseignement universitaire (cours, séminaires, laboratoires) afin de permettre aux étudiants de développer leurs connaissances, aptitudes et habiletés et de les préparer ainsi à l'exercice de leur profession. À cette fin, elle prépare les plans de cours, les rencontres, les ateliers, les travaux et les évaluations, donne les cours ou supervise les chargés de cours, corrige ou supervise la correction des examens et des travaux, dirige la rédaction de mémoires ou de thèses et exécute des recherches dans son champ de spécialisation. *Elle a le souci de donner aux étudiants le goût pour la recherche, l'esprit de synthèse et de les guider dans la poursuite de leurs études.*
CLÉO 611.41   U

PROFESSEUR, PROFESSEURE DE CHANT Personne qui enseigne à un seul élève ou à un groupe restreint la lecture musicale, les techniques vocales, l'expression et l'interprétation du chant classique, populaire ou d'opéra. À cette fin, elle aide ses élèves à travailler leur voix (intensité, étendue, timbre, registre, résonance, etc.) et à interpréter au mieux de leur potentiel un répertoire adapté à leur style musical et à leur niveau de performance.
CLÉO 622.11   U

PROFESSEUR, PROFESSEURE DE DANSE Personne qui enseigne à diverses clientèles (enfants, adolescents, adultes) les connaissances, les théories et les pratiques afin de leur permettre d'exécuter des pas et des figures de danse, de les faire progresser dans l'exécution des danses, tant sur le plan technique qu'artistique. À cette fin, elle prépare et donne les leçons, donne des explications, fait des démonstrations, donne des exercices et évalue l'apprentissage. *Elle s'efforce de maximiser le potentiel des élèves et de leur inculquer l'amour de la danse.*
CLÉO 623.02   U/C

PROFESSEUR, PROFESSEURE DE LANGUES MODERNES Personne qui enseigne une ou plusieurs langues à des élèves qui désirent apprendre à lire ou à s'exprimer dans une langue étrangère. À cette fin, elle prépare les cours, séminaires ou laboratoires, enseigne les notions de grammaire, prépare, donne et corrige les examens. Elle peut travailler dans une école publique, une école privée, une école de langues ou donner des leçons particulières. *Elle se préoccupe de favoriser l'intégration des connaissances théoriques afin de permettre aux élèves de pouvoir s'exprimer verbalement ou par écrit et de pouvoir comprendre la langue étrangère.*
CLÉO 611.37   U

PROFESSEUR, PROFESSEURE DE MUSIQUE Personne qui enseigne la musique à des personnes désireuses d'apprendre à jouer d'un instrument comme le piano, la guitare, les percussions. À cette fin, elle prépare les leçons, enseigne le solfège et la rythmique et évalue les progrès des élèves. Elle peut enseigner dans une école publique, une école privée, une école de musique ou encore donner des leçons particulières. *Elle a le souci d'établir un programme adapté à chaque élève afin de lui permettre d'exprimer ses goûts et d'interpréter la musique à la fois avec talent et selon ses propres caractéristiques.*
CLÉO 611.08   U

PROFESSEUR, PROFESSEURE DE PHILOSOPHIE Personne qui enseigne la morale, l'éthique, l'épistémologie (étude critique des sciences) et la logique dans un établissement d'enseignement collégial ou universitaire en vue de favoriser chez les élèves le développement de la pensée logique et de l'argumentation. À cette fin, elle prépare et donne les cours, les séminaires, les travaux et les évaluations, anime les rencontres de groupes et assure l'encadrement des élèves.
CLÉO 611.36   U

PROFESSEUR, PROFESSEURE EN ENSEIGNEMENT RELIGIEUX Personne qui enseigne les fondements de la foi dans un établissement d'enseignement primaire ou secondaire. À cette fin, elle initie les élèves aux valeurs religieuses, à la lecture et la compréhension des enseignements religieux et à la pratique des sacrements et des valeurs véhiculées par la foi. *Elle veille à être attentive aux questions soulevées par les élèves afin de les aider à progresser dans leurs connaissances et leur foi.*
CLÉO 611.10   U

PROFESSEUR, PROFESSEURE EN FORMATION PROFESSIONNELLE AU COLLÈGE Personne qui enseigne des programmes de formation professionnelle dans un établissement d'enseignement collégial (techniques biologiques, physiques, humaines, de l'administration, en arts) en vue de transmettre les connaissances théoriques et pratiques nécessaires à la pratique d'une formation. À cette fin, elle prépare les plans de cours, les laboratoires et les ateliers, prépare les évaluations, donne les cours et corrige les travaux et les évaluations. *Elle veille à ce que les programmes enseignés soient bien assimilés par les élèves afin de les aider à s'intégrer au marché du travail.*
CLÉO 611.39   U

Un **professeur en formation professionnelle au collège** enseigne sa spécialité dans un cours d'avionique
PHOTO: Collège Edouard-Montpetit

PROFESSEUR, PROFESSEURE POUR PERSONNES DÉFICIENTES INTELLECTUELLES Personne qui enseigne les matières de base à un groupe restreint de personnes atteintes de déficiences intellectuelles en vue de favoriser leur développement optimal sur les plans physique, intellectuel, psychologique et social. À cette fin, elle leur propose des activités éducatives et récréatives adaptées à leurs besoins et capacités et elle intervient sur l'apprentissage et le comportement des personnes afin de les aider à avoir leur plein potentiel, à acquérir une certaine autonomie, à s'intégrer socialement et, si possible, de leur permettre de poursuivre leur scolarité dans des classes ordinaires.
CLÉO 611.11   U

PROFESSEUR, PROFESSEURE POUR PERSONNES HANDICAPÉES DE LA VUE Personne qui enseigne les matières de base et le système braille à des élèves handicapés de la vue, conformément aux programmes du ministère de l'Éducation. À cette fin, elle prépare des leçons, des évaluations et des activités d'apprentissage en vue d'éveiller leur curiosité, de stimuler leur intérêt et de favoriser le développement de leurs connaissances et aptitudes. Elle s'occupe également d'évaluer les progrès des élèves, de rencontrer les parents et de participer aux réunions, conférences ou ateliers de formation pour le personnel enseignant. *Elle s'efforce de favoriser le développement intellectuel de ses élèves afin de leur permettre d'acquérir une autonomie plus grande.*
CLÉO 611.12   U

PROGRAMMEUR, PROGRAMMEUSE DE MACHINES-OUTILS À COMMANDE NUMÉRIQUE Personne qui s'occupe de formuler, de corriger ou d'améliorer la programmation informatique qui permettra aux machines-outils d'effectuer les opérations de fabrication de façon précise et automatisée. *Elle s'efforce de prévoir et d'analyser la suite des opérations et mouvements des machines-outils et de codifier avec précision le déroulement de l'usinage afin que les machines-outils soient des plus efficaces.*
CLÉO 231.04   C

PROJECTIONNISTE Personne qui assure le fonctionnement des appareils de projection et de sonorisation dans une salle de visionnement d'un studio de cinéma, de télévision ou dans une salle de cinéma publique. *Elle doit être en mesure de résoudre rapidement toute anomalie des équipements (panne de son ou d'image, image embrouillée, son inaudible, etc.) afin d'assurer le bon déroulement de la présentation.*
CLÉO 624.77   C

PROSTHODONTISTE Personne qui, en tant que spécialiste de la médecine dentaire, voit à la restauration des dents naturelles et au remplacement des dents manquantes au moyen de prothèses fixes ou amovibles et de divers matériaux de remplacement. Selon le cas, elle améliore l'aspect et la fonction des dents naturelles à l'aide de différentes techniques telles que le blanchiment des dents, la restauration de dents fracturées ou endommagées, le comblement des espaces interdentaires et la fabrication de facettes ou elle conçoit, pose et ajuste des prothèses fixes ou amovibles (couronnes, ponts, prothèses partielles ou complètes) destinées à remplacer des dents naturelles et effectue les traitements relatifs à la pose d'implants dentaires. *Elle s'efforce d'utiliser les techniques et les matériaux les plus aptes à corriger les problèmes en cause afin de restaurer le mieux possible les fonctions masticatoires et phonétiques des dents et l'esthétique de la bouche.*
CLÉO 523.90   U

PROTHÉSISTE EN ORTHODONTIE Personne qui fabrique et modifie, en laboratoire, à partir des spécifications d'un orthodontiste, les appareils dentaires servant à corriger les défauts d'implantation, d'alignement et d'occlusions dentaires. *Elle veille à faire preuve de minutie et de précision afin que les appareils fabriqués soient conformes aux spécifications et qu'ils s'ajustent parfaitement en bouche, sans inconfort et sans douleur.*
CLÉO 523.94   C

PROTONOTAIRE Personne qui, à titre d'officier de justice, est responsable au Québec de l'administration d'un greffe de la Cour supérieure, lieu où l'on conserve les archives de ce tribunal et où sont déposés les actes de procédure soumis à cette cour, les pièces qui les appuient et les minutes des jugements. Elle exerce à la Cour supérieure les mêmes fonctions administratives que les greffiers rattachés aux autres tribunaux et peut rendre jugement dans des causes non contestées par la partie défenderesse, en vertu des pouvoirs judiciaires qui lui sont conférés ou en tant que substitut du juge. *Elle veille à rendre jugement de façon impartiale dans les causes dont elle s'occupe en se fondant sur les lois existantes et sur une analyse rigoureuse des faits et des pièces justificatives.*
CLÉO 321.02   U

PSYCHANALYSTE Personne qui, à titre de spécialiste de la psychothérapie, procède à l'analyse des processus psychiques profonds d'une personne en vue de l'amener à prendre conscience des expériences refoulées à l'origine de ses difficultés d'adaptation ou de comportement (angoisse, phobie, dépression, névrose), à comprendre l'origine et les causes de certains aspects inconscients de sa personnalité et de l'aider ainsi à surmonter ses difficultés. À cette fin, elle amène les personnes à s'exprimer au cours de rencontres individuelles, elle adopte des attitudes (neutralité, bienveillance, écoute flottante) et instaure des règles et des techniques (non-omission, libre association, interprétation des rêves) favorables à l'analyse psychique et elle intervient de manière à favoriser la compréhension des mécanismes de défense et des motivations inconscientes qui entravent l'équilibre psychique. *Elle doit faire preuve d'habiletés de communication afin de créer un climat de confiance propice à l'expression non censurée de la personne et de favoriser les prises de conscience et la résolution des difficultés.*
CLÉO 531.01   U

PSYCHIATRE Personne qui, en tant que médecin spécialiste, voit au diagnostic et au traitement, par une approche médicale, de maladies mentales, de troubles psychiques et de désordres émotionnels d'origine organique, affective ou situationnelle (névrose, psychose, phobie, schizophrénie, dépression, angoisse, maladies psychosomatiques, etc.). À cette fin, elle analyse l'état de santé physique et mentale des personnes au moyen d'entrevues, de tests diagnostiques de laboratoire et de consultations, pose un diagnostic sur la nature et la gravité de la dysfonction psychique ou mentale, prescrit les médicaments et administre les traitements requis en collaboration, s'il y a lieu, avec d'autres intervenants du milieu. Elle peut recourir, selon le cas, à diverses formes de psychothérapie (psychanalyse, thérapie de conditionnement,

etc.) accompagnées ou non d'une médication. *Elle veille à faire preuve d'une grande capacité d'écoute et d'intervention afin d'établir une relation de confiance avec ses patients et d'instaurer un traitement propice au recouvrement de leur santé mentale.*
CLÉO 523.73   U

PSYCHOCOGNITICIEN, PSYCHOCOGNITICIENNE
Personne qui, à titre de spécialiste de la cognition humaine, dirige ou effectue des recherches sur des questions relatives aux processus mentaux des êtres humains, aux modes d'opération de la pensée grâce auxquels l'être humain peut apprendre, raisonner, résoudre des problèmes et créer en vue de mettre au point des méthodes, des programmes et des outils d'apprentissage ou de rééducation dans différents domaines (enseignement, orthopédagogie, orthophonie, psychoéducation, psychiatrie, neurologie, etc.). Elle peut également participer, en collaboration avec d'autres chercheurs (informaticiens, ingénieurs, etc.), à des recherches visant à mettre au point des micro-ordinateurs ou de robots intelligents, aptes à penser et à raisonner comme des êtres humains. Elle travaille généralement en milieu universitaire ou dans un centre de recherche subventionné par l'État.
CLÉO 612.50   U

PSYCHOÉDUCATEUR, PSYCHOÉDUCATRICE
Personne qui offre des services d'évaluation, de consultation, d'intervention préventive et de rééducation préventive aux gens qui éprouvent des difficultés d'adaptation psychosociale, en vue de résoudre ou de prévenir les conflits ou de favoriser leur autonomie. À cette fin, elle procède à l'évaluation des besoins, établit des plans et des stratégies, organise et anime des activités. Elle peut travailler dans une école, un hôpital, un centre jeunesse ou en pratique privée et intervenir auprès d'enfants, de handicapés physiques ou mentaux, ou de personnes âgées. *Elle est soucieuse de créer un climat de confiance et de tenir compte des forces, des limites et de la vulnérabilité des personnes afin de fournir une aide qui favorisera l'intégration de leurs intérêts et besoins et l'apprentissage de nouvelles compétences et conduites.*
CLÉO 531.15   U

PSYCHOLOGUE Personne qui aide les gens à résoudre des difficultés personnelles et à s'adapter à différents changements. Elle intervient auprès de clientèles diversifiées et dans différents milieux comme des écoles et des cliniques. Elle utilise, selon son milieu de travail, selon les besoins de la clientèle et selon les objectifs poursuivis divers moyens et outils d'intervention, tels que des techniques d'entrevue et des tests psychométriques. Elle peut également travailler dans le

domaine de la recherche ou de l'enseignement. *Elle a le souci de comprendre la dynamique de la personne et de favoriser son mieux-être.*
CLÉO 531.04   U

PSYCHOLOGUE INDUSTRIEL, PSYCHOLOGUE INDUSTRIELLE

Personne qui étudie le comportement humain dans l'organisation du travail afin de faire des recommandations pour assurer le bien-être et l'efficacité du personnel et leur permettre de développer leurs compétences. À cette fin, elle évalue les aptitudes et les intérêts de manière à faciliter la sélection, le recrutement, l'affectation, la classification et l'avancement du personnel; elle établit des programmes de formation et de perfectionnement en fonction des capacités et des motivations du personnel et des besoins de l'entreprise et veille à faciliter l'adaptation personnelle et professionnelle du personnel. *Elle veille à favoriser une utilisation saine et efficace des ressources humaines afin d'accroître le rendement de l'entreprise.*
CLÉO 422.16   U

PSYCHOLOGUE SCOLAIRE

Personne qui assure des services d'aide psychologique aux enfants, aux adolescents ou aux jeunes adultes dans le milieu scolaire en vue de prévenir ou de résoudre des problèmes d'apprentissages sociaux et affectifs et de favoriser ainsi leur apprentissage. À cette fin, elle procède à des rencontres de groupe ou individuelles, tant auprès des élèves, des parents que du personnel enseignant, elle identifie les difficultés en cause et travaille à les résoudre par différents moyens techniques et outils d'intervention. *Elle est soucieuse d'établir un climat de confiance et une bonne communication afin de mettre en place des conditions qui favoriseront l'intégration des élèves et leur réussite scolaire.*
CLÉO 531.07   U

PSYCHOMÉTRICIEN, PSYCHOMÉTRICIENNE

Personne qui met au point et veille à l'application d'instruments de mesure destinés à évaluer et à quantifier divers aspects de la personnalité, de l'intelligence et du comportement de l'être humain pour les besoins d'évaluation et de sélection dans différents domaines (orientation professionnelle, psychologie clinique, sélection de personnel, admission aux programmes universitaires, recherche, etc.). Elle peut travailler dans un centre de recherche universitaire à la mise au point et à l'expérimentation de tests répondant à tout besoin de mesure psychométrique des organisations (personnalité, intérêts, aptitudes intellectuelles, psychomotrices et techniques, compétences professionnelles, attitudes, valeurs, etc.) ainsi qu'à l'élaboration des méthodes de correction et d'interprétation de ces tests. Elle peut aussi exercer, en entreprise ou en institution, des fonctions d'évaluation qui requièrent une utilisation

intensive d'instruments psychométriques ou le développement d'instruments adaptés à des besoins spécifiques.
CLÉO 612.49   U

PSYCHOSOCIOLOGUE Personne qui intervient auprès de différents groupes de travail aux prises avec des problèmes fonctionnels ou humains en vue de poser un diagnostic, de faciliter la résolution des problèmes en cause (conflits interpersonnels, communication déficiente, objectifs imprécis, stratégies inadéquates, problème de leadership, besoins de formation, etc.) et d'aider les membres à atteindre leurs objectifs communs. À cette fin, elle effectue une analyse rigoureuse des besoins du groupe au moyen d'observations, d'entrevues, de questionnaires et autres techniques diagnostiques, elle établit et applique un plan d'intervention pour implanter les changements organisationnels nécessaires ou pour améliorer les relations interpersonnelles. *Elle s'efforce de bien déceler les sources des difficultés afin de proposer des solutions de nature à augmenter le rendement des employés, la rentabilité de l'entreprise et à favoriser la bonne entente au sein des groupes de travail.*
CLÉO 531.05   U

Une **psychothérapeute** écoute avec attention une cliente venue la consulter pour résoudre des difficultés personnelles
PHOTO: Science Photo Library/Publiphoto

PSYCHOTHÉRAPEUTE Personne qui aide les gens, individuellement ou en groupe, à résoudre leurs difficultés personnelles ou à traverser des épreuves en vue de favoriser leur développement et leur adaptation par une meilleure compréhension d'eux-mêmes et de leurs modes de fonctionnement. Elle peut intervenir selon une approche particulière comme la gestalt, la psychologie corporelle intégrée, l'approche cognitive ou autres, qui lui donnera un cadre de référence pour comprendre et intervenir auprès des gens. À cette fin, elle procède à des rencontres régulières avec la personne, au cours desquelles elle favorisera son expression par une attitude d'ouverture et d'accueil. Elle peut intervenir auprès de personnes de tous âges ou se spécialiser pour certaines problématiques ou clientèles (thérapie de deuil, anorexiques, toxicomanes, etc.).

Elle doit faire preuve d'une grande capacité d'écoute et démontrer des habiletés de communication afin de favoriser le développement et le bien-être de la personne dans le respect de ses différences.

CLÉO 531.06   U

PSYCHOTHÉRAPEUTE PASTORAL, PSYCHOTHÉRAPEUTE PASTORALE
Personne qui aide les gens à résoudre leurs difficultés personnelles et relationnelles par des rencontres régulières où ils sont amenés à parler de leur vécu, à mieux se comprendre et à trouver, retrouver ou accroître le sens de leur existence. Elle se distingue des autres psychothérapeutes par l'espace et l'importance qu'elle accorde à la dimension spirituelle et religieuse de l'expérience humaine. *Elle doit faire preuve d'une grande capacité d'écoute et démontrer des habiletés de communication afin de favoriser l'épanouissement de la personne, dans le respect de ses différences.*

CLÉO 531.21   U

PSYLOGISTE
Personne qui étudie scientifiquement les phénomènes paranormaux inexpliqués (apparitions, fantômes, événements télékinésiques, coïncidences extraordinaires, etc.) ainsi que les manifestations de pouvoirs psychiques de certaines personnes (pouvoir de guérison, télépathie, voyance, prémonition, etc.) en vue d'établir la vraisemblance de phénomènes paranormaux ou métapsychiques rapportés par des témoins à travers le monde, de découvrir s'il y a lieu des explications scientifiques plausibles à certains phénomènes et de tenter d'élucider les processus sensoriels et mentaux à l'origine des pouvoirs psychiques. À cette fin, elle étudie les phénomènes à travers les témoignages, les documents d'archives, les écrits, les rapports d'experts, etc., mène des enquêtes sur les lieux où de tels phénomènes se sont produits et réalise des expériences en laboratoire visant à reproduire des phénomènes ou à vérifier des explications possibles de ces manifestations.

CLÉO 612.51   U

PUBLICITAIRE
Personne qui conçoit et rédige des textes de messages publicitaires pour faire connaître les produits ou les services d'une entreprise et pour inciter la population à les utiliser. À cette fin, elle prend connaissance des besoins et du budget des clients, analyse leurs produits et services pour en déterminer les caractéristiques qui sauront susciter l'intérêt de la clientèle visée et prépare les textes selon les orientations (thème, style, longueur du texte, etc.) établies de concert avec la direction et l'entreprise. *Elle se préoccupe de connaître et d'analyser le marché afin de produire un texte qui provoquera l'effet souhaité.*

CLÉO 711.06   U/C

PUISATIER, PUISATIÈRE
Personne qui creuse des puits d'eau à l'aide d'un équipement de forage, qui installe des dispositifs de pompage et qui améliore le rendement de puits existants. *Elle s'assure d'employer le matériel et les techniques de forage convenant à la composition du sol et de respecter les normes prévues (emplacement des puits, profondeur, pression interne) afin d'obtenir un rendement d'eau satisfaisant au moindre coût possible.*

CLÉO 121.05   S

PULVÉRISATEUR, PULVÉRISATRICE
Personne qui participe à l'entretien d'un aménagement horticole ou d'un parc en appliquant sur la végétation, au moyen d'un pulvérisateur, des pesticides, des herbicides et des engrais en vue de traiter les maladies des plantes, d'éliminer les mauvaises herbes et de favoriser la croissance optimale des végétaux (arbres, arbustes, fleurs, gazon). *Elle s'efforce de donner les soins d'entretien appropriés, en fonction de l'état de la végétation, et de bien connaître les propriétés et le mode d'emploi des produits utilisés afin de favoriser la croissance optimale des végétaux.*

CLÉO 125.15   S

PULVÉRISATEUR, PULVÉRISATRICE DE RÉSINES THERMODURCISSABLES (PLASTIQUE)
Personne qui fait fonctionner une machine servant à pulvériser des résines thermodurcissables (produits chimiques chauds qui durcissent en refroidissant) sur du carton de renforcement en vue d'obtenir une mousse solidifiée qui sert à isoler, par exemple, des glacières et des réfrigérateurs. *Elle a le souci de prélever et d'analyser des échantillons de produit afin de s'assurer que le matériel solidifié est conforme aux normes de production et d'apporter les modifications qui s'imposent au besoin.*

CLÉO 229.21   S

PYROTECHNICIEN, PYROTECHNICIENNE
Personne qui monte et tire des feux d'artifice, à l'occasion de fêtes, par exemple, d'expositions ou de spectacles. À cette fin, elle doit, entre autres, déterminer la distance à laquelle le public doit se tenir, disposer les fusées pour le tir, déterminer le moment favorable au lancement et actionner le mécanisme pour tirer les feux d'artifice. *Elle veille à ce que les règles de sécurité soient respectées afin d'éviter les accidents et à présenter un spectacle qui saura éblouir le public.*

CLÉO 625.19   C

P

PYR

Q R

RADARISTE Personne qui, en tant que membre des forces armées, assure le bon fonctionnement des radars et des systèmes informatiques. Elle s'occupe, entre autres, de l'installation, de la réparation et de la révision des appareils et systèmes ainsi que des inspections, des essais de rendement et des tests d'homologation. *Elle se préoccupe d'effectuer un entretien préventif des appareils et des systèmes afin d'en assurer le bon fonctionnement en tout temps.*
CLÉO 333.10   S

RADIOTÉLÉGRAPHISTE Personne qui s'occupe de la transmission et de la réception de messages à l'aide d'une installation radiotélégraphique dont elle règle les commandes. À cette fin, elle utilise un code radiotélégraphique et enregistre les messages. *Elle veille à ce que les messages soient reçus et envoyés correctement afin d'assurer une bonne communication entre les gens.*
CLÉO 721.23   S

RADIOTÉLÉGRAPHISTE MARITIME Personne qui est responsable de la transmission et de la réception des messages de télécommunication radiotéléphonique et radiotélégraphique en vue d'assurer la correspondance du navire, d'effectuer la veille et de détecter les fréquences de détresse. À cette fin, elle règle les instruments, tient le registre des messages et établit la carte des prévisions météorologiques. *Elle doit faire preuve de précision dans la manipulation des appareils afin de permettre la réception et la transmission des messages.*
CLÉO 433.60   S

RADIOTÉLÉPHONISTE Personne qui assure la transmission et la réception de messages à l'aide d'équipement de radiotéléphonie (micros, enregistreuses, etc.). Elle s'occupe, entre autres, d'appeler les stations pour transmettre des messages et de recevoir les messages adressés à sa station. *Elle a le souci de transmettre les messages clairement et rapidement et de bien régler les commandes de réception et de transmission afin d'assurer le meilleur service possible.*
CLÉO 721.22   S

RAMONEUR, RAMONEUSE Personne qui nettoie les cheminées et les foyers à l'aide d'outils manuels, de brosses et d'aspirateurs spéciaux afin d'éliminer la suie et de donner un meilleur tirant à la cheminée. *Elle veille à informer les propriétaires des mesures à prendre pour assurer un fonctionnement sécuritaire et efficace des installations et à prendre contact avec eux périodiquement pour offrir ses services d'entretien afin d'éviter l'accumulation dans les cheminées et de diminuer les risques d'incendie.*
CLÉO 253.09   S

RÉALISATEUR, RÉALISATRICE Personne qui est responsable du processus de création artistique et technique entourant la réalisation d'un film ou d'une émission de télévision et qui dirige l'ensemble du travail depuis le scénario jusqu'au montage final, selon sa vision du contenu et la manière dont elle choisit de le traiter. À cette fin, elle dirige le jeu dramatique des acteurs et le déroulement de l'action, elle oriente la conception et la réalisation de la scénographie (décors, costumes, musique, éclairage, prises de vue, effets spéciaux, etc.) et elle participe à toutes les décisions importantes d'ordre artistique, matériel ou technique. *Elle veille à ce que le produit soit réalisé dans les délais et le budget prévus afin de satisfaire les attentes du producteur.*
CLÉO 624.08   U

Une **réceptionniste d'hôtel** accueille un client
PHOTO: Collège Mérici

RÉCEPTIONNISTE D'HÔTEL Personne qui accueille les clients dans un hôtel, qui s'occupe des formalités pour les réservations de chambre et qui perçoit le paiement pour les services. Elle fournit également

des renseignements sur les services offerts, les règlements internes, les attraits touristiques de la région et les possibilités d'activités socio-culturelles. *Elle s'efforce de fournir un service courtois et efficace aux clients et de répondre adéquatement à leurs demandes afin de contribuer à la bonne renommée de l'hôtel.*
CLÉO 512.05 S/C

RÉCEPTIONNISTE-TÉLÉPHONISTE Personne qui accueille les gens et les dirige vers la personne ou le service approprié, répond au téléphone et achemine les appels, donne des renseignements d'ordre général, fixe et confirme les rendez-vous, classe les documents et s'occupe de la correspondance. *Elle a le souci de faire montre de courtoisie et d'efficacité afin de présenter une bonne image de l'organisme qui l'emploie.*
CLÉO 421.10 S

RECHERCHISTE Personne qui s'occupe de rechercher, d'acquérir, de sélectionner et de préparer pour les fins d'une production artistique, médiatique ou électronique (émission de radio ou de télévision, film, pièce de théâtre, livre, produit multimédia, etc.), les données et les documents nécessaires à l'élaboration du contenu. À cette fin, elle consulte des spécialistes sur les sujets en cause, de la documentation imprimée ou audiovisuelle, des bases de données, des banques d'images ou de sons en vue de recueillir de l'information et elle effectue parfois des démarches pour acquérir certains documents écrits, visuels ou sonores ou pour vérifier les droits existants sur les oeuvres afin que des ententes d'utilisation soient prises. Elle peut également assembler des documents en vue de leur utilisation par l'équipe de production, préparer des résumés de recherche ou s'occuper de rechercher et de contacter les personnes en vue de leur participation à une émission de télévision ou de radio. *Elle doit faire preuve de débrouillardise et de savoir-faire afin de remplir efficacement les divers mandats de recherche qui lui sont confiés et d'assurer l'exactitude de l'information fournie.*
CLÉO 624.01 U

RÉCRÉOLOGUE Personne qui met sur pied et administre des programmes et des activités de loisirs. À cette fin, elle conçoit, planifie, organise et supervise des programmes d'activités adaptés aux besoins de sa clientèle et elle assure la gestion des ressources humaines, financières et matérielles nécessaires à leur réalisation. Elle peut travailler dans divers milieux tels que les municipalités, les centres de loisirs, les centres communautaires, les établissements d'enseignement ou les industries. *Elle s'efforce de faire preuve de créativité dans la planification des programmes de loisirs et de bien déterminer les besoins de sa clientèle afin d'atteindre un taux élevé de participation.*
CLÉO 514.01 U

Un **rédacteur en chef de l'information** sélectionne les photos à publier en compagnie de son équipe de journalistes
PHOTO: Sygma/Publiphoto

RÉDACTEUR, RÉDACTRICE EN CHEF DE L'INFORMATION Personne qui assure la direction d'une équipe de journalistes et qui assume la responsabilité de l'ensemble des textes produits. Elle s'occupe, entre autres, de la planification des activités du personnel, supervise la sélection d'illustrations, de titres et de l'information et procède à la vérification des textes en vue d'en assurer la qualité (orthographe, style, teneur, cohérence, etc.) et de voir au respect des orientations du journal. *Elle veille à être à l'affût des nouvelles inédites afin d'en assurer la primeur et d'assurer la production d'articles de qualité qui sauront susciter l'intérêt du public.*
CLÉO 713.01 U

RÉFLEXOLOGUE Personne qui applique diverses techniques de massage des réflexes en des points précis du corps en vue d'enlever ou de diminuer la douleur, de relaxer la tension nerveuse et d'améliorer la circulation corporelle. *Elle se préoccupe de donner des conseils aux personnes en vue de leur mieux-être.*
CLÉO 524.05 C

RÉGISSEUR, RÉGISSEUSE Personne qui, dans une production artistique ou médiatique (film, émission de radio ou de télévision, spectacle sur scène), s'occupe de la planification du travail et de l'organisation du déroulement des opérations sur les plans pratique, matériel et temporel. À cette fin, elle fixe l'horaire des réunions de production, elle établit une programmation des répétitions, du tournage, de l'enregistrement de chaque séquence ou du déroulement de chaque série, elle dresse la liste des ressources matérielles (décors, accessoires, équipements techniques, etc.) et humaines nécessaires (artistes, animateurs, techniciens, invités) et effectue les démarches relatives aux demandes d'autorisation, aux réservations de salles ou de studios, à l'organisation du séjour sur les lieux

d'un tournage. En cours de tournage, de mises en ondes ou de représentation, elle s'assure du respect du programme et de l'horaire prévu ou, s'il y a lieu, de la durée de chaque séquence d'une émission. Dans le cas du tournage d'un film ou d'une dramatique télévisée, elle établit un plan de tournage fonctionnel en regroupant les séquences qui pourront être filmées à la suite. *Elle veille à être extrêmement méthodique afin de tout planifier dans les moindres détails et d'orchestrer le déroulement de la production selon les échéanciers.*
CLÉO 624.11 U/C

RÉGISSEUR, RÉGISSEUSE DE BÂTIMENT Personne qui, dans un centre hospitalier, un complexe d'habitation, un édifice commercial, etc., assure le bon fonctionnement de tous les systèmes de mécanique du bâtiment (chauffage, ventilation, climatisation, plomberie, protection d'incendie, réfrigération). À cette fin, elle règle les systèmes selon les besoins, décèle les défectuosités et s'occupe de faire effectuer les réparations nécessaires au besoin. *Elle veille à faire des inspections régulières et à questionner les usagers afin d'assurer le bon fonctionnement des systèmes et de pouvoir intervenir sans délai en cas de problème.*
CLÉO 253.01 C

REGISTRAIRE DE COLLÈGE OU D'UNIVERSITÉ Personne qui est chargée de l'admission et de l'inscription des élèves, de la gestion des dossiers, des choix de cours, des bulletins, des diplômes, de la coordination des horaires et des locaux, etc., en vue d'assurer le bon fonctionnement des activités pédagogiques et administratives de l'établissement. *Elle se préoccupe de l'efficacité des services offerts et veille à l'amélioration du système de tenue de dossiers.*
CLÉO 611.31 U

RÉGLEUR-CONDUCTEUR, RÉGLEUSE-CONDUCTRICE D'ALÉSEUSES Personne qui effectue, à l'aide de machines-outils spéciales (aléseuses horizontales ou verticales), le travail d'usinage des métaux consistant à finir l'intérieur de tubes, de cylindres ou de trous qui traversent une pièce mécanique en vue d'obtenir des parois parfaitement polies et un diamètre précis.
CLÉO 231.07 S

RÉGLEUR-CONDUCTEUR, RÉGLEUSE-CONDUCTRICE DE MACHINES À BOIS Personne qui règle et fait fonctionner diverses machines-outils à commande numérique ou non telles que des scies, raboteuses, ponceuses, en vue de fabriquer des meubles, des moulures, des armoires et autres objets en bois. À cette fin, elle étudie les plans, choisit la pièce de bois et l'outil appro-

priés, règle les gabarits, exécute les différentes opérations (sciage, ponçage, rabotage, etc.) et s'occupe de l'entretien des outils. *Elle a le souci de bien examiner les plans et de bien régler les outils afin d'obtenir les produits désirés et de respecter les normes établies.*
CLÉO 236.06 S

RÉGLEUR-CONDUCTEUR, RÉGLEUSE-CONDUCTRICE DE PRESSE À GRANDE PUISSANCE Personne qui règle et conduit une presse hydraulique pour plier des pièces de métal (barres d'acier, tôle épaisse, pièces de charpente, etc.). *Elle veille à ce que les pièces produites soient conformes aux plans établis afin d'assurer une production constante et de qualité.*
CLÉO 222.12 S

Un **régleur-conducteur de machines à bois**
actionne le fonctionnement d'une machine-outil
à commande numérique
PHOTO: École québécoise du meuble et du bois ouvré

RÉGULATEUR, RÉGULATRICE À LA CONSOMMATION Personne qui coordonne l'alimentation en électricité dans une centrale électrique, une sous-station ou une ligne de transport électrique en vue d'assurer la répartition efficace et la disponibilité de l'énergie. À cette fin, elle prévoit les demandes en énergie, détourne l'énergie lorsqu'une équipe entretient ou répare des lignes et utilise un ordinateur pour l'attribution automatique de l'énergie.
CLÉO 224.16 S

RELEVEUR, RELEVEUSE DE COMPTEURS Personne qui fait les relevés des compteurs d'électricité, de gaz ou d'eau dans les maisons privées ou les établissements commerciaux et industriels en vue de permettre la facturation de la consommation qui en a été faite. *Elle veille à vérifier les compteurs et branchements afin de détecter les anomalies, dommages ou irrégularités qui pourraient être non sécuritaires ou frauduleuses.*
CLÉO 224.15 S

RELIEUR, RELIEUSE À LA MAIN Personne qui assemble et relie, en exécutant la plupart des étapes à la main, des collections de documents, des volumes, des séries de périodiques ou autres documents imprimés, qui restaure des reliures abîmées et qui fabrique ou décore des couvertures et des recouvrements pour les ouvrages assemblés. *Elle s'efforce de faire preuve de minutie et de bon goût afin de produire des reliures à la fois résistantes et attrayantes.*
CLÉO 627.21   C

RELIEUR INDUSTRIEL, RELIEUSE INDUSTRIELLE
Personne qui possède ou gère un atelier de reliure où sont assemblées et reliées les pages et la couverture de livres, revues, cahiers et autres imprimés. Elle s'occupe, entre autres, de recevoir les commandes de reliures, de négocier les ententes contractuelles avec les clients, de définir les procédés de reliure à utiliser (brochage, collage, enfilage), de planifier les étapes de travail et de superviser le personnel. *Elle s'efforce de produire des reliures de qualité à un prix compétitif afin d'assurer la rentabilité de l'entreprise.*
CLÉO 235.10   C

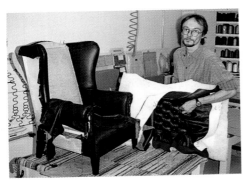

Le **rembourreur-artisan** donne une deuxième vie
à des meubles défraîchis et abîmés
PHOTO: École québécoise du meuble et du bois ouvré

REMBOURREUR-ARTISAN, REMBOURREUSE-ARTISANE Personne qui répare et remonte des meubles rembourrés en vue de les remettre à neuf et d'en prolonger l'utilisation. À cette fin, elle enlève, répare ou remplace le tissu, les sangles ou les ressorts brisés à l'aide de pinces, de ciseaux ou de maillets, elle réinstalle la bourre, mesure, coupe et coud le nouveau tissu et en recouvre le meuble. *Elle se préoccupe de respecter le style du meuble et de faire preuve de minutie au cours des diverses étapes de rembourrage afin de satisfaire les exigences et les goûts de la clientèle.*
CLÉO 236.17   S

REMBOURREUR INDUSTRIEL, REMBOURREUSE INDUSTRIELLE Personne qui installe la bourre, la garniture et le tissu à recouvrement sur des chaises, des fauteuils et des canapés, dans une usine de production en série. Elle s'occupe également de poser les ressorts et fixations, d'ajouter la mousse au cadre et de couvrir du tissu cousu en respectant les motifs décoratifs et les modèles. *Elle s'efforce d'ajuster avec soin les différentes pièces de rembourrage afin de produire un meuble à la fois confortable, esthétique et durable.*
CLÉO 236.16   S

RÉPARATEUR, RÉPARATRICE À LA PRODUCTION D'APPAREILS ÉLECTRONIQUES Personne qui répare le matériel électronique rejeté par la chaîne de montage (radios, téléphones, téléviseurs) en vue de le remettre en bon état, c'est-à-dire conforme aux spécifications du fabricant. *Elle s'efforce de bien interpréter le schéma de montage et de déceler toute défectuosité afin de pouvoir remédier aux problèmes le plus rapidement possible.*
CLÉO 233.11   S

RÉPARATEUR, RÉPARATRICE D'APPAREILS ÉLECTROMÉNAGERS PORTATIFS Personne qui répare les appareils électroménagers portatifs tels que grille-pain, ventilateurs, aspirateurs, etc. À cette fin, elle fait d'abord une estimation du coût de la réparation, remplace les éléments défectueux, remonte l'appareil et en vérifie le fonctionnement. *Elle veille à déterminer avec exactitude les causes des défectuosités des appareils afin de pouvoir les remettre en état de fonctionnement dans les plus brefs délais.*
CLÉO 252.03   S

RÉPARATEUR, RÉPARATRICE D'APPAREILS PHOTOGRAPHIQUES Personne qui entretient, répare et met au point, à l'aide d'outils spéciaux et d'appareils d'essais, les appareils photographiques et leurs accessoires comme les posemètres, les objectifs, etc. À cette fin, elle démonte l'appareil pour trouver ce qui cause problème, elle remplace les pièces défectueuses, elle fait des essais pour vérifier le fonctionnement de l'appareil et elle règle le diaphragme, l'obturateur, etc. *Elle doit faire preuve de minutie dans ses tâches afin de redonner à l'appareil ses qualités de précision.*
CLÉO 231.25   S

RÉPARATEUR, RÉPARATRICE D'ARTICLES DE SPORT Personne qui répare divers articles de sports tels que raquettes de tennis, bâtons de golf, patins, attirail de pêche, etc., dans un centre sportif ou une boutique en vue de permettre à nouveau leur utilisation. À cette fin, elle examine l'article, évalue le coût des réparations et effectue les réparations. *Elle s'efforce de faire des réparations durables aux meilleurs prix afin de satisfaire la clientèle.*
CLÉO 515.25   S

Un **réparateur d'articles de sport**
refait le cordage d'une raquette de badminton
PHOTO: Boutique Le Cordeur

RÉPARATEUR, RÉPARATRICE D'INSTRUMENTS D'ARPENTAGE ET D'OPTIQUE Personne qui répare, nettoie et règle les instruments de précision tels que des théodolites, des microscopes et des télescopes à l'aide d'outils manuels, électriques ou autres. *Elle veille à vérifier les instruments réparés afin de s'assurer de leur bon fonctionnement.*
CLÉO 231.24

RÉPARATEUR, RÉPARATRICE D'OUTILS ÉLECTRIQUES Personne qui répare des outils électriques portatifs ou des outils montés sur établi tels que perceuses, raboteuses, ponceuses, scies sauteuses et scies circulaires. *Elle veille à bien vérifier l'état des pièces et à apporter les réparations qui s'imposent afin d'assurer un fonctionnement sécuritaire des outils et la satisfaction de la clientèle.*
CLÉO 252.06

RÉPARATEUR, RÉPARATRICE DE CENTRAL TÉLÉPHONIQUE Personne qui essaie, entretient et répare les circuits et le matériel d'un central téléphonique. À cette fin, elle inspecte et met à l'essai les systèmes, les circuits et l'équipement de liaison, elle repère les défectuosités à l'aide de différents appareils de mesure et d'essai et elle répare, remplace ou règle le matériel. *Elle s'efforce de bien étudier les plans et schémas de câblage afin de pouvoir effectuer les réparations, s'il y a lieu.*
CLÉO 252.10

RÉPARATEUR, RÉPARATRICE DE FILETS DE PÊCHE Personne qui monte, fabrique ou répare les instruments de pêche (filets, casiers, chaluts, etc.), à terre ou à bord d'un bateau de pêche, en vue de permettre à nouveau leur utilisation. *Elle veille à remettre le plus vite possible en bon état les instruments de pêche afin de ne pas nuire aux activités des pêcheurs.*
CLÉO 127.04   S

RÉPARATEUR, RÉPARATRICE DE MATÉRIEL D'EXTRACTION Personne qui répare et règle le matériel (moteurs, treuils, embrayages, câbles, freins et dispositifs de sécurité) qui sert à remonter à la surface le minerai extrait d'une mine. *Elle s'efforce d'examiner soigneusement le matériel d'extraction du minerai afin de pouvoir détecter toute défectuosité et effectuer les réparations nécessaires.*
CLÉO 122.08   S

RÉPARATEUR, RÉPARATRICE DE MATÉRIEL DE TRAITEMENT DU MINERAI Personne qui s'occupe de l'installation, de la réparation et de l'entretien des machines et des équipements de traitement du minerai (broyeurs, concasseurs, foreuses, etc.). À cette fin, elle démonte les machines, répare et remplace les pièces défectueuses, fabrique les pièces nécessaires au besoin et vérifie le fonctionnement des machines et équipements réparés. *Elle se préoccupe du bon fonctionnement du matériel afin de permettre le traitement du minerai dans les meilleurs délais.*
CLÉO 221.06   S

RÉPARATEUR, RÉPARATRICE DE MATÉRIEL HYDRAULIQUE Personne qui entretient et répare des équipements hydrauliques (ponts élévateurs d'automobiles, pompes, systèmes de fermeture de portes, chariots élévateurs, etc.) utilisés dans les usines, les entrepôts, les ateliers ou autres établissements. *Elle veille à examiner soigneusement le matériel et à déceler l'usure, la rouille ou toute défectuosité afin d'apporter les réparations qui s'imposent et d'assurer un fonctionnement sécuritaire du matériel.*
CLÉO 251.06   S

RÉPARATEUR, RÉPARATRICE DE MENUISERIE D'ASSEMBLAGE Personne qui répare les défauts superficiels de meubles fabriqués sur une chaîne de montage (rugosité, entaille, trou, fêlure, joint, etc.). À cette fin, elle repère les défauts et les corrige en les polissant et les nettoyant en vue de les préparer pour la finition et la peinture. *Elle veille à faire preuve de minutie et de précision afin d'éliminer toute imperfection et d'assurer la production de meubles de qualité.*
CLÉO 236.10   S

RÉPARATEUR, RÉPARATRICE DE MOTOCYCLETTES Personne qui répare les motocyclettes et les vélomoteurs à l'aide de divers outils manuels, électriques ou électroniques afin d'en assurer le bon fonctionnement. À cette fin, elle examine les pièces, détermine la nature et l'importance des problèmes, démonte, répare ou change les pièces défectueuses, procède à une mise à l'essai et fait les ajustements nécessaires au bon fonctionnement. *Elle veille à appliquer un programme d'entretien préventif afin d'éviter les bris.*
CLÉO 254.27   S

RÉPARATEUR, RÉPARATRICE DE VOIES FERRÉES

Personne qui pose, répare et entretient, à l'aide de machines et d'équipements spéciaux, les voies ferrées d'un service ferroviaire ordinaire ou dans une cour d'usine, une carrière ou une mine. À cette fin, elle fait des inspections régulières afin de repérer les voies endommagées, elle enlève et remplace les rails, les traverses et les aiguilles usés ou endommagés et s'occupe de l'entretien des feux de signalisation des voies ferrées. *Elle veille à s'assurer de la solidité et de l'alignement des traverses afin d'éviter tout risque de déraillement.*

CLÉO 254.18   S

RÉPARATEUR, RÉPARATRICE DE WAGONS

Personne qui vérifie, répare et entretient des wagons de chemin de fer tels que wagons à marchandises, wagons-citernes, wagons pour passagers, berlines et voitures de métro. À cette fin, elle enlève et démonte les pièces défectueuses (roues, mécanismes de frein, etc.), elle effectue les réparations, remonte les pièces et vérifie son travail à l'aide de calibres. *Elle veille à bien vérifier toutes les pièces et à déceler toute défectuosité afin d'assurer un fonctionnement sécuritaire du matériel ferroviaire.*

CLÉO 254.17   S

RÉPARTITEUR, RÉPARTITRICE DE TAXIS

Personne qui reçoit les demandes de service et qui achemine les taxis vers les clients. Elle s'occupe, entre autres, de prendre les demandes par téléphone, de transmettre les demandes aux chauffeurs et de leur indiquer les adresses des clients, de noter la destination des voitures qui sont en service et de répartir le travail selon les horaires établis. *Elle veille à noter les adresses et l'heure avec exactitude afin d'assurer un service rapide à la clientèle.*

CLÉO 433.26   S

RÉPARTITEUR, RÉPARTITRICE EN TRANSPORT ROUTIER DE PERSONNES ET DE MARCHANDISES

Personne qui organise et supervise les voyages de marchandises ou de personnes dans une compagnie de transport routier (camions et autobus scolaires, interurbains et nolisés). Elle s'occupe, entre autres, de planifier les horaires et les itinéraires en fonction des demandes de la clientèle, de répartir les chauffeurs et les véhicules, de fournir l'information et les documents nécessaires aux chauffeurs, d'assurer le suivi des marchandises et la qualité des services. *Elle s'efforce de faire une planification juste et réaliste afin de favoriser une utilisation maximale des véhicules et d'assurer l'efficacité et la rentabilité de la compagnie.*

CLÉO 433.06   S

REPASSEUR, REPASSEUSE À LA MACHINE

Personne qui, dans une entreprise de nettoyage à sec ou une buanderie, fait fonctionner une presse-repasseuse pour repasser les vêtements et autres articles en tissu. *Elle veille à faire un pressage impeccable en reformant les plis aux endroits appropriés et à bien étiqueter et protéger les vêtements repassés afin d'assurer un service de qualité et la satisfaction des clients.*

CLÉO 516.20   S

REPRÉSENTANT, REPRÉSENTANTE AUX VENTES D'ÉQUIPEMENTS AGRICOLES

Personne qui vend des instruments et de la machinerie agricole tels que tracteurs, moissonneuses, etc. Elle s'occupe, entre autres, de visiter les clients, de déterminer leurs besoins et ressources, de proposer du matériel correspondant à leurs besoins, d'en faire la démonstration et d'expliquer l'usage et l'entretien de la machinerie. *Elle veille à faire valoir les avantages de son matériel, à faire connaître les possibilités de subvention, de crédit ou de remise et à assurer un bon service après-vente afin de satisfaire les exigences de la clientèle et de promouvoir les ventes.*

CLÉO 432.49   C

REPRÉSENTANT, REPRÉSENTANTE AUX VENTES EN TRANSPORT ROUTIER

Personne qui offre et vend des services de transport routier de marchandises ou de personnes pour une compagnie privée de camionnage ou d'autobus. À cette fin, elle sollicite les clients potentiels, prépare les offres de services, conclut les ententes et effectue le suivi des service afin d'assurer la satisfaction des clients. *Elle s'efforce de donner un service efficace et adapté aux besoins de la clientèle afin de contribuer à la bonne renommée de la compagnie et d'attirer de nouveaux clients.*

CLÉO 433.05   S/C

REPRÉSENTANT COMMERCIAL, REPRÉSENTANTE COMMERCIALE

Personne qui vend les divers produits ou services d'une compagnie à des commerces de gros ou à des entreprises de services. Elle s'occupe, entre autres, de la promotion et de la présentation des biens et services, cherche de nouveaux clients, conclut les ententes de vente et assure le service après-vente. *Elle veille à bien cerner les besoins de sa clientèle afin de lui offrir les produits et services qui lui conviennent et à faire valoir les qualités de ses produits et services.*

CLÉO 432.05   S/C

REPRÉSENTANT, REPRÉSENTANTE TECHNIQUE

Personne qui vend du matériel technique, des services ou de la marchandise spécialisée (machinerie, services d'ingénierie, huiles, produits d'entretien, produits pharmaceutiques, etc.) à des commerces, des industries ou à diverses entreprises. Elle s'occupe, entre autres, de visiter la clientèle, d'évaluer leurs besoins et ressources, de leur présenter ses produits et de donner des explications et des conseils sur l'utilisation et la fabrication. *Elle s'efforce de bien déterminer les besoins de sa clientèle afin de lui proposer des solutions et de promouvoir ses ventes.*

CLÉO 432.06   C

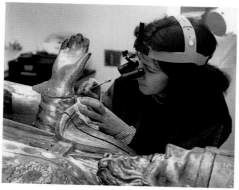

Une **restauratrice d'objets anciens** utilise un scalpel et une loupe binoculaire pour remettre une statue en bon état
PHOTO: Jean-Guy Kérouac/Centre de conservation du Québec

RESTAURATEUR, RESTAURATRICE D'OBJETS ANCIENS

Personne qui remet des tableaux, des sculptures ou des objets d'art endommagés à leur état original. À cette fin, elle nettoie les objets à l'aide de produits spéciaux, procède à leur remise en état en utilisant diverses techniques spécialisées qui permettront de leur redonner leur aspect d'origine. *Elle se préoccupe de connaître l'origine de l'objet à restaurer et ce pour quoi il est destiné (musée, église, parlement, etc.) afin d'utiliser les méthodes appropriées qui en respecteront l'aspect.*

CLÉO 632.10   C

RESTAURATEUR, RESTAURATRICE DE MEUBLES

Personne qui répare les meubles anciens ou d'époque selon des méthodes de restauration du bois qui préservent le style et la finition d'origine. Elle doit, entre autres, examiner le meuble afin d'évaluer le coût et le temps des réparations, choisir la technique, l'équipement et le matériel nécessaires, démonter, retoucher ou refaire les pièces endommagées ou manquantes, décaper, poncer et revernir. *Elle doit faire preuve de grande minutie, de précision et de sens artistique afin de restituer le style d'origine aux meubles à restaurer.*

CLÉO 627.15   S

RÉVISEUR, RÉVISEURE Personne qui lit et révise des manuscrits, des articles, des bulletins d'informations, destinés à être publiés ou radiodiffusés, pour déceler les fautes d'orthographe, de grammaire et de syntaxe et pour raccourcir ou allonger le texte si cela est nécessaire. *Elle veille à assurer la qualité de la langue utilisée afin que le message véhiculé soit bien compris des personnes à qui il est destiné.*

CLÉO 621.05   U

RHUMATOLOGUE Personne qui, en tant que médecin spécialiste, voit à l'évaluation diagnostique et au traitement des maladies et des affections rhumatismales (arthrite, arthrose, tendinite, bursite, goutte, lumbago, etc.) qui provoquent des douleurs aiguës ou chroniques des articulations, des muscles, des tendons et autres tissus adjacents. À cette fin, elle effectue des examens, des radiographies et des tests en laboratoire, pose un diagnostic et prescrit le traitement approprié (médicaments, chirurgie, exercices, physiothérapie, régime alimentaire, etc.) pour soulager les douleurs, rétablir ou améliorer les fonctions motrices ou maîtriser l'évolution des maladies dégénératives comme l'arthrite. Elle exerce un suivi périodique des patients atteints d'affections chroniques afin de réévaluer leur condition et d'adapter leur traitement en conséquence. *Elle veille à proposer le traitement approprié afin de soulager les douleurs que ces maladies provoquent et à ralentir dans la mesure du possible la progression des maladies dégénératives qui peuvent entraîner des troubles importants de la mobilité.*

CLÉO 523.26   U

S

SABLEUR, SABLEUSE AU JET Personne qui pulvérise, sur les surfaces de métal de véhicules ou d'équipements manufacturés, un jet d'eau ou d'air à haute pression contenant un abrasif en vue de les poncer, de les nettoyer et d'obtenir un fini uniforme. *Elle veille à effectuer ses tâches selon les règles de sécurité établies afin d'éviter les blessures et les accidents.*
CLÉO 251.03   S

SAGE-FEMME Personne qui donne des soins et des conseils aux femmes pendant la grossesse, le travail et la période postnatale. Elle évalue l'état de santé de la patiente, veille à ce que la grossesse se déroule normalement et consulte des professionnels de la médecine lorsque des situations anormales s'annoncent. Elle aide la patiente au cours de l'accouchement si celui-ci se présente bien pour la mère et l'enfant et qu'il ne semble pas nécessiter d'intervention médicale. *Elle veille à faire preuve d'initiative, de bon jugement et de prudence dans ses gestes et conseils afin de protéger la santé de la mère et de l'enfant.*
CLÉO 524.11   C/U

SAPEUR, SAPEUSE Personne qui, en tant que membre des forces armées, construit des abris, des routes, des ponts et des digues destinés aux troupes de soldats au cours des missions. Elle s'occupe de construire des défenses et obstacles, de poser, de détecter ou de détruire des mines. Elle s'occupe également de l'approvisionnement en eau potable et construit à cet effet des systèmes locaux de distribution d'eau. *Elle se soucie de la sécurité des troupes dans la conception et la réalisation de ces travaux.*
CLÉO 333.22   S

SCAPHANDRIER, SCAPHANDRIÈRE Personne qui effectue sous l'eau, à l'aide d'un appareil de plongée autonome ou d'un scaphandre, divers travaux en lien avec la construction, la réparation, l'installation, l'inspection et l'entretien d'éléments de structure, des opérations de sauvetage ou des travaux d'exploration. *Elle veille à faire preuve de grande prudence et à bien vérifier son maté-* riel avant les plongées (installation pour l'air comprimé, habit de plongée, etc.) afin d'éviter les accidents (froid, manque d'oxygène, etc.).
CLÉO 241.37   S/C

Une équipe de **scaphandriers** s'apprête à effectuer une plongée
PHOTO: Institut maritime du Québec

SCÉNARISTE-DIALOGUISTE Personne qui, en vue de la production d'un film, d'une émission de télévision ou d'une pièce de théâtre, écrit les dialogues des personnages et conçoit le déroulement chronologique de l'action, séquence par séquence, en fournissant des indications techniques sur la mise en scène (ambiance, décor, comportements des personnages, etc.). Il peut s'agir d'une création entièrement originale ou de l'adaptation d'une oeuvre littéraire aux fins de la production envisagée. Elle peut également concevoir pour la télévision les textes de présentation, les textes d'enchaînement et les répliques des coanimateurs pour le déroulement d'une émission. *Elle s'efforce de tenir compte des objectifs de la production (information, divertissement, réflexion, émotion, etc.), du public cible, des orientations définies par le réalisateur et de tout autre facteur pertinent (exactitude des faits, crédibilité des situations, pertinence historique, fidélité à l'oeuvre originale, etc.) afin que le sujet soit traité de façon cohérente.*
CLÉO 624.02   U   201

SCÉNARISTE EN MULTIMÉDIA Personne qui, à partir du synopsis préliminaire d'un projet multimédia (site internet, CD-Rom, publication électronique, borne interactive, logiciel de simulation ou de formation, etc.), élabore le scénario du produit et prépare les devis artistiques et techniques qui serviront de plan pour la production et la programmation en vue de mettre en valeur le contenu fourni par divers intervenants (spécialistes du contenu, rédacteurs, recherchistes, etc.) et d'en développer la structure arborescente selon un mode interactif. À cette fin, elle fragmente le contenu en séquences, détaille la trame de chaque page-écran, précise les données à intégrer dans chacune (image, texte, éléments calligraphiques, voix, effet sonore, musique, etc.) ainsi que les enchaînements (hypertextes, hypermédias) qui devront être faits en vue de la navigation interactive de l'utilisateur dans le produit. Elle établit également l'ensemble des spécifications artistiques et techniques nécessaires à l'équipe de production et de programmation et exerce une fonction-conseil afin d'assurer la conformité du produit au scénario établi. *Elle s'efforce de concevoir des scénarios créatifs qui permettront d'atteindre les objectifs de communication visés (documentation artistique, scientifique ou technique, promotion commerciale, culturelle, touristique, simulation et formation technique, éducation, divertissement, etc.).*
CLÉO 722.07   C/U

SCIENTIFIQUE EN PRODUITS ALIMENTAIRES
Personne qui, à titre de spécialiste des sciences agro-alimentaires et de la technologie des aliments, dirige et effectue des recherches en vue de mettre au point et d'améliorer des produits alimentaires, des procédés de production, de transformation et de conservation des aliments ainsi que des méthodes de contrôle de la qualité, de mise en marché ou de distribution des aliments. Elle peut, entre autres, travailler à titre de consultante et consacrer ses recherches à la mise au point de nouvelles sources d'aliments ou d'utilisations pour des produits existants (ex.: obtention de sucres et d'alcools à partir de céréales), à la formulation de nouveaux produits ou à l'amélioration de produits existants (valeur alimentaire, texture, saveur, réduction de matières grasses, etc.), à la création de méthodes de production, de transformation, d'entreposage, d'emballage ou de distribution plus performantes, plus économiques et plus écologiques, à la recherche d'utilisations de résidus alimentaires ou encore à la mise au point d'aliments destinés à des clientèles particulières (nourrissons, personnes diabétiques, végétariens, etc.). La nature de ses recherches l'oblige à une grande polyvalence scientifique (chimie, microbiologie, physique, mathématique, économie, etc.) et fait largement appel aux technologies de pointe, notamment les biotechnologies). *Elle doit faire preuve d'un esprit innovateur et méthodique afin de contribuer par ses recherches à l'amélioration constante de l'alimentation humaine et à la solution des problèmes de l'industrie.*
CLÉO 228.01   U

SCIEUR, SCIEUSE DE BARDEAUX Personne qui, à partir d'un panneau de commande, fait fonctionner, surveille et règle une scie qui sert à débiter les bûches de bois en bardeaux. Elle s'occupe également d'enlever les noeuds des bardeaux débités, à l'aide d'une petite scie à déligner et de classer les bardeaux selon leur qualité. *Elle veille à faire preuve de minutie et à bien régler le matériel afin de produire des bardeaux de qualité et de permettre la fabrication de produits prêts à utiliser.*
CLÉO 225.04   S

SCIEUR, SCIEUSE DE PLANCHES Personne qui, à partir d'un panneau de commande, assure le fonctionnement de scies circulaires en vue de scier des planches à la longueur voulue et de couper les sections défectueuses des planches (parties pourries ou fendues). *Elle s'efforce de bien examiner les planches afin de déterminer les endroits exacts de coupe et de minimiser les pertes.*
CLÉO 225.03   S

La patience, la créativité et la précision sont des attributs nécessaires au métier de **sculpteur sur bois**
PHOTO: École québécoise du meuble et du bois ouvré

SCRIPTE Personne qui, tout au long de la réalisation d'un film ou d'une émission de télévision, agit comme secrétaire et «mémoire» du réalisateur

en vue d'assurer la bonne continuité des images à l'écran. À cette fin, elle prend des notes détaillées sur tout ce qui concerne le tournage de la production afin d'avoir en main tous les éléments d'information qui permettront d'éviter des erreurs de contenu visuel (décors, accessoires, costumes, maquillages, coiffures des acteurs, position ou expression, etc.), elle planifie et surveille la mise en place sur le plateau du matériel requis pour le tournage et transmet aux artistes et aux techniciens des instructions concernant le plan et l'organisation du travail. Elle prend note également de toutes les données d'information qui serviront ultérieurement à faire le montage de la bande-image (durée de chaque séquence, plans retenus par le réalisateur, etc.). *Elle doit avoir une excellente mémoire visuelle et un bon sens de l'observation afin de ne laisser passer aucune erreur qui obligerait à reprendre certaines séquences ou qui nuirait à la cohérence des images.*
CLÉO 624.10   C

SCULPTEUR, SCULPTEURE Personne qui réalise des oeuvres en trois dimensions à partir de divers matériaux comme la pierre, l'argile, le bois, les métaux, etc., selon différentes techniques comme le modelage, la taille directe, l'assemblage et qui s'occupe de la mise en marché de ses oeuvres. *Elle s'efforce de produire une oeuvre qui correspond à ce qu'elle désire exprimer et qui est susceptible de plaire au public.*
CLÉO 626.17   U/C

SCULPTEUR, SCULPTEURE SUR BOIS (MEUBLES) Personne qui sculpte des motifs ornementaux sur des meubles, des armoires ou d'autres articles en bois et qui exécute des travaux décoratifs de finition (boiseries, portes, encadrements) à l'aide de divers outils (gouges, couteaux, etc.). À cette fin, elle produit un patron grandeur nature du motif dessiné (par elle-même ou par une autre personne), le trace sur la pièce de bois, le sculpte et fait parfois des prototypes qui serviront à la production en série. *Elle s'efforce de faire preuve de minutie et de précision afin d'obtenir un produit à la fois esthétique et original qui saura plaire à la clientèle.*
CLÉO 236.13   C

SECOND, SECONDE DE BATEAU DE PÊCHE Personne qui assure la surveillance et la coordination des travaux et des membres de l'équipage d'un bateau de pêche et qui prend la relève du capitaine au commandement du bateau en cas de besoin. *Elle doit s'assurer que les pêcheurs respectent les indications reçues afin d'obtenir un rendement maximal au cours des excursions de pêche et veille à se conformer aux règles de sécurité en navigation afin d'éviter les accidents.*
CLÉO 127.02   S/C

Une **secrétaire** utilise le dictaphone et l'ordinateur pour préparer un document
PHOTO: Collège O'Sullivan de Québec

SECRÉTAIRE Personne qui veille à l'exécution du travail quotidien dans un bureau. Selon son mandat, elle répond au téléphone, note et transmet les messages, elle tape des lettres, des rapports, elle ouvre, trie et distribue le courrier, elle établit et tient à jour des systèmes de classement et reproduit des documents. Elle s'occupe également de fixer et de confirmer les rendez-vous et les réunions, d'accueillir la clientèle, d'effectuer certaines tâches de comptabilité et de préparer les réquisitions de matériel. *Elle s'efforce d'effectuer son travail avec méthode afin de fournir un service rapide et efficace et de contribuer ainsi au bon fonctionnement de l'entreprise.*
CLÉO 421.17   S

SECRÉTAIRE DE DIRECTION Personne qui, dans une entreprise ou un organisme, assiste une personne cadre. Elle s'occupe, entre autres, du courrier, des appels téléphoniques, de l'agenda, de l'organisation des réunions de cette personne. Elle peut également assurer le suivi de certains dossiers et diriger une équipe de secrétaires. *Elle s'efforce d'effectuer soigneusement et rapidement les tâches qui lui sont confiées afin de faciliter le travail de la direction de l'entreprise et de contribuer ainsi à son bon fonctionnement.*
CLÉO 421.18   C

SECRÉTAIRE JURIDIQUE Personne qui effectue le travail de bureau, la saisie et le classement des documents juridiques et de la correspondance dans un cabinet d'avocats, de notaires ou au tribunal, au ministère de la Justice, etc. Elle peut également effectuer certaines recherches de documentation relativement aux affaires en cours. *Elle se préoccupe de tenir des dossiers à jour et d'être bien renseignée sur les affaires courantes afin d'apporter un soutien efficace au bon fonctionnement du bureau.*
CLÉO 321.12   S

SECRÉTAIRE MÉDICAL, SECRÉTAIRE MÉDICALE Personne qui exécute le travail de bureau dans une clinique médicale ou dans un centre hospitalier. Elle s'occupe, entre autres, d'accueillir les clients, de dactylographier les rapports médicaux, de fixer les rendez-vous et de classer les documents en vue d'assurer le fonctionnement efficace des services. *Elle veille à la confidentialité des documents et à établir un classement organisé des dossiers afin de les retracer facilement.*
CLÉO 521.04   S

SELLIER, SELLIÈRE Personne qui confectionne, à la main ou à la machine, des selles, des colliers et des harnais pour les chevaux et autres animaux. À cette fin, elle trace le patron sur une pièce de cuir, découpe les parties, les assemble et ajoute les courroies et les boucles. *Elle s'efforce de concevoir des selles ou des accessoires à la fois esthétiques et solides afin de satisfaire aux exigences de sa clientèle.*
CLÉO 627.16   S

SÉRIGRAPHISTE À LA MAIN Personne qui crée des dessins et qui les imprime à la main sur différents matériaux tels que du tissu, du papier, de la céramique, du métal, etc., par un procédé artisanal de sérigraphie (écrans qui permettent de n'imprimer à la fois que les parties de l'oeuvre d'une couleur donnée). *Elle veille à maîtriser l'art et la technique afin de créer des oeuvres originales et soignées susceptibles de plaire à la clientèle.*
CLÉO 626.13   C

SERRURIER, SERRURIÈRE Personne qui répare, installe et ajuste des serrures et des fermoirs, qui façonne des clés et qui modifie la combinaison de serrures en vue d'assurer la sécurité de véhicules, d'équipements ou de bâtiments. *Elle s'efforce d'exécuter ses tâches avec précision afin d'assurer le bon fonctionnement des serrures.*
CLÉO 241.33   S

SERTISSEUR, SERTISSEUSE DE PIERRES PRÉCIEUSES Personne qui pose des pierres précieuses sur des bijoux tels que des bagues, des pendentifs, des montres. À cette fin, elle examine la monture, détermine la position de la pierre, perce, lime et coupe les sertissures, y place les pierres et les fixe, polit les bords et s'assure de la solidité de la pose. *Elle veille à ce que les pierres soient bien fixées et placées dans le meilleur angle possible afin de faire valoir leur beauté et d'offrir à sa clientèle des produits de qualité.*
CLÉO 627.04   S/C

SERVEUR, SERVEUSE Personne qui sert aux clients les aliments et les boissons commandés dans un restaurant, un hôtel, un club, une salle de banquet, un casse-croûte, au comptoir dans une cafétéria ou un restaurant. Elle s'occupe de mettre les couverts, d'apporter les menus, de donner des renseignements, de faire des suggestions, de prendre les commandes, de faire le service et de préparer les factures. *Elle veille à offrir un service à la fois rapide, efficace et courtois afin de satisfaire la clientèle et de contribuer à la bonne renommée de l'établissement.*
CLÉO 511.13   S

Une **serveuse** sert un mets sous les yeux de ses clients dans un grand restaurant
PHOTO: CECQ–École Wilbrod-Bherer

SERVEUR, SERVEUSE DE BAR Personne qui s'occupe de préparer, de mélanger et de servir ou faire servir les différentes consommations (boissons alcooliques, boissons alcoolisées, boissons non alcoolisées) demandées par la clientèle d'un bar, d'un restaurant, d'un hôtel, etc. Elle s'occupe, entre autres, de prendre les commandes, de mélanger les ingrédients et l'alcool, de tenir un registre des ventes, de préparer l'addition et de tenir l'inventaire. *Elle s'efforce d'offrir aux clients un service rapide, efficace et courtois afin de satisfaire leurs exigences.*
CLÉO 511.07   S

SEXOLOGUE Personne qui s'occupe de l'information, de la prévention et de l'éducation en ce qui concerne la sexualité humaine dans ses aspects biologiques, psychologiques et sociologiques, en vue de résoudre certains problèmes sexuels ou de favoriser l'intégration et l'épanouissement de la sexualité des personnes. À cette fin, elle offre des consultations thérapeutiques aux personnes ou aux couples de tout âge, elle anime des sessions d'information auprès de différents groupes (parents, adolescents, éducateurs, etc.), elle donne des conférences et elle participe à la conception, à la mise en oeuvre et à l'évaluation de programmes d'éducation sexuelle traitant de divers sujets tels que la contraception, les maladies transmises sexuellement ou le sida. *Elle se préoccupe de promouvoir la conscience et la responsabilisation des personnes et des groupes au regard de la sexualité humaine, afin de favoriser l'intégration harmonieuse et l'épanouissement de la sexualité des personnes.*

CLÉO 531.19 U

SIGNALEUR NAVAL, SIGNALEUSE NAVALE Personne qui, en tant que membre des forces armées et spécialiste de la communication tactique, s'occupe de la transmission des messages entre les unités en mer et à terre à l'aide de radios, de télétypes, de matériel de signalisation visuelle et sonore et de matériel de traitement des messages. Elle s'occupe, entre autres, d'envoyer, de recevoir, de coder, de décoder, de classer, de contrôler et de distribuer les messages. *Elle se préoccupe de fournir les renseignements opérationnels et tactiques aux supérieurs concernés.*

CLÉO 333.45 S

Un **sismologue** analyse les données des postes séismologiques à l'aide de logiciels
PHOTO: Commission géologique du Canada

SISMOLOGUE Personne qui, à titre de spécialiste de la géophysique, étudie la façon dont les ondes sismiques provenant des tremblements de terre ou provoquées par les activités humaines sont affectées par les différents types et la densité des roches. Ses recherches visent à mieux définir la composition de l'écorce terrestre et la structure de l'intérieur du globe ainsi qu'à évaluer les risques que présentent les tremblements de terre dans les différentes régions d'un territoire. Ses recherches s'appliquent également à la prospection de pétrole et de gaz naturel ainsi qu'à l'établissement des normes de construction des ouvrages civils (édifices, ponts, tunnels, barrages) qui permettront

d'assurer leur résistance aux tremblements de terre et aux vibrations de terrain. *Elle s'efforce de faire preuve de rigueur dans ses analyses afin de fournir des avis bien documentés sur les questions relevant de son expertise.*

CLÉO 111.14 U

SOCIOLOGUE Personne qui effectue des recherches en vue de décrire, analyser, expliquer ou résoudre des phénomènes sociaux relatifs à l'organisation de la vie en société ainsi qu'à l'interaction des personnes au sein des diverses structures sociales (famille, parenté, communautés d'appartenance scolaire, urbaine, ethnique, professionnelle, politique, etc.). Selon son champ de spécialisation et son milieu de travail (université, organisme communautaire, fonction publique, entreprise privée), elle peut s'intéresser à différents problèmes sociaux (pauvreté, délinquance, décrochage, conflits ethniques, besoins de clientèles particulières dans les milieux scolaire, urbain, hospitalier), recueillir des données au moyen de techniques et d'outils appropriés (observations sur le terrain, enquêtes, sondages d'opinion, entrevues, tests sociométriques, etc.), traiter les données, analyser les résultats et produire un rapport pour présenter des voies de solution au problème étudié ou faire des recommandations visant à orienter l'action des divers intervenants. *Elle s'efforce de faire une analyse critique de la situation afin de pouvoir porter un jugement éclairé et fondé.*

CLÉO 612.42 U

SOMMELIER, SOMMELIÈRE Personne qui, dans un restaurant ou un hôtel, conseille les clients sur le choix des vins qui peuvent accompagner les mets choisis. Elle s'occupe, entre autres, de s'informer du menu choisi, de faire des suggestions de vins, de renseigner les clients sur la provenance, la composition et la saveur des vins suggérés, d'assurer le service du vin et de tenir l'inventaire des vins. *Elle s'efforce de recommander aux clients le vin approprié afin de leur permettre d'apprécier au maximum leur repas.*

CLÉO 511.06 S

SONOTHÉCAIRE Personne qui s'occupe de conserver en archives tous les enregistrements de bruits et d'effets sonores réalisés au fil des ans dans une société de production radiophonique, télévisuelle, cinématographique ou autre. Elle doit, entre autres, répertorier le contenu des bandes, les classer et en tenir l'inventaire à jour de façon à pouvoir répondre à toute demande spécifique de bruitage pour les besoins d'une production. *Elle s'efforce d'établir méthodiquement le système d'archivage afin de pouvoir déterminer rapidement si la sonothèque contient ou non les bruits spécifiques demandés et de pouvoir en trouver l'enregistrement, s'il y a lieu.*

CLÉO 624.59 C/S

SOUDEUR, SOUDEUSE Personne qui découpe, assemble, répare ou réforme des pièces de métal selon des procédés de découpage et de soudage au chalumeau, à l'arc électrique, au gaz ou autres, sous l'eau, sur des installations contenant de la vapeur ou un gaz sous pression. *Elle veille à faire preuve de prudence en travaillant avec le gaz, l'électricité et les métaux et à faire des soudures solides, afin d'éviter les bris de métal et d'offrir un produit de qualité à la clientèle.*
CLÉO 222.19   S

SOUDEUR-MONTEUR, SOUDEUSE-MONTEUSE
Personne qui assemble et soude, en usine ou dans un chantier de construction, les composantes de structures métalliques préfabriquées comme des réservoirs, des charpentes de machines, des cloisons de bâtiments, etc. À cette fin, elle prend connaissance des plans d'assemblage et des instructions, prépare le matériel et procède à l'assemblage et au soudage des pièces à l'aide d'instruments de soudure à l'arc électrique ou au gaz. Elle peut également avoir à ajuster la forme et les dimensions de certains éléments métalliques à l'aide d'un matériel de découpage à l'arc ou au chalumeau.
CLÉO 222.21   S

SOUFFLEUR, SOUFFLEUSE DE VERRE (ARTISAN)
Personne qui façonne et modèle le verre à chaud selon diverses techniques de soufflage en vue de fabriquer différents objets comme des bouteilles, des plats, des fleurs artificielles et des appareils de laboratoire. À cette fin, elle fait chauffer une baguette de verre, souffle dans l'extrémité d'un tube afin de donner à l'objet sa forme et effectue diverses tâches (étirements, pliage, coupage) afin d'obtenir l'article désiré. *Elle s'efforce de créer des objets esthétiques et de qualité afin d'attirer et de satisfaire les exigences de la clientèle.*
CLÉO 627.09   C

SOUFFLEUR, SOUFFLEUSE DE VERRE AU NÉON
Personne qui fabrique des tubes de verre lumineux (néons) qui serviront à éclairer des enseignes. À cette fin, elle façonne le verre, y introduit le gaz ainsi que le fil électrique. *Elle s'efforce de faire un produit à la fois attirant et esthétique.*
CLÉO 223.09   S

SOUS-CHEF DE CUISINE Personne qui supervise et surveille le travail des cuisiniers et autre personnel des cuisines dans un restaurant, un hôtel, une cafétéria, selon les directives du chef cuisinier, et qui participe à la préparation des plats. Elle collabore à l'élaboration des menus, s'assure du bon état et de la disponibilité des instruments de travail, vérifie la fraîcheur des aliments et le goût des mets. *Elle veille à suivre les directives du chef cuisinier et à se préoccuper de la qualité des aliments utilisés afin d'assurer la qualité des plats.*
CLÉO 511.09   S

Un **soudeur** effectue un travail de soudage à l'aide d'un chalumeau
PHOTO: CSC de Sherbrooke–Centre 24-juin

SOUS-MINISTRE Personne qui est nommée par un ministre pour assurer la supervision et la gestion des ressources humaines, matérielles et financières d'un ministère. À cette fin, elle accomplit diverses tâches de coordination et assure le lien entre les hauts fonctionnaires, le ministre et son personnel de cabinet dont, au premier plan, le chef du cabinet. *Elle s'assure que les orientations du ministre et de son gouvernement sont respectées.*
CLÉO 311.07   U

SPÉCIALISTE D'AMÉNAGEMENT INTÉRIEUR DES AVIONS Personne qui, pour le compte d'une usine de construction aéronautique ou pour son compte, conçoit l'aménagement intérieur d'avions d'affaires en fonction du budget alloué, des besoins et des goûts de la clientèle visée. À cette fin, elle dessine les plans d'aménagement de l'espace, définit et choisit les composantes du décor (ameublement, revêtement des cloisons et du sol, éclairage, décoration d'ambiance, accessoires, etc.), planifie les travaux d'aménagement et en supervise l'exécution. *Elle s'efforce de faire preuve de créativité afin de concevoir des décors personnalisés, attrayants et fonctionnels qui sauront répondre aux besoins de la clientèle et respecter les normes de sécurité.*
CLÉO 232.49   C/U

SPÉCIALISTE DE L'INFORMATION DE VOL
Personne qui assiste le pilote avant et pendant le vol en lui donnant régulièrement des renseignements sur les conditions atmosphériques, les fréquences radio, le relief ou toute autre information nécessaire à la sécurité du contrôle aérien. Elle s'occupe également de répondre aux appels radio et de participer aux opérations de contrôle de la circulation aérienne et aux opérations de recherche et sauvetage d'aéronefs. *Elle veille à donner toute l'information nécessaire à la sécurité du vol et est soucieuse de détecter toute anormalité afin de lancer des appels de recherche ou de sauvetage si cela est nécessaire.*
CLÉO 433.82   S

SPÉCIALISTE DE LA MESURE ET DE L'ÉVALUA-TION EN ÉDUCATION Personne qui assiste, informe et conseille le personnel enseignant et la direction en matière d'évaluation. À cette fin, elle participe à l'implantation de programmes d'évaluation spécifiques à partir de critères et d'objectifs bien définis, elle sélectionne ou conçoit des tests ou autres instruments de mesure et évalue de nouveaux programmes. *Elle veille à donner toutes les données nécessaires à l'établissement de critères, d'objectifs, de techniques et de programmes d'évaluation afin de répondre aux besoins de la clientèle.*
CLÉO 611.20   U

SPÉCIALISTE DE LA QUALITÉ DES PRODUITS ALIMENTAIRES Personne qui assume la responsabilité de l'ensemble des activités liées à la gestion de la qualité en vue d'assurer une qualité constante des produits alimentaires. À cette fin, elle agit comme conseillère auprès de l'organisme et établit, révise et met en oeuvre des programmes d'assurance de la qualité et des méthodes de détection et de prévention de la non-qualité. Elle s'occupe également de la formation et de la supervision du personnel chargé de l'implantation des programmes et du contrôle de la qualité. *Elle se préoccupe de tenir compte du contexte de mondialisation des marchés alimentaires afin de satisfaire les besoins et exigences de l'entreprise.*
CLÉO 228.13   C

Un **souffleur de verre** présente une de ses créations
PHOTO: Jacques Lessard

SPÉCIALISTE DES RELATIONS PUBLIQUES Personne qui conçoit, élabore, applique et évalue des stratégies et des programmes de communication et d'information pour des entreprises commerciales et industrielles, des partis politiques, des équipes sportives professionnelles en vue de promouvoir le rôle, l'image et l'importance de l'organisation, d'une personne, de produits ou de services. À cette fin, elle détermine les besoins et attentes de la clientèle, elle met au point des activités ou programmes d'information pour faire connaître la nature, le rôle et les réalisations de l'organisation ainsi que ses produits et ses services.

Elle s'occupe également d'organiser des conférences ou toute autre activité promotionnelle et sert d'agent de liaison entre la clientèle et la direction.
CLÉO 711.02   U

SPÉCIALISTE DES TECHNIQUES ET MOYENS D'ENSEIGNEMENT Personne qui, dans un établissement d'enseignement, travaille à la conception de matériel didactique et à la mise sur pied de centre de matériel didactique (manuels scolaires, matériel de laboratoire, matériel audio-visuel, etc.) en vue de répondre aux besoins du personnel enseignant et des élèves. À cette fin, elle évalue les besoins en ressources didactiques et documentaires et les besoins en équipements et aménagements, elle fournit des conseils sur l'utilisation des moyens et techniques d'enseignement, des ressources documentaires et du matériel didactique. Elle s'occupe également de la sélection, de la classification et de la conservation des ressources. *Elle se préoccupe de proposer au personnel enseignant et aux élèves des ressources qui faciliteront l'enseignement et qui stimuleront l'apprentissage.*
CLÉO 611.21   U

SPÉCIALISTE EN ENTRETIEN DES CLOCHERS Personne qui offre des services d'installation, d'entretien et de réparation de clochers d'églises à titre d'entrepreneur ou de technicien. Elle s'occupe, entre autres, de vérifier l'état des cloches, des moteurs et du câblage, la suspension des battants, les composantes des sonneries et autres pièces du système, de lubrifier et régler les pièces, de resserrer les boulons et de réparer les composantes défectueuses. *Elle veille à assurer un entretien préventif des clochers et à réparer les pièces défectueuses dans les meilleurs délais afin de rétablir ou de maintenir le fonctionnement et la sonorité optimale des cloches.*
CLÉO 253.13   C

SPÉCIALISTE EN INFORMATIQUE MÉDICALE Personne qui, en collaboration avec des spécialistes des domaines médical, chirurgical et pharmaceutique, met au point des logiciels spécialisés et des bases de données servant à l'assistance diagnostique et thérapeutique par ordinateur ou travaille au perfectionnement de la technologie des télécommunications en réseau pour des besoins spécifiques (consultation à distance entre spécialistes, participation conjointe de chercheurs éloignés à un même programme de recherche, téléassistance chirurgicale par transmission électronique d'images vidéo, etc.). Spécialiste en informatique, elle possède aussi la formation et l'expérience nécessaire pour comprendre l'information médicale dont elle doit faire la compilation et le traitement informatique ainsi que les besoins complexes des milieux médicaux en matière de télécommunication.
CLÉO 721.11   C/U   207

SPÉCIALISTE EN MATÉRIEL INFORMATIQUE

Personne qui planifie l'installation de matériel informatique dans un service ou un bureau selon les besoins de la clientèle et l'organisation du système. À cette fin, elle conçoit des plans, elle prépare l'échéancier, elle supervise les installations, elle rédige des documents sur le fonctionnement du matériel et elle veille à l'entretien et à la sécurité du matériel. *Elle veille à la mise en place de certaines conditions (chaleur, froid, humidité) afin de favoriser le bon fonctionnement du réseau informatique.*

CLÉO 721.10   C

SPÉCIALISTE EN MÉDECINE BUCCALE

Personne qui, en tant que spécialiste de la médecine dentaire, voit au diagnostic et au traitement non chirurgical des maladies de la bouche et des troubles fonctionnels de l'appareil masticateur (dents, mâchoires, langue, palais, glandes salivaires) causés par une infection locale ou par une autre maladie. À cette fin, elle détermine la nature et l'origine des problèmes buccaux de son patient (ulcère, lésion persistante, trouble d'articulation, dysfonction salivaire, etc.) au moyen d'examens, de tests de laboratoire et de radiographies, prescrit la médication ou administre le traitement nécessaire et dirige son patient vers d'autres spécialistes, s'il y a lieu, pour le traitement de maladies ou de dysfonctions d'ordre médical. *Elle veille à identifier la nature et la cause exactes des lésions et des troubles fonctionnels afin de soigner les maladies à leur source et non seulement leurs symptômes.*

CLÉO 523.88   U

SPÉCIALISTE EN MÉDECINE NUCLÉAIRE

Personne qui, en tant que médecin spécialiste, s'occupe du diagnostic et du traitement de certaines maladies liées au fonctionnement des organes du corps humain selon une approche et une technologie basées sur la radioactivité. Elle prescrit des examens en médecine nucléaire (scintigraphie du système digestif, des poumons, scintitomographie cardiaque, ventriculographie, etc.) afin d'analyser le fonctionnement du système anatomique en cause et d'obtenir les données qui lui permettront de poser un diagnostic sur la nature et l'origine du problème. Elle définit le traitement nécessaire en collaboration, s'il y a lieu, avec le médecin traitant. Elle s'occupe également du traitement de certaines maladies et du suivi de leur évolution au moyen des techniques et des appareils propres à la médecine nucléaire. *Elle doit avoir une connaissance approfondie du fonctionnement normal des organes et des systèmes du corps humain afin de pouvoir déceler tout indice de maladie ou de trouble fonctionnel révélé par les examens en médecine nucléaire.*

CLÉO 523.53   U

SPÉCIALISTE EN RELATIONS OUVRIÈRES

Personne qui agit comme représentante et conseillère de la partie syndicale ou patronale au cours de négociations collectives et qui veille à l'application des conventions et au respect des clauses en vue d'assurer des conditions de travail favorables à un meilleur rendement. À cette fin, elle lit, étudie et interprète les conventions collectives et elle analyse la situation du marché du travail afin d'établir des lignes de conduite et des méthodes de gestion du personnel et elle collabore à des campagnes d'information. *Elle veille à respecter les clauses et à avoir une bonne écoute afin d'établir un climat de confiance et de collaboration.*

CLÉO 422.01   U

SPÉCIALISTE EN SÉCURITÉ DE SYSTÈMES INFORMATIQUES

Personne qui met au point et conçoit des méthodes de contrôle informatique pour des entreprises privées, des institutions gouvernementales, des laboratoires de recherche ou autre en vue d'assurer la sécurité et la confidentialité de leurs banques de données, de leurs systèmes et de leur réseau informatique. À cette fin, elle analyse l'architecture du réseau, évalue les risques que des usagers internes ou externes puissent utiliser frauduleusement, pirater, détourner ou détruire des données, établit et implante des moyens d'empêcher des entrées d'intrus dans les systèmes et de limiter l'accès aux banques de données au personnel dont les fonctions le requièrent.

CLÉO 721.12   C/U

SPÉCIALISTE EN TÉLÉCOMMUNICATIONS (INFORMATIQUE)

Personne qui élabore, met en oeuvre, évalue et maintient les réseaux de télécommunication, y compris le logiciel et le matériel s'y rapportant, en vue de répondre aux besoins de l'utilisateur. Elle doit, entre autres, écrire des textes d'information concernant les logiciels, analyser les problèmes du réseau, proposer des solutions, donner des renseignements au personnel travaillant dans le réseau et évaluer le temps, le matériel et les ressources nécessaires à la réalisation de certains changements ou à la mise en place de projets.

CLÉO 721.21   C

SPORTIF PROFESSIONNEL, SPORTIVE PROFESSIONNELLE

Personne qui est rémunérée pour participer à des rencontres ou à des compétitions sportives individuelles ou en équipes (hockey, baseball, tennis, ski, etc.). À cette fin, elle suit un programme d'entraînement régulier de manière à maximiser son potentiel et ses performances. *Elle veille à être en bonne forme et à observer rigoureusement son programme d'entraînement afin de bien performer.*

CLÉO 515.12   C

STATISTICIEN, STATISTICIENNE Personne qui planifie et effectue des recherches statistiques en vue de fournir des renseignements et de permettre des prises de décision ou des orientations dans divers champs d'activités tels que l'économie, la politique et les sciences sociales. Elle participe aux différentes étapes (rédaction de questionnaires, échantillonnage, collecte de données, etc.) et en assure la supervision, procède à l'analyse des données selon des principes mathématiques (probabilité, lois des grands nombres, etc.), fait des représentations graphiques des données recueillies et présente un rapport de recherche. *Elle se préoccupe de l'avancement de la science statistique et fait des recherches afin de trouver de nouvelles méthodes de collecte et d'interprétation de données.*
CLÉO 612.44   U

STÉNOGRAPHE JURIDIQUE Personne qui note en abrégé ce qui est dit ou fait par les intervenants au cours des audiences des tribunaux en vue d'en rédiger ultérieurement le compte rendu officiel et de le déposer au greffe du tribunal, où sont conservées, entre autres archives, toutes les minutes des jugements pour les besoins de consultation. Elle peut prendre en dictée rapide la correspondance et des documents émanant du tribunal en faire la transcription ultérieurement. *Elle veille à faire preuve de rapidité et de concentration afin de rapporter fidèlement le déroulement des audiences et doit posséder une bonne orthographe afin de rédiger les textes officiels sans faute.*
CLÉO 321.06   S

STYLISTE DE MODE Personne qui conçoit et crée des vêtements dans une entreprise manufacturière. À cette fin, elle fait des croquis, détermine les tissus et les coloris, propose différents modèles, fait une estimation des coûts et s'assure en cours de production que les vêtements correspondent aux styles définis. *Elle veille à se préoccuper des tendances de la mode afin de créer des modèles qui correspondent non seulement aux critères de qualité et d'esthétisme, mais aussi aux besoins et attentes de la clientèle.*
CLÉO 237.02   C

SUPERVISEUR, SUPERVISEURE DES SERVICES ALIMENTAIRES Personne qui supervise, coordonne et dirige le personnel qui prépare et sert les repas dans une cafétéria, un centre hospitalier ou tout autre établissement de services alimentaires. Elle s'occupe, entre autres, de répartir le travail, de préparer les horaires et de gérer les approvisionnements. *Elle veille à assurer une préparation adéquate des aliments, une distribution rapide et efficace des plats et le respect des normes d'hygiène afin de contribuer à la bonne renommée de l'établissement.*
CLÉO 518.02   C

SURINTENDANT, SURINTENDANTE DE PARC Personne qui voit à la mise en valeur, au bon fonctionnement, à l'entretien et à la promotion des parcs fédéraux, provinciaux et municipaux. À cette fin, elle visite les secteurs pour évaluer les possibilités d'aménagement et déterminer les besoins en matière d'entretien, elle assure la gestion, la planification et l'organisation des ressources humaines, matérielles et financières, elle établit des devis estimatifs et elle planifie et supervise le travail du personnel responsable du fonctionnement, de l'entretien et de l'aménagement des parcs. *Elle a le souci de protéger et de mettre en valeur le patrimoine afin d'en faire bénéficier le public.*
CLÉO 131.12   U

SURVEILLANT, SURVEILLANTE D'ÉTABLISSE-MENT DE JEU Personne qui est chargée dans un établissement de jeu d'argent (casino, arcade de machines à sous, de poker électronique, etc.) de surveiller le déroulement des jeux, le fonctionnement des dispositifs et des machines de jeu et le comportement de la clientèle en vue d'assurer la stricte application des lois qui régissent ce genre d'établissement, la sécurité de la clientèle et du personnel et l'ordre de l'établissement. Elle doit, entre autres, prévenir toute infraction aux règlements des jeux et toute tricherie pouvant compromettre la légalité des gains ou des pertes d'argent ainsi que tout acte d'agression ou de vandalisme.
CLÉO 331.05   S

SURVEILLANT, SURVEILLANTE DE PERSONNEL DE BUREAU Personne qui coordonne, dirige et supervise le travail des employés dans un bureau. Elle doit, entre autres, déterminer les tâches à effectuer, établir les priorités et répartir les tâches. Elle participe également à la sélection et à l'évaluation des employés et fait des recommandations quant à la promotion, la mutation ou le renvoi d'un membre du personnel. *Elle veille au bon rendement et à l'assiduité des membres du personnel afin de contribuer au bon fonctionnement du bureau.*
CLÉO 421.19   C

SURVEILLANT SAUVETEUR, SURVEILLANTE SAUVETEUSE DE BAINS PUBLICS Personne qui surveille les personnes à la plage ou dans une piscine publique afin de prévenir les accidents et de porter secours en cas de besoin. Elle doit, entre autres, s'assurer du bon fonctionnement des installations et du matériel de secours, faire respecter les règlements en vigueur et donner les premiers soins aux personnes blessées, s'il y a lieu. *Elle veille à prévenir les risques et les dangers afin d'assurer la sécurité des gens.*
CLÉO 515.16   S

SYLVICULTEUR, SYLVICULTRICE Personne qui assure, pour le compte d'une compagnie forestière, le développement optimal des peuplements forestiers (croissance, entretien, contrôle des maladies et des insectes) et le renouvellement constant des ressources exploitées (régénération naturelle, reboisement). À cette fin, elle recommande et supervise l'application de traitements sylvicoles (plantation, fertilisation, irrigation, coupe sélective, coupe d'éclaircie, etc.) pour améliorer le milieu et les conditions de croissance des arbres, depuis l'étape du reboisement jusqu'à la maturité des peuplements. *Elle se préoccupe d'obtenir des arbres sains et de belles dimensions afin d'optimiser le rendement de l'exploitation forestière ainsi que d'assurer la régénération des forêts en prévision de l'avenir.*
CLÉO 123.11   U

entre autres, enquêter, à la suite de plaintes, sur la conduite des membres soupçonnés d'avoir enfreint le code disciplinaire, tenter de résoudre par la conciliation les différends portés à son attention et effectuer au besoin l'inspection des dossiers, comptes, registres ou autres documents que les professionnels doivent tenir en vue de vérifier le bien-fondé des plaintes et d'intenter une action, s'il y a lieu, pour que des sanctions soient imposées aux contrevenants. *Elle se préoccupe d'exercer ses fonctions de façon impartiale et équitable envers les parties en cause, et ce, dans le respect des lois et des règles qui régissent son champ d'activité.*
CLÉO 321.14   U

La régénération des forêts:
une priorité pour les **sylviculteurs**
PHOTO: Paul Laliberté/Univ. Laval–Fac. de foresterie et de géomatique

SYNDIC Personne qui, dans les cas de faillite, est désignée par le tribunal pour représenter l'ensemble des créanciers (personnes à qui la personne en faillite doit de l'argent), administrer les biens du débiteur et procéder à leur liquidation dans les meilleures conditions possible en vue de rembourser équitablement les créanciers. On désigne aussi par le titre de syndic la personne qui, dans une corporation professionnelle (ordre des médecins, Barreau, etc.), est chargée de faire respecter le code de déontologie (règles morales et devoirs professionnels que les membres d'une corporation sont tenus d'appliquer dans l'exercice de leurs fonctions). Dans ce contexte, elle doit,

T

TAILLEUR, TAILLEUSE DE MONUMENTS FUNÉRAIRES
Personne qui sculpte des motifs et des inscriptions dans la pierre (granit, marbre, etc.) en vue de fabriquer des monuments funéraires. Elle doit, entre autres, tracer les motifs sur la pierre, faire une première gravure pour inscrire le modèle, façonner et tailler le modèle dégrossi à l'aide de divers outils manuels ou pneumatiques, polir la pierre et vérifier la conformité de la réalisation avec le modèle. *Elle s'efforce de se conformer aux demandes reçues afin de fournir aux clients le produit désiré.*
CLÉO 627.12   S

TAILLEUR, TAILLEUSE DE PIERRE
Personne qui taille, façonne et polit la pierre (granit, marbre, ardoise, etc.) à l'aide d'outils ou de machines telles que la perceuse rotative et le ciseau pneumatique en vue de la construction ou de l'ornementation de bâtiments ou de la fabrication de divers objets. *Elle veille à suivre les instructions reçues afin que son produit soit conforme aux critères établis.*
CLÉO 223.01   S

TAILLEUR, TAILLEUSE DE PIERRES PRÉCIEUSES
Personne qui coupe, taille et polit des pierres précieuses et synthétiques à l'aide de différents instruments d'optique et d'outils de précision. À cette fin, elle s'assure de la qualité de la pierre, choisit la taille et la forme qui conviennent, taille les facettes et polit la pierre. *Elle s'efforce de tailler les pierres précieuses avec précision afin d'en faire ressortir l'éclat et d'augmenter ainsi leur valeur.*
CLÉO 627.05   S/C

TAILLEUR, TAILLEUSE EN CONFECTION
Personne qui effectue des travaux de couture (coupe, ajustement et assemblage) pour la confection de vêtements faits sur mesure (robes, chemises, pantalons, etc.) ou de prêts-à-porter haut de gamme. Elle procède, entre autres, à la taille des tissus et à l'assemblage des pièces en se souciant de la qualité de la finition. *Elle veille à faire preuve de minutie et à avoir le souci du détail afin que le vêtement fini réponde aux goûts et aux exigences du client.*
CLÉO 237.10   S

TANNEUR, TANNEUSE
Personne qui prépare et traite des peaux et du cuir pour la confection de vêtements ou d'articles en fourrure et en cuir (manteaux, vestes, gants, etc.). Elle s'occupe, entre autres, de nettoyer les peaux et le cuir, de les assouplir, de les saler, de les épiler et de les huiler à l'aide de produits chimiques prévus à cet effet. *Elle veille à vérifier l'état des peaux aux diverses étapes du traitement afin d'éliminer toute imperfection et de présenter un produit de qualité et d'allure soignée.*
CLÉO 237.14   S

TARIFICATEUR, TARIFICATRICE D'ASSURANCES
Personne qui analyse les données relatives aux demandes d'assurances en vue de déterminer l'étendue de la protection qu'offrira la compagnie aux clients (particuliers, commerces, industries, professionnels), le taux des primes, les clauses restrictives et autres conditions des contrats. Elle refuse, s'il y a lieu, les demandes comportant un risque trop élevé. *Elle veille à faire une analyse approfondie des données, à bien évaluer les risques présentés par les clients en considérant tous les facteurs (réclamations antérieures à d'autres compagnies, état de santé, âge, solvabilité, réputation, rapports des inspecteurs, etc.) afin d'éviter à la compagnie d'assurances de perdre de l'argent.*
CLÉO 423.41   C

TATOUEUR, TATOUEUSE
Personne qui trace des dessins ou des inscriptions indélébiles sur différentes parties du corps en introduisant, au moyen de piqûres, des matières colorantes sous l'épiderme. *Elle s'efforce de faire les tatouages avec minutie et veille à travailler dans des conditions d'hygiène rigoureuses afin d'éviter tout risque d'infection.*
CLÉO 516.14   S

TAXIDERMISTE
Personne qui reconstitue un animal à partir de sa peau originale en vue de lui donner l'apparence de la vie. À cette fin, elle dépouille les animaux morts, traite les peaux, confectionne une carcasse de métal ou autre

matériau sur laquelle elle fixe de la bourre et remet la peau. *Elle veille à donner tous les traitements nécessaires pour éviter la détérioration des plumes ou des fourrures et s'efforce de donner une posture très naturelle aux animaux afin de satisfaire les attentes de sa clientèle.*
CLÉO 627.18   S

TECHNICIEN ADMINISTRATIF, TECHNICIENNE ADMINISTRATIVE EN GESTION INFORMATISÉE
Personne qui est chargée, dans une entreprise, de l'implantation, de l'entretien et du dépannage des systèmes informatiques de gestion servant aux opérations comptables, à la gestion des ressources humaines, au traitement de l'information et autres applications et qui exploite ces systèmes pour accomplir diverses tâches administratives comme la facturation des clients, l'émission des chèques des payes et la tenue des inventaires. Spécialisée à la fois en informatique et en administration, elle est en mesure de répondre aux besoins de l'entreprise pour installer des ordinateurs, dépanner les systèmes, former le personnel à l'utilisation de nouveaux logiciels de gestion, développer et tenir à jour des bases de données ou améliorer les systèmes existants en vue de résoudre des problèmes de gestion particuliers.
CLÉO 421.05   C

TECHNICIEN, TECHNICIENNE D'ARMES NAVALES
Personne qui, en tant que membre des forces armées, assume la responsabilité de l'entretien et du fonctionnement des systèmes et du matériel d'armement d'un navire de même que la responsabilité du soin et de la garde de tous les explosifs et munitions. À cette fin, elle gère les activités liées à la préparation du matériel, à son utilisation et à son entreposage et elle vérifie le fonctionnement des armes ainsi que des systèmes de combat et d'artillerie. *Elle veille à un entretien préventif des systèmes et du matériel afin d'en assurer un bon fonctionnement.*
CLÉO 333.50   C

TECHNICIEN, TECHNICIENNE D'EFFETS SPÉCIAUX
Personne qui conçoit des procédés et du matériel de mise en scène en vue de réaliser des trucages électroniques ou des effets visuels et sonores particuliers pour les besoins d'une production artistique (film, émission télévisée, spectacle sur scène, produit multimédia). Elle met au point les moyens techniques (mécanique, électrique, chimique, électronique, etc.) pour créer l'illusion voulue, élabore les plans, fabrique les éléments scéniques (maquettes, automates, mannequins, masques, décors, etc.) et prévoit les appareils ou l'outillage (câbles, poulies, rampe de lancement, télécommande, etc.) nécessaires à la réalisation. Elle s'occupe également, au moment de la réalisation, de l'installation du matériel et de la production des effets prévus. Elle peut se spécialiser dans un type particulier d'effets spéciaux et travailler en collaboration avec une équipe de réalisation. *Elle s'efforce de concevoir des procédés ingénieux et sécuritaires afin de créer les effets spéciaux voulus à un coût abordable.*
CLÉO 624.18   C

TECHNICIEN, TECHNICIENNE D'ENTRETIEN EN TÉLÉDIFFUSION
Personne qui entretient, règle et répare des appareils électroniques utilisés dans les studios de télévision (caméras, projecteurs, consoles, etc.) en vue d'en assurer le bon fonctionnement et le meilleur rendement possible. *Elle veille à vérifier régulièrement le fonctionnement de l'équipement dont elle est responsable afin de réparer sans délai toute défectuosité.*
CLÉO 624.75   C

TECHNICIEN, TECHNICIENNE D'ÉQUIPEMENT DE TÉLÉTYPE ET DE CRYPTOGRAPHIE
Personne qui, en tant que membre des forces armées, assure l'installation et l'entretien de l'équipement de télétype et de cryptographie (langage codé) utilisé pour la communication entre les militaires. À cette fin, elle fait des tests et des réglages, elle effectue des réparations, elle apporte des modifications et veille aux inspections techniques et de sécurité. *Elle veille à effectuer un entretien préventif des appareils et équipements afin d'en assurer le bon fonctionnement.*
CLÉO 333.08   C

TECHNICIEN, TECHNICIENNE D'INTERVENTION EN DÉLINQUANCE
Personne qui intervient auprès de gens (adultes ou jeunes) manifestant des troubles de comportements, de mésadaptation sociale ou de délinquance en vue de les aider à se réadapter socialement. À cette fin, elle fait des rencontres individuelles ou de groupes et donne le soutien, l'encadrement et l'éducation nécessaires à la réhabilitation des personnes. Elle s'occupe également d'observer les comportements et d'en évaluer la progression. *Elle veille à établir une bonne communication avec les personnes afin de favoriser leur cheminement et leur réadaptation sociale.*
CLÉO 332.02   C

TECHNICIEN, TECHNICIENNE DE COQUE DE NAVIRE
Personne qui, en tant que membre des forces armées, effectue divers travaux de menuiserie et de soudure en vue d'assurer l'entretien de la structure du navire et du matériel à bord (matériel de stabilité, de plomberie, de chauffage, de climatisation, de contrôle des avaries et de lutte contre les incendies). *Elle veille à effectuer un entretien préventif du matériel afin d'assurer le bon fonctionnement du matériel à bord du navire.*
CLÉO 333.42   C

TECHNICIEN, TECHNICIENNE DE LABORATOIRE DE LENTILLES Personne qui fabrique, taille, polit et conditionne (traitements antireflets, anti-égratignures, etc.) des lentilles correctrices de la vue et qui les enchâsse dans les montures choisies par les clients. *Elle veille à respecter les ordonnances prescrites afin que les lentilles soient parfaitement adaptées aux besoins des clients.*
CLÉO 523.05
C

TECHNICIEN, TECHNICIENNE DE LABORATOIRE EN BIOLOGIE Personne qui, dans le cadre de recherches en biologie, examine et analyse en laboratoire des spécimens d'organismes vivants, animaux ou végétaux, ainsi que des substances d'origine biologique en vue d'en déterminer les propriétés et la composition, de vérifier la présence d'agents toxiques ou de tester l'efficacité de nouveaux procédés, traitements et produits de nature biologique. *Elle a le souci d'effectuer ses analyses en laboratoire avec rigueur afin d'assurer la fiabilité scientifique des résultats et de prévenir les risques éventuels de contamination.*
CLÉO 113.09
C

TECHNICIEN, TECHNICIENNE DE LABORATOIRE PHOTOGRAPHIQUE Personne qui développe des pellicules photographiques, en tire des épreuves et effectue des agrandissements, dans un laboratoire photographique. Elle s'occupe, entre autres, de préparer les solutions chimiques nécessaires au développement des négatifs et de veiller au bon fonctionnement de l'appareil de développement. *Elle veille à faire les retouches nécessaires, s'il y a lieu, et à la coloration afin de produire une bonne composition photographique ou les effets désirés.*
CLÉO 235.04
C

TECHNICIEN, TECHNICIENNE DE LABORATOIRE VÉTÉRINAIRE Personne qui effectue diverses tâches techniques en laboratoire pour aider les vétérinaires et les chercheurs à recueillir des données qui serviront à diagnostiquer et à traiter certaines maladies (tests sur les prélèvements de tissus ou de liquides biologiques des animaux, culture de bactéries, préparation de vaccins et sérums, stérilisation et entretien du matériel de laboratoire). *Elle veille à effectuer ses tâches avec précision afin de déceler tout indice de renseignements pouvant être utile.*
CLÉO 126.29
C

TECHNICIEN, TECHNICIENNE DE MATÉRIEL DIDACTIQUE Personne qui, dans un établissement d'enseignement, effectue différentes tâches liées à la conservation et à l'utilisation du matériel didactique utilisé par les enseignants (projecteurs, magnétoscopes, cartes géographiques, etc.). Elle s'occupe, entre autres, du classement, de la vérification du fonctionnement et de l'entretien du matériel didactique et donne également des renseignements et des conseils sur son utilisation. *Elle s'efforce de bien ranger et classer le matériel et veille à s'assurer de son bon état avant d'en faire le prêt afin de répondre adéquatement aux besoins des enseignants.*
CLÉO 611.19
C

Un **technicien de recherche, enquête et sondage** présente sa méthodologie de recherche
PHOTO: Collège Mérici

TECHNICIEN, TECHNICIENNE DE RECHERCHE, ENQUÊTE ET SONDAGE Personne qui, en collaboration avec des chercheurs et des spécialistes de différents domaines, participe à des études méthodiques de questions sociales, économiques ou commerciales ainsi qu'à des enquêtes ou des sondages d'opinion en vue de mesurer des comportements humains à l'égard de différentes situations (santé, travail, éducation, consommation, etc.). Elle participe, entre autres, à l'établissement des orientations de la recherche, à la conception des instruments (questionnaires, formulaires, schémas d'entrevue, grilles d'observation, etc.), à la collecte des données, à la gestion et au traitement des données (analyse statistique et analyse de contenu), elle rédige des rapports de recherche, des comptes rendus et prépare des graphiques et des tableaux divers. Elle effectue une grande partie de ses tâches à l'ordinateur, notamment avec des logiciels de traitement et de calcul statistique. *Elle veille à faire preuve de rigueur méthodologique, d'un bon sens de l'organisation, de minutie et de précision afin de fournir des résultats fiables.*
CLÉO 612.45
C

TECHNICIEN, TECHNICIENNE DE SALLE D'AUTOPSIE Personne qui effectue diverses tâches pour assister les pathologistes ou les médecins légistes au cours des autopsies effectuées dans les cas de décès naturels ou d'origine criminelle. Elle s'occupe, entre autres, de préparer les corps, de prévoir les instruments chirurgicaux, le matériel de laboratoire et les solutions chimiques qui seront utilisés au cours de l'autopsie, d'effectuer des prélèvements selon les directives des médecins, de préparer des spécimens à conserver

213

et de refermer les incisions après examen. Elle s'occupe également de l'entretien de la salle et du matériel d'autopsie après usage et des formalités administratives liées à l'identification des corps, à l'obtention de certificats et à l'acheminement des défunts vers les services funéraires. *Elle veille à ce que tout soit en place au moment approprié afin d'assurer le bon déroulement des autopsies.*
CLÉO 525.26   C

TECHNICIEN, TECHNICIENNE DES MOUVEMENTS
Personne qui, en tant que membre des forces armées, assure la planification et l'organisation du transport des personnes et du matériel par voie ferroviaire, routière, maritime et aérienne. Elle s'occupe, entre autres, de préparer, charger, arrimer et décharger les bagages et le matériel, de planifier le transport du personnel ou de la marchandise par transporteur militaire ou commercial et, s'il y a lieu, de prendre les arrangements nécessaires avec des entreprises de déménagement, d'entreposage et de transport. *Elle veille à la préparation, à l'enregistrement et à la justification des documents relatifs au transport afin d'assurer le bon déroulement des différentes étapes.*
CLÉO 333.03   C

TECHNICIEN, TECHNICIENNE DES MUNITIONS
Personne qui, en tant que membre des forces armées, assure l'inspection, l'entretien, la réparation, l'entreposage, le transport et l'élimination des explosifs et des munitions utilisés au sein des forces armées. Elle s'occupe, entre autres, de l'entreposage, de l'emballage, de la distribution, de la réception, de l'expédition, des réparations, de l'inspection et de la fabrication des munitions. Elle veille à l'entretien et à la réparation des conteneurs, des outils et du matériel d'élimination et elle assure la préparation et la mise à jour des rapports, des dossiers et des publications techniques relatifs aux munitions. *Elle a le souci d'exercer ses tâches avec rigueur afin de pouvoir localiser, identifier et éliminer les munitions dangereuses non éclatées.*
CLÉO 333.05   C

TECHNICIEN, TECHNICIENNE DENTAIRE
Personne qui fabrique, modifie et répare, en laboratoire, à partir des spécifications fournies par les dentistes ou autres spécialistes dentaires, des prothèses fixes (ponts, couronnes), amovibles (complètes ou partielles), des appareils d'orthodontie et d'autres appareils dentaires spécialisés servant à remplacer des dents naturelles, à corriger des anomalies fonctionnelles ou à améliorer l'esthétique de la dentition. *Elle veille à faire preuve de minutie et de précision afin que les produits soient rigoureusement conformes aux spécifications reçues, solides, fonctionnels et, s'il s'agit de prothèses, d'apparence aussi naturelle que possible.*
CLÉO 523.92   C

TECHNICIEN, TECHNICIENNE DENTAIRE EN CÉRAMIQUE
Personne qui fabrique et restaure, en laboratoire, des dents artificielles (couronnes, ponts, facettes, dents sur implants, etc.) en porcelaine ou en acrylique, selon les spécifications d'un dentiste ou d'un autre spécialiste de la médecine dentaire. *Elle s'efforce de donner une apparence aussi naturelle que possible aux dents artificielles et veille à ce qu'elles soient conformes aux spécifications de l'ordonnance (forme, dimension, teinte) afin de contribuer à la satisfaction du client.*
CLÉO 523.93   C

TECHNICIEN, TECHNICIENNE EN ADMINISTRATION
Personne qui participe à l'administration d'entreprise ou d'institution, privée ou publique, en effectuant des tâches techniques liées à la planification, à l'analyse, à la gestion ou au contrôle des activités de l'établissement afin d'assurer son bon fonctionnement, son développement et sa rentabilité à court ou à long terme. Elle peut faire exclusivement du travail de bureau ou être en contact constant avec le public soit en exerçant un rôle de conseiller auprès de la clientèle, soit en fournissant des services de vente ou d'achat dans un secteur où les transactions exigent des connaissances spécialisées sur les produits (régimes d'assurances, valeurs mobilières, crédit, etc.) ou sur des méthodes et des règles de gestion particulières (commerce international, coopérative de crédit, etc.). Selon la spécialité qu'elle a choisie, elle est préparée à travailler dans l'un ou l'autre des secteurs suivants: la finance, les assurances générales, la gestion du personnel, le marketing, la gestion informatisée, la gestion industrielle, le commerce international et les services financiers.
CLÉO 421.04   C

TECHNICIEN, TECHNICIENNE EN ADMINISTRATION DU COMMERCE INTERNATIONAL
Personne qui gère les opérations d'importation de marchandises pour le compte d'une entreprise ayant des acheteurs et des fournisseurs à l'étranger. En matière d'exportations, elle reçoit et traite les commandes des grossistes et des détaillants d'autres pays, organise le transport des marchandises à l'étranger, négocie les prix de vente et de transport, facture les clients et fournit les services après-vente. Elle s'occupe aussi de promouvoir les produits et les services de l'entreprise à l'étranger et de prospecter de nouveaux clients. En matière d'exportations, elle reçoit et traite les demandes d'approvisionnement de l'entreprise, recherche sur le marché international les fournisseurs offrant les prix et les services de livraison les plus avantageux et s'occupe des formalités entourant la réception des marchandises (dédouanement, vérification et transport local des marchandises, inventaire des marchandises reçues, distribution aux destinataires,

paiement des factures). Dans les deux cas, elle effectue les recherches d'information commerciale nécessaires à la gestion et au développement des activités commerciales de l'entreprise avec l'étranger (prospection de clients et de fournisseurs, études de marché, recherches sur la réglementation, les tarifs douaniers, les assurances-transport, etc.). Elle peut aussi représenter l'entreprise dans des foires commerciales et profiter de l'événement pour rechercher de nouveaux clients ou fournisseurs et négocier sur place des ententes avantageuses pour l'entreprise.
CLÉO 421.06   C

TECHNICIEN, TECHNICIENNE EN ADMINISTRATION ET COOPÉRATION

Personne qui accomplit des tâches administratives liées à la gestion des produits, des services ou des finances d'une entreprise coopérative, c'est-à-dire une entreprise composée d'un regroupement de membres égalitaires et dont les profits sont partagés entre eux (ex.: caisses populaires, coopératives agricoles, coopératives d'habitation). Elle peut, selon le cas, faire la promotion et la vente des produits ou services de la coopérative, collaborer à la préparation des budgets et des états financiers, assurer la vérification comptable et tenir un registre des ventes, gérer les contrats d'entretien et les approvisionnements ou, s'il s'agit d'une coopérative de crédit, offrir aux membres des services de planification financière, d'épargne spécialisée, de crédit ou de placements. *Elle veille à faire preuve de minutie lorsqu'elle prend note des données financières ou les vérifie afin d'éviter ou de déceler les erreurs qui pourraient avoir des conséquences importantes.*
CLÉO 421.07   C

TECHNICIEN, TECHNICIENNE EN AMÉNAGEMENT CYNÉGÉTIQUE ET HALIEUTIQUE

Personne qui effectue différentes tâches en vue d'assurer la conservation, l'aménagement et l'exploitation rationnelle des ressources fauniques et de milieux naturels destinés principalement à la chasse, à la pêche et à des loisirs de pleine nature. À cette fin, elle informe et conseille les intervenants du milieu naturel et le public en général sur les ressources fauniques et les loisirs liés à la conservation ou à l'exploitation rationnelle de cette ressource, elle inventorie les ressources du milieu naturel et en évalue le potentiel faunique et récréatif, elle participe à l'établissement d'un plan d'aménagement ou de restauration des ressources du territoire ou encore elle organise des activités de chasse, de pêche ou des excursions en forêt. *Elle veille à inventorier avec soin les poissons des lacs, les animaux des forêts et à vérifier la qualité de la végétation afin d'adopter les mesures nécessaires à leur croissance et à leur reproduction.*
CLÉO 514.08   C

TECHNICIEN, TECHNICIENNE EN AMÉNAGEMENT DU TERRITOIRE

Personne qui participe à l'élaboration de divers projets d'aménagement en vue d'assurer la meilleure utilisation possible de l'espace municipal et la meilleure qualité de vie possible des citoyens dans ce milieu. Elle effectue, entre autres, des sondages sur la qualité des services publics, étudie et compare les espaces qui pourraient servir à la création d'un centre récréatif et dessine des plans pour la rénovation d'un quartier. *Elle veille à tenir compte des besoins des citoyens, des coûts de réalisation des projets envisagés et des règles municipales en matière d'urbanisme afin de proposer des solutions réalistes aux problèmes d'aménagement.*
CLÉO 132.04   C

TECHNICIEN, TECHNICIENNE EN AQUICULTURE

Personne qui effectue différentes tâches complexes dans une entreprise d'élevage d'animaux aquatiques (truites, moules, crabes, etc.). Elle s'occupe, entre autres, de faire l'aménagement des systèmes ou des sites d'élevage, d'assurer les conditions de salubrité des bassins, de préparer la diète, de surveiller l'état physiologique des poissons en vue de la vente ou de la reconstitution des réserves fauniques. Elle peut travailler dans le domaine de la recherche et faire des tests, des analyses et des essais en vue de mettre au point ou d'appliquer de nouveaux procédés ou produits servant à l'exploitation ou à la conservation des ressources halieutiques (relatives à la pêche) ou encore elle peut exploiter sa propre entreprise. *Elle est soucieuse de maximiser le taux de croissance des animaux aquatiques.*
CLÉO 126.23   C

Un **technicien en aquiculture** examine des tacons dans un centre d'élevage de saumons
PHOTO: Centre spécialisé des pêches de Grande-Rivière

TECHNICIEN, TECHNICIENNE EN BUREAUTIQUE

Personne qui, dans un bureau, accomplit à l'aide de l'informatique différentes tâches administratives liées à la production, à la gestion et à la communication de l'information. À cette fin, elle utilise divers logiciels d'application (courrier électronique,

traitement de textes, chiffrier électronique, logiciels de comptabilité ou d'édition électronique) pour assurer la tenue de livres, la préparation des réunions, l'établissement et la tenue d'un système de gestion des documents. Elle peut également être chargée de former les employés aux nouveaux systèmes de gestion, à l'utilisation d'un nouveau logiciel ou faire du dépannage en cas de difficulté au cours de l'application des programmes informatiques. *Elle s'efforce d'exploiter le mieux possible les fonctions des divers logiciels afin d'établir des méthodes de traitement et de gestion de l'information efficaces.*
CLÉO 721.24   C

TECHNICIEN, TECHNICIENNE EN COLLECTE D'INFORMATION
Personne qui réalise différentes tâches liées à la collecte de données dans le cadre de recherches, d'enquêtes ou de sondages d'opinion visant à étudier méthodiquement des questions sociales, économiques ou commerciales ou à mesurer des comportements humains à l'égard de différentes situations (santé, travail, éducation, consommation, politique, etc.). Elle s'occupe, entre autres, de planifier et d'organiser la collecte, de recueillir les données auprès des gens à l'aide de questionnaires, de formulaires, de tests psychométriques, d'entrevues (en personne ou par téléphone), de groupes de discussion ou d'observation et d'effectuer, au besoin, des recherches documentaires sur les sujets à l'étude. *Elle doit faire preuve de tact et d'entregent afin de susciter la collaboration des gens.*
CLÉO 612.46   C

TECHNICIEN, TECHNICIENNE EN CONTRÔLE DE LA QUALITÉ – PÂTES ET PAPIERS
Personne qui, dans une usine de pâtes et papiers, effectue diverses analyses chimiques et physiques en laboratoire en vue de vérifier et d'assurer la qualité des produits aux différentes étapes de la production. À cette fin, elle prélève des échantillons de matières premières, de pâtes et papiers et de produits finis et elle fait les analyses des échantillons et des produits chimiques servant à la production afin de déterminer les caractéristiques des échantillons analysés et de s'assurer de leur conformité aux normes de fabrication établies. *Elle veille à faire preuve de rigueur afin d'assurer et même d'améliorer la qualité des produits et de répondre aux besoins et exigences de la clientèle.*
CLÉO 226.03   C

TECHNICIEN, TECHNICIENNE EN DÉFENSE AÉRIENNE
Personne qui, en tant que membre des forces armées, assure la surveillance aérienne à l'aide de consoles de surveillance, d'équipement de télécommunication et de radars. *Elle se préoccupe de détecter et d'identifier tous les appareils en présence dans la zone de surveillance afin de contribuer à la défense du territoire.*

CLÉO 333.33   C

TECHNICIEN, TECHNICIENNE EN DESIGN DE PRÉSENTATION
Personne qui collabore à la conception et à la réalisation d'espaces ou d'environnements particuliers (vitrine, intérieur de magasin, stand d'exposition, décor de spectacle, etc.) destinés à mettre des objets en valeur ou à promouvoir des produits, des services ou des idées dans un contexte commercial ou culturel. Dans le cadre d'un projet soumis par un client (aménagement d'un magasin, foire commerciale, exposition thématique, production d'un spectacle, etc.), elle participe à l'élaboration d'un concept de présentation tenant compte des objectifs, du contenu à mettre en valeur, du budget et de l'espace alloué, ainsi qu'à la définition des aspects techniques et artistiques du projet comme le choix des matériaux, l'éclairage, les couleurs, la disposition, etc. Elle collabore à la réalisation des travaux de construction et d'aménagement de l'espace ou en supervise l'exécution conformément aux plans approuvés par le client.
CLÉO 626.36   C

TECHNICIEN, TECHNICIENNE EN DESIGN INDUSTRIEL
Personne qui participe à la réalisation de projets de design industriel, plus particulièrement à la conception des prototypes et à la mise au point des produits. Elle effectue, entre autres, diverses tâches techniques telles que l'exécution des dessins de présentation, la préparation des maquettes, des modèles, des prototypes et des montages ainsi que la réalisation des dessins techniques et des devis de conception. *Elle veille à tenir compte de l'aspect esthétique du produit et des exigences techniques liées à la fabrication en série afin de permettre la mise au point de produits qui sauront plaire à la clientèle.*
CLÉO 626.32   C

Les **techniciens en documentation** utilisent différents outils pour faire leurs recherches documentaires
PHOTO: Collège François-Xavier-Garneau

TECHNICIEN, TECHNICIENNE EN DIÉTÉTIQUE

Personne qui effectue diverses tâches en vue d'améliorer la qualité de l'alimentation humaine et de favoriser la santé des gens. Elle peut travailler dans cinq champs d'intervention: la gestion de services alimentaires, l'industrie agroalimentaire, les services à la clientèle, l'inspection, la communication. Selon son mandat, elle s'occupe de coordonner la production et la distribution des aliments en appliquant les normes d'hygiène et de salubrité et les normes de santé et de sécurité au travail; de participer au contrôle des propriétés chimiques, physiques, biochimiques et micro-biologiques des aliments; de s'assurer de l'application des diètes recommandées, d'informer et d'éduquer en matière d'alimentation; d'appliquer et de voir au respect des normes de salubrité et de sécurité et des lois régissant l'alimentation; de préparer des présentations pour des messages publicitaires ou des recettes ou encore de faire la promotion de produits alimentaires.

CLÉO 518.04   C

TECHNICIEN, TECHNICIENNE EN DIFFUSION ET EN ENREGISTREMENT

Personne qui installe et fait fonctionner l'équipement audiovisuel nécessaire à la présentation d'un spectacle sur scène ou à la tenue d'un événement public (colloque, assemblée politique, banquet, exposition, etc.). À cette fin, elle définit les besoins techniques et matériels avec les organisateurs, visite les lieux afin de planifier les installations, s'occupe de l'obtention, du transport et de l'installation du matériel et assure son bon fonctionnement au cours de l'événement. *Elle se préoccupe de fournir des services techniques efficaces (diffusion sonore, enregistrement, éclairage, projection, etc.) afin d'assurer le bon déroulement des présentations prévues.*

CLÉO 624.74   C

TECHNICIEN, TECHNICIENNE EN DOCUMENTATION

Personne qui effectue différentes tâches liées à l'acquisition, à la classification, à la conservation et à la diffusion de documents variés, dans un centre de documentation ou une bibliothèque. Elle s'occupe, entre autres, du catalogage, de la classification et de la conservation des documents. Elle renseigne également la clientèle sur l'utilisation des services documentaires et leur fournit des références au besoin. *Elle se préoccupe de l'efficacité des systèmes de traitement et de diffusion de la documentation et veille à effectuer la classification et le catalogage avec minutie et méthode afin d'assurer une gestion efficace et d'éviter la perte de documents.*

CLÉO 632.02   C

TECHNICIEN, TECHNICIENNE EN ÉCOLOGIE APPLIQUÉE

Personne qui effectue diverses tâches techniques sur le terrain et en laboratoire afin d'aider aux travaux de recherche sur les espèces animales et végétales et d'améliorer l'aménagement des milieux naturels. Elle réalise, par exemple, des inventaires des populations animales et végétales d'un milieu donné, recueille des spécimens aux fins d'analyse, fait des tests et des cultures biologiques en laboratoire et participe, après analyse d'un site donné, à des aménagements du milieu (ex.: plantation d'arbres, ensemencement de poissons, mesures de lutte contre des insectes nuisibles) susceptibles de favoriser le développement de la faune et de la flore et de protéger l'écosystème. *Elle veille à faire preuve de méthode et de minutie dans ses travaux de recherche afin d'assurer la fiabilité scientifique des résultats.*

CLÉO 131.05   C

Un **technicien en écologie appliquée** et un biologiste étudient l'impact des aménagements hydroélectriques sur la végétation

PHOTO: Germain Tremblay/Service canadien de la faune

TECHNICIEN, TECHNICIENNE EN ÉDUCATION SPÉCIALISÉE

Personne qui travaille auprès de gens éprouvant des difficultés d'adaptation comme les handicapés physiques ou mentaux, les délinquants et les toxicomanes afin de permettre leur intégration sociale ou de faciliter leur réadaptation. Elle doit, entre autres, observer les attitudes et comportements de la clientèle, participer à l'évaluation des besoins, élaborer un plan d'intervention favorisant l'adaptation, animer des activités individuelles ou de groupe et faire des évaluations périodiques permettant un suivi de la clientèle. *Elle s'efforce de créer un climat de confiance qui lui permettra de fournir l'aide nécessaire à la personne en difficulté et de faciliter son intégration sociale.*

CLÉO 531.16   C

TECHNICIEN, TECHNICIENNE EN ENQUÊTE ADMINISTRATIVE

Personne qui effectue diverses tâches de recherche et d'analyse de l'information en vue d'aider à la réalisation d'enquêtes administratives commandées par des organismes publics ou privés à des fins d'évaluation (qualité des services, satisfaction de la clientèle, conformité aux normes, etc.). Elle participe à la planification de la méthode d'enquête, recherche et compile l'information nécessaire pour monter les dossiers, analyse et évalue les données selon les critères établis et rédige, en tout ou en partie, les rapports d'enquête ainsi que les recommandations de changement, s'il y a lieu. *Elle doit faire preuve de rigueur et d'objectivité dans la recherche et l'analyse de l'information afin de fournir un rapport fiable et fondé.* CLÉO 612.47   C

TECHNICIEN, TECHNICIENNE EN FINANCE

Personne qui, pour le compte d'une industrie, d'un commerce, d'un bureau de comptable ou d'une institution financière, accomplit diverses tâches liées à l'enregistrement, à l'analyse ou au traitement des transactions financières. Elle peut, entre autres, faire des analyses de crédit afin de déterminer le profil financier et la capacité de payer des clients, préparer des factures, enregistrer des paiements, gérer les dépenses de l'entreprise ou les salaires des employés et préparer des états financiers ou des déclarations de revenus. *Elle doit être capable d'utiliser les logiciels de comptabilité et avoir un bon esprit d'analyse afin d'interpréter avec justesse le sens et la portée des données financières qu'elle manipule.* CLÉO 423.10   C

TECHNICIEN, TECHNICIENNE EN GESTION DE DOCUMENTS

Personne qui conçoit, organise et implante des systèmes de classification de documents administratifs dans les divers milieux et institutions en vue de faciliter le repérage, la consultation et d'établir un calendrier de conservation selon la valeur des documents. À cette fin, elle analyse les besoins, évalue les systèmes existants, fait l'inventaire sommaire et le tri des documents, conçoit et met en place un système amélioré de classification et forme le personnel aux nouvelles méthodes. *Elle s'efforce de mettre sur pied un système de classification qui facilitera et accélérera la consultation afin de répondre aux besoins des usagers.* CLÉO 632.04   C

TECHNICIEN, TECHNICIENNE EN GESTION DE SERVICES ALIMENTAIRES

Personne qui gère les ressources humaines, matérielles et financières d'un service de restauration dans un centre hospitalier ou un autre établissement semblable en vue de rendre le service opérationnel et rentable et de satisfaire la clientèle. Elle participe, entre autres, à l'embauche et à la formation du personnel, à la répartition des tâches et à l'établissement des horaires, elle détermine les achats de denrées nécessaires au fonctionnement et elle participe à l'élaboration des menus. *Elle veille au respect des normes d'hygiène et de salubrité afin d'assurer la qualité des produits et des services offerts.* CLÉO 511.02   C

TECHNICIEN, TECHNICIENNE EN HYGIÈNE INDUSTRIELLE

Personne qui travaille à l'évaluation, à la détection et à la prévention en matière d'hygiène, de santé et de sécurité au travail. À cette fin, elle met en oeuvre des programmes d'intervention visant l'amélioration des conditions de travail et elle recueille, mesure, traite ou analyse des contaminants, des contraintes thermiques, des bruits et des postes de travail. *Elle veille à l'application de mesures de prévention des accidents et maladies professionnelles.* CLÉO 211.13   C

Un **technicien en impression** examine le résultat d'une impression provenant d'une presse à journaux
PHOTO: Ministère des Ressources naturelles du Québec

TECHNICIEN, TECHNICIENNE EN IMPRESSION

Personne qui réalise des travaux d'impression sur divers types de matériaux (papier, carton, plastique, tissu, métal, etc.) en faisant fonctionner une presse à imprimer conçue, selon le cas, pour l'impression de documents écrits, d'affiches, de tissus, de contenants, de papeterie, de papier-tenture (presse offset, rotative, à feuilles, à sérigraphie, flexographique, etc.). Elle prépare la presse, les solutions de mouillage et les matières premières (plaques, papier, encres) nécessaires au tirage, effectue tous les réglages requis pour le fonctionnement optimal de la presse (positionnement du travail à reproduire, sélection et équilibrage des couleurs, ajustement des pressions, des pièces mécaniques et des contrôles de repérages, etc.) et examine des copies en cours d'impression pour vérifier le rendu de qualité. Elle effectue également des vérifications régulières de l'équipement afin de s'assurer de son bon fonctionnement. *Elle veille à bien connaître le fonctionnement de la presse utilisée afin de pouvoir assurer une impression conforme aux devis techniques et aux normes de qualité.* CLÉO 235.07   C/S

TECHNICIEN, TECHNICIENNE EN LOGISTIQUE DU TRANSPORT INTERMODAL Personne qui organise et prend en charge l'expédition de tout type de marchandise partout dans le monde et par différents modes de transport, selon les besoins de sa clientèle (exportateurs, importateurs, grossistes, fabricants, etc.). À cette fin, elle fait les recherches nécessaires auprès des compagnies de transport (aérien, maritime, ferroviaire, routier), met au point un plan d'acheminement approprié, négocie les ententes, prépare les documents requis et assure le suivi auprès des transporteurs, des courtiers en douanes et des destinataires. *Elle s'efforce d'établir des plans de transport aussi pratiques, rapides et économiques que possible en tenant compte de la nature et de la quantité des marchandises en cause, des étapes du parcours du point de départ jusqu'à destination et de la réglementation régissant le transport continental et outre-mer.*
CLÉO 433.13   C

TECHNICIEN, TECHNICIENNE EN LOISIRS Personne qui planifie, gère et organise des programmes d'activités de loisir sociales, culturelles et sportives et qui en assure l'animation dans un service de loisirs municipal, une maison de jeunes, une résidence pour personnes âgées, une base de plein air ou un établissement d'enseignement. *Elle veille à faire preuve de créativité et d'originalité pour rendre les activités accessibles et à proposer des activités adaptées aux besoins de sa clientèle afin de susciter la participation des personnes en grand nombre.*
CLÉO 514.03   C

TECHNICIEN, TECHNICIENNE EN MARKETING Personne qui, dans une entreprise industrielle ou commerciale, exerce des fonctions liées à la mise en marché et à la commercialisation des produits ou des services. Elle participe à des études de marché pour recueillir de l'information sur la concurrence ou sur les consommateurs (goûts, besoins, habitudes de consommation, etc.), en vue de mettre au point des produits ou des services ou d'évaluer la satisfaction des clients. Elle peut coordonner l'application de stratégies de mise en marché (campagne de publicité télévisée, marketing direct par téléphone ou par courrier, participation à une foire commerciale, mise sur pied d'une équipe de représentants de commerce, etc.) en vue de faire connaître et de stimuler la vente de produits ou de services et s'occuper directement de vendre ou d'acheter des produits ou des services pour le compte de l'entreprise ou encore être représentante commerciale (promotion, prospection de clients, négociation de contrats, services après-vente).
CLÉO 432.08   C

TECHNICIEN, TECHNICIENNE EN MÉTÉOROLOGIE Personne qui, en collaboration avec les météorologues, effectue la collecte de données pour la préparation des bulletins de météo (conditions actuelles du temps et prévisions à court ou moyen terme pour diverses régions) et qui communique cette information, par radio ou par téléphone, à la clientèle desservie par la station (personnel de l'industrie du transport, médias, grand public, etc.). Elle peut également s'occuper de la mise à jour des banques de données météorologiques et de l'établissement de statistiques.
CLÉO 114.02   C

TECHNICIEN, TECHNICIENNE EN MUSÉOLOGIE Personne qui travaille au montage et au démontage des expositions dans un musée, une galerie d'art ou un centre culturel. Elle prépare des plans et devis, des maquettes, fait l'estimation des coûts, prépare l'échéancier des travaux, prévoit le matériel nécessaire au montage, installe les oeuvres, vérifie les installations tout au long de l'exposition et s'occupe du démontage et de la manutention des oeuvres à la fin de l'exposition. *Elle veille à la solidité des installations et à la sécurité des oeuvres dès leur arrivée afin de s'assurer qu'elles ne soient pas endommagées.*
CLÉO 632.09   C

Des **techniciens en muséologie** installent avec précaution une oeuvre d'art de grande envergure
PHOTO: Patrick Altman/Musée du Québec

TECHNICIEN, TECHNICIENNE EN NUTRITION CLINIQUE Personne qui, en collaboration avec des diététistes, s'occupe de l'application adéquate des régimes alimentaires prescrits aux bénéficiaires dans un hôpital, un centre d'accueil ou tout autre établissement hospitalier. À cette fin, elle explique aux bénéficiaires la nature et les objectifs de la diète qui leur a été recommandée, elle dirige la préparation et la distribution des repas afin de s'assurer de leur conformité aux exigences nutritionnelles établies, elle planifie des menus et participe aux achats. Elle peut également expérimenter des recettes et en comparer les coûts de revient en vue de proposer des menus variés et économiques pour différents types de régimes.
CLÉO 518.05   C

TECHNICIEN, TECHNICIENNE EN PÂTES ET PAPIERS (SERVICES TECHNIQUES) Personne qui réalise, tant en laboratoire qu'en usine, divers essais et tests de nouveaux produits, de nouveaux procédés ou de produits existants modifiés en vue de régler des problèmes spécifiques, d'augmenter la productivité ou de diminuer les coûts de production. *Elle se préoccupe de contribuer à l'amélioration des produits, des procédés de fabrication et des équipements afin d'augmenter la rentabilité de l'entreprise.*
CLÉO 226.02   C

Des **techniciens en pâtes et papiers** supervisent en usine un essai de trituration de papiers recyclés
PHOTO: Cégep de Trois-Rivières

TECHNICIEN, TECHNICIENNE EN PRODUCTION MANUFACTURIÈRE Personne qui coordonne le fonctionnement d'une unité ou d'un département de production manufacturière en vue d'en assurer le bon déroulement. À cette fin, elle élabore des méthodes, implante des procédés ou des techniques et met en place des équipements de travail en vue de résoudre des problèmes de production liés aux matériaux, aux machines ou au personnel. *Elle se préoccupe de régulariser et d'optimiser la production afin d'éviter les pertes de temps et d'argent.*
CLÉO 211.08   C

TECHNICIEN, TECHNICIENNE EN RADIO TÉLÉDIFFUSION Personne qui, dans une station de radio ou de télévision, fait fonctionner divers appareils et installations techniques spécialisés servant à capter et à traiter diverses sources d'émission visuelle ou sonore et à diffuser les émissions et la publicité sur les ondes, en direct ou en différé. *Elle veille à surveiller continuellement le fonctionnement des équipements afin d'intervenir rapidement au besoin et d'assurer la qualité de diffusion des émissions.*
CLÉO 624.72   C

TECHNICIEN, TECHNICIENNE EN RAVITAILLEMENT Personne qui, en tant que membre des forces armées, s'assure de la disponibilité du matériel nécessaire au fonctionnement de l'organisation. À cette fin, elle s'occupe des achats, de l'entreposage, de l'expédition, de la réception des marchandises et de la tenue de l'inventaire. Elle s'occupe également de la manutention et de la livraison du matériel aux unités opérationnelles, de la facturation et de la mise à jour des dossiers et des comptes. *Elle se préoccupe de tenir à jour l'inventaire des marchandises afin d'en assurer la disponibilité en tout temps.*
CLÉO 333.04   C

TECHNICIEN, TECHNICIENNE EN RECHERCHE ET DÉVELOPPEMENT Personne qui effectue divers tests et essais en laboratoire en vue d'étudier et d'analyser les procédés de fabrication des pâtes et papiers et de mettre au point, d'améliorer ou d'innover des produits, des équipements et des procédés de fabrication. *Elle a le souci de connaître les besoins de la clientèle afin de créer des produits qui répondront à ses attentes.*
CLÉO 226.01   C

TECHNICIEN, TECHNICIENNE EN SANTÉ ANIMALE Personne qui effectue différentes techniques en vue d'assister le médecin vétérinaire dans son travail. Elle s'occupe, entre autres, de participer aux soins des animaux, aux chirurgies, aux traitements, aux tests diagnostiques et aux recherches en laboratoire. Elle peut travailler dans une clinique vétérinaire, une ferme, un laboratoire ou encore dans un jardin zoologique. *Elle veille à prodiguer aux animaux les soins appropriés et à effectuer l'entretien du matériel utilisé à cette fin afin de contribuer efficacement aux soins et traitements donnés aux animaux.*
CLÉO 126.30   C

TECHNICIEN, TECHNICIENNE EN STATISTIQUES Personne qui, dans le cadre de recherches, d'enquêtes et de sondages d'opinion visant à recueillir de l'information sur des questions sociales, économiques ou commerciales ou à mesurer des comportements humains à l'égard de différents sujets, s'occupe de l'organisation et de la gestion informatique des bases de données, de l'analyse statistique des résultats et de leur présentation. À cette fin, elle planifie le système de codification des données, entre les données recueillies sur ordinateur et procède, à l'aide de logiciels statistiques et de chiffriers, aux opérations nécessaires pour quantifier les résultats en fonction des besoins de la recherche (ex.: dénombrement des réponses, calculs de pourcentages et de moyennes, classification numérique des résultats par catégorie). Elle s'occupe également de préparer divers tableaux et graphiques des résultats et de rédiger, en tout ou en partie, les rapports de recherche ou autres documents de présentation. *Elle s'efforce de gérer méthodiquement les données, généralement très nombreuses, qui lui sont remises afin de permettre une compilation statistique des résultats qui soit basée sur des données exactes et complètes.*
CLÉO 612.48   C

TECHNICIEN, TECHNICIENNE EN TRANSPORT

Personne qui effectue des tâches liées à la planification, à la coordination ou au contrôle des activités de transport de personnes ou de marchandises dans une entreprise (compagnie de transport routier ou ferroviaire, compagnie de transport en commun, compagnie d'entreposage, centre de distribution, entreprise manufacturière, etc.). Selon son mandat, elle s'occupe de l'établissement des horaires et des itinéraires, de la vente de services à la clientèle, de la tarification et de la facturation, de la répartition locale et longue distance des voyages, de la gestion des véhicules, de la réception, de l'entreposage et de l'expédition des marchandises, des réclamations et des documents liés à l'importation ou l'exportation de marchandises. Elle doit faire preuve d'un bon sens de l'organisation afin de pouvoir gérer efficacement les multiples données dont elle doit tenir compte.
CLÉO 433.04   C

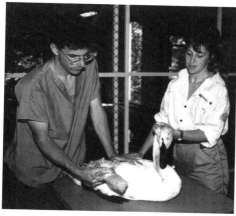

Une **technicienne en santé animale** assiste
un vétérinaire dans un jardin zoologique
PHOTO: Michel Major/Ordre des médecins vétérinaires du Québec

TECHNICIEN, TECHNICIENNE EN TRAVAIL SOCIAL

Personne qui intervient auprès de particuliers ou de groupes et qui les renseigne sur les services et ressources nécessaires et disponibles pour les aider à solutionner leurs difficultés et favoriser ou faciliter leur adaptation sociale. À cette fin, elle rencontre les personnes, cerne leurs problèmes et leurs besoins, les informe sur les ressources disponibles et la manière d'y accéder et leur fournit soutien et assistance dans leurs démarches. Elle peut travailler dans un établissement d'enseignement, dans un centre local de services communautaires et auprès de diverses clientèles comme les enfants, les adultes, les personnes âgées ou les personnes handicapées. *Elle se préoccupe de donner le soutien et l'assistance nécessaires afin de contribuer à l'amélioration de la situation des personnes.*
CLÉO 531.12   C

TECHNICIEN, TECHNICIENNE EN ZOOLOGIE

Personne qui collabore aux travaux des zoologistes sur les phénomènes relatifs à la vie des animaux. Elle s'occupe, entre autres, de recueillir des données et des spécimens en milieu naturel et d'effectuer des observations, des tests ou des analyses en laboratoire. *Elle s'assure de respecter les méthodes de recherche établies et de recueillir des données précises afin d'assurer la fiabilité des résultats.*
CLÉO 113.11   C

TECHNICIEN ÉQUIN, TECHNICIENNE ÉQUINE

Personne qui enseigne l'équitation en selle western ou anglaise ou qui entraîne les chevaux de course dans un centre équestre, un club de randonnée ou un centre d'entraînement. Elle est responsable de l'organisation des soins, du programme d'alimentation, de l'élevage, du dressage des chevaux et de l'entretien de l'écurie. Selon son mandat, elle entraîne des chevaux pour la course ou elle travaille à la promotion de l'entreprise équestre. *Elle veille à offrir une formation de qualité et à s'assurer de la qualité des soins et de la santé des chevaux afin de contribuer à la rentabilité de l'entreprise.*
CLÉO 126.14   C

TECHNICIEN, TECHNICIENNE INFOGRAPHISTE

Personne qui, à l'aide d'un ensemble de moyens informatiques, saisit, transforme, stocke, traite et met en page sur ordinateur des images et des textes conçus par des spécialistes de la communication (graphiste, concepteurs-infographistes, designers visuels en multimédia, rédacteurs, scénaristes interactifs, etc.) pour les fins d'une publication imprimée ou électronique. À cette fin, elle prend connaissance des spécifications fournies sur le contenu, l'organisation et le type de support désiré, elle détermine les techniques nécessaires au traitement infographique et en réalise toutes les étapes au moyen de divers logiciels de conception graphique et de traitement visuel de l'information. Elle produit généralement le matériel sur un support électronique prêt pour l'impression ou pour l'intégration à un produit multimédia. *Elle veille à être en mesure d'utiliser plusieurs types de logiciels d'infographie et à rester à l'affût des progrès technologiques dans ce domaine afin de pouvoir répondre à des demandes diversifiées.*
CLÉO 626.06   C

TECHNICIEN, TECHNICIENNE JURIDIQUE

Personne qui effectue différentes tâches techniques pour assister un avocat, un notaire ou autre juriste dans le règlement des affaires juridiques. Elle s'occupe, entre autres, de faire des recherches sur les lois, règlements et jurisprudence entourant les cas soumis, de préparer et analyser des documents juridiques et de participer à certaines audiences devant les tribunaux. *Elle s'efforce de bien*

préparer les dossiers en prévoyant tous les documents utiles et de connaître en détail les renseignements qu'ils renferment afin d'apporter un soutien efficace au juriste.
CLÉO 321.11   C

TECHNICIEN SPÉCIALISTE, TECHNICIENNE SPÉCIALISTE EN GÉNIE NAVAL
Personne qui participe à différents travaux liés à la conception, à la modification ou à la restauration de divers types de navires. Elle participe, entre autres, à l'étude des plans, à la planification des méthodes de construction ou de réparation, à la surveillance des travaux, aux inspections de contrôle de la qualité et aux essais de rendement. *Elle se préoccupe de déceler et de signaler tout problème relatif à la structure du bâtiment naval ou au fonctionnement des équipements mécaniques et électriques afin que des mesures soient prises pour corriger ce problème.*
CLÉO 232.33   C

TECHNOLOGISTE EN CYTOLOGIE
Personne qui effectue en laboratoire différents tests et analyses d'échantillons de sécrétions organiques prélevées chez un patient en vue de permettre au médecin de diagnostiquer les maladies et d'assurer un suivi du patient. À cette fin, elle doit effectuer des prélèvements, préparer les échantillons, examiner les caractéristiques des cellules, faire les analyses et en assurer la qualité. *Elle veille à faire un examen méticuleux des cellules et à signaler toute anomalie afin de permettre au médecin de poser le bon diagnostic et, selon le cas, de recommander le traitement approprié au patient.*
CLÉO 525.25   C

TECHNOLOGISTE MÉDICAL, TECHNOLOGISTE MÉDICALE
Personne qui effectue en laboratoire des analyses de produits biologiques (sang, urine, etc.) en vue de permettre au médecin de diagnostiquer les maladies (leucémie, anémie, diabète, etc.), d'assurer un suivi adéquat du patient et de son traitement. À cette fin, elle doit, entre autres, effectuer des prélèvements, les préparer pour les tests et analyser les échantillons. Ces champs d'activités sont la biochimie, l'histologie, la microbiologie et l'hématologie. *Elle s'assure de la précision et de l'exactitude des résultats afin de permettre au médecin de poser un diagnostic juste.*
CLÉO 525.23   C

TECHNOLOGUE AGRICOLE
Personne qui participe au développement et à la production de plantes ornementales, de céréales, d'herbages ou de plantes maraîchères pour l'alimentation animale ou humaine ou au développement et à l'élevage des troupeaux (bovins, porcs, volailles, ovins, etc.). À cette fin, elle s'enquiert des préoccupations des producteurs agricoles et assure le suivi des cultures et élevages de manière à répondre à leurs besoins. Elle procède également à des observations et des analyses afin de donner des conseils techniques appropriés et apporte son aide en ce qui concerne la conservation et la gestion des sols. *Elle s'efforce de trouver des solutions aux problèmes des propriétaires d'entreprises agricoles et de favoriser une saine gestion de la production en vue de contribuer au succès de leur entreprise.*
CLÉO 124.10   C

TECHNOLOGUE D'ESSAIS ÉLECTRIQUES
Personne qui essaie, vérifie et règle des appareils et des systèmes de production, de transmission et de distribution de l'électricité tels que des gaines de câbles, des dispositifs de protection, du matériel régulateur, des transformateurs en vue d'assurer l'acheminement du courant électrique selon les normes établies. *Elle s'efforce de détecter toute défectuosité afin de pouvoir rapidement y remédier et d'assurer ainsi la qualité des services offerts.*
CLÉO 224.06   C

TECHNOLOGUE D'INSTALLATION DE TRAITEMENT CHIMIQUE
Personne qui coordonne les opérations de transformation des substances chimiques en produits industriels ou de consommation en vue d'assurer la qualité du produit fabriqué et d'optimiser la production. À cette fin, elle vérifie le fonctionnement de l'équipement, prélève des échantillons des produits au cours des différentes étapes de transformation pour en vérifier la qualité et s'assurer que toutes les mesures concernant la sécurité et la protection de l'environnement sont respectées. *Elle s'efforce de faire preuve de rigueur dans ses tournées d'inspection afin de détecter toute anomalie et afin de s'assurer que les produits sont conformes aux normes établies.*
CLÉO 229.13   C

TECHNOLOGUE DE CENTRALE NUCLÉAIRE
Personne qui effectue diverses tâches techniques liées à l'exploitation, à l'entretien, à la production et au contrôle de la qualité dans une centrale nucléaire. Elle s'occupe, entre autres, de la mise en marche, de l'arrêt et du réglage des dispositifs de commande d'un réacteur nucléaire, du réglage des appareils qui traitent les combustibles nucléaires et de l'analyse des radiations. *Elle veille à respecter toutes les mesures de sécurité établies afin d'assurer la protection de tous et de toutes.*
CLÉO 224.03   C

TECHNOLOGUE DE L'ÉVALUATION FONCIÈRE ET IMMOBILIÈRE
Personne qui, en collaboration avec un évaluateur agréé, travaille à l'évaluation de biens immobiliers aux fins de taxation, vente, financement, analyse de rentabilité. Elle s'occupe,

entre autres, de procéder à l'inspection des propriétés (résidentielle, commerciale, agricole ou institutionnelle), d'effectuer différents calculs (coûts d'entretien, revenus de location, prix de vente moyen de propriétés comparables, valeur de dépréciation et de rénovation des biens immobiliers, etc.) et de recueillir les données nécessaires à l'évaluation globale. *Elle veille à vérifier ou à préciser les renseignements fournis par les propriétaires en consultant les archives, les baux, les actes notariés, les factures et autres documents relatifs à la propriété afin de permettre une évaluation juste et objective.*

CLÉO 423.33　　　　　　　　　　　　　　C

TECHNOLOGUE DE LABORATOIRE DE PHYSIQUE
Personne qui, dans un laboratoire de recherche, effectue diverses tâches complexes en vue d'aider à la conception, à la mise en oeuvre et à la réalisation de projets de recherche dans les domaines de la mécanique, de l'optique, de l'acoustique ou autres. Elle doit, entre autres, prendre connaissance du projet afin de prévoir les particularités et les besoins techniques, faire le choix des instruments nécessaires, procéder à la collecte de données à l'aide de divers instruments sophistiqués (appareils de mesure quanta, spectromètres, densimètres, etc.) et participer à l'analyse des résultats. *Elle veille à faire preuve de méthode et de minutie afin de contribuer efficacement à la solution de problèmes de physique pour lesquels les recherches sont effectuées.*

CLÉO 612.03　　　　　　　　　　　　　　C

Un technologue de laboratoire de physique
procède à la mise en marche d'un système à vide
PHOTO: Cégep de La Pocatière–Dép. de technologie physique

TECHNOLOGUE DES PRODUITS ALIMENTAIRES
Personne qui exécute diverses tâches techniques en laboratoire dans le domaine de l'alimentation. Elle s'occupe, entre autres, d'analyser des aliments pour en déterminer la teneur en sucre, d'expérimenter des recettes, de contrôler la qualité et de procéder à des vérifications en vue d'assurer le contrôle de la qualité à chacune des étapes de la production, par des tests mécaniques, chimiques et bactériologiques. Elle participe également à la conception et à la mise au point de nouveaux produits et procédés. *Elle se préoccupe, dans ses diverses tâches, de la conformité aux normes d'hygiène et de qualité établies afin de contribuer à la production d'aliments de qualité.*

CLÉO 228.04　　　　　　　　　　　　　　C

TECHNOLOGUE DES TEXTILES
Personne qui effectue diverses tâches liées à la fabrication des textiles dans le but de contrôler, superviser et améliorer les procédés de transformation et de fabrication de produits textiles (tissus pour vêtement ou ameublement, géotextiles, biotextiles, tapis). À cette fin, elle évalue, vérifie, corrige, améliore et met en oeuvre les procédés de transformation, elle coordonne les diverses étapes de la fabrication et procède à des recherches sur la qualité des produits en vue d'atteindre les objectifs de production visés ou d'améliorer la productivité dans le respect des normes de qualité établies. *Elle veille à déceler toute erreur de fabrication et d'en déterminer les causes afin de pouvoir remédier rapidement à la situation et de limiter les pertes de l'entreprise.*

CLÉO 227.03　　　　　　　　　　　　　　C

TECHNOLOGUE EN AÉRONAUTIQUE
Personne qui, en collaboration avec des ingénieurs, planifie et met au point des méthodes de fabrication et d'entretien des aéronefs et qui participe à l'expérimentation de nouveaux prototypes. Elle fait également de la conception et de la fabrication assistées par ordinateur, prépare les devis nécessaires à la vérification des systèmes électroniques, hydrauliques, pneumatiques et mécaniques et assume les décisions relatives aux modifications ou aux réparations des aéronefs. *Elle veille au respect et à l'application des normes de qualité et de sécurité.*

CLÉO 232.42　　　　　　　　　　　　　　C

TECHNOLOGUE EN ANALYSE D'ENTRETIEN DE SYSTÈMES INDUSTRIELS
Personne qui planifie, développe ou dirige la mise en marche ou l'amélioration des machines ou du système de production et les travaux d'installation, d'entretien ou de réparation des machines et des systèmes industriels. À cette fin, elle s'occupe de concevoir, d'implanter ou de gérer les méthodes et procédés d'entretien appropriés et de concevoir et proposer des mesures susceptibles d'améliorer l'entretien, le rendement et le fonctionnement des machines et de diminuer les coûts.

CLÉO 211.15　　　　　　　　　　　　　　C

TECHNOLOGUE EN ARCHITECTURE Personne qui, seule ou en collaboration avec des architectes ou des ingénieurs, effectue des recherches, trace des dessins, des maquettes, des devis, les contrats et assure la surveillance de projets de construction. À cette fin, elle analyse les plans, en fait des dessins clairs et précis et y ajoute des directives détaillées, elle estime les coûts et les délais des travaux et elle se rend sur le chantier pour s'assurer de la conformité des travaux aux plans et devis et aux normes établies. *Elle veille à suivre les travaux et à bien connaître le Code du bâtiment, les règlements municipaux et les exigences en matière d'espace et d'implantation de projets de construction afin de s'assurer de la conformité des travaux aux normes et exigences établies.*
CLÉO 241.06   C

Un **technologue en assainissement de l'eau** échantillonne l'eau d'un bassin de traitement dans une grande papetière
PHOTO: Domtar

TECHNOLOGUE EN ASSAINISSEMENT DE L'EAU Personne qui fait des tests en laboratoire et qui effectue des tâches techniques liées au fonctionnement, à l'entretien et à la gestion d'une usine de traitement des eaux, brutes ou usées en vue d'assurer le contrôle de la qualité des eaux traitées en usine. Selon son mandat, elle peut également faire des travaux d'inventaire, d'évaluation et d'assainissement des cours d'eau ou des réserves souterraines, participer à la mise en place de systèmes d'aqueduc et d'égouts et voir au contrôle des substances nuisibles dans ces installations. *Elle s'efforce de détecter rapidement toute défaillance dans les installations ou les procédés de traitement afin de prévenir la contamination de l'eau potable ou la pollution des cours d'eau.*
CLÉO 121.02   C

TECHNOLOGUE EN ASSAINISSEMENT ET SÉCURITÉ INDUSTRIELS Personne qui, dans une industrie, vérifie la salubrité des lieux et la concentration de polluants dans l'air, l'eau et le sol et qui veille à l'application de mesures pour corriger les situations non conformes aux normes d'hygiène et de tolérance à la pollution. *Elle s'efforce d'améliorer autant que possible la qualité de l'environnement afin d'assurer la santé, le confort et la sécurité du personnel et de minimiser les risques de maladies liées au milieu de travail.*
CLÉO 132.06   C

TECHNOLOGUE EN AVIONIQUE Personne qui travaille à la planification, à la direction et à la réalisation des modifications ou de l'optimisation de systèmes avioniques en vue d'obtenir des rendements supérieurs ou plus fiables. Elle veille, entre autres, à l'installation, à la mise en état de navigabilité, à l'entretien préventif, au dépannage et à la réparation des systèmes électriques et électroniques et elle s'assure du respect des lois et règlements en matière d'aéronautique. *Elle veille à améliorer des systèmes afin de diminuer le nombre de pannes et de diminuer les coûts d'entretien et de réparation.*
CLÉO 232.51   C

TECHNOLOGUE EN BACTÉRIOLOGIE Personne qui effectue divers types de tests techniques et d'analyses biologiques en laboratoire en vue d'identifier, d'étudier ou de limiter la prolifération de bactéries spécifiques dans les organismes vivants, l'eau, le sol et, de façon générale, dans tous les produits fabriqués par l'homme. À cette fin, elle effectue en collaboration avec des spécialistes en biologie (bactériologistes, microbiologistes, zoologistes, etc.), des travaux de recherche scientifique ou de contrôle de la qualité de l'eau, du sol et de produits de consommation (alimentaires, pharmaceutiques, industriels). Elle recueille des spécimens et les analyse et elle fait des cultures de bactéries et des tests en laboratoire pour déterminer les effets de certaines bactéries sur différents produits ou pour vérifier l'efficacité de produits destinés à les enrayer.
CLÉO 612.30   C

TECHNOLOGUE EN BIOCHIMIE Personne qui effectue diverses analyses en laboratoire sur les composantes chimiques et leurs modifications dans l'organisme humain en vue de fournir des renseignements qui serviront au diagnostic, au traitement et à la prévention de maladies. Elle s'occupe, entre autres, d'analyser des spécimens (sang, urine, etc.) et d'observer l'apparence, la couleur et le précipité à partir desquels les résultats de l'analyse sont donnés, elle apporte sa contribution en recherche sur la chimie des processus (croissance, reproduction, infection, etc.)

et sur les substances chimiques et biologiques susceptibles de servir à la fabrication de médicaments. Elle peut travailler dans tout laboratoire où se font des analyses chimiques, biologiques ou biochimiques (industries agroalimentaires, de cosmétiques, etc.). *Elle s'efforce de faire preuve de minutie dans ses tests et analyses et de bien rendre compte de ses observations afin de contribuer de façon efficace aux recherches effectuées.*
CLÉO 612.23   C

TECHNOLOGUE EN BOTANIQUE Personne qui collabore aux travaux des botanistes en nature, en serre ou en laboratoire, pour aider aux recherches scientifiques sur les plantes ou aux interventions sur le terrain visant à protéger la flore. Elle s'occupe, entre autres, de recueillir et de classer des spécimens, de faire des expériences de culture ou de manipulation génétique en milieu contrôlé, de recueillir des données d'observation sur des phénomènes particuliers et de rédiger des rapports d'expérimentation. *Elle veille à respecter les méthodes de recherche établies et à recueillir des données précises afin d'assurer la fiabilité des résultats.*
CLÉO 113.02   C

TECHNOLOGUE EN CÂBLODISTRIBUTION Personne qui installe, répare et entretient les réseaux de télétransmission et de câblodistribution ainsi que les accessoires connexes. Elle s'occupe, entre autres, d'inspecter et de réparer les câbles porteurs de signaux de télévision chez la clientèle, de vérifier et d'ajuster les câbles de transmission et de distribution à l'aide de divers appareils. *Elle veille à mettre à l'essai le matériel installé afin de s'assurer de son fonctionnement et d'offrir un service de qualité à la clientèle.*
CLÉO 252.17   C

Une **technologue en cartographie** dispose d'un équipement à la fine pointe de la technologie pour produire des cartes de précision inégalée
PHOTO: Ministère des Ressources naturelles du Québec

TECHNOLOGUE EN CARTOGRAPHIE Personne qui conçoit et produit divers types de cartes (topographiques, routières, hydrographiques, forestières, minières, etc.) d'un territoire donné. À cette fin, elle rassemble les données pertinentes à l'aide de levés de terrain, de photographies aériennes ou de données à référence spatiale et les transpose sous forme de carte à l'aide d'un logiciel spécialisé. *Elle s'assure de sélectionner des données précises et à jour afin que les cartes représentent fidèlement le territoire et répondent aux besoins des usagers.*
CLÉO 112.07   C

TECHNOLOGUE EN CARTOGRAPHIE PÉTROLIÈRE Personne qui dresse, à l'ordinateur ou à la main, des cartes géologiques de gisements de pétrole ou de gaz naturel. À cette fin, elle réalise des cartes de coupe des formations rocheuses et y représente les données géologiques, topographiques et sismiques relevées au cours des campagnes d'exploration pétrolière. Elle trace également des cartes de profil du sous-sol sur lesquelles elle indique l'emplacement des gisements, la localisation, la direction et l'inclinaison des puits ainsi que la progression du forage au fur et à mesure des travaux. *Elle s'efforce de faire preuve de minutie dans l'exécution des cartes afin que celles-ci soient une référence fiable au cours des travaux.*
CLÉO 111.12   C

TECHNOLOGUE EN CHIMIE Personne qui effectue en laboratoire, en collaboration avec les chimistes, diverses expériences et tests visant la préparation, l'analyse et le contrôle de la qualité de produits chimiques en vue de contribuer à la mise au point de nouveaux procédés et produits. À cette fin, elle fait des expériences et des essais à l'aide de diverses techniques, elle prépare et traite des solutions, échantillons et réactifs, elle prépare et purifie de nouveaux produits et procède à la compilation et au traitement des données au sujet des analyses et expériences effectuées. Selon son mandat, elle participe également à la conception et à la fabrication d'appareils d'expérimentation et à l'élaboration de programmes d'échantillonnage et de contrôle de la qualité. *Elle se préoccupe des normes et mesures de sécurité en laboratoire afin d'assurer la sécurité des gens qui y travaillent et la qualité des produits traités.*
CLÉO 229.12   C

TECHNOLOGUE EN CHIMIE-BIOLOGIE Personne qui effectue en laboratoire des recherches et des analyses chimiques, biochimiques, biologiques et biotechnologiques en vue de mettre au point de nouvelles techniques et de nouveaux instruments qui pourraient servir dans le milieu médical, par exemple, ou encore en vue de trouver des utilisations possibles de certains organismes vivants (levures, bactéries, etc.) dans l'industrie agro-

alimentaire, pharmaceutique, de recyclage des déchets, etc. À cette fin, elle manipule et observe des virus, des bactéries et des anticorps et prend note des résultats de recherche. *Elle veille à travailler avec minutie et précision afin d'assurer la qualité des expériences effectuées en laboratoire.*
CLÉO 612.25   C

TECHNOLOGUE EN CONSTRUCTION AÉRO-NAUTIQUE
Personne qui réalise différents travaux techniques liés à la conception, à la production, à l'inspection, à l'exploitation, à l'entretien et au contrôle de la qualité des aéronefs et des propulseurs. Elle participe, entre autres, à la conception et à la réalisation des dessins et devis, à l'inspection des projets de construction et des installations et à la conception des divers accessoires utilisés pour la fabrication. Elle s'occupe également de préparer et de régler l'outillage de la chaîne de production, de participer aux vérifications en laboratoire et aux tests de résistance des matériaux et d'effectuer la rédaction de rapports techniques.
CLÉO 232.43   C

TECHNOLOGUE EN CONTRÔLE DE LA QUALITÉ DES PRODUITS ALIMENTAIRES
Personne qui prélève des échantillons, qui effectue des tests chimiques, physiques et microbiologiques, qui vérifie les procédés de fabrication et de production alimentaire en vue de répondre aux normes d'hygiène et de qualité en vigueur. Elle participe également à la conception de projets d'amélioration ou d'innovation de produits et de procédés. *Elle veille à l'application stricte des normes de qualité et de salubrité afin d'assurer la qualité des produits alimentaires.*
CLÉO 228.14   C

TECHNOLOGUE EN CRÉATION DE NOUVEAUX PRODUITS ALIMENTAIRES
Personne qui effectue en laboratoire divers tests et analyses pour assurer le contrôle de la qualité ainsi que des expériences pour mettre au point de nouveaux produits alimentaires ou améliorer des produits existants. Elle s'occupe, entre autres, de faire diverses analyses des produits et composantes, d'expérimenter divers procédés de production et de trouver des solutions pour modifier les produits jugés insatisfaisants. *Elle se préoccupe de mettre au point des produits qui correspondent aux goûts et aux besoins des consommateurs et qui possèdent des qualités nutritives.*
CLÉO 228.03   C

TECHNOLOGUE EN DÉPISTAGE
Personne qui planifie et effectue le dépistage et l'échantillonnage des ennemis de culture (insectes, maladies, mauvaises herbes). Elle étudie leur développement, leur évolution et les dommages qu'ils peuvent occasionner. Elle s'occupe de commu-

niquer les résultats de l'étude aux producteurs afin de leur permettre, s'il y a lieu, de prendre les mesures nécessaires. *Elle s'efforce de suivre l'évolution de tout ennemi de culture pouvant nuire à la récolte afin de procéder à l'application d'une méthode de contrôle et d'assurer ou de sauver la récolte.*
CLÉO 124.07   C

TECHNOLOGUE EN ÉLECTROPHYSIOLOGIE MÉDICALE
Personne qui effectue des examens médicaux à l'aide d'appareils électroniques (électroencéphalographe, myographe, cardiographe, etc.) servant à capter et à enregistrer l'activité cardiaque, cérébrale, etc., en vue de permettre aux médecins de diagnostiquer certaines maladies, lésions ou anomalies. À cette fin, elle prépare le patient, effectue les examens demandés, lit les données recueillies et poursuit l'examen en fonction des données enregistrées. *Elle s'efforce de manipuler et d'utiliser les appareils avec précision afin d'enregistrer correctement les données et de permettre au médecin de poser un diagnostic précis.*
CLÉO 525.24   C

Une **technologue en chimie-biologie** au travail dans un laboratoire environnemental d'une grande fonderie
PHOTO: Contractuelle/Métallurgie Noranda–Fonderie Horne

TECHNOLOGUE EN ENTRETIEN D'AÉRONEFS
Personne qui vérifie, répare et remplace les composantes d'aéronefs en vue de les maintenir en bon état de navigabilité conformément aux lois et règlements de l'aéronautique en vigueur. Elle peut également faire des opérations de brousse, de la surveillance ou de la détection d'incendies de forêt, du transport de produits dangereux ou encore travailler à la transformation d'aménagement intérieur ou extérieur d'aéronefs. *Elle s'efforce de bien comprendre les principes de l'aéronautique et le fonctionnement de toutes les composantes des aéronefs afin d'être en mesure de déceler les causes des pannes ou des ennuis techniques et d'y remédier.*
CLÉO 232.50   C

TECHNOLOGUE EN ENVIRONNEMENT AGRICOLE
Personne qui effectue des tâches techniques liées à la gestion du territoire (aménagement, amélioration, fertilisation et conservation des sols et de l'eau). Elle participe aux expériences sur les sols et conseille les producteurs en vue d'améliorer le rendement et la qualité de la production végétale. Elle identifie les problèmes environnementaux (fumier, lisier, etc.), fait des études d'impact, procède à des prélèvements sur le terrain, effectue des analyses et dresse des plans d'utilisation des sols. Elle participe également à des projets de drainage, d'irrigation et de conservation des sols et de l'eau afin de proposer des solutions qui respectent l'environnement. *Elle s'efforce de guider efficacement les exploitants agricoles selon les diverses possibilités d'aménagement et de conservation du sol afin de satisfaire leurs besoins et d'améliorer le rendement de leur production.*
CLÉO 124.05　　　　　　　　　　　　　　C

TECHNOLOGUE EN ÉQUIPEMENT AUDIOVISUEL
Personne qui installe, entretient et répare les équipements audiovisuels comme les téléviseurs, les projecteurs et les magnétoscopes dans un établissement industriel, commercial ou gouvernemental ou en établissement d'enseignement. Elle s'occupe, entre autres, des installations, des modifications, de la réparation, du câblage et de l'entretien des appareils et équipements. *Elle veille à apporter une aide technique aux personnes qui utilisent le matériel audiovisuel afin d'assurer l'utilisation efficace et sécuritaire de l'équipement et de prévenir les bris.*
CLÉO 252.16　　　　　　　　　　　　　　C

TECHNOLOGUE EN ÉQUIPEMENT BIOMÉDICAL
Personne qui installe, entretient et répare les appareils utilisés dans le secteur médical (appareils d'électrophysiologie, de salle de chirurgie, de radiographie, etc.). Elle vérifie le fonctionnement des appareils, démonte les instruments et les appareils pour les réparer, remplace les pièces et les éléments défectueux et fournit une assistance technique aux utilisateurs. *Elle se préoccupe de déterminer avec précision l'origine des pannes, de réparer les appareils avec minutie afin d'assurer le bon fonctionnement de l'équipement et de permettre aux patients de recevoir des soins efficaces en toute sécurité.*
CLÉO 525.12　　　　　　　　　　　　　　C

TECHNOLOGUE EN ESTIMATION DES COÛTS DE CONSTRUCTION
Personne qui évalue les coûts des matériaux, de la main-d'oeuvre et des équipements nécessaires aux projets de construction. À cette fin, elle étudie les plans et devis, prépare des soumissions, estime le temps nécessaire à la réalisation, établit le calendrier des travaux et négocie les contrats avec les fournisseurs et sous-traitants. *Elle veille à prévoir le plus justement possible les coûts relatifs à la construction.*
CLÉO 241.11　　　　　　　　　　　　　　C

TECHNOLOGUE EN EXPLOITATION FORESTIÈRE
Personne qui organise et dirige les travaux liés aux opérations d'abattage, de mesurage, de chargement et de transport du bois. *Elle s'efforce d'organiser les diverses opérations avec soin afin de maximiser la production et veille à faire respecter les normes de sécurité et les règlements en vigueur de manière à éviter les accidents de travail, les incendies de forêt et les dommages abusifs au milieu environnant.*
CLÉO 123.02　　　　　　　　　　　　　　C

TECHNOLOGUE EN EXPLOITATION MINIÈRE
Personne qui effectue différentes tâches techniques liées à l'extraction du minerai. Elle s'occupe, entre autres, de l'arpentage, de la vérification de la qualité de l'air, de l'hygiène et de la sécurité au travail ainsi que du contrôle de la stabilité des excavations. Elle participe également à la planification et à l'élaboration des plans d'exploitation. *Elle veille à assurer en tout temps la santé et la sécurité des travailleurs afin d'assurer le meilleur rendement possible de l'exploitation.*
CLÉO 122.02　　　　　　　　　　　　　　C

TECHNOLOGUE EN FABRICATION DE PRODUITS LAITIERS
Personne qui contrôle les différentes étapes de fabrication des produits laitiers tels que le lait, le beurre et le fromage afin d'en assurer la qualité. À cette fin, elle consulte les résultats des analyses de laboratoire, elle supervise la fabrication des produits et veille au contrôle et à la régularité de la chaîne de production. Elle participe également à l'implantation de nouvelles technologies, à la formation du personnel et à la recherche de nouveaux produits. *Elle veille à faire respecter les règles d'hygiène et les techniques de fabrication établies afin d'assurer la qualité des produits et de contribuer à la rentabilité de l'entreprise.*
CLÉO 228.38　　　　　　　　　　　　　　C

TECHNOLOGUE EN FINITION DES TEXTILES
Personne qui effectue diverses tâches liées au contrôle de la qualité des procédés de finition des fils, fibres et tissus en vue d'obtenir des produits qui sauront satisfaire la clientèle. À cette fin, elle vérifie, corrige, améliore et met en oeuvre les procédés de finition. Elle coordonne les activités de production, elle prélève des échantillons, procède à des tests de contrôle de la qualité et expérimente de nouvelles teintures et couleurs ou encore de nouveaux procédés de finition. *Elle se préoccupe d'atteindre les objectifs de production visés et de respecter les normes de qualité établies et de sécurité au travail.*
CLÉO 227.10　　　　　　　　　　　　　　C　　227

Un **technologue en génie électronique** procède à la vérification d'un système électrodynamique

PHOTO: Consulab Educatech

TECHNOLOGUE EN GÉNIE CHIMIQUE Personne qui effectue des tâches techniques liées à l'installation et à l'entretien des appareils de production, à l'exploitation et à la mise au point des procédés industriels ainsi qu'au contrôle de la qualité en vue d'assurer le bon fonctionnement des procédés et des instruments de contrôle. À cette fin, elle participe à la mise au point des méthodes de fabrication, identifie et corrige les défauts mineurs dans les appareils de mesure, calibre les instruments de contrôle, effectue des tests et des analyses pour vérifier la qualité des produits et assure l'entretien des équipements. *Elle se préoccupe de faire les analyses avec minutie et selon les normes établies afin de contribuer efficacement au contrôle de la qualité.*
CLÉO 229.02   C

TECHNOLOGUE EN GÉNIE CIVIL Personne qui assiste l'ingénieur civil en effectuant diverses tâches techniques telles que des plans et dessins, préparer des devis de construction, faire l'estimation des coûts et des matériaux, faire les essais de matériaux de construction et surveiller les projets. *Elle s'efforce de faire preuve de précision au cours de ses recherches sur le terrain (étude des sols, quantité et coût des matériaux, etc.) afin d'être en mesure d'évaluer les travaux et de fournir des données fiables.*
CLÉO 241.03   C

TECHNOLOGUE EN GÉNIE ÉLECTRIQUE Personne qui participe à la fabrication d'appareils et d'installations électriques (relais, compteurs, indicateurs) et à la conception, à la mise au point et à l'essai de nouveaux systèmes, équipements ou appareils électriques. À cette fin, elle règle, assemble, installe, entretient et répare les appareils et les systèmes de production de transmission, de protection, de téléconduite et de distribution de l'électricité. Elle peut intervenir dans différents domaines (réseaux de l'électricité, des appareils électriques, de l'éclairage domestique).
CLÉO 224.07   C

TECHNOLOGUE EN GÉNIE ÉLECTRONIQUE Personne qui participe à la fabrication, à l'installation, à l'exploitation et à l'entretien d'appareils et de systèmes électroniques. Elle s'occupe, entre autres, d'assembler, de démonter et de réparer des circuits, des appareils, des instruments, des dispositifs ou des systèmes électroniques, de tester la durée de vie des équipements électroniques et de s'assurer de leur qualité. *Elle veille à respecter les normes établies afin d'assurer la fabrication et l'installation d'appareils de qualité et sécuritaires.*
CLÉO 233.02   C

TECHNOLOGUE EN GÉNIE MÉCANIQUE Personne qui effectue des tâches complexes et variées liées à la conception ou à la production mécanique dans l'industrie automobile, textile ou alimentaire. Elle participe, entre autres, à la conception de machines-outils, à la programmation des machines-outils informatisées et elle en planifie l'installation, la mise à l'essai et la production. Elle s'occupe également du contrôle de la qualité.
CLÉO 231.02   C

TECHNOLOGUE EN GÉNIE NUCLÉAIRE Personne qui effectue diverses tâches techniques liées aux recherches en physique nucléaire dans le but de collaborer à l'acquisition de nouvelles connaissances dans le domaine. Elle s'occupe, entre autres, de régler et de surveiller le fonctionnement de réacteurs nucléaires qui servent à l'étude de la structure des atomes, d'observer et de noter les phénomènes qui se produisent et de conduire un accélérateur de particules. *Elle veille à respecter les mesures de sécurité établies afin d'assurer la protection des gens qui travaillent au réacteur et de la population environnante.*
CLÉO 612.05   C

TECHNOLOGUE EN GÉNIE PÉTROCHIMIQUE Personne qui, en collaboration avec l'ingénieur chimiste, effectue diverses tâches techniques liées à la fabrication et au contrôle de la qualité des produits dérivés du pétrole. Elle participe, entre autres, à la mise au point des méthodes de fabrication ainsi qu'aux expériences, essais et analyses pétrochimiques, elle identifie et corrige les défauts mineurs dans les appareils de mesure, elle calibre les instruments de contrôle, elle prépare les échantillons, compile les données et participe à la rédaction des rapports.
CLÉO 229.06   C

TECHNOLOGUE EN GÉODÉSIE Personne qui, en collaboration avec l'arpenteur-géomètre, recueille des données sur la configuration, les mesures et les limites territoriales d'une propriété privée ou publique, sur le terrain ou à partir de levés aériens. Elle traite ces données par des calculs appropriés et les représente sous forme de plans

qui serviront à l'établissement de droits de propriété foncière ainsi qu'à la délimitation de territoires et de travaux miniers, forestiers, publics ou autres. *Elle s'assure de l'exactitude des données afin que les plans produits soient précis et fiables.*
CLÉO 112.02 C

Un **technologue en géodésie** prépare son équipement en vue de prendre diverses mesures sur le terrain
PHOTO: Ministère des Ressources naturelles du Québec

TECHNOLOGUE EN GÉOLOGIE Personne qui assiste le géologue et l'ingénieur géologue dans les campagnes de prospection visant à localiser des gisements souterrains (minerai, pétrole, gaz naturel) et qui s'occupe de la cartographie des territoires prospectés. À cette fin, elle prélève des échantillons de formations rocheuses sur le terrain, elle les analyse en laboratoire afin de déterminer les substances minérales qu'elles contiennent et elle transcrit les données sur une carte géologique. *Elle veille à faire preuve d'une grande minutie au moment de la collecte et de l'analyse des échantillons afin d'être en mesure de déterminer avec exactitude la teneur minérale de chacun et le site de prélèvement.*
CLÉO 111.03 C

TECHNOLOGUE EN GÉOLOGIE DE L'ENVIRON-NEMENT Personne qui participe à des travaux de recherche visant à évaluer et à préserver la qualité des sols, des formations rocheuses et de l'eau souterraine. À cette fin, elle analyse la nature, les causes et les effets de la pollution sur des sites contaminés, elle recherche des sites favorables à l'enfouissement des déchets et en évalue les impacts éventuels sur les sols et les nappes d'eau. *Elle veille à l'utilisation adéquate des techniques, appareils et machines servant aux analyses afin que les résultats soient les plus fiables possible.*
CLÉO 131.03 C

TECHNOLOGUE EN GÉOPHYSIQUE Personne qui effectue différentes tâches techniques liées à la planification et à la réalisation de campagnes de prospection scientifique, minière ou pétrolière. Elle exécute des relevés sur le terrain au moyen de différents appareils (oscillographes enregistreurs, sismomètres, amplificateurs), entre les données sur ordinateur et participe à l'interprétation des résultats. *Elle s'assure du bon fonctionnement et de l'utilisation adéquate des appareils de géophysique afin que les relevés effectués soient les plus exacts possible.*
CLÉO 111.06 C

TECHNOLOGUE EN GESTION INDUSTRIELLE Personne qui, dans une entreprise, est chargée d'analyser différentes facettes de son organisation (aménagement des installations, répartition des tâches de production, méthodes de travail, rendement des machines, gestion des approvisionnements, gestion de la qualité, coûts de production, entretien des équipements, sécurité, méthodes d'entreposage et d'expédition, etc.) en vue d'identifier et de résoudre toute lacune organisationnelle susceptible d'entraîner des pertes de temps, d'énergie ou d'argent. *Elle s'efforce de proposer des mesures réalistes et le moins coûteuses possible pour améliorer l'organisation à court ou à long terme.*
CLÉO 211.05 C

TECHNOLOGUE EN HORTICULTURE LÉGU-MIÈRE ET FRUITIÈRE Personne qui conseille les producteurs et qui vulgarise de l'information technique sur la culture des légumes et des fruits (types de sols, fertilisation, techniques de production, etc.). *Elle s'efforce de trouver des solutions écologiques aux problèmes de production et de conseiller les producteurs selon leurs besoins afin d'augmenter la qualité et la quantité de leurs récoltes sans nuire pour autant à l'environnement.*
CLÉO 124.14 C

TECHNOLOGUE EN HORTICULTURE ORNEMEN-TALE Personne qui dirige et participe aux travaux d'entretien et d'aménagements paysagers de terrains privés, publics ou commerciaux. Elle prodigue des conseils sur l'entretien des fleurs, des plantes, des arbres, etc., et participe aussi à des recherches en horticulture en vue d'introduire de nouvelles cultures ou de nouvelles techniques de production. Elle peut aussi planifier et réaliser des cultures en pépinière, jardinerie et gazonnière ou faire la promotion de produits, de matériel, d'équipements ou de services. Elle apporte également un soutien technique aux producteurs spécialisés en horticulture. *Elle se préoccupe de bien entretenir les terrains paysagers qu'on lui confie et de donner aux clients des conseils appropriés afin de leur permettre de garder les plantes et arbustes en santé.*
CLÉO 125.02 C

TECHNOLOGUE EN HYDROGÉOLOGIE Personne qui participe à la recherche, à l'évaluation et à l'exploitation des eaux souterraines. Elle s'occupe, entre autres, des travaux techniques liés à la localisation des nappes aquifères, aux essais de forage et de pompage, à l'analyse de la qualité de l'eau souterraine et à la construction des puits d'exploitation.
CLÉO 111.18   C

TECHNOLOGUE EN HYDROLOGIE Personne qui effectue différentes tâches techniques (mesure, prélèvement d'échantillons, inspection d'installation) liées à la surveillance des cours d'eau et des aménagements pour l'écoulement des eaux ainsi qu'à l'évaluation des réserves disponibles et à la lutte contre la pollution.
CLÉO 111.16   C

TECHNOLOGUE EN INFORMATIQUE Personne qui conçoit et met en place des programmes de traitement de données pour l'implantation de systèmes informatisés, qui rédige des guides d'utilisation et de références et qui donne la formation nécessaire à l'utilisation optimale des logiciels et du matériel informatique. Dans les grandes entreprises, elle s'occupe de la programmation, de la modification et de l'entretien du matériel et des systèmes informatiques selon les plans établis par les analystes. Dans les petites entreprises, elle conçoit les systèmes informatiques et apporte ses conseils au regard de la mise en place et de l'amélioration des systèmes. *Elle veille à bien tester les installations, programmes et logiciels afin de s'assurer qu'ils répondent aux besoins de la clientèle.*
CLÉO 721.09   C

TECHNOLOGUE EN LEVÉS AÉRIENS Personne qui installe le matériel de télédétection sur un avion (appareil photographique de levé ou d'établissement de plans, détecteur, appareil à balayage). Elle s'occupe, entre autres, de régler et de faire fonctionner les appareils en fonction de l'altitude et de l'itinéraire de l'avion afin que les images du sol soient prises selon les mêmes coordonnées et de surveiller la qualité de l'enregistrement des images en cours de vol.
CLÉO 112.04   C

TECHNOLOGUE EN MÉCANIQUE DU BÂTIMENT
Personne qui, en collaboration avec l'ingénieur ou l'entrepreneur, effectue différents travaux techniques liés à la conception, à l'installation, à l'entretien ou à l'inspection des différents systèmes de la mécanique d'un bâtiment (chauffage, ventilation, climatisation, réfrigération, plomberie, protection d'incendie, selon le cas). À cette fin, elle dessine les plans des systèmes, en estime les coûts d'installation, prépare des soumissions, surveille les travaux d'installation, vérifie et assure le fonctionnement des divers systèmes dans un bâtiment public ou un ensemble d'immeubles ou encore s'occupe de la mise au point et de l'agencement des réglages automatiques. Elle peut également être chargée, dans la fonction publique, d'inspecter les installations des bâtiments pour vérifier leur conformité aux lois et règlements en vigueur. *Elle veille à assurer le meilleur rendement énergétique possible des installations afin de contribuer au confort et à la sécurité des usagers.*
CLÉO 241.73   C

TECHNOLOGUE EN MÉDECINE NUCLÉAIRE
Personne qui effectue, à partir d'ordonnances médicales, des examens radiologiques visant à analyser le fonctionnement des organes et des systèmes du corps humain en vue de permettre au médecin de poser un diagnostic. À cette fin, elle prépare et dose, s'il y a lieu, la substance radioactive nécessaire et l'administre au patient, elle manipule les caméras et les appareils de détection servant à produire et à enregistrer des images de la région corporelle irradiée, elle irradie, traite et analyse les images produites à l'aide d'ordinateurs et elle prépare les résultats en vue de leur interprétation par le médecin spécialiste. Elle effectue également en laboratoire des analyses de prélèvements corporels (sang, urine, etc.) à l'aide d'un traceur radioactif. *Elle veille à observer rigoureusement les règles d'utilisation et d'entreposage du matériel radioactif afin d'assurer la protection des personnes, y compris la sienne et celle de l'environnement.*
CLÉO 523.54   C

Les **technologues en minéralurgie** peuvent participer à des recherches sur l'amélioration des procédés de traitement du minerai
PHOTO: Ministère des Ressources naturelles du Québec

TECHNOLOGUE EN MICROBIOLOGIE Personne qui effectue en laboratoire des tests techniques et des analyses biologiques en vue d'identifier les micro-organismes (bactéries, virus, champignons, bacilles, etc.) présents dans tous types d'organismes vivants, leurs tissus, sécrétions et déchets, d'étudier leur action sur les tissus humains,

animaux ou végétaux et de mettre au point des moyens d'en enrayer les effets nuisibles et d'en utiliser les effets utiles. Elle s'occupe principalement de déterminer les micro-organismes présents, de les isoler, d'en faire des cultures, des analyses et des tests de tissus vivants, de tester ou fabriquer des médicaments (vaccins, antibiotiques, sérums) ou des produits destinés à enrayer les micro-organismes pathologiques ou à contrôler l'action des micro-organismes sur les animaux et les végétaux. Elle peut faire en laboratoire médical des analyses microbiologiques servant au diagnostic des infections et au suivi des traitements antibiotiques ou participer aux travaux de recherche de spécialistes dans un domaine d'application particulier (médecine, industrie pharmaceutique, agriculture, foresterie, industrie agroalimentaire, zoologie, biologie marine, etc.). *Elle s'efforce d'identifier les bactéries et les microbes responsables de la maladie et de signaler le résultat des analyses au médecin afin de permettre la sélection de l'antibiotique approprié.*
CLÉO 612.28   C

TECHNOLOGUE EN MINÉRALURGIE Personne qui effectue diverses tâches techniques liées au traitement du minerai extrait des carrières. Elle s'occupe, entre autres, du contrôle des procédés d'extraction (concassage, broyage, tamisage, séchage), de l'amélioration des procédés de traitement, du contrôle et traitement des résidus miniers de même que des analyses faites en laboratoire (méthodes de récupération du minerai) pour en déterminer les caractéristiques (poids, qualité, type, teneur en humidité). Elle participe également à la conception et à l'amélioration des procédés de traitement du minerai. *Elle veille à effectuer ses tâches avec rigueur afin d'optimiser la production et le taux de récupération du minerai.*
CLÉO 221.02   C

TECHNOLOGUE EN ORTHÈSES ET PROTHÈSES Personne qui, en collaboration avec l'orthésiste-prothésiste, fabrique, ajuste et répare des appareils de soutien (orthèses) et des appareils de remplacement (prothèses) destinés à corriger des troubles fonctionnels ou des difformités corporelles ou à pallier la perte totale ou partielle de membres ou d'autres parties du corps. À cette fin, elle prend connaissance du plan ou du prototype de l'appareil conçu par le spécialiste, elle traite ou fabrique sur mesure les pièces nécessaires, en fait l'assemblage ou modifie les appareils existants afin d'obtenir le modèle et les dimensions voulues. Elle procède également à l'ajustement, à la réparation et à l'entretien des orthèses et des prothèses ainsi que des fauteuils roulants et des accessoires conçus pour le déplacement des personnes handicapées (béquilles, marchettes, cannes, etc.). *Elle s'efforce*

de faire preuve de précision et de dextérité pour tailler les matériaux utilisés (plastique, cuir, bois, aluminium, bourre, etc.) aux formes et aux dimensions requises et pour assembler les pièces afin d'obtenir un appareil qui répond parfaitement aux besoins de la personne pour qui il est conçu.
CLÉO 523.23   C

TECHNOLOGUE EN PHOTOGRAMMÉTRIE Personne qui détermine la dimension des éléments d'un territoire représentés sur des photographies aériennes et qui établit, à l'aide de ces données, les règles de calcul pour faire des cartes à l'échelle. Elle peut également participer à l'évaluation de certaines ressources naturelles comme les inventaires forestiers ou hydriques (cours d'eau) ou encore à la planification de projets en régions éloignées.
CLÉO 112.06   C

Deux **technologues en procédés de fabrication alimentaire** supervisent la dernière étape de préparation d'un caviar de lompe
PHOTO: Centre spécialisé des pêches de Grande-Rivière

TECHNOLOGUE EN PROCÉDÉS DE FABRICATION ALIMENTAIRE Personne qui exécute des tâches techniques liées au traitement, à la transformation, à la conservation et à la distribution de produits alimentaires en vue d'assurer une production de qualité et le respect des normes d'hygiène et de salubrité. À cette fin, elle prend connaissance des analyses de laboratoire, vérifie et contrôle les procédés de fabrication et participe aux recherches sur la fabrication de nouveaux produits. *Elle s'efforce de bien interpréter les résultats des analyses de laboratoire et de faire les recommandations appropriées afin de s'assurer de la qualité de la production.*
CLÉO 228.08   C   231

TECHNOLOGUE EN PRODUCTION ANIMALE

Personne qui aide les agriculteurs en offrant des moyens et des conseils pour améliorer ou mettre au point des méthodes d'élevage. À cette fin, elle analyse les besoins particuliers des agriculteurs selon le type de production (bovine, ovine, porcine, laitière, avicole) et suggère l'application de méthodes d'élevage afin d'améliorer la productivité et la rentabilité de l'entreprise. *Elle s'efforce de bien cerner les besoins de l'entreprise agricole afin de proposer des solutions et méthodes susceptibles d'améliorer le rendement de l'entreprise tant au niveau de l'alimentation, de l'amélioration génétique, de la santé, de la gestion technico-économique et de la mise en marché.*

CLÉO 126.02   C

TECHNOLOGUE EN PRODUCTIONS VÉGÉTALES

Personne qui assure un suivi technique auprès d'entreprises spécialisées dans les grandes productions végétales (fruits, légumes, céréales, plantes ornementales) en vue d'augmenter leur rentabilité et qui veille à la mise en application de méthodes scientifiques de productivité (type de sol, fertilisation, récolte et entreposage). À cette fin, elle fait les premiers constats, procède aux échantillonnages, fait les analyses ou études requises et assure un suivi quant à l'application de la solution retenue. *Elle s'efforce de bien cerner les besoins de l'entreprise (choix des semences, préparation des sols, lutte aux ennemis de culture, irrigation, etc.) afin de proposer des solutions qui, tout en étant respectueuses de l'environnement, permettent d'augmenter la productivité.*

CLÉO 124.13   C

TECHNOLOGUE EN PROSPECTION MINIÈRE

Personne qui participe à la planification et à la réalisation de campagnes de prospection minière. À cette fin, elle recueille les documents utiles (photos aériennes, cartes, plans en relief, rapports géologiques) sur la région à explorer, adapte ce matériel aux besoins de l'exploration, dirige les déplacements en forêt et effectue différentes tâches techniques telles que le prélèvement d'échantillons, le sondage et l'enregistrement des données. *Elle s'efforce d'étudier soigneusement les cartes et les plans afin d'être en mesure de diriger les déplacements de l'équipe sur le terrain selon l'itinéraire prévu.*

CLÉO 111.08   C

TECHNOLOGUE EN PROTECTION DE L'ENVIRONNEMENT

Personne qui effectue des tâches liées à l'évaluation de la qualité des milieux naturels, industriels, agricoles ou résidentiels susceptibles d'être affectés par les activités humaines, en vue de déceler, mesurer et réduire la pollution de l'air, de l'eau et du sol et ses effets sur les êtres vivants. Elle peut également s'occuper de la gestion des déchets dangereux dans les industries et les laboratoires, de la décontamination des sols ou de l'application des normes établies pour protéger l'environnement. *Elle veille à détecter les sources de pollution dans l'environnement et à suggérer des mesures efficaces pour les réduire afin de contribuer à la protection et à la conservation de l'environnement.*

CLÉO 132.05   C

Des **technologues en protection de l'environnement** sur un site de décontamination
PHOTO: Sygma/Publiphoto

TECHNOLOGUE EN RADIOLOGIE DIAGNOSTIQUE

Personne qui effectue, à partir d'ordonnances médicales, des radiographies et des examens radiodiagnostiques spécifiques (angiographie, échographie, imagerie par résonance magnétique servant à produire des images de l'anatomie et du fonctionnement de différentes parties du corps en vue de fournir aux radiologistes des données et des images qui leur permettront d'établir un diagnostic. Elle s'occupe, entre autres, de préparer les patients aux examens et de faire fonctionner l'équipement servant à produire, à enregistrer et à développer les images anatomiques. *Elle doit bien maîtriser les diverses techniques d'examen, le fonctionnement des appareils et les mesures de protection s'appliquant à leur utilisation afin de produire en toute sécurité des images claires et précises des structures anatomiques voulues.*

CLÉO 523.52   C

TECHNOLOGUE EN RADIO-ONCOLOGIE

Personne qui administre des traitements visant à réduire ou éliminer des tumeurs cancéreuses au moyen d'appareils de haute technologie qui émettent des rayons ionisants. À cette fin, en collaboration avec des médecins spécialistes en radio-oncologie, elle planifie le traitement, effectue un examen appelé scanographie pour localiser avec précision la tumeur et les organes normaux qui l'entourent et elle s'occupe, s'il y a lieu, de la fabrication d'accessoires (masques, moulage) destinés à protéger certaines parties du corps ou à maintenir une position stable pendant le traitement. Elle procède également au marquage du champ de traitement sur la peau et aux tests permettant de calculer la dose et l'angle requis des radiations, elle accueille et prépare les patients à chaque séance de traitement, elle les renseigne sur le déroulement et les effets des traitements et elle s'occupe, en cours de traitement, du fonctionnement des appareils et instruments. *Elle veille à faire preuve de précision dans l'utilisation du matériel afin d'obtenir des résultats optimaux.* CLÉO 523.56 C

TECHNOLOGUE EN RÉPARATION CAO/FAO

Personne qui effectue des tâches techniques liées à l'installation, à la réparation et à l'entretien des postes de travail de conception assistée par ordinateur (CAO) et de l'équipement de fabrication assistée par ordinateur. *Elle veille à ce que l'installation et l'équipement correspondent aux spécifications afin de répondre aux besoins du client.* CLÉO 252.18 C

TECHNOLOGUE EN ROBOTIQUE Personne qui

participe à l'installation, à l'entretien, à la mise à l'essai et à la réparation des systèmes automatisés de fabrication industrielle tels que les robots, les systèmes de contrôle et de commande par ordinateur et le matériel connexe. Elle s'occupe, entre autres, des réglages et de la programmation de routine des chaînes d'assemblage, des tests de contrôle, de l'entretien préventif et du dépannage en vue d'assurer le bon fonctionnement d'une chaîne d'assemblage robotisée. *Elle veille à installer le matériel conformément aux plans d'ingénierie et s'efforce de bien comprendre le fonctionnement des systèmes de robotique afin de pouvoir déceler toute source de défaillance.* CLÉO 234.03 C

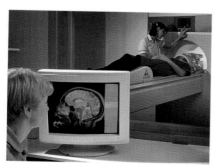

Une **technologue en radiologie diagnostique**
procède à un examen désigné par le terme
imagerie par résonnance magnétique
PHOTO: Science Photo Library/Publiphoto

TECHNOLOGUE EN SCIENCES FORESTIÈRES

Personne qui effectue différentes tâches techniques liées à la transformation primaire des produits forestiers. Elle s'occupe, entre autres, d'examiner la matière première afin d'en déterminer les caractéristiques (diamètre, longueur, etc.) et de choisir le mode de débitage le plus approprié, de faire des essais afin de déterminer l'utilisation la plus rentable de la matière première, de superviser les opérations de séchage et de traitement du bois, d'analyser les marchés afin d'éviter l'accumulation de stocks invendus et de faire des vérifications régulières de la machinerie afin de la remplacer, s'il y a lieu. CLÉO 225.02 C

TECHNOLOGUE EN SYLVICULTURE Personne

qui participe aux travaux d'inventaire et d'évaluation des territoires forestiers et qui supervise, en collaboration avec les spécialistes en foresterie, des travaux de traitements sylvicoles, de récolte et de régénération des peuplements forestiers. *Elle veille à ce que les traitements sylvicoles sous sa supervision favorisent la croissance optimale des arbres et à ce que les opérations de coupe et de transport causent le moins de dommage possible à l'environnement (jeunes arbres, sols, flore, faune, cours d'eau) afin d'assurer la protection et la conservation des forêts.* CLÉO 123.12 C

TECHNOLOGUE EN SYSTÈMES D'INFORMATION À RÉFÉRENCE SPATIALE (SIRS) Personne

qui s'occupe du captage, du traitement, de la mise à jour et de la diffusion de l'ensemble des données recueillies par satellite (topographie, position respective et orientation des territoires, infrastructures urbaines, etc.) sur un territoire municipal ou autre. Elle fournit sur demande les données disponibles pour répondre aux besoins de planification ou de recherche des spécialistes de l'aménagement et des scientifiques (arpentage foncier, urbanisme, foresterie, géologie). CLÉO 112.10 C

TECHNOLOGUE EN SYSTÈMES ORDINÉS Per-

sonne qui travaille, en collaboration avec l'ingénieur en électronique et l'analyste en informatique, à la fabrication, à la mise au point, à la programmation, à l'installation, à la modification et à la réparation de prototypes de matériel et de logiciels destinés à des robots, des systèmes électroniques de commande et de vérification (traitement automatique des appels interurbains, paiement direct dans les supermarchés, etc.). *Elle s'efforce de tenir compte de l'évolution rapide de l'informatique au cours des projets de programmation et de faire preuve de précision et de rigueur au cours des mises à l'essai des prototypes afin d'assurer l'efficacité et la qualité des systèmes produits.* CLÉO 234.02 C

233

TECHNOLOGUE EN TÉLÉDÉTECTION Personne qui, à l'aide de données recueillies par satellite sur un territoire géographique, produit des images et des cartes numérisées du territoire, des rapports descriptifs et différents types de graphiques destinés à la recherche scientifique, à la planification de grands projets ou à la gestion des ressources naturelles. *Elle doit bien maîtriser les logiciels d'interprétation spécialisés afin d'assurer un traitement efficace des données.*
CLÉO 112.09   C

TECHNOLOGUE EN TRANSFORMATION DE PRODUITS ALIMENTAIRES Personne qui dirige et contrôle la fabrication de produits alimentaires aux diverses étapes de transformation. Elle s'occupe, entre autres, de faire fonctionner des systèmes de production informatisée, de surveiller le rythme de production et de régler tout problème relatif à la production afin d'assurer la régularité de la fabrication et la qualité des produits finis. *Elle s'efforce d'assurer une production rentable dans le respect des normes d'hygiène et de salubrité.*
CLÉO 228.12   C

TECHNOLOGUE EN TRANSFORMATION DES MATÉRIAUX COMPOSITES Personne qui effectue des tâches techniques liées à l'élaboration et à la fabrication des matériaux composites (formés d'éléments différents) en vue de mettre au point des produits ou des articles utilisés dans différents secteurs tels que l'aéronautique, la construction, le transport et les biens de consommation. Elle s'occupe, entre autres, de choisir les résines, les fibres, les méthodes d'assemblage et les procédés de fabrication, de vérifier et d'inspecter les matériaux à l'aide d'appareils de mesure et d'essai et de faire l'évaluation technique des plans et devis. *Elle veille à mettre au point des produits de qualité qui sauront répondre aux besoins de nouvelles technologies industrielles.*
CLÉO 229.16   C

TECHNOLOGUE EN TRANSFORMATION DES MATIÈRES PLASTIQUES Personne qui effectue des tâches techniques liées à la conception et à la production industrielle d'objets en plastique. Elle s'occupe, entre autres, de l'installation de l'outillage, du réglage des appareils de transformation des matières plastiques et de la planification de la production. Elle procède également au contrôle de la qualité des produits finis ou de la matière première et conçoit au besoin des moules et des outillages pour la production d'objets en plastique. *Elle s'efforce de maximiser le rendement des machines et du personnel et de fixer des critères de qualité afin de revitaliser la rentabilité de l'entreprise et d'assurer la production de matières plastiques conformes aux normes établies.*
CLÉO 229.17   C

Un **technologue-métallurgiste** présente un «bouton» de ferroniobium, un alliage utilisé dans la production de l'acier
PHOTO: Cambior

TECHNOLOGUE-MÉTALLURGISTE Personne qui, dans une aciérie, une fonderie ou une usine de produits métallurgiques, supervise et contrôle l'application des procédés métallurgiques (fusion des métaux, coulée des alliages, traitements thermiques, etc.) en vue d'assurer la qualité de la production et la sécurité des opérations, conformément aux devis d'ingénierie. Elle s'occupe également d'évaluer le rendement de l'équipement afin de déterminer les besoins d'entretien, de calibration et de remplacement du matériel et d'y donner suite. Elle peut, pour le compte d'une firme de consultants en ingénierie, participer avec des ingénieurs à la mise au point de nouveaux procédés de production ou de traitement métallurgique, à l'amélioration des méthodes existantes ou à l'établissement de normes pour le contrôle de la qualité. *Elle veille à faire les essais et les analyses avec minutie et à fournir des résultats pertinents afin de contribuer à l'amélioration des méthodes de production et de la qualité des produits.*
CLÉO 222.02   C

TECHNOLOGUE-SOUDEUR, TECHNOLOGUE-SOUDEUSE Personne qui effectue des tâches techniques complexes au regard des procédés de soudage. Elle s'occupe, entre autres, d'établir les données de réglage des machines à souder, de déterminer le procédé de soudage, de mettre à l'essai de nouvelles machines et elle contribue, par ses recommandations, à la conception et à la mise au point de nouveaux procédés. *Elle est soucieuse d'assurer la qualité des pièces et de l'assemblage afin d'optimiser les procédés de fabrication.*
CLÉO 222.18   C

TEINTURIER, TEINTURIÈRE Personne qui effectue différentes tâches nécessaires pour teindre divers articles en tissu afin de raviver ou de changer leur couleur d'origine. *Elle veille à procéder avec soin aux différentes étapes de travail (préparation de la solution colorante, blanchiment, trempage, rinçage, essorage, séchage) afin d'obtenir la teinte désirée.*
CLÉO 516.21   S

TEINTURIER, TEINTURIÈRE DE PRODUITS TEX-TILES BRUTS Personne qui s'occupe de teindre ou de blanchir, à l'aide de produits chimiques, des textiles bruts (laine, coton, fibre synthétique) à l'aide d'une machine dont elle règle et surveille le fonctionnement (température, vapeur, etc.) *Elle veille à porter attention à chacune des étapes de la coloration afin d'obtenir les résultats escomptés.*
CLÉO 227.08   S

TÉLÉPHONISTE Personne qui aide les clients à établir des communications téléphoniques locales ou interurbaines à l'aide de réseaux téléphoniques informatisés ou classiques. Elle s'assure, entre autres, que toutes les données relatives à la facturation sont bien enregistrées et elle fournit des renseignements sur l'utilisation de l'interurbain. *Elle s'efforce de faire preuve de courtoisie et d'efficacité avec les utilisateurs afin d'offrir un service de qualité.*
CLÉO 421.11   S

TÉLÉPHONISTE EN TÉLÉMARKETING Personne qui fait de la sollicitation téléphonique en vue de vendre des produits ou des services tels que des journaux, des revues, des produits alimentaires, des services d'entretien ménager. *Elle est soucieuse de bien connaître le produit qu'elle offre afin de pouvoir donner des renseignements convaincants qui incitent la clientèle à acheter.*
CLÉO 432.09   S

Des **teneurs de livres** calculent et enregistrent des données pour une entreprise
PHOTO: CECQ–École Marie-de-l'Incarnation

TENEUR, TENEUSE DE LIVRES Personne qui tient à jour la comptabilité, informatisée ou non, d'une entreprise. À cette fin, elle enregistre les transactions financières, elle concilie et vérifie les comptes, elle tient à jour les comptes à payer et à recevoir, elle prépare les chèques, établit la balance des comptes et, sous la supervision d'un comptable, prépare les états financiers de l'entreprise. *Elle veille à faire preuve de précision dans les différentes opérations afin d'assurer l'exactitude des données.*
CLÉO 424.05   S/C

TERMINOLOGUE Personne qui effectue des recherches documentaires sur le vocabulaire lié à un domaine d'activité donné en vue de constituer des lexiques, des vocabulaires, des fichiers de termes techniques, de créer de nouveaux mots ou encore de donner des conseils à des personnes ayant à rédiger des textes. *Elle veille à bien connaître les différentes sources de documentation afin d'être en mesure de trouver réponse aux diverses questions soulevées.*
CLÉO 621.09   U

TESTEUR, TESTEUSE DE PRODUITS MULTIMÉDIAS Personne qui, dans le processus de production d'un projet multimédia (site internet, CD-Rom, publication ou jeu électronique, borne interactive, etc.) conçu à des fins de promotion commerciale, d'information, de formation ou de divertissement, assure le contrôle de la qualité du produit selon le point de vue du client et de l'utilisateur. À cette fin, elle définit les critères de qualité et les contraintes compte tenu des objectifs visés, de la clientèle cible et des lieux de diffusion prévus et elle met en place des procédés de contrôle interne en vue d'assurer la conformité du produit à ces normes. Elle s'occupe également de faire tester le produit par des techniciens et des groupes d'usagers afin de reconnaître les erreurs, de déceler les problèmes et les aspects insatisfaisants (contenu, interactivité, utilisation des fonctions multimédias), de signaler les lacunes à l'équipe de production et de s'assurer que des modifications sont apportées pour résoudre efficacement les problèmes soulevés. *Elle s'efforce de faire preuve de diplomatie et de réalisme auprès de ses collègues afin que les membres de l'équipe de production reconnaissent le bien-fondé des exigences de qualité imposées et s'engagent à s'y conformer dans l'intérêt du client, des futurs usagers et de l'entreprise de production multimédia.*
CLÉO 722.13   C/U

THANATOLOGUE Personne qui s'occupe de la gestion d'une entreprise funéraire et qui fournit les biens et les services nécessaires à la mise en cercueil des personnes décédées et à leurs funérailles. À cette fin, elle conseille les familles éprouvées sur le choix des services funéraires et l'achat d'un cercueil, supervise le personnel, s'occupe des documents, des formalités et des préparatifs liés à l'organisation des funérailles, voit à l'aménagement du salon d'exposition et au bon déroulement des visites et des cérémonies funèbres. Elle effectue également des tâches administratives liées à la formation du personnel, à la comptabilité et à l'entretien de l'établissement et fournit des services d'arrangements funéraires préalables aux clients désireux de prévoir les dispositions à prendre au moment de leur décès. *Elle se préoccupe d'apporter le réconfort et le*

soutien pratique dont les familles éprouvées ont besoin et s'efforce de les conseiller en respectant leurs désirs et leur budget.
CLÉO 517.01   C

THANATOPRACTEUR, THANATOPRACTRICE

Personne qui prépare les défunts au rituel d'exposition avant les funérailles. À cette fin, elle procède, à l'aide de techniques appropriées, à l'asepsie du corps, à l'embaumement, à la toilette, au maquillage et à la mise en cercueil. *Elle s'efforce de donner au défunt une apparence naturelle et paisible afin de faciliter pour la famille et les proches les derniers contacts avec la personne chère.*
CLÉO 517.03   C

THÉOLOGIEN, THÉOLOGIENNE

Personne qui étudie les textes sacrés, les dogmes, les croyances et traditions religieuses afin d'accroître les connaissances entourant les questions religieuses et d'en comprendre davantage les fondements. À cette fin, elle fait des recherches, des lectures et des analyses pour interpréter les livres et doctrines religieuses et elle fait connaître les résultats de ses recherches par la publication d'ouvrages ou d'articles spécialisés. Elle peut également enseigner la théologie.
CLÉO 612.43   U

Un **thérapeute en réadaptation physique** explique à une cliente la façon adéquate de faire un exercice
PHOTO: Collège François-Xavier-Garneau

THÉRAPEUTE EN RÉADAPTATION PHYSIQUE

Personne qui, en collaboration avec des physiothérapeutes, participe à l'élaboration et à l'application d'un plan de traitement visant à rétablir un fonctionnement optimal chez des personnes atteintes d'une incapacité physique de nature orthopédique, rhumatismale, cardiorespiratoire ou neurologique. À cette fin, elle effectue un bilan des capacités physiques du patient, définit avec les spécialistes les objectifs de réhabilitation et les traitements nécessaires et les met en oeuvre. Selon le cas, elle anime des séances d'exercices d'assouplissement et de renforcement musculaire, donne des soins thérapeutiques (traitements d'électrothérapie et d'hydrothérapie, massages, tractions mécaniques, etc.) et conseille les patients sur les postures, l'hygiène de vie et les exercices favorables à l'amélioration de leur état. *Elle se préoccupe d'établir une relation de confiance et de soutien avec ses patients et de réaliser efficacement le plan de traitement prévu afin de favoriser leur réadaptation physique optimale.*
CLÉO 525.35   C

THÉRAPEUTE SPORTIF, THÉRAPEUTE SPORTIVE

Personne qui s'occupe, généralement auprès d'une équipe sportive qu'elle suit dans ses déplacements ou d'une clientèle sportive diversifiée, de la prévention et du traitement des lésions musculaires, des blessures et des carences alimentaires liées à la pratique intensive des sports. À cette fin, elle agit comme conseillère en ce qui concerne le régime alimentaire et les mesures de prévention (exercices de réchauffement, matériel de sécurité, accessoires de protection) à adopter pour diminuer les risques d'accidents et de blessures liés à l'exercice d'un sport donné ou à un entraînement intensif. Elle donne des soins corporels préventifs et thérapeutiques selon diverses techniques (massothérapie, électrothérapie, thermothérapie, etc.) et assure les premiers soins dans les cas de blessures ouvertes, de fractures ou autres affections nécessitant une intervention médicale. *Elle veille à donner des conseils judicieux et des soins appropriés afin de soutenir les performances sportives dans les meilleures conditions de santé et de sécurité possible.*
CLÉO 525.36   U

TÔLIER, TÔLIÈRE

Personne qui travaille à la fabrication, au montage, à la réparation, au revêtement et à l'installation d'objets ou de systèmes qui demandent l'utilisation de feuilles métalliques ou d'objets métalliques préfabriqués (systèmes de ventilation, coupe-feu, gouttières, cloisons, casiers, etc.). *Elle veille à faire les installations et les montages selon des normes (grosseur, forme, épaisseur, etc.) établies afin d'assurer la qualité des produits fabriqués.*
CLÉO 241.44   S

Des **tôliers** terminent la fabrication d'un chapeau
de cheminée en cuivre

PHOTO: CECQ–École des métiers et occupations de l'ind. de la constr. de Québec

TOXICOLOGISTE Personne qui, à titre de spécialiste de la microbiologie, étudie la composition de diverses substances toxiques contenues dans un grand nombre de produits (médicaments, drogues hallucinogènes, herbicides, déchets industriels, solvants et autres produits chimiques) ou de substances toxiques naturelles produites par des animaux ou des végétaux et qui analyse leur action et leurs effets indésirables sur les organismes vivants en vue découvrir des moyens de contrôler ou de prévenir leurs effets ou de trouver des applications utiles dans divers domaines (médecine, écologie, industrie). Son expertise peut être sollicitée dans les études relatives à la législation sur la fabrication, le commerce et l'usage de produits toxiques ou potentiellement nocifs, à des fins industrielles, médicales, domestiques ou autres. *Elle veille à faire connaître les résultats de ses recherches afin de signaler tout danger de substances nocives nouvelles ou méconnues et à soumettre aux autorités (gouvernement, chercheurs scientifiques, professionnels de la santé, etc.) des recommandations relatives à l'usage de ces substances afin de prévenir leurs effets nocifs sur la santé humaine ou l'environnement.*
CLÉO 612.37   U

TRACEUR, TRACEUSE DE CHARPENTES EN BOIS Personne qui trace les contours des sections de meubles et de charpentes sur les pièces de bois, de manière à guider le découpage des pièces. Elle étudie les dessins et les modèles, elle prend connaissance des commandes et des devis, elle prend des mesures et elle dessine les lignes de contour. *Elle s'efforce de choisir les pièces de bois qui correspondent aux dimensions des pièces à produire afin d'éviter les pertes de matériaux.*
CLÉO 236.03   S

TRACEUR, TRACEUSE DE CHARPENTES MÉTALLIQUES Personne qui marque les traces de coupe et les points de repère sur les pièces de bois, de métal ou sur les matériaux qui seront découpés, soudés, assemblés pour en faire des ponts, grues, bâtiments, etc. À cette fin, elle planifie la succession des opérations à faire et elle fabrique des patrons et des gabarits qui lui serviront de guides pour effectuer ses travaux. *Elle veille à faire preuve de précision dans ses indications afin de permettre et de faciliter le déroulement des étapes subséquentes.*
CLÉO 222.13   S

TRACEUR, TRACEUSE DE PATRONS Personne qui, dans une usine de fabrication, place les patrons de vêtements (robes, pantalons, chemises, etc.) sur le tissu et qui en trace le contour en prévision de la coupe. Elle s'occupe, entre autres, de choisir la matière et le patron selon les indications reçues et de vérifier la taille, le genre et la quantité de pièces à tracer. *Elle veille à prendre note des indications nécessaires à la coupe des pièces afin d'éviter les pertes de tissu.*
CLÉO 237.05   S

TRADUCTEUR, TRADUCTRICE Personne qui traduit d'une langue à une autre des documents écrits de divers types (oeuvres littéraires, manuels scolaires, rapports de recherche, ouvrages techniques, documents juridiques, etc.) ou des textes intégrés à des produits de communication électronique (CD-Rom, logiciels, base de données, site internet, etc.). À cette fin, elle analyse les textes qui lui sont soumis afin d'en comprendre le sujet et l'organisation, effectue les recherches terminologiques nécessaires et rédige le texte en prenant soin de transposer fidèlement le contenu et le style littéraire du texte et de faire certaines adaptations au besoin (jeux de mots, expression culturelle, etc.). Elle offre généralement ses services de traduction d'une langue de départ autre que la sienne vers sa langue maternelle qu'elle maîtrise parfaitement. *Elle veille à transmettre le plus fidèlement possible le sens original du texte de départ et à assurer la qualité de la langue du texte traduit.*
CLÉO 621.08   U

TRAITEUR, TRAITEUSE Personne qui prépare et sert des mets pour emporter ou des repas qui sont destinés à des banquets ou à des réceptions. Elle s'occupe, entre autres, de rencontrer la clientèle pour discuter des menus, des frais et des arrangements, de préparer les mets ou les repas et d'effectuer la livraison ou le service selon les ententes établies. *Elle s'efforce de préparer des menus adaptés au goût et au budget du client et d'offrir un service de qualité afin de satisfaire les exigences de sa clientèle.*
CLÉO 511.17   S

TRAPÉZISTE Personne qui, dans un cirque, effectue différents numéros d'acrobatie sur une barre suspendue par deux cordes appelée trapèze. À cette fin, elle met au point des numéros ou participe à leur conception et elle effectue des répétitions en vue de leur présentation devant un public. *Elle s'efforce d'exécuter des numéros originaux qui sauront mettre en valeur son agilité et, du même coup, époustoufler le public.*
CLÉO 625.11   C

TRAPPEUR, TRAPPEUSE Personne qui, à l'aide de pièges et de collets, attrape des animaux sauvages en vue de vendre leur fourrure ou leur chair ou qui est chargée de capturer des animaux vivants en vue de leur transport dans une région plus propice à leur survie.
CLÉO 127.06   S

TRAVAILLEUR, TRAVAILLEUSE DE RUE Personne qui est employée par un centre de services communautaires pour exercer dans un quartier un rôle actif d'intervention sociale et de relation d'aide auprès des personnes et de groupes en difficulté (pauvreté, chômage, détresse émotionnelle, violence familiale, abus sexuels, toxicomanie, délinquance, etc.). À cette fin, elle décèle les besoins spécifiques de la clientèle visée, lui fournit l'aide et les ressources adéquates et veille à lui faciliter l'accès aux programmes d'aide offerts. Elle s'efforce de s'intégrer à la vie du quartier avec les personnes susceptibles d'avoir besoin d'aide, de créer avec elles des liens de confiance qui lui permettront éventuellement de fournir une assistance directe (écoute, soutien moral, recherche d'un gîte temporaire, recours aux ressources locales de dépannage alimentaire ou autre, etc.) ou d'acheminer ces personnes vers des programmes d'aide adéquats. *Elle veille à intervenir dans un but préventif afin de déceler les situations propices au suicide, à la toxicomanie, à la prostitution, au décrochage scolaire, à la délinquance et de favoriser chez les personnes le désir et les moyens de se prendre en main.*
CLÉO 531.14   S

TRAVAILLEUR SOCIAL, TRAVAILLEUSE SOCIALE Personne qui travaille auprès de particuliers, de couples, de familles, de groupes et de collectivités en vue d'aider à résoudre ou à prévenir des problèmes d'ordre personnel, familial ou social comme la violence, la délinquance, le suicide, le placement en foyer d'accueil et l'adoption. À cette fin, elle procède à des évaluations et à des diagnostics psychosociaux, établit des plans d'intervention, des programmes de services ou d'activités, s'occupe de conscientisation et de défense des droits et fait de la consultation dans le but de favoriser l'adaptation des personnes ou des groupes. *Elle veille à analyser la nature et la gravité des problèmes et à bien cerner les besoins de la clientèle afin d'établir des plans d'intervention appropriés.*
CLÉO 531.11   U

TRAVAILLEUR SOCIAL, TRAVAILLEUSE SOCIALE EN SERVICE COLLECTIF Personne qui intervient auprès de groupes ou d'organismes variés en vue de les aider à résoudre certains problèmes dans leur situation de vie, de favoriser la justice sociale et de promouvoir l'harmonie du développement personnel et social. À cette fin, elle analyse les besoins du groupe, elle établit des stratégies d'intervention qui permettront aux participants de trouver les ressources nécessaires et de participer à la recherche de solutions. Elle anime des rencontres, organise des séminaires et conférences, planifie des activités et collabore à la mise en oeuvre de projets pilotes. Elle s'occupe également de créer et d'améliorer des services collectifs (santé, loisirs, emploi, bien-être). Elle peut avoir à diriger et coordonner le personnel permanent et bénévole qui intervient aussi auprès de la clientèle. *Elle se préoccupe de proposer des activités susceptibles de favoriser la prise en charge de chaque personne dans sa démarche vers un mieux-être.*
CLÉO 531.13   U

TREMPEUR, TREMPEUSE DE VERRES D'OPTIQUE Personne qui assure le fonctionnement d'un four électrique pour la trempe des verres d'optique et d'un appareil à billes pour l'essai de dureté des verres destinés aux lunettes de sécurité. *Elle veille à faire preuve de vigilance et d'un grand sens de l'observation afin d'éliminer les lunettes avec des imperfections et qui manqueraient ainsi à leur fonction sécuritaire.*
CLÉO 223.08   S

TRICOTEUR, TRICOTEUSE À LA MACHINE Personne qui fait fonctionner des machines à tricoter pour fabriquer des articles tels que des tricots, des bas, des vêtements. Elle s'occupe, entre autres, de placer les fils sur la machine, d'ajuster les tensions et les guides, de mettre en marche la machine en surveillant le tricotage et d'en assurer l'entretien. *Elle se préoccupe de déceler les fils cassés et de remplacer les bobines vides afin d'éviter les défauts et d'obtenir des produits de qualité.*
CLÉO 237.08   S

TRIEUR, TRIEUSE DE BILLES Personne qui, dans une scierie, marque et classe les billes de bois selon l'essence, la qualité du bois et l'usage principal auquel il est destiné (construction, plancher, ébénisterie, etc.). Elle détermine aussi, à l'aide de logiciels spécialisés, le modèle de débitage qui permettra de tirer la meilleure valeur marchande possible des billes tout en minimisant les pertes. *Elle s'efforce de bien différencier les espèces*

d'arbres et d'exercer un bon jugement afin
d'évaluer le plus exactement possible la qualité
et le rendement du bois.
CLÉO 123.08   S

TUYAUTEUR, TUYAUTEUSE Personne qui
fabrique, installe, modifie, répare et entretient les
systèmes de tuyauterie à haute et à basse pression
pour les systèmes de drainage, de ventilation et
de chauffage dans les édifices résidentiels, commerciaux ou industriels. À cette fin, elle établit
le tracé du réseau, détermine la grosseur et le type
de tuyauterie nécessaires, effectue l'assemblage
ainsi que le raccordement aux appareils ou au
système. *Elle veille à vérifier l'étanchéité du*
réseau afin d'éviter toute fuite et d'assurer une
installation sécuritaire.
CLÉO 241.74   S

Une **tuyauteuse** ajuste un raccord à brides sur un système
de ventilation dans un grand édifice
PHOTO: Caroline Hayeur/Agence Stock

TUYAUTEUR-SOUDEUR, TUYAUTEUSE-
SOUDEUSE Personne qui, pour le compte d'un
entrepreneur en construction ou en services
d'entretien du bâtiment, installe et répare la
tuyauterie des installations ou des appareils
contenant de la vapeur, de l'air ou du gaz sous
pression. À cette fin, elle taille les tuyaux et les
assemble selon le plan d'installation, soude les
joints afin qu'ils soient parfaitement étanches et
résistants à la pression, polit les soudures et fixe les
tuyaux. *Elle veille à ce que les installations*
soient rigoureusement conformes aux normes
prescrites par le Code du bâtiment.
CLÉO 241.75   S

U V W

URBANISTE Personne qui planifie et contrôle l'aménagement d'un territoire municipal en vue d'assurer une utilisation rationnelle et harmonieuse de l'espace et de répondre aux besoins des citoyens. À cette fin, elle conçoit des projets d'aménagement visant à améliorer la qualité des services et des infrastructures, elle prépare les plans, elle planifie les budgets et assure la réalisation des projets. Elle s'occupe également de définir un plan de mise en valeur et d'expansion à long terme et d'établir des normes que les entrepreneurs devront respecter. *Elle veille à tenir compte des divers facteurs géographiques, économiques et sociaux dans ses choix afin de créer un milieu de vie bien organisé et attrayant pour la collectivité.*
CLÉO 132.01   U

UROLOGUE Personne qui, en tant que médecin spécialiste, voit au diagnostic et au traitement des affections ou des maladies des organes et des voies génito-urinaires (reins, urètre, vessie, pénis, testicules, etc.). À cette fin, elle examine la personne, effectue des tests afin de déterminer l'étendue de l'affection ou des lésions, analyse les résultats et pose un diagnostic. Elle prescrit le traitement médical ou chirurgical approprié, pratique les interventions chirurgicales nécessaires, s'il y a lieu, et assure, au besoin, le suivi du patient jusqu'à son rétablissement. *Elle s'efforce de poser le bon diagnostic et de recommander les traitements appropriés afin de favoriser la guérison de ses patients.*
CLÉO 523.39   U

VENDEUR, VENDEUSE À DOMICILE Personne qui visite les personnes à leur domicile en vue de leur proposer et de leur vendre différents produits ou services à l'aide d'échantillons, de catalogues, de feuillets explicatifs ou de démonstrations. À cette fin, elle cible un secteur de vente, fait du porte-à-porte, présente ses produits ou services en et fait valoir les qualités. *Elle veille à bien connaître les caractéristiques et la qualité des produits et services qu'elle présente afin de pouvoir répondre aux questions et aux exigences de ses clients.*
CLÉO 432.53   S

VENDEUR, VENDEUSE DE PUBLICITÉ POUR LA RADIO ET LA TÉLÉVISION Personne qui vend de l'espace publicitaire (temps d'antenne ou espace) pour la radio, la télévision ou un journal. À cette fin, elle visite les clients, en sollicite de nouveaux, donne des renseignements sur la programmation, les cotes d'écoute ou le tirage, évalue et établit les prix et participe parfois à la rédaction des textes publicitaires. *Elle veille à bien connaître son produit afin de proposer à chaque client l'espace ou le temps d'antenne le plus adapté à ses besoins et à son budget.*
CLÉO 432.38   C

VENDEUR, VENDEUSE DE SERVICES D'AUTO-MOBILES Personne qui renseigne et aide les clients dans un centre de services de réparation et d'entretien d'automobiles. Elle s'informe auprès des clients des besoins d'entretien et des problèmes de fonctionnement de leur véhicule, dresse une commande des travaux à effectuer et fait une estimation du temps et des coûts approximatifs des travaux. *Elle s'efforce d'offrir un excellent service après-vente afin de satisfaire les exigences de la clientèle.*
CLÉO 432.46   S

VENDEUR-LIVREUR, VENDEUSE-LIVREUSE Personne qui conduit un véhicule motorisé selon un itinéraire préétabli pour faire la tournée de ses clients (commerçants et particuliers), chez qui elle livre, prend ou vend des marchandises (produits d'alimentation, huile à chauffage, matériaux de construction, services de nettoyage à sec, etc.). Elle tient un registre des marchandises livrées ou à cueillir, prépare les factures ou les bordereaux et perçoit les paiements.
CLÉO 433.35   S

VENDEUR-TECHNICIEN, VENDEUSE-TECHNICIENNE D'ÉQUIPEMENT LOURD Personne qui vend de la machinerie lourde telle que des bouteurs, des pelles mécaniques, des grues, des niveleuses, pour une entreprise spécialisée en construction ou en exploitation minière ou forestière. À cette fin, elle prend contact avec

les clients, évalue leurs besoins, propose de l'équipement, fait les démonstrations nécessaires et donne des renseignements sur l'usage et l'entretien du matériel. *Elle veille à bien connaître ses produits afin de recommander aux clients l'équipement approprié à leurs besoins et de fournir un bon service après-vente afin d'assurer la satisfaction de sa clientèle.*
CLÉO 432.48   C

VENDEUR-TECHNICIEN, VENDEUSE-TECHNICIENNE DE MATÉRIAUX DE CONSTRUCTION
Personne qui vend des matériaux de construction (ciment, bois de charpente, etc.) et des accessoires de plomberie et d'électricité à des entrepreneurs ou des sociétés de construction. À cette fin, elle donne des renseignements et des conseils sur les matériaux et les nouveautés, elle évalue les besoins et ressources de ses clients afin de leur proposer le matériel approprié et elle s'occupe des commandes et des livraisons. *Elle veille à bien connaître les matériaux offerts afin de pouvoir conseiller efficacement la clientèle et de satisfaire leurs besoins.*
CLÉO 432.51   C

VENDEUR-TECHNICIEN, VENDEUSE-TECHNICIENNE DE MATÉRIEL ÉLECTRONIQUE ET ÉLECTRIQUE
Personne qui vend du matériel électronique et électrique comme des appareils de communication, des appareils radiographiques ou des radars à des particuliers ou à des entreprises. À cette fin, elle rencontre les clients afin d'évaluer les besoins et les ressources, elle leur donne de l'information sur les nouveaux produits et sur le fonctionnement et l'entretien des appareils, elle leur propose un matériel approprié à leurs besoins et elle prépare une estimation des coûts d'installation et d'entretien des appareils. *Elle veille à fournir à ses clients tous les renseignements nécessaires à un choix éclairé et à fournir un bon service après-vente en vue d'assurer la satisfaction de la clientèle.*
CLÉO 233.13   C

VENTRILOQUE
Personne qui parle ou émet des sons sans remuer les lèvres et qui utilise un mannequin, une marionnette ou d'autres objets comme partenaires en vue de faire croire à un dialogue. *Elle veille à ne surtout pas bouger les lèvres quand la marionnette parle afin de créer une véritable illusion.*
CLÉO 625.06   C

VÉRIFICATEUR, VÉRIFICATRICE DE PANNEAUX DE COMMANDE
Personne qui inspecte et met à l'essai des panneaux de commande câblés destinés à divers appareils comme appareils de chauffage et de climatisation Elle s'occupe, entre autres, de vérifier la résistance des circuits, la tension et la disposition du câblage. *Elle veille à vérifier si le câblage respecte les schémas techniques afin de s'assurer de la conformité des installations aux spécifications de fabrication et d'utilisation.*
CLÉO 233.12   S

VÉRIFICATEUR, VÉRIFICATRICE DES IMPÔTS
Personne qui vérifie pour le compte du gouvernement provincial ou fédéral (ministères du Revenu) les déclarations de revenus de particuliers ou d'entreprises en vue d'assurer leur conformité aux lois de l'impôt et le paiement juste et complet des contributions exigées par la loi. À cette fin, elle revoit l'ensemble des données déclarées par les contribuables (revenus de diverses sources, contributions à différents régimes, déductions réclamées, crédits d'impôt, etc.) en se référant à tous les documents joints à la déclaration ainsi qu'aux bases de données de l'État, elle révise les calculs et prépare les avis officiels de vérification et de redressement d'impôts, elle réclame les cotisations dues et rembourse les cotisations payées en trop. En cas de doute sur l'authenticité des déclarations, elle effectue des démarches pour inspecter les états financiers de l'entreprise ou du particulier, établit le montant exact de leur contribution pour la période visée ou fait des redressements. Elle s'occupe également, s'il y a lieu, de réclamer des intérêts sur les dettes ou d'imposer des amendes en cas de tentative de fraude.
CLÉO 424.15   C/U

VERNISSEUR, VERNISSEUSE DE MEUBLES
Personne qui vernit ou revernit des meubles à l'aide de produits de traitement du bois et d'outils manuels. À cette fin, elle démonte les meubles, enlève le vieux vernis et les accessoires, si cela est nécessaire, puis elle prépare les surfaces et applique les produits de traitement et de finition qu'elle a préalablement préparés. *Elle s'efforce de choisir la méthode de vernissage adaptée au type du bois et au style du meuble et de bien préparer la surface à vernir afin d'assurer une finition à la fois esthétique et de qualité.*
CLÉO 236.15   S

VÉTÉRINAIRE
Personne qui soigne les animaux de compagnie, les animaux de ferme, les animaux de grands élevages et les animaux sauvages tels que les oiseaux et les poissons. Elle procède à des examens, pose des diagnostics, administre des traitements, qu'ils soient de nature médicale, chirurgicale ou préventive, et donne des conseils afin de permettre aux propriétaires de donner des soins appropriés à leurs animaux. Elle peut également travailler dans le domaine de l'hygiène publique, en enseignement ou encore en recherche. *Elle veille à tout mettre en oeuvre pour favoriser la prévention des maladies afin d'éviter les répercussions nuisibles non seulement pour les animaux, mais aussi pour les êtres humains.*
CLÉO 126.27   U

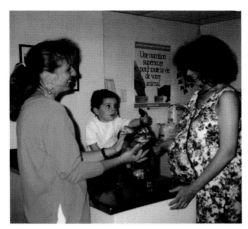

Une **vétérinaire** rassure une cliente sur la condition de son chat

PHOTO: Ordre des médecins vétérinaires du Québec

VIDÉOGRAPHE Personne qui réalise le montage par ordinateur des éléments vidéo en vue de la production d'un produit multimédia (CD-Rom, site internet, publication électronique, etc.). À cette fin, elle prend connaissance des spécifications du scénario, elle sélectionne les séquences vidéo dans des productions vidéo existantes, elle fait la numérisation pour les fins d'intégration du produit multimédia et elle réalise le traitement numérique ainsi que le montage du matériel à l'aide de logiciels spécialisés. Au besoin, elle prend des arrangements avec une entreprise spécialisée en production vidéo pour faire effectuer un tournage original des séquences vidéo. *Elle s'efforce de bien saisir les exigences du scénario afin de sélectionner des éléments vidéo pertinents et d'en faire le traitement selon les modes de production appropriés et la technologie propre au domaine du multimédia.*

CLÉO 722.06   C

VIROLOGISTE Personne qui, à titre de spécialiste de la microbiologie, effectue des recherches sur la structure, l'origine, les effets et la suppression des virus qui affectent les plantes, les animaux ou les êtres humains. À cette fin, elle procède à des analyses de laboratoire pour identifier les virus, fait des tests de neutralisation et de dépistage d'anticorps ainsi que des essais immunitaires en laboratoire, elle travaille à la conception ou à la production de vaccins et elle rédige des rapports de recherche. Elle peut également diriger ou superviser le travail d'une équipe technique de laboratoire. *Elle se préoccupe de l'amélioration des méthodes diagnostiques et des médicaments afin de contribuer à la mise au point de traitements plus efficaces des maladies virales.*

CLÉO 612.32   U

VITICULTEUR, VITICULTRICE Personne qui assure la gestion et la planification d'une entreprise spécialisée dans la culture de la vigne en vue de la production et de la vente du vin. À cette fin, elle dirige et exécute divers travaux liés à l'entretien des plants et à la cueillette des raisins et elle s'occupe de la mise en marché. *Elle se préoccupe de prodiguer tous les soins nécessaires aux plants de vigne afin que le raisin destiné à la fabrication du vin soit de la meilleure qualité possible.*

CLÉO 124.25   C

VITRAILLISTE Personne qui conçoit et réalise des vitraux décoratifs pour des fenêtres, des portes, des abat-jour destinés à des résidences, des églises, des commerces ou autres édifices. Elle conçoit le modèle, détermine les couleurs, taille les pièces de verre et effectue le montage avec des fils de plomb. *Elle s'efforce de créer des objets à la fois esthétiques et originaux afin de satisfaire les goûts et les besoins de la clientèle.*

CLÉO 627.08   C

VITRIER, VITRIÈRE Personne qui travaille le verre en vue de la réparation de produits de verre ou de la fabrication d'unités scellées (portes, fenêtres) et d'objets de verre. À cette fin, elle découpe le verre, le polit, le biseaute, le perle, le nettoie à l'aide d'outils manuels ou automatiques, et elle procède à l'assemblage des panneaux de verre dans le cas de fabrication de portes et fenêtres. *Elle respecte les plans d'atelier et manipule avec soin le matériel afin d'éviter les bris ou égratignures et d'obtenir un produit de qualité.*

CLÉO 241.63   S

V

VIT

VITRIER, VITRIÈRE EN BÂTIMENT Personne qui prépare, assemble, pose, ajuste et remplace les vitres et les parois vitrées de bâtiments résidentiels, commerciaux et industriels. *Elle est soucieuse de respecter les plans de construction et de manipuler ses produits et outils avec soin afin de s'assurer d'obtenir les dimensions voulues et d'éviter les bris.*

CLÉO 241.35   S

WEBMESTRE Personne qui, dans une entreprise ou un organisme doté d'un site web (internet) à vocation informative ou commerciale (édition électronique d'un journal, catalogue électronique de produits avec options de transactions commerciales, réseau de billetterie électronique, etc.), est chargée de préparer et de tenir à jour les contenus d'information qui alimentent les différentes sections du site et de procéder à leur «mise en ondes» sur le réseau internet au moment voulu. Elle gère, s'il y a lieu, les transactions, les messages ou le courrier interactif des utilisateurs du site en assurant la réception des données, leur traitement et leur transmission au personnel concerné. Elle tient également des statistiques sur la fréquentation du site en vue d'en évaluer l'efficacité ou la rentabilité et de procéder, s'il y a lieu, à des améliorations. *Elle veille à bien maîtriser les outils informatiques nécessaires à la gestion du site internet et s'efforce de connaître à fond les dossiers d'information dont elle est responsable pour le compte de l'entreprise.*
CLÉO 722.14   C/U

W
WEB

Un **webmestre** met au point une publicité électronique pour une voiture
PHOTO: Science Photo Library/Publiphoto

X Y Z

ZOOLOGISTE Personne qui, à titre de spécialiste des espèces animales, de leur mode de vie et de leur rôle dans les écosystèmes, effectue des recherches et des travaux de terrain (inventaires fauniques, surveillance et aménagement des habitats naturels, etc.) en vue d'étudier les caractères spécifiques des espèces, d'en protéger la biodiversité, de contrôler le développement des populations ou de découvrir des applications possibles des connaissances sur les phénomènes de la vie animale dans différents domaines (élevage, nutrition, médecine, écologie, etc.). Elle peut aussi soigner des animaux élevés en captivité ou en liberté surveillée dans un jardin zoologique, une réserve faunique ou un institut de recherche et fournir des services-conseils dans le cadre de projets relatifs à l'exploitation ou à la protection des ressources fauniques ainsi qu'à la diffusion des connaissances scientifiques en zoologie.
CLÉO 113.10   U

ZOOTHÉRAPEUTE Personne qui intervient auprès de gens ayant des difficultés d'ordre physique ou psychologique en utilisant le contact avec des animaux en vue de leur apporter de l'aide, d'améliorer leur fonctionnement, de favoriser leur adaptation et de briser leur isolement. À cette fin, elle tente de développer la dextérité perdue, de favoriser la détente et de créer une relation de confiance propice à les aider. La personne intervenante provient généralement d'un domaine de formation tel que les sciences, les techniques infirmières, la psychologie ou le travail social. *Elle veille à être attentive aux attitudes et comportements de la personne à l'égard de l'animal afin de l'aider à développer ses capacités physiques ou mentales de même qu'à s'exprimer.*
CLÉO 524.10   U

Z

ZOO

Cléo

DES CLÉS POUR S'ORIENTER

Le guide Cléo présente une vision cohérente du monde du travail afin d'en faciliter l'exploration. Définie dans la partie dictionnaire sans autre ordre que celui de l'alphabet, la profession est ici replacée dans la constellation professionnelle qui est la sienne dans le vaste ciel des activités humaines.

Le guide Cléo dresse un portrait thématique complet du monde du travail contemporain en le divisant en sept grandes sphères où se répartissent 79 secteurs reconnus d'activités professionnelles. Par le guide Cléo, le lecteur peut se documenter sur le secteur d'appartenance d'une profession qui l'intéresse et accéder à différentes clés lui permettant de cerner ses affinités personnelles au regard de cette profession. ■

CLÉ 1: LA CLASSIFICATION *CLÉO* La classification retenue par le guide Cléo a l'avantage de mettre en lien chaque profession avec l'ensemble du monde du travail. Cette classification originale s'appuie sur les grands besoins que tente de satisfaire toute société humaine au cours de son développement. Pour être satisfait, chacun de ces besoins appelle des actions qui, pour être accomplies, nécessitent les compétences des différents secteurs d'activités professionnelles. Enfin, chacun de ces secteurs comprend divers métiers et professions.

Grâce à la classification Cléo, le monde du travail n'apparaît plus comme une juxtaposition hétéroclite des métiers et professions, mais comme une organisation cohérente et articulée de l'activité humaine dans laquelle chaque profession joue un rôle distinct et indispensable.

Une description détaillée de cette clé d'orientation est fournie aux pages 252 à 255.

CLÉ 2: LA TYPOLOGIE PROFESSIONNELLE *RIASEC* Toute profession se caractérise par les personnes qui l'exercent. À la lumière des travaux du chercheur américain John Holland, il est possible de rattacher chaque profession à un type professionnel dominant ainsi qu'à un type secondaire et à un troisième type.

Selon Holland, les gens travaillent en fonction des six orientations de base ou six types: Réaliste (R), Investigateur (I), Artistique (A), Social (S), Entreprenant (E) et Conventionnel (C). La typologie professionnelle de Holland, appelée couramment *RIASEC,* fournit ainsi une clé d'orientation qui permet une exploration du monde du travail basée sur les caractéristiques personnelles (traits de personnalité, aptitudes, intérêts) associées à chacune des professions.

Une description détaillée de cette clé d'orientation est fournie aux pages 256 et 257.

CLÉ 3: DONNÉES • PERSONNES • CHOSES Tout travail s'exerce à des degrés différents sur des données (D), des personnes (P) et des choses (C). La clé DPC permet d'établir l'importance que revêt chacun de ces trois objets de travail dans la pratique d'une profession.

Les cotes DPC constituent un excellent moyen de connaître les professions et de les comparer. Les cotes DPC attribuées aux professions correspondent à des tâches et à des actions particulières. Elles fournissent, par conséquent, un aperçu éclairant des compétences requises par les professions ainsi que le niveau de responsabilité et de complexité qu'elles présentent.

Une description détaillée de cette clé d'orientation est fournie aux pages 258 et 259. ■

CLÉ 1
LA CLASSIFICATION *CLÉO*

SEPT GRANDS BESOINS OU SPHÈRES

La classification proposée par Cléo constitue, de par sa cohérence et sa clarté, une première clé d'orientation et de compréhension du monde du travail. Cette classification s'appuie sur les sept grands besoins qu'est appelée à satisfaire toute société humaine au cours de son développement. Ces sept besoins, nommés également sphères, se présentent dans un ordre raisonné tant sur le plan historique (voir encadré) qu'organisationnel.

LA QUÊTE DES RESSOURCES

LA PRODUCTION DES BIENS

L'ORGANISATION POLITIQUE

L'ACTIVITÉ ÉCONOMIQUE

LE BIEN-ÊTRE DES PERSONNES

LE SAVOIR ET LA CULTURE

LA COMMUNICATION

Le premier besoin concerne l'appropriation et l'utilisation des ressources du milieu naturel (1re sphère). L'exploitation des matières premières rend ensuite possible la production des biens (2e sphère). La production de biens nécessite une organisation de la vie en société (3e sphère) et des échanges économiques (4e sphère). Une fois certaines bases matérielles mieux assurées, le bien-être des personnes devient une préoccupation collective (5e sphère), de même que la nécessité de transmettre les acquis aux générations montantes (6e sphère) et de les partager avec les autres (7e sphère).

Petite histoire du vaste monde du travail

Le système de classification du guide Cléo tire sa cohérence de l'observation des phases de développement de la société humaine. De même que nous regardons dans un télescope pour apercevoir au plus loin de l'espace les séquences de la formation de l'univers, de même en se penchant sur le passé des humains nous pourrons voir s'élaborer, dans ses grandes lignes, le monde du travail tel que nous le connaissons aujourd'hui.

LA QUÊTE DES RESSOURCES Les premiers humains dignes de ce nom vivaient en bandes nomades de chasseurs-cueilleurs. Quitte à se déplacer, leur souci était d'avoir accès aux ressources de l'environnement afin de se nourrir, se vêtir, s'abriter, se soigner. Fruits et chair animale fournissaient la nourriture; peaux et fourrures servaient de vêtements; pierres, bois et végétaux fournissaient les matériaux des habitations, le combustible et les médicaments.

LA PRODUCTION DES BIENS Peu à peu, certaines ressources – os, pierre, métal, bois – sont transformées par la main humaine en outils, en ustensiles, en armes, bref en objets introuvables à l'état naturel. Par ailleurs, nos ancêtres apprennent à faire des provisions. Ils «inventent» le fromage, la viande fumée, la confiserie, l'alcool. Désormais, un groupe peut produire des denrées ou des biens en quantité supérieure à la consommation qu'il en fait. C'est l'apparition des surplus. Autre nouveauté: chaque membre du groupe n'est plus tenu de posséder toutes les habiletés; l'un peut exceller en poterie, l'autre à la chasse, l'autre encore à la fabrication de roues.

L'ORGANISATION POLITIQUE La production de biens a une conséquence majeure: les gens ne se déplacent plus pour être à l'affût des ressources. Ce sont les ressources qui, sous forme de biens, circulent entre les différents groupes. Ces derniers, incidemment, se sédentarisent avec le

développement de l'agriculture et des productions spécialisées. L'installation de nombreux habitants sur un même site favorable oblige la population à se doter d'une organisation collective plus complexe que celle du clan nomade, d'ordre familial. Il faut coordonner des dizaines d'activités différentes, gérer des surplus, assurer la protection, établir et faire respecter des règles de vie en commun.

L'ACTIVITÉ ÉCONOMIQUE Avec la sédentarisation, le commerce s'impose comme mode d'accès aux ressources et aux biens nécessaires à l'existence. Comme la collectivité ne consomme plus tout ce qu'elle produit, elle peut offrir ses surplus à d'autres collectivités. En outre, ladite collectivité ne cherche plus à tout produire puisqu'elle peut désormais compter sur les différents surplus d'autres groupes. Tout concourt ainsi au développement et à l'intensification des échanges commerciaux.

LE BIEN-ÊTRE DES PERSONNES Une fois sa survie assurée, la collectivité va tenter de garantir sa prospérité. Or, celle-ci est liée à la santé et au bien-être de ses membres. Les liens entre citoyens concurrencent par leur importance les liens familiaux. Dans la plupart des sociétés prospères, on remarque une tendance à l'émancipation des groupes moins nantis, esclaves ou serfs, artisans ou ouvriers, malades ou démunis.

LE SAVOIR ET LA CULTURE Le succès de la collectivité organisée va également reposer sur sa capacité de transmettre ses acquis aux générations montantes ainsi que sur son ouverture à la créativité de ses membres. Savoir et culture se retrouveront ainsi au coeur du rayonnement des grandes civilisations antiques (chinoise, indienne, gréco-romaine) ou plus récentes (arabe, européenne, américaine).

LA COMMUNICATION La longue évolution industrielle, sociale et technique de l'activité humaine, allant de la quête des ressources à la transmission du savoir, est prolongée aujourd'hui par les communications. Celles-ci n'assurent plus seulement le transport des données, mais aussi leur partage entre les membres de la société, voire entre les collectivités. ■

DES ACTIONS ET DES PROFESSIONS

Chacun des sept grands besoins, pour être comblés, appelle des actions. Ainsi, la Quête des ressources naturelles se traduit par trois actions: l'exploration (découvrir les ressources), l'exploitation (les extraire) et la conservation (assurer leur renouvellement). Chacune de ces actions peut être accomplie grâce aux compétences de secteurs professionnels auxquels appartiennent divers métiers ou professions. On obtient ainsi la structure de base de la classification Cléo.

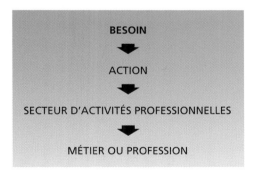

UN CODE SIGNIFIANT

Le code Cléo, c'est un peu l'adresse où loge chaque métier ou profession dans le vaste monde du travail. Ainsi, le métier d'ouvrier sylvicole porte le code Cléo **131.06**. Voici sa signification:
– la centaine (**1**31.06) représente le besoin ou la sphère, ici la *Quête des ressources* (100).
– la dizaine (1**3**1.06) représente l'action, ici la *Conservation* (130).
– l'unité (13**1**.06) représente le secteur d'activités professionnelles, ici le *Milieu naturel* (131).
– la décimale (131.**06**) représente la profession ou le métier concerné, ici *Ouvrier sylvicole*.

Les deux pages suivantes présentent une vue d'ensemble très éclairante de la classification *Cléo*. ■

CLÉ 1 (suite)
LA CLASSIFICATION *CLÉO* VUE D'ENSEMBLE

100 LA QUÊTE DES RESSOURCES

110 L'EXPLORATION

111 La géologie et l'hydrologie

112 La géomatique

113 La flore et la faune

114 La météorologie

120 L'EXPLOITATION

121 L'eau

122 Les mines

123 La forêt

124 L'agriculture

125 L'horticulture

126 L'élevage

127 La pêche et la chasse

130 LA CONSERVATION

131 Le milieu naturel

132 Le milieu humain

200 LA PRODUCTION DES BIENS

210 LA PLANIFICATION

211 Les procédés de production et de contrôle de la qualité

220 LA TRANSFORMATION

221 La minéralurgie

222 La métallurgie

223 Les produits minéraux non métalliques

224 L'énergie

225 Le bois d'oeuvre

226 Les pâtes et papiers

227 Le textile

228 Les aliments et boissons

229 Les produits et procédés chimiques

230 LA FABRICATION

231 La fabrication mécanique

232 Le matériel de transport

233 Les appareils électriques et électroniques

234 Les ordinateurs et les appareils de télécommunication

235 La production de l'imprimé

236 Le meuble

237 L'habillement

240 LA CONSTRUCTION

241 Le bâtiment et les travaux publics

250 L'ENTRETIEN ET LA RÉPARATION

251 Le matériel industriel

252 Le matériel électrique et électronique

253 Le bâtiment

254 Le matériel de transport

300 L'ORGANISATION POLITIQUE

310 LA LÉGISLATION

311 Les élus et les hauts fonctionnaires

320 LA JUSTICE

321 L'administration de la justice

322 La loi et l'ordre public

330 LA PROTECTION

331 Les services d'urgence et de sécurité

Au terme d'une longue étude, le chercheur américain John Holland a établi l'existence de six types de personnes au travail. Il les a dénommés comme suit: «Réaliste» (R), «Investigateur» (I), «Artistique» (A), «Social» (S), «Entreprenant» (E), «Conventionnel» (C). Selon Holland – et de nombreuses recherches l'ont confirmé – le choix d'une profession, d'un métier, est une forme d'expression de la personnalité d'un individu et donc en rapport avec sa typologie. L'appartenance de travailleurs à l'un ou l'autre des six types serait déterminée par des habiletés, par certains traits de personnalité et par des intérêts. Ainsi, toujours selon Holland, les gens d'un même type exercent le même genre de travail. Pourquoi? Parce que ces gens s'apparentent par leur personnalité, parce qu'ils poursuivent des objectifs semblables, parce qu'ils présentent les mêmes dispositions physiques ou psychologiques à l'égard de leur travail. Toutes les personnes exerçant un emploi donné peuvent être classées selon six types professionnels. Le tableau ci-contre fournit une description de chacun de ces types.

La typologie d'une personne est établie en mesurant son degré d'affinité avec chacun des six types de manière à les placer en ordre hiérarchique d'importance, du type le plus marqué au type le moins influent. Chez la plupart des gens, ce sont surtout les deux ou trois premiers types de leur hiérarchie personnelle qui ont une influence significative sur leur manière d'être et d'agir, tant dans leur vie personnelle que professionnelle. On dira, par exemple, d'une personne dont le type dominant est «Investigateur» et qui a des affinités avec le type «Réaliste» qu'elle a un profil «IR». Pour caractériser davantage la typologie de cette personne, il est également possible de considérer le 3e type auquel elle ressemble le plus et de dire, dans le cas où il s'agirait du type «Social», que cette personne a un profil «IRS».

Il existe un grand nombre de combinaisons possibles des types et c'est en quelque sorte leur interaction qui influence la personnalité.

Chaque profession est donc une combinaison de plusieurs types. Une description des combinaisons les plus courantes basées sur les deux premiers types ainsi qu'une liste de professions associées à chacune de ces combinaisons sont présentées en index à la p. 457 du présent document.

LE TYPE RÉALISTE Les personnes de ce type exercent surtout des tâches concrètes. Habiles de leurs mains, elles savent coordonner leurs gestes. Elles se servent d'outils, font fonctionner des appareils, des machines, des véhicules. Les réalistes ont le sens de la mécanique, le souci de la précision. Plusieurs exercent leur profession à l'extérieur plutôt qu'à l'intérieur. Leur travail demande souvent une bonne endurance physique, et même des capacités athlétiques. Ces personnes sont patientes, minutieuses, constantes, sensées, naturelles, franches, pratiques, concrètes, simples.

LE TYPE INVESTIGATEUR La plupart des personnes de ce type ont des connaissances théoriques pour agir. Elles disposent de renseignements spécialisés dont elles se servent pour résoudre des problèmes. Ce sont des personnes qui observent. Leur principale compétence tient à la compréhension qu'elles ont des phénomènes. Elles aiment bien se laisser absorber dans leurs réflexions. Elles aiment jouer avec les idées. Elles valorisent le savoir. Ces personnes sont critiques, curieuses, soucieuses de se renseigner, calmes, réservées, persévérantes, tolérantes, prudentes dans leurs jugements, logiques, objectives, rigoureuses, intellectuelles.

LE TYPE ARTISTIQUE Les personnes de ce type aiment les activités qui leur permettent de s'exprimer librement, à partir de leurs perceptions, de leur sensibilité et de leur intuition. Elles s'intéressent au travail de création, qu'il s'agisse d'art visuel, de littérature, de musique, de publicité ou de spectacle. D'esprit indépendant et non conformiste, elles sont à l'aise dans des situations qui sortent de l'ordinaire. Elles sont dotées d'une grande sensibilité et imagination. Bien qu'elles soient rebutées par les tâches méthodiques et routinières, elles sont néanmoins capables de travailler avec discipline. Ces personnes sont spontanées, expressives, imaginatives, émotives, indépendantes, originales, intuitives, passionnées, fières, flexibles, disciplinées.

LE TYPE SOCIAL Les personnes de ce type aiment être en contact avec les autres dans le but de les aider, de les informer, de les éduquer, de les divertir, de les soigner ou encore de favoriser leur croissance. Elles s'intéressent aux comportements humains et sont soucieuses de la qualité de leurs relations avec les autres. Elles utilisent leur savoir ainsi que leurs impressions et leurs émotions pour agir et pour interagir. Elles aiment communiquer et s'expriment facilement. Ces personnes sont attentives aux autres, coopératives, collaboratrices, compréhensives, dévouées, sensibles, sympathiques, perspicaces, bienveillantes, communicatives, encourageantes.

LE TYPE ENTREPRENANT Les personnes de ce type aiment influencer leur entourage. Leur capacité de décision, le sens de l'organisation et une habileté particulière à communiquer leur enthousiasme les appuient dans leurs objectifs. Elles savent vendre des idées autant que des biens matériels. Elles ont le sens de l'organisation, de la planification et de l'initiative et savent mener à bien leurs projets. Elles savent faire preuve d'audace et d'efficacité. Ces personnes sont persuasives, énergiques, optimistes, audacieuses, sûres d'elles-mêmes, ambitieuses, déterminées, diplomates, débrouillardes, sociables.

LE TYPE CONVENTIONNEL Les personnes de ce type ont une préférence pour les activités précises, méthodiques, axées sur un résultat prévisible. Elles se préoccupent de l'ordre et de la bonne organisation matérielle de leur environnement. Elles préfèrent se conformer à des conventions bien établies et à des consignes claires plutôt que d'agir avec improvisation. Elles aiment calculer, classer, tenir à jour des registres ou des dossiers. Elles sont efficaces dans tout travail qui exige de l'exactitude et à l'aise dans les tâches routinières. Ces personnes sont loyales, organisées, efficaces, respectueuses de l'autorité, perfectionnistes, raisonnables, consciencieuses, ponctuelles, discrètes, strictes. ■

CLÉ 3
DONNÉES • PERSONNES • CHOSES

 DONNÉES

Les professions se caractérisent par un ensemble de tâches plus ou moins complexes qui s'exercent sur trois objets de travail: les données, les personnes ou les choses. Voici en quoi consistent ces trois objets de travail.

 Les données concernent les mots et les chiffres, les documents audiovisuels qui contiennent de l'information. Il peut s'agir pour les personnes de manipuler les données de façon concrète, par exemple dans le travail de bureau ou de classement, ou encore de façon symbolique lorsqu'elles s'intéressent à l'information (idées, conceptions, modèles, théories, recherches).

 Les personnes concernent les individus ou les groupes avec lesquels s'établit une communication dans le cadre du travail. Le travail des psychologues et des enseignants s'exerce sur des personnes, celui du vendeur aussi. De même, l'animateur a son public, l'acteur également.

 Les choses concernent la matière transformée par le travail. Il s'agit d'outils, de machines, d'équipements, de produits. C'est ce qui se touche, se transporte, se manoeuvre. C'est ce qui se décrit par sa forme, son volume, son poids, sa température. C'est ce sur quoi on agit physiquement. Les choses comprennent aussi les plantes et les animaux quand il s'agit de leur exploitation.

LE CODE DPC

L'évaluation de chaque profession au regard des trois objets de travail se traduit par trois cotes comprises entre 0 et 8.

Les trois chiffres indiquent le degré de proximité qui existe entre la profession et chacun des trois objets sur lesquels le travail s'exerce. Plus le chiffre est petit, plus petite est la distance et plus importante est la relation de la profession avec cet objet de travail. Inversement, un chiffre élevé indique une plus grande distance et donc une relation qui comporte des responsabilités moindres.

La nomenclature des cotes par des verbes (0 = Faire la synthèse, 1 = Coordonner, 2 = Analyser, etc.) sera d'une aide précieuse pour décoder la clé d'orientation DPC. ■

258

+ 0. Faire la synthèse: intégrer les analyses pour en dégager une vision d'ensemble; raisonner les données pour découvrir des faits nouveaux, des idées nouvelles, des concepts unificateurs, faire une interprétation qui permet de comprendre et d'agir.

1. Coordonner: établir l'ordre des tâches à faire, planifier un projet en fonction des priorités et des étapes. **Innover:** concevoir et développer des idées créatives, trouver des façons d'améliorer des systèmes, des procédures ou des produits.

2. Analyser: examiner des données, en voir les composantes, les raisonner, en saisir la logique, juger de leur valeur.

3. Rassembler des données: recueillir et classifier de l'information, l'enregistrer matériellement ou la mémoriser en vue de la rendre disponible à ceux qui en ont besoin.

4. Calculer: faire des opérations arithmétiques et consigner les résultats obtenus dans des formulaires et documents conçus à cette fin; rendre compte, le cas échéant, des mesures prises à la suite de ces opérations.

5. Copier: faire la saisie de données, les transcrire, les mettre sur fiche, en vidéo, à l'ordinateur, etc.

6. Comparer: vérifier si des caractéristiques facilement observables concernant des données, des personnes ou des choses correspondent aux normes établies ou aux directives transmises.

7. Pas de relation significative.

— 8. Pas de relation significative.

 PERSONNES

 CHOSES

0. Orienter – Conseiller: être en relation avec des personnes dans toute leur entité afin de leur donner des avis ou des conseils, de les soigner ou de les guider pour résoudre les problèmes qui peuvent être réglés par l'application de principes juridiques, scientifiques, cliniques, spirituels ou professionnels.

1. Négocier: échanger des idées, de l'information et des opinions avec d'autres pour parvenir ensemble à des décisions, à des conclusions ou à des solutions; souvent, collaborer avec d'autres pour formuler des politiques et des programmes.

2. Enseigner, agir comme consultant: enseigner une matière à d'autres, donner des conseils ou former d'autres personnes par l'entremise d'activités comme l'explication, la démonstration ou l'encadrement technique; faire des recommandations d'après son expertise dans le domaine.

3. Superviser: définir des méthodes de travail pour un groupe de travailleurs, leur assigner des tâches particulières, promouvoir l'efficacité, assurer des conditions favorables au rendement; évaluer et sélectionner des individus.

4. Divertir: intéresser un public, l'émouvoir, le faire réfléchir par les arts du spectacle, de la scène, de la télévision ou de la radio; faire de la communication de masse et parler en public.

5. Persuader: influencer les gens en faveur d'un produit, d'un service, d'un projet, d'un point de vue; vendre sous diverses formes; agir comme représentant.

6. Parler – Signaler: parler ou faire des signes pour transmettre ou échanger de l'information; assigner des tâches ou donner des directives à des aides.

7. Servir – Aider: s'occuper des besoins de personnes ou d'animaux, ou des demandes et des désirs implicites ou exprimés des personnes; aider les travailleurs dans l'exécution de leurs tâches.

8. Pas de relation significative.

0. Ajuster – Monter: préparer des machines, des appareils à remplir leur fonction ou à être des plus performants en façonnant, en remplaçant ou en modifiant des pièces, des outils et des dispositifs.

1. Travailler avec précision: avoir la pleine responsabilité de ses méthodes de travail et du choix de ses instruments et matériaux dans des activités techniques, artistiques ou athlétiques qui exigent la maîtrise de gestes précis, de la dextérité, de l'agilité ou de la rapidité.

2. Entretenir et vérifier: mettre et maintenir en état de fonctionnement des machines et des appareils. Monter et démonter des mécanismes, réparer du matériel électrique, électronique, informatique, procéder à des installations d'équipement, construire, assembler.

3. Conduire et faire fonctionner: conduire, observer des jauges et des cadrans, déterminer la vitesse et la direction, pousser et tirer des leviers de grues, de convoyeurs, de véhicules lourds, de rouleaux compresseurs à pavage.
Élever des animaux, faire croître des plantes, des arbustes, des céréales, veiller à l'entretien et à la protection des plantes, etc.

4. Opérer – Manipuler: se servir avec jugement, dextérité et bonne coordination visuo-motrice de ses membres, d'outils ou d'appareils spéciaux pour travailler, déplacer, guider ou placer des objets ou des matériaux, déterminer l'outil, le matériau ou l'objet approprié pour accomplir le travail et juger de la précision obtenue.

5. Assurer le fonctionnement: mettre en marche, arrêter et surveiller le fonctionnement des machines et des instruments en faisant le réglage de routine des commandes ou l'ajustement des matériaux en cours de travail.

6. Alimenter – Retirer: glisser, jeter, plonger ou placer des matériaux dans des machines automatiques ou manoeuvrées ou conduites par d'autres ouvriers, ou les en retirer.

7. Manutentionner: se servir de ses membres, d'outils à main ou d'appareils spéciaux pour travailler sur des objets ou des matériaux, pour les emballer, les nettoyer, les déplacer ou les transporter, en se conformant aux directives reçues.

8. Pas de relation significative.

Cléo

DES CLÉS POUR S'ORIENTER

LA SIGNIFICATION DES CODES

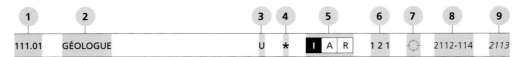

1	2	3	4	5			6	7	8	9
111.01	GÉOLOGUE	U	★	**I**	A	R	1 2 1	⊙	2112-114	*2113*

1 CODE CLÉO Il s'agit du code attribué à la profession dans le guide Cléo. Voir l'explication de la classification aux pages 252 à 255.

2 TITRE DU MÉTIER OU DE LA PROFESSION

3 FORMATION Les lettres S, C, U indiquent l'ordre d'enseignement associé à la profession:
S: secondaire ou l'équivalent;
C: collégial ou l'équivalent;
U: universitaire ou l'équivalent.

4 VALIDATION L'astérisque signifie que les données nos 5 et 6 concernant les professions sont confirmées et validées par la Classification nationale des professions (CNP). L'absence d'astérisque signifie que les données sont hypothétiques. Dans de rares cas, aucune donnée n'a pu être associée aux professions.

5 CODE RIASEC Ce code indique le profil de chaque profession selon les six types de Holland (RIASEC). Cette typologie est présentée aux pages 256 et 257. La première des trois lettres indique le type dominant. Une description des combinaisons de types les plus courantes de même qu'une liste de professions associées à chacune de ces combinaisons sont fournies à la page 457.

6 CODE DPC Ce code indique les relations que la profession entretient avec les Données, les Personnes et les Choses. La signification des éléments de ce code et de son échelle se trouve aux pages 258 et 259.

7 REPÈRES Le code ⊙ signifie qu'une mono- graphie de la profession est présentée dans le système informatisé de données en information scolaire et professionnelle «Repères». Ce système informatisé est disponible dans les établissements d'enseignement et dans le réseau de la main- d'oeuvre.

8 CODE CCDP Il s'agit du code attribué à la profession dans la Classification canadienne descriptive des professions (CCDP). Ce code permet de consulter le système informatisé «Repères».

9 CODE CNP Il s'agit du code attribué à la profession dans la Classification nationale des professions (CNP). Ce code permet de consulter le système informatisé «Repères».

LA QUÊTE DES RESSOURCES

LA QUÊTE DES RESSOURCES

L'EXPLORATION • L'EXPLOITATION • LA CONSERVATION

Les ressources naturelles sont essentielles à la subsistance de l'être humain. Elles lui permettent de trouver les éléments nécessaires pour se nourrir, se vêtir, se loger et bien plus encore. Les biens que nous utilisons proviennent des ressources naturelles qui ont été explorées puis exploitées. En effet, pour pouvoir utiliser les ressources, il faut d'abord les rechercher pour ensuite les extraire de leur milieu naturel en vue de leur transformation. Ainsi, l'être humain est sans cesse à la recherche des réserves de métaux, de minéraux, d'hydrocarbure ou d'eau nécessaires à la production des biens comme les maisons, les véhicules ou l'électricité. Il doit explorer le territoire, déceler, localiser et inventorier les ressources puis planifier et mettre au point des méthodes d'exploitation des sites.

Toutefois, les ressources naturelles ne sont pas inépuisables. La protection des ressources et de l'environnement, de la biodiversité de la faune et de la flore et le renouvellement des ressources sont aussi d'une importance capitale pour assurer l'équilibre de la vie sur la Terre, la survie des espèces et la disponibilité des ressources pour les générations à venir. Des actions sont posées afin d'utiliser les ressources de façon plus rationnelle, de prévenir leur détérioration et leur gaspillage et de lutter contre les ravages naturels (insectes, incendies de forêts, inondations). À cet effet, des lois, des normes et des règlements ont d'ailleurs été instaurés. Exploration, exploitation, conservation sont ainsi les actions liées à la quête des ressources dont nous avons besoin.

100   LA QUÊTE DES RESSOURCES

110   L'EXPLORATION

111   La géologie et l'hydrologie

PHOTO: P. Brunet/Publiphoto

Selon les experts, il faut extraire et traiter environ 25 tonnes de roches par année pour subvenir aux besoins d'une seule personne en Amérique du Nord. C'est dire à quel point la demande en matériaux provenant du sol est astronomique. La société industrielle est tout aussi insatiable en ressources énergétiques (pétrole, gaz naturel, charbon et uranium) alors qu'il s'agit là de ressources non renouvelables dont il est difficile d'estimer les réserves. Les ressources minières et énergétiques sont-elles suffisantes pour répondre aux besoins futurs de la population? Comment peut-on exploiter les gisements de minerais ou d'hydrocarbures au moindre coût possible et contrer les impacts de cette exploitation sur l'environnement? Voilà quelques-unes des questions auxquelles les géoscientifiques doivent trouver réponse pour assurer l'approvisionnement futur en ressources provenant du sol. Ainsi, environ 80 % des professionnels en géologie – géologues, géophysiciens, géochimistes, ingénieurs géologues, ingénieurs du pétrole, technologues en prospection minière, etc. – font carrière dans la prospection de gisements de minéraux, de métaux et d'hydrocarbures tant pour le compte de l'État que pour celui d'entreprises privées. Le travail de ces spécialistes consiste également à découvrir des procédés plus économiques de mettre ces gisements en valeur et de les exploiter en minimisant les dommages causés à l'environnement. Ils cherchent aussi à mettre au point des moyens d'évacuer les déchets provenant des activités minières sans polluer l'environnement et de restaurer les sites miniers qui ont cessé d'être exploités.

La recherche de gisements miniers et énergétiques exploitables n'est toutefois pas la seule préoccupation des géoscientifiques et des technologues qui collaborent à tous ces travaux. En tant que spécialistes des formations géologiques et de phénomènes naturels tels que tremblements de terre, glissements de terrain, inondations et éruptions volcaniques, les géoscientifiques interviennent aussi dans des projets de construction afin d'évaluer la stabilité des socles rocheux qui supporteront ces ouvrages et d'assurer leur résistance aux dangers naturels ou consécutifs à l'utilisation intensive du sol. Ces spécialistes ont d'importants défis à relever dans le domaine de l'environnement dont plusieurs sont d'une importance capitale pour la qualité de vie et l'avenir de la planète: où et comment stocker les déchets nucléaires et chimiques sans risquer de catastrophe écologique? Quels sites peuvent convenir à l'enfouissement des tonnes de déchets domestiques produites quotidiennement et comment réduire la contamination des sols qui en découle? Quelles seraient les conséquences d'un éventuel réchauffement climatique sur les villes côtières?

D'autres professionnels du secteur dont les hydrologues, les hydrogéologues et les technologues qui les assistent, se spécialisent dans les sciences relatives à une autre ressource fondamentale de la planète: l'eau. Leur rôle consiste notamment à localiser et à évaluer la qualité des nappes d'eau souterraines, à prévenir la dégradation de ces réserves et des eaux de surface causée par la pollution ainsi qu'à planifier l'aménagement et la gestion des eaux de manière à assurer l'approvisionnement futur en eau potable et à contrer les effets des activités humaines liées à l'exploitation des cours d'eau.

Les recherches des spécialistes en géologie et en hydrologie portent aussi sur l'origine et l'histoire de la planète, sur l'évolution des différentes formes de vie qui y ont habité depuis les temps les plus reculés, sur les phénomènes physiques qui façonnent le paysage du globe et sur les mouvements des formations géologiques qui modifient sans cesse la structure du globe. Outre leur intérêt scientifique, les données recueillies ont des applications précieuses dans la découverte de nouvelles sources d'approvisionnement en ressources minérales et permettent de mieux cerner les solutions à de nombreux problèmes d'environnement. Ainsi, les professionnels du secteur contribuent non seulement à une meilleure compréhension de l'histoire de la planète, mais ils jouent un rôle important pour assurer l'avenir de tous sur cette bonne vieille Terre.

CLÉO	TITRE	FORMATION	VALIDATION	RIASEC	D P C	REPÈRES	CCDP	CNP
111.01	GÉOLOGUE	U	★	I A R	1 2 1	◇	2112-114	2113
111.02	INGÉNIEUR, INGÉNIEURE GÉOLOGUE	U	★	I R E	0 3 1	◇	2159-134	2144
111.03	TECHNOLOGUE EN GÉOLOGIE	C	★	I R C	2 3 1	◇	2117-118	2212
111.04	GÉOPHYSICIEN, GÉOPHYSICIENNE	U	★	I A R	1 2 1	◇	2112-118	2113
111.05	GÉOPHYSICIEN-PROSPECTEUR, GÉOPHYSICIENNE-PROSPECTRICE	U	★	I A R	1 2 1	◇	2112-110	2113
111.06	TECHNOLOGUE EN GÉOPHYSIQUE	C	★	I R C	2 3 1	◇	2117-276	2212
111.07	GÉOCHIMISTE	U		I A R	1 2 1		—	2113
111.08	TECHNOLOGUE EN PROSPECTION MINIÈRE	C	★	I R C	2 3 1	◇	2165-012	2212
111.09	CONDUCTEUR, CONDUCTRICE DE CAROTTEUR	S	★	R C E	6 8 2	◇	7713-126	8231
111.10	GÉOLOGUE PÉTROLIER, GÉOLOGUE PÉTROLIÈRE	U	★	I A R	1 2 1	◇	2112-134	2113
111.11	INGÉNIEUR, INGÉNIEURE DU PÉTROLE	U	★	I R E	0 3 1	◇	2154-114	2145
111.12	TECHNOLOGUE EN CARTOGRAPHIE PÉTROLIÈRE	C	★	R I E	2 3 1	◇	2163-164	2253
111.13	MINÉRALOGISTE	U	★	I A R	1 2 1	◇	2112-126	2113
111.14	SISMOLOGUE	U	★	I A R	1 2 1	◇	2112-138	2113
111.15	HYDROLOGUE	U	★	I A R	1 2 1	◇	2112-122	2113
111.16	TECHNOLOGUE EN HYDROLOGIE	C	★	I R C	2 3 1	◇	2117-256	2212
111.17	HYDROGÉOLOGUE	U		I R E	0 3 1		—	2144
111.18	TECHNOLOGUE EN HYDROGÉOLOGIE	C		I R C	2 3 1		2117-256	2212
111.19	OCÉANOGRAPHE	U	★	I A R	1 2 1	◇	2112-001	2113

Voir la p. 262 pour connaître la signification des codes.

PHOTO: René Trudel/Ministère des Ressources naturelles du Québec

L'organisation économique d'une société repose avant tout sur une gestion efficace et rationnelle de son territoire. Cela suppose d'avoir une image précise de ses caractéristiques, des ressources qu'il recèle et des phénomènes physiques qui en influencent le climat, la structure du sol, l'hydrographie, la végétation, la faune et d'autres facteurs déterminants pour son potentiel de développement.

Nous disposons d'une somme considérable de données d'information sur le territoire québécois accumulées au fil des recherches des scientifiques. Autrefois approximatives et limitées par des moyens technologiques rudimentaires, l'acquisition et la gestion de l'information sur le territoire sont de nos jours supportées par une instrumentation de haute technologie qui a donné naissance à une nouvelle science: la géomatique. Issue de l'intégration de l'informatique et de la géographie, la géomatique désigne l'ensemble des moyens modernes permettant d'acquérir, d'emmagasiner, de gérer et de rendre accessibles à ceux qui en ont besoin les données scientifiques, techniques et légales indispensables à l'aménagement et à la gestion du territoire. Elle inclut plusieurs disciplines, notamment l'arpentage foncier, la géodésie, la cartographie, l'hydrographie, la photogrammétrie, la télédétection et les systèmes d'information à référence spatiale, toutes disciplines auxquelles sont formés les arpenteurs-géomètres qui sont les principaux artisans des données géomatiques sur le territoire.

112

Les arpenteurs-géomètres sont en effet chargés par la loi d'exécuter en exclusivité tous les actes d'arpentage, de mesure et de représentation cartographique des territoires, qu'il s'agisse d'un terrain résidentiel, d'un territoire forestier, minier, rural ou urbain ou encore d'un cours d'eau. L'arpentage foncier, sans doute le champ d'activité le plus traditionnel de la géomatique, consiste à définir et à représenter sous forme de plans et de cartes la configuration et les dimensions précises de la propriété foncière en vue d'en établir et d'en certifier la localisation et les droits d'exploitation. La géodésie, autre spécialité des arpenteurs-géomètres, consiste à effectuer des mesures de grande précision en vue d'établir le bornage et de vérifier le positionnement exact de travaux de construction ou d'aménagement du sol comme les routes, les édifices, les ponts et les infrastructures souterraines de services publics.

La cartographie et l'hydrographie (cartographie des cours d'eau) sont aussi du ressort des arpenteurs-géomètres. Pour établir les différents types de cartes (topographiques, forestières, minières, cadastrales, urbaines, hydrographiques, etc.), les arpenteurs-géomètres recourent aux technologies modernes de la géomatique, entre autres, la photogrammétrie, qui est basée sur le traitement de photos aériennes des territoires et la télédétection qui fait appel aux images et aux données recueillies et transmises par des satellites équipés de caméras, de radars et de détecteurs ultrasensibles. Des technologues en levés aériens, en géodésie, en photogrammétrie, en télédétection et en cartographie participent avec les arpenteurs-géomètres à la collecte et au traitement des données géomatiques nécessaires à l'établissement de cartes et de plans descriptifs du territoire. Toutes les cartes ainsi produites sont déposées officiellement dans les archives publiques et régulièrement mises à jour.

Une foule de spécialistes engagés dans l'exploration scientifique et dans l'aménagement et l'exploitation des ressources du territoire produisent également des rapports détaillés de leurs découvertes et de leurs activités sur le territoire de sorte que les archives publiques s'enrichissent continuellement de nouvelles données. Il était difficile jusqu'à tout récemment de gérer efficacement cette somme incroyable de données d'information afin de la rendre accessible à tous ceux qui ont besoin de s'y référer. Les systèmes d'information à référence spatiale, une des applications les plus importantes de la géomatique, sont venus répondre à ce besoin. Il s'agit de systèmes informatiques permettant de rassembler vers un guichet unique et d'emmagasiner à l'aide d'ordinateurs l'ensemble des données de sources diverses recueillies sur un territoire. Ces systèmes permettent, par exemple, de produire en quelques minutes une carte détaillée d'un secteur précis du territoire illustrant l'emplacement exact des propriétés et l'emplacement exact des infrastructures souterraines de services publics ou d'établir, en recourant aux données transmises par satellites, un inventaire forestier détaillé d'un territoire éloigné et de suivre à distance l'avancement de travaux de coupe qui y sont effectués. De tels systèmes se révèlent fort utiles à tous les professionnels qui interviennent dans l'exploitation et la gestion d'un territoire. La mise en place et la gestion des SIRS (systèmes d'information à référence spatiale) sont souvent confiées à des arpenteurs-géomètres en raison de leur expertise particulière en géomatique.

Bref, la géomatique a des applications dans de multiples domaines. Il s'agit en quelque sorte d'une science au service de toutes les disciplines liées à l'étude et au développement de notre habitat.

CLÉO	TITRE	FORMATION	VALIDATION	RIASEC			D P C	REPÈRES	CCDP	CNP
112.01	ARPENTEUR-GÉOMÈTRE, ARPENTEUSE-GÉOMÈTRE	U	*	R	C	I	1 3 1	⬦	2161-114	2154
112.02	TECHNOLOGUE EN GÉODÉSIE	C	*	C	R	I	3 6 1	⬦	2165-004	2254
112.03	OPÉRATEUR, OPÉRATRICE EN TOPOGRAPHIE	S	*	R	I	C	6 7 4	⬦	2161-001	7612
112.04	TECHNOLOGUE EN LEVÉS AÉRIENS	C	*	I	R	E	2 8 1		—	2255
112.05	MOSAÏSTE EN PHOTOGRAPHIES AÉRIENNES	C	*	I	R	E	2 8 1	⬦	2169-122	2255
112.06	TECHNOLOGUE EN PHOTOGRAMMÉTRIE	C	*	R	I	E	1 8 1	⬦	2169-118	2255
112.07	TECHNOLOGUE EN CARTOGRAPHIE	C	*	R	I	E	2 8 1	⬦	2163-114	2255
112.08	ANALYSTE DE PHOTOGRAPHIES AÉRIENNES	C	*	I	R	E	2 8 1	⬦	2169-114	2255
112.09	TECHNOLOGUE EN TÉLÉDÉTECTION	C	*	I	R	E	2 8 1		—	2255
112.10	TECHNOLOGUE EN SYSTÈMES D'INFORMATION À RÉFÉRENCE SPATIALE (SIRS)	C		I	R	E	2 8 1		2163-114	2255
112.11	HYDROGRAPHE	U	*	I	A	R	1 2 1		2161-110	2113

Voir la p. 262 pour connaître la signification des codes.

113   La flore et la faune

PHOTO: Min. des Ressources naturelles du Québec

Depuis longtemps, l'être humain s'intéresse à toutes les formes de vie qui l'entourent, notamment aux plantes et aux animaux qui, depuis les temps les plus anciens, sont à la base de son alimentation et de la guérison de bien des maladies.

On oublie souvent que les animaux et les plantes aujourd'hui domestiqués grâce aux techniques d'élevage et d'agriculture ont des ancêtres sauvages. Il a fallu des siècles d'observation des conditions naturelles de croissance et de reproduction pour arriver à permettre à l'humanité de se libérer de sa dépendance absolue à la nature et d'assurer sa production alimentaire.

Les plantes et les animaux peuvent être étudiés en fonction de différents objectifs. Plusieurs spécialistes poursuivent les efforts entrepris il y a plusieurs siècles pour observer, nommer et classifier les innombrables espèces de plantes et d'animaux qui constituent l'extraordinaire biodiversité du monde et pour mieux comprendre le mode de vie des espèces et les relations qui les unissent. Chaque année d'ailleurs, on découvre de nouvelles espèces de plantes et d'animaux. Les chercheurs s'efforcent aussi de mettre à profit les connaissances acquises dans des domaines comme l'agriculture, l'horticulture, l'élevage, la médecine et la pharmacologie. En plus d'être très actifs en recherche, certains spécialistes du domaine se consacrent à l'enseignement, agissent à titre d'experts-conseils auprès des autorités gouvernementales ou des intervenants des différents milieux ou participent à la production de matériel documentaire spécialisé ou vulgarisé pour les besoins d'information des scientifiques et du public en général.

Par ailleurs, les scientifiques se soucient de plus en plus de préserver la biodiversité génétique des espèces vivantes. En effet, les chercheurs ont conscience de la nécessité absolue de préserver le «réservoir génétique» de la planète pour résoudre les multiples problèmes qui affectent la santé, voire la survie des espèces domestiques.

Les travaux en génie génétique ont jusqu'à présent permis d'améliorer la résistance aux maladies de plusieurs espèces, de créer à la fois des variétés mieux adaptées au climat, plus productives et moins vulnérables aux parasites, tout cela en empruntant certaines propriétés au bagage génétique des espèces apparentées. Malgré la prédominance de l'être humain sur toutes les autres espèces, il ne faut surtout pas perdre de vue l'équilibre écologique de la planète et se rappeler que l'extinction de n'importe quelle espèce vivante perturbe l'ensemble des relations dans un écosystème. Par conséquent, les spécialistes de la faune et de la flore consacrent de plus en plus leurs efforts à des recherches et à des interventions visant à protéger les espèces menacées et à contrer les effets des activités humaines sur les habitats naturels.

L'étude de la flore et de la faune et la protection de la biodiversité sont avant tout des questions de survie pour l'espèce humaine et pour l'ensemble des êtres vivants qui partagent l'habitat de l'être humain. Grâce au vaste répertoire de connaissances scientifiques sur les modes de vie de divers animaux et sur les propriétés étonnantes d'une grande diversité de plantes, les scientifiques des différents secteurs (biologistes, botanistes, zoologistes) continuent d'explorer, chacun dans leur spécialité respective, l'extraordinaire complexité de la vie sur la planète.

CLÉO	TITRE	FORMATION	VALIDATION	RIASEC			D P C	REPÈRES	CCDP	CNP
113.01	BOTANISTE	U	*	I	R	S	0 3 1	◇	2133-114	2121
113.02	TECHNOLOGUE EN BOTANIQUE	C	*	I	R	C	3 7 1	◇	2135-248	2221
113.03	MALHERBOLOGISTE	U	*	E	I	R	2 2 8	◇	2133-006	2123
113.04	MYCOLOGUE	U	*	I	R	S	0 3 1		2133-122	2121
113.05	PHYTOPATHOLOGISTE	U	*	I	R	S	0 3 1	◇	2133-206	2121
113.06	BIOLOGISTE	U	*	I	R	S	0 3 1	◇	2133-003	2121
113.07	BIOLOGISTE DE LA VIE AQUATIQUE	U	*	I	R	S	0 3 1	◇	2133-110	2121
113.08	BIOLOGISTE EN PARASITOLOGIE	U	*	I	R	S	0 3 1	◇	2133-258	2121
113.09	TECHNICIEN, TECHNICIENNE DE LABORATOIRE EN BIOLOGIE	C	*	I	R	C	2 3 1	◇	2135-134	2221
113.10	ZOOLOGISTE	U	*	I	R	S	2 3 1	◇	2133-126	2121
113.11	TECHNICIEN, TECHNICIENNE EN ZOOLOGIE	C	*	I	R	C	3 7 1	◇	2135-252	2221
113.12	ENTOMOLOGISTE	U	*	I	R	S	0 3 1	◇	2133-118	2121
113.13	ICHTYOLOGISTE	U		I	R	S	0 3 1		2133-126	2121
113.14	ORNITHOLOGUE	U		I	R	S	0 3 1		2133-126	2121
113.15	HERPÉTOLOGISTE	U		I	R	S	0 3 1		2133-126	2121

Voir la p. 262 pour connaître la signification des codes.

Si les «bibittes» vous intéressent *La famille des arthropodes (dont font partie les crevettes et les mouches) compte plus de deux millions d'espèces différentes dont la plupart sont encore très mal connues. Par comparaison, la famille des vertébrés, dont font partie les humains et qui compte environ 45 000 espèces, est celle sur laquelle se concentrent la majorité des chercheurs. Les entomologistes – qui étudient les insectes – ont donc encore du pain sur la planche.*

113.15

La météo fait partie des conversations quotidiennes d'à peu près tous les Québécois. Et pour cause! Le Québec est situé dans l'une des régions du globe où se manifestent les plus grands écarts de température. Alors que l'été, le mercure peut dépasser les 30 °C, l'hiver il peut descendre dans les –30 °C. En outre, les nombreuses ressources en eau douce que constituent les milliers de lacs exercent une grande influence sur la formation des nuages et les précipitations sans compter le rôle du relief du sol, des courants atmosphériques et de la pollution. En dépit d'une haute technologie de pointe (satellites, radars, modèles informatisés de simulation de l'atmosphère), prévoir l'état du temps à plus ou moins longue échéance demeure un défi de taille pour les

PHOTO: Min. des Ressources naturelles du Québec

météorologues, en raison de la complexité et de la diversité des phénomènes en cause.

Les météorologues doivent relever et analyser de façon continue une quantité considérable de données d'information afin de prévoir les conditions du temps pour chaque région du territoire. Les prévisions météorologiques sont adaptées aux besoins de nombreux domaines, par exemple l'information au grand public, l'aéronautique, la marine, l'agriculture, les opérations militaires, les travaux publics, la lutte contre les incendies de forêts ou les urgences environnementales. En fait, les prévisions diffusées sur les ondes pour le grand public ne sont qu'une des nombreuses applications de l'expertise des météorologues.

Ainsi, bon nombre de météorologues se spécialisent dans un domaine d'intervention particulier, font de la recherche et agissent en tant qu'experts-conseils auprès de divers chercheurs et intervenants dont les décisions sont en partie tributaires des conditions du temps. À titre d'exemple, les météorologues forestiers interprètent les conditions du temps de manière à prévoir les risques d'incendies de forêts et à définir des stratégies pour les combattre. D'autres participent aux campagnes de lutte contre les insectes ravageurs en vue de fournir l'information météorologique permettant d'optimiser l'utilisation de pesticides. Certains météorologues spécialisés en qualité de l'air s'intéressent aux phénomènes de transport, de transformation et de dispersion des polluants atmosphériques et cherchent à en évaluer les effets sur le climat. Également, des météorologues spécialisés en climatologie analysent les diverses composantes du climat et leur variabilité sur de longues périodes afin d'établir, à l'aide de modèles mathématiques et statistiques, des prévisions à long terme et l'évolution probable de différents phénomènes. En somme, les résultats des recherches de ces différents spécialistes de la météorologie sont utilisés en ingénierie des barrages, en hydrologie, en foresterie et en aménagement urbain et bien d'autres domaines.

Bon nombre de météorologues sont au service d'Environnement Canada, mais on en trouve de plus en plus dans l'entreprise privée.

CLÉO	TITRE	FORMATION	VALIDATION	RIASEC	D P C	REPÈRES	CCDP	CNP
114.01	MÉTÉOROLOGUE	U	*	**I** R A	1 2 1	⊕	2114-110	*2114*
114.02	TECHNICIEN, TECHNICIENNE EN MÉTÉOROLOGIE	C	*	**I** R A	3 6 4		2117-260	*2213*
114.03	CLIMATOLOGISTE	U	*	**I** R A	1 2 1		2114-114	*2114*

Voir la p. 262 pour connaître la signification des codes.

Alerte pollution! *Le météorologue fait bien plus que prédire le temps qu'il fera. Il aide maintenant à étudier les mouvements et la composition de l'atmosphère afin de combattre la pollution. De nombreuses composantes chimiques produites par l'activité humaine réagissent différemment selon l'exposition au soleil et la pression barométrique. Comme chacun d'entre nous respire environ 15 000 litres d'air par jour, il est important de savoir quelles sont les journées de pollution dangereuses, spécialement pour les enfants et les personnes âgées.*

PHOTO: Sygma/Publiphoto

Il suffit de tourner un robinet pour obtenir de l'eau à volonté, et c'est ce que la plupart des gens font: utiliser abondamment sans compter. Un geste aussi simple dissimule en fait l'une des plus grandes réalisations technologiques du XXe siècle. Le sous-sol de chaque municipalité est parcouru de kilomètres de canalisations qui acheminent vers chaque habitation une eau purifiée grâce aux installations de traitement des eaux pompées dans les cours d'eau. Des conduits retournent les eaux usées vers des usines de traitement qui en neutralisent les substances polluantes avant de les rejeter dans les cours d'eau. Ces infrastructures colossales permettent d'exploiter efficacement les ressources d'eau douce que le Canada a en abondance, contrairement à bien d'autres pays pour qui l'approvisionnement en eau est un défi quotidien.

L'ingéniosité de ces installations est attribuable aux ingénieurs civils spécialisés dans l'aménagement des ressources hydriques ainsi qu'à de nombreux autres spécialistes, notamment en chimie, en bactériologie et en hydrologie, qui ont mis au point des procédés efficaces de gestion et de traitement des eaux. Or, une main-d'oeuvre compétente est nécessaire pour assurer le fonctionnement adéquat des installations dans les usines de traitement et contrôler la qualité de l'eau. Des procédés complexes entrent dans le traitement des eaux potables afin d'éliminer les micro-organismes néfastes à la santé et les nombreux résidus chimiques engendrés par la pollution d'origine industrielle et domestique des cours d'eau. D'autres procédés ont pour but d'obtenir une eau parfaitement transparente, sans odeur et sans goût, et ce, malgré l'ajout de produits utilisés pour la purifier.

Ce secteur d'activités professionnelles comprend aussi les personnes qui s'occupent de creuser et d'entretenir des puits pour les habitations non reliées aux aqueducs municipaux ainsi que les embouteilleurs d'eau de source qui ont créé un marché important au cours des années 90.

121.06

CLÉO	TITRE	FORMATION	VALIDATION	RIASEC	D P C	REPÈRES	CCDP	CNP
121.01	INGÉNIEUR CIVIL, INGÉNIEURE CIVILE DES RESSOURCES HYDRIQUES	U	*	I R E	0 3 1	⊕	2143-154	2131
121.02	TECHNOLOGUE EN ASSAINISSEMENT DE L'EAU	C	*	I R E	2 3 1	⊕	2117-244	2211
121.03	OPÉRATEUR, OPÉRATRICE D'USINE DE TRAITEMENT DES EAUX POTABLES	S/C	*	R C I	2 8 2	⊕	9535-110	9424
121.04	OPÉRATEUR, OPÉRATRICE D'USINE D'ÉPURATION DES EAUX USÉES	S	*	R C I	2 8 2	⊕	9535-114	9424
121.05	PUISATIER, PUISATIÈRE	S	*	R C E	6 6 2		7713-118	7373
121.06	EMBOUTEILLEUR, EMBOUTEILLEUSE D'EAU DE SOURCE	S		R C I	6 8 6		—	9617

Voir la p. 262 pour connaître la signification des codes.

PHOTO: Min. des Ressources naturelles du Québec

Les substances minérales entrent dans la fabrication de nombreux produits et biens de consommation d'utilisation courante. À elle seule, la fabrication d'une automobile, par exemple, nécessite divers métaux et minéraux qui sont extraits des mines: le fer et l'acier pour le moteur et la carrosserie, le chrome pour les garnitures, le cuivre pour les circuits électriques, le plomb pour la batterie, la silice pour le pare-brise et les vitres, le titane pour la peinture, etc. La construction des routes nécessite une quantité considérable de sable, de pierre concassée et de gravier extraits des carrières. L'installation de la plomberie, du chauffage et de l'électricité dans une maison nord-américaine demande en moyenne 190 kilos de cuivre. Les produits de l'industrie minière sont aussi largement employés dans la fabrication d'une foule d'objets de la vie courante, par exemple des appareils ménagers, des ustensiles de cuisine, de la verrerie, des appareils de télécommunication, des bicyclettes et des patins à roues alignées.

122

Plusieurs substances minérales sont aussi utilisées dans la fabrication d'instruments et de produits indispensables en médecine, en dentisterie, en informatique, en musique et en optique et pour de nombreux produits d'hygiène tels que les savons, le talc et les antisudorifiques. La qualité de vie dont bénéficient la plupart des gens est donc largement tributaire de l'exploitation des métaux et des minéraux.

Le secteur minier joue un rôle majeur dans l'économie du Canada, qui se classe au troisième rang mondial pour la production de minéraux dont la valeur des expéditions se chiffre annuellement à 25 milliards de dollars.

L'industrie minière constitue un levier important de l'économie québécoise. En effet, les exportations minérales représentent entre 2,5 et 3 milliards de dollars annuellement, soit environ 20 % des exportations québécoises. Le Québec compte environ 50 mines et 175 entreprises d'exploration minière. Le secteur québécois emploie plus de 15 000 personnes et exploite une trentaine de substances minérales dont l'or, le fer, le titane, l'amiante, le cuivre, le zinc et le nickel. Par ailleurs, près d'un milliard de dollars en investissements miniers sont alloués annuellement pour l'exploration, la découverte et le développement de nouveaux gisements; ce qui laisse entrevoir un avenir prometteur pour l'essor de cette industrie.

L'exploitation d'une mine est une grande opération financière et technologique. Lorsque des travaux de prospection permettent de localiser une concentration intéressante de minerai, des ingénieurs miniers établissent la valeur économique du gisement et, selon le cas, planifient l'exploitation du site en concevant les plans d'aménagement de la mine et de ses installations. Plusieurs spécialistes interviennent dans le processus d'extraction et de traitement des minerais pour établir les procédés d'extraction, gérer les investissements, surveiller les travaux de construction, assurer la sécurité des installations, évaluer les impacts environnementaux, embaucher les travailleurs, bref pour rendre le site minier opérationnel et conforme aux lois.

Une mine est un véritable complexe industriel. Les mineurs, les foreurs et les dynamiteurs percent des tunnels, consolident les galeries et les parois, installent les conduites de ventilation et procèdent à l'extraction du minerai à l'aide d'équipement spécialisé. Les mineurs conduisent aussi des unités mobiles pour le chargement et le transport du minerai à la surface. Des ingénieurs miniers, des technologues en exploitation minière et des inspecteurs des mines supervisent les travaux et vérifient les installations afin d'en assurer la sécurité et des réparateurs de matériel d'extraction assurent le réglage et l'entretien des équipements. Bien que moins exigeante sur le plan technologique, l'exploitation d'une carrière ou d'une sablière nécessite également l'intervention de plusieurs professionnels pour planifier et superviser les travaux, assurer la sécurité et contrôler les coûts. Le développement des ressources humaines et l'utilisation des technologies de pointe s'avèrent des voies privilégiées vers lesquelles s'oriente l'industrie minière pour maintenir et développer une position concurrentielle sur les marchés mondiaux.

CLÉO	TITRE	FORMATION	VALIDATION	RIASEC	D P C	REPÈRES	CCDP	CNP
122.01	INGÉNIEUR MINIER, INGÉNIEURE MINIÈRE	U	*	I R E	0 3 1	◇	2153-110	2143
122.02	TECHNOLOGUE EN EXPLOITATION MINIÈRE	C	*	I R C	3 7 1	◇	2165-254	2212

122.03	INSPECTEUR, INSPECTRICE DES MINES	C	★	I	E	S	2 6 7	⬡	7719-112	2263
122.04	MINEUR, MINEUSE	S	★	R	C	E	6 8 2	⬡	7719-154	8231
122.05	FOREUR, FOREUSE	S	★	R	C	E	6 8 2		7713-122	8231
122.06	DYNAMITEUR, DYNAMITEUSE	S	★	R	C	E	6 8 2	⬡	7715-001	8231
122.07	CARRIER	S	★	R	C	E	5 8 2		7717-126	7372
122.08	RÉPARATEUR, RÉPARATRICE DE MATÉRIEL D'EXTRACTION	S	★	R	I	E	2 6 0		8584-350	7311
122.09	CONDUCTEUR, CONDUCTRICE DE CAMION LOURD HORS ROUTE	S	★	R	C	E	5 6 3		9175-130	7411
122.10	FOREUR, FOREUSE D'INSTALLATION DE FORAGE EN MER	C/S	★	R	C	E	3 6 2		7711-116	8232

Voir la p. 262 pour connaître la signification des codes.

123

123   La forêt

PHOTO: Min. des Ressources naturelles du Québec

Après les océans, la forêt est l'écosystème le plus répandu sur la Terre. Les forêts représentent l'une des plus grandes richesses naturelles renouvelables. Elles sont également la source de plusieurs matériaux de construction et à l'origine de l'ensemble des cartons et du papier utilisés par la population.

L'industrie forestière est très importante au Québec. Elle fournit plus de 250 000 emplois directs et indirects et représente la principale activité économique de plus d'une centaine de municipalités québécoises. Environ 20 % de toutes les exportations québécoises proviennent des produits forestiers. L'activité économique liée aux forêts est donc vitale pour la santé économique autant du Canada que du Québec.

Même si le Québec est pratiquement couvert par la forêt, il ne s'agit pas d'une ressource inépuisable pour autant. L'exploitation des forêts a, depuis les premiers temps de la colonie, procuré travail et revenus à la population québécoise mais a entraîné au cours des années d'importantes modifications dans la composition des forêts. En cette fin de XXᵉ siècle, les forêts sont toujours exploitées intensivement mais avec le souci d'assurer leur pérennité, objectif qu'il est impossible d'atteindre avec des ressources non renouvelables comme le gaz, le pétrole ou le minerai.

L'aménagement et l'exploitation des ressources forestières sont les deux champs d'activités professionnelles du secteur. L'aménagement des forêts vise à planifier des activités en vue d'en retirer le maximum de bénéfices tout en assurant la conservation du milieu et le renouvellement des ressources exploitées. À titre d'exemple et en considérant la matière ligneuse comme le produit principal que l'on veut obtenir de la forêt, on s'assurera que la quantité de bois qui est tirée d'un massif forestier ne met pas en péril la capacité de celui-ci à se régénérer et à fournir, indéfiniment, une quantité égale de produits. En d'autres mots, sur une base annuelle, on ne prélèvera pas plus que ce que la croissance annuelle du peuplement forestier a produite.

L'exploitation des forêts consiste à extraire la qualité et la quantité de produits selon un plan d'aménagement établi. Cette exploitation doit tenir compte des exigences de l'utilisateur de la matière première, le plus souvent une scierie ou une papeterie et du type de produit que l'on veut fabriquer. Les méthodes d'exploitation des forêts ont considérablement évolué au fil des ans. On utilise de plus en plus des machines perfectionnées, équipées de micro-ordinateurs et de systèmes de positionnement à référence spatiale, beaucoup moins exigeantes physiquement que la traditionnelle scie à chaîne et la débusqueuse. Les progrès technologiques touchent également la voirie forestière. Les techniques de construction de chemins forestiers et l'équipement de transport font appel à des procédés modernes qui visent à améliorer le rendement, à protéger l'environnement et à diminuer les efforts physiques de la main-d'oeuvre.

Signe des temps: on ne parle plus d'exploitation mais de récolte des forêts. En effet, outre les pressions exercées par l'opinion publique en matière d'environnement, la législation forestière impose beaucoup plus de contraintes aux exploitants forestiers que par le passé. Ils doivent dorénavant tenir compte des contraintes environnementales et des exigences écologiques des écosystèmes et des pénalités sont prévues par la loi pour tout intervenant qui diminuerait la capacité de production d'un territoire donné.

CLÉO	TITRE	FORMATION	VALIDATION	RIASEC	D P C	REPÈRES	CCDP	CNP
123.01	INGÉNIEUR FORESTIER, INGÉNIEURE FORESTIÈRE (OPÉRATIONS FORESTIÈRES)	U	★	R I E	0 3 1	⊕	2159-138	2122
123.02	TECHNOLOGUE EN EXPLOITATION FORESTIÈRE	C	★	R I E	3 3 1	⊕	2135-016	2223
123.03	CONTREMAÎTRE, CONTREMAÎTRESSE DE TRAVAILLEURS FORESTIERS	C/S	★	E R I	1 3 8		7510-199	8211
123.04	ESTIMATEUR, ESTIMATRICE EN INVENTAIRE FORESTIER	S	★	R I E	3 3 1	⊕	7516-110	2223
123.05	OUVRIER, OUVRIÈRE D'EXPLOITATION FORESTIÈRE	S	★	R I E	6 8 3	⊕	7513-122	8421
123.06	OPÉRATEUR, OPÉRATRICE DE MACHINERIE FORESTIÈRE	S	★	R I E	6 8 3	⊕	7517-001	8241
123.07	OPÉRATEUR, OPÉRATRICE DE TRACTEUR FORESTIER	S	★	R I E	6 8 3	⊕	7517-118	8421
123.08	TRIEUR, TRIEUSE DE BILLES	S	★	R I E	3 3 1	⊕	7516-122	2223
123.09	MESUREUR, MESUREUSE DE BILLES	S	★	R I E	3 3 1	⊕	7516-118	2223
123.10	CLASSEUR-MESUREUR, CLASSEUSE-MESUREUSE	S	★	I R C	5 8 7	⊕	7516-001	9436
123.11	SYLVICULTEUR, SYLVICULTRICE	U	★	R I E	0 3 1	⊕	2139-110	2122
123.12	TECHNOLOGUE EN SYLVICULTURE	C	★	R I E	3 3 1	⊕	2135-272	2223

Voir la p. 262 pour connaître la signification des codes.

Des arbres durables *Le Canada est le premier pays au monde à s'être doté de normes d'aménagement forestier durables. C'est en 1993 que 23 intervenants de l'industrie forestière ont pris conscience de la nécessité de se doter de normes nationales strictes pour assurer un développement durable des ressources forestières. Ces normes sont modelées sur les plus sévères normes internationales et elles tiennent compte du climat et des particularités de chaque région du Canada.*

124   L'agriculture

L'agriculture est la plus importante industrie primaire au Québec. La production de tous les aliments d'origine végétale destinés à la consommation, qu'il s'agisse de fruits et légumes, de céréales nécessaires à l'alimentation ou encore de fourrage servant à nourrir le bétail, est assurée par les agriculteurs. Le territoire québécois, en particulier la vallée du Saint-Laurent et les régions plus au sud, sont des terres fertiles. En effet, hors des centres urbains, l'occupation du territoire habité est principalement le fait de l'agriculture: plus de 38 000 exploitations agricoles procurent des emplois à 75 000 personnes.

PHOTO: J. P. Danvoye/Publiphoto

Au début du XXe siècle, l'agriculture au Québec répondait surtout à un moyen de subsistance de la famille, ce qui explique que la vente de produits agricoles sur les marchés était pratiquement inexistante. À partir des années 20, l'urbanisation du Québec créant de nouveaux marchés, les fermes familiales sont devenues progressivement des entreprises marchandes. Au cours des années 50 à 70, la mécanisation des méthodes de production a entraîné d'importants changements dans le secteur agricole. Plus de la moitié des fermes familiales ont cessé leurs activités tandis que les autres ont accru leur production et se sont spécialisées dans un type de production (fruits et légumes, céréales, betterave à sucre, pomme de terre, tabac, etc.). La ferme devenant une entreprise de plus en plus spécialisée, les producteurs agricoles ont adapté non seulement leurs méthodes de production, mais aussi leurs méthodes de gestion. La ferme d'aujourd'hui est une véritable entreprise qui doit être gérée efficacement selon des méthodes modernes. Désormais, l'agriculteur n'est plus qu'un simple exploitant agricole, mais un entrepreneur et un administrateur soucieux de la qualité de sa production et de la gestion de son entreprise qui doit gérer ses terres et son exploitation en tenant compte à la fois du marché, des lois nationales et provinciales et de la réglementation en vigueur. En effet, l'industrie agricole est régie par des règles auxquelles doivent se conformer tous les producteurs agricoles afin d'assurer une production suffisante à la demande et d'éviter des surplus de production qui entraîneraient la chute des prix.

Le succès d'une entreprise agricole repose essentiellement sur le savoir-faire des exploitants, une connaissance des méthodes de culture, une gestion efficace des terres afin d'assurer la régénération des sols, un emploi rationnel des engrais et des pesticides, une gestion rigoureuse, une mise en marché bien organisée. Également, plusieurs spécialistes, notamment les agronomes, les ingénieurs agricoles et les agro-économistes contribuent à l'avancement dans ce secteur. Entre autres, ils effectuent des recherches et conseillent les agriculteurs sur les moyens de rentabiliser ou d'améliorer leur production, les façons de résoudre certains problèmes de culture (lutte contre les insectes, maladies végétales, irrigation, contamination des sols, etc.) ou encore sur l'achat ou le remplacement d'équipement.

124.14

Le secteur de l'agriculture a beaucoup évolué et est encore appelé à changer en raison du marché international. Il faudra adapter certaines cultures à la concurrence étrangère et aux nouveaux marchés extérieurs, et ce, en permettant à la fois une bonne et saine exploitation des terres agricoles et un développement urbain normal.

CLÉO	TITRE	FORMATION	VALIDATION	RIASEC	D P C	REPÈRES	CCDP	CNP
124.01	AGRO-ÉCONOMISTE	U	*	I A S	2 8 8	⊕	2311-118	4162
124.02	AGRONOME DES SERVICES DE VULGARISATION	U	*	E I R	2 2 8	⊕	1119-158	2123
124.03	AGRONOME PÉDOLOGUE	U	*	I R S	0 3 1	⊕	2131-126	2115
124.04	BACTÉRIOLOGISTE DES SOLS	U	*	I R S	0 3 1	⊕	2133-174	2121
124.05	TECHNOLOGUE EN ENVIRONNEMENT AGRICOLE	C	*	E I R	2 2 8	⊕	2135-003	2123
124.06	AGRONOME-DÉPISTEUR, AGRONOME-DÉPISTEUSE	U		I R S	0 3 1		2131-110	2121
124.07	TECHNOLOGUE EN DÉPISTAGE	C		E I R	2 2 8		2131-004	2123
124.08	AGRONOME	U	*	I R S	0 3 1	⊕	2131-110	2121
124.09	INGÉNIEUR, INGÉNIEURE AGRICOLE	U	*	I R E	0 2 1	⊕	2159-110	2148
124.10	TECHNOLOGUE AGRICOLE	C	*	I R C	2 3 1	⊕	2135-220	2221
124.11	INSPECTEUR, INSPECTRICE EN ENVIRONNEMENT AGRICOLE	C		I S E	2 6 7		—	2222
124.12	AGRONOME EN PRODUCTIONS VÉGÉTALES	U	*	I R S	0 3 1	⊕	2131-122	2121
124.13	TECHNOLOGUE EN PRODUCTIONS VÉGÉTALES	C	*	E I R	2 2 8	⊕	2135-002	2123
124.14	TECHNOLOGUE EN HORTICULTURE LÉGUMIÈRE ET FRUITIÈRE	C	*	E I R	2 2 8	⊕	2131-004	2123

124.15	INSPECTEUR, INSPECTRICE DES PRODUITS VÉGÉTAUX	C	*	I S E	2 6 7	⊕	1116-150	*2222*
124.16	EXPLOITANT, EXPLOITANTE AGRICOLE	C	*	R E I	1 3 3	⊕	7111-110	*8251*
124.17	PRODUCTEUR, PRODUCTRICE DE SEMENCES	C	*	R E I	1 3 3	⊕	7115-150	*8251*
124.18	CÉRÉALICULTEUR, CÉRÉALICULTRICE	C	*	R E I	1 3 3	⊕	7115-122	*8251*
124.19	POMICULTEUR, POMICULTRICE	C	*	R E I	1 3 3	⊕	7115-110	*8251*
124.20	PRODUCTEUR, PRODUCTRICE DE FRUITS	C	*	R E I	1 3 3	⊕	7115-110	*8251*
124.21	CUEILLEUR, CUEILLEUSE DE FRUITS	S	*	R I C	6 8 7	⊕	7198-114	*8611*
124.22	PRODUCTEUR, PRODUCTRICE DE LÉGUMES	C	*	R E I	1 3 3	⊕	7115-138	*8251*
124.23	PRODUCTEUR, PRODUCTRICE DE POMMES DE TERRE	C	*	R E I	1 3 3	⊕	7115-130	*8251*
124.24	CHAMPIGNONNISTE	C	*	R I C	6 8 3		7197-114	*8431*
124.25	VITICULTEUR, VITICULTRICE	C	*	R I C	6 8 3		7199-199	*8431*
124.26	ACÉRICULTEUR, ACÉRICULTRICE	C	*	R E I	1 3 3	⊕	7115-160	*8251*
124.27	OUVRIER, OUVRIÈRE D'ÉRABLIÈRE	S		R I C	6 8 3		7198-146	*8431*
124.28	PRODUCTEUR, PRODUCTRICE DE TABAC	C	*	R E I	1 3 3	⊕	7115-114	*8251*
124.29	AGRONOME EN AGRICULTURE BIOLOGIQUE	U		I R S	0 3 1		2131-110	*2121*
124.30	PRODUCTEUR, PRODUCTRICE DE FRUITS ET LÉGUMES ÉCOLOGIQUES	C		R E I	1 3 3		7115-138	*8251*
124.31	EMPAQUETEUR, EMPAQUETEUSE DE FRUITS ET DE LÉGUMES	S	*	R I C	6 8 7	⊕	9317-002	*8611*
124.32	MANOEUVRE AGRICOLE	S	*	R I C	6 8 7	⊕	7198-112	*8611*
124.33	CONDUCTEUR, CONDUCTRICE DE MACHINES AGRICOLES	S	*	R I C	6 8 3	⊕	7197-114	*8431*
124.34	MÉCANICIEN, MÉCANICIENNE DE MACHINES AGRICOLES	S	*	R I E	2 8 1	⊕	8584-330	*7312*

Voir la p. 262 pour connaître la signification des codes.

Logiciel au pouce vert *Les logiciels experts en reconnaissance de mauvaises herbes permettent maintenant de déterminer avec précision quelles mesures il faut prendre pour s'en débarrasser. Le producteur agricole n'a qu'à répondre à une série de questions simples sur la forme des tiges, des racines ou des feuilles et l'ordinateur lui prodigue alors les conseils appropriés. Ces logiciels sont particulièrement utiles dans les pays en développement, car ils permettent de consulter en tout temps un «expert virtuel» avec un simple ordinateur portatif.*

PHOTO: Jacques Allard/Les Amis du Jardin Van den Hende

Les personnes qui travaillent dans le secteur de l'horticulture cultivent des plantes ornementales, des fleurs et des arbustes et réalisent des aménagements paysagers. Plusieurs facteurs ont contribué au développement d'un marché très actif en horticulture: l'effort des municipalités pour créer des espaces verts accessibles aux citoyens, pour soigner l'apparence des rues et des lieux publics; le besoin des citoyens de recréer dans leur environnement un peu de la nature sacrifiée au profit du béton; l'intérêt accru pour le jardinage; l'habitude de plus en plus répandue d'offrir des fleurs. Bref, la demande pour des produits et des services horticoles de qualité est en nette progression.

Certains professionnels du domaine, notamment les pépiniéristes et les floriculteurs, se consacrent essentiellement à la culture des plantes, des arbustes ou des fleurs ornementales. Ils approvisionnent les commerces spécialisés ou vendent leurs produits directement aux particuliers et aux spécialistes de l'aménagement paysager. Ces derniers offrent leurs services aux municipalités, aux entreprises et aux particuliers pour concevoir et réaliser des aménagements adaptés aux conditions de l'environnement, qu'il s'agisse d'un parc municipal, des bordures de rue ou d'un terrain résidentiel. Parmi ces spécialistes, on retrouve les architectes paysagistes, les entrepreneurs en aménagement paysager et les technologues en horticulture ornementale. Et puisque ces aménagements ont besoin d'être entretenus, les jardiniers paysagistes, les arboriculteurs et les préposés à l'entretien des parcs assurent des services professionnels d'entretien des parcs, des pelouses et des jardins.

L'horticulture joue un rôle de plus en plus important dans la conservation et la restauration de l'environnement. Les professionnels du secteur s'efforcent de créer des environnements paysagers à la fois harmonieux et équilibrés sur le plan écologique. En effet, il faut se rappeler que les plantes ne sont pas que jolies, elles font partie d'un système où elles s'interinfluencent et constituent également l'habitat naturel de petits animaux et d'insectes. Ainsi, des cultures de diverses espèces peuvent permettre de réduire l'usage de pesticides et d'herbicides chimiques. De même, un choix judicieux des espèces, selon les conditions du milieu, leur assure une saine croissance jusqu'à maturité.

CLÉO	TITRE	FORMATION	VALIDATION	RIASEC	D P C	REPÈRES	CCDP	CNP
125.01	ARCHITECTE PAYSAGISTE	U	*	A I R	0 3 1	⬦	2141-114	2152
125.02	TECHNOLOGUE EN HORTICULTURE ORNEMENTALE	C	*	I R S	2 8 4	⬦	2135-010	2225
125.03	JARDINIER PAYSAGISTE, JARDINIÈRE PAYSAGISTE	S	*	R I C	6 8 4	⬦	7195-001	8612
125.04	MANOEUVRE EN TERRASSEMENT ET EN AMÉNAGEMENT PAYSAGER	S	*	R I C	6 8 4	⬦	7195-003	8612
125.05	ENTREPRENEUR, ENTREPRENEURE EN AMÉNAGEMENT PAYSAGER	C	*	E R I	1 3 8	⬦	7131-118	8255
125.06	COMMIS-VENDEUR, COMMIS-VENDEUSE EN HORTICULTURE ORNEMENTALE	S	*	E S R	4 5 7	⬦	5135-184	6421
125.07	PÉPINIÉRISTE	C	*	R I E	1 3 8	⬦	7115-126	8254
125.08	OUVRIER, OUVRIÈRE PÉPINIÉRISTE	S	*	R I C	6 8 4	⬦	7195-122	8432
125.09	FLORICULTEUR, FLORICULTRICE	C	*	R I E	1 3 8	⬦	7115-142	8254
125.10	ARBORICULTEUR, ARBORICULTRICE	S	*	R I C	2 8 4	⬦	7195-110	2225
125.11	AIDE-ARBORICULTEUR, AIDE-ARBORICULTRICE	S	*	R I C	6 8 4	⬦	7195-004	8612
125.12	PRODUCTEUR, PRODUCTRICE DE GAZON	C	*	R E I	1 3 3	⬦	7115-134	8251
125.13	OUVRIER, OUVRIÈRE À LA POSE DE GAZON	S	*	R I C	6 8 4	⬦	7195-002	8612

125.13

125.14	PRÉPOSÉ, PRÉPOSÉE À L'ENTRETIEN DES PARCS	S	★	R	I	C	6 8 4	⬦	7195-134	*8612*
125.15	PULVÉRISATEUR, PULVÉRISATRICE	S	★	R	I	C	6 8 3	⬦	7199-190	*8431*

Voir la p. 262 pour connaître la signification des codes.

126 L'élevage

125.14

PHOTO: CS de Coaticook

L'élevage est un secteur de production très diversifié. Certains animaux sont élevés pour leur viande, notamment le boeuf, le veau, le porc, l'agneau, le poulet, le lapin et le cheval. On élève aussi des vaches et des chèvres pour leur lait, des poules pour les oeufs, des moutons pour la laine, etc.

Ce secteur, très actif au Québec et dans l'ensemble du Canada, génère une partie appréciable des exportations canadiennes. Au Canada, les quelque 26 000 exploitants de ferme laitière, localisés en grande majorité en Ontario et au Québec, génèrent à eux seuls plus du tiers de la production de lait de l'ensemble du pays. Au Québec, on élève un nombre impressionnant d'animaux de boucherie pour les besoins de consommation et pour l'exportation. Par exemple, les exportations québécoises de porc surpassent la valeur des ventes d'électricité d'Hydro-Québec à l'étranger. La production de volailles, bien que prolifique, ne représente qu'une faible proportion de la main-d'oeuvre agricole car il s'agit d'un des domaines les plus mécanisés de l'agriculture. Ainsi, une personne suffit pour s'occuper de 50 000 poulets destinés à la consommation ou de 40 000 poules pondeuses, ce qui représente respectivement pour une année 650 tonnes de viande et plus d'un million de douzaines d'oeufs.

Le secteur de l'élevage comprend aussi les apiculteurs qui élèvent des abeilles et les producteurs de viande «exotique» (autruche, bison, cerf) qui réussissent progressivement à trouver leur place sur le marché. La production de poissons, de crustacés et de mollusques dans les établissements piscicoles et aquicoles est aussi en bonne voie. Certains éleveurs se spécialisent aussi dans l'élevage et le dressage des chiens ou des chevaux. Ces derniers types de productions ne représentent qu'une faible part du secteur, mais ils répondent à une demande grandissante des consommateurs et illustrent bien la diversité des activités dans le secteur.

Le travail des producteurs est très diversifié. Ils nourrissent les animaux, veillent à leur bonne croissance et au contrôle des maladies, s'occupent généralement de la reproduction et des naissances. Les producteurs s'occupent aussi de l'ensemble des activités liées à la gestion en vue d'assurer le bon fonctionnement et la rentabilité de leur entreprise. Toutefois, des spécialistes de la santé animale, notamment les vétérinaires, les inspecteurs en protection animale et les pathologistes vétérinaires, les assistent dans certaines de leurs tâches et s'assurent de la qualité des soins.

La production de viande de boucherie est soumise à un contrôle sévère de la qualité afin que la viande destinée à la consommation soit exempte de tout agent de contamination qui risquerait d'entraîner des maladies. Ainsi, des vétérinaires et des inspecteurs qualifiés examinent chaque animal, chaque carcasse et tous les organes dans les abattoirs. Ils recueillent au hasard des milliers d'échantillons qui sont soumis à différents tests de dépistage par des techniciens de laboratoire vétérinaire.

Le secteur québécois de l'élevage étant en compétition avec les productions canadiennes et celles de nombreux pays, les producteurs se préoccupent de rentabiliser au mieux les fermes d'exploitation afin d'offrir des prix compétitifs et cherchent à améliorer la qualité des produits d'élevage par l'augmentation de la valeur nutritive, la réduction des matières grasses, l'élimination des risques de contamination. Grâce aux nombreuses recherches scientifiques en matière de nutrition, de croissance, de reproduction et de contrôle des maladies animales, les méthodes d'élevage et la qualité des produits sont constamment améliorées.

CLÉO	TITRE	FORMATION	VALIDATION	RIASEC			D P C	REPÈRES	CCDP	CNP
126.01	AGRONOME EN PRODUCTION ANIMALE	U	★	I	R	S	0 3 1	⬦	2131-114	*2121*
126.02	TECHNOLOGUE EN PRODUCTION ANIMALE	C	★	I	R	C	3 7 1	⬦	2135-001	*2221*

126.03	OUVRIER, OUVRIÈRE DE FERME D'ÉLEVAGE	S	★	R I C	6 8 3	7187-126	*8431*
126.04	EXPLOITANT, EXPLOITANTE DE FERME LAITIÈRE	C	★	R E I	1 3 3	7113-130	*8251*
126.05	OUVRIER, OUVRIÈRE D'EXPLOITATION LAITIÈRE	S	★	R I C	6 8 3	7191-110	*8431*
126.06	PRODUCTEUR, PRODUCTRICE DE BOVINS	C	★	R E I	1 3 3	7113-126	*8251*
126.07	PRODUCTEUR, PRODUCTRICE DE PORCINS	C	★	R E I	1 3 3	7113-134	*8251*
126.08	PRODUCTEUR, PRODUCTRICE D'OVINS	C	★	R E I	1 3 3	7113-138	*8251*
126.09	PRODUCTEUR, PRODUCTRICE DE LAPINS	C	★	R E I	1 3 3	7113-158	*8251*
126.10	AVICULTEUR, AVICULTRICE (PRODUCTION DE VIANDE)	C	★	R E I	1 3 3	7113-122	*8251*
126.11	AVICULTEUR, AVICULTRICE (POULES PONDEUSES)	C	★	R E I	1 3 3	7113-118	*8251*
126.12	OUVRIER, OUVRIÈRE AVICOLE	S	★	R I C	6 8 3	7193-110	*8431*
126.13	PRODUCTEUR, PRODUCTRICE DE CHEVAUX	C	★	R E I	1 3 3	7113-114	*8251*
126.14	TECHNICIEN ÉQUIN, TECHNICIENNE ÉQUINE	C	★	I R C	3 7 1	7113-001	*2221*
126.15	PALEFRENIER, PALEFRENIÈRE	S	★	R I C	6 8 3	7187-146	*8431*
126.16	MARÉCHAL-FERRANT, MARÉCHALE-FERRANTE	S	★	R I C	2 8 1	7187-118	*7383*
126.17	ENTRAÎNEUR, ENTRAÎNEUSE DE CHEVAUX	C	★	E R A	1 3 7	7187-110	*8253*
126.18	PRODUCTEUR, PRODUCTRICE D'ANIMAUX À FOURRURE	C	★	R E I	1 3 3	*7113-146*	**8251**
126.19	ÉLEVEUR, ÉLEVEUSE DE CHIENS	S	★	R E I	1 3 3	7113-150	*8251*
126.20	DRESSEUR, DRESSEUSE DE CHIENS	S	★	R E C	6 7 7	3339-178	*6483*
126.21	APICULTEUR, APICULTRICE	C	★	R E I	1 3 3	7113-110	*8251*
126.22	INGÉNIEUR, INGÉNIEURE EN SYSTÈME AQUICOLE	U		—	—	—	—
126.23	TECHNICIEN, TECHNICIENNE EN AQUICULTURE	C	★	I R C	3 7 1	2135-162	*2221*
126.24	PRÉPOSÉ, PRÉPOSÉE D'ÉTABLISSEMENT PISCICOLE OU AQUICOLE	S	★	R E S	6 8 4	7319-132	*8613*
126.25	AQUICULTEUR, AQUICULTRICE	S	★	R E S	6 8 4	7319-001	*8613*
126.26	INSPECTEUR, INSPECTRICE EN PROTECTION ANIMALE	C	★	E S R	5 6 3	1176-166	*6463*
126.27	VÉTÉRINAIRE	U	★	I R S	1 0 1	3115-110	*3114*
126.28	PATHOLOGISTE VÉTÉRINAIRE	U	★	I R S	0 3 1	2133-198	*2121*

126.28

126.29	TECHNICIEN, TECHNICIENNE DE LABORATOIRE VÉTÉRINAIRE	C	*	I	R	C	3 7 4	⊕	3156-130	*3213*
126.30	TECHNICIEN, TECHNICIENNE EN SANTÉ ANIMALE	C	*	I	R	C	3 7 4	⊕	3156-001	*3213*
126.31	PRÉPOSÉ, PRÉPOSÉE AUX SOINS DES ANIMAUX D'AGRÉMENT	S	*	R	E	C	6 7 7	⊕	7199-144	*6483*

Voir la p. 262 pour connaître la signification des codes.

À l'eau! Pour illustrer l'importance de l'approvisionnement en eau pour les éleveurs de bétail, les spécialistes ont calculé la quantité nécessaire à la production d'un kilo de nourriture.

Pour obtenir un kilo de...	*Il faut....*
pommes de terre	*500 litres*
blé	*900 litres*
maïs	*1 200 litres*
riz	*1 910 litres*
poulet	*3 500 litres*
boeuf	*100 000 litres.*

Manger un steak accompagné de riz demande donc 25 fois plus d'eau que du poulet avec des frites!

127   La pêche et la chasse

Les êtres humains ont longtemps assuré leur subsistance en se nourrissant d'animaux terrestres et aquatiques qu'ils attrapaient à l'aide de techniques ancestrales de chasse et de pêche. À l'exception des rares trappeurs professionnels qui capturent encore des animaux sauvages des forêts dans le but de vendre leur fourrure ou leur chair, la chasse est devenue pour la plupart des gens une activité sportive, d'ailleurs contestée par les défenseurs de la faune. En effet, les animaux d'élevage, y compris les poissons, les mollusques et les crustacés produits dans les établissements d'aquiculture, pourraient largement suffire à combler les besoins de consommation en matière de chair et autres produits d'origine animale.

PHOTO: Centre spécialisé des pêches de Grande-Rivière

La pêche en haute mer et en eau douce demeure cependant un secteur d'activité commerciale non négligeable. Bien qu'elle soit limitée par les conditions rigoureuses du climat canadien, la pêche commerciale rapporte environ 4 milliards de dollars annuellement et procure 120 000 emplois rattachés directement à la pêche, au pilotage des bateaux et à l'entretien de l'équipement. Au Québec, principalement dans les régions du nord-est, la pêche commerciale assure quelque 5 000 emplois.

La pêche commerciale dans les océans Atlantique et Pacifique permet d'approvisionner le marché en produits tels que le homard, le crabe, le pétoncle, le saumon, le hareng, les poissons plats, le maquereau et la morue, tandis que les lacs et les rivières fournissent le doré, la perchaude, le grand brochet et l'anguille.

La mise au point de techniques de détection perfectionnées pour localiser les sites favorables à la capture abondante de poissons, de crustacés et de mollusques ainsi que la création de techniques et d'instruments de pêche performants ont toutefois entraîné un pillage inquiétant des ressources aquatiques. Cette surpêche a nui considérablement à la régénération naturelle des espèces de sorte que l'industrie connaît des moments difficiles. Bon nombre de pêcheurs professionnels ont subi une baisse importante de leurs revenus et ont dû s'orienter vers d'autres secteurs d'activités.

Des mesures indispensables ont été prises par le gouvernement fédéral pour préserver les espèces menacées et favoriser le repeuplement des mers et des eaux douces, entre autres l'imposition de quotas de pêche, la surveillance des activités en eaux territoriales, l'ensemencement des cours d'eau et un financement accru des programmes de recherche sur la faune et l'écologie aquatiques.

À l'échelle mondiale, de nombreux scientifiques s'inquiètent de la diminution des populations aquatiques qu'ont entraîné les pêches intensives et la pollution industrielle. Il importe donc de trouver rapidement une solution à ce problème non seulement pour permettre l'approvisionnement des générations futures en produits de la pêche, mais aussi pour assurer le maintien de la chaîne alimentaire indispensable à la survie des espèces.

CLÉO	TITRE	FORMATION	VALIDATION	RIASEC			D P C	REPÈRES	CCDP	CNP
127.01	CAPITAINE DE BATEAU DE PÊCHE	S/C	★	R	S	E	1 3 3	◉	7311-110	8261
127.02	SECOND, SECONDE DE BATEAU DE PÊCHE	S/C	★	R	S	E	1 3 3	◉	7311-114	8261
127.03	PÊCHEUR, PÊCHEUSE	S	★	R	E	S	1 3 3	◉	7313-126	8262
127.04	RÉPARATEUR, RÉPARATRICE DE FILETS DE PÊCHE	S	★	R	I	C	3 8 4	◉	7319-122	7445
127.05	MÉCANICIEN, MÉCANICIENNE DE BATEAUX À MOTEUR	S	★	R	I	E	2 6 1	◉	8592-202	7335
127.06	TRAPPEUR, TRAPPEUSE	S	★	R	E	C	6 8 4		7315-110	8442

131

Voir la p. 262 pour connaître la signification des codes.

130   LA CONSERVATION

131   Le milieu naturel

Longtemps, on a exploité les ressources de la forêt, des cours d'eau et du sous-sol sans se soucier des effets de ces activités sur les milieux naturels et sans envisager la possibilité qu'un jour ces ressources essentielles à la survie de tous les êtres vivants viennent à manquer. La planète entière souffre aujourd'hui de problèmes alarmants: pollution de l'air et des eaux, contamination et épuisement des sols de culture, érosion et désertification des terres, extinction de plusieurs espèces animales et végétales indispensables au maintien de la chaîne alimentaire, diminution importante des réserves de poissons des océans, menace de pénurie en ressources minières et pétrolières, accumulation de déchets nucléaires... Il a fallu faire face à tous ces phénomènes de détérioration pour prendre enfin conscience de la nécessité de protéger l'environnement et d'en exploiter les ressources de façon rationnelle.

PHOTO: Min. des Ressources naturelles du Québec

De nombreux professionnels s'emploient à relever ce défi. Certains évaluent les impacts des activités humaines sur l'eau, l'air, le sol, la faune et la flore ou effectuent des recherches en milieu naturel afin d'évaluer l'état des écosystèmes. D'autres veillent à l'application de mesures pour protéger la faune et la flore et au respect des lois, des règlements et des normes en matière d'environnement. Enfin, des spécialistes participent également à la planification de travaux d'aménagement de certains milieux naturels qui sont exploités à des fins de loisirs (ski de randonnée, chasse, pêche, randonnée pédestre) ou d'activités éco-touristiques et exercent un rôle éducatif important auprès du public.

Compte tenu de l'extrême importance de la forêt sur les plans écologique et économique, elle fait l'objet d'une attention et d'un intérêt soutenus. Bien davantage qu'un groupe d'arbres, la forêt est un écosystème complexe qui constitue le milieu de vie de nombreuses espèces d'animaux et de plantes. C'est aussi un écosystème qui régénère l'air grâce à la photosynthèse et qui assure un débit régulier des lacs et des rivières par son pouvoir de rétention des précipitations. Il s'agit en outre d'un espace naturel privilégié pour la pratique de nombreuses activités de plein air.

L'aménagement des forêts et l'exploitation rationnelle des produits forestiers font dorénavant partie d'une même démarche régie par une législation rigoureuse que l'industrie forestière est tenue de respecter. La préoccupation envers la conservation des forêts est d'ailleurs devenue un enjeu social et politique d'envergure mondiale, comme l'a démontré le «Sommet de la Terre» tenu à Rio en 1992 et auquel participaient plusieurs pays, dont le Canada, qui se sont engagés à protéger les forêts de la planète et de leur pays respectif. En dépit de tous ces efforts, la forêt est menacée par les épidémies d'insectes ravageurs et par les incendies de forêts, d'origine naturelle (la foudre) ou humaine, deux phénomènes qui détruisent chaque année de vastes territoires forestiers, entraînant des pertes inestimables non seulement sur le plan économique, mais aussi sur le plan écologique. De nombreuses personnes, de l'écologiste et de l'ouvrier sylvicole au technicien en écologie appliquée ou à l'agent en prévention des incendies de forêt, s'emploient donc à surveiller les forêts, à lutter contre les incendies et les insectes ainsi qu'à reboiser les forêts exploitées ou ravagées par des catastrophes en vue de protéger cette ressource essentielle qu'est la forêt.

CLÉO	TITRE	FORMATION	VALIDATION	RIASEC			D P C	REPÈRES	CCDP	CNP
131.01	ÉCONOMISTE EN ORGANISATION DES RESSOURCES	U	★	I	A	S	2 8 8	⬦	2311-152	4162
131.02	ÉCOGÉOLOGUE	U	★	I	A	R	1 2 1		2112-199	2113
131.03	TECHNOLOGUE EN GÉOLOGIE DE L'ENVIRONNEMENT	C	★	I	R	C	2 3 1		2117-299	2212
131.04	ÉCOLOGISTE	U	★	I	R	S	0 3 1	⬦	2133-130	2121
131.05	TECHNICIEN, TECHNICIENNE EN ÉCOLOGIE APPLIQUÉE	C	★	I	R	C	3 7 1	⬦	2135-017	2221
131.06	OUVRIER, OUVRIÈRE SYLVICOLE	S	★	R	I	E	5 8 3	⬦	7511-116	8422
131.07	PLANTEUR, PLANTEUSE D'ARBRES	S	★	R	I	E	6 8 4	⬦	7518-122	8616
131.08	GARDE FORESTIER, GARDE FORESTIÈRE	S	★	R	I	E	3 3 1	⬦	7511-110	2223
131.09	AGENT, AGENTE DE CONSERVATION DE LA FAUNE	S	★	R	I	E	3 6 3	⬦	6119-110	2224
131.10	AGENT, AGENTE DE PRÉVENTION DES INCENDIES DE FORÊT	S	★	R	I	E	3 3 1	⬦	7511-112	2223
131.11	POMPIER FORESTIER, POMPIÈRE FORESTIÈRE	S	★	R	E	S	3 5 8		6111-199	6262
131.12	SURINTENDANT, SURINTENDANTE DE PARC	U	★	E	S	C	1 1 8	⬦	1119-238	0412
131.13	GARDIEN, GARDIENNE DE JARDIN ZOOLOGIQUE	C	★	R	E	C	6 7 7	⬦	7199-158	6483
131.14	INTERPRÈTE DE L'ENVIRONNEMENT NATUREL ET BIOLOGIQUE	C	★	R	I	E	3 6 3	⬦	2139-114	2224
131.15	OBSERVATEUR, OBSERVATRICE EN MER	C	★	R	I	E	3 6 3		1116-164	2224

Voir la p. 262 pour connaître la signification des codes.

Plus propre qu'avant *Il y a quelques années, la Tamise était souvent comparée à un égout à ciel ouvert. Mais, récemment, les environnementalistes britanniques ont été émus en voyant une loutre s'y baigner. Il s'agit en effet d'un animal très sensible à la qualité de sa nourriture et il est par conséquent devenu le signe que le programme de revitalisation de ce fleuve d'Angleterre était une réussite.*

PHOTO: Min. des Ressources naturelles du Québec

Les progrès technologiques et l'avancement des sciences ont entraîné au fil des ans le formidable essor industriel qui a marqué le XXᵉ siècle, modifié et amélioré de façon considérable la qualité de vie des gens. Il serait impensable aujourd'hui de retourner au mode de vie de nos ancêtres qui tiraient leur subsistance de la nature et fabriquaient à la main tous les objets dont ils avaient besoin. Il est possible de nos jours de bénéficier d'une qualité et d'une quantité incroyable de produits transformés ou fabriqués en industrie mais non sans conséquences sur l'environnement. Il aura fallu à peine un siècle d'industrialisation pour bouleverser l'équilibre écologique de la planète et provoquer des dommages irréversibles dont on ne mesure pas encore toutes les conséquences.

Ce constat a fait naître une préoccupation croissante de la part de la population, des chercheurs et de l'État envers l'environnement, préoccupation qui s'est traduite, entre autres, par l'adoption de mesures législatives, de normes environnementales et de règles d'hygiène industrielle destinées à réduire la pollution de l'eau, de l'air et du sol et à protéger la santé des travailleurs qui manipulent quotidiennement une foule de substances toxiques. On cherche aussi bien sûr à protéger la santé publique en assainissant le milieu et en exerçant un contrôle rigoureux des produits de consommation contenant des substances potentiellement dangereuses.

132.05

La plupart des industries ont recours à des ingénieurs de l'environnement et à des technologues en assainissement et sécurité industriels pour concevoir, aménager et assurer le fonctionnement d'installations destinées au contrôle de la pollution et à l'élimination sécuritaire des déchets industriels. Ainsi, bon nombre d'usines traitent leurs eaux usées avant de les verser dans les égouts municipaux et purifient les émanations de produits chimiques avant de les évacuer par les cheminées. Le transport et la manipulation des matières dangereuses sont aussi l'objet d'un contrôle sévère. Des spécialistes tentent de réduire la consommation d'énergie nécessaire au fonctionnement des installations industrielles et des inspecteurs de la fonction publique veillent au respect de la législation en matière de pollution et de sécurité industrielles. Ces différentes activités professionnelles, relativement nouvelles, illustrent bien les efforts déployés par l'industrie pour contribuer à la protection du milieu, mais il reste encore beaucoup à faire.

La concentration des populations dans les villes entraîne, elle aussi, d'énormes conséquences sur l'environnement. L'élimination des déchets domestiques nécessite à elle seule la mise en place d'une infrastructure complexe et les services d'une abondante main-d'oeuvre, deux éléments sans lesquels la population serait menacée des pires fléaux. La récupération des matières recyclables et l'instauration de mesures visant à contrer les effets de la pollution domestique font aussi partie des priorités des municipalités.

L'aménagement rationnel des territoires urbains peut contribuer grandement à préserver la qualité de vie dans les milieux humains. De plus en plus de municipalités se dotent de plans d'urbanisme en vue de gérer et d'optimiser le développement des zones résidentielles, commerciales, industrielles et agricoles en tenant compte à la fois des caractéristiques physiques et des ressources du territoire ainsi que des besoins de la population. Les multiples efforts qui sont faits pour rationaliser l'utilisation de l'espace urbain, préserver les espaces verts, aménager des parcs et reboiser les rues assurent la régénération de l'air et contribuent à la survie des oiseaux et des petits mammifères adaptés à l'atmosphère des villes. De plus, ces mesures permettent aux citoyens de vivre dans un environnement plus sain et plus esthétique et contribuent à la protection des habitats humains.

CLÉO	TITRE	FORMATION	VALIDATION	RIASEC	D P C	REPÈRES	CCDP	CNP
132.01	URBANISTE	U	*	I R E	0 3 1	◯	2319-130	2153
132.02	INGÉNIEUR CIVIL, INGÉNIEURE CIVILE EN ÉCOLOGIE GÉNÉRALE	U	*	I R E	0 3 1	◯	2143-130	2131
132.03	INGÉNIEUR, INGÉNIEURE DE L'ENVIRONNEMENT	U	*	I R E	0 3 1	◯	2143-199	2131
132.04	TECHNICIEN, TECHNICIENNE EN AMÉNAGEMENT DU TERRITOIRE	C	*	R I C	3 7 1	◯	2319-142	2231
132.05	TECHNOLOGUE EN PROTECTION DE L'ENVIRONNEMENT	C	*	R I C	3 7 1	◯	2165-270	2231

132.06	TECHNOLOGUE EN ASSAINISSEMENT ET SÉCURITÉ INDUSTRIELS	C		**I** R C	2 3 1		2117-130	*2233*
132.07	INSPECTEUR, INSPECTRICE DES MESURES ANTIPOLLUTION	C	★	**I** E S	2 6 7	⊕	1116-140	*2263*
132.08	PRÉPOSÉ, PRÉPOSÉE AU TRANSPORT DES MATIÈRES DANGEREUSES	S		**R** C E	5 6 3		—	*7411*
132.09	PRÉPOSÉ, PRÉPOSÉE À LA CUEILLETTE DES MATIÈRES RECYCLABLES	S		**R** C I	6 7 4		—	*7621*
132.10	PRÉPOSÉ, PRÉPOSÉE À LA RÉCUPÉRATION	S		—	—		—	—
132.11	ÉBOUEUR, ÉBOUEUSE	S	★	**R** C I	6 7 4	⊕	9318-001	*7621*
132.12	OPÉRATEUR, OPÉRATRICE D'USINE D'INCINÉRATION	S	★	**R** C I	6 8 7	⊕	9535-142	*9619*
132.13	INSPECTEUR MUNICIPAL, INSPECTRICE MUNICIPALE	C		**E** I C	3 6 8		—	*6463*

Voir la p. 262 pour connaître la signification des codes.

Des pneus à la patinoire... et à l'étable *Le recyclage des pneus usés pourrait bien se transformer en or avec l'implantation de la nouvelle consigne qui incitera des milliers d'automobilistes à remettre à des organismes agréés leurs vieux pneus. Un des usages inusités des pneus consiste à en faire d'épais tapis de caoutchouc à surface antidérapante. Ces tapis sont utilisés dans les arénas; le matériel est si solide qu'il résiste même aux marques de patin. Ils sont aussi très appréciés dans les étables: le tapis est hygiénique car facilement lavable et ses propriétés insonorisantes rendent les animaux moins nerveux.*

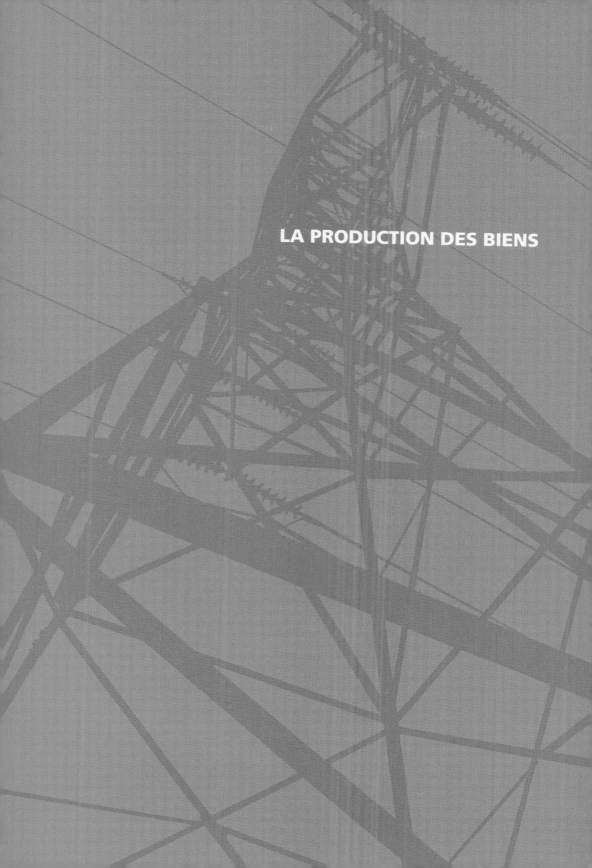

LA PRODUCTION DES BIENS

LA PRODUCTION DES BIENS

LA PLANIFICATION • LA TRANSFORMATION • LA FABRICATION •
LA CONSTRUCTION • L'ENTRETIEN ET LA RÉPARATION

Il faut concevoir, planifier et organiser les divers procédés et méthodes utilisés pour transformer les matières premières, fabriquer des produits et en contrôler la qualité. Une fois les premières transformations effectuées, les divers matériaux serviront à la fabrication et à la construction des biens nécessaires à la vie quotidienne. Par exemple, le minerai peut être transformé en pièces de métal qui serviront à la construction d'une automobile; les fibres végétales seront transformées en tissus qui, à leur tour, pourront devenir des vêtements et le blé sera transformé en farine qui servira à la fabrication de pain ou d'autres produits alimentaires. C'est ainsi que diverses ressources naturelles seront transformées et deviendront du papier, des meubles, des outils, des vêtements, des aliments, des édifices ou encore des infrastructures (routes, ponts).

Mais ces produits nécessitent d'être entretenus ou réparés. Tous ces biens, qu'il s'agisse des tondeuses à gazon, des voitures, des édifices, des machineries industrielles ou commerciales jusqu'aux routes et aux ponts, requièrent de l'entretien et des réparations. Le recyclage est également un phénomène de plus en plus présent qui contribue à la conservation des ressources naturelles.

Planification, transformation, fabrication, construction, entretien et réparation, telles sont les actions à poser pour répondre à notre besoin de produire des biens.

200 LA PRODUCTION DES BIENS

210 LA PLANIFICATION

211 Les procédés de production et de contrôle de la qualité

PHOTO: Science Photo Library/Publiphoto

Ce secteur d'activités est particulier en ce sens qu'il comprend des professionnels pouvant travailler dans divers secteurs liés à la transformation des ressources naturelles et à la fabrication de produits. Les préoccupations de ces spécialistes concernent essentiellement les méthodes utilisées pour la fabrication de produits, les méthodes de gestion et de contrôle des procédés de fabrication et d'entretien ainsi que le contrôle de la qualité en vue d'assurer l'efficacité, la sécurité et la rentabilité de l'entreprise. On trouve, entre autres, dans ce secteur des ingénieurs en contrôle de la qualité industrielle, des ingénieurs industriels, des coordonnateurs de la production, des technologues en gestion industrielle ou des directeurs de production industrielle.

Le bon fonctionnement d'une entreprise est fonction de l'utilisation efficace et optimale des matériaux, de la machinerie et des ressources humaines. Des spécialistes veillent donc à l'aménagement efficace des installations, au bon rendement de la machinerie et à l'organisation des méthodes de production. Ils peuvent ainsi apporter des changements ou des modifications non seulement en ce qui concerne la machinerie et les systèmes de production, mais également l'organisation du travail sur les chaînes de montage. Certains spécialistes veillent aux méthodes et aux procédés d'entretien, des éléments essentiels à la bonne marche de l'industrie.

Le secteur comprend également des spécialistes qui se préoccupent de la santé au travail et du respect des normes établies en matière de sécurité et d'environnement. On y trouve notamment des inspecteurs de la sécurité, des hygiénistes industriels et des techniciens en hygiène industrielle ainsi que des inspecteurs des normes sanitaires qui veillent à ce que les outils, l'environnement et les méthodes de travail soient conformes aux normes établies de façon à faciliter le rendement des travailleurs et à éviter les blessures et maladies professionnelles.

Le contrôle de la qualité touche toutes les étapes de la production et vise à assurer la meilleure qualité possible du produit fini et sa conformité aux normes établies, qu'il s'agisse de matériaux utilisés dans la fabrication, de la sécurité ou de la résistance du produit. Certaines de ces normes sont d'ailleurs établies à l'échelle internationale. C'est le cas des normes ISO (International Standards Organization) qui ont pour but de contrôler les échanges commerciaux entre les pays pour évaluer, selon des critères précis, la qualité des produits et en déterminer le coût.

Les méthodes de contrôle de la qualité varient selon le produit fabriqué. Dans l'ensemble, cependant, elles s'appliquent au choix des matériaux ou des ingrédients qui entrent dans la fabrication d'un produit, aux procédés et à l'équipement industriel, au rendement de la main-d'oeuvre, aux coûts de production, à l'efficacité des mesures de contrôle de la pollution industrielle et, bien sûr, aux produits finis.

La plupart des entreprises accordent une grande importance au contrôle de la qualité de leurs produits afin de pouvoir répondre aux exigences élevées des consommateurs et de faire face à la concurrence qui provient maintenant de partout dans le monde. Il suffit en effet qu'une entreprise fabrique des produits de meilleure qualité pour que celle-ci prenne le marché au détriment de ses concurrents. Le contrôle de la qualité, un aspect essentiel de la production industrielle, contribue donc à la renommée des produits et des entreprises qui les fabriquent et à la protection des consommateurs.

CLÉO	TITRE	FORMATION	VALIDATION	RIASEC			D P C	REPÈRES	CCDP	CNP
211.01	DIRECTEUR, DIRECTRICE DE PRODUCTION INDUSTRIELLE	U	★	E	S	C	1 1 8	◇	1143-114	0911
211.02	DIRECTEUR, DIRECTRICE DE PRODUCTION DES MATIÈRES PREMIÈRES	U	★	E	S	C	1 1 8	◇	1143-118	0811
211.03	INGÉNIEUR, INGÉNIEURE EN GÉNIE UNIFIÉ	U		I	R	A	0 3 1		—	2148
211.04	INGÉNIEUR INDUSTRIEL, INGÉNIEURE INDUSTRIELLE	U	★	I	R	E	0 3 1	◇	2145-110	2141
211.05	TECHNOLOGUE EN GESTION INDUSTRIELLE	C	★	I	R	C	3 3 1	◇	2165-134	2233
211.06	INGÉNIEUR-CONSEIL, INGÉNIEURE-CONSEIL	U	★	I	R	A	0 3 1	◇	2159-001	2148
211.07	INGÉNIEUR, INGÉNIEURE DES MÉTHODES DE PRODUCTION	U	★	I	R	E	0 3 1	◇	2145-134	2141
211.08	TECHNICIEN, TECHNICIENNE EN PRODUCTION MANUFACTURIÈRE	C	★	I	R	C	3 3 1	◇	2165-017	2233
211.09	COORDONNATEUR, COORDONNATRICE DE LA PRODUCTION	C	★	C	E	I	1 6 4	◇	4151-110	1473
211.10	INGÉNIEUR, INGÉNIEURE DES TECHNIQUES DE FABRICATION	U	★	I	R	E	0 3 1	◇	2145-126	2141
211.11	INGÉNIEUR, INGÉNIEURE DU CONTRÔLE DE LA QUALITÉ INDUSTRIELLE	U	★	I	R	E	0 3 1	◇	2145-138	2141
211.12	HYGIÉNISTE INDUSTRIEL HYGIÉNISTE INDUSTRIELLE	U	★	I	R	E	1 2 7	◇	2145-114	4161
211.13	TECHNICIEN, TECHNICIENNE EN HYGIÈNE INDUSTRIELLE	C	★	I	R	E	2 3 1	◇	2135-018	2211
211.14	INSPECTEUR, INSPECTRICE DES NORMES SANITAIRES	C	★	I	E	S	2 6 7	◇	1116-158	2263
211.15	TECHNOLOGUE EN ANALYSE D'ENTRETIEN DE SYSTÈMES INDUSTRIELS	C	★	R	I	C	2 8 1	◇	8586-001	2243
211.16	DESSINATEUR, DESSINATRICE EN CONCEPTION ASSISTÉE PAR ORDINATEUR	C	★	R	I	E	2 3 1	◇	2163-116	2253
211.17	ERGONOMISTE	U	★	I	S	A	0 0 8	◇	2315-126	4151
211.18	INSPECTEUR, INSPECTRICE DE LA SÉCURITÉ (ENTREPRISE PRIVÉE)	C	★	I	E	S	2 6 7	◇	1176-110	2263
211.19	AROMATICIEN, AROMATICIENNE	U		I	A	R	0 3 1		—	2112
211.20	AUDITEUR, AUDITRICE – QUALITÉ	U		I	R	E	0 3 1		—	2141

Voir la p. 262 pour connaître la signification des codes.

Extraire la matière utile du minerai est l'activité fondamentale du secteur de la minéralurgie, qu'il s'agisse de métaux précieux (or, argent), de métaux usuels (cuivre, zinc), de métaux ferreux (hématite), de minéraux industriels (amiante, talc) ou de minéraux servant à la construction (sable, gravier, pierre).

Le minerai est en fait la matière minérale extraite des mines. Parmi les minéraux canadiens les plus précieux, il y a la bauxite (aluminium), l'or, la chalcopyrite (cuivre), la galène (plomb), l'argent natif et l'argentite (argent). Les roches ne devant pas excéder 15 cm de diamètre, le minerai subit généralement un premier concassage avant sa sortie de la mine. Il est ensuite transporté dans des usines de concentration où les métaux et minéraux utiles seront extraits du minerai en le broyant.

PHOTO: Min. des Ressources naturelles du Québec

Au Canada, quelques milliers de personnes travaillent dans des usines de concentration où elles réduisent le minerai et séparent les minéraux utiles des minéraux inutiles grâce à divers procédés physiques et chimiques, entre autres la flottation, la gravité, la séparation magnétique ou encore la cyanuration et la lixiviation. Les minéraux métalliques sont ensuite fondus et les minéraux non métalliques raffinés.

Le secteur de la minéralurgie comprend plusieurs spécialistes tels les ouvriers aux cuves de précipitation, les essayeurs de métaux précieux, les réparateurs de matériel de traitement du minerai, les technologues en minéralurgie et les ingénieurs métallurgistes. Ces derniers ont pour fonction de mettre au point des méthodes économiques et efficaces de récupération des divers minéraux.

Les opérations de concentration et de raffinage sont automatisées et sont supervisées par des chimistes, des physiciens et des ingénieurs de la métallurgie. Souvent, les opérateurs surveillent le traitement du minerai à partir de consoles informatiques selon des techniques de concassage, de broyage et de séparation.

Le secteur de la minéralurgie est très lié à deux autres secteurs: les mines et la métallurgie. Extraire le minerai du sol est en fait la première étape de la production des minéraux et de métaux. La seconde étape, qui est l'objet de la minéralurgie, concerne tous les procédés utilisés pour concentrer et raffiner la matière minérale utile. Une fois la concentration faite, les métaux seront acheminés vers les fonderies. C'est le secteur de la métallurgie. Ainsi, la minéralurgie est la première étape de transformation du minerai, étape incontournable dans la production de métaux et minéraux dont nous avons besoin.

CLÉO	TITRE	FORMATION	VALIDATION	RIASEC	D P C	REPÈRES	CCDP	CNP
221.01	INGÉNIEUR, INGÉNIEURE MÉTALLURGISTE	U	*	I R E	0 3 1	⊕	2151-110	*2142*
221.02	TECHNOLOGUE EN MINÉRALURGIE	C	*	I R C	2 3 1	⊕	2117-004	*2212*
221.03	ESSAYEUR, ESSAYEUSE DE MÉTAUX PRÉCIEUX	C	*	I R C	2 3 1	⊕	2117-240	*2212*
221.04	OUVRIER, OUVRIÈRE AUX CUVES DE PRÉCIPITATION	S	*	R C I	5 8 4		8113-142	*9411*
221.05	CONDUCTEUR, CONDUCTRICE DE BROYEUR ET D'APPAREIL DE FLOTTATION	S	*	R C I	5 8 4	⊕	8113-114	*9411*
221.06	RÉPARATEUR, RÉPARATRICE DE MATÉRIEL DE TRAITEMENT DU MINERAI	S	*	R I E	2 6 0	⊕	8584-126	*7311*

Voir la p. 262 pour connaître la signification des codes.

221.06

PHOTO: Sidbec-Dosco (ISPAT)

Le secteur de la métallurgie comprend les industries qui travaillent les métaux obtenus à la suite de l'affinage du minerai. Ces matériaux, qui se présentent sous la forme de billes, de barres ou de lingots, doivent en effet subir une étape de transformation supplémentaire avant d'être utilisés par les fabricants de produits finis. Ce secteur occupe donc une position intermédiaire entre l'extraction du minerai et la livraison d'un bien fini.

Au Canada, plus de 200 000 personnes travaillent dans ce secteur. L'industrie québécoise, qui joue un rôle majeur dans la métallurgie, se consacre principalement à la transformation de l'acier, de l'aluminium, du cuivre, du zinc, du magnésium et des ferro-alliages.

Les travailleurs de ce secteur font fonctionner des machines servant à usiner le métal, façonnent et assemblent divers éléments métalliques pour en faire notamment du métal en feuille, des tuyaux et des barres. Les conducteurs de machines à usiner la tôle, les conducteurs de presses à forger, les fondeurs, les modeleurs, les mouleurs en sable, etc., sont des ouvriers spécialisés qui sont généralement supervisés par des ingénieurs en métallurgie physique et des technologues-métallurgistes.

Le secteur de la métallurgie se compose d'entreprises de fonderie de pièces moulées, d'entreprises de forgeage, de métallurgie des poudres, de traitement thermique et de recyclage des métaux et comprend d'autres activités comme l'emboutissage, le matriçage et le revêtement de produits en métal et la fabrication d'éléments de charpente métallique. Il s'agit, dans la plupart des cas, de petites et moyennes entreprises (PME) qui exportent leur production, et ce, dans une proportion de plus en plus élevée.

La métallurgie est un secteur de haute technologie qui recourt à des procédés relativement complexes. Elle intègre d'ailleurs les possibilités nouvelles offertes par l'informatique, la robotique et l'automatique pour élaborer des matériaux sans cesse plus performants et adaptés à des utilisations de plus en plus spécifiques, par exemple des superalliages et des alliages à mémoire de forme.

La forte concurrence que livrent les entreprises de l'étranger incite l'industrie québécoise à adopter des technologies nouvelles dans une recherche de la flexibilité et de la qualité, dont la sous-traitance de précision. L'installation de nouveaux équipements de pointe permet en outre de produire des pièces conformes aux normes internationales. Enfin, l'élargissement de la gamme des produits devient un autre impératif imposé par la concurrence.

En ce qui concerne la recherche et le développement, le Québec possède une bonne longueur d'avance sur le reste du Canada. L'industrie met sans cesse au point de nouveaux matériaux et améliore ses procédés. Déjà, des produits fabriqués au moyen de technologies de pointe commencent à percer le marché nord-américain, notamment des poudres spéciales, des pièces en acier inoxydable et des poulies variables. De plus, le Québec se distingue du reste du Canada particulièrement dans l'utilisation accrue de pièces par l'industrie de l'automobile.

CLÉO	TITRE	FORMATION	VALIDATION	RIASEC			D P C	REPÈRES	CCDP	CNP
222.01	INGÉNIEUR, INGÉNIEURE EN MÉTALLURGIE PHYSIQUE	U	∗	I	R	E	0 3 1	⬦	2119-110	2115
222.02	TECHNOLOGUE-MÉTALLURGISTE	C	∗	I	R	C	2 3 1	⬦	2165-250	2212
222.03	FONDEUR, FONDEUSE	S	∗	R	C	I	2 6 2		8131-114	9231
222.04	CONDUCTEUR, CONDUCTRICE DE FOUR À FUSION	S	∗	R	C	I	5 8 4	⬦	8131-126	9411
222.05	MODELEUR, MODELEUSE	S	∗	R	I	A	3 8 1	⬦	8351-110	7272
222.06	MOULEUR, MOULEUSE EN SABLE	S	∗	R	I	A	3 8 1	⬦	8137-114	9412
222.07	FINISSEUR, FINISSEUSE DE MOULES	S	∗	R	I	S	5 8 4	⬦	8319-154	7232

222.08	COULEUR, COULEUSE DE FONDERIE	S	*	**R** C I	5 8 4	⬡	8137-182	*9411*
222.09	CONDUCTEUR, CONDUCTRICE DE MACHINE À COULER SOUS PRESSION	S	*	**R** I A	3 8 1	⬡	8137-174	*9412*
222.10	CONDUCTEUR, CONDUCTRICE DE PRESSE À FORGER	S	*	**R** I C	5 8 4		8331-138	*9512*
222.11	CONDUCTEUR, CONDUCTRICE DE MACHINE À USINER LA TÔLE	S	*	**R** C I	5 6 0		8334-130	*9514*
222.12	RÉGLEUR-CONDUCTEUR, RÉGLEUSE-CONDUCTRICE DE PRESSE À GRANDE PUISSANCE	S	*	**R** C I	5 6 0	⬡	8337-134	*9514*
222.13	TRACEUR, TRACEUSE DE CHARPENTES MÉTALLIQUES	S	*	**R** I E	3 8 0	⬡	8337-126	*7263*
222.14	MONTEUR, MONTEUSE D'ARTICLES MÉTALLIQUES	S	*	**R** I C	5 8 4	⬡	8529-198	*9498*
222.15	CHAUDRONNIER, CHAUDRONNIÈRE	S	*	**R** I E	3 6 0	⬡	8337-110	*7262*
222.16	FORGERON, FORGERONNE	S	*	**R** S E	3 8 1		8331-114	*7266*
222.17	AIDE-FORGEUR, AIDE-FORGEUSE	S	*	**R** C I	5 8 4		8331-198	*9411*
222.18	TECHNOLOGUE-SOUDEUR, TECHNOLOGUE-SOUDEUSE	C	*	**I** R C	2 3 1	⬡	8335-334	*2212*
222.19	SOUDEUR, SOUDEUSE	S	*	**R** I S	3 8 1	⬡	8335-142	*7265*
222.20	AIDE-SOUDEUR, AIDE-SOUDEUSE	S	*	**R** C I	6 8 4	⬡	8335-342	*9612*
222.21	SOUDEUR-MONTEUR, SOUDEUSE-MONTEUSE	S	*	**R** I S	3 8 1	⬡	8335-114	*7265*

Voir la p. 262 pour connaître la signification des codes.

Tintin au pays de l'or bleu *Après plusieurs années de recherches, un bijoutier suisse a développé une technique permettant d'obtenir de l'or... bleu. La teinte azur est obtenue par un processus d'oxydation des molécules de fer dans un alliage de fer et d'or.*

223   Les produits minéraux non métalliques

Le secteur des minéraux non métalliques pourrait être comparé à celui de la métallurgie à la différence qu'il s'agit cette fois de traiter la matière non métallique issue du minerai pour en faire différents produits, notamment des matériaux de construction. À titre d'exemple, on y fabrique du béton, du gravier, du ciment et ses produits dérivés, des isolants et des produits en verre et en argile utilisés pour la construction de routes, ponts, édifices, aqueducs et égouts ou pour la confection de divers objets utiles ou décoratifs.

PHOTO: Y. Beaulieu/Publiphoto

Dans ce secteur, la pierre et le gravier sont utilisés par les industries, entre autres pour produire le ciment, ce matériau nécessaire à de multiples usages tels que la construction de routes et de fondations d'édifice ou la fabrication de blocs et tuyaux en ciment utilisés pour construire les égouts et les tunnels. La pierre et le gravier servent aussi à fabriquer les tuiles, les pavés ou autres pierres décoratives qui ornent l'intérieur et l'extérieur de nos édifices et de nos maisons. Dans d'autres industries sont fabriqués divers matériaux comme la laine minérale et l'amiante qui sont des produits isolants, le verre et ses produits dérivés ou encore les produits de l'argile comme les tuiles, les carreaux de céramique, les briques et divers objets utilitaires ou décoratifs.

On retrouve, dans les diverses industries, des tailleurs de pierre, des trempeurs de verres d'optique, des conducteurs de machines à mouler le verre, des ouvriers au four de briqueterie, etc. Ces travailleurs manipulent la pierre, des abrasifs, l'amiante, l'argile, la silice et divers minéraux non métalliques. Ils meulent ces matières, les séparent, les font fondre, cuire et sécher afin d'obtenir des matériaux pour la fabrication de produits finis.

Ce secteur est étroitement lié à celui de la construction. Conséquemment, une baisse des activités dans la construction domiciliaire ou d'infrastructures entraîne forcément un ralentissement dans l'industrie des produits minéraux non métalliques. Toutefois, de nombreuses recherches sont effectuées dans les centres de recherche affiliés à l'Université de Sherbrooke et à l'Université Laval qui sont très actifs dans la mise au point de nouveaux produits en béton, notamment des tuyaux fabriqués avec du béton haute performance, des pavés en béton de formes et de couleurs variées et des pièces de béton renforcées de fibre de verre.

CLÉO	TITRE	FORMATION	VALIDATION	RIASEC			D P C	REPÈRES	CCDP	CNP
223.01	TAILLEUR, TAILLEUSE DE PIERRE	S	*	R	I	C	5 8 4		8371-118	9414
223.02	OUVRIER, OUVRIÈRE AU BROYEUR	S	*	R	C	I	6 8 4		8153-114	9611
223.03	CONDUCTEUR, CONDUCTRICE D'INSTALLATION À FAIRE LA PÂTE À CIMENT	S	*	R	C	I	5 8 4		8153-154	9411
223.04	OUVRIER, OUVRIÈRE À LA FABRICATION DE BLOCS DE BÉTON	S	*	R	I	C	5 8 4		8158-138	9414
223.05	OUVRIER, OUVRIÈRE AU FOUR DE BRIQUETERIE	S	*	R	C	I	5 8 4		8151-218	9411
223.06	OUVRIER, OUVRIÈRE D'ENTRETIEN DE MACHINES À MOULER LE VERRE	S	*	R	C	I	3 8 2		8155-246	9413
223.07	CONDUCTEUR, CONDUCTRICE DE MACHINES À MOULER LE VERRE	S	*	R	I	C	3 8 2		8155-238	9413
223.08	TREMPEUR, TREMPEUSE DE VERRES D'OPTIQUE	S	*	R	I	C	6 8 7		8151-162	9619
223.09	SOUFFLEUR, SOUFFLEUSE DE VERRE AU NÉON	S	*	A	I	R	0 8 1	⊕	8155-230	5244
223.10	FAÇONNEUR, FAÇONNEUSE D'ISOLATEURS	S	*	R	C	I	5 8 4		8155-134	9414
223.11	CHAUFFEUR, CHAUFFEUSE DE FOUR À HYDROGÈNE	S	*	R	C	I	5 8 4		8151-116	9414
223.12	MODÉLISTE EN CÉRAMIQUE	C/U	*	A	I	R	0 6 1	⊕	3313-158	5243
223.13	COULEUR, COULEUSE D'OBJETS ARTISTIQUES	S	*	R	C	I	5 8 4		8155-158	9414
223.14	MOULEUR, MOULEUSE DE CRAIES	S	*	R	C	I	6 8 4		8155-418	9611

Voir la p. 262 pour connaître la signification des codes.

Plus léger, plus solide *À l'heure de la haute technologie, une solution très simple a été imaginée pour alléger le ciment: l'amidon de blé. Sous forme de grains humides, l'amidon ressemble à un gel qui est incorporé dans le ciment. En séchant, chaque grain devient minuscule, laissant à sa place une petite bulle d'air. Ces bulles rendent le ciment plus léger et augmentent sa capacité d'absorber les bruits. L'aspect écologique de cette méthode n'est pas à négliger, car des bulles de styromousse sont actuellement employées.*

223.01

PHOTO: Min. des Ressources naturelles du Québec

Les grands barrages hydroélectriques et le réseau des fils électriques qui couvre l'ensemble du territoire témoignent de la grande puissance hydroélectrique du Québec. Au Canada, l'industrie de la production d'énergie électrique est principalement formée de 7 sociétés d'État provinciales, de 5 entreprises de services publics appartenant au secteur privé et de 300 services publics municipaux. Cette industrie dessert 12 millions de résidences, de commerces et d'industries et réalise annuellement des ventes d'électricité de 22 milliards de dollars.

Hydro-Québec est l'une des plus grandes entreprises de services d'électricité en Amérique du Nord. Elle produit, transporte et distribue la quasi-totalité de l'électricité consommée au Québec et vend chaque année pour près de 8 milliards de dollars d'électricité, dont une portion de plus en plus importante aux provinces canadiennes et aux États-Unis. À cette fin, Hydro-Québec exploite 54 centrales hydroélectriques et 29 centrales thermiques (nucléaires, à turbines, à gaz et à moteurs diesels). Plus des neuf dixièmes de l'électricité qu'elle produit provient de centrales hydroélectriques, ce qui est unique au monde.

224.04

L'hydroélectricité constitue la principale source d'énergie électrique au Canada car elle représente 60 % de l'approvisionnement. En outre, 22 centrales nucléaires de type CANDU (principalement en Ontario) assurent 17 % de la production d'électricité du Canada.

L'industrie de la production d'énergie électrique fait travailler environ 100 000 personnes, notamment des ingénieurs et des technologues spécialisés dans l'aménagement de barrages et de centrales nucléaires qui surveillent et entretiennent les centrales électriques et le vaste réseau de distribution et des monteurs et des technologues qui assurent l'entretien du réseau des postes de relais, des câbles électriques et des transformateurs.

Le Canada compte parmi les pays qui possèdent les plus importantes réserves d'énergie sous forme diverse, dont le pétrole, le gaz naturel, le charbon, l'uranium et la biomasse. Le secteur énergétique constitue d'ailleurs la deuxième source d'activité au pays, après celui de la fabrication.

Le pétrole brut ainsi que le gaz naturel constituent les principales exportations énergétiques du Canada. L'industrie pétrolière est concentrée dans l'ouest du pays, où se trouvent également de très importantes réserves de charbon. Le Canada est également le premier exportateur mondial d'uranium, une matière qui sert de combustible aux centrales nucléaires. On possède le tiers des réserves mondiales de ce métal.

Au Québec, les emplois dans le secteur énergétique dépendent fortement des projets d'investissement d'Hydro-Québec. Or, d'année en année, cette société réduit ses immobilisations. En 1997, par exemple, deux centrales électriques seulement sont en construction, soit Laforge Deux et Sainte-Marguerite Trois. À l'échelle de l'Amérique du Nord, les producteurs d'électricité passent d'une situation de croissance de leur puissance à une situation de rentabilisation de leurs activités. Par conséquent, les entreprises qui fournissent du matériel à Hydro-Québec doivent rationaliser leurs activités et tenter de percer les marchés étrangers.

Les sites les plus facilement accessibles et les moins coûteux ont déjà été exploités. Par contre, plusieurs autres sites pourraient être aménagés de façon économique, en particulier au Québec, en vue de répondre à la demande croissante des Américains en électricité.

224.05	CONSEILLER, CONSEILLÈRE EN ÉCONOMIE D'ÉNERGIE	C	*	**E** I S	2 5 8	⊕	5131-144	*6221*
224.06	TECHNOLOGUE D'ESSAIS ÉLECTRIQUES	C	*	**R** I C	2 6 1	⊕	8736-134	*7241*
224.07	TECHNOLOGUE EN GÉNIE ÉLECTRIQUE	C	*	**I** R C	2 3 1	⊕	2165-226	*2241*
224.08	CONTRÔLEUR, CONTRÔLEUSE À LA SALLE DE COMMANDE	S	*	**R** I S	2 6 2		9531-130	*7352*
224.09	ÉLECTRICIEN, ÉLECTRICIENNE DE CENTRALE ÉLECTRIQUE	S	*	**R** I C	2 6 1	⊕	8739-110	*7243*
224.10	AIDE-ÉLECTRICIEN, AIDE-ÉLECTRICIENNE D'ENTRETIEN	S	*	**R** I C	6 7 4	⊕	8533-214	*7612*
224.11	CONDUCTEUR, CONDUCTRICE D'INSTALLATION DE CENTRALE HYDROÉLECTRIQUE	S	*	**R** I S	2 6 2		9531-138	*7352*
224.12	MONTEUR, MONTEUSE DE LIGNES DE PRODUCTION D'ÉLECTRICITÉ	S	*	**R** I E	3 6 1	⊕	8731-118	*7244*
224.13	MONTEUR, MONTEUSE DE LIGNES DE DISTRIBUTION D'ÉLECTRICITÉ	S	*	**R** I E	3 6 1	⊕	8731-114	*7244*
224.14	INSTALLATEUR, INSTALLATRICE DE COMPTEURS D'ÉLECTRICITÉ	S	*	**R** I C	2 6 1	⊕	8733-130	*7241*
224.15	RELEVEUR, RELEVEUSE DE COMPTEURS	S	*	**C** I E	3 8 4	⊕	4199-234	*1454*
224.16	RÉGULATEUR, RÉGULATRICE À LA CONSOMMATION	S	*	**R** I S	2 6 2		9531-110	*7352*

Voir la p. 262 pour connaître la signification des codes.

224.05

---

225   Le bois d'oeuvre

Ce secteur d'activité produit le bois destiné à être travaillé et utilisé dans la construction de bâtiments et de nombreux autres travaux. Les personnes qui travaillent dans ce secteur taillent les billots d'arbre, en font des planches, des poutres, des poteaux, des bardeaux et d'autres matériaux de construction, parfois dans des scieries, des usines de rabotage ou dans d'autres entreprises de transformation du bois.

Au Québec, les scieries et les ateliers de rabotage assurent près de 60 % de la production du bois d'oeuvre. Le reste de la production est assurée par des entreprises de transformation qui produisent les panneaux gaufrés et le contreplaqué de feuillus et de résineux, les

PHOTO: P. G. Adam/Publiphoto

panneaux de particules, le bois travaillé, etc.

Dans les scieries, des technologues en sciences forestières, des opérateurs de scie, des opérateurs de séchoir, des opérateurs de raboteuse et des manoeuvres en traitement du bois utilisent diverses machines telles que des scies de tête, des scies circulaires, des dresseuses et des équarrissoirs, pour tailler le bois d'oeuvre en bois de sciage, pour le scier, pour le raboter en vue d'obtenir du bois plané de diverses tailles ou pour en faire des bardeaux.

Des spécialistes du bois de construction inspectent ensuite le bois et le classent selon des normes précises. Ainsi, ils mesurent les planches au moyen de compas d'épaisseur, de gabarits et de rubans pour s'assurer que la pièce de bois d'oeuvre respecte les normes d'épaisseur, de largeur et de longueur établies. Parfois même, l'épaisseur de la pièce est vérifiée au moyen d'un système optique informatisé. Les classeurs de bois de construction inspectent également les extrémités et les côtés de la pièce de bois pour y repérer tout défaut ou toute imperfection (noeud, tache, pourriture, trous de vers) qui pourrait la rendre plus ou moins propre à la transformation. Ils classent et trient les pièces de bois en fonction de normes précises et l'estampillent pour indiquer le type et la qualité du bois. La pièce de bois d'oeuvre est par la suite rabotée et transformée en fonction de sa qualité et de sa classification.

Le secteur du bois d'oeuvre est souvent fonction du secteur de la construction et de la rénovation. Par contre, quand le secteur de la construction est au ralenti et que le secteur du bois d'oeuvre en ressent les contrecoups, celui de la rénovation est passablement actif et soutient l'industrie.

CLÉO	TITRE	FORMATION	VALIDATION	RIASEC	D P C	REPÈRES	CCDP	CNP
225.01	INGÉNIEUR FORESTIER, INGÉNIEURE FORESTIÈRE EN SCIENCES DU BOIS	U		R I E	0 3 1		2159-138	2122
225.02	TECHNOLOGUE EN SCIENCES FORESTIÈRES	C	★	R I E	3 3 1	◌	2117-114	2223
225.03	SCIEUR, SCIEUSE DE PLANCHES	S	★	R C I	3 8 4	◌	8231-118	9431
225.04	SCIEUR, SCIEUSE DE BARDEAUX	S	★	R C I	3 8 4	◌	8231-154	9431
225.05	OPÉRATEUR, OPÉRATRICE DE SCIE PRINCIPALE	S	★	R C I	3 8 4	◌	8231-110	9431
225.06	OPÉRATEUR, OPÉRATRICE DE SCIE MULTILAMES POUR BILLES	S	★	R C I	3 8 4	◌	8231-126	9431
225.07	MANOEUVRE DE SCIERIE	S	★	R C I	8 8 4	◌	8238-134	9614
225.08	OPÉRATEUR, OPÉRATRICE DE DÉLIGNEUSE AUTOMATIQUE EN SCIERIE	S	★	R C I	3 8 4	◌	8231-114	9431
225.09	OPÉRATEUR, OPÉRATRICE DE RABOTEUSE	S	★	R C I	3 8 4	◌	8231-130	9431
225.10	OPÉRATEUR, OPÉRATRICE DE SÉCHOIRS À BOIS	S	★	R C I	5 8 4	◌	8235-110	9434
225.11	MANOEUVRE AU TRAITEMENT DU BOIS	S	★	R C I	6 8 4		8238-126	9614
225.12	AFFÛTEUR, AFFÛTEUSE DE SCIES	S	★	R C I	5 8 2	◌	8319-150	7383
225.13	CLASSEUR, CLASSEUSE DE BOIS DE CONSTRUCTION	S	★	I R C	5 8 7	◌	8236-114	9436

Voir la p. 262 pour connaître la signification des codes.

226   Les pâtes et papiers

Que serait la vie sans papier ni carton? Il est effectivement difficile d'imaginer la vie sans cette richesse importante. Le Canada, avec ses vastes forêts, produit de grandes quantités de papier et en exporte un peu partout dans le monde. De plus, les papiers et cartons font partie intégrante de plusieurs activités industrielles, qu'il s'agisse de transport et de manutention des marchandises, du travail de bureau ou de la culture, c'est-à-dire des revues et livres imprimés.

PHOTO: Min. des Ressources naturelles du Québec

Le papier et le carton sont produits à partir d'un mélange de pâte mécanique et de pâte chimique, mais un pourcentage de plus en plus grand de papier est formé de fibres recyclées. Les vieux papiers et les cartons sont recyclés, c'est-à-dire qu'ils sont «désencrés» puis incorporés à la nouvelle pâte, ce qui contribue à préserver les ressources naturelles. Le papier et le carton étant fabriqués à partir du bois des arbres, il s'agit d'un secteur d'activités très varié où l'on fabrique non seulement du papier journal, mais aussi tous les papiers et les cartons d'emballage.

Les personnes qui travaillent dans ce secteur transforment le bois en pâte à papier au moyen de procédés chimiques et mécaniques. D'autres fabriquent les papiers et les cartons. On y trouve donc divers techniciens, des préparateurs de pâte à papier, des opérateurs de blanchisseuse à papier, des conducteurs de machine à papier, etc.

Certaines entreprises se spécialisent dans la fabrication de cartons d'emballage et de papier non couché (utilisé par exemple pour les encarts publicitaires, les catalogues, les annuaires téléphoniques ou les livres de poche); d'autres dans la fabrication de papier journal. Ces dernières, au nombre de 45, contribuent d'ailleurs beaucoup à l'économie canadienne. En effet, une grande partie de la production de papier journal du Canada est exportée aux États-Unis.

L'évolution de la réglementation environnementale, le phénomène du recyclage et les pressions de la concurrence mondiale ont entraîné au cours des années 90 une restructuration majeure de l'industrie des pâtes et papiers. Une hausse vertigineuse des prix du papier a amené plusieurs acheteurs à reconstituer leurs stocks et à acheter à l'avance leurs provisions de papiers, notamment de papier journal. De plus, diverses mesures, notamment la réduction des formats et du tirage de grands quotidiens, ont été adoptées afin de contrôler les coûts d'édition et d'impression, ce qui a entraîné une diminution progressive de la consommation de papier journal et une accumulation graduelle des stocks chez les éditeurs.

Le recyclage du papier constituant une industrie relativement nouvelle, il s'agit d'un secteur d'activités appelé à beaucoup d'innovations et d'ouvertures où seront créés de nombreux emplois.

226.01

CLÉO	TITRE	FORMATION	VALIDATION	RIASEC	D P C	REPÈRES	CCDP	CNP
226.01	TECHNICIEN, TECHNICIENNE EN RECHERCHE ET DÉVELOPPEMENT	C		I R E	2 3 1		—	2211
226.02	TECHNICIEN, TECHNICIENNE EN PÂTES ET PAPIERS (SERVICES TECHNIQUES)	C	★	R I E	3 3 1	⊕	8256-003	2223
226.03	TECHNICIEN, TECHNICIENNE EN CONTRÔLE DE LA QUALITÉ – PÂTES ET PAPIERS	C	★	I R E	2 3 1	⊕	8256-001	2211
226.04	OPÉRATEUR, OPÉRATRICE D'UNITÉS DE PRODUCTION (PÂTES ET PAPIERS)	C	★	R C I	1 3 4	⊕	8256-002	9433
226.05	PRÉPARATEUR, PRÉPARATRICE DE PÂTE À PAPIER	S	★	R C I	5 8 4	⊕	8251-142	9432
226.06	OPÉRATEUR, OPÉRATRICE DE BLANCHISSEUSE À PAPIER	S	★	R C I	5 8 4	⊕	8251-146	9432
226.07	LESSIVEUR, LESSIVEUSE DE PÂTE ÉCRUE	S	★	R C I	5 6 4	⊕	8251-138	9432
226.08	CONDUCTEUR, CONDUCTRICE DE LESSIVEUR EN CONTINU	S	★	R C I	2 6 2	⊕	8251-110	9233
226.09	CONDUCTEUR, CONDUCTRICE DE MACHINE À PAPIER	S	★	R C I	2 6 2		8253-110	9234
226.10	CONDUCTEUR, CONDUCTRICE DE MACHINE À FINIR LE PAPIER	S	★	R C I	2 6 2	⊕	8253-118	9234
226.11	MANUTENTIONNAIRE DE PAPIER RECYCLÉ	S	★	R C I	6 8 6	⊕	9317-184	7452
226.12	CONSEILLER, CONSEILLÈRE TECHNIQUE EN PÂTES ET PAPIERS	C	★	R I E	3 3 1	⊕	8256-003	2223

Voir la p. 262 pour connaître la signification des codes.

__Moins de papier?__ Alors que le courrier électronique contribue à diminuer l'usage de papier, les télécopieurs en augmentent dramatiquement l'usage. On estime que, chaque année, les télécopieurs consomment l'équivalent de plus de 40 milliards de feuilles de papier. Bout à bout, ces feuilles feraient 290 fois le tour de la Terre.

PHOTO: A. Cornu/Publiphoto

L'industrie des textiles regroupe plusieurs activités fort variées allant de la fabrication des fibres, des filés, des étoffes et des tissus à la fabrication de serviettes, de draps et de tapis. La fibre textile peut être d'origine naturelle, comme la laine ou la soie, ou fabriquée chimiquement, comme le nylon ou le polyester.

L'industrie textile au Canada est concentrée au Québec, qui assure près de 55 % de la production. Cette industrie constitue le premier secteur manufacturier au Québec et procure environ 15 % des emplois.

Le secteur du textile comporte deux types de productions: les textiles primaires et les produits textiles. Les textiles primaires regroupent les activités liées à la transformation de la matière première et à la fabrication de tissus, incluant la production de filés et de filaments, d'étoffes tissées et tricotées et de toiles destinées à l'industrie papetière. Au Québec, plus de 120 entreprises assurent la production de textiles primaires, procurant ainsi plus de 900 000 emplois et réalisant 60 % des activités canadiennes du secteur. Les produits textiles englobent la production de feutres et le traitement des fibres naturelles, les textiles de maison (serviettes et literie), les produits d'hygiène en textile et d'autres tissus à usages techniques. Les personnes qui travaillent dans ce secteur sont des ouvriers et des technologues qui transforment les fibres en filés, qui tissent, tricotent et finissent les tissus. On trouve également dans les usines de fabrication textile des ingénieurs ainsi que des chimistes spécialisés en fibre textile et en teinture.

227.10

Le secteur du textile connaît un essor important, d'une part grâce à l'Accord de libre-échange nord-américain et, d'autre part, en raison de l'Accord sur les textiles et vêtements de l'Organisation mondiale du commerce qui a permis, en 1995, de réorienter les stratégies de commercialisation vers le marché des États-Unis. En effet, les industriels américains du textile sont mieux protégés des importations à bas coûts en provenance de pays étrangers et représentent donc une clientèle plus sûre pour les producteurs québécois. De plus, les industries américaines des textiles d'ameublement et des articles de maison représentent des débouchés importants pour les fabricants québécois de filés.

L'avenir de l'industrie textile québécoise est encourageant, en particulier en ce qui concerne la production de textiles primaires, qui est davantage orientée vers les marchés industriels et l'exportation. Par ailleurs, plusieurs entreprises étrangères envisagent la possibilité de s'implanter au Québec en raison des avantages que procurent les accords de libre-échange.

CLÉO	TITRE	FORMATION	VALIDATION	RIASEC	D P C	REPÈRES	CCDP	CNP
227.01	DIRECTEUR, DIRECTRICE D'USINE DE PRODUCTION DE TEXTILES	U	*	E S C	1 1 8		1143-001	0911
227.02	INGÉNIEUR, INGÉNIEURE DU TEXTILE	U	*	I R E	0 3 1		—	2148
227.03	TECHNOLOGUE DES TEXTILES	C	*	I R C	2 3 1	◇	2117-130	2233
227.04	MODÉLISTE EN TEXTILES	C	*	A I R	0 6 1	◇	3313-146	5243
227.05	MONTEUR, MONTEUSE DE MACHINES TEXTILES	S	*	R I E	2 6 0	◇	8584-118	7317
227.06	MONTEUR-AJUSTEUR, MONTEUSE-AJUSTEUSE DE MÉTIERS À TISSER	S	*	R I E	2 6 0	◇	8584-114	7317
227.07	CONDUCTEUR, CONDUCTRICE DE MÉTIER À TISSER	S	*	R C I	6 6 2	◇	8267-190	9442
227.08	TEINTURIER, TEINTURIÈRE DE PRODUITS TEXTILES BRUTS	S	*	R C I	6 6 4		8273-134	9443
227.09	ESSAYEUR, ESSAYEUSE DE TEXTILES	S	*	R I C	5 8 7		8276-110	9444
227.10	TECHNOLOGUE EN FINITION DES TEXTILES	C	*	I R C	3 6 1	◇	2117-268	2233

Voir la p. 262 pour connaître la signification des codes.

PHOTO: R. Maisonneuve/Publiphoto

La plupart des aliments et boissons destinés à la consommation ne proviennent pas directement de la ferme et sont passés par l'industrie de transformation. Le secteur de la fabrication des aliments et boissons est très diversifié et comprend une vaste gamme d'entreprises qui traitent, entre autres, les fruits et les légumes, les produits laitiers, les céréales, les pommes de terre et les viandes pour en faire divers produits de consommation. Ce secteur manufacturier, le deuxième en importance au Canada, produit pour 50 milliards de dollars en aliments et boissons et emploie 200 000 personnes.

L'industrie de la transformation des fruits et légumes fournit plusieurs produits en conserve ou sous emballage, notamment le maïs, les pois, les haricots, les tomates et les pommes de terre. Elle produit également les jus de pomme et de tomate ainsi que divers mélanges de jus de fruits. Certaines entreprises de ce secteur produisent également des marinades, confitures, soupes, sauces et autres produits à base de légumes ou de fruits. L'industrie de transformation des fruits et légumes emploie plus de 18 000 personnes et compte environ 200 entreprises, les deux tiers se consacrant à la mise en conserve et l'autre tiers à la préparation d'aliments congelés et de produits spécialisés, dont la pizza congelée ou les raviolis en conserve.

L'industrie de la transformation des produits laitiers fournit le lait frais, le lait à longue conservation, le lait en poudre ainsi que les divers produits dérivés comme le fromage, le beurre, le yogourt et la crème glacée. L'industrie de la transformation des produits laitiers contribue pour plus de 7 milliards de dollars annuellement à l'économie canadienne.

L'industrie de la meunerie transforme le blé et autres grains de céréales en farine. Les produits céréaliers transformés sont variés et comprennent la farine, les céréales ainsi que de nombreux types de pâtes alimentaires et de produits de boulangerie. Cette industrie, étroitement liée à celle de la boulangerie et de la biscuiterie, compte une quarantaine de minoteries au Canada et procure environ 3 000 emplois.

L'industrie de la boulangerie comprend des entreprises qui fabriquent du pain, des gâteaux, des tartes, des beignets, des muffins, etc. Au Canada, on compte environ 450 boulangeries en gros et quelque 3 000 boulangeries artisanales.

L'industrie de la biscuiterie comprend des entreprises qui fabriquent, entre autres, des biscuits secs, des biscuits enrobés, des craquelins. On compte une trentaine de biscuiteries au Canada, la plupart situées en Ontario et au Québec.

L'industrie des pâtes alimentaires est surtout concentrée au Québec et en Ontario. Les fabricants de pâtes produisent annuellement environ 90 millions de kilos de pâtes sèches, d'une valeur de 300 millions de dollars. De même, quelques entreprises font la fabrication industrielle ou artisanale de pâtes fraîches.

Enfin, l'industrie des boissons alcoolisées est importante au Canada avec une production de 2,5 milliards de dollars en bière et plus de 300 millions de dollars en vins et spiritueux. Presque toute la bière consommée au Canada est produite par des brasseries canadiennes qui exploitent 55 usines. Depuis quelques années, plusieurs micro-brasseries se sont lancées dans la fabrication de bières artisanales. L'industrie des boissons alcoolisées et des spiritueux a recours à plusieurs cultures, notamment les céréales (houblon), les pommes de terre et, dans le cas des liqueurs, les fruits et les noix. L'industrie de la fabrication de la bière emploie 15 000 personnes et procure 70 000 emplois liés à la distribution et à la vente de bière. L'industrie de fabrication des spiritueux verse plus de 580 millions de dollars chaque année pour l'achat de produits agricoles, de matières premières, de produits d'emballage et en frais d'entreposage, en frais de transport, en salaires et en publicité. Bref, la fabrication des aliments et boissons se porte bien et procure du travail à de multiples travailleurs.

CLÉO	TITRE	FORMATION	VALIDATION	RIASEC	D P C	REPÈRES	CCDP	CNP
228.01	SCIENTIFIQUE EN PRODUITS ALIMENTAIRES	U	*	I R S	0 3 1	◇	2131-118	2121
228.02	BACTÉRIOLOGISTE DE PRODUITS ALIMENTAIRES	U		I R S	0 3 1		2133-154	2121

228.03	TECHNOLOGUE EN CRÉATION DE NOUVEAUX PRODUITS ALIMENTAIRES	C	★	**I** R C	3 7 1	⬦	2135-015	*2221*
228.04	TECHNOLOGUE DES PRODUITS ALIMENTAIRES	C	★	**I** R E	3 7 1	⬦	2135-166	*2211*
228.05	GASTRONOME PROFESSIONNEL, GASTRONOME PROFESSIONNELLE	S		**C** E S	1 3 2	—		*6241*
228.06	ESSAYEUR, ESSAYEUSE D'ALIMENTS	C	★	**I** R E	3 7 1		8226-110	*2211*
228.07	INGÉNIEUR-CONCEPTEUR, INGÉNIEURE-CONCEPTRICE POUR LES INDUSTRIES ALIMENTAIRES	U	★	**I** R C	0 2 1	⬦	2159-005	*2148*
228.08	TECHNOLOGUE EN PROCÉDÉS DE FABRICATION ALIMENTAIRE	C	★	**I** R E	3 7 1	⬦	2135-014	*2211*
228.09	INGÉNIEUR, INGÉNIEURE SPÉCIALISTE DE L'INSTALLATION DES SYSTÈMES ALIMENTAIRES	U	★	**I** R C	0 2 1	⬦	2159-008	*2148*
228.10	INGÉNIEUR, INGÉNIEURE SPÉCIALISTE DE LA GESTION DES PROCÉDÉS ALIMENTAIRES	U	★	**I** R C	0 2 1	⬦	2159-003	*2148*
228.11	INGÉNIEUR, INGÉNIEURE SPÉCIALISTE DE LA QUALITÉ DES PROCÉDÉS ALIMENTAIRES	U	★	**I** R C	0 2 1	⬦	2159-007	*2148*
228.12	TECHNOLOGUE EN TRANSFORMATION DE PRODUITS ALIMENTAIRES	C	★	**I** R E	3 7 1	⬦	8210-002	*2211*
228.13	SPÉCIALISTE DE LA QUALITÉ DES PRODUITS ALIMENTAIRES	C		**I** R S	0 3 1	—		*2121*
228.14	TECHNOLOGUE EN CONTRÔLE DE LA QUALITÉ DES PRODUITS ALIMENTAIRES	C	★	**I** R C	3 7 1	⬦	2135-012	*2221*
228.15	EXTRACTEUR, EXTRACTEUSE D'HUILE VÉGÉTALE	S	★	**R** C I	6 8 4		8211-286	*9461*
228.16	OUVRIER, OUVRIÈRE DE CONSERVERIE	S	★	**R** C I	6 8 6		8229-422	*9617*
228.17	AUTOCLAVISTE	S	★	**R** C I	6 8 4		8229-322	*9461*
228.18	PRÉPARATEUR, PRÉPARATRICE DE REPAS CONGELÉS	S	★	**R** C I	6 8 6	⬦	8229-426	*9617*
228.19	INGÉNIEUR, INGÉNIEURE ALIMENTAIRE (REPRÉSENTATION TECHNIQUE ET VENTE)	U	★	**I** R C	0 2 1	⬦	2159-004	*2148*
228.20	INSPECTEUR, INSPECTRICE DES PRODUITS ALIMENTAIRES	C	★	**I** S E	2 6 7	⬦	1116-003	*2222*
228.21	OENOLOGUE	U	★	**E** S C	1 1 8	—		*0911*
228.22	MAÎTRE BRASSEUR, MAÎTRE BRASSEUSE	S		**R** C I	6 8 2	—		*9461*
228.23	OUVRIER, OUVRIÈRE AU HOUBLONNAGE	S	★	**R** C I	6 8 4		8227-186	*9461*
228.24	DÉGUSTATEUR, DÉGUSTATRICE DE BOISSONS	S	★	**R** I C	5 8 7		8226-210	*9465*
228.25	MEUNIER, MEUNIÈRE	S	★	**R** C I	6 8 2		8211-114	*9461*
228.26	BOULANGER-PÂTISSIER, BOULANGÈRE-PÂTISSIÈRE	S	★	**R** I A	3 8 2	⬦	8213-114	*6252*

228.26

228.27	AIDE-BOULANGER, AIDE-BOULANGÈRE	S	*	R	C	I	6 8 6	⬦	8213-218	9617
228.28	PÂTISSIER, PÂTISSIÈRE	S	*	R	I	A	3 8 2	⬦	8213-114	6252
228.29	EMPAQUETEUR, EMPAQUETEUSE D'ARTICLES DE PÂTISSERIE	S	*	R	C	I	6 8 6	⬦	9317-214	9617
228.30	CHARCUTIER, CHARCUTIÈRE	S	*	R	S	E	3 8 1	⬦	8215-002	6251
228.31	FONDEUR, FONDEUSE DE CHOCOLAT	S	*	R	C	I	6 8 4		8213-286	9461
228.32	OUVRIER, OUVRIÈRE DE CONFISERIE CHOCOLATIÈRE	S	*	R	C	I	6 8 4		8213-270	9461
228.33	CONFISEUR, CONFISEUSE	S	*	R	C	I	6 8 4		8599-858	9517
228.34	INSPECTEUR, INSPECTRICE DES PRODUITS ANIMAUX	C	*	I	S	E	2 6 7	⬦	1116-146	2222
228.35	BOUCHER, BOUCHÈRE D'ABATTOIR	S	*	R	C	E	6 8 4	⬦	8215-110	9462
228.36	CHOCOLATIER, CHOCOLATIÈRE	S		R	C	I	684		—	9517
228.37	FUMEUR, FUMEUSE DE VIANDE	S	*	R	I	C	6 8 2		8215 -202	9461
228.38	TECHNOLOGUE EN FABRICATION DE PRODUITS LAITIERS	C	*	I	R	C	3 7 1	⬦	8210-003	2221
228.39	OPÉRATEUR, OPÉRATRICE D'APPAREILS DE TRAITEMENT DU LAIT	C	*	R	C	I	6 8 2	⬦	8223-110	9461
228.40	AIDE-LAITIER, AIDE-LAITIÈRE	S	*	R	C	I	6 8 6		8223-138	9617
228.41	CONFECTIONNEUR, CONFECTIONNEUSE DE GLACES ET SORBETS EN BÂTONNETS	S	*	R	C	I	6 8 2		8223-166	9461
228.42	FROMAGER, FROMAGÈRE	S	*	R	C	I	6 8 2		8223-198	9461
228.43	AIDE-FROMAGER, AIDE-FROMAGÈRE	S	*	R	C	I	6 8 6		8223-206	9617
228.44	INSPECTEUR, INSPECTRICE DES PÊCHES	C	*	R	I	E	3 6 3	⬦	1116-162	2224
228.45	CONTREMAÎTRE, CONTREMAÎTRESSE DE SALAISON ET DE CONSERVE DE POISSON	C	*	E	R	C	1 3 8	⬦	8210-118	9213
228.46	OUVRIER, OUVRIÈRE AU TRAITEMENT DES PRODUITS DE POISSON	S	*	R	C	I	6 8 7	⬦	8217-112	9463
228.47	OUVRIER, OUVRIÈRE AU FUMOIR À POISSON	S	*	R	C	I	6 8 7	⬦	8217-114	9463
228.48	CONDUCTEUR, CONDUCTRICE DE MACHINE À DÉPECER LE POISSON	S	*	R	C	I	6 8 7	⬦	8217-110	9463
228.49	PRÉPARATEUR, PRÉPARATRICE DE POISSON	S	*	R	C	I	6 8 7	⬦	8217-118	9463

Voir la p. 262 pour connaître la signification des codes.

On n'a plus le beurre qu'on avait *Pour faire du beurre de nos jours, il faut bien plus qu'une baratte de bois. On utilise des cuves contenant jusqu'à 100 000 litres et mesurant 15 mètres de haut. Une hélice de plus d'un mètre, ressemblant à celle d'un bateau, sert à agiter la crème.*

Emballages emballants *Les nouveaux «emballages actifs» permettent de conserver de façon optimale la fraîcheur et la qualité des aliments. Parmi les diverses innovations à surveiller, les «puces fraîcheur» qui permettent de déterminer le niveau de fraîcheur d'un produit. On peut aussi entrevoir la généralisation des couvercles refermables, des filtres ultraviolets et des pochettes absorbant l'oxygène. Il semble que la réaction des clients et des chefs soit enthousiaste.*

PHOTO: Science Photolibrary/Publiphoto

Le secteur des produits et procédés chimiques consiste principalement à transformer des hydrocarbures et des ressources minérales en vue d'en tirer des produits destinés à d'autres branches de l'industrie chimique et à d'autres industries qui en font des produits finis.

L'industrie chimique fabrique quantité de produits d'usage courant: les savons, les produits de toilette, les plastiques, l'essence, les désinfectants, les adhésifs, l'encre, la peinture, les revêtements, les produits pharmaceutiques et les insecticides pour n'en nommer que quelques-uns.

Elle occupe donc une place essentielle dans l'économie industrialisée et technologique du Canada car ses produits sont utilisés dans presque tous les procédés de production. Au Québec, l'industrie des produits chimiques joue un rôle particulièrement important dans divers domaines comme les pâtes et papiers, les mines, la métallurgie, la construction et l'agriculture. La chimie contribue également à l'industrie aérospatiale, à l'industrie pharmaceutique, aux domaines des technologies de l'information et du secteur énergétique.

229.06

Le secteur de l'industrie chimique se divise en trois branches: la pétrochimie, la chimie inorganique et les spécialités chimiques. La pétrochimie, c'est la fabrication de produits chimiques à partir de pétrole et de gaz naturel. La chimie inorganique utilise des matières premières telles que les minerais, les métaux et le sel, alors que les spécialités chimiques sont des substances chimiques dérivées des deux autres branches.

L'industrie chimique au Québec procure près de 20 000 emplois et produit pour plus de 4 milliards de dollars de marchandises. Sa production se répartit en produits industriels (30 %), en plastiques et résines (21 %), en produits de toilette (10,5 %), en peintures et vernis (8,5 %), en savons et nettoyants (4,4 %), en engrais et composés (2,6 %) et en encres (1,6 %).

Les personnes qui travaillent dans ce secteur fabriquent différents produits à partir de la matière première (minerai et pétrole) en recourant à des procédés spécialisés tels que le malaxage, la distillation, la sublimation, la carbonisation et les traitements thermiques. On y trouve par conséquent une vaste gamme de professionnels dont des chimistes, des technologues d'installations de traitement chimique, des contrôleurs de produits pharmaceutiques, des technologues en génie chimique, des technologues en transformation des matières plastiques, des outilleurs-moulistes, des conducteurs au raffinage du pétrole, des préparateurs d'asphalte pour couverture, des mélangeurs de caoutchouc mousse. Plusieurs spécialistes comme des chimistes, des ingénieurs chimistes et des physiciens travaillent à la résolution de problèmes techniques en vue de mettre au point de nouveaux produits et procédés chimiques.

L'industrie chimique se classe au septième rang au Québec en ce qui concerne la valeur des livraisons, dont 50 % en valeur ajoutée, proportion largement supérieure aux 30 % qui caractérisent l'ensemble des industries manufacturières. Dans un univers économique où l'avenir appartient aux industries génératrices de valeur ajoutée, cette caractéristique confère à l'industrie québécoise une place de choix.

CLÉO	TITRE	FORMATION	VALIDATION	RIASEC	D P C	REPÈRES	CCDP	CNP
229.01	INGÉNIEUR, INGÉNIEURE CHIMISTE	U	*	I R E	0 3 1	◇	2142-001	2134
229.02	TECHNOLOGUE EN GÉNIE CHIMIQUE	C	*	I R E	2 3 1	◇	2165-218	2211
229.03	INGÉNIEUR, INGÉNIEURE CHIMISTE SPÉCIALISTE DES ÉTUDES ET PROJETS	U	*	I R E	0 3 1	◇	2142-110	2134
229.04	INGÉNIEUR, INGÉNIEURE CHIMISTE DE LA PRODUCTION	U	*	I R E	0 3 1	◇	2142-118	2134
229.05	CHIMISTE SPÉCIALISTE DU CONTRÔLE DE LA QUALITÉ	U	*	I A R	0 3 1	◇	2111-134	2112
229.06	TECHNOLOGUE EN GÉNIE PÉTROCHIMIQUE	C	*	I R E	2 3 1	◇	2165-262	2211

Code	Titre			Codes				
229.07	CONDUCTEUR, CONDUCTRICE AU RAFFINAGE DU PÉTROLE	S	*	**R** I C	2 6 2		8165-110	*9232*
229.08	PRÉPARATEUR, PRÉPARATRICE D'ASPHALTE POUR COUVERTURE	S	*	**R** C I	5 8 4		8161-298	*9421*
229.09	MÉLANGEUR, MÉLANGEUSE DE CAOUTCHOUC MOUSSE	S	*	**R** I C	6 8 4		8161-306	*9423*
229.10	INGÉNIEUR, INGÉNIEURE CHIMISTE EN RECHERCHE	U	*	**I** R E	0 3 1		2142-114	*2134*
229.11	CHIMISTE	U	*	**I** A R	0 3 1	⬡	2111-001	*2112*
229.12	TECHNOLOGUE EN CHIMIE	C	*	**I** R E	2 3 1	⬡	2117-110	*2211*
229.13	TECHNOLOGUE D'INSTALLATION DE TRAITEMENT CHIMIQUE	C	*	**R** I C	2 6 2	⬡	8179-122	*9232*
229.14	CONTRÔLEUR, CONTRÔLEUSE DE PRODUITS PHARMACEUTIQUES	C/U	*	**I** R E	2 3 1	⬡	8296-110	*2211*
229.15	INGÉNIEUR, INGÉNIEURE EN TRANSFORMATION DES MATÉRIAUX COMPOSITES	U		**I** R E	0 3 1		2145-199	*2144*
229.16	TECHNOLOGUE EN TRANSFORMATION DES MATÉRIAUX COMPOSITES	C	*	**I** R C	2 3 1	⬡	2165-019	*2233*
229.17	TECHNOLOGUE EN TRANSFORMATION DES MATIÈRES PLASTIQUES	C	*	**I** R C	2 3 1	⬡	8570-001	*2233*
229.18	OUTILLEUR-MOULISTE, OUTILLEUSE-MOULISTE	S	*	**R** I S	2 8 0	⬡	8311-112	*7232*
229.19	OPÉRATEUR, OPÉRATRICE DE MACHINES À MOULER LES MATIÈRES PLASTIQUES	S	*	**R** I C	5 8 2	⬡	8573-110	*9422*
229.20	LAMINEUR, LAMINEUSE DE FIBRE DE VERRE	S	*	**R** I C	5 8 4	⬡	8579-150	*9495*
229.21	PULVÉRISATEUR, PULVÉRISATRICE DE RÉSINES THERMODURCISSABLES (PLASTIQUE)	S	*	**R** C I	5 8 2		8579-122	*9422*
229.22	MANOEUVRE À LA FABRICATION DU PLASTIQUE	S	*	**R** C I	6 8 7	⬡	8578 001	*9615*

Voir la p. 262 pour connaître la signification des codes.

230	LA FABRICATION
231	La fabrication mécanique

Le secteur de la fabrication mécanique concerne la fabrication de divers outils, de pièces, de composantes et de machineries (moteurs, pompes, compresseurs, ventilateurs et autres sous-systèmes mécaniques) nécessaires à l'exploitation des ressources, à la construction et à la production manufacturière. Les entreprises de ce secteur fabriquent des pièces et les assemblent en vue de la production d'une variété d'appareils, de la laveuse à l'automobile en passant par une foule de machines industrielles.

PHOTO: Photo Researchers/Publiphoto

229.07

Au Québec, les entreprises de la fabrication mécanique alimentent particulièrement les secteurs de la construction, de la foresterie, des mines, de l'énergie électrique et l'industrie en général. Elles produisent beaucoup de sous-systèmes pour les turbines et le matériel de transmission de l'énergie mécanique, pour la machinerie de construction et d'extraction minière et l'équipement de manutention.

Les personnes qui travaillent dans ce secteur conçoivent, fabriquent et assemblent du matériel mécanique, de la machinerie ainsi que des appareils de précision tels que des altimètres et des micromètres et se spécialisent également en micro-mécanique, c'est-à-dire dans la fabrication de petits appareils comme les montres. On y trouve des technologues en génie mécanique, ainsi que des confectionneurs d'instruments mécaniques, des conducteurs et des programmeurs de machines-outils à commande numérique, divers spécialistes tels que des ingénieurs mécaniciens et des dessinateurs en mécanique industrielle qui conçoivent des modèles de machines et des nouvelles pièces.

Une partie de la production de ce secteur vise à répondre aux besoins du pays en pièces mécaniques, tandis que l'autre est destinée à l'exportation, principalement aux États-Unis. Les exportations ont toutefois connu une croissance intéressante, ce qui a permis de soutenir le secteur de la fabrication mécanique.

Les entreprises québécoises étant de plus en plus en concurrence avec celles des autres pays, elle doivent veiller davantage à la qualité de leurs produits, se préoccuper des progrès technologiques rapides dans ce secteur, en particulier de l'apport de l'informatique dans la conception des appareils, se tenir à la fine pointe des procédés de fabrication et tenter sans cesse d'innover.

231.14

L'USINAGE MÉCANIQUE

CLÉO	TITRE	FORMATION	VALIDATION	RIASEC			D P C	REPÈRES	CCDP	CNP
231.01	INGÉNIEUR MÉCANICIEN, INGÉNIEURE MÉCANICIENNE	U	*	**I**	R	E	0 3 1	⊕	2147-118	*2132*
231.02	TECHNOLOGUE EN GÉNIE MÉCANIQUE	C	*	**I**	R	C	2 3 1	⊕	2165-142	*2232*
231.03	DESSINATEUR, DESSINATRICE EN MÉCANIQUE INDUSTRIELLE	S	*	**R**	I	E	2 3 1	⊕	2163-154	*2253*
231.04	PROGRAMMEUR, PROGRAMMEUSE DE MACHINES-OUTILS À COMMANDE NUMÉRIQUE	C	*	**I**	R	C	2 3 1	⊕	2183-126	*2233*
231.05	OPÉRATEUR, OPÉRATRICE DE MACHINES FIXES	S		**R**	I	C	5 8 0	—		*9511*
231.06	CONDUCTEUR, CONDUCTRICE DE MACHINES-OUTILS À COMMANDE NUMÉRIQUE	S	*	**R**	I	E	3 8 0	⊕	8313-242	*7231*
231.07	RÉGLEUR-CONDUCTEUR, RÉGLEUSE-CONDUCTRICE D'ALÉSEUSES	S	*	**R**	I	E	3 8 0	⊕	8313-003	*7231*
231.08	MACHINISTE (USINAGE)	S	*	**R**	I	E	3 8 0	⊕	8313-154	*7231*
231.09	GABARIEUR-MODELEUR, GABARIEUSE-MODELEUSE	S	*	**R**	I	S	2 8 0	⊕	8395-244	*7232*
231.10	AJUSTEUR, AJUSTEUSE DE MATRICES	S	*	**R**	I	S	2 8 0	⊕	8311-118	*7232*
231.11	OUTILLEUR-AJUSTEUR, OUTILLEUSE-AJUSTEUSE	S	*	**R**	I	S	2 8 0	⊕	8311-110	*7232*
231.12	OUTILLEUR-RECTIFIEUR, OUTILLEUSE-RECTIFIEUSE	S	*	**R**	I	S	2 8 0	⊕	8313-266	*7232*
231.13	CONTRÔLEUR, CONTRÔLEUSE D'OUTILS ET DE CALIBRES	S	*	**I**	R	C	3 8 1	⊕	8316-110	*7231*
231.14	AIDE D'ATELIER D'USINAGE	S	*	**R**	C	I	6 8 4	⊕	8319-206	*9612*

LA MÉCANIQUE DE PRÉCISION ET LA MICRO-MÉCANIQUE

				R I E				
231.21	HORLOGER, HORLOGÈRE	S	*	**R** I E	2 8 1	⊕	8527-138	*7344*
231.22	HORLOGER-RHABILLEUR, HORLOGÈRE-RHABILLEUSE	S	*	**R** I E	2 8 1	⊕	8587-110	*7344*
231.23	CONFECTIONNEUR, CONFECTIONNEUSE D'INSTRUMENTS MÉCANIQUES	S	*	**R** I E	3 8 0	⊕	8313-138	*7231*
231.24	RÉPARATEUR, RÉPARATRICE D'INSTRUMENTS D'ARPENTAGE ET D'OPTIQUE	S	*	**R** I C	3 8 4	–	8588-122	*7445*
231.25	RÉPARATEUR, RÉPARATRICE D'APPAREILS PHOTOGRAPHIQUES	S	*	**R** I C	3 8 4	⊕	8588-126	*7445*
231.26	ARMURIER, ARMURIÈRE	S	*	**R** I C	261	⊕	**8589-122**	7383

Voir la p. 262 pour connaître la signification des codes.

232   Le matériel de transport

PHOTO: Bombardier Aéronautique

Le secteur de la fabrication du matériel de transport représente une industrie importante au Québec avec un chiffre d'affaires de 11 miliards de dollars. Très diversifiée, cette industrie comprend les domaines de l'aéronautique, des véhicules automobiles, des camions, des autobus et des remorques, des trains et des métros, des bateaux, des embarcations récréatives et des pièces et accessoires pour automobiles.

L'industrie de l'aéronautique, la plus importante du secteur, compte une vingtaine de grandes entreprises, un réseau de sous-traitants comprenant plus de 200 petites et moyennes entreprises et plus de 20 000 travailleurs. Les produits fabriqués sont vendus partout dans le monde et la valeur de la production dépasse les 5 milliards de dollars.

Parmi les grandes entreprises de cette industrie, on trouve, entre autres, Canadair, Pratt & Whitney et Bell Textron. Canadair fabrique des avions de transport de passagers, dont les Challenger, les Regional Jet et les Global Express. À elle seule, la production du Regional Jet emploie des milliers de personnes. La compagnie Pratt & Whitney, un leader mondial dans la fabrication de moteurs d'avions, travaille à la mise au point d'un nouveau moteur pour les avions de transport régional. Bell Textron est l'un des plus grands fabricants d'hélicoptères au monde. Rolls Royce, pour sa part, se spécialise dans la production et l'entretien de moteurs.

En ce qui concerne les véhicules routiers, la grande usine de General Motors, à Boisbriand, en plus de fabriquer des voitures sport, produit des pièces et accessoires pour les automobiles ainsi que des carrosseries de camions, d'autobus et de remorques. Dans le domaine de la fabrication d'autobus, l'usine de Nova-Bus de Saint-Eustache fabrique notamment des autobus à plancher surbaissé et l'usine de Prévost Car, à Sainte-Claire, construit des autocars interurbains.

Dans le sous-secteur du transport ferroviaire, GEC Alsthom, AMF Transport et le Groupe de matériel de transport de Bombardier fabriquent un train à grande vitesse (TGV) qui circulera entre Washington et Boston. Des voitures pour les trains de banlieue et des wagons de métro sont également fabriqués.

Certaines entreprises se spécialisent dans la fabrication de véhicules spéciaux. C'est le cas notamment de Bombardier, à Valcourt, qui se consacre à la fabrication de motoneiges et de véhicules électriques de proximité et de Cam-Spec International, à Valleyfield, qui produit des fourgons en aluminium.

Le Groupe des produits de consommation motorisés de Bombardier fabrique également des embarcations de plaisance, notamment des bateaux à propulsion par jet et des motomarines. L'usine lavalloise Pélican International construit, pour sa part, des bateaux de pêche en plastique moulé.

Dans l'ensemble, les entreprises du secteur du matériel de transport sont très actives au Québec et tentent constamment de mettre au point des produits innovateurs. Même si plusieurs entreprises du secteur font parfois face à une vive concurrence mondiale, elles deviennent elles-mêmes de féroces compétitrices. Qu'il s'agisse de l'ingénieur en construction navale, de l'ingénieur en aérospatiale, du dessinateur en construction navale, du monteur de véhicules automobiles ou encore de l'ajusteur-monteur d'aviation, tous les travailleurs de ce secteur doivent être à la fine pointe de la technologie afin de contribuer à l'essor que connaît cette industrie.

CLÉO	TITRE	FORMATION	VALIDATION	RIASEC	D P C	REPÈRES	CCDP	CNP
	LES VÉHICULES ROUTIERS							
232.01	INGÉNIEUR, INGÉNIEURE EN TRANSPORT ALIMENTAIRE	U		I R E	0 2 1	—		2148
232.02	CONSTRUCTEUR, CONSTRUCTRICE DE PROTOTYPES DE VÉHICULES	C	*	R I C	3 8 1		8523-110	7316
232.03	MONTEUR, MONTEUSE DE MOTEURS À LA CHAÎNE	S	*	R I C	5 8 4		8511-134	9486
232.04	MONTEUR, MONTEUSE D'ÉLÉMENTS D'AUTOMOBILE À ENGRENAGE	S	*	R I C	5 8 4		8511-126	9486
232.05	MONTEUR, MONTEUSE DE VÉHICULES AUTOMOBILES	S	*	R I C	5 8 4		8513-134	9482
232.06	CARROSSIER, CARROSSIÈRE D'USINE	S		R I C	5 8 4		—	9482
	LES TRAINS							
232.21	MONTEUR, MONTEUSE DE BOGGIES	S	*	R I C	5 8 4		8523-154	9486
232.22	MONTEUR, MONTEUSE DE LOCOMOTIVES	S/C	*	R I C	3 8 1		8523-114	7316
232.23	PAREUR, PAREUSE DE WAGON DE CHEMIN DE FER	S	*	R I C	5 8 4		8523-150	9486
	LES NAVIRES							
232.31	INGÉNIEUR, INGÉNIEURE EN GÉNIE MARITIME	U	*	R I E	0 3 1		2159-118	2148
232.32	INGÉNIEUR, INGÉNIEURE EN CONSTRUCTION NAVALE	U	*	R I E	0 3 1		2159-122	2148
232.33	TECHNICIEN SPÉCIALISTE, TECHNICIENNE SPÉCIALISTE EN GÉNIE NAVAL	C	*	I R C	2 3 1	○	2165-138	2232
232.34	DESSINATEUR, DESSINATRICE EN CONSTRUCTION NAVALE	C	*	R I E	2 3 1	○	2163-150	2253
232.35	GRÉEUR, GRÉEUSE	S	*	R E I	2 6 0		—	7311
	LES AÉRONEFS							
232.41	INGÉNIEUR, INGÉNIEURE EN AÉROSPATIALE	U	*	I R E	0 3 1	○	2155-118	2146
232.42	TECHNOLOGUE EN AÉRONAUTIQUE	C		I R C	2 3 1		—	2232
232.43	TECHNOLOGUE EN CONSTRUCTION AÉRONAUTIQUE	C	*	I R C	2 3 1	○	2165-210	2232
232.44	CONTRÔLEUR VÉRIFICATEUR, CONTRÔLEUSE VÉRIFICATRICE D'INSTRUMENTS	C	*	I R C	2 8 1		8526-246	2244

CLÉO	TITRE	FORMATION	VALIDATION	RIASEC	D P C	REPÈRES	CCDP	CNP
232.45	CONDUCTEUR, CONDUCTRICE D'APPAREILS À COLLER LES MÉTAUX	S	*	**R** C I	6 8 4	⊕	8515-134	*9516*
232.46	CONTRÔLEUR, CONTRÔLEUSE DE MONTAGES ET D'ÉQUIPEMENTS D'AÉRONEF	C	*	**R** I C	3 8 1	⊕	8526-242	*9481*
232.47	MONTEUR, MONTEUSE DE STRUCTURES D'AÉRONEFS	S	*	**R** I C	3 8 1	⊕	8515-138	*9481*
232.48	AJUSTEUR-MONTEUR, AJUSTEUSE-MONTEUSE D'AVIATION	S	*	**R** I C	3 8 1	⊕	8515-118	*9481*
232.49	SPÉCIALISTE D'AMÉNAGEMENT INTÉRIEUR DES AVIONS	C/U		**A** I S	0 2 1		—	*5242*
232.50	TECHNOLOGUE EN ENTRETIEN D'AÉRONEFS	C		**I** R C	2 3 1		2165-210	*2232*
232.51	TECHNOLOGUE EN AVIONIQUE	C	*	**I** R C	2 8 1	⊕	2165-007	*2244*

Voir la p. 262 pour connaître la signification des codes.

233   Les appareils électriques et électroniques

PHOTO: Sygma/Publiphoto

Le secteur des appareils électriques et électroniques est très diversifié et emploie quelque 150 000 travailleurs au Canada. Cette industrie fabrique une foule de produits, allant des transformateurs et des appareils téléphoniques aux fils et aux câbles électriques.

Le Québec, très actif dans ce secteur, produit des électroménagers (laveuses, sécheuses et cuisinières), du matériel électrique d'usage industriel ou commercial, des machines à calculer, des appareils informatiques ainsi que des pièces et composantes électroniques. L'industrie comprend, entre autres, des entreprises comme Mitel, qui produit des circuits intégrés, et Alcatel qui est spécialisée dans la fabrication de câbles. De plus, au Québec, CAE Électronique, un géant mondial de l'électronique, conçoit des simulateurs d'avion et des composantes électroniques de pointe.

L'équipement de communication et autre matériel électronique constituent un des plus importants domaines de l'industrie des produits électriques et électroniques. D'ailleurs, plus de 40 % des entreprises sont situées au Québec.

Les personnes qui travaillent dans ce secteur conçoivent, fabriquent, montent et installent des appareils électriques et électroniques. Parmi celles-ci, des ingénieurs électroniciens, des dessinateurs de pièces et de matériel, des technologues en génie électronique et des contrôleurs de systèmes électroniques, des monteurs et des réparateurs d'appareils de toutes sortes utilisent les plus récentes technologies afin d'améliorer les produits existants et d'offrir de nouveaux produits et services.

Les entreprises et les travailleurs du secteur doivent toujours se perfectionner afin d'être à la fine pointe des dernières technologies, constamment en évolution dans cette industrie. L'industrie se maintient donc à l'avant-garde de la recherche et du développement industriels au Canada puisqu'elle est responsable de plus du quart de toutes les initiatives de ce domaine.

CLÉO	TITRE	FORMATION	VALIDATION	RIASEC	D P C	REPÈRES	CCDP	CNP
233.01	INGÉNIEUR ÉLECTRONICIEN, INGÉNIEURE ÉLECTRONICIENNE	U	*	**I** R E	0 3 1	⊕	2144-122	*2133*
233.02	TECHNOLOGUE EN GÉNIE ÉLECTRONIQUE	C	*	**I** R C	2 3 1	⊕	2165-230	*2241*

233.03	DESSINATEUR, DESSINATRICE DE MATÉRIEL ÉLECTRONIQUE	C	★	**R** I E	2 3 1		2163-142	*2253*
233.04	DESSINATEUR, DESSINATRICE D'INSTALLATIONS ÉLECTRIQUES	S	★	**R** I E	2 3 1	◯	2163-138	*2253*
233.05	MONTEUR, MONTEUSE DE MATÉRIEL DE COMMANDE ÉLECTRIQUE	S	★	**R** I C	3 8 4	◯	8531-384	*9485*
233.06	CONTRÔLEUR, CONTRÔLEUSE DE SYSTÈMES ÉLECTRONIQUES	C	★	**I** R C	2 3 1	◯	8536-122	*2241*
233.07	MONTEUR, MONTEUSE DE DISTRIBUTEURS AUTOMATIQUES	S	★	**R** I C	5 8 4		8525-130	*9486*
233.08	MONTEUR, MONTEUSE D'APPAREILS ÉLECTROMÉNAGERS	S	★	**R** I C	5 8 4	◯	8531-142	*9484*
233.09	CONTRÔLEUR, CONTRÔLEUSE DE TÉLÉVISEURS	S	★	**R** I C	5 8 7	◯	8536-150	*9483*
233.10	CONTRÔLEUR, CONTRÔLEUSE DE PETITS APPAREILS ÉLECTRIQUES	S	★	**R** I C	6 8 7		8536-298	*9484*
233.11	RÉPARATEUR, RÉPARATRICE À LA PRODUCTION D'APPAREILS ÉLECTRONIQUES	S	★	**R** I E	2 6 1	◯	8535-146	*2242*
233.12	VÉRIFICATEUR, VÉRIFICATRICE DE PANNEAUX DE COMMANDE	S	★	**I** R C	2 3 1	◯	8536-110	*2241*
233.13	VENDEUR-TECHNICIEN, VENDEUSE-TECHNICIENNE DE MATÉRIEL ÉLECTRONIQUE ET ÉLECTRIQUE	C	★	**E** I S	2 5 8	◯	5131-130	*6221*

Voir la p. 262 pour connaître la signification des codes.

234 (margin)

Méchatronique *Les appareils de plus en plus rapides, précis et robustes ont créé une nouvelle spécialité appelée «méchatronique». Il s'agit du croisement de la mécanique, de l'électronique, de l'informatique et des servocontrôles.*
Les disques durs des ordinateurs sont un bel exemple de réussite en ce domaine. Moitié mécaniques, moitié électroniques, ils restent compacts, solides, peu coûteux et simples d'utilisation. Un autre exemple pourrait être la machine à laver qui, un jour, s'ajustera au poids et au niveau de saleté des vêtements... pour une propreté toujours optimale diront les publicistes!

234   Les ordinateurs et les appareils de télécommunication

PHOTO: Science Photo Library/Publiphoto

De grands changements technologiques se sont produits dans pratiquement tous les secteurs d'activités professionnelles depuis l'arrivée des ordinateurs et des appareils de télécommunication qui permettent l'automatisation de plusieurs tâches de travail et qui facilitent la communication. Ces changements technologiques ont des répercussions dans diverses industries d'exploitation et de transformation des ressources naturelles (mines, aciéries) et contribuent largement à leur développement. En effet, elles permettent à la fois la réduction de la consommation d'énergie liée à l'extraction et à la transformation des matières premières et la réduction du gaspillage de ces matières. Par conséquent, les technologies contribuent à diminuer la pollution et à conserver les richesses naturelles.

Ce secteur d'activités comprend ainsi tous les professionnels qui travaillent à la fabrication des ordinateurs, des appareils périphériques (imprimantes, claviers, cartes audio), des robots et des appareils de télécommunication utilisés pour automatiser les tâches, tant pour les industries de transformation des matières premières, les entreprises de fabrication de biens (textiles, alimentation) que pour les entreprises de services (comptabilité, téléphonie). On y retrouve donc des ingénieurs de la production automatisée, des technologues en robotique, des ingénieurs en informatique ou des monteurs de circuits intégrés. Ces professionnels sont ainsi au premier plan dans les divers changements technologiques présents dans le monde du travail.

L'industrie québécoise de ce secteur est dominée par le domaine des télécommunications. Il s'agit des fabricants de matériel de télécommunication et de produits électroniques, dont Northern Telecom, qui est le deuxième producteur de matériel de télécommunication en Amérique du Nord. Ce secteur industriel produit des composants électroniques diverses pour les systèmes de communication ainsi que des appareils radio, téléphonique et de télédiffusion. Il y a également les grandes entreprises de distribution des services de communication, comme Bell Canada et Téléglobe Canada.

Depuis une quinzaine d'années, le secteur s'est en outre enrichi d'entreprises de téléphonie cellulaire, de communications mobiles et par satellite, de réseaux de fibres optiques et de transmission de données numériques. On retrouve donc une foule de firmes qui fabriquent des pièces, des composantes, des sous-systèmes, des appareils électroniques ainsi que tout le matériel des réseaux de câbles nécessaires à l'acheminement de nouveaux services. La région de Montréal dispose en outre de la seule usine au Canada capable d'assembler des satellites, c'est-à-dire les installations de Spar Aérospatiale de Sainte-Anne-de-Bellevue où sont fabriqués les Anik de Telesat Canada.

Depuis les années 80, on a vu l'arrivée d'une foule d'applications nouvelles en télécommunication qui sont devenues possibles grâce à l'implantation des ordinateurs à tous les niveaux de notre société. Plus récemment, les années 90 ont vu apparaître de nouveaux moyens de communication, dont les téléphones personnels sans fil, la téléphonie cellulaire à l'échelle locale puis planétaire, les réseaux informatiques de type Internet, etc. On assiste également à la multiplication des canaux de télévision et à l'arrivée de la télédiffusion directe par satellite.

Évidemment, toutes ces innovations technologiques amènent le développement et la fabrication de nouveaux appareils, ce qui procure une croissance et une diversification des entreprises du secteur. Les technologies de l'information sont de nature planétaire, de sorte que l'industrie québécoise et l'industrie canadienne sont en compétition avec toutes les autres du monde. Il s'agit donc d'un secteur extrêmement compétitif qui a besoin de personnel qualifié capable de s'adapter rapidement aux changements et aux innovations.

CLÉO	TITRE	FORMATION	VALIDATION	RIASEC			D P C	REPÈRES	CCDP	CNP
234.01	INGÉNIEUR, INGÉNIEURE EN INFORMATIQUE	U	*	I	R	C	0 3 1	◇	2144-001	2147
234.02	TECHNOLOGUE EN SYSTÈMES ORDINÉS	C	*	I	R	C	2 3 1	◇	2165-015	2241
234.03	TECHNOLOGUE EN ROBOTIQUE	C	*	I	R	C	2 3 1	◇	8535-107	2241
234.04	MONTEUR, MONTEUSE DE CIRCUITS INTÉGRÉS	S	*	R	I	C	5 8 4		8539-140	9483
234.05	MONTEUR, MONTEUSE DE MATÉRIEL DE COMMUNICATION	S	*	R	I	C	5 8 4	◇	8534-122	9483
234.06	MONTEUR, MONTEUSE DE MATÉRIEL ÉLECTRONIQUE AÉRONAUTIQUE	S	*	I	R	C	2 8 1	◇	8535-110	2244
234.07	INGÉNIEUR, INGÉNIEURE DE LA PRODUCTION AUTOMATISÉE	U		I	R	E	0 3 1		2145-199	2141

Voir la p. 262 pour connaître la signification des codes.

Les robots sportifs *Les robots sont utilisés partout de nos jours, dans les usines jusque dans l'espace. Mais saviez-vous qu'ils font aussi du sport? Il y a en effet une compétition de soccer réservée aux robots! Les difficultés du jeu (détecter le ballon, l'intercepter, établir une stratégie avec les autres robots, etc.) sont idéales pour tester et mettre au point l'intelligence artificielle de ces petites machines. Il y a même des robots-hélicoptères que l'on entraîne à aller chercher le bâton, comme un petit chien. À quand la confrontation joueurs de soccer et robots?*

PHOTO: Min. des Ressources naturelles du Québec

En dépit de l'arrivée massive d'une foule d'outils d'information électronique au cours des années 90, l'imprimé demeure sans conteste le principal véhicule de l'information tant pour les consommateurs que pour les professionnels de tous les secteurs de l'économie.

Un simple coup d'oeil aux objets les plus courants suffit pour convaincre de l'omniprésence de l'imprimé dans la société. On imprime du texte et des images sur toutes sortes de matériaux dont le papier, le carton, le tissu, le plastique et le métal. Les livres, revues, dépliants promotionnels et circulaires commerciales représentent une part importante des produits imprimés, mais il en existe bien d'autres tout aussi présents dans la vie quotidienne: les étiquettes des boîtes de conserve, les images et les textes imprimés sur les divers emballages, les affiches, les t-shirts ornés de slogans, les faire-part, les cartes de voeux, les fournitures de papeterie, les photographies imprimées sur du papier photosensible et une foule d'autres produits. Ce secteur de production indispensable est étroitement lié, de par les services qu'il fournit, aux autres secteurs d'activités économiques et comprend les imprimeries commerciales, les ateliers de reliure industrielle, les centres de développement de photos, les centres de reprographie, les ateliers de laminage ou les autres services de mise en valeur des documents.

L'infographie a marqué le secteur de l'imprimerie et entraîné un profond bouleversement technologique. En effet, le travail de préimpression, entre autres le montage des divers éléments graphiques (textes, images, photos, tableaux) d'un imprimé et la préparation des films pour l'impression, se réalise maintenant à l'aide de l'ordinateur grâce à des logiciels de mise en pages et de traitement des images hautement performants. L'avènement des techniques d'infographie a entraîné la disparition de plusieurs professions encore indispensables il y a quelques années et l'apparition de quelques nouvelles professions, dont les infographes en préimpression.

Le travail d'impression est effectué par des techniciens en impression qui s'occupent de régler, d'alimenter et d'assurer le bon fonctionnement des presses à imprimer. Bien que cette technologie ait beaucoup évolué, l'obtention d'un imprimé de bonne qualité demeure un travail complexe qui nécessite de solides compétences. Les relieurs assemblent les pages et la couverture de documents à l'aide de divers types de machines et selon divers procédés. Les gérants et les estimateurs s'occupent des relations avec la clientèle, de la gestion des contrats, des étapes d'impression, du matériel et du personnel.

D'autres types d'entreprises du secteur sont aussi touchés par l'informatisation des procédés. Les centres de développement photographique fonctionnent de plus en plus avec un personnel réduit qui, grâce à des machines perfectionnées, développe automatiquement un grand nombre de films en peu de temps. Les consommateurs peuvent souvent obtenir le développement de leurs photos en moins d'une heure, le temps, par exemple, d'aller faire imprimer des copies d'un document quelconque dans un centre de reprographie commercial, un autre type d'entreprise du secteur de l'imprimé où l'on trouve, entre autres, des opérateurs de photocopieurs qui s'occupent du fonctionnement de photocopieurs électroniques perfectionnés.

Enfin, la mise en valeur des photos, affiches et autres documents grâce aux procédés de laminage et de transfert sur toile, notamment, est une autre activité du secteur qui connaît une popularité grandissante.

CLÉO	TITRE	FORMATION	VALIDATION	RIASEC			D P C	REPÈRES	CCDP	CNP
235.01	GÉRANT, GÉRANTE D'IMPRIMERIE	C/U		**E**	S	C	0 1 8		1130-130	0016
235.02	ESTIMATEUR, ESTIMATRICE EN IMPRIMERIE	C	*	**A**	I	R	3 8 4	◇	4159-001	5241
235.03	INFOGRAPHE EN PRÉIMPRESSION	C		**A**	I	R	0 2 1	◇	3314-003	5241
235.04	TECHNICIEN, TECHNICIENNE DE LABORATOIRE PHOTOGRAPHIQUE	C	*	**R**	I	A	5 8 4	◇	9591-001	9474
235.05	PRÉPOSÉ, PRÉPOSÉE AU DÉVELOPPEMENT DE PHOTOS	S	*	**R**	I	A	5 8 4	◇	9591-114	9474
235.06	PHOTOLITHOGRAPHE	C		**R**	I	A	5 8 2		9514-126	9472

235.06

235.07	TECHNICIEN, TECHNICIENNE EN IMPRESSION	C/S		**R** I S	660		9512-142	7381
235.08	MÉCANICIEN, MÉCANICIENNE DE MACHINES D'IMPRIMERIE	S	★	**R** I E	2 6 0	◇	8584-110	*7311*
235.09	AIDE-PRESSIER, AIDE-PRESSIÈRE	S	★	**R** C I	6 8 7	◇	9518-001	*9619*
235.10	RELIEUR INDUSTRIEL, RELIEUSE INDUSTRIELLE	C	★	**R** A I	5 8 2	◇	9517-126	*9473*
235.11	OUVRIER, OUVRIÈRE D'ATELIER DE RELIURE	S	★	**R** A I	5 8 2	◇	9517-146	*9473*
235.12	CONDUCTEUR, CONDUCTRICE DE PLIEUSE	S	★	**R** A I	5 8 2	◇	9517-130	*9473*
235.13	ASSEMBLEUR-ENCOLLEUR, ASSEMBLEUSE-ENCOLLEUSE À LA MACHINE	S	★	**R** A I	5 8 2	◇	9517-134	*9473*
235.14	OPÉRATEUR, OPÉRATRICE DE PHOTOCOPIEUR	S		**R** I C	5 8 4		—	*9471*
235.15	OUVRIER, OUVRIÈRE D'ATELIER DE LAMINAGE	S/C		**R** I C	5 8 4		—	*5212*

Voir la p. 262 pour connaître la signification des codes.

235.07

Le livre unique pour tout le monde? En attendant l'ordinateur incassable, qui n'aurait pas besoin de pile, qui coûterait quelques dollars et qui tiendrait dans la poche, difficile de battre le livre quand vient le moment de transporter de l'information. Mais le vrai livre électronique n'est peut-être pas loin, car les chercheurs sont à mettre au point un papier à base de cristaux liquides qui se comporterait comme un écran d'ordinateur. Le contenu d'un ou de plusieurs livres tiendrait tout bonnement sur une puce que l'on glisserait dans la tranche du livre électronique. Les pages se rempliraient alors du texte...

236   Le meuble

PHOTO: Y. Hamel/Publiphoto

Le secteur du meuble est dominé par la fabrication de meubles de maison, mais comprend également la production de mobilier de bureau en métal et en bois, de sommiers et matelas et d'ameublement pour les hôtels, institutions et restaurants. Au Québec, l'un des principaux fabricants de meubles est Shermag, qui possède dix usines.

Les travailleurs du secteur du meuble exercent généralement leurs tâches dans des ateliers de fabrication, où ils taillent des pièces de bois et les assemblent pour en faire des meubles variés. Plusieurs personnes interviennent dans le processus de fabrication: des dessinateurs de meubles, des menuisiers d'atelier de bois ouvré, des sculpteurs, des régleurs-conducteurs de machines à bois, des finisseurs de meubles, des rembourreurs et des décorateurs de meubles, etc. Certaines de ces personnes ont de plus en plus recours à l'ordinateur pour faire leur travail. C'est le cas du dessinateur-modéliste qui doit imaginer et concevoir des meubles de style, à la fois esthétiques et utiles, à partir de matériaux de plus en plus diversifiés.

La fabrication de meubles peut aussi se faire de façon artisanale. Non seulement l'ébéniste restaure-t-il des meubles anciens, mais il conçoit et fabrique aussi des meubles selon les besoins et exigences de la clientèle en conservant le cachet particulier du travail artisanal.

L'industrie québécoise du meuble se porte bien en raison de la forte demande pour ses produits. En effet, une bonne partie de la production de meubles du Québec est exportée vers l'étranger, en particulier aux États-Unis. La forte concurrence du marché étranger oblige les créateurs québécois à faire preuve d'imagination et les fabricants à sans cesse soigner et améliorer la qualité de leurs produits. De plus, l'entrée en vigueur de l'Accord de libre-échange nord-américain en 1989 a intensifié la concurrence sur le marché nord-américain et obligé l'industrie à concentrer ses efforts sur la conquête de nouveaux marchés.

Ainsi, un grand nombre d'entreprises ont revu leur stratégie d'exploitation, entre autres les procédés de fabrication, afin d'accroître leur productivité et de réduire les coûts de production, ce qui entraîne, dans bien des cas, une spécialisation de la fabrication et des délais de livraison plus courts.

L'industrie du meuble est en constante évolution. Par exemple, les années 80 ont amené la mise au point de meubles adaptés aux nouveaux appareils informatiques utilisés tant au bureau qu'à la maison. Ainsi, les fabricants doivent concevoir l'ameublement nécessaire pour ces besoins modernes. Bref, l'industrie du meuble au Québec est non seulement en bonne voie, mais est appelée à croître en raison de la demande pour des produits particuliers: mobilier de bureau intégré, mobilier de cinéma maison, ameublement de bureau à domicile pour le télétravail, meubles ergonomiques, ameublement adapté aux besoins des personnes âgées, etc.

CLÉO	TITRE	FORMATION	VALIDATION	RIASEC	D P C	REPÈRES	CCDP	CNP
236.01	DESSINATEUR-MODÉLISTE, DESSINATRICE-MODÉLISTE DE MEUBLES	C	★	A I R	0 6 1	○	3313-118	2252
236.02	CONTREMAÎTRE, CONTREMAÎTRESSE D'ÉBÉNISTES ET DE MENUISIERS EN MEUBLES	C	★	E R C	1 3 8	○	8540-110	9224
236.03	TRACEUR, TRACEUSE DE CHARPENTES EN BOIS	S	★	R I A	3 8 1	○	8541-114	7272
236.04	GABARIEUR, GABARIEUSE (BOIS)	S	★	R I A	3 8 1	○	8549-302	7272
236.05	MENUISIER, MENUISIÈRE D'ATELIER DE BOIS OUVRÉ	S	★	R C I	3 6 1	○	8781-001	7271
236.06	RÉGLEUR-CONDUCTEUR, RÉGLEUSE-CONDUCTRICE DE MACHINES À BOIS	S	★	R C I	5 6 0	○	8355-110	9513
236.07	MONTEUR, MONTEUSE DE MEUBLES	S	★	R I C	5 8 4	○	8541-150	9492
236.08	MONTEUR-ÉBÉNISTE, MONTEUSE-ÉBÉNISTE	S	★	R I C	5 8 4		8541-156	9493
236.09	PONCEUR, PONCEUSE	S	★	R C I	6 8 7	○	8541-214	9619
236.10	RÉPARATEUR, RÉPARATRICE DE MENUISERIE D'ASSEMBLAGE	S	★	R I C	5 8 7	○	8541-126	9493
236.11	FINISSEUR, FINISSEUSE DE MEUBLES	S	★	R I C	6 8 4	○	8595-001	9494
236.12	FINISSEUR-RETOUCHEUR, FINISSEUSE-RETOUCHEUSE DE MEUBLES	S	★	R C I	5 8 4	○	8595-146	9496
236.13	SCULPTEUR, SCULPTEURE SUR BOIS (MEUBLES)	C	★	A I R	0 6 1	○	8549-246	5136
236.14	DÉCORATEUR, DÉCORATRICE DE MEUBLES	S	★	R I C	6 8 4		8595-134	9494
236.15	VERNISSEUR, VERNISSEUSE DE MEUBLES	S	★	R I C	6 8 4	○	8595-110*	9494
236.16	REMBOURREUR INDUSTRIEL, REMBOURREUSE INDUSTRIELLE	S	★	R I C	3 6 1	○	8562-119	7341
236.17	REMBOURREUR-ARTISAN, REMBOURREUSE-ARTISANE	S	★	R I C	3 6 1	○	8562-110	7341
236.18	AIDE-REMBOURREUR, AIDE-REMBOURREUSE	S	★	R C I	6 8 7	○	8562-186	9619
236.19	AFFÛTEUR, AFFÛTEUSE D'OUTILS DE MACHINES À BOIS	S	★	R I C	5 8 0	○	8315-126	9511
236.20	ÉBÉNISTE	S/C	★	R I A	3 8 1	○	8541-110	7272

Voir la p. 262 pour connaître la signification des codes.

PHOTO: CÉCQ – École Wilbrod-Bherer

Le secteur de l'habillement produit des vêtements pour dames, pour hommes et pour enfants et comprend également la fabrication de vêtements de cuir, de chaussures et de fourrures ainsi que des accessoires vestimentaires comme des chapeaux ou des sacs à main.

L'industrie de l'habillement enregistre, à l'échelle du Canada, des ventes annuelles de 4 milliards de dollars. Au Québec, le secteur compte environ 2 000 entreprises et procure 60 000 emplois. Montréal est d'ailleurs un important centre de fabrication de vêtements et une capitale mondiale de la mode.

237.00

Les personnes qui travaillent dans ce secteur créent des patrons, tracent, marquent, taillent et cousent des tissus pour en faire des vêtements. Elles peuvent faire de la production industrielle, de la haute couture, des vêtements sur mesure ou encore travailler la fourrure ou le cuir. On y trouve notamment des modélistes en fourrure, des patronniers, des traceurs de patrons, des coupeurs, des ouvriers et des opérateurs de machine à piquer ainsi que des tricoteurs à la machine. Dans la haute couture, il y a des stylistes de mode, des tailleurs en confection et des couturiers. Des personnes aussi se spécialisent dans la confection de vêtements de fourrure et de cuir, notamment des tanneurs, des coupeurs de fourrure, des maîtres fourreurs, des maroquiniers, des cordonniers, ainsi que des chapeliers.

L'industrie québécoise du vêtement connaît une forte concurrence étrangère. En effet, plus de 40 % des vêtements vendus au Québec sont des importations provenant de pays à bas salaires, des États-Unis et d'Europe. Même s'il est de plus en plus difficile pour les fabricants québécois de se tailler une place sur le marché, ceux qui choisissent d'innover et de promouvoir leurs produits et leurs griffes réussissent en particulier grâce aux exportations. C'est le cas notamment des fabricants de vêtements sport et de plein air comme Louis Garneau, Kanuk et Chlorophylle qui réussissent à se tailler une part de marché à l'étranger. On compte plus d'une centaine de petites et moyennes entreprises québécoises dans ce domaine. L'apparition de tissus plus confortables et plus résistants a offert de nouvelles possibilités aux fabricants et créé une nouvelle demande.

Le secteur de l'habillement est appelé à connaître des changements. Effectivement, l'industrie du vêtement sera touchée par le démantèlement progressif des quotas et par l'ouverture des frontières des pays signataires des accords de l'Organisation mondiale du commerce sur le textile et le vêtement. Elle a donc besoin de gens qualifiés et ingénieux qui sauront innover et proposer des produits esthétiques et pratiques qui susciteront l'intérêt des consommateurs.

CLÉO	TITRE	FORMATION	VALIDATION	RIASEC			D P C	REPÈRES	CCDP	CNP
237.01	DIRECTEUR, DIRECTRICE D'USINE DE PRODUCTION DE VÊTEMENTS	C/U	*	E	S	C	1 1 8	—		0911
237.02	STYLISTE DE MODE	C	*	A	I	R	0 6 1	⊕	3313-007	5243
237.03	MODÉLISTE EN VÊTEMENTS	C	*	A	I	R	0 6 1	⊕	3313-134	5243
237.04	PATRONNIER, PATRONNIÈRE EN MODE FÉMININE ET MASCULINE	C	*	R	I	A	3 8 1	⊕	8551-001	5245
237.05	TRACEUR, TRACEUSE DE PATRONS	S	*	R	I	A	3 8 1	⊕	8551-142	5245
237.06	COUPEUR, COUPEUSE À LA COUPEUSE ÉLECTRIQUE PORTATIVE	S	*	R	!	C	5 8 1	⊕	8551-146	9452
237.07	CONDUCTEUR, CONDUCTRICE DE MACHINE À PIQUER	S	*	R	C	E	6 8 4	⊕	8563-114	9451
237.08	TRICOTEUR, TRICOTEUSE À LA MACHINE	S	*	R	C	I	6 6 2		8271-158	9442
237.09	COUTURIER, COUTURIÈRE DE HAUTE COUTURE	C	*	R	C	S	2 6 1	⊕	8553-142	7342
237.10	TAILLEUR, TAILLEUSE EN CONFECTION	S	*	R	C	S	2 6 1	⊕	8553-114	7342

237.11	COUTURIER, COUTURIÈRE	S	★	R C S	2 6 1	◇	8553-146	*7342*
237.12	COUPEUR, COUPEUSE À LA MAIN (CONFECTION)	S	★	R I C	5 8 1	◇	8551-162	*9452*
237.13	CHAPELIER, CHAPELIÈRE	S	★	R C S	2 8 1		8557-299	*7342*
237.14	TANNEUR, TANNEUSE	S	★	R C I	6 8 4	◇	8295-114	*9453*
237.15	MODÉLISTE EN FOURRURE	C	★	A I R	0 6 1	◇	3313-130	*5243*
237.16	COUPEUR, COUPEUSE DE FOURRURE	S	★	R I C	5 8 1	◇	8555-114	*9452*
237.17	MAÎTRE FOURREUR, MAÎTRE FOURREUSE	S		R C S	2 6 1	◇	8555-110	*7342*
237.18	MODÉLISTE DE CHAUSSURES	C	★	A I R	0 6 1	◇	3313-142	*5243*
237.19	COUPEUR, COUPEUSE DE PIÈCES DE CUIR	S	★	R I C	5 8 1		8551-138	*9452*
237.20	MAROQUINIER, MAROQUINIÈRE	S	★	A I R	0 8 1	◇	8569-158	*5244*
237.21	COUSEUR, COUSEUSE DE CHAUSSURES À LA MAIN	S	★	R I C	5 8 4		8561-130	*9498*
237.22	BOTTIER, BOTTIÈRE	S	★	R I C	3 6 1		8561-110	*7343*
237.23	CORDONNIER, CORDONNIÈRE	S	★	R I C	3 6 1	◇	8561-114	*7343*
237.24	AIDE-CORDONNIER, AIDE-CORDONNIÈRE	S	★	R I C	6 7 4		8561-158	*7612*
237.25	PERRUQUIER, PERRUQUIÈRE	S	★	R I C	5 8 4		8599-558	*9498*

241

Voir la p. 262 pour connaître la signification des codes.

240	**LA CONSTRUCTION**
241	**Le bâtiment et les travaux publics**

PHOTO: Y. Hamel/Publiphoto

Généralement, lorsque l'industrie de la construction va bien, l'économie se porte également bien. En effet, le secteur du bâtiment et des travaux publics reflète assez bien la santé économique de la société. Quand l'activité économique est vigoureuse, les entreprises agrandissent ou modernisent leurs installations, les gouvernements investissent dans la construction d'infrastructures publiques comme des hôpitaux, des écoles ou des routes, ce qui donne du travail de nombreuses personnes qui, à leur tour, achètent une propriété, ce qui engendre la construction de nouvelles maisons. À l'inverse, quand l'économie traverse des moments difficiles, comme cela a été le cas au début des années 90, les activités de construction sont au ralenti.

Le secteur du bâtiment et des travaux publics fournit de nombreux emplois, que ce soit dans les industries de fabrication de matériaux de construction (bois, métal, ciment, etc.) ou dans l'industrie de la construction comme telle. Par exemple, la construction d'un édifice requiert l'expertise à la fois d'architectes pour concevoir les plans et d'entrepreneurs et de divers corps de métiers de la construction pour réaliser les travaux. On trouve donc dans un chantier plusieurs ouvriers spécialisés: menuisiers, électriciens, plombiers, briqueteurs-maçons, cimentiers-applicateurs, grutiers, pour n'en citer que quelques-uns.

Le secteur du bâtiment et des travaux publics a la particularité d'être hautement réglementé. Tout édifice doit être construit selon des normes municipales et gouvernementales précises (environnement, sécurité publique, accès, etc.). La plupart des municipalités réglementent les zones de construction, ce qui fait qu'on ne peut installer une usine au coeur d'un quartier résidentiel et qu'il y a des zones commerciales, industrielles, de loisir, etc. Les métiers de la construction sont également réglementés. Les ouvriers doivent avoir leur carte de compétence, appartenir à un syndicat et sont souvent régis par des conventions collectives.

L'industrie de la construction semble fonctionner selon des cycles. Souvent, les activités sont intenses durant quelques années, comme cela a été le cas dans les années 60 au Québec avec la construction d'infrastructures publiques, dont les réseaux scolaires et hospitaliers, le métro de Montréal et le réseau routier et, au début des années 80, avec la construction de plusieurs édifices dans les centres-villes et de quantité de maisons dans les banlieues. Par la suite, il y a généralement une baisse marquée des activités de construction, jusqu'à ce qu'il y ait à nouveau une reprise des activités. Le secteur de la construction vivant au gré des cycles, qui sont difficilement prévisibles, on ne peut qu'espérer que l'an 2000 marquera le début d'une longue période de prospérité.

CLÉO	TITRE	FORMATION	VALIDATION	RIASEC	D P C	REPÈRES	CCDP	CNP
	LA CONCEPTION ET LA GESTION							
241.01	INGÉNIEUR CIVIL, INGÉNIEURE CIVILE	U	*	I R E	0 3 1	⊕	2143-118	2131
241.02	INGÉNIEUR, INGÉNIEURE EN MÉCANIQUE DES SOLS	U	*	I R E	0 3 1		2143-150	2144
241.03	TECHNOLOGUE EN GÉNIE CIVIL	C	*	R I C	2 3 1	⊕	2165-222	2231
241.04	DESSINATEUR, DESSINATRICE EN GÉNIE CIVIL	C	*	R I E	2 3 1	⊕	2163-130	2253
241.05	ARCHITECTE	U	*	A I R	0 3 1	⊕	2141-110	2151
241.06	TECHNOLOGUE EN ARCHITECTURE	C	*	R I C	2 3 1	⊕	2165-114	2251
241.07	DESSINATEUR, DESSINATRICE D'ARCHITECTURE	S	*	R I E	2 3 1	⊕	2163-126	2253
241.08	ENTREPRENEUR, ENTREPRENEURE EN CONSTRUCTION	C/U	*	E S C	0 1 8		1130-122	0016
241.09	INSPECTEUR, INSPECTRICE EN BÂTIMENTS (CONSTRUCTION)	C	*	R I C	2 6 7	⊕	8796-110	2264
241.10	INSPECTEUR, INSPECTRICE EN SÉCURITÉ DES BÂTIMENTS (GOUVERNEMENT)	C	*	R I C	2 6 7	⊕	1116-138	2264
241.11	TECHNOLOGUE EN ESTIMATION DES COÛTS DE CONSTRUCTION	C	*	I R C	2 1 8	⊕	2165-016	2234
241.12	OUVRIER, OUVRIÈRE À L'ÉCHANTILLON-NAGE DES MATÉRIAUX DE CONSTRUCTION	S	*	R C I	6 7 4	⊕	8796-158	7621
241.13	ENTREPRENEUR, ENTREPRENEURE EN TRAVAUX PUBLICS	C/U		E R I	1 1 8		1145-199	0711
241.14	INSPECTEUR, INSPECTRICE EN CONSTRUCTION (TRAVAUX PUBLICS)	C	*	R I C	2 6 7	⊕	8796-114	2264
241.15	ENTREPRENEUR, ENTREPRENEURE EN PAVAGE	S	*	E R C	1 3 8		8710-114	7217
241.16	DESIGNER DE L'ENVIRONNEMENT	U	*	I R E	0 3 1	⊕	2141-001	2153

Se rappeler ses erreurs... *Une belle petite tradition circule chez les ingénieurs du Québec: leurs bagues de finissant seraient faites de métal provenant du pont de Québec, qui s'est effondré lors de sa construction au début du siècle. Ce symbole se veut un rappel constant de l'importance de ne pas faire d'erreur dans leurs calculs! Autre symbole, les bagues de finissant des ingénieurs sont faites de métal non poli: avec le temps, le travail et l'usure, le métal se polirait, au même rythme, semble-t-il, que le caractère du finissant!*

LA STRUCTURE

241.21	OPÉRATEUR, OPÉRATRICE DE MACHINES LOURDES DE CONSTRUCTION	S	★	**R** C E	6 8 3		8711-110	*7421*
241.22	GRUTIER, GRUTIÈRE	S	★	**R** C E	6 8 3		9311-134	*7371*
241.23	MÉCANICIEN, MÉCANICIENNE DE MACHINERIE LOURDE DE CONSTRUCTION	S	★	**R** I E	2 8 1		8584-378	*7312*
241.24	PRÉPOSÉ, PRÉPOSÉE À L'ENTRETIEN DE MACHINERIE LOURDE	S	★	**R** I C	6 7 4		8589-196	*7443*
241.25	MANOEUVRE EN CONSTRUCTION	S	★	**R** C I	6 7 4		8798-114	*7611*
241.26	MANOEUVRE À L'ENTRETIEN DES TRAVAUX PUBLICS	S	★	**R** C I	6 7 4		9918-110	*7621*
241.27	MONTEUR, MONTEUSE DE CHARPENTES MÉTALLIQUES	S	★	**R** I S	3 6 1		8793-114	*7264*
241.28	FERRAILLEUR, FERRAILLEUSE	S	★	**R** I S	3 6 1		8793-126	*7264*
241.29	FINISSEUR, FINISSEUSE DE BÉTON	S	★	**R** C S	5 8 4		8783-122	*7282*
241.30	CIMENTIER-APPLICATEUR, CIMENTIÈRE-APPLICATRICE	S	★	**R** C S	5 8 4		8783-114	*7282*
241.31	POSEUR, POSEUSE DE SYSTÈMES INTÉRIEURS	S	★	**R** C S	5 8 1		8784-122	*7284*
241.32	CHARPENTIER-MENUISIER, CHARPENTIÈRE-MENUISIÈRE	S	★	**R** C I	3 6 1		8781-110	*7271*
241.33	SERRURIER, SERRURIÈRE	S	★	**R** I C	2 8 1		8589-146	*7383*
241.34	PLÂTRIER, PLÂTRIÈRE	S	★	**R** C S	5 8 1		8784-114	*7284*
241.35	VITRIER, VITRIÈRE EN BÂTIMENT	S	★	**R** I S	3 6 1		8795-118	*7292*
241.36	BRIQUETEUR-MAÇON, BRIQUETEUSE-MAÇONNE	S	★	**R** C S	3 8 1		8782-001	*7281*
241.37	SCAPHANDRIER, SCAPHANDRIÈRE	S/C	★	**R** I S	3 6 4		6199-110	*7382*
241.38	CONTREMAÎTRE INSTALLATEUR, CONTREMAÎTRESSE INSTALLATRICE EN ÉQUIPEMENTS PÉTROLIERS	S	★	**E** R C	1 3 0		8330-110	*7214*

LA FINITION

241.41	INSTALLATEUR, INSTALLATRICE DE REVÊTEMENTS EXTÉRIEURS	S	★	**R** I C	6 8 4		8781-120	*7441*
241.42	COUVREUR, COUVREUSE DE REVÊTEMENT DE TOITURES	S	★	**R** I E	5 8 4		8787-001	*7291*
241.43	MANOEUVRE EN FERBLANTERIE	S	★	**R** C I	6 8 7		8528-110	*9619*
241.44	TÔLIER, TÔLIÈRE	S	★	**R** I E	3 8 1		8333-118	*7261*
241.45	POSEUR, POSEUSE DE REVÊTEMENTS SOUPLES	S	★	**R** I C	4 6 4		8799-002	*7295*
241.46	POSEUR, POSEUSE DE TAPIS	S	★	**R** I C	4 6 4		8799-262	*7295*
241.47	PEINTRE EN BÂTIMENT	S	★	**R** C I	5 6 4		8785-110	*7294*

241.48	CARRELEUR, CARRELEUSE	S	*	R	C	S	3 8 1	⊕	8782-130	*7283*
241.49	CHARPENTIER-MENUISIER, CHARPENTIÈRE-MENUISIÈRE D'ENTRETIEN	S	*	R	C	I	3 6 1	⊕	8781-114	*7271*
241.50	MENUISIER, MENUISIÈRE D'ATELIER DE CONSTRUCTION	S	*	R	C	I	3 6 1	⊕	8541-001	*7271*
241.51	INSTALLATEUR, INSTALLATRICE DE CLÔTURES	S	*	R	I	C	6 8 4	⊕	8799-214	*7441*
241.52	OUVRIER, OUVRIÈRE EN PAVAGE	S		R	C	I	6 7 4		8713-000	*7611*

LA CONSTRUCTION PRÉFABRIQUÉE

241.61	OUVRIER, OUVRIÈRE DE LA PRODUCTION D'HABITATIONS PRÉUSINÉES	S	*	R	I	C	5 8 4	⊕	8798-108	*9493*
241.62	MONTEUR, MONTEUSE DE PORTES ET FENÊTRES	S	*	R	I	C	5 8 4	⊕	8541-154	*9493*
241.63	VITRIER, VITRIÈRE	S	*	R	I	S	3 6 1	⊕	8795-001	*7292*

LA MÉCANIQUE DU BÂTIMENT ET L'ÉLECTRICITÉ

241.71	INGÉNIEUR, INGÉNIEURE EN MÉCANIQUE DU BÂTIMENT	U	*	I	R	E	O 3 1		2147-126	*2132*
241.72	DESSINATEUR-CONCEPTEUR, DESSINATRICE-CONCEPTRICE EN MÉCANIQUE DU BÂTIMENT	C		I	R	C	3 7 1		—	*2232*
241.73	TECHNOLOGUE EN MÉCANIQUE DU BÂTIMENT	C	*	I	R	C	2 3 1	⊕	2165-002	*2232*
241.74	TUYAUTEUR, TUYAUTEUSE	S	*	R	I	E	3 6 1	⊕	8791-110	*7252*
241.75	TUYAUTEUR-SOUDEUR, TUYAUTEUSE-SOUDEUSE	S	*	R	I	E	3 6 1	⊕	8791-118	*7252*
241.76	PLOMBIER, PLOMBIÈRE	S	*	R	I	E	3 6 1	⊕	8791-114	*7251*
241.77	MÉCANICIEN, MÉCANICIENNE EN RÉFRIGÉRATION ET EN CLIMATISATION	S	*	R	I	E	2 6 1	⊕	8533-118	*7313*
241.78	MÉCANICIEN, MÉCANICIENNE DE CLIMATISEURS COMMERCIAUX	S	*	R	I	E	2 6 1	⊕	8733-114	*7313*
241.79	MONTEUR, MONTEUSE D'INSTALLATIONS AU GAZ	S	*	R	S	I	3 6 1	⊕	8791-122	*7253*
241.80	MONTEUR, MONTEUSE D'INSTALLATIONS DE PROTECTION CONTRE LES INCENDIES	S	*	R	S	E	3 8 1	⊕	8791-119	*7252*
241.81	MÉCANICIEN, MÉCANICIENNE D'ASCENSEURS	S	*	R	I	C	2 8 1	⊕	8799-114	*7318*
241.82	MÉCANICIEN, MÉCANICIENNE DE MACHINES FIXES	S	*	R	I	S	2 8 2	⊕	9533-122	*7351*
241.83	CALORIFUGEUR, CALORIFUGEUSE	S	*	R	C	I	5 8 4	⊕	8786-114	*7293*
241.84	ÉLECTRICIEN, ÉLECTRICIENNE	S	*	R	I	C	2 6 1	⊕	8733-122	*7241*
241.85	ÉLECTRONICIEN, ÉLECTRONICIENME DE SYSTÈMES D'ALARME	S	*	R	I	E	2 6 1	⊕	8735-142	*2242*

241.48

CLÉO	TITRE							FORMATION	VALIDATION	RIASEC			D P C	REPÈRES	CCDP	CNP
241.86	ESTIMATEUR, ESTIMATRICE EN ÉLECTRICITÉ DE CONSTRUCTION							S	*	**I**	R	C	2 1 8	◇	5199-001	*2234*
241.87	INSPECTEUR, INSPECTRICE D'INSTALLATIONS ÉLECTRIQUES							C	*	**R**	I	C	2 6 7	◇	8736-110	*2264*

Voir la p. 262 pour connaître la signification des codes.

250 L'ENTRETIEN ET LA RÉPARATION

251 Le matériel industriel

PHOTO: Y. Beaulieu/Publiphoto

Le secteur du matériel industriel ne se limite pas aux travailleurs qui s'occupent de l'entretien des édifices, des bâtiments et du matériel de transport, mais il concerne également les nombreux spécialistes qui veillent au bon fonctionnement des systèmes électriques, des systèmes mécaniques, des machines et de l'équipement spécialisé que l'on trouve dans diverses entreprises manufacturières. Des ouvriers d'entretien de l'outillage, des électriciens d'entretien, des ouvriers d'entretien général d'usine ou d'atelier, des mécaniciens industriels, des réparateurs de matériel hydraulique, des aiguiseurs, des mécaniciens de chantier, des aides mécaniciens et d'entretien d'atelier d'usine y travaillent.

251.09

Les personnes qui s'occupent de l'entretien régulier et de la réparation de la machinerie et des systèmes sont dites spécialisées en raison de la complexité de l'équipement. Certains se spécialisent dans l'entretien de certains types de machines, de systèmes ou sous-systèmes, par exemple les pompes, les systèmes hydrauliques, les systèmes électriques, le câblage ou la tuyauterie. D'autres personnes se spécialisent dans l'installation de systèmes. Elles planifient la mise en oeuvre des systèmes ou de la machinerie, évaluent les besoins de l'utilisateur, procèdent à l'installation de l'équipement et assurent la formation du personnel d'entretien.

La quantitié et la complexité des appareils et des systèmes augmentent sans cesse, de plus en plus d'édifices sont munis de systèmes de sécurité perfectionnés, ce qui requiert l'embauche de personnel spécialisé. De plus en plus, les machines et l'équipement sont informatisés et contrôlés par des logiciels et les spécialistes doivent non seulement posséder une expertise en mécanique et en électricité, mais également de bonnes connaissances en informatique.

CLÉO	TITRE				FORMATION	VALIDATION	RIASEC			D P C	REPÈRES	CCDP	CNP
251.01	OUVRIER, OUVRIÈRE D'ENTRETIEN DE L'OUTILLAGE				S	*	**R**	I	E	2 6 0	◇	8584-178	*7311*
251.02	ÉLECTRICIEN, ÉLECTRICIENNE D'ENTRETIEN				S	*	**R**	I	C	2 6 1	◇	8533-110	*7242*
251.03	SABLEUR, SABLEUSE AU JET				S	*	**R**	C	I	6 8 4	◇	8393-266	*9612*
251.04	OUVRIER, OUVRIÈRE D'ENTRETIEN GÉNÉRAL D'USINE OU D'ATELIER				S	*	**R**	S	E	5 8 4	◇	6191-118	*6663*
251.05	MÉCANICIEN INDUSTRIEL, MÉCANICIENNE INDUSTRIELLE				S	*	**R**	I	E	2 6 0	◇	8584-122	*7311*
251.06	RÉPARATEUR, RÉPARATRICE DE MATÉRIEL HYDRAULIQUE				S	*	**R**	I	E	2 6 0	◇	8589-162	*7311*
251.07	AIGUISEUR, AIGUISEUSE				S	*	**R**	C	I	6 8 4		8315-234	*9516*
251.08	MÉCANICIEN, MÉCANICIENNE DE CHANTIER				S	*	**R**	I	E	2 6 0	◇	8584-001	*7311*
251.09	AIDE-MÉCANICIEN, AIDE-MÉCANICIENNE D'ENTRETIEN D'ATELIER OU D'USINE				S	*	**R**	I	C	6 7 4	◇	8799-218	*7612*

Voir la p. 262 pour connaître la signification des codes.

Tout appareil finit par être défectueux, c'est bien connu! Il existe heureusement un secteur d'activités qui rassemble toutes les personnes qui assurent l'entretien et la réparation du matériel électrique et électronique. Les tâches d'entretien et de réparation, qu'il s'agisse d'un entretien préventif, d'un nettoyage ou du remplacement de pièces, sont effectuées par un technicien qualifié.

Comme il existe une large gamme d'appareils de plus en plus complexes, la variété des personnes travaillant dans ce vaste secteur est considérable. On y trouve, entre autres, des réparateurs d'appareils électroménagers (téléviseur, laveuse, etc.), des électromécaniciens des

PHOTO: CSC de Sherbrooke – Centre 24-juin

systèmes automatisés, des électroniciens d'entretien de matériel informatique et des installateurs-réparateurs de matériel de télécommunication. La réparation des petits appareils électriques est confiée à des électromécaniciens, qui réalisent leur travail dans des ateliers ou sur place, et qui utilisent des appareils de diagnostic pour trouver la cause de la défectuosité.

252

Les appareils automatisés sont de plus en plus perfectionnés et leur entretien requiert des compétences de plus en plus avancées. C'est d'ailleurs pourquoi les fabricants de ces appareils possèdent une formation technique avancée. Plusieurs grandes entreprises ont également à leur service leurs propres équipes d'experts en entretien et en réparation.

En raison de l'évolution rapide de l'électronique, de nombreux appareils de plus en plus perfectionnés sont régulièrement mis sur le marché, ce qui oblige les travailleurs de ce secteur à se tenir à la fine pointe de la technologie. On trouve maintenant des personnes spécialisées en électronique et en informatique dans divers garages. De plus, ces deux spécialités étant souvent liées, les spécialistes de la réparation et de l'entretien doivent avoir non seulement des compétences en électronique, mais aussi en informatique.

CLÉO	TITRE	FORMATION	VALIDATION	RIASEC	D P C	REPÈRES	CCDP	CNP
252.01	ÉLECTROMÉCANICIEN, ÉLECTROMÉCANICIENNE DE MACHINES DE BUREAU	S	*	R I E	2 6 1	⊕	8585-001	2242
252.02	ÉLECTROMÉCANICIEN, ÉLECTROMÉCANICIENNE D'APPAREILS ÉLECTROMÉNAGERS	S	*	R I E	3 6 4	⊕	8533-001	7332
252.03	RÉPARATEUR, RÉPARATRICE D'APPAREILS ÉLECTROMÉNAGERS PORTATIFS	S	*	R I E	3 6 4		8533-170	7332
252.04	ÉLECTROMÉCANICIEN, ÉLECTROMÉCANICIENNE DE MACHINES DISTRIBUTRICES	S	*	R I C	3 8 4	⊕	8589-186	7445
252.05	ÉLECTRONICIEN, ÉLECTRONICIENNE D'APPAREILS ÉLECTRODOMESTIQUES	S	*	R I E	2 6 1	⊕	8537-001	2242
252.06	RÉPARATEUR, RÉPARATRICE D'OUTILS ÉLECTRIQUES	S	*	R I S	3 6 4		8533-166	7332
252.07	ÉLECTROMÉCANICIEN, ÉLECTROMÉCANICIENNE DE SYSTÈMES AUTOMATISÉS	S	*	R I C	2 8 1	⊕	8535-001	7333
252.08	ÉLECTRONICIEN, ÉLECTRONICIENNE D'ENTRETIEN	S	*	R I A	2 6 1	⊕	8535-114	2242
252.09	INSTALLATEUR-RÉPARATEUR, INSTALLATRICE-RÉPARATRICE DE MATÉRIEL DE TÉLÉCOMMUNICATION	S	*	R I E	2 6 1	⊕	8735-118	7246

252.10	RÉPARATEUR, RÉPARATRICE DE CENTRAL TÉLÉPHONIQUE	S	∗	**R** I E	2 6 1	◯	8735-110	*7246*
252.11	ÉPISSEUR, ÉPISSEUSE DE CÂBLES	S	∗	**R** I E	3 6 1		8739-130	*7245*
252.12	INSTALLATEUR, INSTALLATRICE DE POSTES TÉLÉPHONIQUES	S	∗	**R** I E	3 6 1	◯	8735-162	*7246*
252.13	ÉLECTRONICIEN, ÉLECTRONICIENNE D'ENTRETIEN DE MATÉRIEL INFORMATIQUE	S	∗	**R** I E	2 6 1	◯	8535-108	*2242*
252.14	INSTALLATEUR, INSTALLATRICE D'ANTENNES	S	∗	**R** I E	3 6 1	◯	8535-150	*7245*
252.15	INSTALLATEUR, INSTALLATRICE D'ANTENNES PARABOLIQUES	S	∗	**R** I C	6 8 4		8535-140	*7441*
252.16	TECHNOLOGUE EN ÉQUIPEMENT AUDIOVISUEL	C	∗	**R** I E	2 6 1	◯	8535-118	*2242*
252.17	TECHNOLOGUE EN CÂBLODISTRIBUTION	C	∗	**R** I E	3 6 4	◯	8535-002	*7247*
252.18	TECHNOLOGUE EN RÉPARATION CAO/FAO	C	∗	**R** I E	2 6 1	◯	8535-106	*2242*
252.19	MÉCANICIEN, MÉCANICIENNE DE MACHINES À COUDRE	S	∗	**R** I C	3 8 4	◯	8584-198	*7445*
252.20	AIDE-RÉPARATEUR, AIDE-RÉPARATRICE DE MACHINES À COUDRE	S	∗	**R** I C	6 7 4	◯	8584-002	*7612*
252.21	MÉCANICIEN, MÉCANICIENNE DE MOTEURS ÉLECTRIQUES	S		**R** I E	2 6 1		—	*7335*

Voir la p. 262 pour connaître la signification des codes.

253   Le bâtiment

PHOTO: A. Cartier/Publiphoto

Le secteur du bâtiment regroupe toutes les personnes qui s'occupent de l'entretien régulier et de la réparation d'immeubles, qu'il s'agisse de maisons, d'édifices à logement, d'établissements commerciaux, de magasins ou d'usines. Il fait appel à diverses personnes, du laveur de vitres et du plombier au concierge.

Les grands édifices emploient des concierges et du personnel d'entretien ménager pour faire le ménage régulier et effectuer divers travaux comme laver les planchers, passer l'aspirateur, nettoyer les vitres, couper le gazon, pelleter les entrées, entretenir la piscine et les aires communes ou faire des réparations mineures. On y trouve également des personnes spécialisées, notamment des conducteurs d'installation de réfrigération, des conducteurs de chaudière, des ramoneurs, qui entretiennent sur une base continue les différents éléments de l'édifice.

Le travail du personnel d'entretien se fait chaque semaine ou plus régulièrement selon les besoins. En plus d'assurer l'hygiène et la propreté du bâtiment, ces personnes doivent déceler tout problème ou toute détérioration sérieuse et faire appel à des ouvriers spécialisés en cas de besoin. Ces travailleurs ont donc une fonction indispensable et contribuent au bien-être et à la sécurité de ceux et celles qui utilisent ou habitent les bâtiments.

On trouve un bon nombre d'ouvriers de la construction dans ce secteur car il faut parfois refaire à neuf des murs (intérieurs et extérieurs) ou des armoires, modifier les divisions d'une section du bâtiment, refaire le revêtement extérieur ou la toiture, etc. Il faut parfois modifier la vocation du bâtiment, par exemple transformer des usines en immeubles d'habitation ou des vieilles écoles en centres d'hébergement pour personnes âgées, etc. Ces activités sont de plus en plus courantes car la tendance vise plutôt à rénover les bâtiments existants plutôt qu'à en ériger toujours des nouveaux.

Plusieurs personnes du secteur travaillent également dans les nombreux édifices à logements et les condominiums qui ont été construits depuis les années 70 et qui requièrent les services de concierges et de préposés à l'entretien. On compte aussi plusieurs travailleurs dans des entreprises offrant différents services d'entretien adaptés aux besoins des clients: entretien ménager de leur habitation, ménage régulier, grand ménage, entretien extérieur, etc.

Étant donné les changements des habitudes de vie des gens et le vieillissement de la population, les services d'entretien sont appelés à connaître une popularité grandissante. De plus, les saisons changeantes et les rigueurs du climat canadien font en sorte que les bâtiments en place ont toujours besoin d'entretien et de réparations, ce qui contribue d'une certaine façon à assurer la santé du secteur.

CLÉO	TITRE	FORMATION	VALIDATION	RIASEC	D P C	REPÈRES	CCDP	CNP
253.01	RÉGISSEUR, RÉGISSEURE DE BÂTIMENT	C		**I** R C	3 7 1		2165-002	*2232*
253.02	CONCIERGE	S	★	**R** S E	5 8 4	◇	6191-110	*6663*
253.03	PRÉPOSÉ, PRÉPOSÉE À L'ENTRETIEN GÉNÉRAL D'IMMEUBLES	S	★	**R** S E	5 8 4	◇	8799-194	*6663*
253.04	ENTREPRENEUR, ENTREPRENEURE EN SERVICES DE NETTOYAGE	S		**E** S C	1 3 7		—	*6215*
253.05	LAVEUR, LAVEUSE DE VITRES	S	★	**R** S E	6 8 4	◇	6191-122	*6662*
253.06	NETTOYEUR, NETTOYEUSE DE TAPIS	S	★	**R** I C	6 8 4	◇	6169-114	*6662*
253.07	NETTOYEUR, NETTOYEUSE D'ÉDIFICES À BUREAUX	S	★	**R** C S	5 8 7	◇	6191-114	*6661*
253.08	EXTERMINATEUR, EXTERMINATRICE	S	★	**R** I C	6 6 4		6199-114	*7444*
253.09	RAMONEUR, RAMONEUSE	S	★	**R** S E	6 8 4	◇	6191-111	*6662*
253.10	CONDUCTEUR, CONDUCTRICE D'INSTALLATION DE RÉFRIGÉRATION	S	★	**R** I S	2 8 2	◇	9533-114	*7351*
253.11	CONDUCTEUR, CONDUCTRICE DE CHAUDIÈRE	S	★	**R** I S	2 8 2	◇	9533-110	*7351*
253.12	CONDUCTEUR, CONDUCTRICE DE MACHINES DIESELS FIXES	S	★	**R** I S	2 8 2	◇	9533-118	*7351*
253.13	SPÉCIALISTE EN ENTRETIEN DES CLOCHERS	C		**E** S C	0 1 8		—	*0016*

Voir la p. 262 pour connaître la signification des codes.

253.01

PHOTO: CS de Coaticook

Le secteur très vaste de l'entretien du matériel de transport nécessite du personnel qualifié ayant une formation spécialisée et comprend divers types de mécaniciens qui réparent les automobiles, les camions, les trains, les bateaux et les avions. Ces personnes réparent autant la structure des véhicules que les systèmes mécaniques et électroniques.

Les mécaniciens en mécanique générale s'occupent de l'entretien et de la réparation de véhicules routiers et font appel à des spécialistes pour régler les problèmes plus complexes. Certains mécaniciens se consacrent à l'entretien et à la réparation des moteurs, d'autres à l'entretien des sous-systèmes (système d'échappement, engrenages, etc.), d'appareils de bord, des mécanismes de mesure, des lumières, des systèmes à roues, etc. Dans la plupart des cas, il s'agit de spécialistes qui connaissent bien la nature des systèmes sur lesquels ils travaillent, ce qui est nécessaire, voire indispensable, car d'un véhicule de transport à l'autre, les systèmes mécaniques et les moteurs diffèrent: moteurs à combustion interne, diesels, électriques, turbopropulseurs, à réaction, etc.

254.07

Certains travailleurs s'occupent en particulier de la structure des véhicules de transport en suivant les normes appropriées. Par exemple, ils peuvent assurer l'entretien de la coque des navires ou de la carlingue des avions, en changer les sections endommagées ou usées et faire des travaux de soudure et de rivetage en vue d'obtenir une belle finition qui respecte autant l'esthétisme que l'intégrité du véhicule. D'autres spécialistes du secteur appliquent la peinture ou des revêtements de protection et de finition selon des normes bien précises.

Les travailleurs de ce secteur sont formés dans des écoles spécialisées: école des métiers de l'automobile, institut maritime, école d'aérotechnique et d'avionnerie, etc. Ils apprennent ainsi à manipuler des outils et des machines complexes ainsi qu'à appliquer les nombreuses normes propres à chaque système et sous-système.

Les technologies évoluant à un rythme rapide, les spécialistes de l'entretien technique doivent sans cesse maintenir leurs connaissances à jour et en acquérir de nouvelles. Dans le domaine de l'automobile, par exemple, on trouve un nombre croissant de systèmes électroniques et informatiques, de sorte que les mécaniciens doivent avoir de plus en plus de connaissances poussées dans ces domaines. En outre, les véhicules étant faits de nouveaux matériaux, comme le plastique, la fibre de verre ou les matériaux composites, les travailleurs doivent apprendre à les manipuler, à les entretenir et à les réparer.

Quelle que soit leur spécialité, les mécaniciens et autres ouvriers d'entretien du matériel de transport doivent être capables d'établir les causes des défectuosités et d'utiliser les divers outils et appareils électroniques de mesure afin d'assurer la bonne marche des véhicules qu'ils réparent et entretiennent et de prévenir d'éventuelles défaillances.

CLÉO	TITRE	FORMATION	VALIDATION	RIASEC	D P C	REPÈRES	CCDP	CNP
254.01	GARAGISTE	S	✱	E R C	1 3 8		8580-199	7216
254.02	CONTREMAÎTRE, CONTREMAÎTRESSE DE MÉCANICIENS DE VÉHICULES AUTOMOBILES	S	✱	E R C	1 3 8	⊕	8580-122	7216
254.03	MÉCANICIEN, MÉCANICIENNE D'AUTOMOBILES	S	✱	R I E	2 6 1	⊕	8581-110	7321
254.04	INSTALLATEUR, INSTALLATRICE D'ÉQUIPEMENT AUTOMOBILE	S	✱	R I C	5 8 4		8581-194	9482
254.05	ÉLECTRICIEN, ÉLECTRICIENNE DE VÉHICULES AUTOMOBILES	S	✱	R I E	2 6 1	⊕	8533-114	7321
254.06	MÉCANICIEN, MÉCANICIENNE DE VÉHICULES LOURDS ROUTIERS	S	✱	R I E	2 8 1	⊕	8584-382	7312
254.07	MÉCANICIEN, MÉCANICIENNE DE MOTEURS À INJECTION	S	✱	R I E	2 6 1	⊕	8589-130	7321

254.08	MÉCANICIEN, MÉCANICIENNE MOTORISTE	S	*	**R** I E	2 6 1	⬤	8581-114	*7321*
254.09	POSEUR, POSEUSE DE SILENCIEUX	S	*	**R** I C	6 7 4		8581-186	*7443*
254.10	DÉBOSSELEUR, DÉBOSSELEUSE	S	*	**R** I E	4 8 1	⬤	8581-142	*7322*
254.11	PEINTRE D'AUTOMOBILES	S	*	**R** I E	4 8 1	⬤	8595-114	*7322*
254.12	POMPISTE	S	*	**R** I S	6 7 4	⬤	5145-110	*6621*
254.13	PRÉPOSÉ, PRÉPOSÉE AU LAVAGE DES VOITURES	S	*	**R** S C	6 8 4	⬤	6198-174	*6662*
254.14	NETTOYEUR, NETTOYEUSE DE VÉHICULES MOTORISÉS	S	*	**R** S C	6 8 4	⬤	6198-126	*6662*
254.15	ESTIMATEUR, ESTIMATRICE DES DOMMAGES DE VÉHICULES AUTOMOBILES	S	*	**R** I E	4 8 1	⬤	8581-130	*7322*
254.16	PRÉPOSÉ, PRÉPOSÉE À LA RÉCUPÉRATION DE PIÈCES D'AUTO	S	*	**R** I C	6 7 4	⬤	8581-182	*7612*
254.17	RÉPARATEUR, RÉPARATRICE DE WAGONS	S	*	**R** I E	3 8 1		8583-110	*7314*
254.18	RÉPARATEUR, RÉPARATRICE DE VOIES FERRÉES	S	*	**R** E I	6 8 4		8715-142	*7432*
254.19	OFFICIER MÉCANICIEN, OFFICIÈRE MÉCANICIENNE DE MARINE	C	*	**R** I E	2 3 3	⬤	9153-114	*2274*
254.20	CHEF MÉCANICIEN, CHEF MÉCANICIENNE DE NAVIRE	C	*	**R** I E	2 3 3	⬤	9153-110	*2274*
254.21	MÉCANICIEN, MÉCANICIENNE DE MOTEURS HORS-BORD	S	*	**R** I E	2 6 1	⬤	8592-206	*7335*
254.22	MÉCANICIEN, MÉCANICIENNE D'INSTRUMENTS DE BORD	C	*	**I** R C	2 8 1	⬤	8588-110	*2244*
254.23	MÉCANICIEN, MÉCANICIENNE D'AÉRONEFS	C	*	**R** I E	2 8 1	⬤	8582-110	*7315*
254.24	MÉCANICIEN, MÉCANICIENNE DE VÉHICULES RÉCRÉATIFS	S	*	**R** I C	2 6 1		8581-132	*7383*
254.25	MÉCANICIEN, MÉCANICIENNE DE MACHINERIE LÉGÈRE	S	*	**R** I E	2 6 1	⬤	8589-002	*7335*
254.26	AIDE-MÉCANICIEN, AIDE-MÉCANICIENNE DE PETITS MOTEURS	S	*	**R** I C	6 7 4	⬤	8589-001	*7612*
254.27	RÉPARATEUR, RÉPARATRICE DE MOTOCYCLETTES	S	*	**R** I E	2 6 1	⬤	8581-158	*7334*
254.28	ASSEMBLEUR-RÉPARATEUR, ASSEMBLEUSE-RÉPARATRICE DE BICYCLETTES	S	*	**R** I C	3 8 4	⬤	8589-003	*7445*

Voir la p. 262 pour connaître la signification des codes.

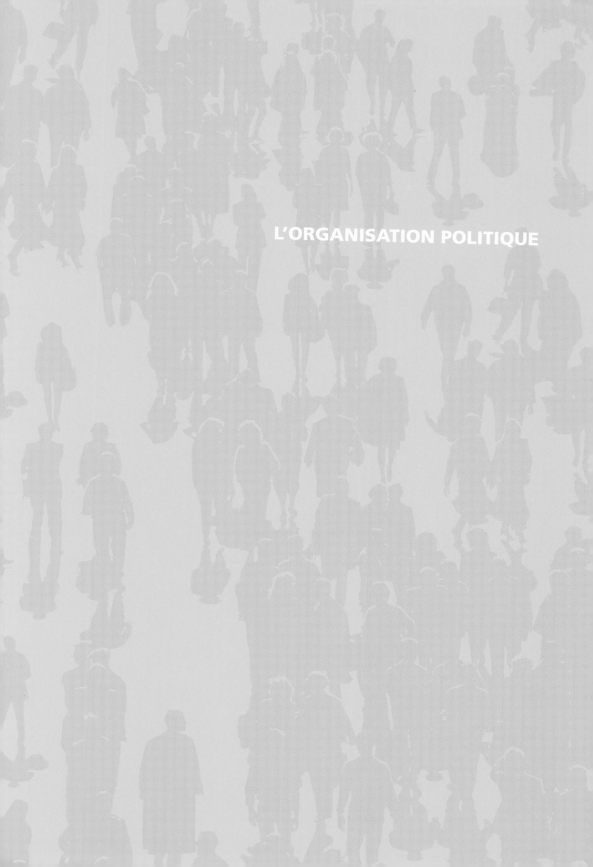

L'ORGANISATION POLITIQUE

L'ORGANISATION POLITIQUE

LA LÉGISLATION • LA JUSTICE • LA PROTECTION

Vivre en société signifie bénéficier de tous les biens et services publics instaurés par la société, mais également participer à la mise en place de ces biens et services, entre autres par des contributions financières (impôts, taxes), plus encore par un engagement à respecter les lois et règlements institués pour en assurer le bon fonctionnement et pour veiller au respect des droits et libertés des personnes et des collectivités. Ainsi, toute société ou tout regroupement de personnes a besoin d'un cadre pour bien fonctionner. Qu'arriverait-il, en effet, si tous décidaient de gouverner, de créer des lois ou de se faire justice? Un certain nombre de personnes doivent donc être à la barre du pouvoir, représenter les intérêts de la population et assurer la défense des droits individuels et de leur intégrité.

L'organisation de la vie politique d'une société comporte trois éléments essentiels: la législation, la justice et la protection. Il s'agit, par conséquent, d'instaurer des lois et règlements et d'administrer les biens publics, de veiller à l'application des lois en vigueur et de s'assurer du maintien de l'ordre public et de la protection des gens.

Qu'il s'agisse d'apporter des services d'urgence ou de sécurité, de faire régner l'ordre public, de veiller à la paix de la population, d'administrer la justice ou de voter des lois, les professionnels travaillent tous dans le but de répondre au besoin de l'organisation politique de la société caractérisée par ces trois actions: la législation, l'application de la justice et la protection.

300 L'ORGANISATION POLITIQUE

310 LA LÉGISLATION

311 Les élus et les hauts fonctionnaires

PHOTO: P. G. Adam/Publiphoto

Dans une société démocratique, le pouvoir est exercé par une équipe d'hommes et de femmes élus par les citoyens à l'occasion d'élections. Les principales tâches des personnes élues consistent à créer et à améliorer les lois qui régissent les activités de la société et les relations entre les groupes et les individus et d'assurer l'égalité de tous les citoyens en préservant les libertés individuelles tout en veillant au bon fonctionnement de la société. Les gouvernements ont aussi pour fonction de prélever des impôts et des taxes et d'administrer ces revenus de manière à offrir en retour les services publics nécessaires à l'organisation de la vie en société et au bien-être des citoyens.

Les personnes qui dirigent ainsi la société se soumettent au rigoureux processus de la démocratie en se faisant élire tous les quatre ans environ. Même si la démocratie veut que tout citoyen puisse aspirer à diriger sa collectivité, les électeurs préfèrent que leurs représentants politiques aient des connaissances et des compétences qui leur permettent de bien diriger la société et d'en orienter convenablement la destinée. Voilà pourquoi plusieurs politiciens ont d'abord travaillé dans différentes sphères d'activités de la société avant de se présenter à une élection.

Il existe trois paliers de gouvernement: le municipal, le provincial et le fédéral. Dirigée par un maire et des conseillers municipaux, l'administration municipale qui siège à l'hôtel de ville de chaque municipalité est responsable de la qualité de vie des citoyens de sa localité. Elle s'occupe des besoins locaux (entretien de la voirie et des aqueducs, approvisionnement en eau potable, enlèvement des ordures) et assure le financement et la gestion de différents services (police municipale, pompiers, services de loisirs récréatifs, sportifs et socioculturels).

Le gouvernement fédéral et les gouvernements provinciaux se partagent l'ensemble des responsabilités de l'État. Le gouvernement fédéral est dirigé par le premier ministre du Canada et son Conseil des ministres qui siège à Ottawa. Les élus du gouvernement fédéral dirigent l'ensemble du pays en s'efforçant de tenir compte des besoins de chaque province, d'assurer le bon fonctionnement économique et social de l'État, d'assurer un niveau de vie décent à tous les citoyens et de résoudre des problèmes relatifs à plusieurs domaines de la société: l'industrie et le commerce, la main-d'oeuvre, la sécurité d'emploi, le revenu, la santé, la protection publique, etc.

Le gouvernement provincial est dirigé par le premier ministre de la province, en l'occurrence, ici, le premier ministre du Québec, et son Conseil des ministres qui siège au Parlement de Québec. Le gouvernement provincial du Québec veille au bon fonctionnement de la société québécoise et offre de nombreux services à la population, mais sa juridiction est limitée aux problèmes spécifiques de la province.

Au moment d'une élection provinciale ou fédérale, chaque parti politique propose dans les divers comtés du territoire la candidature de représentants qui, s'ils sont élus, siégeront au gouvernement en tant que députés. Le parti politique qui remporte l'élection du plus grand nombre de députés assume le pouvoir et le chef de ce parti devient premier ministre. Il choisit environ une vingtaine de députés de son parti pour former son Conseil des ministres qui exercera le pouvoir exécutif. Le conseil exécutif assure la conduite des affaires de l'État soit au fédéral ou au provincial et doit rendre compte de ses actions devant l'Assemblée nationale composée de l'ensemble des députés élus (ceux du parti au pouvoir et ceux des autres partis qui forment l'opposition).

Le gouvernement est assisté par le personnel politique et le personnel de la haute fonction publique. Le personnel politique, en général des alliés qui adhèrent aux orientations du parti au pouvoir et qui possèdent des connaissances et une expérience reconnues dans un domaine d'intervention particulier (finances publiques, santé, éducation, etc.), conseille et assiste les ministres dans leurs tâches. Chaque ministre dispose ainsi d'un cabinet politique composé de personnes de confiance qui le tiennent informé des dossiers et qui assument des fonctions de soutien. On y trouve notamment les attachés politiques et divers autres spécialistes dont les chefs de cabinet, les responsables des relations avec les médias et le public, les conseillers politiques, etc.

Le personnel de la haute fonction publique se compose de professionnels non partisans qui s'occupent des postes administratifs permanents. Il s'agit, entre autres, des sous-ministres, sous-ministres associés, présidents, vice-présidents des sociétés d'État, gestionnaires des divers services administratifs et des commissions de l'État, curateur public et protecteur du citoyen, ambassadeurs, représentants politiques et commerciaux à l'étranger.

Pour faire carrière dans la haute fonction publique, il faut généralement passer par l'École nationale d'administration publique (ÉNAP), une institution universitaire fondée en 1969 en vue de la formation et du perfectionnement des gestionnaires publics. Les différents postes de la haute fonction publique offrent un défi intéressant aux personnes qui désirent assumer d'importantes responsabilités dans l'administration publique sans se soumettre aux exigences et aux aléas d'une campagne électorale.

L'exercice du pouvoir n'est jamais chose facile pour les gouvernements. En effet, les élus doivent, avec un budget limité, tenter de satisfaire les besoins quasi illimités de la population dans tous les domaines, ce qui est presque impossible en période de crise économique et de restrictions budgétaires et trouver des solutions durables à plusieurs problèmes complexes tous aussi prioritaires les uns que les autres.

CLÉO	TITRE	FORMATION	VALIDATION	RIASEC	D P C	REPÈRES	CCDP	CNP
311.01	PREMIER MINISTRE, PREMIÈRE MINISTRE*	U		E S I	0 1 8	—		0011
311.02	MINISTRE*	U		E S I	0 1 8	—		0011
311.03	DÉPUTÉ, DÉPUTÉE*	U		E S I	0 1 8	—		0011
311.04	MAIRE, MAIRESSE*	U		E S I	0 1 8	—		0011
311.05	CONSEILLER MUNICIPAL, CONSEILLÈRE MUNICIPALE*	U	*	E S I	0 1 8	—		0011
311.06	AGENT, AGENTE DU SERVICE EXTÉRIEUR DIPLOMATIQUE	U	*	S E A	1 2 8	◇	1119-110	4168
311.07	SOUS-MINISTRE	U	*	E S C	0 1 8	—		0012
311.08	PROTECTEUR, PROTECTRICE DU CITOYEN*	U	*	E S C	0 1 8		1119-146	0012
311.09	CURATEUR PUBLIC, CURATRICE PUBLIQUE*	U	*	E S C	1 3 8		1119-154	1221
311.10	LÉGISTE	U		E A S	1 0 8	—		4112
311.11	LOBBYISTE	U		I S A	1 2 8	—		4169
311.12	CHEF DE CABINET	U		E S C	1 3 8	—		1221
311.13	ATTACHÉ, ATTACHÉE POLITIQUE	U		S E A	1 2 8	—		4168
311.14	CONSEILLER, CONSEILLÈRE POLITIQUE	U		S E A	1 2 8	—		4168
311.15	DIRECTEUR, DIRECTRICE DES COMMUNICATIONS (POLITIQUE)	U		E S C	1 1 8	—		0611
311.16	POLITICOLOGUE	U		I S A	1 2 8	◇	2319-122	4169

* Cette profession-fonction n'est pas définie dans le dictionnaire.

Voir la p. 262 pour connaître la signification des codes.

PHOTO: G. Schiele/Publiphoto

Tous les aspects de la vie en société sont régis, depuis des siècles, par des lois votées par les gouvernements, lois qui sont constamment remodelées en fonction de l'évolution morale de la société. Les lois visent à définir les droits et les responsabilités des groupes et des individus et à constituer un code selon lequel les administrateurs de la justice pourront juger ce qui est permis, exigible ou interdit dans les rapports humains et appliquer des sanctions équitables en cas d'infraction. L'ensemble des règles juridiques gouvernant les activités humaines est si vaste et si complexe qu'il est devenu impossible pour une seule personne d'en assimiler tous les contenus. C'est la raison pour laquelle les personnes de ce secteur se spécialisent pour la plupart dans un champ de pratique restreint: droit des affaires, droit du travail, droit fiscal, droit familial, droit criminel ou autre.

321.04

Les spécialistes du droit (les avocats et les notaires) jouent un rôle essentiel auprès des entreprises et des particuliers pour prévenir les infractions à la loi et régler les litiges de tout genre. Ils renseignent les dirigeants d'entreprise sur la légalité de leurs transactions, sur l'authenticité et la validité des contrats et sur les mesures à prendre pour éviter toute contestation éventuelle de leurs droits, toute infraction ou poursuite judiciaire. Les services juridiques offerts aux citoyens sont diversifiés et peuvent s'appliquer aux transactions immobilières et au règlement de successions ou de litiges en matière de propriété. Le règlement des causes de divorce est de plus en plus l'objet d'ententes à l'amiable entre les conjoints. Dans cette nouvelle optique, l'avocat devient le conseiller des deux parties, visant à les renseigner sur la répartition des biens et les responsabilités parentales.

Les tribunaux sont pour leur part chargés de résoudre les litiges opposant des entreprises ou des individus et d'imposer les sanctions prévues par la loi. Toute personne qui estime être lésée dans ses droits ou être victime d'un acte contraire à la loi peut recourir à l'assistance d'un avocat. De leur côté, les représentants de l'État poursuivent en justice les groupes et les individus considérés comme coupables d'un acte criminel à l'issue d'une enquête policière.

Chaque année, des milliers de causes se rapportant à tous les domaines du droit sont soumises au jugement de divers tribunaux selon la nature des lois en cause. Par exemple, les cours municipales entendent les causes qui relèvent des lois de la cité et le tribunal de la jeunesse juge les infractions commises par des personnes mineures. Selon que l'infraction concerne des biens matériels ou la personne, la cause sera portée devant un tribunal civil ou criminel. Un jugement rendu par un tribunal peut être contesté par l'une des parties et la cause peut être de nouveau entendue par une cour d'appel ou un tribunal supérieur. En dernière instance, une cause peut aboutir à la Cour suprême qui rendra un jugement sans appel. Tout le processus est pris en charge par des avocats qui, selon le cas, démontrent la culpabilité de l'accusé ou protègent ses intérêts devant un juge après une analyse minutieuse des faits, des preuves matérielles et des argumentations présentées.

Les spécialistes professionnels du secteur ne plaident pas tous. Certains participent à l'administration des causes et à la bonne marche des tribunaux. Les techniciens juridiques effectuent avec les juristes les recherches nécessaires pour conseiller judicieusement les clients ou pour préparer les causes portées devant les tribunaux. Les greffiers, les huissiers, les secrétaires juridiques et d'autres intervenants assurent la préparation des dossiers, la gestion des documents juridiques, l'administration des tribunaux, veillent à l'exécution des jugements et assument diverses tâches indispensables au bon fonctionnement d'un appareil judiciaire fort complexe. D'autres spécialistes du secteur tels que les médecins légistes et les experts médico-légaux participent aux recherches et aux expertises nécessaires pour cerner une cause, préparer les dossiers ou rédiger des documents juridiques.

CLÉO	TITRE	FORMATION	VALIDATION	RIASEC			D P C	REPÈRES	CCDP	CNP
321.01	JUGE	U	*	E	A	S	1 0 8	⊕	2341-110	4111
321.02	PROTONOTAIRE	U		E	C	S	1 6 8		—	1227
321.03	GREFFIER-AUDIENCIER, GREFFIÈRE-AUDIENCIÈRE	C/U	*	E	C	S	1 6 8	⊕	2349-134	1227
321.04	GREFFIER, GREFFIÈRE	C/U		E	C	S	1 6 8		—	1227

321.05	HUISSIER, HUISSIÈRE	C	*	**E** S C		5 6 7	⬭	2349-136	*6461*
321.06	STÉNOGRAPHE JURIDIQUE	S	*	**C** S A		3 6 4	⬭	4111-118	*1241*
321.07	AVOCAT, AVOCATE DE LA COURONNE	U		**E** A S		1 0 8		2243-110	*4112*
321.08	AVOCAT, AVOCATE	U	*	**E** A S		1 0 8	⬭	2343-110	*4112*
321.09	CONSEILLER, CONSEILLÈRE JURIDIQUE	U	*	**E** A S		1 0 8		—	*4112*
321.10	NOTAIRE	U	*	**E** A S		1 0 8	⬭	2343-114	*4112*
321.11	TECHNICIEN, TECHNICIENNE JURIDIQUE	C	*	**I** A C		3 7 8	⬭	2349-114	*4211*
321.12	SECRÉTAIRE JURIDIQUE	S	*	**C** S A		3 6 4	⬭	4111-112	*1242*
321.13	MÉDECIN LÉGISTE	U		**I** R E		1 0 1		—	*3111*
321.14	SYNDIC	U		—		—		—	*—*
321.15	EXPERT MÉDICO-LÉGAL, EXPERTE MÉDICO-LÉGALE	U		**I** S A		1 0 1		—	*3111*
321.16	EXPERT PSYCHO-LÉGAL, EXPERTE PSYCHO-LÉGALE	U		**I** S A		0 0 8		—	*4151*
321.17	OPÉRATEUR, OPÉRATRICE DE POLYGRAPHE	S/C	*	**R** I S		3 6 8		—	*6465*
321.18	MÉDIATEUR, MÉDIATRICE	U	*	**S** E C		1 1 8		—	*1121*

Voir la p. 262 pour connaître la signification des codes.

322   La loi et l'ordre public

PHOTO: D. Auclair/Publiphoto

Peut-on imaginer une société sans loi, sans policier pour maintenir l'ordre public? Les citoyens auraient alors toute liberté d'agir à leur guise, mais seraient en même temps exposés à de multiples agressions. Le secteur comprend différents travailleurs dont les tâches ont pour but de faire respecter des lois et d'assurer l'ordre public, du policier à l'inspecteur des douanes en passant par l'inspecteur du transport motorisé et l'agent des loyers.

Les policiers sont chargés de faire respecter les lois votées par les gouvernements, de maintenir l'ordre public et d'assurer la protection des citoyens. On trouve des policiers qui patrouillent le territoire, des coroners et des enquêteurs de la police qui enquêtent sur des crimes commis en vue de recueillir des preuves nécessaires à l'arrestation des coupables et de mettre en branle le processus judiciaire. Trois corps policiers se partagent la tâche à l'échelle du pays: la police municipale, la police provinciale (Sûreté du Québec) et la police nationale (Gendarmerie royale du Canada).

Parmi les autres personnes qui jouent un rôle important dans le maintien de l'ordre public et qui veillent au respect des lois, des règlements et des normes gouvernementales, il y a les inspecteurs de l'immigration responsables de l'entrée et du contrôle des immigrants au pays ainsi que les inspecteurs des douanes qui s'assurent que les marchandises entrant au pays (par voie aérienne, maritime ou routière) sont conformes aux lois sur l'importation et qui perçoivent les taxes et les droits de douane exigés. Les inspecteurs du transport motorisé et les examinateurs de permis de conduire s'occupent pour leur part de l'application des règlements et des normes de sécurité relatifs à l'usage de véhicules motorisés et les agents des loyers interviennent dans le règlement des litiges entre propriétaires et locataires en appliquant les règlements en matière de location d'immeubles. D'autres représentants du gouvernement sont chargés de faire des inspections et des enquêtes pour assurer le respect des lois et des normes de sécurité en matière de travail, d'environnement ou de construction.

Puisque tous les aspects de la vie en société sont régis par des lois, on trouve dans tous les secteurs d'activités économiques des spécialistes qui assument des fonctions de surveillance et de contrôle pour le compte de l'État afin de prévenir les infractions aux règles et de veiller à ce que les sanctions prévues soient imposées.

Il existe aussi des lois destinées à protéger les droits de propriété relatifs aux inventions comme la formule d'un nouveau médicament, la mise au point d'un nouveau procédé technologique ou la découverte d'un phénomène scientifique inédit. Les propriétaires veillent donc à faire reconnaître par des contrats appropriés leurs droits d'usage exclusif des biens ou des idées qui leur appartiennent. Ils sont assistés à cette fin par des spécialistes en droit qui s'assurent que les documents juridiques confirmant les droits de propriété sont conformes aux lois en vigueur et qui pourront, en cas de contestation ou de litige, prendre les mesures qui s'imposent pour les faire respecter.

Toutes les personnes qui travaillent dans ce secteur contribuent, dans leur champ d'activité respectif, à maintenir l'ordre social qui repose sur la volonté collective des citoyens de respecter les lois. À défaut de ce consentement, les travailleurs de ce secteur interviennent pour rappeler à l'ordre.

CLÉO	TITRE	FORMATION	VALIDATION	RIASEC	D P C	REPÈRES	CCDP	CNP
322.01	CORONER	U	∗	I S C	1 2 8	⬡	1116-114	4165
322.02	POLICIER, POLICIÈRE	C	∗	E R S	2 6 3	⬡	6112-158	6261
322.03	POLICIER, POLICIÈRE COMMUNAUTAIRE	C		E R S	2 6 3		—	6261
322.04	ENQUÊTEUR, ENQUÊTEUSE	C	∗	E R S	2 6 3	⬡	6112-146	6261
322.05	INSPECTEUR, INSPECTRICE DE L'IMMIGRATION	U	∗	I S E	2 6 8	⬡	1116-130	1228
322.06	INSPECTEUR, INSPECTRICE DU TRANSPORT MOTORISÉ	C/U	∗	E C R	2 2 4		1116-154	2262
322.07	INSPECTEUR, INSPECTRICE DES DOUANES	C	∗	I S E	2 6 8	⬡	1116-126	1228
322.08	AGENT, AGENTE DES LOYERS	C	∗	E C I	3 6 8	⬡	1116-134	1224
322.09	EXAMINATEUR, EXAMINATRICE DE PERMIS DE CONDUIRE	S	∗	S I E	2 6 8		—	4216
322.10	EXAMINATEUR, EXAMINATRICE DES TITRES DE PROPRIÉTÉ	C	∗	C S E	3 7 8	⬡	2349-126	4211
322.11	AGENT, AGENTE DES BREVETS	U	∗	E I C	1 2 8	⬡	2349-110*	4161

Voir la p. 262 pour connaître la signification des codes.

330   LA PROTECTION

331   Les services d'urgence et de sécurité

PHOTO: G. Fontaine/Publiphoto

Chaque jour, les journaux rendent compte d'incendies, d'accidents de la circulation, de noyades, d'agressions à main armée, des événements tragiques qui entraînent des pertes matérielles et, plus grave encore, des blessures corporelles et parfois la mort des victimes. Chaque municipalité, grâce aux taxes et aux impôts prélevés par les gouvernements, est heureusement dotée de services d'intervention d'urgence.

La plupart des municipalités ont une équipe permanente de pompiers prête à intervenir en tout temps chaque jour de l'année. Les pompiers ont une lourde responsabilité et sont soumis à beaucoup de stress en cas d'alerte. En effet, dépêchés sur les lieux d'un incendie, ils doivent tout faire pour maîtriser rapidement l'incendie et porter secours aux victimes. Les pompiers sont formés à toute éventualité et disposent d'un équipement perfectionné pour lutter efficacement contre les incendies tout en assurant leur propre sécurité. Les pompiers travaillent aussi à la prévention des incendies. Certains sont chargés de visiter les domiciles et les entreprises afin de déceler les risques éventuels d'incendie et de voir à ce que des mesures soient prises pour y remédier. Ils s'assurent également de la présence de systèmes d'alarme, de détecteurs de fumée, d'extincteurs et de sorties de secours adéquats et participent à des campagnes de sensibilisation dans les écoles ou autres établissements publics.

Les services d'urgence municipaux incluent également le personnel ambulancier qui doit aussi se tenir prêt à intervenir en tout temps pour porter secours aux victimes d'accident, d'incendie, d'agression ou de maladie nécessitant des soins immédiats sur place et un transport d'urgence à l'hôpital. Chaque véhicule est équipé d'un matériel médical de pointe qui permet aux ambulanciers de dispenser les premiers soins et, dans bien des cas, de sauver la vie des victimes.

Ces services publics d'urgence sont indispensables à la protection des citoyens. Mais, comme dit le proverbe, «Mieux vaut prévenir que guérir». C'est pourquoi il existe plusieurs autres personnes qui fournissent des services de sécurité à titre préventif, dont les gardiens de sécurité, les gardiens de terrain de stationnement, les conducteurs de voitures blindées et les surveillants d'établissement de jeu. Ces personnes assurent la surveillance de biens et d'immeubles en vue de les protéger contre le vol, le vandalisme, les risques d'incendie ou tout autre événement pouvant causer des pertes matérielles et menacer la vie des gens.

Les services de sécurité comprennent également les détectives privés qui sont embauchés pour surveiller des individus et enquêter à leur sujet ou pour trouver des personnes disparues. Certains grands magasins ou des casinos recourent parfois aux services de détectives privés ou de physionomistes professionnels pour combattre des activités comme le vol à l'étalage ou l'escroquerie. Il importe de souligner que même si les personnes qui exercent des fonctions de surveillance n'ont pas l'autorité des policiers et qu'elles doivent exercer leur tâches dans le plus grand respect de la loi, leur seule présence évite souvent des crimes.

CLÉO	TITRE	FORMATION	VALIDATION	RIASEC			D P C	REPÈRES	CCDP	CNP
331.01	INSPECTEUR, INSPECTRICE DE LA PRÉVENTION DES INCENDIES	S/C	★	R	E	S	3 5 8	◇	1116-166	6262
331.02	POMPIER, POMPIÈRE	S	★	R	E	S	3 5 8	◇	6111-126	6262
331.03	AGENT, AGENTE DE LA PROTECTION CIVILE	U		—			—		—	—
331.04	GARDIEN, GARDIENNE DE SÉCURITÉ	S	★	R	E	S	5 6 3	◇	6115-138	6651
331.05	SURVEILLANT, SURVEILLANTE D'ÉTABLISSEMENT DE JEU	S		E	I	C	3 6 8		—	6463
331.06	CONDUCTEUR, CONDUCTRICE DE VOITURE BLINDÉE	S	★	R	E	S	5 6 3		—	6651
331.07	GARDIEN, GARDIENNE DE TERRAIN DE STATIONNEMENT	S	★	R	S	E	6 6 3	◇	6199-122	6683
331.08	COMMIS À LA RÉGULATION ASSISTÉE PAR ORDINATEUR	C	★	S	E	C	3 6 4		4199-116	1475
331.09	AMBULANCIER, AMBULANCIÈRE	C	★	S	I	R	3 7 4	◇	3139-130	3234
331.10	BRIGADIER, BRIGADIÈRE SCOLAIRE	S	★	R	E	S	5 6 3	◇	6115-150	6651
331.11	DÉTECTIVE PRIVÉ, DÉTECTIVE PRIVÉE	C	★	R	I	S	3 6 8		6113-114	6465
331.12	PHYSIONOMISTE PROFESSIONNEL, PHYSIONOMISTE PROFESSIONNELLE	S		R	E	S	5 6 3		—	6651

Voir la p. 262 pour connaître la signification des codes.

PHOTO: Explorer/Publiphoto

La délinquance et la criminalité sont des problèmes sociaux sur lesquels se penchent plusieurs professionnels. En dépit du travail de prévention de ces spécialistes qui s'efforcent de mieux comprendre les causes de ces phénomènes et de mettre au point des moyens de les prévenir en vue d'assurer la sécurité et le bien-être des membres de la société, certains crimes sont commis. Les personnes qui commettent les crimes sont jugées et condamnées par le système judiciaire à des peines d'emprisonnement plus ou moins longues, selon la gravité de leurs actes.

À une époque pas si lointaine, les personnes coupables de crimes étaient tout simplement enfermées dans un pénitencier pour de nombreuses années. De nos jours, elles sont encore incarcérées pour assurer la sécurité de la société, mais elles bénéficient d'une aide afin de pouvoir arriver à se réintégrer dans la société à la fin de leur peine d'emprisonnement. Des méthodes d'intervention ont donc été mises sur pied pour faciliter leur réinsertion sociale et enrayer les comportements criminels.

332.05

Le secteur des services correctionnels et de réinsertion sociale comprend ainsi tous les professionnels qui travaillent auprès des personnes détenues ou en cheminement de réinsertion sociale comme les agents des services correctionnels, les agents de libération conditionnelle, les techniciens d'intervention en délinquance et les criminologues. Ces travailleurs veillent à la surveillance des détenus, à l'application des règlements en vigueur et au cheminement de réhabilitation des détenus qui se fait graduellement et selon certains critères, dont la participation de la personne détenue au processus de réhabilitation. Les étapes sont donc progressives et déterminées en partie par les comportements et la collaboration des détenus.

Plusieurs autres professionnels travaillent dans ce secteur, dont les divers intervenants qui, dans le cas de la libération, doivent s'assurer de la rectitude des comportements des personnes libérées. Cette libération se fait d'ailleurs de façon graduelle. La personne pouvant bénéficier d'une libération passe d'abord par une maison de transition où elle vit en communauté et s'habitue à mieux assumer ses responsabilités sociales dans le respect des lois. Puis, elle est mise en liberté surveillée et prise en charge par d'autres intervenants comme des travailleurs sociaux ou des agents de libération conditionnelle.

Le travail des professionnels de ce secteur n'est pas tâche facile, car les services en milieux correctionnels et les services d'aide à la délinquance connaissent les mêmes contraintes financières que les autres services publics. Toutefois, il y aura toujours un grand besoin dans ce secteur, histoire de prévenir une augmentation de la criminalité dans la mesure du possible, sinon de contribuer à la réinsertion sociale des gens qui en ont besoin.

CLÉO	TITRE	FORMATION	VALIDATION	RIASEC	D P C	REPÈRES	CCDP	CNP
332.01	CRIMINOLOGUE	U	*	I S A	1 2 8	⊕	2331-001	*4169*
332.02	TECHNICIEN, TECHNICIENNE D'INTERVENTION EN DÉLINQUANCE	C	*	S E I	3 2 8	⊕	6115-001	*4212*
332.03	AGENT, AGENTE AU CLASSEMENT DES DÉTENUS DANS LES PÉNITENCIERS	U	*	S E C	1 0 8	⊕	2399-118	*4155*
332.04	AGENT, AGENTE DES SERVICES CORRECTIONNELS	C	*	R S E	5 3 8	⊕	6115-130	*6462*
332.05	AGENT, AGENTE DE LIBÉRATION CONDITIONNELLE	U	*	S I C	3 2 8	⊕	2331-118	*4155*

Voir la p. 262 pour connaître la signification des codes.

Le rôle de l'armée, au Canada comme dans la majorité des pays occidentaux, a beaucoup changé depuis la Seconde Guerre mondiale. Les Nations unies ont en effet créé les contingents de Casques bleus qui n'ont pas pour fonction de faire la guerre, mais plutôt d'assurer la paix ou d'intervenir en cas de crise. À la demande des Nations unies, les soldats canadiens ont participé à plusieurs missions de maintien de la paix à l'étranger depuis les années 60. Ils ont ainsi acquis une réputation de pacificateurs et modifié leurs méthodes traditionnelles d'intervention.

PHOTO: Forces canadiennes

Au Canada, les forces armées assurent également la surveillance et la protection du territoire et de l'espace maritime et aérien. De plus, elles assistent les autorités civiles en cas de désordre public ou de désastre naturel, comme ce fut le cas par exemple au cours des inondations qui ont ravagé la région du Saguenay en 1996. Bien que les militaires soient encore entraînés à livrer bataille pour défendre le territoire si celui-ci était la cible d'une attaque par une nation étrangère, ils ont de plus en plus comme rôle de rétablir la paix ou de porter secours. La planification, l'organisation et la supervision des interventions à l'étranger nécessitent un personnel qualifié dans les questions politiques et stratégiques. L'organisation logistique du transport, du ravitaillement et des communications sont aussi des problèmes de taille que doivent affronter les différents spécialistes.

Les forces armées canadiennes accaparent environ 10 % du budget national réparti entre les trois éléments dont elles se composent: l'armée de terre, l'armée de l'air et l'armée de mer. Chacun dispose d'armements perfectionnés ainsi que d'équipement de haute technologie pour le transport des troupes, la surveillance du territoire et les communications et a recours à un personnel compétent pour assurer l'utilisation et l'entretien de ce matériel. On y trouve des professionnels ayant un statut militaire ou civil qui exercent des fonctions propres à un corps d'armée particulier. C'est le cas notamment des spécialistes en aéronautique, en navigation maritime et en ingénierie des infrastructures terrestres. D'autres professionnels communs aux trois corps d'armée ont de solides compétences dans des disciplines comme l'informatique, les communications électroniques, la logistique et l'administration. Outre les sommes importantes consacrées à l'acquisition et à l'usage des flottes de transport et des équipements militaires, le budget sert à financer l'entraînement des soldats, les approvisionnements, les salaires et les frais inhérents aux interventions sur le territoire et à l'étranger. Des simples soldats aux généraux, les fonctions sont régies par une imposante hiérarchie militaire, une caractéristique qui distingue l'armée de tout autre milieu de travail. On exige de chacun le respect de la discipline militaire.

La chute du mur de Berlin en 1989 et la disparition de l'Union soviétique en 1991 ont profondément modifié le rôle et la raison d'être des armées occidentales. Celles-ci doivent, par conséquent, redéfinir leur mission. Tout comme les autres armées nationales, l'armée canadienne, tout en conservant ses fonctions importantes, subira probablement de profondes transformations qui exigeront encore la maîtrise de technologies de plus en plus perfectionnées.

CLÉO	TITRE	FORMATION	VALIDATION	RIASEC	D P C	REPÈRES	CCDP	CNP
	LES SERVICES COMMUNS À DIVERS ÉLÉMENTS							
333.01	OFFICIER, OFFICIÈRE DES AFFAIRES PUBLIQUES	U		—	—		—	—
333.02	OFFICIER, OFFICIÈRE DE LOGISTIQUE	U	✷	E S C	0 1 8	⬙	6116-160	*0114*
333.03	TECHNICIEN, TECHNICIENNE DES MOUVEMENTS	C		—	—		—	—
333.04	TECHNICIEN, TECHNICIENNE EN RAVITAILLEMENT	C		R I C	5 6 4		4155-112	*1472*
333.05	TECHNICIEN, TECHNICIENNE DES MUNITIONS	C		—	—		—	—

333.06	OFFICIER, OFFICIÈRE EN GÉNIE ÉLECTRIQUE ET MÉCANIQUE TERRESTRE	U						—	—	—	—
333.07	OFFICIER, OFFICIÈRE DES COMMUNICATIONS ET DE L'ÉLECTRONIQUE	U						—	—	—	—
333.08	TECHNICIEN, TECHNICIENNE D'ÉQUIPEMENT DE TÉLÉTYPE ET DE CRYPTOGRAPHIE	C	*	R	I	E	2 6 1		8535-117		7246
333.09	CHERCHEUR, CHERCHEUSE EN COMMUNICATION	S		R	E	S	3 6 8		—		6464
333.10	RADARISTE	S	*	R	E	S	2 6 2		9559-199		6464
333.11	POLICIER, POLICIÈRE MILITAIRE	C		E	R	S	2 6 3		—		6261

Armée rapide *L'armée a toujours été rapide à adopter les nouvelles technologies. En 1907, seulement quatre ans après le premier vol motorisé des frères Wright, l'armée créait sa première division aérienne. À cette époque, l'avion était souvent plus dangereux pour le pilote lui-même que pour l'ennemi! Aujourd'hui, les forces armées sont souvent à l'origine des développements technologiques qui finissent par bénéficier au grand public. Un des plus spectaculaires est sans doute Internet, développé à l'origine par l'armée américaine.*

333.41

L'ÉLÉMENT TERRE

333.21	OFFICIER, OFFICIÈRE DE GÉNIE MILITAIRE	U	*	I	R	E	0 3 1	⊕	2143-140		2131
333.22	SAPEUR, SAPEUSE	S		R	E	S	2 6 2		—		6464
333.23	OFFICIER, OFFICIÈRE D'INFANTERIE	U	*	E	R	S	1 3 8	⊕	6116-150		0643
333.24	FANTASSIN	S	*	R	E	S	262	⊕	6117-190		6464
333.25	OFFICIER, OFFICIÈRE D'ARTILLERIE OU DE BLINDÉS	U	*	E	R	S	1 3 8	⊕	6116-140		0643
333.26	ARTILLEUR, ARTILLEUSE	S	*	R	E	S	2 6 2	⊕	6117-180		6464
333.27	ARTILLEUR, ARTILLEUSE DE DÉFENSE AÉRIENNE	S		R	E	S	2 6 2		6117-180		6464
333.28	HOMME, FEMME D'ÉQUIPAGE DE CHAR D'ASSAUT	S	*	R	E	S	2 6 2		6117-200		6464

L'ÉLÉMENT AIR

333.31	OFFICIER, OFFICIÈRE EN GÉNIE AÉROSPATIAL	U		R	E	S	2 6 2		—		6464
333.32	OFFICIER, OFFICIÈRE DE CONTRÔLE AÉROSPATIAL	U	*	R	E	S	2 6 2		—		**6464**
333.33	TECHNICIEN, TECHNICIENNE EN DÉFENSE AÉRIENNE	C	*	R	E	S	2 6 2		6117-160		6464
333.34	OFFICIER NAVIGATEUR AÉRIEN, OFFICIÈRE NAVIGATRICE AÉRIENNE	C		I	R	C	2 6 3		—		2271
333.35	OFFICIER, OFFICIÈRE PILOTE	C	*	I	R	C	2 6 3	⊕	9111-128		2271

L'ÉLÉMENT MER

333.41	OFFICIER, OFFICIÈRE EN GÉNIE MARITIME	C		I	R	C	2 3 1		—		2232

333.42	TECHNICIEN, TECHNICIENNE DE COQUE DE NAVIRE	C	★	**R** I E	3 8 0	8592-120	*7263*
333.43	OPÉRATEUR, OPÉRATRICE OCÉANOGRAPHIQUE	S	★	**R** E S	2 6 2	—	*6464*
333.44	OPÉRATEUR, OPÉRATRICE RADIO NAVALE	S	★	**R** I C	2 8 2	9551-110	*5224*
333.45	SIGNALEUR NAVAL, SIGNALEUSE NAVALE	S	★	**R** E S	2 6 2	—	*6464*
333.46	OPÉRATEUR, OPÉRATRICE DE DÉTECTEUR ÉLECTRONIQUE NAVAL	S	★	**R** E S	2 6 2	—	**6464**
333.47	OPÉRATEUR, OPÉRATRICE ACOUSTIQUE NAVALE	S	★	**R** E S	2 6 2	—	*6464*
333.48	MANOEUVRIER, MANOEUVRIÈRE	S	★	**R** C S	6 8 3	9155-120	*7433*
333.49	OFFICIER, OFFICIÈRE DES OPÉRATIONS MARITIMES DE SURFACE ET SOUS-MARINES	U	★	**R** E I	1 6 3	6116-130	*2273*
333.50	TECHNICIEN, TECHNICIENNE D'ARMES NAVALES	C	★	**R** E S	2 6 2	—	*6464*
333.51	OPÉRATEUR, OPÉRATRICE D'INFORMATION DE COMBATS NAVALS	S		**R** E S	2 6 2	—	*6464*

Voir la p. 262 pour connaître la signification des codes.

Bateaux furtifs *Tout le monde a entendu parler des avions furtifs qui sont pratiquement invisibles au radar. Les bateaux bénéficient également de cette technologie. En plus des peintures qui réduisent la visibilité radar, les navires sont dotés de moteurs plus silencieux afin d'éviter la détection sonar. Ils produisent en outre un minimum de vagues afin d'être difficiles à repérer du haut des airs.*

L'ACTIVITÉ ÉCONOMIQUE

L'ACTIVITÉ ÉCONOMIQUE

LA PLANIFICATION • L'ADMINISTRATION • LA COMMERCIALISATION

Depuis fort longtemps, l'être humain a créé des services d'échange afin d'obtenir les biens nécessaires pour vivre. Ce fut d'abord le troc, c'est-à-dire l'échange direct d'un bien contre un autre: tu me donnes une vache, je te donne deux agneaux. Puis, l'argent a fait son apparition comme moyen d'échange. Depuis lors, on vend des produits ou des services en échange de sommes d'argent, lesquelles nous permettent d'acheter des biens et des services. La circulation et l'accumulation de ces sommes nécessitent diverses opérations de gestion, de calcul, de distribution, etc.

Toute cette activité relative à la circulation des biens et à l'échange des services entraîne l'instauration d'organisations variées au sein desquelles des personnes planifient le développement économique, d'autres veillent à l'administration des biens et services et d'autres encore en assurent leur commercialisation. Mais que ces personnes se situent dans l'un ou l'autre de ces champs d'action, toutes poursuivent un but commun: assurer le fonctionnement et le développement économique des organisations ou entreprises pour lesquelles elles travaillent.

Ainsi, l'activité économique de la société peut se comprendre à travers le prisme de ces trois actions: la planification, l'administration et la commercialisation.

400 L'ACTIVITÉ ÉCONOMIQUE

410 LA PLANIFICATION

411 L'étude des systèmes et des marchés

PHOTO: Sygma/Publiphoto

Quel que soit le domaine de l'économie dans lequel ils interviennent, les professionnels du secteur ont le mandat d'analyser une situation donnée, de déterminer les facteurs qui l'expliquent et l'influencent et d'en prévoir les conséquences afin d'éclairer les décisions des dirigeants d'entreprises, des gouvernements et des gestionnaires de divers types d'organisations privées ou publiques qui font appel à leurs services.

De nombreux milieux, notamment les divers organismes gouverne-mentaux, les banques, les compagnies d'assurances, les grandes entreprises, les organismes parapublics, les chambres de commerce, les organismes d'aide internationale et les instituts de recherche, requièrent les compétences et les services des professionnels du secteur pour orienter la planification de leurs activités et l'établissement des mesures à prendre pour assurer l'efficacité et la rentabilité de leurs opérations.

Les économistes au service des gouvernements, par exemple, jouent un rôle important dans la gestion des finances publiques et dans l'établissement des politiques régissant les programmes sociaux. Certains étudient les mesures susceptibles de diminuer la dette nationale, d'autres recherchent des moyens de contrer le chômage ou l'inflation, d'attirer des investisseurs étrangers au pays, d'éviter les pénuries de main-d'oeuvre spécialisée ou encore de créer des marchés d'exportation.

Au sein des entreprises, les économistes peuvent aider les dirigeants à trouver des sources de financement, à assurer une gestion plus rationnelle de leurs finances, à améliorer leurs méthodes de gestion, à créer leur marché ou encore à mettre en place un régime salarial et un régime de retraite équitable pour leur personnel. Ils peuvent aussi être appelés à se prononcer sur des questions précises comme l'établissement des tarifs d'une compagnie de transport ou encore l'incidence que pourrait avoir sur la consommation une augmentation de 1 % sur le prix de vente du bois de construction.

Dans les banques et les sociétés d'investissement, les experts en économie financière analysent et prévoient les tendances dans les différents secteurs de l'économie afin d'éclairer les décisions des dirigeants en matière de crédit ou de transactions sur le marché boursier, par exemple.

Les spécialistes en étude des systèmes et des marchés sont de plus en plus consultés sur des questions relatives au commerce et au développement international. Les accords de libre-échange entre le Canada, les États-Unis et le Mexique et la constitution de la Communauté économique européenne, par exemple, illustrent bien la nouvelle tendance des pays à constituer des associations qui favorisent le commerce international. Les gouvernements et les entreprises impliqués sur la scène du commerce ont besoin d'experts pour les renseigner sur les débouchés offerts, les exigences des marchés et les procédés de transactions financières avec d'autres nations. Ces experts interviennent aussi auprès de nombreux organismes internationaux associés à l'aide humanitaire ou à la négociation d'échanges économiques avec les pays en voie de développement.

Les spécialistes des systèmes et des marchés se préoccupent de la santé et de la croissance économique et, à cette fin, leurs analyses tiennent compte non seulement des données statistiques et de toutes les questions relatives à l'argent, mais encore des facteurs politiques, sociaux, juridiques et humains qui influencent l'économie.

CLÉO	TITRE	FORMATION	VALIDATION	RIASEC	D P C	REPÈRES	CCDP	CNP
411.01	ÉCONOMISTE	U	*	I A S	2 8 8	⬡	2311-114	4162
411.02	ÉCONOMISTE INDUSTRIEL, ÉCONOMISTE INDUSTRIELLE	U	*	I A S	2 8 8	⬡	2311-134	4162
411.03	ÉCONOMISTE DU TRAVAIL	U	*	I A S	2 8 8	⬡	2311-142	4162
411.04	ANALYSTE DES EMPLOIS	U	*	I E S	1 2 8	⬡	1174-122	4164
411.05	ANALYSTE DES MARCHÉS	U	*	E S C	1 2 8	⬡	2311-158	4163
411.06	AGENT, AGENTE DE DÉVELOPPEMENT ÉCONOMIQUE	U	*	E S C	1 2 8	⬡	1179-150	4163
411.07	ANALYSTE EN GESTION D'ENTREPRISES	U	*	C I E	2 2 8	⬡	1173-114	1122
411.08	ÉCONOMISTE EN COMMERCE INTERNATIONAL	U	*	I A S	2 8 8	⬡	2311-138	4162
411.09	ÉCONOMISTE EN DÉVELOPPEMENT INTERNATIONAL	U	*	I A S	2 8 8	⬡	2311-122	4162
411.10	CONSEILLER, CONSEILLÈRE EN IMPORTATION ET EXPORTATION	U		I A S	1 2 8		—	4162
411.11	CHARGÉ, CHARGÉE DE VEILLE STRATÉGIQUE	U		E S C	1 2 8		—	4163

Voir la p. 262 pour connaître la signification des codes.

420	L'ADMINISTRATION
421	Les services administratifs

PHOTO: R. Maisonneuve/Publiphoto

Quel que soit le secteur d'activités économiques ou le type d'entreprise, le personnel de bureau assurant les services administratifs est indispensable. Qu'il s'agisse de l'administrateur, du personnel de direction, des commis, des secrétaires, des téléphonistes ou encore des réceptionnistes, toutes ces personnes coordonnent le travail des employés de production, assurent les relations avec l'extérieur (approvisionnement, distribution, communications) et veillent à la bonne marche des activités de l'entreprise.

Ceux et celles qui travaillent dans les ministères et les organismes gouvernementaux sont dits fonctionnaires et administrateurs publics. Dans l'entreprise privée, on parle plutôt de personnel de direction et de bureau. Les fonctions que ces personnes exercent sont extrêmement diversifiées. Elles planifient la production ou les services à rendre, assurent l'approvisionnement et la distribution, tout cela en manipulant du papier (rapports, plan financier, plan d'exploitation, etc.) et de plus en plus de données informatiques.

L'administrateur (patron, président ou directeur) planifie, organise, coordonne et contrôle les services administratifs de l'entreprise. Il élabore et administre un budget et gère les ressources humaines. Dans ses décisions, il doit tenir compte d'un grand nombre de facteurs, dont les besoins et désirs de la clientèle, les moyens financiers et de production dont il dispose et les personnes à son service. Souvent, cette personne se fait aider par des adjoints qui produisent des rapports, coordonnent les tâches et participent aux objectifs de développement de l'organisation et à l'application des politiques.

Parmi le personnel de bureau, on trouve divers commis administratifs qui effectuent des tâches de secrétariat et d'administration. Les commis de bureau, entre autres, s'occupent de la gestion des rapports, de la correspondance, des relevés, des formulaires et des autres documents. Ils travaillent également à l'aide de l'ordinateur et utilisent des systèmes de traitement de texte, des banques de données ou des logiciels d'administration.

Les secrétaires effectuent divers travaux de soutien, par exemple la rédaction de la correspondance, des rapports et des procès-verbaux et doivent par conséquent avoir une bonne maîtrise de la ou des langues de travail. Avec l'apparition des ordinateurs, leurs tâches ont beaucoup évolué. En effet, les secrétaires sont devenus de véritables spécialistes des technologies de l'information.

Chaque entreprise a généralement à son service une personne au poste de réceptionniste, qui est chargée d'accueillir les clients et de répondre au téléphone. Cette personne représente donc l'image de l'organisme et doit parfois, selon son mandat, établir les communications avec la clientèle.

Travailler dans un bureau, c'est faire équipe avec de nombreuses personnes qui visent le même but: le bon fonctionnement de l'organisme ou de l'entreprise. C'est aussi s'adapter aux besoins changeants de la clientèle, aux nouvelles technologies et aux fortes exigences de la concurrence.

421.18

CLÉO	TITRE	FORMATION	VALIDATION	RIASEC			D P C	REPÈRES	CCDP	CNP
421.01	DIRECTEUR ADMINISTRATIF, DIRECTRICE ADMINISTRATIVE	U	★	E	S	C	1 1 8	◌	1149-126	0114
421.02	ADJOINT ADMINISTRATIF, ADJOINTE ADMINISTRATIVE	C/U	★	C	S	E	1 6 8	◌	1179-001	1222
421.03	ADMINISTRATEUR, ADMINISTRATRICE	U	★	E	S	C	1 1 8		1113-122	0012
421.04	TECHNICIEN, TECHNICIENNE EN ADMINISTRATION	C	★	E	S	C	1 3 8	◌	1179-008	1221
421.05	TECHNICIEN ADMINISTRATIF, TECHNICIENNE ADMINISTRATIVE EN GESTION INFORMATISÉE	C		E	S	C	1 3 8		—	1221
421.06	TECHNICIEN, TECHNICIENNE EN ADMINISTRATION DU COMMERCE INTERNATIONAL	C		E	S	C	1 3 8		—	1221
421.07	TECHNICIEN, TECHNICIENNE EN ADMINISTRATION ET COOPÉRATION	C		E	S	C	1 3 8		—	1221
421.08	AGENT, AGENTE D'ADMINISTRATION	C/U	★	E	S	C	1 3 8	◌	1179-182	1221
421.09	COMMIS DE BUREAU	S	★	C	R	I	3 6 4	◌	4197-114	1411
421.10	RÉCEPTIONNISTE-TÉLÉPHONISTE	S	★	C	S	E	3 6 7	◌	4171-130	1414
421.11	TÉLÉPHONISTE	S	★	C	S	E	5 6 4	◌	4175-110	1424
421.12	PRÉPOSÉ, PRÉPOSÉE AUX RENSEIGNEMENTS	S	★	C	S	E	5 6 8	◌	4171-122	1453
421.13	COMMIS AUX PLAINTES	S	★	C	S	E	5 6 8	◌	4192-122	1453
421.14	COMMIS AU CLASSEMENT	S	★	C	R	S	6 8 7	◌	4161-134	1413
421.15	COMMIS À LA SAISIE DE DONNÉES	S	★	C	R	E	5 8 4	◌	4143-140	1422
421.16	OPÉRATEUR, OPÉRATRICE D'UNITÉ DE TRAITEMENT DE TEXTE	S	★	C	I	E	5 8 4		4113-123	1412
421.17	SECRÉTAIRE	S	★	C	S	A	3 6 4	◌	4111-110	1241
421.18	SECRÉTAIRE DE DIRECTION	C	★	C	S	A	3 6 4	◌	4111-111	1241

CLÉO	TITRE	FORMATION	VALIDATION	RIASEC			D P C	REPÈRES	CCDP	CNP
421.19	SURVEILLANT, SURVEILLANTE DE PERSONNEL DE BUREAU	C	*	**E**	S	C	1 3 8	◇	4190-118	*1211*
421.20	AGENT, AGENTE D'ASSURANCE-EMPLOI	U	*	**E**	S	C	2 6 8	◇	1116-002	*1228*
421.21	AGENT, AGENTE DE GESTION IMMOBILIÈRE	S	*	**E**	C	I	3 6 8	—		*1224*

Voir la p. 262 pour connaître la signification des codes.

422   Les relations industrielles

PHOTO: Caroline Hayeur/Agence Stock

Faire fonctionner une entreprise et gérer le travail de dizaines, parfois même de centaines, d'employés qui doivent travailler ensemble pour produire un bien ou offrir un service, exige de nombreuses connaissances en relations industrielles. En effet, la gestion d'une entreprise et de son personnel peut entraîner diverses situations et conflits qui font appel à plusieurs compétences dans divers domaines: application des normes du travail, respect et négociation des conventions collectives et des contrats, embauche et formation du personnel, organisation du travail, gestion des salaires et des avantages sociaux, mise en place et administration de programmes d'aide aux employés, gestion de conflits de travail, évaluation des besoins en main-d'oeuvre, relations syndicales, etc. C'est ainsi que l'on trouve dans diverses entreprises des professionnels comme des conciliateurs en relations du travail, des agents syndicaux et des spécialistes en relations ouvrières, qui sont là pour bien renseigner l'employeur sur différents points en tenant compte à la fois des besoins de l'entreprise et de ceux du personnel.

Dans certains secteurs et certaines entreprises, les travailleurs se regroupent pour constituer des organisations qui représentent leurs intérêts auprès des employeurs; il s'agit des syndicats. Les représentants patronaux et syndicaux sont appelés à discuter de l'organisation du travail afin de concilier leurs exigences respectives. Ils doivent alors s'entendre sur les conditions de travail et établir une convention collective qui respectera à la fois les objectifs de l'employeur et les droits des travailleurs.

Tous les dirigeants d'entreprise savent à quel point il importe de susciter et de maintenir la motivation des employés pour assurer la rentabilité d'une entreprise. C'est là qu'interviennent les divers spécialistes en gestion des ressources humaines, qui cherchent à conserver ou à instaurer de bonnes relations entre la direction et le personnel. Ils doivent également identifier les problèmes organisationnels et humains qui nuisent au climat de travail et proposer des mesures pour y remédier.

Les relations industrielles ont beaucoup évolué au cours des années 90. On assiste de plus en plus à une participation active des travailleurs au sein de l'entreprise qui les emploie. Les expressions «transparence» et «participation au processus décisionnel» font désormais partie autant du vocabulaire patronal que syndical. De plus, la mondialisation des marchés pourrait bien amener les employés et les employeurs à travailler davantage de concert pour trouver des moyens d'affronter efficacement une concurrence de plus en plus forte.

CLÉO	TITRE	FORMATION	VALIDATION	RIASEC			D P C	REPÈRES	CCDP	CNP
	LES RELATIONS DU TRAVAIL									
422.01	SPÉCIALISTE EN RELATIONS OUVRIÈRES	U	*	**S**	E	C	1 1 8	◇	1174-110	*1121*
422.02	CONCILIATEUR, CONCILIATRICE EN RELATIONS DU TRAVAIL	U	*	**S**	E	C	1 1 8	◇	1119-210	*1121*
422.03	AGENT SYNDICAL, AGENTE SYNDICALE	U	*	**S**	E	C	1 1 8	◇	1179-114	*1121*

421.19

422.11	DIRECTEUR, DIRECTRICE DES RESSOURCES HUMAINES	U	★	**E** S C	1 1 8	⬡	1136-114	*0112*
422.12	CONSEILLER, CONSEILLÈRE EN ORGANISATION DU TRAVAIL	U	★	**C** I E	1 6 8	⬡	1173-122	*1122*
422.13	CONSEILLER, CONSEILLÈRE EN RELATIONS INDUSTRIELLES	U	★	**S** E C	1 1 8	⬡	1174-001	*1121*
422.14	CONSEILLER, CONSEILLÈRE EN EMPLOI	U	★	**S** E C	3 2 8		1174-130	*4213*
422.15	CONSEILLER, CONSEILLÈRE EN RETRAITE	U	★	**S** E I	0 0 8	⬡	1174-132	*4153*
422.16	PSYCHOLOGUE INDUSTRIEL, PSYCHOLOGUE INDUSTRIELLE	U	★	**I** S A	0 0 8	⬡	2315-142	*4151*
422.17	AGENT, AGENTE DES RESSOURCES HUMAINES	U	★	**E** S I	1 6 8	⬡	1174-118	*1223*
422.18	AGENT, AGENTE DE DOTATION	U	★	**E** S I	1 6 8	⬡	1174-003	*1223*
422.19	COMMIS AU SERVICE DU PERSONNEL	C	★	**C** S E	3 6 4	⬡	4195-110	*1442*
422.20	CHASSEUR, CHASSEUSE DE TÊTES	U		**S** E C	3 2 8		—	*4213*

423

Voir la p. 262 pour connaître la signification des codes.

423   La gestion financière

PHOTO: Sygma/Publiphoto

Dans la société contemporaine, l'argent est la valeur d'échange que toute personne reçoit pour le travail produit ou qu'elle donne pour acquérir un bien ou recevoir un service. Il en est de même pour les entreprises ou organisations privées ou publiques. Les entreprises ont régulièrement besoin d'emprunter de l'argent pour améliorer leur production, bâtir ou agrandir une usine ou encore se procurer de la machinerie. Elles se procurent les fonds nécessaires auprès d'institutions prêteuses ou à la bourse. C'est pourquoi il existe un vaste réseau d'institutions prêteuses qui investissent dans toutes les activités économiques. Elles prêtent de l'argent et reçoivent en échange un montant additionnel: les intérêts.

D'où vient l'argent que prêtent ces institutions? De la population. En effet, toute personne peut choisir de mettre de côté de l'argent ou de faire des placements, de faire fructifier son investissement et d'augmenter son pouvoir d'achat en vue de se procurer une maison ou de se préparer une agréable retraite. Cet argent est confié alors à des banques, à des caisses populaires ou encore à des investisseurs et des experts financiers qui administrent des fonds mutuels ou des placements et qui sont chargés de faire des placements de la façon la plus judicieuse possible dans des entreprises ou des secteurs rentables de l'économie.

Parmi les professions du secteur, il y a notamment les directeurs d'institutions financières (banques et caisses populaires), les économistes financiers, les techniciens en finance, les actuaires, les planificateurs financiers et les agents-conseils de crédit. On trouve également des spécialistes des valeurs immobilières et des assurances, entre autres des évaluateurs agréés, des agents immobiliers, des tarificateurs et des courtiers d'assurances.

Tous ces spécialistes ont la responsabilité d'administrer de l'argent sous forme de fonds, d'obligations d'épargne, de valeurs mobilières et immobilières et de faire diverses transactions. Ils travaillent dans des banques, des coopératives de crédit, des maisons de courtage, des sociétés de fiducie et des compagnies d'assurances.

Les personnes qui travaillent dans le secteur de la gestion financière travaillent ainsi à faire fructifier les biens des personnes ou des entreprises, à protéger leurs acquis, qu'il s'agisse de valeurs mobilières, de valeurs immobilières ou de biens variés.

LES FINANCES

CLÉO	TITRE	FORMATION	VALIDATION	RIASEC	D P C	REPÈRES	CCDP	CNP
423.01	ÉCONOMISTE FINANCIER, ÉCONOMISTE FINANCIÈRE	U	*	**I** A S	2 8 8	✧	2311-130	4162
423.02	ACTUAIRE	U	*	**I** E C	0 2 8	✧	2181-118	2161
423.03	ANALYSTE FINANCIER, ANALYSTE FINANCIÈRE	U	*	**C** E I	2 2 8	✧	1171-184	1112
423.04	DIRECTEUR, DIRECTRICE D'INSTITUTION FINANCIÈRE	U	*	**E** S R	0 1 8	✧	1130-126	0013
423.05	INSPECTEUR, INSPECTRICE D'INSTITUTIONS FINANCIÈRES	U	*	**E** C S	2 6 8		—	1114
423.06	ADMINISTRATEUR, ADMINISTRATRICE FIDUCIAIRE	U	*	**E** C S	3 6 8	✧	1171-190	1114
423.07	PLANIFICATEUR FINANCIER, PLANIFICATRICE FINANCIÈRE	U	*	**E** C S	2 2 8	✧	1171-196	1114
423.08	FISCALISTE	U	*	**C** E S	1 2 8	✧	1171-134	1111
423.09	AGENT-CONSEIL, AGENTE-CONSEIL DE CRÉDIT	C	*	**C** I S	3 6 8	✧	1135-001	1232
423.10	TECHNICIEN, TECHNICIENNE EN FINANCE	C		**E** S C	1 3 8		—	1221
423.11	COMMIS DE SERVICES FINANCIERS	S	*	**C** I E	3 6 4		—	1434
423.12	COMMIS D'INSTITUTION FINANCIÈRE	S	*	**C** E S	3 6 4		—	1434
423.13	CAISSIER, CAISSIÈRE D'INSTITUTION FINANCIÈRE	S	*	**C** R S	3 6 4	✧	4133-110	1433
423.14	AGENT, AGENTE DE GUICHET AUTOMATIQUE	S	*	**R** E S	5 8 7	✧	6115-124	6651
423.15	CONSEILLER, CONSEILLÈRE EN FINANCEMENT AGRICOLE	U	*	**E** I R	2 2 8		—	2123

LES VALEURS MOBILIÈRES

CLÉO	TITRE	FORMATION	VALIDATION	RIASEC	D P C	REPÈRES	CCDP	CNP
423.21	CONSEILLER, CONSEILLÈRE EN VALEURS MOBILIÈRES	U	*	**C** E I	2 2 8	✧	1171-182	1112
423.22	CAMBISTE	U	*	**E** S I	1 1 8	✧	—	1113
423.23	COMMIS DE BOURSE	S		**C** I E	3 6 4		—	1434
423.24	NÉGOCIATEUR, NÉGOCIATRICE EN BOURSE	U	*	**E** S I	1 1 8	✧	5173-110	1113

LES VALEURS IMMOBILIÈRES

CLÉO	TITRE	FORMATION	VALIDATION	RIASEC	D P C	REPÈRES	CCDP	CNP
423.31	ÉVALUATEUR AGRÉÉ, ÉVALUATRICE AGRÉÉE	U	*	**E** C I	2 6 8	✧	1171-002	1235
423.32	ÉVALUATEUR COMMERCIAL, ÉVALUATRICE COMMERCIALE	U	*	**E** C I	2 6 8	✧	5172-113	1235
423.33	TECHNOLOGUE DE L'ÉVALUATION FONCIÈRE ET IMMOBILIÈRE	C	*	**E** C I	2 6 8	✧	5172-124	1235
423.34	AGENT IMMOBILIER, AGENTE IMMOBILIÈRE	S/C	*	**E** C S	3 5 8	✧	5172-118	6232

423.01

423.35	GÉRANT IMMOBILIER, GÉRANTE IMMOBILIÈRE	S/C		**E** C S	3 5 8	⊕ —		6232
423.36	CONSEILLER, CONSEILLÈRE EN LOCATION	S/C		**E** C S	3 5 8	—		6232

LES ASSURANCES

423.41	TARIFICATEUR, TARIFICATRICE D'ASSURANCES	C	★	**E** C S	1 6 8	⊕	1171-194	1234
423.42	COURTIER, COURTIÈRE D'ASSURANCES	C	★	**E** S I	3 5 8	⊕	5170-115	6231
423.43	AGENT, AGENTE D'ASSURANCES	C	★	**E** S I	3 5 8	⊕	5171-118	6231
423.44	EXPERT, EXPERTE EN SINISTRES (ASSURANCES)	C	★	**S** E R	2 1 8	⊕	4192-110	1233
423.45	EXAMINATEUR, EXAMINATRICE DES RÉCLAMATIONS D'ASSURANCES	C	★	**S** E R	2 1 8	⊕	4192-118	1233
423.46	COMMIS D'ASSURANCES	C	★	**C** I S	3 6 4	⊕	4135-110	**1434**

Voir la p. 262 pour connaître la signification des codes.

424 La comptabilité

Le secteur de la comptabilité comprend les services de gestion comptable des organismes, qu'il s'agisse d'entreprises privées ou publiques. Chaque organisme est doté d'un service de comptabilité qui assure la gestion des fonds disponibles et la tenue de toutes les données comptables dont la direction pourrait avoir besoin dans ses prises de décision. Généralement, ce service est confié à des comptables et à des commis qui tiennent les comptes de l'organisme à jour et qui suivent pas à pas l'état financier de l'entreprise. Ces personnes tiennent à jour l'ensemble des livres comptables (sommes encaissées ou payées, facturation, paie, etc.), gardent trace des comptes et vérifient l'exactitude de la procédure utilisée dans l'enregistrement des transactions financières. Elles préparent, contrôlent, équilibrent et vérifient divers comptes selon des méthodes de tenue de livres et inscrivent quotidiennement les transactions financières dans le journal. Elles procèdent également à des vérifications et préparent des rapports statistiques, financiers, comptables ou de vérification.

PHOTO: Min. des Ressources naturelles du Québec

Ce service est généralement supervisé par un comptable agréé (CA) ou un comptable en management accrédité (CMA), qui possède une solide formation universitaire lui permettant de garantir l'exactitude des états financiers de l'organisme, d'organiser et de gérer les systèmes de traitement de l'information comptable. Cette personne est assistée dans ses tâches par des comptables adjoints, des teneurs de livres, des commis à la facturation et aux comptes à recevoir, des commis au budget et au service de la paie, etc. Le service de la comptabilité s'occupe également du paiement des taxes et des impôts et a recours à cette fin à des comptables et des spécialistes en fiscalité.

Les commis au service de la paie recueillent et traitent les renseignements relatifs à l'émission des chèques de paie du personnel d'une entreprise. La technologie, la législation et les pratiques en matière de salaires évoluant constamment, les tâches relatives au service de la paie sont de plus en plus complexes. Entre autres tâches, les commis au service de la paie tiennent des dossiers contenant les renseignements de base sur chaque employé, ils vérifient et assurent la gestion de plusieurs données, dont les heures normales et supplémentaires travaillées par les employés ainsi que les bonis et les commissions.

Au cours des années 80, les services de comptabilité ont été informatisés dans plusieurs entreprises, ce qui a amené plusieurs modifications dans la gestion des entreprises. De plus, le travail dans ce secteur, qu'il s'agisse du comptable, du commis à la fiscalité ou encore du commis à la facturation, demande une constante adaptation en raison des changements fréquents apportés aux lois et à la procédure comptable.

CLÉO	TITRE	FORMATION	VALIDATION	RIASEC			D P C	REPÈRES	CCDP	CNP
424.01	COMPTABLE AGRÉÉ, COMPTABLE AGRÉÉE	U	*	C	E	S	1 2 8	⊕	1171-114	1111
424.02	COMPTABLE GÉNÉRAL LICENCIÉ, COMPTABLE GÉNÉRALE LICENCIÉE (CGA)	U	*	C	E	S	1 2 8	⊕	1171-162	1111
424.03	COMPTABLE EN MANAGEMENT ACCRÉDITÉ , COMPTABLE EN MANAGEMENT ACCRÉDITÉE (CMA)	U	*	C	E	S	1 2 8	⊕	1171-122	1111
424.04	COMPTABLE ADJOINT, COMPTABLE ADJOINTE	U/C	*	E	S	C	1 3 8	⊕	4130-001	1212
424.05	TENEUR, TENEUSE DE LIVRES	S/C	*	C	S	I	3 8 4	⊕	4131-114	1231
424.06	COMMIS À LA FACTURATION	S	*	C	R	I	3 8 4	⊕	4131-154	1431
424.07	COMMIS À LA FISCALITÉ	S	*	I	S	E	2 6 8	⊕	4131-002	1228
424.08	COMMIS AU BUDGET	S	*	C	R	I	3 8 4	⊕	4131-146	1431
424.09	COMMIS AU PRIX DE REVIENT	S	*	C	R	I	3 8 4	⊕	4131-126	1431
424.10	COMMIS AU RECOUVREMENT	S	*	R	S	C	3 6 8	⊕	4191-118	1435
424.11	ENQUÊTEUR, ENQUÊTEUSE EN RECOUVREMENT	S	*	R	S	C	3 6 8	⊕	4191-114	1435
424.12	COMMIS AUX COMPTES À RECEVOIR	S	*	C	R	I	3 8 4	⊕	4131-150	1431
424.13	COMMIS DU SERVICE DE LA PAIE	S	*	C	R	I	3 6 4	⊕	4131-118	1432
424.14	COMPTABLE DE SUCCURSALE DE BANQUE	U	*	C	E	S	1 2 8	⊕	1171-138	1111
424.15	VÉRIFICATEUR, VÉRIFICATRICE DES IMPÔTS	C/U	*	C	I	S	1 2 8	—		1111

Voir la p. 262 pour connaître la signification des codes.

Les comptables justiciers *C'est grâce au travail d'un comptable que le criminel Al Capone fut arrêté en 1931. Malgré ses nombreux crimes et le travail acharné des policiers, c'est pour fraude fiscale que Capone a enfin été mis derrière les barreaux. Depuis cette époque, tous les corps policiers ont une section spécialisée dans la résolution de crimes économiques.*

430	LA COMMERCIALISATION
431	Les services d'approvisionnement

PHOTO: S. Clément/Publiphoto

Le secteur des services d'approvisionnement concerne les achats de marchandises destinées à la revente dans des commerces de gros et de détail. Il peut s'agir de produits pour l'usage interne d'une entreprise ou de produits destinés à un traitement ultérieur. Il peut s'agir aussi d'équipement général ou spécialisé ainsi que de matériel ou de services commerciaux dont l'établissement a besoin. Ces acheteurs travaillent dans les entreprises privées et publiques. Par exemple, les grandes entreprises et les magasins ont souvent à leur service un directeur des achats, des acheteurs, des commis aux approvisionnements ou des magasiniers.

Dans une grande entreprise, le directeur des achats assume plusieurs responsabilités. En effet, cette personne s'occupe de dénicher les fournisseurs, de les évaluer et de choisir les meilleurs. Elle vérifie la qualité des marchandises livrées et s'assure du respect des délais de livraison. Elle rassemble et coordonne les renseignements, prépare les documents officiels d'achat et rédige divers rapports destinés à la haute direction.

Les professionnels du secteur se spécialisent souvent dans un domaine particulier et développent une solide expertise. Pour n'en nommer que quelques-uns, il y a les acheteurs de vêtements, les acheteurs d'aliments et ceux qui s'occupent de l'approvisionnement spécialisé d'une entreprise de production (matière première, pièces, etc.).

Les acheteurs de vêtements effectuent, pour le compte d'entreprises de vente au détail ou en gros, les achats de vêtements pour dames, hommes et enfants, commandent de la lingerie, des chaussures ou des accessoires de mode et s'occupent des étalages. Ils travaillent dans des magasins à rayons, des chaînes de magasins, des magasins indépendants ou pour des distributeurs au gros.

Les acheteurs d'aliments s'occupent de l'approvisionnement d'une épicerie, d'un supermarché ou d'un restaurant. Ils doivent s'assurer que le marchand ou le restaurateur dispose de tous les produits frais nécessaires, et éviter les pertes de produits. Ils font affaire autant avec les producteurs locaux qu'étrangers, dans tous les domaines de l'alimentation.

Les commis aux approvisionnements s'occupent d'acheter le matériel, l'équipement et les fournitures nécessaires au fonctionnement d'un bureau, d'une usine, d'un entrepôt ou de toute autre entreprise privée ou publique. Ils rassemblent des renseignements, constituent des dossiers sur la quantité, la nature et la valeur des fournitures et des stocks de l'entreprise et gèrent les stocks.

432

Les personnes qui travaillent dans le secteur de l'approvisionnement, qu'il s'agisse d'achats de vêtements, de meubles, de fournitures de bureau, de pièces mécaniques, d'équipement spécialisé, de denrées périssables ou encore de matière première, doivent être à l'affût des goûts et des besoins de la clientèle visée et être capables de tenir un inventaire afin de contribuer au bon fonctionnement de l'entreprise.

CLÉO	TITRE	FORMATION	VALIDATION	RIASEC			D P C	REPÈRES	CCDP	CNP
431.01	DIRECTEUR, DIRECTRICE DES ACHATS DE MARCHANDISES	U/C	*	E	C	I	0 1 8	⊕	1141-110	0113
431.02	ACHETEUR, ACHETEUSE	C	*	E	C	S	1 1 8	⊕	5191-110	6233
431.03	ACHETEUR ADJOINT, ACHETEUSE ADJOINTE	C	*	E	C	S	1 1 8	⊕	5191-114	6233
431.04	MAGASINIER, MAGASINIÈRE	S	*	R	I	C	5 6 4	⊕	4155-126	1472
431.05	COMMIS AUX APPROVISIONNEMENTS	C	*	C	I	E	3 6 8	⊕	4155-122	1474

Voir la p. 262 pour connaître la signification des codes.

432 Les services des ventes

Ce secteur d'activités professionnelles très diversifiées concerne toutes les activités liées à la vente de biens et de services et comprend des entreprises individuelles, des franchises, des grands magasins et des magasins spécialisés, tant à l'échelle nationale qu'internationale, ainsi que des magasins-entrepôts. Le secteur du commerce de détail compte, à l'échelle du Canada, une masse salariale de plus de 420 milliards de dollars et emploie 1,6 million de personnes qui travaillent dans 200 000 établissements de vente.

PHOTO: Explorer/Publiphoto

Les personnes qui travaillent dans ce secteur vendent du matériel et fournissent des renseignements techniques sur l'utilisation et l'entretien des produits dans des établissements de gros et de détail, à domicile ou encore en faisant du porte-à-porte. Le secteur du service des ventes comprend, entre autres, des conseillers et agents commerciaux, des représentants, des gérants de commerce de détail, des caissiers, des commis-vendeurs, etc.

Les commis et les vendeurs qui s'occupent de la clientèle répondent aux questions, reçoivent les plaintes des clients et servent d'intermédiaires entre l'employeur et la clientèle. Qu'ils travaillent dans des magasins de vente au détail, des sociétés de transport ou des services publics, ils expliquent aux clients la politique de l'entreprise qui les emploie ainsi que la gamme des services ou des biens offerts.

Les caissiers enregistrent les ventes, emballent les produits vendus et encaissent l'argent des clients dans les magasins, les restaurants, les cinémas, les bureaux et d'autres établissements commerciaux. Ils vendent des produits, des services, des billets d'entrée, répondent aux demandes de renseignements de la clientèle, font leur caisse en fin de journée, etc.

Le besoin de professionnels de la vente a été accentué vers la fin du XXe siècle par un rapide changement du contexte commercial. En effet, la libéralisation du commerce et l'avènement des technologies modernes ont fait en sorte que plusieurs personnes spécialisées dans des domaines autres que la vente (construction, informatique, agriculture, ingénierie) sont devenues des représentantes pour des commerces, des industries ou des entreprises variés pour lesquels elles font la promotion et la vente de produits et services. Donc, de plus en plus de professionnels de divers secteurs sont appelés à s'ajouter aux services des ventes, ce qui ne fait que contribuer à la santé de ce secteur.

CLÉO	TITRE	FORMATION	VALIDATION	RIASEC	D P C	REPÈRES	CCDP	CNP
432.01	EXPERT-CONSEIL, EXPERTE-CONSEIL EN COMMERCIALISATION	U	*	E I S	2 5 8	⊕	1179-158	6221
432.02	IMPORTATEUR-EXPORTATEUR, IMPORTATRICE-EXPORTATRICE	C	*	E S I	3 5 8		—	6411
432.03	AGENT COMMERCIAL, AGENTE COMMERCIALE	C	*	E S I	3 5 8	⊕	5133-110	6411
432.04	CHEF DE SERVICE DE PROMOTION DES VENTES	C/U	*	C S E	2 2 8		—	1122
432.05	REPRÉSENTANT COMMERCIAL, REPRÉSENTANTE COMMERCIALE	S/C	*	E S I	3 5 8	⊕	5199-134	6411
432.06	REPRÉSENTANT, REPRÉSENTANTE TECHNIQUE	C	*	E I S	2 5 8		—	6221
432.07	PRÉPOSÉ, PRÉPOSÉE À LA VENTE DE LIENS ÉLECTRONIQUES	C/U		E I S	2 5 8		—	6221
432.08	TECHNICIEN, TECHNICIENNE EN MARKETING	C		E S C	1 3 8		—	1221
432.09	TÉLÉPHONISTE EN TÉLÉMARKETING	S	*	E S C	6 5 8	⊕	5141-001	6623
432.10	GÉRANT, GÉRANTE DE COMMERCE DE DÉTAIL	C	*	E S I	1 1 8	⊕	5130-114	0621
432.11	CAISSIER, CAISSIÈRE D'ÉTABLISSEMENT COMMERCIAL	S	*	C S I	6 6 4	⊕	4133-118	6611
432.12	PRÉPOSÉ, PRÉPOSÉE AU SERVICE À LA CLIENTÈLE	S	*	C S E	5 6 8	⊕	4171-001	1453
432.13	PRÉPOSÉ, PRÉPOSÉE À L'EMBALLAGE	S		C R E	6 7 7		—	6622
432.14	ÉTIQUETEUR, ÉTIQUETEUSE DE PRIX	S	*	C R E	6 7 7	⊕	4159-154	6622
432.15	COMMIS DE SUPERMARCHÉ	S	*	C R E	6 7 7	⊕	5137-111	6622
432.16	COMMIS DE DÉPANNEUR	S	*	E S R	4 5 7	⊕	5137-116	6421
432.17	COMMIS-VENDEUR, COMMIS-VENDEUSE DE POISSONS ET FRUITS DE MER	S	*	E S R	4 5 7	⊕	5137-108	6421
432.18	BOUCHER, BOUCHÈRE	S	*	R S E	3 8 1	⊕	8215-114	6251
432.19	AIDE-BOUCHER, AIDE-BOUCHÈRE	S	*	R C I	6 8 6	⊕	8215-294	9617
432.20	COMMIS-VENDEUR, COMMIS-VENDEUSE	S	*	E S R	4 5 7	⊕	5137-114	6421
432.21	GÉRANT, GÉRANTE DE BOUTIQUE DE VÊTEMENTS	C	*	E S I	1 1 8	⊕	3313-003	0621

432.22	COMMIS-VENDEUR, COMMIS-VENDEUSE DE VÊTEMENTS	S	★	E S R	3 5 7	⊕	5135-178	*6421*
432.23	FRIPIER, FRIPIÈRE	C/U		E S I	1 1 8		—	*0621*
432.24	CONSEILLER, CONSEILLÈRE EN PRODUITS DE BEAUTÉ	S	★	E S R	3 5 7	⊕	5135-188	*6421*
432.25	COMMIS-VENDEUR, COMMIS-VENDEUSE D'ARTICLES DE SPORT	S	★	E S R	4 5 7	⊕	5135-170	*6421*
432.26	COMMIS-VENDEUR, COMMIS-VENDEUSE DE MATÉRIEL PHOTOGRAPHIQUE	S	★	E S R	4 5 7	⊕	5135-166	*6421*
432.27	COMMIS-VENDEUR, COMMIS-VENDEUSE DE QUINCAILLERIE	S	★	E S R	4 5 7		5135-154	*6421*
432.28	COMMIS-VENDEUR, COMMIS-VENDEUSE D'ANIMALERIE	S	★	E S R	4 5 7	⊕	5135-162	*6421*
432.29	LIBRAIRE	C	★	E S I	3 5 8		5179-199	*6411*
432.30	NUMISMATE	S	★	E S I	1 1 8		5130-199	*0621*
432.31	PHILATÉLISTE	S	★	E S I	1 1 8		5130-199	*0621*
432.32	FLEURISTE	S	★	R I E	1 3 8	⊕	3319-230	*8254*
432.33	GALÉRISTE	U		E S I	1 1 8		—	*0511*
432.34	DISTRIBUTEUR, DISTRIBUTRICE DE FILMS	C		—	—		—	—
432.35	COMMIS DE CLUB VIDÉO	S	★	E S R	4 5 7	⊕	5199-122	*6421*
432.36	CAISSIER, CAISSIÈRE DE BILLETTERIE	S	★	C S I	6 6 4	⊕	4133-130	*6611*
432.37	COMMIS AUX PETITES ANNONCES	S	★	C I S	5 6 4		4199-194	*1452*
432.38	VENDEUR, VENDEUSE DE PUBLICITÉ POUR LA RADIO ET LA TÉLÉVISION	C	★	E S I	3 5 8	⊕	5174-122	*6411*
432.39	AGENT, AGENTE DE LOCATION D'EMPLACEMENTS POUR PANNEAUX-RÉCLAMES	S	★	E S I	3 5 8	⊕	5172.122	*6411*
432.40	ENCANTEUR, ENCANTEUSE	C	★	E S I	3 5 8		5149-110	*6411*
432.41	ANTIQUAIRE	C	★	E S I	1 1 8	⊕	5199-112	*0621*
432.42	CRIEUR, CRIEUSE	S		E S C	6 5 7		—	*6623*
432.43	BROCANTEUR, BROCANTEUSE	S		R C I	6 8 6		—	*9617*
432.44	CONCESSIONNAIRE D'AUTOMOBILES	C/U	★	E S I	1 1 8		—	*0621*
432.45	CONSEILLER, CONSEILLÈRE À LA VENTE DE VÉHICULES AUTOMOBILES	S	★	E S R	3 5 7	⊕	5135-110	*6421*
432.46	VENDEUR, VENDEUSE DE SERVICES D'AUTOMOBILES	S	★	E S R	4 5 7	⊕	5179-001	*6421*
432.47	COMMIS-VENDEUR, COMMIS-VENDEUSE DE PIÈCES D'ÉQUIPEMENT MOTORISÉ	S	★	R I C	5 6 4	⊕	5135-126	*1472*
432.48	VENDEUR-TECHNICIEN, VENDEUSE-TECHNICIENNE D'ÉQUIPEMENT LOURD	C	★	E I S	2 5 8	⊕	5131-132	*6221*

432.49	REPRÉSENTANT, REPRÉSENTANTE AUX VENTES D'ÉQUIPEMENTS AGRICOLES	C	*	E	I	S	2 5 8	⊕	5131-122	*6221*
432.50	PRÉPOSÉ, PRÉPOSÉE À LA LOCATION D'OUTILS	S	*	E	S	R	4 5 7	⊕	5199-002	*6421*
432.51	VENDEUR-TECHNICIEN, VENDEUSE-TECHNICIENNE DE MATÉRIAUX DE CONSTRUCTION	C	*	E	S	I	3 5 8	⊕	5131-126	*6411*
432.52	MARCHAND, MARCHANDE DES QUATRE SAISONS	S	*	E	S	C	6 5 7		5141-114	*6623*
432.53	VENDEUR, VENDEUSE À DOMICILE	S	*	E	S	C	5 5 7	⊕	5141-110	*6623*
432.54	CHAUFFEUR, CHAUFFEUSE DE CANTINE MOBILE	S	*	E	S	R	5 6 3		5193-122	*7414*

Voir la p. 262 pour connaître la signification des codes.

432.49

433   Les services de distribution et les transports

PHOTO: Société canadienne des postes

Les services de distribution et les transports constituent un secteur d'activités professionnelles extrêmement vaste. En effet, ce secteur concerne tous les travailleurs qui assurent le transport par camion, par train, par bateau et par avion de personnes et de marchandises ainsi que les travailleurs qui assurent la distribution du courrier. Si on compare la société à un organisme vivant, ce secteur équivaut en quelque sorte à la circulation sanguine qui alimente les organes.

Les professionnels du domaine peuvent aussi bien être des chauffeurs de camion et des mécaniciens de locomotive, des matelots et des pilotes d'avion que des facteurs, des livreurs de journaux ou des messagers. Parmi les travailleurs de ce secteur, on trouve aussi le personnel de la logistique, qui planifie et organise le transport des marchandises et les services de transport en commun, les inspecteurs, les manutentionnaires et le personnel des entrepôts.

Le service de transport le plus visible est le camionnage, c'est-à-dire la livraison par camion des matières premières aux usines de transformation et la distribution de produits finis vers les distributeurs en gros et vers les commerces de détail. De plus, les grossistes et les établissements de détail en alimentation emploient à eux seuls 400 000 personnes au Canada.

Les chauffeurs de camion transportent des produits parfois à l'intérieur d'une ville, d'une ville à l'autre, au sein de la province, du pays et parfois même dans d'autres pays. Ils sont au service de compagnies de transport, d'usines de fabrication ou d'entreprises de distribution. Ils peuvent travailler à leur propre compte ou louer l'équipement qu'ils utilisent. Il y a aussi les chauffeurs-livreurs qui conduisent des camions légers, des camionnettes ou des voitures pour livrer divers articles comme des produits alimentaires, des publications, de la restauration rapide ou des médicaments d'ordonnance. Ils travaillent dans des épiceries, des établissements de restauration rapide, des pharmacies, des boulangeries, des laiteries, et pour des marchands de journaux, des nettoyeurs, etc.

Lorsque de grandes quantités de marchandises doivent être transportées sur de longues distances, le transport est confié à des équipages d'avion, de train et de bateau qui sont constitués d'un personnel qualifié, allant du commandant de navire aux responsables des chargements et de la manutention.

À l'image de la société, le secteur des services de distribution et des transports évolue sans cesse. Alors que pendant longtemps les services de transport fonctionnaient indépendamment les uns des autres, ils sont aujourd'hui intégrés, en ce sens qu'une marchandise peut être livrée en empruntant successivement le transport par camion, par train, par avion ou par bateau. Les services de transport québécois et canadiens font face à une forte concurrence internationale, particulièrement venant des États-Unis et du Mexique et se doivent d'être davantage efficaces et compétitifs. La ponctualité est d'ailleurs devenue de rigueur car de plus en plus d'entreprises exigent de recevoir le matériel le jour même où elles en ont besoin plutôt que d'accumuler des stocks durant des jours ou des semaines. Les services de transport doivent donc s'adapter à cette nouvelle forme de gestion et livrer la marchandise à temps, n'ayant plus de marge pour les imprévus ou autres problèmes qui peuvent surgir en cours de route.

Ce secteur d'activités professionnelles comprend également toutes les personnes qui s'occupent des transports en commun tels les services d'autobus (scolaire, municipal, provincial), de taxi, de train, d'avion ou de bateau servant à véhiculer les gens pour le travail, les besoins personnels, les loisirs ou le tourisme.

CLÉO	TITRE	FORMATION	VALIDATION	RIASEC			D P C	REPÈRES	CCDP	CNP
	L'ORGANISATION DU TRANSPORT ET DE LA DISTRIBUTION									
433.01	ÉCONOMISTE DES TRANSPORTS	U	*	I	A	S	2 8 8	◇	2311-156	4162
433.02	COURTIER, COURTIÈRE EN DOUANE	C	*	E	C	S	1 6 8	◇	4139-134	1236
433.03	DIRECTEUR, DIRECTRICE D'EXPLOITATION DES TRANSPORTS ROUTIERS	U	*	E	S	C	1 1 8	◇	1147-114	0713
433.04	TECHNICIEN, TECHNICIENNE EN TRANSPORT	C	*	E	S	C	1 3 8		4190-140	1215
433.05	REPRÉSENTANT, REPRÉSENTANTE AUX VENTES EN TRANSPORT ROUTIER	S/C	*	E	S	I	3 5 8		5177-122	6411
433.06	RÉPARTITEUR, RÉPARTITRICE EN TRANSPORT ROUTIER DE PERSONNES ET DE MARCHANDISES	S		C	I	S	1 6 4		—	1476
433.07	CONSEILLER, CONSEILLÈRE EN TRANSPORT DE MARCHANDISES	C	*	E	C	S	1 6 8	◇	1179-202	1236
433.08	ENTREPRENEUR, ENTREPRENEURE EN TRANSPORT	S	*	E	R	C	1 3 8		—	7222
433.09	GÉRANT, GÉRANTE D'ENTREPÔT	C		E	S	I	1 1 8		—	0621
433.10	COMMIS À LA RÉCEPTION ET À L'EXPÉDITION	S	*	R	I	C	3 8 4		4153-118	1471
433.11	MANUTENTIONNAIRE	S	*	R	C	I	6 8 4	◇	9318-110	7452
433.12	EMBALLEUR, EMBALLEUSE	S	*	R	C	I	6 8 7	◇	9317-126	9619
433.13	TECHNICIEN, TECHNICIENNE EN LOGISTIQUE DU TRANSPORT INTERMODAL	C	*	E	S	C	1 3 8	◇	4190-001	1215
433.14	COORDONNATEUR, COORDONNATRICE DU TRANSPORT DE VOYAGEURS PAR AUTOBUS	C	*	C	I	S	1 6 4	◇	4199-154	1476
433.15	AGENT VENDEUR, AGENTE VENDEUSE DE BILLETS	S	*	C	S	E	5 6 4		4193-118	6434
433.16	BAGAGISTE	S	*	C	S	E	5 6 4		4153-138	6434
433.17	DIRECTEUR, DIRECTRICE DE PARC DE VÉHICULES	C/U		—			—		—	—
	LE TRANSPORT ROUTIER									
433.21	INSPECTEUR, INSPECTRICE DE LA CIRCULATION PAR AUTOBUS	S	*	E	R	C	1 3 8	◇	1176-126	7222
433.22	MONITEUR, MONITRICE DE CONDUITE AUTOMOBILE	C	*	S	I	E	3 2 3	◇	2797-146	4216

433.22

Code	Titre								
433.23	MONITEUR, MONITRICE DE CONDUITE DE MOTOCYCLETTE	C	*	S	I	E	3 2 3	⊕	2797-001	*4216*
433.24	AGENT, AGENTE DE LOCATION DE VÉHICULES	S	*	E	S	R	4 5 7		—	*6421*
433.25	DÉMÉNAGEUR, DÉMÉNAGEUSE	S	*	R	C	I	6 8 4	⊕	9313-122	*7452*
433.26	RÉPARTITEUR, RÉPARTITRICE DE TAXIS	S	*	S	E	C	3 6 4		9179-126	*1475*
433.27	CHAUFFEUR, CHAUFFEUSE DE TAXI	S	*	R	S	E	5 6 3	⊕	9173-110	*7413*
433.28	CHAUFFEUR, CHAUFFEUSE D'AUTOBUS	S	*	R	S	E	5 6 3	⊕	9171-110	*7412*
433.29	CHAUFFEUR, CHAUFFEUSE D'AUTOBUS D'EXCURSION	S	*	R	S	E	5 6 3	⊕	9171-002	*7412*
433.30	CHAUFFEUR, CHAUFFEUSE D'AUTOBUS SCOLAIRE	S	*	R	S	E	5 6 3	⊕	9171-001	*7412*
433.31	CHAUFFEUR, CHAUFFEUSE DE CAMION	S	*	R	C	E	5 6 3	⊕	9175-110	*7411*
433.32	AIDE-CHAUFFEUR, AIDE-CHAUFFEUSE DE CAMION	S	*	R	S	E	6 7 7	⊕	9179-190	*7622*
433.33	CHAUFFEUR, CHAUFFEUSE DE CAMION LOURD	S	*	R	C	E	5 6 3	⊕	9175-001	*7411*
433.34	CHAUFFEUR, CHAUFFEUSE DE MACHINERIE DE DÉNEIGEMENT	S	*	R	S	E	6 8 3	⊕	9199-130	*7422*
433.35	VENDEUR-LIVREUR, VENDEUSE-LIVREUSE	S	*	E	S	R	5 6 3		5193-118	*7414*
433.36	LIVREUR, LIVREUSE	S	*	R	C	S	5 7 7		4177-122	*1463*
433.37	LIVREUR, LIVREUSE DE METS PRÉPARÉS	S	*	E	S	R	5 6 3	⊕	9179-164	*7414*

LE TRANSPORT FERROVIAIRE

Code	Titre								
433.41	CHEF DE GARE	S	*	E	R	C	1 3 8		9130-118	*7221*
433.42	CHEF DE TRAIN	S	*	R	S	E	1 3 7		9133-110	*7362*
433.43	MÉCANICIEN, MÉCANICIENNE DE LOCOMOTIVE	S	*	R	S	E	3 6 3	⊕	9131-110	*7361*
433.44	AGENT, AGENTE DE TRAIN	S	*	R	S	E	5 6 4		9133-122	*7362*
433.45	AGENT, AGENTE DE TRIAGE	S	*	R	S	E	5 6 4		9133-130	*7362*
433.46	AIGUILLEUR, AIGUILLEUSE DE TRAIN	S	*	R	I	C	6 8 4		9135-130	*7431*
433.47	COMMIS AU SERVICE DE LA VOIE FERRÉE	S	*	C	I	E	3 6 4		4159-126	*1441*
433.48	INSPECTEUR, INSPECTRICE DU SERVICE DE RESTAURATION	C	*	E	S	C	1 3 8		1176-142	*6212*
433.49	CONDUCTEUR, CONDUCTRICE DE MÉTRO	S	*	R	S	E	5 6 3		9191-114	*7412*

LE TRANSPORT MARITIME

Code	Titre								
433.51	OFFICIER, OFFICIÈRE DE GARDE CÔTIÈRE CANADIENNE	C	*	R	E	I	1 6 3	⊕	9151-001	*2273*
433.52	LIEUTENANT, LIEUTENANTE DE LA MARINE MARCHANDE	C	*	R	E	I	1 6 3	⊕	9151-114	*2273*

433.53	COMMANDANT, COMMANDANTE DE NAVIRE	C	★	R E I	1 6 3	⬙	9151-110	*2273*
433.54	PILOTE DE NAVIRES	C	★	R E I	1 6 3	⬙	9151-118	*2273*
433.55	MATELOT	S	★	R C S	6 8 3	⬙	9155-122	*7433*
433.56	ARMATEUR, ARMATRICE	U		E S C	1 1 8	—		*0713*
433.57	DÉBARDEUR, DÉBARDEUSE	S	★	R C E	6 8 3		9313-110	*7451*
433.58	OUVRIER, OUVRIÈRE DE DOCK	S	★	R I C	6 6 4		8592-170	*7435*
433.59	ÉCLUSIER, ÉCLUSIÈRE	S	★	R I C	6 6 4		9159-150	*7435*
433.60	RADIOTÉLÉGRAPHISTE MARITIME	S	★	R I S	3 6 4	⬙	9159-114	*1475*
433.61	AGENT, AGENTE DE POLICE DU PORT	C	★	E R S	2 6 3	⬙	6112-154	*6261*
	LE TRANSPORT AÉRIEN							
433.71	INSTRUCTEUR, INSTRUCTRICE DE PILOTE D'AVION	C	★	S A I	2 2 3	⬙	2797-122	*2271*
433.72	PILOTE D'HÉLICOPTÈRE	C	★	I R C	2 6 3	⬙	9111-126	*2271*
433.73	PILOTE DE BROUSSE	C	★	I R C	2 6 3	⬙	9111-001	*2271*
433.74	PILOTE D'ESSAI (TRANSPORT AÉRIEN)	C	★	I R C	2 6 3	⬙	9111-110	*2271*
433.75	PILOTE D'AVION	C	★	I R C	2 6 3	⬙	9111-118	*2271*
433.76	NAVIGATEUR, NAVIGATRICE (TRANSPORT AÉRIEN)	C	★	I R C	2 7 3		9111-138	*2271*
433.77	COMMISSAIRE DE BORD	S	★	E S C	3 3 7		6145-114	*6432*
433.78	AGENT, AGENTE DE BORD	S	★	E S C	6 7 7	⬙	6145-118	*6432*
433.79	COMMIS À LA RÉSERVATION	S	★	C S E	5 6 4		4193-114	*6434*
433.80	PRÉPOSÉ, PRÉPOSÉE AUX ENVOLÉES	S	★	R I E	1 6 8	⬙	9113-002	*2272*
433.81	CONTRÔLEUR, CONTRÔLEUSE DE LA CIRCULATION AÉRIENNE	C	★	R I E	1 6 2	⬙	9113-001	*2272*
433.82	SPÉCIALISTE DE L'INFORMATION DE VOL	S	★	R I C	1 6 3	⬙	9113-127	*2272*
433.83	AGENT, AGENTE DE PISTE D'ATTERRISSAGE	S	★	R I C	6 8 3		9113-138	*7437*
	LA DISTRIBUTION DU COURRIER							
433.91	MAÎTRE DE POSTE	C	★	E S C	1 3 8		1115-114	*1214*
433.92	COMMIS DES POSTES AU TRI DU COURRIER	S	★	R C E	5 8 7		4173-130	*1461*
433.93	COMMIS AU COURRIER	S	★	R C E	5 8 7	⬙	4173-126	*1461*
433.94	FACTEUR, FACTRICE	S	★	R C S	5 7 7	⬙	4172-110	*1462*
433.95	COMMIS AU GUICHET DES POSTES	S	★	C E R	5 6 7	⬙	4173-110	*1461*
433.96	MESSAGER, MESSAGÈRE	S	★	R C S	5 7 7	⬙	4177-118	*1463*
433.97	LIVREUR, LIVREUSE DE JOURNAUX	S	★	R C S	5 7 7		5143-110	*1463*

Voir la p. 262 pour connaître la signification des codes.

433.97

LE BIEN-ÊTRE DES PERSONNES

LE BIEN-ÊTRE DES PERSONNES

LES SERVICES • LES SOINS DE SANTÉ • LES SERVICES D'AIDE ET DE CONSULTATION

L'être humain a divers besoins d'ordre physiologique, psychologique et spirituel qu'il cherche à combler afin de veiller à son équilibre. Il recherche également ce qui peut contribuer à améliorer son bien-être et sa qualité de vie. Il veille donc à être en santé, à se reposer, à se divertir. En quelque sorte il cherche à mener une vie satisfaisante et à poursuivre son développement sur divers plans.

La société, soucieuse de sa prospérité, cherche également à mettre sur pied et à organiser divers services pouvant répondre au besoin de bien-être des personnes. En effet, le bien-être des personnes est en étroite relation avec le bien-être de la société. Qu'il s'agisse de tourisme, de loisirs, de soins de santé, d'intervention sociale et psychologique, les professionnels de cette sphère cherchent à améliorer les conditions de vie et à contribuer au bien-être personnel et social des membres de la société en répondant à leurs besoins par divers soins ou services.

Ainsi, toute l'organisation du bien-être des personnes peut se comprendre à travers le prisme de ces trois actions: les services, les soins de santé et les services d'aide.

500   LE BIEN-ÊTRE DES PERSONNES

510   LES SERVICES

511   La restauration

PHOTO: Office du tourisme et des congrès de la CUQ

Manger au restaurant était jadis considéré comme un luxe que la plupart des gens ne se permettaient que rarement. La clientèle des restaurants se limitait donc aux touristes et aux gens d'affaires. De nos jours, les restaurants sont devenus des lieux privilégiés pour les célébrations de toutes sortes, les sorties entre amis ou les tête-à-tête. Bon nombre de travailleurs y cassent la croûte tous les jours et rares sont les gens qui n'y vont pas de temps à autre ou qui ne font pas appel à leurs services de livraison à domicile, histoire d'échapper à la corvée de préparation d'un repas. Ce changement dans les habitudes de consommation a contribué à l'ouverture d'une gamme très diversifiée d'établissements de restauration: casse-croûte, chaînes de restauration rapide, pizzerias, rôtisseries, restaurants de cuisine internationale et de haute gastronomie. Au Québec, le secteur de la restauration jouit d'une situation enviable. En effet, on y trouve, proportionnellement à la population, le plus grand nombre de restaurants en Amérique du Nord.

La majorité de la main-d'oeuvre de ce secteur se répartit entre le personnel de cuisine, plus ou moins spécialisé selon le type d'établissement, le personnel d'accueil, le personnel de service à la clientèle et les personnes préposées au nettoyage. Qu'il s'agisse d'un établissement de restauration rapide ou d'un restaurant de haute gastronomie, le travail du personnel, bien que différent, n'en est pas moins difficile. En effet, la clientèle, où qu'elle soit, exige une nourriture bien préparée, des couverts impeccables, un service rapide et courtois, une ambiance agréable et une bonne tenue de l'établissement. De plus, tous les établissements de restauration doivent satisfaire à des normes gouvernementales rigoureuses en matière d'hygiène et sont soumis à des inspections régulières en ce sens, ce qui entraîne de rudes pressions auprès du personnel, particulièrement aux heures d'affluence.

La rentabilité d'un établissement de restauration repose non seulement sur la qualité des services, mais aussi sur une gestion efficace. Ainsi, les directeurs-gérants, techniciens en gestion de services alimentaires, chefs cuisiniers et autres détenteurs de fonctions administratives en restauration se partagent les tâches pour élaborer les menus, gérer les approvisionnements, coordonner la préparation des repas, superviser le personnel et tenir la comptabilité. La gestion des approvisionnements, en particulier, représente un défi de taille car il s'agit de denrées périssables qu'il faut prévoir en quantités suffisantes mais en évitant les surplus. Quant à ceux et celles qui assurent la planification et la coordination du travail de cuisine, ils doivent répartir les diverses tâches entre les cuisiniers et les préposés de façon que les divers plats commandés par les clients, depuis l'entrée jusqu'au dessert, soient préparés selon les recettes établies et dans un délai raisonnable.

Les milieux de travail en restauration incluent tous les types d'établissements où sont préparés des repas à consommer sur place ou pour apporter. Outre les salles à manger et les comptoirs de restauration rapide, il y a les cafétérias des centres d'accueil et des établissements scolaires ou hospitaliers ainsi que les établissements qui offrent des services de traiteur pour l'organisation de réceptions, un type de services qui a beaucoup gagné en popularité depuis quelques années, tant auprès des services professionnels que des particuliers.

Le secteur de la restauration est diversifié et dynamique. Il reste toutefois influencé par les habitudes et aussi par la santé financière de la clientèle.

CLÉO	TITRE	FORMATION	VALIDATION	RIASEC	D P C	REPÈRES	CCDP	CNP
511.01	DIRECTEUR-GÉRANT, DIRECTRICE-GÉRANTE DE RESTAURANT	C	∗	**E** S C	1 1 8	⌖	6120-110	*0631*
511.02	TECHNICIEN, TECHNICIENNE EN GESTION DE SERVICES ALIMENTAIRES	C	∗	**E** S C	1 3 8	⌖	6120-001	*6212*
511.03	DIRECTEUR, DIRECTRICE DE LA RESTAURATION	C	∗	**E** S C	1 1 8	⌖	1142-114	*0631*
511.04	CAPITAINE DE BANQUET	S	∗	**S** E R	5 7 7	⌖	6120-132	*6453*
511.05	MAÎTRE D'HÔTEL	S	∗	**S** E C	1 3 8	⌖	6120-136	*6451*
511.06	SOMMELIER, SOMMELIÈRE	S	∗	**S** E R	5 7 7	⌖	6125-113	*6453*
511.07	SERVEUR, SERVEUSE DE BAR	S	∗	**S** E C	4 7 7	⌖	6123-110	*6452*
511.08	CHEF CUISINIER, CHEF CUISINIÈRE	S	∗	**C** E S	1 3 8	⌖	6121-111	*6241*
511.09	SOUS-CHEF DE CUISINE	S	∗	**E** C S	1 3 1	⌖	6120-128	*6241*
511.10	CUISINIER, CUISINIÈRE	S	∗	**R** I S	3 3 1	⌖	6121-114	*6242*
511.11	AIDE-CUISINIER, AIDE-CUISINIÈRE	S	∗	**R** C S	6 7 7	⌖	6121-134	*6642*
511.12	CHEF PÂTISSIER, CHEF PÂTISSIÈRE	S	∗	**C** E S	2 3 1	⌖	6121-115	*6241*
511.13	SERVEUR, SERVEUSE	S	∗	**S** E R	5 7 7	⌖	6125-126	*6453*
511.14	PRÉPOSÉ, PRÉPOSÉE AUX TABLES	S	∗	**R** C S	6 7 7	⌖	6125-140	*6642*
511.15	PLONGEUR, PLONGEUSE	S	∗	**R** I C	6 7 4	⌖	6198-170	*6642*
511.16	PRÉPOSÉ, PRÉPOSÉE AU VESTIAIRE	S	∗	**R** S C	6 7 7	⌖	6198-114	*6683*
511.17	TRAITEUR, TRAITEUSE	S	∗	**R** I S	3 3 1	⌖	6121-121	*6242*
511.18	AIDE-TRAITEUR, AIDE-TRAITEUSE	S	∗	**R** C S	6 7 7	⌖	6125-130	*6642*
511.19	PRÉPOSÉ, PRÉPOSÉE À LA RESTAURATION RAPIDE	S	∗	**R** S E	6 7 7	⌖	6121-130	*6641*
511.20	PRÉPARATEUR, PRÉPARATRICE DE PLATEAUX À LA CHAÎNE	S	∗	**R** S E	6 7 7	⌖	6129-114	*6641*
511.21	CAISSIER, CAISSIÈRE DE CAFÉTÉRIA	S	∗	**C** S I	6 6 4	⌖	4133-001	*6611*
511.22	GÉRANT, GÉRANTE DE CYBERCAFÉ	C/U	∗	**E** S C	1 1 8		—	*0631*

Voir la p. 262 pour connaître la signification des codes.

Le secteur de l'hôtellerie, intimement lié à ceux du tourisme et de la restauration, comprend tous les types d'établissements offrant des services d'hébergement, des imposants complexes hôteliers des régions urbaines et des grands centres de villégiature aux petites auberges d'ambiance familiale offrant lit et déjeuner aux voyageurs de passage.

L'exploitation hôtelière d'une région dépend largement de son potentiel touristique et de sa position stratégique dans le monde des affaires. Ainsi, on compte davantage d'établissements hôteliers dans les régions jouissant d'attraits naturels, récréatifs ou culturels ou les régions où se déroulent plusieurs activités économiques, scientifiques ou gouvernementales. Le tourisme étant souvent saisonnier, bon nombre d'hôteliers tentent d'attirer dans leur établissement les organisateurs de congrès et d'autres événements professionnels du genre en proposant des salles de réunion ou d'exposition pourvues d'installations audiovisuelles et d'équipement moderne de communication. D'autres offrent leurs services à la population locale pour organiser des banquets à l'occasion d'événements de tous genres.

PHOTO: A. Cornu/Publiphoto

512.09

Par ailleurs, le confort et la gamme des services offerts varient selon l'envergure des établissements et leur clientèle. Certains n'offrent que le strict minimum pour permettre à la clientèle de passer la nuit en sécurité. D'autres proposent des chambres de grand luxe pourvues d'installations modernes et offrent une grande variété de services en vue d'agrémenter le séjour de la clientèle: services de bar et de restauration, service aux chambres, service de réveil, service de nettoyage à sec, piscine, sauna, salle de conditonnement physique, salle de jeux, stationnement surveillé en permanence, service de location de véhicules, de transport par navette vers l'aéroport ou la gare, service d'information touristique et, dans certains cas, des programmes d'excursions. Il va sans dire que les tarifs hôteliers varient en fonction du luxe de l'établissement et des services offerts.

Qu'il s'agisse du directeur général d'établissement hôtelier, du réceptionniste d'hôtel, du portier ou encore du préposé à l'entretien des chambres, plusieurs personnes contribuent au bon fonctionnement de l'établissement et assurent la qualité des services offerts. Le personnel qui s'occupe des réservations, de la facturation ou d'autres fonctions administratives travaille avec des systèmes informatisés qui font maintenant partie du quotidien. De plus en plus, d'ailleurs, les établissements hôteliers utilisent Internet pour promouvoir leurs services et offrent un service de réservation par courrier électronique.

CLÉO	TITRE	FORMATION	VALIDATION	RIASEC			D P C	REPÈRES	CCDP	CNP
512.01	DIRECTEUR GÉNÉRAL, DIRECTRICE GÉNÉRALE D'ÉTABLISSEMENTS HÔTELIERS	C	★	E	S	C	1 1 8	⬤	6130-114	*0632*
512.02	COORDONNATEUR, COORDONNATRICE DES CONGRÈS ET DES BANQUETS	C	★	E	S	C	1 1 8		1179-299	*0632*
512.03	AUBERGISTE	C/U	★	E	S	C	1 1 8		—	*0632*
512.04	CHEF RÉCEPTIONNISTE D'HÔTEL	C	★	E	S	C	1 3 8	⬤	4190-122	*6216*
512.05	RÉCEPTIONNISTE D'HÔTEL	S/C	★	C	S	E	3 6 4	⬤	4194-110	*6435*
512.06	PRÉPOSÉ, PRÉPOSÉE À L'ENTRETIEN DES CHAMBRES	S	★	R	C	S	5 8 7	⬤	6133-114	*6661*
512.07	PORTIER, PORTIÈRE	S	★	R	S	C	6 7 7	⬤	6198-150	*6683*
512.08	CHASSEUR, CHASSEUSE D'HÔTEL	S	★	R	E	S	6 7 7	⬤	6135-114	*6672*
512.09	PRÉPOSÉ, PRÉPOSÉE AUX VOITURES	S	★	R	S	E	6 6 3	⬤	6199-142	*6683*

Voir la p. 262 pour connaître la signification des codes.

PHOTO: Y. Beaulieu/Publiphoto

De plus en plus de gens ont recours aux services des divers spécialistes du tourisme pour organiser leurs vacances, qu'il s'agisse de visiter la Gaspésie, de traverser les Rocheuses à cheval, de se prélasser sur les plages d'une destination-soleil ou encore de faire une croisière dans les îles grecques. Dans chaque région, des spécialistes en tourisme répondent aux besoins de deux types de clientèle: les visiteurs venus pour profiter des attraits locaux et les voyageurs en partance vers d'autres destinations, que ce soit pour le plaisir ou pour les affaires.

À l'échelle locale, des spécialistes tels que les coordonnateurs des services de tourisme et les agents de promotion touristique travaillent en collaboration avec divers intervenants des secteurs de l'hôtellerie, de la restauration, des transports, des loisirs et de la culture afin d'exploiter le potentiel touristique d'une régioin. Ces personnes ont comme rôle de favoriser la mise en valeur des sites naturels, historiques et récréatifs du milieu et veillent à s'assurer de la présence des infrastructures d'accueil et des services nécessaires au séjour des touristes dans la région. Certains de ces spécialistes s'occupent de promouvoir les attraits d'une région donnée auprès des clientèles cibles et de concevoir du matériel documentaire pour informer le public sur les sites touristiques, les activités récréatives et les services de la région. Les offices de tourisme régionaux emploient du personnel spécialisé en tourisme et jouent un rôle de premier plan dans la promotion de l'industrie touristique au Québec et la coordination des activités offertes. En effet, de plus en plus de gens, en vue d'un séjour dans une région donnée, s'y adressent pour obtenir de la documentation, planifier leur séjour et parfois pour bénéficier d'un service de réservation pour l'hébergement (hôtels, auberges, terrains de camping, chalets offerts en location, etc.).

En saison touristique, bon nombre de professionnels en tourisme travaillent dans les kiosques régionaux d'information qui jallonnent les routes du Québec ou encore dans les bureaux d'information touristique des grands hôtels, des aéroports ou des gares. Ces employés, obligatoirement bilingues, s'occupent de l'accueil, de l'information et de l'orientation des visiteurs. D'autres techniciens en tourisme travaillent comme guides ou animateurs dans les sites touristiques et accompagnent des groupes au cours des excursions en nature ou des visites d'un lieu historique ou d'un musée, fournissant des renseignements sur l'histoire, la géographie ou la culture locale et commentant les divers points d'intérêt. D'autres, enfin, participent à l'organisation d'événements spéciaux comme des festivals, des compétitions, des fêtes nationales ou des congrès internationaux.

Les agences de voyages constituent des alliées importantes de l'industrie touristique nationale et internationale. Elles emploient des spécialistes en tourisme pour renseigner les voyageurs sur n'importe quelle destination dans le monde, planifier leur itinéraire et leur séjour à l'étranger, faire les réservations auprès des compagnies de transport et des fournisseurs de services d'hébergement, etc. Grâce aux ressources de l'informatique, les agents de voyages peuvent organiser en peu de temps des voyages diversifiés: forfait-vacances dans un complexe hôtelier du Mexique, tournée gastronomique en Europe, voyage de groupe en Turquie, safari-photo en Afrique, croisière dans les Caraïbes... Les gens sont de plus en plus avides de destinations exotiques, ce qui a entraîné la création d'une foule de produits-voyages aptes à répondre aux divers goûts et au budget des consommateurs en matière de voyages.

CLÉO	TITRE	FORMATION	VALIDATION	RIASEC	D P C	REPÈRES	CCDP	CNP
513.01	COORDONNATEUR, COORDONNATRICE DES SERVICES DE TOURISME	U	★	E S C	1 2 8	⬦	1179-142	*4163*
513.02	AGENT, AGENTE DE PROMOTION TOURISTIQUE	C	★	I E S	1 2 8	⬦	1179-002	*4163*
513.03	DIRECTEUR, DIRECTRICE D'ÉTABLISSEMENT TOURISTIQUE	U	★	E S I	1 1 8	⬦	1179-007	*0511*
513.04	GUIDE TOURISTIQUE	C	★	E S A	5 6 8	⬦	6144-114	*6441*
513.05	GUIDE ACCOMPAGNATEUR, GUIDE ACCOMPAGNATRICE	C	★	E S A	5 6 8	⬦	6144-110	*6441*
513.06	PRÉPOSÉ, PRÉPOSÉE AUX RENSEIGNEMENTS TOURISTIQUES	S	★	E S A	5 6 8		6144-199	*6441*

CLÉO	TITRE	FORMATION	VALIDATION	RIASEC			D P C	REPÈRES	CCDP	CNP
513.07	DIRECTEUR, DIRECTRICE D'AGENCE DE VOYAGES	U	*	E	S	I	3 5 4	⊕	1179-140	*0621*
513.08	FORFAITISTE	C	*	C	S	E	3 5 4	⊕	4193-006	*6431*
513.09	AGENT, AGENTE DE VOYAGES	S	*	C	S	E	3 5 4	⊕	4193-110	*6431*
513.10	ORGANISATEUR, ORGANISATRICE DE CONGRÈS ET AUTRES ÉVÉNEMENTS SPÉCIAUX	U	*	E	S	C	1 6 8		1179-192	*1226*

Voir la p. 262 pour connaître la signification des codes.

514 Les loisirs

Les personnes qui travaillent dans le secteur des loisirs planifient, organisent et coordonnent des activités récréatives, culturelles et sportives pour le grand public. Elles travaillent pour des centres communautaires, des municipalités, des sociétés commerciales ou des clubs publics ou privés. On les trouve aussi dans les établissements correctionnels, les maisons de retraite et divers établissements où la récréologie (activités artistiques, artisanales, sportives, ludiques, musicales, théâtrales) est utilisée à des fins thérapeutiques.

PHOTO: MEF/Publiphoto

Les professionnels de ce secteur sont en général des personnes en mesure de mettre en place des activités de loisir ou encore qui s'adonnent elles-mêmes à ces activités et qui peuvent les enseigner aux autres.

Certains professionnels du secteur travaillent dans des centres de loisirs, des camps de vacances et autres centres récréatifs où ils planifient, organisent et surveillent des activités sociales, récréatives et éducatives. Il existe plusieurs genres de centres récréatifs, dont ceux de l'industrie du loisir (salles de quilles, centres de jeux divers), les centres de ski, les sites de randonnée et d'alpinisme, les grottes, les plages, etc. À cela s'ajoutent certains camps de vacances où sont organisés des séjours intensifs d'activités. Il peut s'agir de camps de villégiature, de camps spécialisés portant sur un thème éducatif (camp d'informatique, camp aérospatial) ou encore de séjours d'initiation à une activité sportive pour adultes (camps de ski ou d'alpinisme). Les différents types de camps comptent à leur service des directeurs, des récréologues, des moniteurs, des surveillants, des techniciens en loisir, ainsi que du personnel de soutien pour la cuisine, l'entretien ménager et les soins de santé.

Le secteur des loisirs comprend aussi les travailleurs qui s'occupent de recevoir, de loger ou de guider les chasseurs et les pêcheurs au cours d'excursions en forêt ou sur les cours d'eau. Ces personnes, des pourvoyeurs ou des techniciens en aménagement cynégétique et halieutique, par exemple, veillent à la conservation de la faune et à l'application des règlements de chasse et pêche.

Le secteur des loisirs est fortement tributaire de la santé économique de la société et du tourisme. Les organismes qui s'occupent de loisirs pour les jeunes font face à une baisse de la clientèle en raison du nombre décroissant des naissances, du budget limité de la clientèle et des compressions budgétaires des gouvernements.

CLÉO	TITRE	FORMATION	VALIDATION	RIASEC			D P C	REPÈRES	CCDP	CNP
514.01	RÉCRÉOLOGUE	U	*	E	S	A	1 2 7	⊕	2333-002	*4167*
514.02	DIRECTEUR, DIRECTRICE D'ÉTABLISSEMENT DE LOISIRS	U	*	E	S	C	1 1 8	⊕	2333-003	*0513*
514.03	TECHNICIEN, TECHNICIENNE EN LOISIRS	C	*	S	E	R	1 2 4	⊕	2333-001	*5254*
514.04	MONITEUR, MONITRICE DE LOISIRS	C	*	S	E	R	1 2 4	⊕	2333-122	*5254*

514.05	DIRECTEUR, DIRECTRICE DE CAMP	U/C	★	**S** I C	1 2 8	◯	2333-114	*4167*
514.06	MONITEUR, MONITRICE DE CAMP	C	★	**S** E R	1 2 4	◯	2333-126	*5254*
514.07	POURVOYEUR, POURVOYEUSE DE CHASSE ET PÊCHE	C	★	**R** I E	3 6 3	◯	3719-001	*2224*
514.08	TECHNICIEN, TECHNICIENNE EN AMÉNAGEMENT CYNÉGÉTIQUE ET HALIEUTIQUE	C	★	**R** I E	3 6 3	◯	2135-005	*2224*
514.09	GUIDE DE CHASSE ET DE PÊCHE	S	★	**R** E S	1 6 7	◯	3719-114	*6442*
514.10	PRÉPOSÉ, PRÉPOSÉE À L'ENTRETIEN DE TERRAIN DE CAMPING	S	★	**R** S C	6 6 7	◯	6139-108	*6671*
514.11	PRÉPOSÉ, PRÉPOSÉE AU TERRAIN D'EXERCICE DE GOLF	S	★	**R** S C	6 6 7	◯	3715-170	*6671*
514.12	PRÉPOSÉ, PRÉPOSÉE À LA SALLE DE QUILLES	S	★	**R** S C	6 6 7	◯	3715-134	*6671*
514.13	CROUPIER, CROUPIÈRE	S	★	**E** S C	3 6 7		—	*6443*

Voir la p. 262 pour connaître la signification des codes.

515   Les sports

PHOTO: P.S.I./Publiphoto

Les sports constituent une activité importante dans la société et font en sorte que quantité de personnes travaillent dans ce secteur. Il y a, d'une part, le sport amateur qui n'est généralement pas rémunéré et, d'autre part, le sport professionnel qui comprend les personnes qui sont rémunérées pour s'entraîner à un sport. Pour la plupart des gens, le sport répond à divers besoins, dont la nécessité de se maintenir en forme, d'être actif, de se récréer et se divertir. Certains choisissent le jogging ou les exercices physiques; d'autres les sports d'équipe.

On trouve dans le secteur des sports non seulement ceux et celles qui s'entraînent à divers sports, mais également tous les professionnels qui leur permettent de le faire, tels les entraîneurs, les moniteurs, les arbitres, les éducateurs physiques de même que les proposés à l'équipement. Ainsi, la préparation et l'entretien des terrains ou des emplacements, qu'il s'agisse d'une patinoire, des terrains de baseball, de volley-ball, de tennis ou de golf ou des gymnases, exigent du personnel qualifié. Il y a aussi le personnel de gestion qui veille à l'organisation et à la direction des programmes d'activités, dont les directeurs de centres sportifs, les responsables d'équipe, les superviseurs d'activités sportives, les préposés, les surveillants, etc.

Parmi les athlètes qui font partie du secteur des sports professionnels, on trouve ceux et celles qui s'entraînent à un sport individuel ou d'équipe, mais également ceux qui se spécialisent dans des disciplines comme l'athlétisme, la natation, le ski et le golf, à différents niveaux (autres que les ligues professionnelles majeures). Comme cela a été mentionné précédemment, les personnes qui font du sport amateur ne sont habituellement pas rémunérées, mais elles peuvent parfois être embauchées en tant qu'entraîneurs ou moniteurs dans l'organisation du sport professionnel ou amateur.

Les gens qui s'adonnent à des sports dans leurs loisirs pour leur satisfaction personnelle (bicyclette, course à pied, randonnées, etc.) font souvent appel aux services de professionnels comme des moniteurs ou des experts qui leur prodiguent de bons conseils ou leur enseignent les techniques et les pratiques appropriées. On trouve aussi parmi ces spécialistes des médecins qui se consacrent à la prévention des accidents, notamment des physiothérapeutes, ou au traitement des blessures particulières.

La popularité de certains sports varie en fonction des tendances, des modes et de l'âge de la population. Par exemple, le hockey et le baseball ont longtemps été les grands favoris mais, depuis les années 80, on remarque une tendance vers le conditionnement physique et de nouvelles activités, comme le patin à roues alignées et le soccer. L'éventail sportif du pays s'enrichit donc et crée de nouveaux besoins. Le vieillissement de la population laisse entrevoir une augmentation des activités sportives moins exigeantes, comme la marche et le golf, ce qui entraînera des besoins nouveaux, dont l'aménagement et la gestion de sentiers et de terrains pour lesquels du personnel qualifié sera nécessaire.

CLÉO	TITRE	FORMATION	VALIDATION	RIASEC	D P C	REPÈRES	CCDP	CNP
515.01	PROFESSEUR, PROFESSEURE D'ÉDUCATION PHYSIQUE	U	★	S I R	1 2 8	⊕	2799-011	4131
515.02	ÉDUCATEUR, ÉDUCATRICE PHYSIQUE KINÉSIOLOGIQUE	U		S I A	1 2 8		—	4141
515.03	ÉDUCATEUR PHYSIQUE RÉADAPTATEUR, ÉDUCATRICE PHYSIQUE RÉADAPTATRICE	U		S I A	1 2 8		—	4141
515.04	ÉDUCATEUR, ÉDUCATRICE PHYSIQUE PLEINAIRISTE	U		S I A	1 2 8		—	4141
515.05	CONSEILLER, CONSEILLÈRE EN CONDITIONNEMENT PHYSIQUE	U	★	I S R	1 2 7	⊕	3119-118	4167
515.06	DIRECTEUR, DIRECTRICE D'ÉQUIPE DE SPORT PROFESSIONNEL	U	★	E S C	1 1 8		3710-114	0513
515.07	DÉPISTEUR, DÉPISTEUSE EN SPORT PROFESSIONNEL	C	★	S I R	2 1 8		3710-126	5252
515.08	ENTRAÎNEUR, ENTRAÎNEUSE D'ÉQUIPE SPORTIVE	U	★	S R E	1 2 8	⊕	3710-122	5252
515.09	ENTRAÎNEUR, ENTRAÎNEUSE D'ATHLÈTES	U	★	S R I	1 0 4	⊕	3710-138	3144
515.10	ARBITRE	C/S	★	E S C	2 6 8		3711-114	5253
515.11	CHRONOMÉTREUR, CHRONOMÉTREUSE	S	★	E S C	2 6 8		3711-158	5253
515.12	SPORTIF PROFESSIONNEL, SPORTIVE PROFESSIONNELLE	C	★	S R E	2 4 1		3713-110	5251
515.13	PRÉPOSÉ, PRÉPOSÉE AUX ÉTABLISSEMENTS DE SPORTS	S	★	R S C	6 6 7	⊕	3715-130	6671
515.14	COUREUR, COUREUSE AUTOMOBILE	C	★	S R E	2 4 1	⊕	3713-122	5251
515.15	MONITEUR, MONITRICE DE NATATION	S		S E R	1 2 4		3710-134	5254
515.16	SURVEILLANT SAUVETEUR, SURVEILLANTE SAUVETEUSE DE BAINS PUBLICS	S	★	S E R	1 2 4	⊕	6119-114	5254
515.17	PLONGEUR, PLONGEUSE DE PLONGÉE SOUS-MARINE	C	★	R I S	3 6 4		—	7382
515.18	MONITEUR, MONITRICE DE SKI	S	★	S E R	1 2 4		3710-150	5254
515.19	PATROUILLEUR, PATROUILLEUSE DES PENTES DE SKI	S	★	S E R	1 2 4		6119-118	5254
515.20	PRÉPOSÉ, PRÉPOSÉE AU REMONTE-PENTE	S	★	R S C	6 6 7	⊕	3715-138	6671
515.21	DIRECTEUR, DIRECTRICE D'HIPPODROME	U	★	E S C	1 1 8		1149-154	0513
515.22	PROFESSEUR, PROFESSEURE D'ÉQUITATION	C	★	S E R	1 2 4		3710-162	5254
515.23	DESSINATEUR, DESSINATRICE DE PARCOURS ÉQUESTRES	C		I R C	3 7 1		—	2221

515.23

515.24	INSTRUCTEUR, INSTRUCTRICE D'ART MARTIAL	C	✱	**S** E R	1 2 4	—	*5254*
515.25	RÉPARATEUR, RÉPARATRICE D'ARTICLES DE SPORT	S	✱	**R** I C	3 8 4	⊕ 8599-330	*7445*
515.26	PRÉPOSÉ, PRÉPOSÉE À L'ÉQUIPEMENT DE SPORT	S	✱	**R** S C	6 6 7	⊕ 3715-118	*6671*
515.27	INSTRUCTEUR, INSTRUCTRICE DE CONDITIONNEMENT PHYSIQUE AÉROBIQUE	U		**S** E R	1 2 4	—	*5254*

Voir la p. 262 pour connaître la signification des codes.

Qu'on leur lance la première pierre... Avec la popularité des sports extrêmes (bungie, parapente, planche à roulettes), il est surprenant d'apprendre qu'il existe une association d'amateurs de lancer de pierre sur l'eau! Cette association affirme que le lancer de pierres est non seulement l'un des sports les plus anciens, mais aussi un excellent sport non compétitif. Le record actuel est aux alentours de 40 ricochets. C'est certainement un exercice moins aérobique que la course à pied...

515.24

516   Les services personnels

PHOTO: CÉCQ – École Marie-de-l'Incarnation

Les personnes qui travaillent dans ce secteur offrent divers services personnels, principalement des soins corporels liés au bien-être physique et à l'esthétique, des services d'entretien ménager ou de gardiennage, des services d'entretien de lingerie et de vêtements et certains services d'aide particuliers comme l'astrologie ou des agences de rencontres.

Certains travailleurs de ce secteur ont des emplois non spécialisés qui ne requièrent pas de formation particulière, mais qui font appel à des compétences acquises avec l'expérience. D'autres ont des emplois qui nécessitent une formation professionnelle secondaire et une formation pratique continue en milieu de travail. C'est le cas notamment des coiffeurs et des esthéticiennes (profession presque exclusivement féminine) dont la pratique professionnelle est régie par des corporations professionnelles qui veillent au respect de certaines règles, entre autres la tarification des services. La plupart de ces personnes travaillent dans des salons de coiffure ou des instituts de beauté offrant des services aux particuliers, mais certaines travaillent auprès de clientèles particulières, dans les agences de mannequins ou dans les studios de télévision, par exemple.

Les personnes qui choisissent de travailler dans le nettoyage de lingerie et de vêtements peuvent offrir leurs services aux particuliers ainsi qu'à plusieurs types de commerces et d'institutions tels que restaurants, hôtels, hôpitaux et prisons. La plupart travaillent dans des entreprises commerciales offrant des services généraux de buanderie, de nettoyage à sec ou de teinturerie. Quant aux travailleurs en entretien ménager, ils sont employés par des entrepreneurs ou offrent leurs services pour leur propre compte.

Les personnes qui offrent des services de garde d'enfants en milieu familial doivent faire preuve de grandes qualités personnelles pour assurer le bien-être et la sécurité des enfants sous leur responsabilité en l'absence des parents. Les aides familiaux et les aides ménagers effectuent l'entretien ménager à domicile et fournissent des services de soutien aux familles, aux personnes âgées ou aux personnes handicapées. Il existe aussi des gardiens de maison qui, en l'absence des propriétaires, assurent la surveillance du domicile, les soins aux animaux et aux plantes et certaines tâches comme le ramassage du courrier, l'entretien de la pelouse ou le déneigement.

Un dernier groupe de travailleurs en services personnels complète le tableau. Il s'agit des personnes qui, pour leur propre compte ou pour celui d'agences commerciales, offrent des services comme l'astrologie ou les agences de rencontres, deux domaines qui ont connu un regain de popularité au cours des années 90. En effet, de nombreux comsommateurs recourent aux services téléphoniques de prédiction astrologique et de plus en plus de personnes font appel à des agences de rencontres pour trouver l'âme soeur.

CLÉO	TITRE	FORMATION	VALIDATION	RIASEC	D P C	REPÈRES	CCDP	CNP
516.01	AIDE FAMILIAL, AIDE FAMILIALE	S	*	S R E	3 7 7		2333-134	6471
516.02	AIDE MÉNAGER, AIDE MÉNAGÈRE	S	*	R C S	5 8 7	◇	6142-130	6661
516.03	GOUVERNANT, GOUVERNANTE	S	*	S R E	5 7 7	◇	6149-001	6474
516.04	GARDIEN, GARDIENNE D'ENFANTS	S	*	S R E	5 7 7	◇	6147-110	6474
516.05	GARDIEN, GARDIENNE DE MAISON	S	*	R S E	6 7 7	◇	6142-134	6663
516.06	COIFFEUR, COIFFEUSE STYLISTE	S	*	S A C	3 7 4	◇	6143-001	6271
516.07	COIFFEUR, COIFFEUSE	S	*	S A C	3 7 4	◇	6143-002	6271
516.08	AIDE-COIFFEUR, AIDE-COIFFEUSE	S	*	S A C	3 7 4		6143-119	6271
516.09	ESTHÉTICIEN, ESTHÉTICIENNE	S	*	S A C	3 7 4	◇	6143-123	6482
516.10	ÉLECTROLYSTE	S	*	S A C	3 7 1	◇	6143-122	6482
516.11	POSEUR, POSEUSE D'ONGLES ET DE CILS	S	*	S A C	6 7 4		6143-124	6482
516.12	MANUCURE	S	*	S A C	6 7 4	◇	6143-126	6482
516.13	CONSEILLER, CONSEILLÈRE EN COULEURS	S	*	S A E	3 7 8	◇	6143-127	6481
516.14	TATOUEUR, TATOUEUSE	S	*	A R S	5 7 1		6149-126	6482
516.15	MASSEUR, MASSEUSE	S	*	R I C	6 7 4		6149-138	6482
516.16	ASTROLOGUE	S	*	A E I	3 5 8		3339-182	6484
516.17	DIRECTEUR, DIRECTRICE D'AGENCE DE RENCONTRES	S	*	S E C	3 5 8		6199-120	6481
516.18	NETTOYEUR, NETTOYEUSE À SEC	S	*	R E S	6 8 4	◇	6163-110	6681
516.19	AIDE-NETTOYEUR, AIDE-NETTOYEUSE À SEC	S	*	R I C	6 8 4	◇	6163-122	6681
516.20	REPASSEUR, REPASSEUSE À LA MACHINE	S	*	R I C	5 8 4	◇	6165-126	6682
516.21	TEINTURIER, TEINTURIÈRE	S	*	R I C	6 8 4		6169-110	6681
516.22	PRÉPOSÉ, PRÉPOSÉE À L'ENTRETIEN DU LINGE	S	*	R I C	6 8 4		6198-138	6681
516.23	CIREUR, CIREUSE DE CHAUSSURES	S	*	R S C	6 6 8		6198-110	6683
516.24	MAGASINIER-CONSEIL, MAGASINIÈRE-CONSEIL	S		—	—		—	—

Voir la p. 262 pour connaître la signification des codes.

Crème de jour pour cellules sensibles *Les produits de beauté portent maintenant presque tous la mention «non testé sur des animaux». Comment fait-on alors pour savoir si les cosmétiques provoquent des réactions dangereuses sur les humains? Pour remplacer complètement les animaux, tout en utilisant un système vivant, on recourt plutôt à des invertébrés, des micro-organismes ou des plantes. Par exemple, les produits à tester sont simplement déposés sur une membrane, puis sont mis en contact avec un réactif à base de protéines de plantes. Lorsqu'un produit est irritant, les composantes réagissent et la membrane devient plus opaque. Ces méthodes donnent une meilleure indication des effets du produit sur l'homme que les tests sur animaux.*
D'autres méthodes moins cruelles envers les animaux utilisent des tests entièrement chimiques et des systèmes informatiques qui peuvent simuler virtuellement les effets de différents cosmétiques sont actuellement à l'essai. Ces méthodes substitutives ne présentent que des avantages: respect de l'animal et de la nature, mais aussi efficacité supérieure.

PHOTO: P. G. Adam/Publiphoto

Le mot thanatologie est formé de l'élément grec thanatos qui signifie mort. Il désigne plus précisément l'ensemble des connaissances relatives aux aspects biologiques et sociologiques de la mort, entre autres les méthodes utilisées pour l'embaumement des défunts et les rites funèbres qui, selon la culture, entourent les premiers jours de deuil jusqu'au moment d'inhumer ou d'incinérer les corps.

Quiconque a déjà affronté la mort d'un proche est en mesure d'apprécier les services indispensables des professionnels en thanatologie qui prennent en charge l'organisation pratique des funérailles. La plupart des gens dans la société nord-américaine ignorent les formalités qui s'appliquent dans de telles circonstances, en partie parce qu'ils craignent la mort et la considèrent comme un sujet tabou. Il existe cependant des lois selon lesquelles les corps des personnes défuntes doivent être embaumés et mis en cercueil par le personnel d'une entreprise de services funéraires pour ensuite être enterrés ou incinérés dans les lieux autorisés.

517

Les spécialistes en thanatologie, qu'il s'agisse des thanatologues, des thanatopracteurs ou des directeurs de funérailles, exercent leurs fonctions dans des entreprises de services funéraires et auprès des familles en deuil. Selon leurs fonctions, ils agissent comme conseillers auprès des familles en ce qui concerne le choix des arrangements funéraires, ils organisent et dirigent les rites de funérailles, ils s'occupent du transport des corps des défunts et effectuent le travail de thanatopraxie, c'est-à-dire l'embaumement des corps, la préparation destinée à donner aux défunts une apparence naturelle et paisible en vue de l'exposition et de la mise en cercueil. Ils s'efforcent de fournir des services efficaces et discrets afin de libérer les proches de tout souci pratique à l'égard des funérailles et de leur apporter, dans une certaine mesure, le soutien et le réconfort dont ils ont besoin.

Parmi les autres professionnels qui travaillent dans le secteur de la thanatologie, on compte aussi les directeurs de cimetière et les directeurs de crématorium. Les premiers vendent des emplacements destinés à l'inhumation ou à la mise au caveau des défunts et supervisent l'ensemble des activités liées aux enterrements, à l'installation des monuments, à l'entretien des lieux et à l'accueil de la clientèle. Les directeurs de crématorium assument des fonctions semblables dans des établissements funéraires où se déroulent les cérémonies de crémation. Ces deux types d'entreprises ont à leur service du personnel ouvrier chargé des tâches courantes et de l'entretien des lieux.

CLÉO	TITRE	FORMATION	VALIDATION	RIASEC			D P C	REPÈRES	CCDP	CNP
517.01	THANATOLOGUE	C	∗	S	E	C	1 2 8	⊕	6141-110	6272
517.02	DIRECTEUR, DIRECTRICE DE FUNÉRAILLES	C		E	S	C	1 3 8	—		0651
517.03	THANATOPRACTEUR, THANATOPRACTRICE	C	∗	I	R	E	3 8 1	⊕	6141-114	6272
517.04	PRÉPOSÉ, PRÉPOSÉE AU FOUR CRÉMATOIRE	S	∗	R	E	C	6 7 3		6141-117	6683
517.05	DIRECTEUR, DIRECTRICE DE CIMETIÈRE	C	∗	E	S	C	1 3 8	—		0651
517.06	FOSSOYEUR, FOSSOYEUSE	S	∗	R	I	C	6 8 4		7195-118	8612
517.07	PRÉPOSÉ, PRÉPOSÉE À LA MORGUE	S	∗	R	C	I	5 7 4	—		3414

Voir la p. 262 pour connaître la signification des codes.

PHOTO: Renée Méthot/Université Laval – Faculté des sciences de l'agriculture et de l'alimentation

Ce secteur regroupe tous les professionnels qui se préoccupent d'une bonne alimentation, c'est-à-dire de la variété des aliments dont a besoin l'organisme pour se maintenir en santé. Leur travail fait appel à des connaissances scientifiques à propos de l'alimentation mais aussi à l'art de la cuisine et de la préparation des aliments. On retrouve ces spécialistes de l'alimentation dans des établissements hospitaliers, des centres d'accueil, des écoles, diverses cafétérias et parfois même dans des laboratoires de recherche ou dans l'industrie de la préparation d'aliments.

Les professionnels en diététique sont des spécialistes de l'alimentation dont la principale préoccupation est de sensibiliser et d'éduquer la population aux bienfaits d'une saine alimentation. Ainsi, ils participent à des conférences, à des chroniques télévisées ou radiodiffusées, rédigent des articles, des livres ou font des rencontres individuelles pour faire part de leurs connaissances ou conseiller les gens. Ces personnes mettent au point des régimes alimentaires équilibrés pour le maintien de la santé et conçoivent des diètes pour des personnes malades afin de les guider vers une alimentation adaptée à leur état. Elles élaborent également des programmes d'alimentation et des menus pour divers besoins, supervisent le travail de préparation des repas, veillent à l'application des prescriptions diététiques, etc.

518.05

Les spécialistes de ce secteur qui se consacrent à la préparation des diètes et des régimes répondent à divers besoins. En effet, certaines personnes veulent suivre un régime alimentaire équilibré afin de maintenir ou d'améliorer leur état de santé mais d'autres en vue de diminuer ou de maintenir leur poids. D'autres spécialistes se préoccupent de concevoir et de proposer des diètes spéciales, adaptées aux personnes souffrant de problèmes de santé particuliers (diabète, maladie du coeur, excès de cholestérol). Ces professionnels doivent tenir compte des connaissances médicales les plus récentes sur ces maladies, des plus récentes découvertes sur le fonctionnement de l'organisme humain et des nouveaux aliments mis en marché.

Certains professionnels du secteur interviennent également auprès de personnes ayant des problèmes d'anorexie et de boulimie et de personnes ayant divers troubles de l'alimentation, phénomènes de plus en plus présents. Dans la mesure du possible, ils cherchent à intervenir de façon préventive auprès des populations cibles en sensibilisant et en éduquant les jeunes au regard de l'alimentation.

Enfin, certaines personnes se consacrent à la mise au point d'aliments sains. Elles travaillent en général dans l'industrie de la préparation des aliments ou encore dans des laboratoires de recherche, par exemple, pour analyser et mettre au point des méthodes de production d'aliments sains (culture de fruits et légumes, élevage d'animaux) ou des procédés de fabrication d'aliments (manutention, entreposage, conservation et transformation en usine).

La population est de plus en plus sensibilisée à l'importance d'une bonne alimentation et d'un poids santé. Les professionnels du secteur de la diététique ont réussi à faire comprendre à plusieurs qu'il n'existe pas de régimes simples et miraculeux et à les convaincre des bienfaits d'une alimentation saine et d'une discipline rigoureuse. De plus, le vieillissement de la population, le travail de plus en plus sédentaire des gens et l'accroissement des maladies sont trois éléments qui confirment une fois de plus l'importance du travail des professionnels de la diététique.

CLÉO	TITRE	FORMATION	VALIDATION	RIASEC			D P C	REPÈRES	CCDP	CNP
518.01	DIRECTEUR, DIRECTRICE DU SERVICE DE DIÉTÉTIQUE	U	*	E	S	C	1 1 8	◇	1134-110	*0311*
518.02	SUPERVISEUR, SUPERVISEURE DES SERVICES ALIMENTAIRES	C	*	E	S	C	1 3 8	◇	6120-130	*6212*
518.03	DIÉTÉTISTE	U	*	I	S	E	1 2 8	◇	3152-122	*3132*
518.04	TECHNICIEN, TECHNICIENNE EN DIÉTÉTIQUE	C	*	E	R	C	3 7 8	◇	3159-001	*3219*
518.05	TECHNICIEN, TECHNICIENNE EN NUTRITION CLINIQUE	C	*	E	R	C	3 7 8	◇	3159-002	*3219*

Voir la p. 262 pour connaître la signification des codes.

PHOTO: Y. Beaulieu/Publiphoto

Le milieu hospitalier ne peut être comparé à aucun autre secteur de la société. En effet, un hôpital doit fonctionner sans interruption et pouvoir faire face à toute situation d'urgence, qu'il s'agisse d'un surcroît de personnes malades ou d'une grave crise qui pourrait secouer la société telle qu'un accident majeur, une épidémie ou une catastrophe naturelle. Bref, ce secteur connaît des contraintes que l'on ne retrouve dans aucun autre secteur.

Les hôpitaux, comme tout autre organisme, sont administrés par du personnel de gestion et de bureau mais, étant donné la mission particulière de l'établissement, ce personnel doit avoir certaines compétences et qualités. En effet, il ne s'agit pas de produire un bien ou de procurer un service ordinaire, mais bien de veiller au bien-être des personnes vulnérables. Les gestionnaires d'établissements hospitaliers remplissent donc des fonctions administratives qui se comparent à celles des autres organismes, mais ils doivent en plus tenir compte des besoins particuliers des bénéficiaires.

Le secteur de l'administration hospitalière compte donc des directeurs généraux de centre hospitalier, des administrateurs financiers, des planificateurs de ressources ainsi que du personnel spécialisé comme des secrétaires médicaux et des archivistes médicaux. Toutes ces personnes sont assistées par le personnel qu'on trouve habituellement dans les bureaux, dont des secrétaires, des opérateurs de système informatique et des réceptionnistes.

Il existe différents types d'établissements hospitaliers, ce qui modifie quelque peu la nature du travail administratif. Par exemple, les grands hôpitaux doivent pouvoir soigner les personnes souffrant de diverses maladies, dont les cas lourds (crise cardiaque, cancer, etc.) et les petits hôpitaux s'occupent surtout de personnes souffrant de maladies qui ne requièrent que des soins légers. Plusieurs hôpitaux, cependant, disposent d'un service des urgences qui doit répondre rapidement aux cas critiques.

On trouve aussi les hôpitaux de soins prolongés, qui s'occupent des personnes qui nécessitent de longues périodes d'hospitalisation, les cliniques médicales, qui prodiguent les soins généraux de santé, et les hôpitaux spécialisés dans certaines maladies, notamment dans les maladies cardiaques, les cancers, les soins psychiatriques, les centres de naissance, etc. À cela s'ajoutent les instituts de recherche hospitaliers qui, tout en s'occupant de personnes souffrant de maladies complexes, font progresser les connaissances médicales.

Les professionnels de l'administration des centres hospitaliers doivent donc travailler dans des conditions diverses et de plus en plus en contexte de compressions budgétaires. Le virage ambulatoire des années 90 a obligé les dirigeants d'établissements hospitaliers à organiser le réaménagement des soins de santé, ce qui a exigé et exige encore énormément d'adaptation non seulement de la part des administrateurs, mais aussi des travailleurs et de la population. Les professionnels qui dirigent les divers centres de services ont un défi de taille à relever: ils doivent à la fois s'adapter à ces changements et assurer des soins efficaces et accessibles à toutes les personnes qui peuvent avoir recours à leurs services.

CLÉO	TITRE	FORMATION	VALIDATION	RIASEC			D P C	REPÈRES	CCDP	CNP
521.01	DIRECTEUR, DIRECTRICE GÉNÉRALE DE CENTRE HOSPITALIER	U	✱	E	S	C	0 1 8	⬦	1130-114	0014
521.02	DIRECTEUR, DIRECTRICE DE DÉPARTEMENT DE SOINS HOSPITALIERS	U		E	S	C	1 1 8		—	0311
521.03	DIRECTEUR, DIRECTRICE DES SOINS INFIRMIERS	U	✱	E	S	C	1 1 8	⬦	1134-118	0311
521.04	SECRÉTAIRE MÉDICAL, SECRÉTAIRE MÉDICALE	S	✱	C	S	A	3 6 4	⬦	4111-113	1243
521.05	ARCHIVISTE MÉDICAL, ARCHIVISTE MÉDICALE	C	✱	C	R	S	3 6 4	⬦	4161-110	1413

Voir la p. 262 pour connaître la signification des codes.

520

PHOTO: Science Photo Library/Publiphoto

Les professionnels du secteur des soins généraux de santé s'occupent de prodiguer les soins de médecine générale et de chirurgie légère, contrairement aux médecins spécialistes qui se consacrent aux organes ou systèmes de l'organisme humain. Parmi ces personnes, on trouve notamment les médecins de famille, ou omnipraticiens, qui travaillent dans des cliniques médicales, des bureaux privés, ou encore des institutions comme les écoles, les centres d'hébergement ou les centres locaux de services communautaires (CLSC). Certaines de ces personnes se rendent à domicile et visitent des maisons d'hébergement. Il y a aussi les médecins en médecine d'urgence qui assurent les premiers soins aux personnes se présentant au service des urgences d'un hôpital.

Tous ces professionnels se trouvent «en première ligne». En effet, c'est généralement l'un d'entre eux que toute personne consulte dans un premier temps. Ces médecins prodiguent les soins de santé et assurent un suivi médical, consultent parfois des collègues spécialistes et dirigent les patients vers ces derniers.

522.09

Ces généralistes sont assistés, dans leurs tâches, par un certain nombre de professionnels, dont les infirmiers, les infirmiers auxiliaires, les préposés aux bénéficiaires et les infirmiers scolaires qui participent au diagnostic et à l'administration de divers soins de santé (changer les pansements, donner les médicaments, prendre les signes vitaux, etc.). Ces personnes font face à de grandes responsabilités car elles doivent pouvoir évaluer rapidement l'état de la personne souffrante, lui prodiguer les soins nécessaires et, au besoin, la diriger vers les services appropriés ou les médecins spécialistes.

Les médecins de ce secteur exercent un rôle de prévention en informant le public des mesures d'hygiène à respecter ou des soins à prodiguer dans le cas de maladies mineures. Cette prévention se fait au cours de visites dans les écoles, d'exposés devant le public, dans les médias.

Certains professionnels, dont des infirmiers et des médecins hygiénistes se consacrent entièrement à la prévention. Des inspecteurs de santé publique protègent l'environnement et la santé du public en surveillant certaines installations et en faisant respecter les règlements en matière de santé publique. Ils sont employés par les gouvernements ainsi que par des entreprises de transformation des aliments, des services de traiteur et des poissonneries.

Les professionnels qui travaillent dans les soins généraux de santé sont très en demande car la population a fréquemment recours à leurs services. On constate même une certaine pénurie dans les régions éloignées. En outre, la restructuration du système de santé et l'augmentation du nombre de personnes âgées font en sorte qu'on a de plus en plus besoin de ces professionnels.

CLÉO	TITRE	FORMATION	VALIDATION	RIASEC			D P C	REPÈRES	CCDP	CNP
522.01	OMNIPRATICIEN, OMNIPRATICIENNE	U		I	S	A	1 0 1	⊕	3111-166	3112
522.02	MÉDECIN EN MÉDECINE D'URGENCE	U	★	I	S	A	1 0 1	⊕	3111-160	3111
522.03	MÉDECIN ESTHÉTICIEN, MÉDECIN ESTHÉTICIENNE	U		I	S	A	1 0 1		—	3111
522.04	MÉDECIN HYGIÉNISTE	U		S	C	E	1 1 8		1119-186	0411
522.05	INFIRMIER, INFIRMIÈRE EN CHEF	U	★	E	S	R	1 3 4	⊕	3130-110	3151
522.06	INFIRMIER, INFIRMIÈRE	C	★	S	I	A	3 6 4	⊕	3131-130	3152
522.07	INFIRMIER, INFIRMIÈRE AUXILIAIRE	S	★	S	A	I	3 7 4	⊕	3134-110	3233
522.08	PRÉPOSÉ, PRÉPOSÉE AUX BÉNÉFICIAIRES	S		S	R	C	5 7 4	⊕	3135-110	3413
522.09	AUXILIAIRE FAMILIAL ET SOCIAL, AUXILIAIRE FAMILIALE ET SOCIALE	S	★	S	R	E	3 7 7	⊕	2333-004	6471

522.10	INFIRMIER, INFIRMIÈRE SCOLAIRE	C	★	**S**	I	A	3 6 4	⊕	3131-114	*3152*
522.11	INFIRMIER, INFIRMIÈRE EN SANTÉ AU TRAVAIL	C	★	**S**	I	A	3 6 4		3131-122	*3152*
522.12	INFIRMIER, INFIRMIÈRE DE SERVICE TÉLÉPHONIQUE	C		**S**	I	A	3 6 4		—	*3152*

Voir la p. 262 pour connaître la signification des codes.

523 Les soins spécialisés de santé

522.10

PHOTO: Science Photo Library/Publiphoto

L'organisme humain est extrêmement complexe. Chaque organe a un rôle et un fonctionnement particuliers et peut être affligé de maladies bien spécifiques. En outre, le fait que les organes interagissent les uns avec les autres et que plusieurs facteurs sociaux et environnementaux peuvent influencer la santé physique et mentale de l'être humain, plusieurs spécialités médicales ont vu le jour, ce qui a permis une répartition plus fonctionnelle des soins de santé. Ainsi, certains médecins se spécialisent dans le traitement d'un organe ou d'un système spécifique du corps humain tandis que d'autres se spécialisent dans le traitement d'un type particulier de maladie, d'anomalie ou de déficience pouvant affecter plusieurs systèmes de l'anatomie (le cancer, par exemple). D'autres encore concentrent leur pratique sur les besoins de clientèles particulières, comme les enfants ou les personnes âgées, ou sur le traitement des troubles de santé mentale. L'Ordre professionnel des médecins du Québec reconnaît, en 1997, plus de 30 champs de spécialisation différents donnant droit au titre de médecin spécialiste.

Les médecins spécialistes ont une formation en médecine générale doublée d'une spécialisation dans une discipline donnée. Grâce à leur formation poussée, ils maîtrisent les techniques les plus avancées de prévention, de diagnostic et de traitement des maladies concernant leur champ de spécialisation.

Les médecins spécialistes agissent comme médecins traitants et comme consultants auprès des omnipraticiens et d'autres spécialistes en cabinet privé et en milieu hospitalier. La plupart ont des activités cliniques dans un centre hospitalier, là où ils bénéficient du soutien et des services du personnel infirmier et technique qui collabore aux examens diagnostiques et aux soins des patients, où ils disposent d'un équipement de haute technologie et peuvent suivre de près l'état de santé des malades hospitalisés tout au long de leur traitement.

L'état actuel des sciences et de la technologie médicales est impressionnant, mais il faudra encore des siècles de recherche pour comprendre tous les mécanismes de l'organisme humain et découvrir des traitements aux maladies qu'on ne guérit pas encore et aux nouvelles maladies qui découleront de l'évolution des modes de vie et des transformations de l'environnement. C'est pourquoi la plupart des médecins spécialistes, en plus de leur pratique médicale, font de la recherche scientifique en vue d'approfondir la compréhension d'un phénomène pathologique, d'évaluer les effets d'un médicament, de mettre au point de nouvelles méthodes de diagnostic ou de traitement ou encore de découvrir et de promouvoir des mesures de prévention.

Le secteur des soins spécialisés de santé inclut également les professions liées à la médecine dentaire. Les spécialistes de ce domaine se consacrent à la prévention, au diagnostic et au traitement des maladies, des blessures et des malformations des dents, de la bouche, des maxillaires et des tissus avoisinants. Ce champ professionnel comporte plusieurs spécialités distinctes qui nécessitent une formation encore plus poussée, notamment l'orthodontie, la parodontie, la médecine buccale, la chirurgie buccale et maxillo-faciale. Les professionnels en médecine dentaire exercent généralement en cabinet privé ou en clinique spécialisée, mais quelques spécialistes en médecine et en chirurgie buccales travaillent aussi en milieu hospitalier. La dentisterie est un domaine en constante évolution qui a connu d'importants changements au cours des dernières années tant en ce qui concerne les méthodes de diagnostic et de traitement des affections du système bucco-dentaire que les techniques de restauration et de remplacement des dents. La recherche fondamentale et clinique y est très active et les spécialistes doivent s'astreindre à une formation continue exigeante afin de tenir leurs connaissances à jour et de bénéficier des plus récentes innovations scientifiques et techniques dans leur domaine.

L'OPHTALMOLOGIE, L'OPTOMÉTRIE, L'OTO-RHINO-LARYNGOLOGIE ET LA DERMATOLOGIE

CLÉO	TITRE	FORMATION	VALIDATION	RIASEC	D P C	REPÈRES	CCDP	CNP
523.01	OPHTALMOLOGISTE	U	*	**I** S A	1 0 1	⟡	3111-130	3111
523.02	OPTOMÉTRISTE	U	*	**I** S R	2 6 4	⟡	3153-110	3121
523.03	OPTICIEN, OPTICIENNE D'ORDONNANCES	C	*	**I** E R	3 6 4	⟡	3154-110	3231
523.04	ORTHOPTICIEN, ORTHOPTICIENNE	C/U	*	**I** S R	3 6 4		3159-142	3123
523.05	TECHNICIEN, TECHNICIENNE DE LABORATOIRE DE LENTILLES	C	*	**R** I C	5 7 4		8373-210	3414
523.06	OCULARISTE	C	*	**R** A S	2 6 1		3159-114	3219
523.07	OTO-RHINO-LARYNGOLOGISTE	U	*	**I** S A	1 0 1	⟡	3111-134	3111
523.08	ALLERGOLOGUE	U	*	**I** S A	1 0 1	⟡	3111-111	3111
523.09	DERMATOLOGUE	U	*	**I** S A	1 0 1	⟡	3111-114	3111

L'ORTHOPÉDIE, LA PHYSIATRIE ET LA NEUROLOGIE

CLÉO	TITRE	FORMATION	VALIDATION	RIASEC	D P C	REPÈRES	CCDP	CNP
523.21	PHYSIATRE	U	*	**I** S A	1 0 1	⟡	3111-138	3111
523.22	ORTHÉSISTE-PROTHÉSISTE	U	*	**R** A S	2 3 1	⟡	3159-110	3219
523.23	TECHNOLOGUE EN ORTHÈSES ET PROTHÈSES	C	*	**R** I A	2 6 1	⟡	3159-122	3219
523.24	PODIATRE	U	*	**S** I R	1 0 1	⟡	3119-110	3123
523.25	NEUROLOGUE	U	*	**I** S A	1 0 1	⟡	3111-122	3111
523.26	RHUMATOLOGUE	U	*	**I** S A	1 0 1	⟡	3111-144	3111

LA MÉDECINE INTERNE ET LA GYNÉCOLOGIE

CLÉO	TITRE	FORMATION	VALIDATION	RIASEC	D P C	REPÈRES	CCDP	CNP
523.31	INTERNISTE	U	*	**I** S A	1 0 1	⟡	3111-118	3111
523.32	ENDOCRINOLOGUE	U	*	**I** S A	1 0 1	⟡	3111-115	3111
523.33	GASTRO-ENTÉROLOGUE	U	*	**I** S A	1 0 1	⟡	3111-116	3111
523.34	CARDIOLOGUE	U	*	**I** S A	1 0 1		3111-110	3111
523.35	PNEUMOLOGUE	U	*	**I** S A	1 0 1	⟡	—	3111
523.36	HÉMATOLOGUE	U	*	**I** R E	1 0 1		3111-117	3111
523.37	ONCOLOGUE MÉDICAL, ONCOLOGUE MÉDICALE	U	*	**I** S A	1 0 1		3111-001	3111
523.38	NÉPHROLOGUE	U	*	**I** S A	1 0 1		3111-120	3111
523.39	UROLOGUE	U	*	**I** S A	1 0 1		3111-150	3111
523.40	OBSTÉTRICIEN-GYNÉCOLOGUE, OBSTÉTRICIENNE-GYNÉCOLOGUE	U	*	**I** S A	1 0 1	⟡	3111-126	3111
523.41	INHALOTHÉRAPEUTE	C	*	**I** R S	3 6 1	⟡	3159-134	3214

LA RADIOLOGIE ET LA MÉDECINE NUCLÉAIRE

CLÉO	TITRE	FORMATION	VALIDATION	RIASEC	D P C	REPÈRES	CCDP	CNP
523.51	MÉDECIN SPÉCIALISTE EN RADIOLOGIE DIAGNOSTIQUE	U	*	**I** R E	1 0 1	⟡	3111-142	3111

523.51

523.52	TECHNOLOGUE EN RADIOLOGIE DIAGNOSTIQUE	C	★	**I**	R	S	3 6 1	⊕	3155-114	*3215*
523.53	SPÉCIALISTE EN MÉDECINE NUCLÉAIRE	U	★	**I**	R	E	1 0 1	⊕	3111-125	*3111*
523.54	TECHNOLOGUE EN MÉDECINE NUCLÉAIRE	C	★	**I**	R	S	3 6 1	⊕	3155-110	*3215*
523.55	MÉDECIN SPÉCIALISTE EN RADIO-ONCOLOGIE	U	★	**I**	S	A	1 0 1	⊕	3111-141	*3111*
523.56	TECHNOLOGUE EN RADIO-ONCOLOGIE	C	★	**I**	R	S	3 6 1	⊕	3155-118	*3215*

LA CHIRURGIE

523.61	CHIRURGIEN, CHIRURGIENNE	U	★	**I**	S	A	1 0 1	⊕	3111-146	*3111*
523.62	CHIRURGIEN, CHIRURGIENNE PLASTIQUE	U	★	**I**	S	A	1 0 1	⊕	3111-139	*3111*
523.63	CHIRURGIEN, CHIRURGIENNE ORTHOPÉDISTE	U	★	**I**	S	A	1 0 1	⊕	3111-132	*3111*
523.64	CHIRURGIEN, CHIRURGIENNE CARDIO-VASCULAIRE	U	★	**I**	S	A	1 0 1		—	*3111*
523.65	NEUROCHIRURGIEN, NEUROCHIRURGIENNE	U	★	**I**	S	A	1 0 1	⊕	3111-124	*3111*
523.66	CHIRURGIEN, CHIRURGIENNE THORACIQUE	U	★	**I**	S	A	1 0 1	⊕	3111-002	*3111*
523.67	ANESTHÉSISTE RÉANIMATEUR, ANESTHÉSISTE RÉANIMATRICE	U	★	**I**	S	A	1 0 1	⊕	3111-154	*3111*
523.68	INFIRMIER, INFIRMIÈRE EN CHIRURGIE	C	★	**S**	R	I	3 7 4	⊕	3139-110	*3233*

Parfums médicinaux *Adieu les douloureuses injections car la génétique pourrait rendre la vaccination aussi agréable que de respirer une fleur. Des chercheurs travaillent à faire fabriquer par des plantes des composantes qui aideront notre corps à réagir contre les virus. Les vaccins obtenus pourraient être ensuite absorbés par voie nasale...*

Chirurgie prénatale *Le diagnostic d'une maladie grave chez un foetus plaçait, il n'y a pas si longtemps encore, le médecin devant une situation difficile. Que faire quand on sait que le bébé à naître sera gravement handicapé ou qu'il souffrira d'une maladie incurable?*
Heureusement, les progrès de la médecine font qu'il est maintenant possible d'opérer le foetus dans le ventre de sa mère, alors qu'il n'a que quelques mois. Les greffes et des procédures chirurgicales complexes pratiquées à ce moment évitent le rejet des tissus transplantés car le système immunitaire du foetus est encore immature. Les antibiotiques ne sont plus nécessaires puisque le bébé bénéficie dans l'utérus d'un environnement naturellement sans microbe. De surcroît, des défauts esthétiques comme les becs-de-lièvre peuvent aussi être corrigés. Compte tenu de l'excellente capacité de cicatrisation des bébés en développement, la chirurgie in vivo ne laisse pas de cicatrice.

LA PÉDIATRIE, LA GÉRIATRIE ET LA PSYCHIATRIE

523.71	GÉRIATRE	U	★	**I**	S	A	1 0 1	⊕	3111-156	*3111*
523.72	PÉDIATRE	U	★	**I**	S	A	1 0 1	⊕	3111-158	*3111*
523.73	PSYCHIATRE	U	★	**I**	S	A	1 0 1	⊕	3111-162	*3111*
523.74	INFIRMIER, INFIRMIÈRE PSYCHIATRIQUE	C	★	**S**	I	A	3 2 4	⊕	3131-138	*3152*

LA DENTISTERIE

523.81	DENTISTE	U	★	**I**	R	E	1 0 1	⊕	3113-134	*3113*

523.82	HYGIÉNISTE DENTAIRE	C	*	**I** A R	3 2 1		3157-110	*3222*
523.83	ASSISTANT, ASSISTANTE DENTAIRE	S	*	**S** A I	5 7 4		3157-114*	*3411*
523.84	PARODONTISTE	U	*	**I** R E	1 0 1		—	*3113*
523.85	ENDODONTISTE	U	*	**I** R E	1 0 1		3113-110	*3113*
523.86	ORTHODONTISTE	U	*	**I** R E	1 0 1	⊕	3113-118	*3113*
523.87	PÉDODONTISTE	U	*	**I** R E	1 0 1	⊕	3113-122	*3113*
523.88	SPÉCIALISTE EN MÉDECINE BUCCALE	U		**I** R E	1 0 1		—	*3113*
523.89	CHIRURGIEN BUCCAL ET MAXILLO-FACIAL, CHIRURGIENNE BUCCALE ET MAXILLO-FACIALE	U	*	**I** R E	1 0 1		—	*3113*
523.90	PROSTHODONTISTE	U	*	**I** R E	1 0 1	⊕	3113-130	*3113*
523.91	DENTUROLOGISTE	C	*	**R** A S	3 2 1	⊕	3157-126	*3221*
523.92	TECHNICIEN, TECHNICIENNE DENTAIRE	C	*	**R** I A	2 8 1	⊕	3157-138	*3223*
523.93	TECHNICIEN, TECHNICIENNE DENTAIRE EN CÉRAMIQUE	C	*	**R** I A	2 8 1	⊕	3157-142	*3223*
523.94	PROTHÉSISTE EN ORTHODONTIE	C	*	**R** I A	2 8 1	⊕	3157-154	*3223*
523.95	DENTISTE EN SANTÉ PUBLIQUE	U	*	**I** R E	1 0 1		—	*3113*

524

Voir la p. 262 pour connaître la signification des codes.

524   Les thérapies alternatives

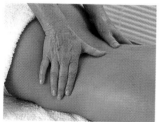

Le monde de la médecine traditionnelle a fait et continue de faire d'immenses progrès. Il repousse toujours plus loin les limites de ses interventions grâce aux nouvelles découvertes scientifiques et aux progrès technologiques. La guérison des maladies, quoique très importante, ne demeure cependant qu'un aspect de la médecine. De plus en plus, en effet, la médecine préventive est une préoccupation non seulement des professionnels de la santé, mais aussi de la population.

Parallèlement à la médecine traditionnelle, se développent des approches alternatives qui visent, elles aussi, le maintien ou l'amélioration de la santé. Ces approches sont centrées sur la stimulation des potentiels d'intégration de la personne et d'autoguérison de l'organisme humain soutenu par des interventions énergétiques, physiques, psychiques ou spirituelles.

PHOTO: B.S.I.P./Publiphoto

En réalité, ce qui caractérise les approches alternatives, c'est la vision holistique, c'est-à-dire la vision globale de la santé. Ainsi l'état émotionnel, les habitudes de vie, les habitudes alimentaires ou les difficultés situationnelles sont pris tout autant en considération que les malaises physiques éprouvés par les clients dans l'intervention auprès de ces derniers.

Plusieurs facteurs ont influencé l'arrivée de ces approches alternatives dont les moyens de communication qui ont permis d'apporter les connaissances et influences d'autres peuples et cultures. L'acupuncture est un exemple de l'influence orientale dans ce domaine.

Parmi les professionnels de ce secteur, il y a des chiropraticiens, des homéopathes, des naturopraticiens et des massothérapeutes. Bien que les approches alternatives soient encore plus ou moins marginales, elles n'en demeurent pas moins de plus en plus connues et pratiquées. Certaines disciplines sont même enseignées dans les collèges et universités (chiropractie, acupuncture). Certains professionnels qui les exercent font aussi partie d'associations qui assurent la compétence de ses membres et qui ont pour mission de protéger la clientèle des personnes qui chercheraient à s'improviser dans la pratique. Parfois nouvelles, parfois anciennes, les approches alternatives sont diversifiées. Elles semblent répondre à un besoin de plus en plus présent d'être traité d'une manière globale qui tienne compte de toutes les dimensions de la personne afin d'améliorer son état de santé et son mieux-être.

CLÉO	TITRE	FORMATION	VALIDATION	RIASEC			D P C	REPÈRES	CCDP	CNP
524.01	CHIROPRATICIEN, CHIROPRATICIENNE	U	★	I	S	R	1 0 4	◯	3117-110	3122
524.02	MASSOTHÉRAPEUTE	C	★	I	R	S	2 7 4	◯	3137-134	3235
524.03	ACUPUNCTEUR, ACUPUNCTRICE	C	★	I	R	E	1 0 1	◯	3119-112	3232
524.04	HOMÉOPATHE	U	★	I	E	R	1 0 1	◯	3119-001	3232
524.05	RÉFLEXOLOGUE	C	★	R	C	I	2 7 4		—	3232
524.06	PHYTOTHÉRAPEUTE	C	★	I	E	R	2 2 7	◯	3119-001	3232
524.07	NATUROPRATICIEN, NATUROPRATICIENNE	U	★	S	I	R	1 0 4	◯	3119-114	3123
524.08	MUSICOTHÉRAPEUTE	U	★	S	R	I	1 0 4	◯	3139-113	3144
524.09	LUDOTHÉRAPEUTE	C	★	S	R	I	1 0 4	◯	3139-114	3144
524.10	ZOOTHÉRAPEUTE	U		S	R	I	1 0 1		—	3144
524.11	SAGE-FEMME	C/U	★	I	E	S	3 2 4		3139-112	3232

Voir la p. 262 pour connaître la signification des codes.

524.01

525 Les services paramédicaux

PHOTO: J. C. Marlaud/Publiphoto

Le secteur des services paramédicaux comprend tous les professionnels qui gravitent autour des soins médicaux, autant en ce qui concerne les équipements et les laboratoires médicaux que les pharmacies et les soins de réadaptation. On trouve entre autres des pharmaciens, des assistants techniques en pharmacie, des technologistes médicaux, des technologistes en cytologie, des ingénieurs biomédicaux, des technologues en équipements biomédicaux, des physiothérapeutes, des ergothérapeutes et des orthophonistes. Ces personnes travaillent dans des centres hospitaliers, dans des laboratoires, en entreprise privée et certaines dirigent leur propre entreprise.

Il revient exclusivement aux pharmaciens de distribuer les médicaments prescrits par les médecins. Les pharmaciens qui exercent dans une pharmacie commerciale, à leur compte ou pour le compte d'une chaîne de pharmacies, répondent à la clientèle et tiennent les dossiers des clients à jour. Les pharmaciens d'hôpitaux exécutent les ordonnances et contrôlent la distribution et l'utilisation des médicaments. Certains pharmaciens d'industrie conçoivent et mettent au point de nouveaux médicaments.

Les assistants techniques en pharmacie effectuent du travail de bureau pour les pharmaciens des hôpitaux ou du secteur privé. Ils s'occupent de la préparation des ordonnances, mesurent, mélangent, emballent, étiquettent et livrent ces médicaments.

Les technologistes médicaux travaillent principalement dans des laboratoires d'analyses, notamment dans les hôpitaux ou dans des laboratoires privés. Ces technologistes effectuent des analyses du sang ou de l'urine afin de déceler certaines carences ou la présence d'anomalies et observent l'état des tissus et des cellules afin de repérer la présence de cellules cancéreuses et d'autres anomalies.

D'autres professionnels s'occupent de donner des soins de réadaptation à différents niveaux. C'est le cas par exemple des audiologistes et des audioprothésistes qui travaillent au diagnostic des troubles d'audition et à l'ajustement de prothèses auditives. Les orthophonistes travaillent au traitement et à la prévention des troubles du langage. D'autres professionnels s'occupent d'aider les personnes à retrouver un fonctionnement physique optimal comme les physiothérapeutes et les thérapeutes en réadaptation physique.

Il y a enfin les ingénieurs biomédicaux et les technologues en équipement biomédical qui s'occupent des appareils médicaux. Les ingénieurs mettent au point et conçoivent des machines. Les technologues font fonctionner ces appareils spécialisés et assurent leur entretien régulier.

Le rôle des services paramédicaux devient de plus en plus complexe. Les restrictions budgétaires dans les secteurs liés aux soins de santé ont fait en sorte que de nombreux hôpitaux confient de plus en plus de responsabilités à ces spécialistes. Il y a donc de belles perspectives d'avenir pour ceux et celles qui désirent travailler en collaboration avec les médecins au traitement et à la prévention de la maladie.

CLÉO	TITRE	FORMATION	VALIDATION	RIASEC			D P C	REPÈRES	CCDP	CNP
	LA PHARMACOLOGIE									
525.01	PHARMACIEN, PHARMACIENNE D'INDUSTRIE	U	*	I	E	S	0 6 1		2133-210	*3131*
525.02	PHARMACIEN, PHARMACIENNE D'HÔPITAL	U	*	I	E	S	0 2 1		3151-110	*3131*
525.03	PHARMACIEN, PHARMACIENNE	U	*	I	E	S	0 2 1		3151-118	*3131*
525.04	ASSISTANT TECHNIQUE, ASSISTANTE TECHNIQUE EN PHARMACIE	S	*	R	I	C	3 7 7		3159-174	*3414*
	LES ÉQUIPEMENTS MÉDICAUX									
525.11	INGÉNIEUR BIOMÉDICAL, INGÉNIEURE BIOMÉDICALE	U	*	I	R	C	0 2 1		2159-124	*2148*
525.12	TECHNOLOGUE EN ÉQUIPEMENT BIOMÉDICAL	C	*	I	R	C	3 7 1		2165-018	*2241*
	LES LABORATOIRES MÉDICAUX									
525.21	PATHOLOGISTE MÉDICAL, PATHOLOGISTE MÉDICALE	U	*	I	R	E	1 0 1		2133-202	*3111*
525.22	BIOCHIMISTE CLINIQUE	U	*	I	A	R	0 3 1		2133-246	*2112*
525.23	TECHNOLOGISTE MÉDICAL, TECHNOLOGISTE MÉDICALE	C	*	I	R	C	3 7 0		3156-134	*3212*
525.24	TECHNOLOGUE EN ÉLECTROPHYSIOLOGIE MÉDICALE	C	*	I	R	S	3 6 1		3159-004	*3218*
525.25	TECHNOLOGISTE EN CYTOLOGIE	C	*	I	R	A	2 3 1		3156-114	*3211*
525.26	TECHNICIEN, TECHNICIENNE DE SALLE D'AUTOPSIE	C	*	R	C	I	5 7 4		3159-178	*3414*
	LES SOINS DE RÉADAPTATION									
525.31	AUDIOLOGISTE	U	*	I	S	E	1 0 4		3137-110	*3141*
525.32	AUDIOPROTHÉSISTE	C	*	I	E	R	2 6 4		3159-012	*3235*
525.33	ORTHOPHONISTE	U	*	I	S	E	1 0 8		3137-114	*3141*
525.34	PHYSIOTHÉRAPEUTE	U	*	S	I	R	1 2 4		3137-122	*3142*
525.35	THÉRAPEUTE EN RÉADAPTATION PHYSIQUE	C	*	S	I	R	1 2 4		3137-001	*3142*

525.36	THÉRAPEUTE SPORTIF, THÉRAPEUTE SPORTIVE	U		**S** I R	1 2 4	⬦	—			*3142*
525.37	ERGOTHÉRAPEUTE	U	∗	**S** R E	1 2 4	⬦	3137-118			*3143*

Voir la p. 262 pour connaître la signification des codes.

530   LES SERVICES D'AIDE ET DE CONSULTATION

531   L'intervention psychologique et sociale

PHOTO: Y. Beaulieu/Publiphoto

Assurer le bien-être des membres de la société, c'est prendre soin de leur santé sur le plan physique, mais c'est aussi s'occuper de leur bien-être psychologique, de leur adaptation sociale et de leurs besoins spirituels. Même si la société comporte bien des services et des ressources pour faciliter l'existence de la population, la vie en société, le rythme trépidant de la vie actuelle et tous les changements qu'elle comporte n'ont pas enrayé les problèmes ou les difficultés d'ordre personnel ou social. En dépit de sa grande capacité d'adaptation, l'être humain a parfois besoin de recevoir de l'aide afin de pouvoir reprendre confiance, d'exploiter ses ressources intérieures et les ressources de son milieu et de vivre de façon satisfaisante.

Ce secteur d'activités comprend tous les professionnels qui tentent d'apporter de l'aide aux personnes qui éprouvent des difficultés personnelles, familiales, sociales ou professionnelles ou qui désirent entreprendre une démarche en vue d'un mieux-être. Ces professionnels de l'intervention, qu'il s'agisse des psychologues, des travailleurs sociaux, des travailleurs de rue, des psychoéducateurs, des psychothérapeutes, des conseillers d'orientation ou encore des animateurs de pastorale, aident les personnes à s'adapter à de nouvelles réalités, à traverser les moments difficiles, à faire des choix, et leur apportent du réconfort. Ils informent les personnes qui les consultent des services qui sont à leur disposition et des façons possibles de régler leurs problèmes et les encouragent à se prendre en main.

Ces personnes peuvent travailler dans diverses institutions comme les écoles, les hôpitaux, les centres locaux de services communautaires (CLSC), les ministères, les municipalités, les pénitenciers ou les organismes communautaires. Elles se spécialisent parfois dans l'intervention auprès de clientèles particulières (enfants, adolescents, adultes) ou encore dans des problématiques précises (suicide, chômage, toxicomanie, gestion de carrière, médiation familiale). Elles apportent aussi leur aide aux familles en difficulté, aux enfants ayant besoin d'une famille d'accueil, aux couples en difficulté, etc. Certains professionnels se préoccupent des problèmes existentiels. C'est le cas des ministres du culte qui assurent les services du rite religieux et le soutien spirituel ou de certains psychologues et psychothérapeutes qui intègrent la dimension spirituelle à la démarche de consultation.

Qu'il s'agisse d'aider une personne à traverser un moment de crise suicidaire, à s'adapter à un changement de vie à la suite d'un accident ou de la perte d'un emploi ou encore d'aider une personne à se sortir d'une dépendance à la drogue ou à l'alcool, les professionnels du milieu apportent leur soutien et contribuent à soulager les personnes éprouvées. Ils jouent également un rôle d'éducation en aidant les personnes à développer des attitudes, des valeurs et des comportements plus favorables à leur intégration sociale, à leur autonomie et à leur épanouissement personnel.

CLÉO	TITRE	FORMATION	VALIDATION	RIASEC	D P C	REPÈRES	CCDP	CNP
531.01	PSYCHANALYSTE	U		**I** S A	0 0 8	⬦	2315-002	*4151*
531.02	NEUROPSYCHOLOGUE	U	∗	**I** S A	0 0 8	⬦	—	*4151*
531.03	HYPNOTHÉRAPEUTE	C/U	∗	**I** E R	1 0 1	⬦	2399-130	*3232*
531.04	PSYCHOLOGUE	U	∗	**I** S A	0 0 8	⬦	2315-110	*4151*
531.05	PSYCHOSOCIOLOGUE	U	∗	**I** S A	0 6 8	⬦	2315-001	*4151*

530

531.06	PSYCHOTHÉRAPEUTE	U		**I** S A	008	⊕	—	*4151*
531.07	PSYCHOLOGUE SCOLAIRE	U	∗	**I** S A	008	⊕	2315-146	*4151*
531.08	CONSEILLER, CONSEILLÈRE D'ORIENTATION	U	∗	**S** E C	108	⊕	2391-114	*4143*
531.09	CONSEILLER, CONSEILLÈRE EN GESTION DE CARRIÈRE	U		**S** E C	108	⊕	—	*4143*
531.10	MÉDIATEUR FAMILIAL, MÉDIATRICE FAMILIALE	U		—	—		—	—
531.11	TRAVAILLEUR SOCIAL, TRAVAILLEUSE SOCIALE	U	∗	**S** I A	108	⊕	2331-124	*4152*
531.12	TECHNICIEN, TECHNICIENNE EN TRAVAIL SOCIAL	C	∗	**S** E I	328	⊕	2333-118	*4212*
531.13	TRAVAILLEUR SOCIAL, TRAVAILLEUSE SOCIALE EN SERVICE COLLECTIF	U	∗	**S** E I	328	⊕	2331-114	*4212*
531.14	TRAVAILLEUR, TRAVAILLEUSE DE RUE	S		**S** E I	328	⊕	—	*4212*
531.15	PSYCHOÉDUCATEUR, PSYCHOÉDUCATRICE	U	∗	**I** S A	008	⊕	2399-002	*4151*
531.16	TECHNICIEN, TECHNICIENNE EN ÉDUCATION SPÉCIALISÉE	C	∗	**S** E I	328	⊕	2795-001	*4212*
531.17	CONSEILLER, CONSEILLÈRE EN RÉADAPTATION	U	∗	**S** E I	008	⊕	2399-114	*4153*
531.18	CONSEILLER, CONSEILLÈRE EN TOXICOMANIE	U	∗	**S** E I	008	⊕	2331-134	*4153*
531.19	SEXOLOGUE	U	∗	**S** E I	008	⊕	2319-007	*4153*
531.20	MINISTRE DU CULTE	U	∗	**S** A I	108	⊕	2511-110	*4154*
531.21	PSYCHOTHÉRAPEUTE PASTORAL, PSYCHOTHÉRAPEUTE PASTORALE	U		**I** S A	008	⊕	—	*4151*
531.22	ANIMATEUR, ANIMATRICE DE PASTORALE	U	∗	**S** A E	328	⊕	2799-015	*4217*
531.23	AGENT, AGENTE D'ATTRIBUTION DE LA SÉCURITÉ DU REVENU	C	∗	**S** E I	328	⊕	1119-166	*4212*
531.24	GRAPHOANALYSTE	C	∗	**S** A E	358	⊕	1179-205	*6484*

Voir la p. 262 pour connaître la signification des codes.

LE SAVOIR ET LA CULTURE

LE SAVOIR ET LA CULTURE

L'ACQUISITION • L'EXPRESSION • LA CONSERVATION

La croissance d'une société et des personnes qui la composent est liée à l'acquisition et à la transmission du savoir, à l'expression et à la conservation de sa culture. Le savoir, c'est l'ensemble des connaissances acquises. Au fil du temps, le savoir augmente. Plusieurs personnes se consacrent d'ailleurs à la recherche scientifique dans le but d'élargir le champ de la connaissance et d'en trouver des applications pratiques. Si la transmission des connaissances a longtemps été presque uniquement assurée par les parents, elle est maintenant également assurée par des personnes faisant partie d'un réseau d'enseignement très organisé. L'enseignement, son organisation et ses méthodes évoluent et cherchent aussi à intégrer les outils d'apprentissage créés par les nouvelles technologies.

Le savoir et la culture d'une société cherchent également à s'exprimer. En fait, qu'il s'agisse de musique, de danse, de littérature ou d'arts visuels, les arts communiquent non seulement les connaissances, mais aussi l'expression de l'expérience humaine sous tous ses aspects (émotions, beauté, réflexion, etc.).

Les membres de toute société cherchent également à connaître les savoirs de leurs ancêtres de même qu'à conserver le leur pour le transmettre aux générations à venir. C'est ainsi que certaines personnes veillent à la transmission de l'histoire, elle-même rendue possible grâce aux témoignages (oeuvres d'art, livres ou documents variés) qui ont été archivés.

Acquisition, expression, conservation, telles sont les actions par lesquelles peut se comprendre l'organisation du savoir et de la culture d'une société.

600   LE SAVOIR ET LA CULTURE

610   L'ACQUISITION

611   L'éducation

PHOTO: Sygma/Publiphoto

Ce secteur regroupe tous les professionnels du monde de l'éducation, de la petite école jusqu'à l'université en passant par les établissements d'enseignement spécialisé et comprend non seulement le personnel enseignant, mais aussi le personnel administratif.

Selon l'ordre d'enseignement, le personnel enseignant s'occupe de plusieurs matières (français, mathématique, écologie, etc.) ou se spécialise dans une matière ou une discipline (musique, arts). La tâche des enseignants ne consiste pas seulement à transmettre des connaissances et à donner des cours en classe, mais aussi à préparer les cours, les activités d'apprentissage et les évaluations et à effectuer la correction des devoirs et des examens. Dans les établissements d'enseignement collégial, les enseignants, appelés professeurs, se consacrent à l'enseignement d'une seule matière (langue, science, philosophie, etc.) et donnent un enseignement spécialisé. Les professeurs d'université, en plus de prodiguer un enseignement encore plus spécialisé, doivent faire de la recherche scientifique dans leur domaine.

Les enseignants peuvent travailler dans divers types d'établissements, comme des instituts spécialisés, des écoles de musique ou des écoles de langues. Certains, même, donnent des leçons particulières à un élève ou à un groupe restreint d'élèves. Des spécialistes s'occupent de certaines clientèles, par exemple les professeurs pour les personnes handicapées de la vue ou encore les orthopédagogues.

Le secteur de l'éducation comprend également tous les professionnels qui assistent les enseignants dans leur travail. Il s'agit des conseillers pédagogiques, des conseillers en information scolaire et professionnelle, des spécialistes en techniques et moyens d'enseignement, des techniciens en matériel didactique, des animateurs de vie étudiante, des éducateurs et des aides scolaires, appelés couramment des aides pédagogiques individuels (API). Parmi ces professionnels, que l'on trouve à tous les ordres d'enseignement, certains agissent comme personnes-ressources tant auprès des professeurs que des élèves, d'autres travaillent avec des élèves handicapés physiques ou mentaux, aident ceux qui éprouvent des difficultés personnelles ou scolaires ou encore mettent sur pied des activités.

Il y a aussi le personnel administratif des établissements d'enseignement, dont les directeurs et les administrateurs, les coordonnateurs et les directeurs de département. Ces personnes sont assistées par des secrétaires, des commis et du personnel de bureau, indispensables au bon fonctionnement des activités du secteur.

Bien qu'exigeant, l'enseignement est un domaine qui procure de grandes satisfactions car il s'agit non seulement de transmettre des connaissances et de susciter le désir d'apprendre, mais aussi de préparer les générations de demain. Le secteur de l'éducation doit s'adapter aux changements de la société, entre autres le fait du multiculturalisme, et aux fréquentes et nécessaires mises à jour des programmes d'études prescrits par le ou la Ministre. De plus, en raison de sévères restrictions budgétaires dans le secteur de l'éducation, le nombre d'enseignants a diminué, le nombre d'élèves par classe a augmenté, ce qui a considérablement alourdi la tâche des enseignants. La fin du XXe siècle semble marquer le départ d'une grande quantité d'enseignants parvenus à l'âge de la retraite et l'arrivée d'une nouvelle génération de professeurs.

L'ÉDUCATION PRÉSCOLAIRE, PRIMAIRE ET SECONDAIRE

CLÉO	TITRE	FORMATION	VALIDATION	RIASEC	D P C	REPÈRES	CCDP	CNP
611.01	ÉDUCATEUR, ÉDUCATRICE EN GARDERIE	C	*	**S** A I	3 2 7	⊕	2731-118	4214
611.02	AIDE-ÉDUCATEUR, AIDE-ÉDUCATRICE EN GARDERIE	S	*	**S** R E	5 7 7	⊕	2731-142	6473
611.03	ENSEIGNANT, ENSEIGNANTE AU PRÉSCOLAIRE	U	*	**S** A I	1 2 8	⊕	2731-114	4142
611.04	DIRECTEUR, DIRECTRICE D'ÉCOLE	U	*	**S** I C	1 1 8	⊕	1133-142	0313
611.05	ENSEIGNANT, ENSEIGNANTE AU PRIMAIRE	U	*	**S** A I	1 2 8	⊕	2731-110	4142
611.06	ORTHOPÉDAGOGUE	U	*	**S** A I	3 2 4	⊕	2795-122	4215
611.07	PROFESSEUR, PROFESSEURE D'ARTS PLASTIQUES	U	*	**A** S I	0 2 1		2792-118	5136
611.08	PROFESSEUR, PROFESSEURE DE MUSIQUE	U	*	**I** S A	1 2 8		2711-003	4121
611.09	ORGANISATEUR, ORGANISATRICE DE L'INSTRUCTION RELIGIEUSE	U	*	**S** A E	3 2 8	⊕	2519-114	4217
611.10	PROFESSEUR, PROFESSEURE EN ENSEIGNEMENT RELIGIEUX	U		**I** S A	1 2 8		—	4121
611.11	PROFESSEUR, PROFESSEURE POUR PERSONNES DÉFICIENTES INTELLECTUELLES	U	*	**S** A I	3 2 4	⊕	2795-114	4215
611.12	PROFESSEUR, PROFESSEURE POUR PERSONNES HANDICAPÉES DE LA VUE	U	*	**S** A I	3 2 4	⊕	2795-110	4215
611.13	ÉDUCATEUR, ÉDUCATRICE EN RÉHABILITATION DES AVEUGLES	U	*	**S** A I	3 2 4		2795-126	4215
611.14	PROFESSEUR, PROFESSEURE AU SECONDAIRE	U	*	**S** I A	1 2 8	⊕	2733-110	4141
611.15	PROFESSEUR, PROFESSEURE D'ENSEIGNEMENT PROFESSIONNEL AU SECONDAIRE	U	*	**S** I A	1 2 8	⊕	2733-126	4141
611.16	PROFESSEUR, PROFESSEUR D'ÉDUCATION AU CHOIX DE CARRIÈRE	U	*	**S** I A	1 2 8	⊕	2733-002	4141
611.17	CONSEILLER, CONSEILLÈRE PÉDAGOGIQUE	U	*	**I** C E	1 2 8	⊕	2799-110	4166
611.18	CONSEILLER, CONSEILLÈRE EN INFORMATION SCOLAIRE ET PROFESSIONNELLE	U	*	**S** E C	1 0 8	⊕	2399-003	4143
611.19	TECHNICIEN, TECHNICIENNE DE MATÉRIEL DIDACTIQUE	C	*	**S** R E	5 7 7		2799-122	6472
611.20	SPÉCIALISTE DE LA MESURE ET DE L'ÉVALUATION EN ÉDUCATION	U	*	**I** C E	1 2 8	⊕	2799-001	4166
611.21	SPÉCIALISTE DES TECHNIQUES ET MOYENS D'ENSEIGNEMENT	U	*	**I** C E	1 2 8	⊕	2799-012	4166
611.22	ANIMATEUR, ANIMATRICE DE VIE ÉTUDIANTE	U	*	**S** E I	3 2 8	⊕	2339-114	4212

611.01

L'ÉDUCATION COLLÉGIALE ET UNIVERSITAIRE

611.31	REGISTRAIRE DE COLLÈGE OU D'UNIVERSITÉ	U	*	S E I	118	⌖	1133-118	*0312*
611.32	DIRECTEUR, DIRECTRICE DES SERVICES AUX ÉTUDIANTS	U	*	S E I	118	⌖	1133-114	*0312*
611.33	AIDE PÉDAGOGIQUE INDIVIDUEL, AIDE PÉDAGOGIQUE INDIVIDUELLE	U	*	S E C	108	⌖	2799-002	*4143*
611.34	COORDONNATEUR, COORDONNATRICE DE DÉPARTEMENT DANS UN COLLÈGE	U	*	S I R	128	⌖	2791-111	*4131*
611.35	PROFESSEUR, PROFESSEURE D'ENSEIGNEMENT GÉNÉRAL AU CÉGEP	U	*	S I R	128	⌖	2791-110	*4131*
611.36	PROFESSEUR, PROFESSEURE DE PHILOSOPHIE	U	*	I S A	128	⌖	2799-014	*4121*
611.37	PROFESSEUR, PROFESSEURE DE LANGUES MODERNES	U	*	S I R	128	⌖	2799-009	*4131*
611.38	PROFESSEUR, PROFESSEURE D'ART DRAMATIQUE	U	*	A S I	028	⌖	2792-122	*5135*
611.39	PROFESSEUR, PROFESSEURE EN FORMATION PROFESSIONNELLE AU COLLÈGE	U	*	S I R	128	⌖	2791-126	*4131*
611.40	DIRECTEUR, DIRECTRICE DE DÉPARTEMENT D'UNIVERSITÉ	U	*	I S A	128	⌖	2711-110	*4121*
611.41	PROFESSEUR, PROFESSEURE D'UNIVERSITÉ	U	*	I S A	128	⌖	2711-001	*4121*
611.42	AUXILIAIRE DE RECHERCHE ET D'ENSEIGNEMENT	U	*	I S A	370	⌖	2719-110	*4122*

L'ÉDUCATION AUX ADULTES

611.51	ENSEIGNANT, ENSEIGNANTE AUX ADULTES	U	*	S I A	128	⌖	2739-199	*4141*
611.52	FORMATEUR, FORMATRICE EN ENTREPRISE	S/C	*	S I R	128	⌖	2797-003	*4131*

Voir la p. 262 pour connaître la signification des codes.

---

612   La recherche

PHOTO: Diaf/Publiphoto

Les hommes et les femmes de science, par leurs recherches, contribuent à l'avancement des connaissances et à la compréhension de plusieurs phénomènes. Ces professionnels peuvent travailler dans trois domaines: les sciences pures et appliquées (physique, astronomie, paléontologie, etc.), les sciences biologiques et médicales (biochimie, physiologie, génétique, etc.), les sciences sociales et humaines (sociologie, philosophie, statistique, etc.). Leurs recherches ont une foule d'applications pratiques, entre autres l'amélioration de la qualité de vie, des soins de santé, de l'alimentation, de l'environnement et une meilleure compréhension des phénomènes sociaux.

Le secteur de la recherche est si important qu'on trouve des scientifiques dans tous les secteurs d'activités de la société: dans les entreprises, dans les agences gouvernementales, les centres de recherche, les universités et les institutions spécialisées.

Il y a quelques siècles, les grands savants pouvaient couvrir plusieurs disciplines scientifiques. Avec le temps, les connaissances sont devenues si vastes et diversifiées que les scientifiques se spécialisent maintenant dans une discipline. C'est ainsi qu'on trouve des mathématiciens, des physiciens, des biochimistes, des biologistes, des astronomes, etc. Les disciplines, quant à elles, progressent tant que les spécialistes ne peuvent plus couvrir l'ensemble des connaissances du domaine et se spécialisent davantage. Ainsi, les astronomes sont désormais des astrophysiciens, des cosmologistes ou des planétologues et se consacrent à l'étude des étoiles ou à celles des galaxies. Certains scientifiques, provenant de divers domaines de la science (géologie, biologie ou astronomie), travaillent dans des disciplines nouvelles comme l'exobiologie, une discipline visant à trouver des formes de vie extraterrestre.

Il existe différents types de carrières dans ce secteur. Les professeurs d'université transmettent des connaissances aux étudiants pour en faire des professionnels ou d'autres scientifiques, mais ils travaillent également à faire avancer les connaissances en participant à divers projets de recherche. Certains font carrière dans un centre spécialisé et consacrent leurs énergies à la recherche. D'autres encore travaillent dans une entreprise et cherchent à appliquer les plus récentes connaissances afin de les utiliser dans l'industrie, le commerce, les hôpitaux, les services sociaux, etc., ce qui les amène parfois à faire des inventions et des innovations technologiques.

612.01

Le travail d'un scientifique est très varié. Un chercheur doit constamment se tenir informé des découvertes réalisées par ses collègues un peu partout sur Terre. Une bonne partie de son travail consiste donc à participer à des congrès spécialisés, à lire des comptes rendus spécialisés et à se renseigner. Il doit aussi livrer ses propres connaissances en rédigeant des communications scientifiques ou en faisant des présentations et s'occuper de trouver les fonds nécessaires à la réalisation de ses travaux de recherche. De plus, les scientifiques travaillent rarement seuls. Ils font souvent partie d'une équipe de recherche formée d'autres scientifiques et d'assistants de recherche qui effectuent divers travaux comme des expériences en laboratoire, des entrevues, des recherches bibliographiques, etc.

La science progresse sans cesse et est une activité internationale. Un chercheur collabore souvent avec des collègues du monde entier, souvent de langues et de cultures différentes. La carrière scientifique est très exigeante, mais offre de belles perspectives à ceux et celles qui sont de grands passionnés de recherche et de sciences et qui sont désireux de contribuer à l'avancement des connaissances.

CLÉO	TITRE	FORMATION	VALIDATION	RIASEC			D P C	REPÈRES	CCDP	CNP
	LA RECHERCHE EN SCIENCES PURES ET APPLIQUÉES									
612.01	INGÉNIEUR PHYSICIEN, INGÉNIEURE PHYSICIENNE	U	★	I	R	A	0 3 1	⬦	2159-002	2148
612.02	PHYSICIEN, PHYSICIENNE	U	★	I	R	A	0 3 1	⬦	2113-001	2111
612.03	TECHNOLOGUE DE LABORATOIRE DE PHYSIQUE	C	★	I	R	C	2 3 1	⬦	2117-126	2241
612.04	PHYSICIEN, PHYSICIENNE NUCLÉAIRE	U	★	I	R	A	0 3 1	⬦	2113-142	2111
612.05	TECHNOLOGUE EN GÉNIE NUCLÉAIRE	C	★	I	R	C	2 3 1		2165-154	2232
612.06	ASTRONOME	U	★	I	A	R	0 3 1		2113-114	2111
612.07	ASTRONAUTE	U		I	A	R	0 3 1		—	2111
612.08	EXOBIOLOGISTE	U		I	A	R	0 3 1		—	2111
612.09	INGÉNIEUR, INGÉNIEURE EN INTELLIGENCE ARTIFICIELLE	U		I	R	C	0 3 1	⬦	—	2147
612.10	MATHÉMATICIEN, MATHÉMATICIENNE DE MATHÉMATIQUES APPLIQUÉES	U	★	I	R	A	0 8 8	⬦	2181-130	2161
612.11	PALÉONTOLOGUE	U	★	I	A	R	1 2 1		2112-130	2113
612.12	GÉOGRAPHE (GÉOGRAPHIE PHYSIQUE)*	U	★	I	R	S	1 2 7	⬦	2319-110	4169

* Voir la définition de Géographe dans la section alphabétique.

LA RECHERCHE EN SCIENCES BIOLOGIQUES ET MÉDICALES

612.21	BIOCHIMISTE	U	*	I	A	R	0 3 1	⊕	2133-234	*2112*
612.22	BIOPHYSICIEN, BIOPHYSICIENNE	U	*	I	R	A	0 3 1	⊕	2133-238	*2111*
612.23	TECHNOLOGUE EN BIOCHIMIE	C	*	I	R	A	2 3 1		3156-110	*3211*
612.24	BIOLOGISTE MOLÉCULAIRE	U	*	I	R	S	0 3 1	⊕	2133-254	*2121*
612.25	TECHNOLOGUE EN CHIMIE-BIOLOGIE	C	*	I	R	E	2 3 1	⊕	3156-002	*2211*
612.26	MICROBIOLOGISTE	U	*	I	R	S	0 3 1	⊕	2133-166	*2121*
612.27	MICROBIOLOGISTE MÉDICAL, MICROBIOLOGISTE MÉDICALE	U	*	I	R	E	1 0 1	⊕	2133-162	*3111*
612.28	TECHNOLOGUE EN MICROBIOLOGIE	C	*	I	R	A	2 3 1		3156-126	*3211*
612.29	BACTÉRIOLOGISTE	U	*	I	R	S	0 3 1	⊕	2133-146	*2121*
612.30	TECHNOLOGUE EN BACTÉRIOLOGIE	C	*	I	R	C	3 7 1	⊕	2135-240	*2221*
612.31	ÉPIDÉMIOLOGISTE	U		I	R	S	0 3 1		—	*2121*
612.32	VIROLOGISTE	U	*	I	R	S	0 3 1	⊕	2133-244	*2121*
612.33	IMMUNOLOGUE	U	*	I	R	S	0 3 1	⊕	2133-168	*2121*
612.34	PHYSIOLOGISTE	U	*	I	R	S	0 3 1	⊕	2133-214	*2121*
612.35	ANATOMISTE	U	*	I	R	S	0 3 1	⊕	2133-194	*2121*
612.36	GÉNÉTICIEN, GÉNÉTICIENNE	U	*	I	R	S	0 3 1	⊕	2133-250	*2121*
612.37	TOXICOLOGISTE	U	*	I	R	S	0 3 1		2133-213	*2121*

LA RECHERCHE EN SCIENCES SOCIALES ET HUMAINES

612.41	DÉMOGRAPHE	U	*	I	R	A	0 8 8	⊕	2181-003	*2161*
612.42	SOCIOLOGUE	U	*	I	S	A	1 2 8	⊕	2313-114	*4169*
612.43	THÉOLOGIEN, THÉOLOGIENNE	U		I	S	A	1 2 8		8511-001	*4121*
612.44	STATISTICIEN, STATISTICIENNE	U	*	I	R	A	0 8 8	⊕	2181-001	*2161*
612.45	TECHNICIEN, TECHNICIENNE DE RECHERCHE, ENQUÊTE ET SONDAGE	C	*	C	I	E	3 8 4	⊕	4199-214	*1454*
612.46	TECHNICIEN, TECHNICIENNE EN COLLECTE D'INFORMATION	C		C	I	E	3 8 4		—	*1454*
612.47	TECHNICIEN, TECHNICIENNE EN ENQUÊTE ADMINISTRATIVE	C		C	I	E	3 8 4		—	*1454*
612.48	TECHNICIEN, TECHNICIENNE EN STATISTIQUES	C	*	I	R	A	0 8 8	⊕	2189-114	*2161*
612.49	PSYCHOMÉTRICIEN, PSYCHOMÉTRICIENNE	U	*	I	A	S	1 2 7		—	*4169*
612.50	PSYCHOCOGNITICIEN, PSYCHOCOGNITICIENNE	U		I	S	A	0 0 8		—	*4151*
612.51	PSYLOGISTE	U		I	S	A	0 0 8		—	*4151*
612.52	PHILOSOPHE	U	*	I	S	A	1 2 8	⊕	2319-004	*4169*

612.52

612.53	GÉOGRAPHE (GÉOGRAPHIE HUMAINE)*	U	★	**I** R S	1 2 7	⊕	2319-110	*4169*
612.54	INTERVIEWEUR, INTERVIEWEUSE	C		**S** I C	5 6 4	—		*1454*

* Voir la définition de Géographe dans la section alphabétique. Voir la p. 262 pour connaître la signification des codes.

Pierre et Marie Curie *Pierre et Marie Curie, les découvreurs de la radioactivité, sont tous les deux décédés d'une trop grande exposition aux radiations. Ce n'est pas un malencontreux hasard puisque, à cette époque, les risques d'irradiation étaient totalement inconnus. Ces chercheurs de grand talent ont ainsi manipulé à mains nues des morceaux de radium et de métaux fortement radioactifs. À l'époque, des charlatans s'empressaient d'offrir de nombreux produits miracles radioactifs qui n'avaient rien à voir avec la radiothérapie d'aujourd'hui. Les doses de radiations auxquelles s'exposent les radiologistes sont aujourd'hui infimes et bien en dessous des niveaux dangereux.*

620	L'EXPRESSION
621	Les lettres et langues

PHOTO: R. Maisonneuve/Publiphoto

Le secteur des lettres et langues rassemble toutes les personnes dont le travail nécessite un talent en écriture, des connaissances littéraires ou linguistiques ou encore la maîtrise d'une ou de plusieurs langues étrangères.

L'écrit sous toutes ses formes règne en maître dans la société car il s'agit là d'un moyen privilégié d'information, de communication et d'expression. Qu'il s'agisse d'un dictionnaire, d'un roman, d'un manuel scolaire, d'une bande dessinée ou encore d'un recueil de poésie, le produit imprimé résulte du travail d'un ou de plusieurs écrivains ou auteurs. Le monde littéraire est extrêmement vaste de par les nombreux types d'ouvrages produits dans tous les domaines et répond à divers besoins: se divertir, se renseigner, consulter, apprendre.

Ce secteur comprend non seulement les gens qui manient la plume, pour ne pas dire l'ordinateur, mais également les éditeurs, les directeurs littéraires, les linguistes, les réviseurs, les traducteurs, les interprètes et d'autres spécialistes du vocabulaire comme les terminologues.

Au Québec, les écrivains (ou auteurs) qui vivent exclusivement de la publication de leurs ouvrages sont peu nombreux. En effet, il faut généralement des mois, voire des années, de travail pour rédiger un livre et les revenus qu'en tirent les auteurs ne rapportent souvent que quelques milliers de dollars. De plus, en raison d'une saturation des marchés francophones ou anglophones outre-mer et d'un réseau de distribution qui n'est pas encore au point, la plupart des écrivains décident plutôt d'exercer une profession dans un autre domaine, d'y acquérir une solide expertise puis, le moment venu, d'écrire un ouvrage de leur propre initiative ou après avoir été sollicités en ce sens par un éditeur.

Les éditeurs jouent un rôle important dans la publication et la commercialisation des ouvrages. En effet, en tant que propriétaires et directeurs des maisons d'édition, les éditeurs fournissent aux écrivains les moyens techniques et le financement nécessaires à la production, à l'impression et à la mise en marché des ouvrages. Généralement spécialisés dans un type particulier de publications (oeuvres littéraires, ouvrages documentaires, manuels scolaires ou autres), certains éditeurs mettent en oeuvre leurs propres projets d'édition en confiant le travail de rédaction à des auteurs ou encore choisissent parmi les manuscrits qui leur sont proposés ce qu'ils vont publier. Certains se spécialisent également dans la publication d'ouvrages traduits par les soins de traducteurs professionnels.

D'autres professionnels de l'écrit participent à la conception et à la production d'ouvrages destinés à la publication, notamment les spécialistes du vocabulaire (lexicographes et terminologues) qui travaillent plus particulièrement à la préparation de dictionnaires et d'écrits scientifiques ou techniques nécessitant l'emploi d'un vocabulaire spécialisé ainsi que les réviseurs qui remanient et révisent les textes afin d'en assurer la clarté et la qualité linguistique.

Quoique restreints, certains débouchés existent encore pour les personnes désireuses de faire carrière dans le domaine des langues. Parmi ces spécialistes, on trouve des interprètes qui font la traduction simultanée ou différée des communications orales dans le cadre de rencontres entre représentants politiques de pays différents, de congrès scientifiques internationaux ou autres grands événements multiethniques.

L'avènement de la communication électronique et du multimédia (CD-Rom, sites internet, catalogues électroniques, etc.) crée de plus en plus de débouchés pour les écrivains, les traducteurs et les autres spécialistes de l'écrit. Même si l'écrit tend à diminuer au profit de l'image et du son, le multimédia a besoin de personnel compétent pour produire des textes de qualité qui seront publiés sur des supports électroniques. De leur côté, les éditeurs investissent de plus en plus dans la production de CD-Rom qui constituent pour eux un nouveau créneau fort intéressant.

CLÉO	TITRE	FORMATION	VALIDATION	RIASEC			D P C	REPÈRES	CCDP	CNP
621.01	ÉCRIVAIN, ÉCRIVAINE	U	*	A	I	S	0 4 8	⊕	3351-154	5121
621.02	AUTEUR, AUTEURE DRAMATIQUE	U	*	A	I	S	0 4 8	⊕	3353-001	5121
621.03	DIRECTEUR, DIRECTRICE LITTÉRAIRE	U	*	A	I	S	2 1 8	⊕	3351-110	5122
621.04	ÉDITEUR, ÉDITRICE	U	*	E	S	C	0 1 8		—	0016
621.05	RÉVISEUR, RÉVISEURE	U	*	A	I	S	2 1 8		—	5122
621.06	LINGUISTE	U	*	I	A	S	1 2 8	⊕	2319-118	4169
621.07	LEXICOGRAPHE	U	*	A	I	S	0 2 8		3351-146	5121
621.08	TRADUCTEUR, TRADUCTRICE	U	*	I	A	S	2 8 8	⊕	3355-122	5125
621.09	TERMINOLOGUE	U	*	I	E	C	2 2 8	⊕	2319-005	5125
621.10	CRITIQUE LITTÉRAIRE	U	*	A	I	S	3 4 8	⊕	3351-150	5123
621.11	INTERPRÈTE	U	*	A	S	E	2 6 8	⊕	3355-110	5125
621.12	INTERPRÈTE GESTUEL, INTERPRÈTE GESTUELLE	C	*	A	S	E	2 6 8	⊕	3355-116	5125

622.00

Voir la p. 262 pour connaître la signification des codes.

622   La musique

PHOTO: Orchestre symphonique de Québec

La musique fait partie intégrante de la vie quotidienne. En effet, qui ne se plaît pas à en écouter? Où peut-on aller sans entendre de la musique? Il y a les trames sonores des films au cinéma, l'indicatif des émissions de télévision et des téléromans, la musique de la publicité et même la musique dans les matchs de hockey. Il existe de la musique pour tous les goûts, de tous les pays possédant des caractéristiques très particulières selon chaque culture (folklore). C'est dire que ce secteur d'activités est très vivant et qu'il fait travailler beaucoup de personnes.

Il y a bien sûr tous ceux et celles qui jouent d'un instrument de musique et qui chantent, dont les musiciens de formations populaires et d'orchestres symphoniques, les pianistes accompagnateurs, les guitaristes, les chanteurs populaires ou classiques, etc. Ces personnes ont généralement une longue formation musicale et de longues heures d'exercices ou de répétitions à leur actif. Ces musiciens donnent des concerts à divers endroits, à l'occasion de soirées de danse, de célébrations ou de festivals. Certains accompagnent des chanteurs ou font de la musique d'ambiance. D'autres se retrouvent à la télé et il est possible de les voir ou de les entendre au cours de diverses émissions.

Le monde de la musique comprend également les personnes qui sont à l'origine de la musique, comme les compositeurs, les orchestrateurs, les arrangeurs, les instrumentistes, etc. Ces spécialistes appliquent les règles de la composition musicale et font preuve de créativité.

Il existe plusieurs écoles de musique où des professeurs enseignent le chant ou des instruments comme le piano, la flûte ou la guitare à des élèves qui, selon leur talent, leurs intérêts et leur âge, choisiront peut-être de faire carrière dans la musique.

Très changeant, le monde de la musique évolue au rythme des modes, souvent passagères, et des techniques de marketing. Ainsi, dans les années 50 et 60 au Québec, des centaines d'orchestres populaires donnaient des spectacles chaque fin de semaine et il y avait du travail pour des milliers de musiciens. Cette époque glorieuse s'est terminée dans les années 70 et beaucoup d'artistes ont dû s'adapter aux changements en modifiant leur plan de carrière. Les années 80 ont marqué l'arrivée des émissions de télé spécialisées dans la musique populaire, ce qui a donné un certain regain à la musique d'ici. Depuis, plusieurs concours et des festivals de la chanson ont été mis en place afin d'encourager les musiciens ou les chanteurs et de découvrir de nouveaux talents.

La musique est un élément essentiel dans une société. Elle est présente au quotidien, au cours de fêtes, de rassemblements ou de rites comme le mariage ou les funérailles. Elle reflète non seulement une culture, une philosophie ou des émotions, mais elle accompagne aussi chaque personne dans les différents moments de sa vie, ce qui souligne toute l'importance des artistes de ce secteur.

CLÉO	TITRE	FORMATION	VALIDATION	RIASEC			D P C	REPÈRES	CCDP	CNP
622.01	COMPOSITEUR, COMPOSITRICE	U	*	A	I	R	0 8 1	⊕	3332-114	5132
622.02	ORCHESTRATEUR, ORCHESTRATRICE	U	*	A	I	R	0 8 1	⊕	3332-122	5132
622.03	ARRANGEUR, ARRANGEUSE DE MUSIQUE	U	*	A	I	R	0 8 1		3332-118	5132
622.04	CHEF D'ORCHESTRE	U	*	A	I	S	0 2 1	⊕	3332-110	5132
622.05	AUTEUR-COMPOSITEUR-INTERPRÈTE, AUTEURE-COMPOSITRICE-INTERPRÈTE	C/U		A	I	R	1 4 1		—	5132
622.06	MUSICIEN, MUSICIENNE	U	*	A	I	S	1 4 1	⊕	3332-001	5133
622.07	INSTRUMENTISTE	U	*	A	I	S	1 4 1	⊕	3332-130	5133
622.08	CHANTEUR, CHANTEUSE DE CONCERT	U	*	A	S	I	1 4 8	⊕	3332-134	5133
622.09	CHORISTE	U		A	S	I	1 4 8		3332-134	5133
622.10	CHANTEUR, CHANTEUSE POPULAIRE	C	*	A	S	I	1 4 8	⊕	3332-138	5133
622.11	PROFESSEUR, PROFESSEURE DE CHANT	U	*	S	I	R	1 2 8	⊕	2792-001	4131
622.12	MUSICIEN, MUSICIENNE POPULAIRE	C	*	A	I	S	1 4 1	⊕	3332-002	5133
622.13	MUSICIEN, MUSICIENNE DE RUE	C		A	I	S	1 4 1		3332-002	5133
622.14	CARILLONNEUR, CARILLONNEUSE	C	*	A	I	S	1 4 1		3332-128	5133
622.15	ACCORDEUR, ACCORDEUSE DE PIANO	S	*	R	I	C	3 8 4		8599-272	7445

Voir la p. 262 pour connaître la signification des codes.

Du salon au palmarès *La capacité d'enregistrer un disque de qualité professionnelle se démocratise. En 1997, un disque entièrement réalisé à la maison a atteint les sommets du palmarès en Angleterre. Grâce aux outils d'enregistrement numériques et aux logiciels de mixage peu coûteux, il est de plus en plus facile pour les nouveaux talents de montrer ce dont ils sont capables.*

PHOTO: David Street/Les Grands Ballets Canadiens

Le secteur de la danse rassemble les professionnels qui font des spectacles de danse, de ceux qui pensent ou conçoivent le spectacle à ceux qui le présentent. Il existe plusieurs types de danses, dont le ballet classique, le ballet jazz ou les grandes danses romantiques comme le tango et la valse. Il y a aussi les danses modernes et populaires qui présentent de nouvelles formes d'expression corporelle et les danses folkloriques qui perpétuent la tradition d'un pays ou d'une région. Il y a même les danses exercices et aérobiques qui joignent les plaisirs de la danse à ceux de l'exercice physique.

Certains professionnels du secteur, notamment les chorégraphes, réalisent et organisent de grands spectacles de danse, c'est-à-dire qu'ils conçoivent des présentations dansées sur des musiques agencées. Il peut s'agir de spectacles de danse classique comme le ballet ou de spectacles de danse moderne.

Certains danseurs accompagnent les orchestres, contribuent à diverses formes de spectacles (comme rythmer les présentations d'un chanteur) ou participent à des films. D'autres enseignent leur art au grand public ou à ceux qui désirent devenir des danseurs professionnels.

624

Les chorégraphes, les professeurs de danse et les danseurs travaillent en collaboration avec divers professionnels de la production artistique et de la musique comme les metteurs en scène, les compositeurs de musique pour danse et les arrangeurs et le personnel de scène, dont les éclairagistes, les régisseurs et les costumiers qui créent et préparent l'habillement des danseurs.

Le milieu de la danse est à la fois un univers qui fait rêver et un univers exigeant. Il faut faire preuve de beaucoup de persévérance, travailler très fort et surtout être passionné de son art pour pouvoir exercer dans ce secteur.

Les professionnels de la danse permettent à la population de s'offrir de bons moments de détente, qu'il s'agisse de regarder un spectacle ou de s'adonner aux danses sociales ou folkloriques et, tout comme les autres professions artistiques, ils contribuent à l'histoire culturelle de la société.

CLÉO	TITRE	FORMATION	VALIDATION	RIASEC			D	P	C	REPÈRES	CCDP	CNP
623.01	CHORÉGRAPHE	U	★	A	E	S	0	2	8	◇	3333-110	*5131*
623.02	PROFESSEUR, PROFESSEURE DE DANSE	U/C	★	A	S	I	0	2	8	◇	2792-126	*5134*
623.03	DANSEUR, DANSEUSE	U	★	A	I	S	0	4	8	◇	3333-114	*5134*

Voir la p. 262 pour connaître la signification des codes.

PHOTO: P. Roussel/Publiphoto

On imagine difficilement le nombre de spécialistes qu'il faut pour produire un film, une émission de télévision ou radiophonique, ou encore une pièce de théâtre. Il ne suffit pas d'avoir une bonne idée et quelques comédiens de talent! Il faut encore s'entourer d'une équipe de spécialistes qui créeront les décors et les costumes nécessaires, qui feront la mise en scène appropriée et qui sauront produire les images et les effets sonores qui rendront la scène réelle. Pour se faire une idée du nombre de spécialités requis, il suffit de regarder le générique d'un film ou d'une émission de télévision. La moindre production exige la participation de dizaines de personnes qui travaillent en collaboration dans une multitude de fonctions.

Le secteur de la production artistique rassemble tous ceux et celles qui se trouvent derrière la caméra et le micro. Certains s'occupent de la conception et de la réalisation, d'autres des techniques de la production ou des techniques de la scène et enfin d'autres se spécialisent dans la diffusion et la présentation. Les scénaristes-dialoguistes, les réalisateurs, les producteurs, les metteurs en scène de théâtre, les directeurs musicaux et les directeurs artistiques imaginent et conçoivent les productions. Ces spécialistes produisent, dirigent, surveillent et coordonnent les productions, du travail d'écriture et de révision des scénarios et dialogues à la réalisation du produit, en passant par les choix musicaux et les répétitions avec les artistes.

D'autres spécialistes dont les cadreurs, les preneurs de son, les aiguilleurs de télévision, les éclairagistes, les bruiteurs, les perchistes, les monteurs sonores ou les monteurs de films, fournissent une aide technique indispensable. Ce sont eux qui réalisent les prises de vue, les effets spéciaux, la préparation des montages, la présentation des projections ou des spectacles. On compte aussi les concepteurs de décors, les créateurs qui confectionnent les vêtements et les costumes des artistes (chefs costumiers, habilleurs, maquilleurs-coiffeurs) ainsi que les techniciens d'effets spéciaux.

Il y a par ailleurs les techniciens en diffusion et en enregistrement et les projectionnistes qui s'occupent du fonctionnement des stations de radio et de télévision ou des appareils de sonorisation ou de projection cinématographique.

624.01

C'est ainsi que des milliers de professionnels réalisent des productions artistiques. Le secteur de la production artistique est un domaine de création très actif, particulièrement au Québec. Le fait d'être en majorité francophone confère au Québec l'avantage de produire quantité d'émissions, ce qui n'est pas le cas des autres provinces. De plus, des villes comme Montréal et Québec attirent de plus en plus les cinéastes du monde entier. Ce secteur offre donc de belles possibilités de carrière pour les passionnés de la production artistique.

CLÉO	TITRE	FORMATION	VALIDATION	RIASEC			D P C	REPÈRES	CCDP	CNP
	LA CONCEPTION ET LA RÉALISATION									
624.01	RECHERCHISTE	U	*	A	I	S	3 4 8	◇	3353-128	5123
624.02	SCÉNARISTE-DIALOGUISTE	U	*	A	S	E	0 4 8	◇	3353-122	5121
624.03	PRODUCTEUR, PRODUCTRICE	U	*	A	E	C	1 1 8	◇	3330-001	5131
624.04	DIRECTEUR, DIRECTRICE DE PRODUCTION (CINÉMA, TÉLÉVISION)	U		A	E	R	1 3 8	—		5131
624.05	DIRECTEUR, DIRECTRICE DE LA DISTRIBUTION	U	*	A	E	R	1 3 8		3330-130	5131
624.06	IMPRÉSARIO	U	*	E	S	I	3 5 8		1179-118	6411
624.07	METTEUR, METTEUSE EN SCÈNE DE THÉÂTRE	U	*	A	E	I	1 3 8	◇	3330-162	5131
624.08	RÉALISATEUR, RÉALISATRICE	U	*	A	E	I	1 1 8	◇	3330-004	5131
624.09	ASSISTANT, ASSISTANTE À LA RÉALISATION	C	*	A	E	R	5 7 7	◇	3339-126	5227
624.10	SCRIPTE	C	*	A	E	R	5 7 7	◇	3330-002	5227
624.11	RÉGISSEUR, RÉGISSEUSE	U/C	*	A	E	C	1 6 8	◇	3330-166	5226
624.12	DIRECTEUR, DIRECTRICE ARTISTIQUE	U	*	A	E	R	1 3 8	◇	3330-170	5131
624.13	DIRECTEUR, DIRECTRICE DE LA PHOTOGRAPHIE	U	*	A	E	R	1 3 8	—		5131
624.14	DIRECTEUR MUSICAL DIRECTRICE MUSICALE	U	*	A	I	S	0 8 1	◇	3330-154	5132
624.15	DIRECTEUR, DIRECTRICE TECHNIQUE DE PRODUCTIONS ARTISTIQUES	U	*	A	E	R	1 3 8	◇	3330-006	5131
624.16	COORDONNATEUR, COORDONNATRICE DE CASCADES	U		A	R	I	1 6 8	—		5226
624.17	CASCADEUR, CASCADEUSE	C	*	A	E	R	1 4 4		3339-199	5232

624.18	TECHNICIEN, TECHNICIENNE D'EFFETS SPÉCIAUX	C	★	A	R	I	2 6 1	⊕	3339-116	*5226*
624.19	NARRATEUR, NARRATRICE	U	★	A	I	S	0 4 8		—	*5135*

LES TECHNIQUES DE LA SCÈNE

624.31	CONCEPTEUR, CONCEPTRICE DE DÉCORS	U/C	★	A	I	S	0 6 1	⊕	3313-122	*5243*
624.32	CHEF CONSTRUCTEUR, CHEF CONSTRUCTRICE DE DÉCORS	C	★	A	I	R	6 8 4		—	*5227*
624.33	PEINTRE-SCÉNOGRAPHE	U		A	I	R	0 8 1		—	*5136*
624.34	CHEF ACCESSOIRISTE	C	★	E	R	C	1 3 8	⊕	3339-110	*5226*
624.35	CRÉATEUR, CRÉATRICE DE COSTUMES	U/C		A	I	S	0 6 1		—	*5243*
624.36	CHEF COSTUMIER, CHEF COSTUMIÈRE	C	★	A	I	S	0 6 1	⊕	8553-174	*5243*
624.37	HABILLEUR, HABILLEUSE	S	★	A	I	R	2 8 1	⊕	8553-186	*5227*
624.38	MAQUILLEUR-COIFFEUR, MAQUILLEUSE-COIFFEUSE	S	★	A	S	C	3 8 1	⊕	6143-110	*5226*
624.39	MACHINISTE DE PLATEAU	S	★	R	C	I	6 8 4		*9311-158*	**5227**

LES TECHNIQUES DE PRODUCTION

624.51	CADREUR, CADREUSE	C	★	A	E	R	0 6 4	⊕	3315-178	*5222*
624.52	ÉCLAIRAGISTE	C	★	A	R	E	3 6 1	⊕	3339-120	*5226*
624.53	INGÉNIEUR, INGÉNIEURE DU SON	C/S	★	A	I	R	3 8 2		—	*5225*
624.54	CHEF OPÉRATEUR, CHEF OPÉRATRICE DU SON	C/S	★	A	I	R	3 8 2		—	*5225*
624.55	PERCHISTE	C/S	★	A	I	R	3 8 2		9559-118	*5225*
624.56	PRENEUR, PRENEUSE DE SON	C/S	★	A	I	R	3 8 2	⊕	9555-110	*5225*
624.57	BRUITEUR, BRUITEUSE	C	★	A	I	R	3 8 2		9555-130	*5225*
624.58	OPÉRATEUR, OPÉRATRICE DE TÉLÉSOUFFLEUR	C		A	E	R	5 7 7		—	*5227*
624.59	SONOTHÉCAIRE	C/S		A	I	R	3 8 2		—	*5225*
624.60	DISCOTHÉCAIRE	C	★	A	E	C	3 6 8		—	*5226*
624.61	MONTEUR, MONTEUSE DE FILMS	C	★	A	I	R	1 6 4	⊕	3330-174	*5131*
624.62	MONTEUR, MONTEUSE SONORE	C	★	A	I	R	1 6 4	⊕	9555-150	*5131*

LA DIFFUSION ET LA PRÉSENTATION

624.71	CHARGÉ, CHARGÉE DE PROGRAMMATION (RADIO, TÉLÉVISION)	U	★	A	E	C	1 6 8	⊕	3330-126	*5226*
624.72	TECHNICIEN, TECHNICIENNE EN RADIO TÉLÉDIFFUSION	C	★	R	I	C	0 6 4		—	*5224*
624.73	AIGUILLEUR, AIGUILLEUSE DE TÉLÉVISION	C	★	R	I	C	2 8 2		9551-126	*5224*
624.74	TECHNICIEN, TECHNICIENNE EN DIFFUSION ET EN ENREGISTREMENT	C	★	A	I	R	3 8 2		—	*5225*

624.74

624.75	TECHNICIEN, TECHNICIENNE D'ENTRETIEN EN TÉLÉDIFFUSION	C	∗	R I E	2 6 1	⊕	8535-126	*2242*
624.76	PRÉPOSÉ, PRÉPOSÉE À L'AUDITOIRE	C		E A R	3 4 7	—		*5231*
624.77	PROJECTIONNISTE	C	∗	R C I	6 8 4		9557-110	*5227*
624.78	PLACIER, PLACIÈRE	S	∗	R S C	6 6 8		6149-154	*6683*

Voir la p. 262 pour connaître la signification des codes.

625 Les arts de la scène

PHOTO: Explorer/Publiphoto

On les voit partout, à la télé, au cinéma, au théâtre. Ce sont les vedettes qui fascinent et dont on parle tant à la télé et dans les journaux et les magazines. Il s'agit des artistes qui interprètent des rôles ou qui donnent des spectacles: comédiens, acteurs, artistes de scène, humoristes, artistes de cirque, etc.

Certains artistes du spectacle interprètent des rôles sur scène, à la télé ou au cinéma. Ce sont en quelque sorte des caméléons dotés d'une excellente mémoire et qui sont capables d'incarner un personnage au point où le public pourrait croire qu'ils sont bel et bien ces personnages.

Il y a également les artistes de scène qui conçoivent leur propre spectacle et qui sont généralement seuls sur scène. C'est le cas des humoristes et des magiciens qui mettent au point un style et des personnages qu'ils reproduisent à la grande joie des spectateurs. C'est le cas également des mimes, des imitateurs et des ventriloques qui racontent des histoires, imitent des personnages, font des numéros de magie devant des petits groupes, au cours de congrès par exemple.

D'autres artistes du spectacle réalisent des performances étonnantes, notamment les artistes du cirque. Il s'agit des acrobates, des équilibristes, des trapézistes, des contorsionnistes, des dompteurs d'animaux, des jongleurs et des clowns qui épatent et divertissent l'auditoire. Le domaine du cirque a pris un essor très important au Québec depuis l'arrivée du Cirque du Soleil, maintenant connu partout dans le monde. Ces artistes offrent des spectacles d'une qualité exceptionnelle où s'allient performance et beauté tant sur le plan visuel que musical.

Bien que fascinant, le monde du spectacle est très exigeant. Les artistes qui veulent se tailler une place et obtenir des contrats doivent faire preuve d'une grande créativité et de persévérance. Certains ont recours aux services d'un imprésario pour les guider dans leur carrière et leur trouver des engagements. Ils travaillent le soir et les fins de semaine et sont appelés à vivre selon des horaires très variables. De plus, ils doivent être capables de gérer un stress important et de pouvoir faire face au public et à la critique.

Bref, la profession d'artiste offre beaucoup de possibilités. Il s'agit d'un secteur exigeant, mais qui procure beaucoup de satisfaction à ceux et celles qui l'exercent.

CLÉO	TITRE	FORMATION	VALIDATION	RIASEC	D P C	REPÈRES	CCDP	CNP
625.01	ACTEUR, ACTRICE	U/C	∗	A I S	0 4 8	⊕	3335-110	*5135*
625.02	HUMORISTE	U	∗	A I S	0 4 2		3359-110	*5121*
625.03	MONOLOGUISTE	C		A E R	1 4 4	—		*5232*
625.04	IMITATEUR, IMITATRICE	C	∗	A E R	1 4 4		3335-126	*5232*
625.05	MIME	C	∗	A I S	0 4 8	⊕	3335-114	*5135*
625.06	VENTRILOQUE	C	∗	A E R	1 4 4		3335-118	*5232*
625.07	MARIONNETTISTE	C	∗	A E S	1 4 4		3339-170	*5232*

625.08	MAGICIEN, MAGICIENNE	C	✳	A E R			1 4 4	3339-166	*5232*
625.09	JONGLEUR, JONGLEUSE	C	✳	A E R			1 4 4	3339-199	*5232*
625.10	CLOWN	C	✳	A E R		⊕	1 4 4	3339-162	*5232*
625.11	TRAPÉZISTE	C	✳	A E R			1 4 4	3339-199	*5232*
625.12	ÉQUILIBRISTE	C	✳	A E R			1 4 4	3339-199	*5232*
625.13	ÉCHASSIER, ÉCHASSIÈRE	C		A E R			1 4 4	—	*5232*
625.14	ACROBATE	C	✳	A E R			1 4 4	3339-199	*5232*
625.15	CONTORSIONNISTE	C		A E R			1 4 4	—	*5232*
625.16	PATINEUR, PATINEUSE ARTISTIQUE	C	✳	S R E			2 4 1	3713-110	*5251*
625.17	DOMPTEUR, DOMPTEUSE	C		A E R			1 4 4	—	*5232*
625.18	CRACHEUR, CRACHEUSE DE FEU	C		A E R			1 4 4	—	*5232*
625.19	PYROTECHNICIEN, PYROTECHNICIENNE	C	✳	A R I			2 6 1	—	*5226*

Voir la p. 262 pour connaître la signification des codes.

626   Les arts visuels

PHOTO: J.C. Hurni/Publiphoto

Le secteur des arts visuels rassemble les artistes qui créent de leurs mains des oeuvres d'art. On y trouve notamment les artistes peintres, les dessinateurs, les photographes et les sculpteurs.

Il existe plusieurs types d'artistes peintres, dont ceux qui reproduisent sur toile des paysages et des scènes de la vie quotidienne et ceux qui se spécialisent dans les portraits de personnes ou dans la création de scènes imaginaires. D'autres artistes créent des oeuvres d'art dans un but bien précis, comme illustrer des annonces publicitaires ou orner un édifice. Les artistes peintres utilisent la peinture à l'huile, l'acrylique, le pastel, l'aquarelle et ont recours à différentes techniques (pinceau, spatule, jet, etc.). Il y a aussi les sérigraphistes qui utilisent diverses techniques d'impression.

Le secteur des arts visuels comprend également les dessinateurs qui produisent des illustrations, notamment les caricaturistes, les bédéistes, les graphistes, les illustrateurs d'ouvrages ou de magazines. Certains se spécialisent dans le lettrage, c'est-à-dire qu'ils réalisent des logos ainsi que les lettres des annonces et enseignes.

Quant aux photographes, ils font de la photographie artistique pour illustrer des revues et des livres ou pour réaliser les photographies destinées à la publicité ou à l'illustration de catalogues. Certains également, dont on voit les photos dans les magazines et les quotidiens, se spécialisent dans la photographie de mode ou dans les faits divers ou l'actualité.

Les sculpteurs et les graveurs d'art réalisent des oeuvres d'art en taillant la pierre, le métal ou le bois, notamment des bustes ou des oeuvres imaginaires qui ornent certains édifices. Ils peuvent aussi créer des maquettes qui servent à différentes fins (cinéma, architecture, jouets, etc.).

Certains professionnels du secteur se consacrent à l'embellissement de nos habitations et des lieux publics. C'est le cas entre autres des décorateurs-ensembliers qui conçoivent la décoration de maisons ou d'édifices (bureaux, magasins). C'est aussi le cas des techniciens en design de présentation qui font la conception d'espaces de présentation esthétiques et attrayants, qu'il s'agisse d'étalages de magasins, de plans d'exposition ou encore de décors pour des productions artistiques (cinéma, télé, théâtre).

Certains autres travaillent dans l'industrie manufacturière. Les designers industriels et les techniciens en design industriel, par exemple, travaillent à la conception de produits variés et à la réalisation des prototypes (accessoires de cuisine ou de bureau, mobilier, robinetterie, etc.) en prenant soin d'harmoniser les aspects esthétiques et les exigences techniques des produits.

Les professions du secteur ont beaucoup évolué avec la venue des ordinateurs, qui permettent de modeler à volonté une création, de rassembler dessins, peintures et photos pour faire des oeuvres inédites et même de réaliser des représentations en trois dimensions (sculptures ou maquettes). L'informatique offre non seulement une foule de possibilités aux créateurs artistiques, mais leur ouvre aussi des champs d'application divers comme la création de décors et de personnages utilisés dans les jeux électroniques.

CLÉO	TITRE	FORMATION	VALIDATION	RIASEC	D P C	REPÈRES	CCDP	CNP
	L'IMAGE ET LES FORMES							
626.01	ARTISTE PEINTRE	U	✶	A I R	0 8 1	⊕	3311-110	5136
626.02	ILLUSTRATEUR, ILLUSTRATRICE	C/U	✶	A I R	0 2 1		—	5241
626.03	ILLUSTRATEUR, ILLUSTRATRICE DE PUBLICATION TECHNIQUE	C	✶	R I E	3 7 1		2163-176	2253
626.04	GRAPHISTE	U/C	✶	A I R	0 2 1	⊕	3314-002	5241
626.05	INFOGRAPHISTE	U/C	✶	A I R	0 2 1	⊕	3314-003	5241
626.06	TECHNICIEN, TECHNICIENNE INFOGRAPHISTE	C		A I R	0 2 1		—	5241
626.07	GRAVEUR, GRAVEUSE D'ART	U	✶	A I R	0 8 1	⊕	3311-118	5136
626.08	CARICATURISTE	U/C	✶	A I R	0 2 1	⊕	3314-134	5241
626.09	BÉDÉISTE	U/C		A I R	0 2 1		3314-134	5241
626.10	DESSINATEUR, DESSINATRICE D'ANIMATION 2D	U	✶	A I R	0 2 1	⊕	3314-114	5241
626.11	CONCEPTEUR, CONCEPTRICE D'ANIMATION 3D	U		A I R	0 2 1		—	5241
626.12	HÉRALDISTE	C/U	✶	A I R	0 6 1		3313-186	5243
626.13	SÉRIGRAPHISTE À LA MAIN	C	✶	A I R	0 8 1	⊕	9519-158	5136
626.14	LETTREUR, LETTREUSE	S	✶	A I R	3 8 1	⊕	3314-146	5223
626.15	PHOTOGRAPHE	S/C	✶	A I R	0 6 0	⊕	3315-110	5221
626.16	PHOTOGRAPHE-PORTRAITISTE	S/C	✶	A I R	0 6 0		3315-126	5221
626.17	SCULPTEUR, SCULPTEURE	U/C	✶	A I R	0 6 1	⊕	3311-114	5136
	LE DESIGN D'AMÉNAGEMENT ET DE PRODUITS							
626.31	DESIGNER INDUSTRIEL, DESIGNER INDUSTRIELLE	U	✶	A I R	0 6 1	⊕	3313-138	2252
626.32	TECHNICIEN, TECHNICIENNE EN DESIGN INDUSTRIEL	C	✶	A I R	0 6 1	⊕	2165-003	2252
626.33	DÉCORATEUR-ENSEMBLIER, DÉCORATRICE-ENSEMBLIÈRE	U/C	✶	A I S	0 2 1	⊕	3313-114	5242
626.34	AIDE TECHNIQUE EN AMÉNAGEMENT D'INTÉRIEUR	S	✶	A I R	0 6 1	⊕	3313-006	5243

CLÉO	TITRE	FORMATION	VALIDATION	RIASEC			D P C	REPÈRES	CCDP	CNP
626.35	CONCEPTEUR-DESIGNER, CONCEPTRICE-DESIGNER D'EXPOSITIONS	U	*	A	E	I	0 6 1	—		5243
626.36	TECHNICIEN, TECHNICIENNE EN DESIGN DE PRÉSENTATION	C	*	A	E	I	0 6 1	⊕	3313-009	5243
626.37	DÉCORATEUR-ÉTALAGISTE, DÉCORATRICE-ÉTALAGISTE	S	*	A	I	S	0 6 1	⊕	3319-202	5243
626.38	ÉTALAGISTE	S	*	A	I	S	0 6 1	⊕	3313-110	5243
626.39	MAQUETTISTE	C	*	A	I	R	0 2 1	⊕	3314-136	5241

Voir la p. 262 pour connaître la signification des codes.

627 Les métiers d'art

PHOTO: Archives Éditions Septembre

Les professionnels du secteur des métiers d'art fabriquent de façon artisanale des objets variés, qu'il s'agisse de chaussures, de foulards et de vêtements, de bijoux ou d'accessoires (sacs, vases, pots à fleurs, etc.). Ils travaillent divers matériaux comme le verre, la pierre, l'argile, les textiles, le cuir, le bois ou les métaux.

Dans ce secteur, certains professionnels travaillent dans la bijouterie, comme les orfèvres, les bijoutiers-joailliers, les gemmologistes, les sertisseurs de pierres précieuses, les tailleurs de pierres précieuses, qui fabriquent, montent et réparent les pièces de bijouterie et d'argenterie ou qui taillent et sertissent des pierres précieuses et des pierres fines.

Il y a aussi ceux et celles qui transforment, polissent ou gravent les matériaux comme l'argile, la pierre ou le métal, comme le font les potiers céramistes ou les ferronniers d'art. D'autres artistes, notamment les souffleurs de verre, réalisent des vases, des bibelots et divers objets utilitaires à partir du verre. Il y a aussi les vitraillistes qui conçoivent les vitraux qui ornent les églises et certains immeubles ou qui restaurent et réparent les oeuvres anciennes.

D'autres, comme les ciseleurs ou les graveurs d'art, travaillent les métaux précieux comme l'or et l'argent en vue de fabriquer des bijoux ou d'orner des surfaces. Le secteur des métiers d'art comprend également des professions aussi diverses que les tailleurs de monuments funéraires ou les artistes qui se spécialisent dans la restauration d'oeuvres anciennes, qu'il s'agisse de tableaux, de meubles, de bijoux ou de verrerie.

Les professionnels de ce secteur peuvent utiliser les méthodes à l'ancienne ou tirer avantage des techniques modernes et travailler en industrie. Les métiers d'art se caractérisent par la beauté et le soin mis à la production d'objets qui, bien que parfois semblables, sont uniques. Il est d'ailleurs possible d'admirer leurs productions dans des boutiques ou au cours d'événements tels que le Salon des métiers d'art. Quelle que soit leur production, les artisans savent épater par leur grande créativité et le soin qu'ils apportent à la fabrication de leurs produits.

CLÉO	TITRE	FORMATION	VALIDATION	RIASEC			D P C	REPÈRES	CCDP	CNP
627.01	ORFÈVRE	S/C	*	A	I	R	0 8 1		8591-210	5244
627.02	BIJOUTIER-JOAILLIER, BIJOUTIÈRE-JOAILLIÈRE	S/C	*	R	I	A	2 8 1	⊕	8591-001	7344
627.03	GEMMOLOGISTE	S/C	*	R	I	A	2 8 1	⊕	8591-118	7344
627.04	SERTISSEUR, SERTISSEUSE DE PIERRES PRÉCIEUSES	S/C	*	R	I	A	2 8 1	⊕	8591-126	7344
627.05	TAILLEUR, TAILLEUSE DE PIERRES PRÉCIEUSES	S/C	*	R	I	A	2 8 1	⊕	8591-114	7344

627.06	GRAVEUR, GRAVEUSE D'ART (ORFÈVRERIE)	U	★	**A** I R	0 8 1	◇	3311-118	*5136*
627.07	POTIER, POTIÈRE CÉRAMISTE	C/S	★	**A** I R	0 8 1	◇	8155-114	*5244*
627.08	VITRAILLISTE	C	★	**R** I S	3 6 1		8795-110	*7292*
627.09	SOUFFLEUR, SOUFFLEUSE DE VERRE (ARTISAN)	C	★	**A** I R	0 8 1		8155-230	*5244*
627.10	CISELEUR, CISELEUSE	S/C	★	**R** I A	2 8 1		8391-190	*7344*
627.11	FERRONNIER, FERRONNIÈRE D'ART	S/C	★	**A** I R	0 8 1		8339-110	*5244*
627.12	TAILLEUR, TAILLEUSE DE MONUMENTS FUNÉRAIRES	S	★	**R** I C	5 8 4		8371-110	*9414*
627.13	LUTHIER, LUTHIÈRE	C	★	**R** I C	0 8 1	◇	8549-222	*5244*
627.14	ENCADREUR, ENCADREUSE	S/C	★	**R** I C	5 8 4		8599-618	*5212*
627.15	RESTAURATEUR, RESTAURATRICE DE MEUBLES	S	★	**R** I C	6 8 4	◇	8541-130	*9494*
627.16	SELLIER, SELLIÈRE	S	★	**R** I C	5 8 1		8569-118	*9452*
627.17	ARTISAN, ARTISANE DU CUIR	S	★	**A** I R	0 8 4	◇	8569-001	*5244*
627.18	TAXIDERMISTE	S	★	**I** A R	2 8 1	◇	2353-118	*5212*
627.19	ARTISAN-TISSERAND, ARTISANE-TISSERANDE	C	★	**R** A I	0 8 4	◇	8267-190	*5244*
627.20	DENTELLIÈRE	S		**R** A I	0 8 4		—	*5244*
627.21	RELIEUR, RELIEUSE À LA MAIN	C	★	**R** A I	0 8 4	◇	9517-110	*5244*

Voir la p. 262 pour connaître la signification des codes.

| 630 | **LA CONSERVATION** |
| 631 | **L'histoire** |

PHOTO: Explorer/Publiphoto

Comment nos ancêtres ont-ils vécu à différentes époques du passé? Qu'est-ce qui explique le fonctionnement actuel de la société? Voilà le genre de questions auxquelles tentent de répondre les professionnels de l'histoire. Divers spécialistes de l'histoire, entre autres les historiens, les anthropologues, les ethnologues, les archéologues tentent de econstituer le passé plus ou moins lointain et d'expliquer l'évolution des peuples et des modes de vie au cours des siècles en étudiant les restes matériels de l'existence et des réalisations de ces peuples. À partir de divers aspects (politique, religieux, social, culturel, technologique, etc.), ils essaient d'expliquer les différences, les ressemblances et les relations entre les peuples qui ont vécu dans le passé et ceux d'aujourd'hui. Ils se servent aussi de leurs connaissances sur le passé pour expliquer le comment et le pourquoi de certains phénomènes actuels. En fait, tout ce que l'on sait aujourd'hui sur les civilisations disparues et sur l'histoire des territoires et des cultures au cours des siècles et partout dans le monde résulte des longues recherches de ces spécialistes qui remontent dans le temps.

La plupart des spécialistes de l'histoire qui participent par leurs recherches à l'acquisition de connaissances sur le passé contribuent également à la diffusion de celles-ci. Ils présentent les résultats de leurs recherches sous une forme écrite ou autre, participent en tant que consultants ou concepteurs à la réalisation de divers types de productions, enseignent ou travaillent à la mise en valeur et à la conservation des vestiges du passé.

Selon le sujet de leurs recherches et l'époque en cause, ils effectuent des fouilles dans des sites où des gens ont jadis vécu, ils traquent le passé en scrutant d'anciens écrits et objets de civilisation conservés dans des musées et des centres d'archives, ils analysent les données des recherches d'autres spécialistes ou encore font des séjours auprès de groupes sociaux de diverses cultures en vue d'observer leurs modes de vie, leurs valeurs, leurs rites religieux ou d'autres aspects de la vie en société.

Par ailleurs, il existe des spécialistes de l'histoire qui s'intéressent non pas à l'évolution des êtres humains à travers les époques, mais plutôt à leurs réalisations artistiques. Il s'agit des historiens de l'art, qui étudient plus particulièrement les oeuvres artistiques (architecture, peinture, sculpture, poterie, etc.) qui ont marqué les époques de l'Antiquité jusqu'à nos jours, et des musicologues, qui étudient l'histoire de la musique à travers les oeuvres musicales de différentes époques et cultures. En raison de leurs connaissances approfondies dans leur domaine, ces spécialistes agissent aussi très souvent comme critiques d'art actuel dans les domaines du journalisme, de la radio ou de la télévision. D'autres travaillent en recherche ou dans l'enseignement, écrivent des ouvrages, participent à divers types de productions documentaires ou encore se consacrent à la mise en valeur et à la conservation des oeuvres pour un musée ou un centre d'archives. En somme, les sociétés actuelles et futures auront toujours un passé qui demandera à être analysé et interprété et toujours besoin de spécialistes pour s'en charger.

CLÉO	TITRE	FORMATION	VALIDATION	*	RIASEC			D P C	REPÈRES	CCDP	CNP
631.01	ETHNOLOGUE	U	*	**I**	A	R		1 2 8	⊕	2313-002	*4169*
631.02	ANTHROPOLOGUE	U	*	**I**	A	R		1 2 8	⊕	2313-110	*4169*
631.03	ARCHÉOLOGUE	U	*	**I**	R	S		1 2 7	⊕	2313-118	*4169*
631.04	HISTORIEN, HISTORIENNE	U	*	**I**	S	E		1 2 8	⊕	2319-114	*4169*
631.05	HISTORIEN, HISTORIENNE DE L'ART	U		**I**	S	E		1 2 8		—	*4169*
631.06	MUSICOLOGUE	U		**A**	S	I		1 2 1		—	*5133*

Voir la p. 262 pour connaître la signification des codes.

Bang! La méthode la plus simple... *Le travail des archéologues est maintenant facilité par une technique toute simple permettant de voir sous la terre sans creuser: on tire au sol avec un fusil! Grâce aux ondes sonores que cela produit, il est possible de faire une «échographie» du sol et d'y détecter de façon précise la présence d'ossements. Le principe est simple: des capteurs détectent et analysent les vibrations que produisent les coups de feu tirés dans le sol.*

632   Les archives et la muséologie

PHOTO: SIPA-Press/Publiphoto

Les professionnels du secteur des archives et de la muséologie jouent un rôle actif dans la société. On les trouve entre autres dans les bibliothèques, les centres de documentation de grandes entreprises, les centres administratifs et dans les musées. Ils effectuent la classification et assurent l'entretien de collections de livres, de périodiques et divers autres types de documents, ils décrivent et répertorient des documents, ils créent et instaurent des systèmes de classement et des banques de données et assurent la conservation, l'entretien et la diffusion de diverses collections de meubles antiques et d'objets d'art. D'autres travaillent au sein de grandes entreprises où ils maintiennent les dossiers à la disponibilité du personnel.

Les bibliothécaires et les techniciens en documentation s'occupent de l'organisation et de la diffusion des collections de livres. Les archivistes s'occupent surtout de la conservation de documents (imprimés, documents vidéo, documents sonores, microfilms, etc.) dans des organismes. Ces spécialistes doivent, dans leurs multiples fonctions, servir la clientèle et savoir utiliser efficacement diverses banques de données spécialisées afin de repérer rapidement l'information cherchée.

De plus en plus, les grandes entreprises embauchent des spécialistes de la documentation non seulement pour maintenir les archives à jour, mais aussi pour répondre aux besoins en information du personnel. Dans certaines entreprises ou centres de documentation par exemple, des documentalistes assurent ce qu'on appelle des veilles technologiques et dépouillent les plus récentes parutions afin de tenir informé le personnel spécialisé et de fournir aux spécialistes les données dont ils pourraient avoir besoin.

Les bibliothécaires, pour leur part, ont un baccalauréat dans une discipline précise (éducation, psychologie, théologie) et une formation de deuxième cycle en bibliothéconomie, de sorte qu'ils peuvent apporter de l'aide aux personnes effectuant des recherches dans cette discipline et les aider à trouver des références pertinentes.

D'autres professionnels du secteur se consacrent à la conservation d'antiquités et d'oeuvres d'art. C'est le cas des conservateurs de musée, des techniciens en muséologie et des restaurateurs d'objets anciens qui travaillent dans des musées ou diverses institutions chargées de préserver le patrimoine. Ces personnes assurent la conservation des objets d'art et travaillent à la planification et à la mise en place d'expositions.

Les perspectives d'emploi dans ce secteur sont bonnes et variées pour ceux et celles qui, en plus de leurs connaissances des divers systèmes de classement et banques de données, se maintiennent à la fine pointe des progrès technologiques et des connaissances nouvelles dans le domaine particulier où ils exercent.

CLÉO	TITRE	FORMATION	VALIDATION	RIASEC			D P C	REPÈRES	CCDP	CNP
632.01	BIBLIOTHÉCAIRE	U	∗	S	I	A	1 2 4	◇	2351-114	5111
632.02	TECHNICIEN, TECHNICIENNE EN DOCUMENTATION	C	∗	E	C	A	3 7 4	◇	2353-134	5211
632.03	COMMIS DE BIBLIOTHÈQUE	S	∗	C	S	A	6 7 7	◇	4161-118	1451
632.04	TECHNICIEN, TECHNICIENNE EN GESTION DE DOCUMENTS	C	∗	C	I	E	2 2 8	◇	1173-126	1122
632.05	DOCUMENTALISTE	U	∗	S	I	A	1 2 4		2351-122	5111
632.06	CATALOGUEUR, CATALOGUEUSE	U	∗	S	I	A	1 2 4	◇	2351-126	5111
632.07	ARCHIVISTE	U	∗	I	E	C	1 2 4	◇	2351-146	5113
632.08	CONSERVATEUR, CONSERVATRICE DE MUSÉE	U	∗	I	E	A	1 2 8	◇	2350-110	5112
632.09	TECHNICIEN, TECHNICIENNE EN MUSÉOLOGIE	C	∗	I	A	R	3 7 7	◇	2353-132	5212
632.10	RESTAURATEUR, RESTAURATRICE D'OBJETS ANCIENS	C	∗	I	A	R	3 7 1		2353-126	5212

Voir la p. 262 pour connaître la signification des codes.

Archivage virtuel *L'arrivée d'Internet et du courrier électronique pose un beau problème pour les archivistes. Comment stocker et classer des pages web ou des messages électroniques pour s'y référer aisément par la suite? On estime que 25 à 35 % du temps de travail des employés est passé à chercher des documents, que ce soit dans des classeurs, dans un ordinateur personnel ou dans les réseaux informatiques...*
Le problème des versions intermédiaires se pose aussi: alors qu'il était autrefois facile de récolter les brouillons des auteurs, plusieurs composent directement sur traitement de texte. Il devient difficile de suivre l'évolution d'une oeuvre pendant sa création.

LA COMMUNICATION

LA COMMUNICATION

LA COMMUNICATION MÉDIATIQUE • LA COMMUNICATION ÉLECTRO-NIQUE

La communication est l'action de transmettre ou de recevoir un message, l'action d'interagir avec les autres. En fait, c'est un besoin qui est essentiel et présent dans toutes les sphères de la société. En effet, qu'il s'agisse de quérir des ressources, de produire des biens, de voir à l'organisation politique ou à l'organisation économique, d'assurer le bien-être des personnes ou d'acquérir et de transmettre le savoir et la culture, la communication est essentielle.

Le langage, dans son expression écrite ou orale, fait partie de l'évolution des personnes et de la société. Il évolue et se transforme au fil des ans, à mesure que les connaissances s'accroissent. Les moyens et les outils de communication évoluent à grande vitesse. En effet, les nouvelles technologies ne cessent d'apporter des moyens de communication qui facilitent la transmission de l'information et les interactions non seulement entre les divers membres de la société, mais aussi entre les diverses sociétés, peuples ou nations. La média-tisation et l'informatisation sont les deux actions par lesquelles peut se comprendre le besoin de communication entre les membres de la société.

700   LA COMMUNICATION

710   LA COMMUNICATION MÉDIATIQUE

711   Les relations publiques et la publicité

PHOTO: R. Maisonneuve/Publiphoto

Comment une entreprise ou une organisation s'y prend-elle pour communiquer quelque chose? Comment s'y prend-elle pour soigner son image auprès des médias, du public et des concurrents? Voilà quelques-unes des préoccupations des professionnels du secteur des relations publiques et de la publicité.

Si une entreprise veut vendre un produit ou un service, elle fait appel à une agence de publicité pour annoncer ses produits et services dans les journaux, les revues, à la télé ou à la radio. Si, par contre, l'entreprise désire faire connaître l'ensemble de ses activités ou annoncer une nouvelle, par exemple une innovation ou l'agrandissement d'un établissement, elle cherche alors à sensibiliser les médias et le public par l'entremise des relations publiques.

Le secteur des relations publiques et de la publicité comprend des services spécialisés qui se préoccupent de l'image que projettent aux yeux du public et des médias les entreprises privées, les gouvernements et administrations publiques, les associations et les regroupements divers.

Le secteur des relations publiques et de la publicité nécessite l'intervention de plusieurs professionnels dont certains provenant d'autres secteurs d'activités. Il y a d'abord les spécialistes des relations publiques qui conçoivent et planifient les stratégies et les programmes d'information et de communication en vue de promouvoir les produits et les services d'une organisation ou d'une personne. Il y a aussi les conseillers en relations publiques, les idéateurs, les publicitaires ou les photographes publicitaires. Tous contribuent à leur façon à faire connaître et à présenter une bonne image et à créer la renommée d'une compagnie ou d'une organisation, qu'il s'agisse d'industries, de compagnies, de partis politiques ou de politiciens.

Généralement, les grandes entreprises disposent de leur propre service de relations publiques et de publicité qui s'occupe de la conception de stratégies de communication, de la production de brochures et de matériel vidéo, de la rédaction de communiqués, de l'organisation de conférences de presse ou d'activités publiques, etc.

Il existe également des firmes spécialisées en relations publiques et en publicité qui offrent leur savoir-faire à tout organisme. Ces entreprises, tout comme les services de relations publiques, conçoivent des plans et stratégies de communication, préparent la documentation pour présenter l'organisme et ses activités, organisent des campagnes de presse, etc.

La société d'aujourd'hui étant submergée par l'information, le secteur des relations publiques et de la publicité a un rôle de plus en plus important à jouer, ce qui laisse entrevoir de belles perspectives pour les professionnels du secteur qui savent faire preuve d'imagination et d'audace pour faire passer un message.

CLÉO	TITRE	FORMATION	VALIDATION	RIASEC			D P C	REPÈRES	CCDP	CNP
711.01	DIRECTEUR, DIRECTRICE GÉNÉRALE DES VENTES ET DE LA PUBLICITÉ	U	∗	**E**	S	C	0 1 8	⊕	1130-134	*0015*
711.02	SPÉCIALISTE DES RELATIONS PUBLIQUES	U	∗	**E**	S	A	1 5 8	⊕	1179-146	*5124*
711.03	CONSEILLER, CONSEILLÈRE EN RELATIONS PUBLIQUES	U	∗	**E**	S	A	1 5 8		—	*5124*
711.04	ATTACHÉ, ATTACHÉE DE PRESSE	U		**E**	S	A	1 5 8		1179-146	*5124*
711.05	IDÉATEUR, IDÉATRICE	U		—			—		—	—
711.06	PUBLICITAIRE	U/C	∗	**E**	S	A	1 5 8	⊕	3351-162	*5124*
711.07	PHOTOGRAPHE PUBLICITAIRE	U/C	∗	**A**	I	R	0 6 0	⊕	3315-118	*5221*
711.08	DESSINATEUR, DESSINATRICE DE PUBLICITÉ	C/U	∗	**A**	I	R	0 2 1		3314-118	*5241*
711.09	MANNEQUIN	S	∗	**A**	E	S	6 6 8	⊕	5199-126	*5232*
711.10	PHOTOGRAPHE DE MODE	C	∗	**A**	I	R	0 6 0	⊕	3315-001	*5221*
711.11	AGENT, AGENTE D'INFORMATION	U	∗	**E**	S	A	1 5 8	⊕	3351-001	*5124*
711.12	PRÉPOSÉ, PRÉPOSÉE AU PUBLIPOSTAGE	S		—			—		—	—

Voir la p. 262 pour connaître la signification des codes.

Du cirque et des relations publiques *Un spécialiste des relations publiques avant l'heure était P. T. Barnum, du cirque Barnum & Bailey. Il n'hésitait pas à envoyer aux journaux locaux de fausses lettres critiquant l'arrivée du cirque et signalant le caractère dégradant et l'indécence du spectacle. Bien entendu, quand le cirque arrivait en ville, tous voulaient voir ce spectacle si controversé! Les relationnistes sont maintenant tenus à un code d'éthique empêchant ce genre d'excès.*

712 La presse parlée

PHOTO: Sygma/Publiphoto

La presse parlée constitue en quelque sorte les oreilles et les yeux de la société. Les professionnels du secteur travaillent à la radio et à la télévision et ont pour rôle de communiquer le plus rapidement possible l'information sur l'actualité et la culture. On y trouve entre autres les journalistes, les cadreurs, les animateurs, les commentateurs et les lecteurs de nouvelles.

Il existe une grande variété de postes de radio et de télé, souvent rassemblés en réseau (Radio-Canada, Radiomédia, TVA, etc.), qui disposent de services d'information, soit à l'interne ou en provenance d'une agence de presse comme NTR, Sport-Nouvelles, MétéoMédia. Les journalistes de ces agences recueillent l'information qui est ensuite transmise à plusieurs réseaux de radio et de télé.

La presse parlée couvre aussi bien les actualités locales, nationales qu'internationales, les faits divers, la météo, la circulation, la politique, les sports, les événements majeurs (guerres, catastrophes naturelles) que les grandes rencontres (jeux sportifs, manifestations, congrès). Ce secteur suit le domaine artistique (arts et spectacles, musique, films, vie des vedettes, etc.) et traite de nombreux sujets allant des préoccupations quotidiennes (relations en société, monde du travail) et des problèmes de la vie moderne (pauvreté, abus de pouvoir, nouvelles technologies) à certains aspects de la société (programmes sociaux versus restrictions budgétaires), vieillissement de la population).

Une bonne part du travail des professionnels du secteur de la presse parlée consiste à chercher, à recueillir l'information, puis à la présenter verbalement aux auditeurs. Dans le cas de la télé, il faut en plus montrer l'information de manière à la fois pertinente, spectaculaire et vivante. Les médias parlés mettant beaucoup l'accent sur l'instantanéité des événements, les professionnels doivent posséder un esprit vif et une grande capacité d'adaptation.

Les professionnels du secteur doivent être constamment à l'affût de ce qui se passe dans le domaine qu'ils couvrent, être capables de réagir rapidement, savoir maintenir de bons contacts humains et mener à bien des entrevues. La nouvelle étant éphémère, ils doivent suivre l'actualité, voire la précéder. Ils doivent également avoir un bagage de connaissances le plus vaste possible et une bonne maîtrise de la langue, ce qui est particulièrement nécessaire pour les animateurs qui peuvent, à tout moment, devoir traiter de n'importe quel sujet.

L'apparition de nouvelles chaînes de télévision, notamment les postes spécialisés comme RDI (le Réseau de l'information), RDS (le Réseau des sports), TV-5 et le canal D, a contribué à l'essor considérable qu'a connu la presse parlée depuis les années 80. Par contre, en raison de la disparition de plusieurs diffuseurs de radio AM, plus propice à l'information parlée que la radio FM, la radio connaît des moments difficiles.

La venue de nouveaux médias électroniques et de la télévision à «cent postes» ainsi que la mondialisation des marchés sont trois éléments qui devraient contribuer à la santé du secteur de la presse parlée au cours des prochaines années. Ainsi, on assistera à une spécialisation de plus en plus grande et à une croissance des médias en diverses langues. Bref, de belles perspectives se présentent pour ceux et celles qui maîtriseront les nouvelles technologies de l'information et qui pourront parler plusieurs langues.

713

CLÉO	TITRE	FORMATION	VALIDATION	RIASEC			D P C	REPÈRES	CCDP	CNP
712.01	JOURNALISTE (PRESSE PARLÉE)*	U/C	★	A	I	S	3 4 8	◌	3337-116	5123
712.02	LECTEUR, LECTRICE DE NOUVELLES	U/C	★	A	I	S	3 4 8		3353-118	5123
712.03	ANIMATEUR, ANIMATRICE (RADIO, TÉLÉVISION)	C	★	E	A	R	3 4 7	◌	3337-114	5231
712.04	COMMENTATEUR SPORTIF, COMMENTATRICE SPORTIVE	U	★	E	A	R	3 4 7	◌	3337-118	5231

* Voir la définition de Journaliste dans la section alphabétique.

Voir la p. 262 pour connaître la signification des codes.

713   La presse écrite

PHOTO: P. Logwin/Publiphoto

Pourquoi lisez-vous une revue ou un journal? Malgré le déluge de données d'information que l'on reçoit quotidiennement de la télé et de la radio, on ressent souvent le besoin de lire les quotidiens et les magazines, des publications qui traitent l'actualité plus en profondeur et qui abordent des sujets moins couverts par la presse parlée.

Le travail des journalistes de la presse écrite consiste principalement à livrer une information précise et fignolée. Il y a en outre les chroniqueurs et les éditorialistes qui transmettent leurs analyses et réflexions sur les questions de l'heure et les photographes de presse.

Les chefs de pupitre ou les rédacteurs en chef, généralement des personnes qui disposent d'une solide expérience médiatique, décident de ce qui paraîtra dans la publication. Quant aux chroniqueurs et aux éditorialistes, ce sont souvent des journalistes qui possèdent un véritable talent d'écriture ou une expertise dans un domaine particulier, en politique ou en économie, par exemple.

Le travail des journalistes dans un quotidien consiste à présenter efficacement la nouvelle, en fournissant le plus d'information possible en un minimum d'espace. Ils doivent avoir un esprit de synthèse, avoir la plume facile et rapide. La production d'un quotidien est d'ailleurs une activité étonnante quand on songe que presque rien du journal d'après-demain n'existe en ce moment...

Quant à ceux et celles qui écrivent pour les magazines, ils doivent fouiller la nouvelle, faire des enquêtes, interviewer de nombreuses personnes et aller au-delà de l'actualité. Ils doivent faire preuve de rigueur, d'originalité et d'imagination et présenter leur matière de façon intéressante.

Les temps ont changé. Pendant longtemps, les journalistes des entreprises de presse ont fait partie du personnel permanent. Maintenant, les entreprises font de plus en plus appel à des pigistes, ces «collaborateurs spéciaux» qui, souvent, ont des connaissances approfondies dans un domaine. Alors que les journalistes ont longtemps eu une formation scolaire générale, la nouvelle génération possède, en plus du talent d'écriture, des diplômes universitaires dans des sphères de compétence comme l'économie, l'éducation, les sciences, la politique, etc.

Le fait que la télé et la radio couvrent les événements en direct augmente la concurrence que livre la presse parlée aux quotidiens, qui ont de plus en plus de difficulté à survivre. Les magazines, par contre, connaissent de belles années. Il suffit de regarder la variété et le nombre de publications pour s'en convaincre.

La présence de plus en plus de boutiques spécialisées dans la vente de quotidiens et de revues fait en sorte que le secteur de la presse écrite se porte bien, mais la concurrence est vive et provient de tous les pays de monde.

La création des nouvelles technologies entraîne souvent de nouvelles professions. Depuis les années 80, les salles de presse se sont informatisées, les pigistes ont leur propre ordinateur. L'arrivée d'Internet marque le début d'une nouvelle tendance pour la presse écrite, qui a recours à cet outil de recherche et de communication. De nouvelles voies s'ouvrent, dont la collaboration à des publications «virtuelles», des bulletins d'information souvent spécialisés qui n'existent que sur les inforoutes électroniques.

CLÉO	TITRE	FORMATION	VALIDATION	RIASEC			D P C	REPÈRES	CCDP	CNP
713.01	RÉDACTEUR, RÉDACTRICE EN CHEF DE L'INFORMATION	U	★	A	I	S	2 1 8	⊕	3351-190	5122
713.02	ÉDITORIALISTE	U	★	A	I	S	3 4 8	⊕	3351-170	5123
713.03	CHEF DE PUPITRE	C	★	A	I	S	3 8 4	⊕	3351-194	1452
713.04	JOURNALISTE (PRESSE ÉCRITE)*	U/C	★	A	I	S	3 4 8	⊕	3351-174	5123
713.05	JOURNALISTE SPORTIF, JOURNALISTE SPORTIVE	U/C		A	I	S	3 4 8		3351-174	5123
713.06	CRITIQUE D'ART	U	★	A	I	S	3 4 8		—	5123
713.07	CHRONIQUEUR, CHRONIQUEUSE	U	★	A	I	S	3 4 8	⊕	3351-166	5123
713.08	PHOTOGRAPHE DE PRESSE	U/C	★	A	I	R	0 6 0	⊕	3315-130	5221
713.09	CORRECTEUR, CORRECTRICE D'ÉPREUVES	U	★	C	I	E	5 8 7		4199-174	1452
713.10	OPÉRATEUR, OPÉRATRICE DE SYSTÈMES D'ÉDITIQUE	S/C	★	R	C	E	3 8 4		9511-110	1423

* Voir la définition de Journaliste dans la section alphabétique.

Voir la p. 262 pour connaître la signification des codes.

PHOTO: Photo Researchers/Publiphoto

L'apparition des ordinateurs et des appareils de télécommunication, en plus de relever des professionnels qui travaillent à la conception et à la fabrication des appareils, nécessite l'apport de divers professionnels qui travaillent à concevoir des logiciels, à administrer des systèmes informatiques et des bases de données et à faire fonctionner des ordinateurs. Ces derniers offrent également des services-conseils afin de permettre à diverses entreprises d'implanter, d'améliorer ou de mettre à jour les systèmes informatiques leur permettant de faciliter la gestion des données et des communications nécessaires à leur bon fonctionnement et à leur croissance.

L'informatique est au coeur de la communication dans la société moderne. Dans les années 70, personne n'aurait pu imaginer à quel point les ordinateurs allaient transformer la vie de chacun. Déjà en 1997, ces machines se trouvent partout alors que ce n'est que le début de la révolution des communications électroniques.

721

La communication électronique a d'abord transformé le travail de bureau: les secrétaires et le personnel ont dû se mettre à l'ère de la bureautique et échanger leurs machines à écrire contre les ordinateurs. Elle a également envahi les petits commerces et les entreprises de détail avec les caisses enregistreuses informatisées, ce qui a permis une gestion plus efficace des inventaires et une meilleure comptabilité. Évidemment, toutes les professions directement liées à la communication, notamment le journalisme, ont évolué avec la venue de l'informatique.

L'arrivée des ordinateurs a fait disparaître ou a modifié certaines professions dans plusieurs secteurs. C'est le cas, par exemple, du métier de typographe qui est en voie de disparaître. De nombreuses professions ont vu le jour, dont les concepteurs de logiciels et les spécialistes en sécurité de systèmes informatiques. D'ailleurs, l'industrie du logiciel est en effervescence au Québec. En effet, quelque 500 entreprises, pour la plupart de petite taille, ont produit jusqu'à maintenant des milliers de logiciels.

La plupart des firmes de logiciels exportent la très grande majorité de leur production, ce qui pourrait représenter un montant de l'ordre du milliard de dollars. Certaines firmes ou centres de recherche se concentrent sur des créneaux très spécialisés; par exemple le traitement automatisé de la parole, de la langue parlée ou écrite ou encore le traitement de l'image.

La révolution imposée par les ordinateurs ne cesse de s'accentuer avec la venue d'outils comme les modems, les télécopieurs, les lecteurs optiques et Internet. Désormais, les ordinateurs sont reliés et il est possible d'échanger n'importe quelle forme de document. Cela donne lieu à de nouveaux modes de travail, dont celui en réseau où des personnes collaborent à une même activité sans être au même endroit. Il y a également le télétravail qui permet à une personne de faire du travail spécialisé pour son employeur tout en étant à distance de l'entreprise. Les communications électroniques permettent donc à certaines personnes de se créer un emploi à leur mesure selon leurs goûts et besoins.

Le secteur de l'informatique et des télécommunications requiert de la créativité et une connaissance technique des logiciels et du fonctionnement des appareils informatiques. De plus, comme c'est un secteur en constante évolution, il faut se tenir sans cesse au fait des nouveautés dans le domaine. L'informatique évolue à un rythme tel qu'il est impossible de prévoir les types d'emplois qui seront créés dans quelques années. Une chose est certaine cependant, le réseau Internet bouleversera profondément la société. Des inventeurs mettront au point de nouveaux outils. Quel genre d'outils? Difficile à dire, car il n'y a pas si longtemps, on ignorait tout du télécopieur, du lecteur optique, du modem et d'Internet. On ne peut toutefois que constater que la conception de logiciels est un domaine en pleine effervescence et qu'à ce niveau, les entreprises québécoises se trouvent parmi les plus importantes au Canada. En fait, le domaine du logiciel et les services-conseils sont en pleine croissance et promettent un bel avenir.

LE DÉVELOPPEMENT ET LA GESTION DES SYSTÈMES

CLÉO	TITRE	FORMATION	VALIDATION	RIASEC	D P C	REPÈRES	CCDP	CNP
721.01	INGÉNIEUR, INGÉNIEURE EN TÉLÉCOMMUNICATION	U	★	**I** R E	0 3 1		—	2133
721.02	ARCHITECTE DE SYSTÈMES INFORMATIQUES	C/U		**E** S I	2 2 1			2162
721.03	CONCEPTEUR, CONCEPTRICE DE LOGICIELS	C/U	★	**E** S I	2 2 1		2183-116	2162
721.04	ANALYSTE EN INFORMATIQUE DE GESTION	U	★	**E** S I	2 2 1	⊕	2183-110	2162
721.05	ANALYSTE EN INFORMATIQUE	U	★	**E** S I	2 6 1		2183-116	2162
721.06	ADMINISTRATEUR, ADMINISTRATRICE DE SYSTÈMES INFORMATIQUES	C/U	★	**E** S I	2 2 1		—	2162
721.07	ADMINISTRATEUR, ADMINISTRATRICE DE BASES DE DONNÉES	C/U		**E** S I	2 2 1			2162
721.08	GESTIONNAIRE DE RÉSEAU	C/U		**I** R C	2 6 1		—	2163
721.09	TECHNOLOGUE EN INFORMATIQUE	C	★	**I** R C	2 6 1	⊕	2183-199	2163
721.10	SPÉCIALISTE EN MATÉRIEL INFORMATIQUE	C	★	**I** R C	2 3 1	⊕	2183-154	2241
721.11	SPÉCIALISTE EN INFORMATIQUE MÉDICALE	C/U		**I** R C	2 6 1		—	2163
721.12	SPÉCIALISTE EN SÉCURITÉ DE SYSTÈMES INFORMATIQUES	C/U		**I** R C	2 6 1		—	2163
721.13	EXPERT-CONSEIL, EXPERTE-CONSEIL EN INFORMATIQUE	U	★	**E** I S	2 5 8	⊕	5131-116	6221

L'OPÉRATION DES ORDINATEURS ET DES APPAREILS DE TÉLÉCOMMUNICATION

CLÉO	TITRE	FORMATION	VALIDATION	RIASEC	D P C	REPÈRES	CCDP	CNP
721.21	SPÉCIALISTE EN TÉLÉCOMMUNICATIONS (INFORMATIQUE)	C	★	**I** R C	0 3 1		2183-162	2147
721.22	RADIOTÉLÉPHONISTE	S	★	**R** I S	3 6 4	⊕	9553-114	1475
721.23	RADIOTÉLÉGRAPHISTE	S	★	**R** I S	3 6 4	⊕	9553-110	1475
721.24	TECHNICIEN, TECHNICIENNE EN BUREAUTIQUE	C		**C** S A	3 6 4		—	1241
721.25	OPÉRATEUR, OPÉRATRICE À LA SAISIE DES DONNÉES	S	★	**C** R E	5 8 4		4143-112	1422
721.26	OPÉRATEUR, OPÉRATRICE D'ORDINATEUR	S	★	**I** C R	3 6 4	⊕	4143-110	1421

Voir la p. 262 pour connaître la signification des codes.

Le test de Turing: humain ou machine? *Viendra peut-être un jour où les ordinateurs seront si «intelligents» qu'il deviendra difficile de les différencier d'un humain. Se penchant sur la question, un philosophe et mathématicien, Alan Turing, a défini un test qui porte maintenant son nom. En discutant par l'entremise de claviers, un groupe d'évaluateurs doit faire la différence entre un ordinateur et un humain situés dans une autre pièce. Si les évaluateurs n'y parviennent pas, le temps sera venu de déclarer l'ordinateur intelligent!*

721.01

PHOTO: Photo Researchers/ Publiphoto

Encore quasi inexistante au début des années 90, l'industrie du multimédia est dorénavant en pleine expansion dans les sociétés branchées sur les nouvelles technologies de l'information. Le Québec occupe une place de choix dans ce nouveau marché en forte croissance. Ainsi, plus de 350 entreprises (la plupart comptant moins de 10 employés) se sont lancées dans la fabrication de produits multimédias depuis 1990 et certaines se sont même taillé une réputation mondiale pour l'originalité et la qualité technique de leurs produits. Mais qu'est-ce au juste qu'un produit multimédia? Le terme multimédia désigne l'intégration sur un même support électronique (CD-Rom, disque vidéonumérique, disquette, site web, borne interactive, etc.) de plusieurs formes de contenus d'information que l'usager peut explorer à sa convenance grâce à des liens programmés (appelés hypertextes) lui permettant de naviguer d'une page-écran à une autre sans ordre déterminé.

Les produits multimédias découlent directement des nouvelles technologies informatiques ayant permis la numérisation de toutes les formes d'information: textes, voix, musique, photos, graphiques, tableaux de données, vidéos, séquences d'animation en deux ou en trois dimensions. Ainsi les sons, images et textes intégrés en un seul ensemble informatique peuvent être manipulés de façon simultanée et interactive. Déjà, les sites internet et les CD-Rom offerts sur le marché laissent entrevoir les immenses possibilités de ces nouvelles technologies, mais on s'attend à ce que les produits de l'avenir intègrent des médias beaucoup plus variés, et ce, de façon de plus en plus ingénieuse.

722.02

À titre d'exemple dans le domaine du multimédia, le fleuron de l'industrie est bien entendu Softimage, connu pour son expertise en animation, qui appartient à Microsoft. Toutefois, l'entreprise demeure à Montréal et connaît une croissance remarquable. Il y a aussi Discrete Logic, l'autre grande firme québécoise d'animation qui est aussi importante que Softimage sur les marchés internationaux.

La mise au point de cette nouvelle façon de présenter et de diffuser de l'information ouvre des voies d'application dans tous les domaines: publicité, commerce, formation en entreprise, divertissement, arts et culture, médecine, éducation, etc. Selon les experts, les produits multimédias provoqueront dans un proche avenir une véritable révolution des modes de communication... à condition d'avoir accès à un ordinateur performant.

Un tel marché a, bien sûr, besoin de professionnels compétents, entre autres de concepteurs de contenus pour scénariser de l'information sous une forme arborescente selon les exigences d'interactivité des produits multimédias, de «pros» de l'informatique qui maîtrisent les logiciels de traitement et de stockage de l'information pour réaliser la programmation interactive des produits, de chargés de projets pour superviser efficacement les équipes de production et de gens d'affaires audacieux pour obtenir des contrats de production ou prendre en charge la commercialisation de produits destinés au grand public.

Le secteur du multimédia offre des perspectives d'emploi prometteuses dans les entreprises spécialisées en production multimédia et les entreprises du domaine des communications (éditeurs, agences de publicité, sociétés de télécommunication, producteurs en cinéma et télévision, etc.), de plus en plus nombreuses à mettre en place leur propre service de production multimédia.

Même si le secteur du multimédia a contribué à la création d'emplois dans les années 90 (plus de 2 500 au Québec), il faut préciser que cela englobe le grand nombre de professionnels des communications qui ont dû réorienter leur carrière vers le multimédia. La production multimédia faisant appel à une façon radicalement différente et non linéaire de penser et de créer, ce secteur est appelé à avoir de plus en plus besoin de professionnels innovateurs, dynamiques et faisant preuve d'une grande créativité.

CLÉO	TITRE	FORMATION	VALIDATION	RIASEC			D P C	REPÈRES	CCDP	CNP
722.01	CONSEILLER, CONSEILLÈRE EN COMMUNICATION ÉLECTRONIQUE	C/U		E	S	I	2 2 1		—	2162
722.02	DIRECTEUR, DIRECTRICE DE PRODUCTION MULTIMÉDIA	C/U		A	E	R	1 3 8		—	5131

722.03	CONCEPTEUR-IDÉATEUR, CONCEPTRICE-IDÉATRICE DE PRODUITS MULTIMÉDIAS	C/U	**A**	I	R	0 2 1	—	*5241*
722.04	CONCEPTEUR, CONCEPTRICE DE JEUX ÉLECTRONIQUES	C/U	**A**	I	R	0 2 1	—	*5241*
722.05	CHARGÉ, CHARGÉE DE PROJET MULTIMÉDIA	C/U	**E**	S	I	2 2 1	—	*2162*
722.06	VIDÉOGRAPHE	C	**A**	I	R	3 8 2	—	*5225*
722.07	SCÉNARISTE EN MULTIMÉDIA	C/U	**A**	I	S	0 4 8	—	*5121*
722.08	DESIGNER VISUEL, DESIGNER VISUELLE EN MULTIMÉDIA	C/U	**A**	I	R	0 2 1	—	*5241*
722.09	PRODUCTEUR, PRODUCTRICE AUDIO EN MULTIMÉDIA	C/U	**A**	E	I	1 3 8	—	*5131*
722.10	DESIGNER D'INTERFACE MULTIMÉDIA	C/U	**E**	S	I	2 2 1	—	*2162*
722.11	DIRECTEUR, DIRECTRICE INFORMATIQUE MULTIMÉDIA	C/U	**I**	R	C	2 6 1	—	*2163*
722.12	ASSEMBLEUR-INTÉGRATEUR, ASSEMBLEUSE-INTÉGRATRICE EN MULTIMÉDIA	C/U		S	I	2 2 1	—	*2162*
722.13	TESTEUR, TESTEUSE DE PRODUITS MULTIMÉDIAS	C/U	**R**	I	C	5 8 7	—	*9483*
722.14	WEBMESTRE	C/U	**E**	S	I	2 2 1	—	*2162*

Voir la p. 262 pour connaître la signification des codes.

Multimédia québécois... in California *Silicon Valley, en Californie, un petit corridor de 150 kilomètres de long, est le parfait exemple du rêve américain informatique: plus de 6 000 entreprises de haute technologie y sont installées. Reconnus pour leur expertise et leur talent en matière de multimédia, de nombreux programmeurs de chez nous y font la belle vie. Des Québécois ont collaboré aux effets spéciaux des films comme «Histoire de jouets» et «La guerre des étoiles» nouvelle mouture. Surveillez les génériques des films à gros budgets américains pour y chercher les noms québécois. Qui sait, il n'est pas irréaliste que le vôtre puisse s'y retrouver!*

Un concert acoustique... informatique *Avec toute les fonctions multimédias que l'ordinateur possède, celui-ci est maintenant considéré comme un instrument de musique en soi. En effet, depuis 1990, une université japonaise offre un cours de création musicale où l'étudiant apprend à se servir de logiciels et d'ordinateurs pour composer, enregistrer et effectuer les arrangements de ses pièces musicales. Comme les compositions sont créées directement en format numérique, certains étudiants s'empressent même de diffuser leur création dans Internet.*

LES INDEX

A

* Les termes Dico et Cléo renvoient respectivement à la section alphabétique du dictionnaire et au guide Cléo.

A

A

A
C

C

C

428

C

C

C

D

431

D

E

E

F

G
H

H
I

I

438

M

M

O

O
P

P

445

P

R

S

S

T

T

T

T

T

T

R

RÉALISTE

R I Les personnes qui ont ce profil préfèrent réaliser des travaux concrets qui leur permettent d'obtenir des résultats tangibles. Elles sont généralement douées pour résoudre des problèmes techniques car en plus d'être habiles de leurs mains et observatrices, elles cherchent à comprendre les mécanismes des choses, le «comment» de ce qui se passe, ce qu'il y a derrière. Elles ont le souci du détail et de la précision et font preuve de persévérance pour venir à bout des difficultés.

BIJOUTIER-JOAILLIER	RIA
BOULANGER-PÂTISSIER	RIA
CISELEUR	RIA
CONDUCTEUR DE MACHINE À COULER SOUS PRESSION	RIA
ÉBÉNISTE	RIA
ÉLECTRONICIEN D'ENTRETIEN	RIA
GABARIEUR (BOIS)	RIA
GEMMOLOGISTE	RIA
MODELEUR	RIA
MOULEUR EN SABLE	RIA
PÂTISSIER	RIA
PATRONNIER EN MODE FÉMININE ET MASCULINE	RIA
PHOTOLITHOGRAPHE	RIA
PRÉPOSÉ AU DÉVELOPPEMENT DE PHOTOS	RIA
PROTHÉSISTE EN ORTHODONTIE	RIA
SERTISSEUR DE PIERRES PRÉCIEUSES	RIA
TAILLEUR DE PIERRES PRÉCIEUSES	RIA
TECHNICIEN DE LABORATOIRE PHOTOGRAPHIQUE	RIA
TECHNICIEN DENTAIRE	RIA
TECHNICIEN DENTAIRE EN CÉRAMIQUE	RIA
TECHNOLOGUE EN ORTHÈSES ET PROTHÈSES	RIA
TRACEUR DE CHARPENTES EN BOIS	RIA
TRACEUR DE PATRONS	RIA
AJUSTEUR DE MATRICES	RIS
CONDUCTEUR D'INSTALLATION DE CENTRALE HYDROÉLECTRIQUE	RIS
CONDUCTEUR D'INSTALLATION DE RÉFRIGÉRATION	RIS
CONDUCTEUR DE CHAUDIÈRE	RIS
CONDUCTEUR DE MACHINES DIESELS FIXES	RIS
CONTRÔLEUR À LA SALLE DE COMMANDE	RIS
CUISINIER	RIS
DÉTECTIVE PRIVÉ	RIS
FERRAILLEUR	RIS
FINISSEUR DE MOULES	RIS
GABARIEUR-MODELEUR	RIS
MÉCANICIEN DE MACHINES FIXES	RIS
MONTEUR DE CHARPENTES MÉTALLIQUES	RIS
OPÉRATEUR DE POLYGRAPHE	RIS
OUTILLEUR-AJUSTEUR	RIS
OUTILLEUR-MOULISTE	RIS
OUTILLEUR-RECTIFIEUR	RIS
PLONGEUR DE PLONGÉE SOUS-MARINE	RIS
POMPISTE	RIS
RADIOTÉLÉGRAPHISTE	RIS
RADIOTÉLÉGRAPHISTE MARITIME	RIS
RADIOTÉLÉPHONISTE	RIS
RÉGULATEUR À LA CONSOMMATION	RIS
RÉPARATEUR D'OUTILS ÉLECTRIQUES	RIS
SCAPHANDRIER	RIS
SOUDEUR	RIS
SOUDEUR-MONTEUR	RIS
TECHNICIEN EN IMPRESSION	RIS
TRAITEUR	RIS
VITRAILLISTE	RIS
VITRIER	RIS
VITRIER EN BÂTIMENT	RIS

R
I

RÉPARATEUR DE MATÉRIEL DE TRAITEMENT DU MINERAI	RIE	CHAMPIGNONNISTE	RIC
RÉPARATEUR DE MATÉRIEL HYDRAULIQUE	RIE	COMMIS À LA RÉCEPTION ET À L'EXPÉDITION	RIC
RÉPARATEUR DE MOTOCYCLETTES	RIE	COMMIS-VENDEUR DE PIÈCES D'ÉQUIPEMENT MOTORISÉ	RIC
RÉPARATEUR DE WAGONS	RIE	CONDUCTEUR AU RAFFINAGE DU PÉTROLE	RIC
SYLVICULTEUR	RIE	CONDUCTEUR DE MACHINES À MOULER LE VERRE	RIC
TECHNICIEN D'ENTRETIEN EN TÉLÉDIFFUSION	RIE	CONDUCTEUR DE MACHINES AGRICOLES	RIC
TECHNICIEN D'ÉQUIPEMENT DE TÉLÉTYPE ET DE CRYPTOGRAPHIE	RIE	CONDUCTEUR DE PRESSE À FORGER	RIC
TECHNICIEN DE COQUE DE NAVIRE	RIE	CONSTRUCTEUR DE PROTOTYPES DE VÉHICULES	RIC
TECHNICIEN EN AMÉNAGEMENT CYNÉGÉTIQUE ET HALIEUTIQUE	RIE	CONTRÔLEUR DE MONTAGES ET D'ÉQUIPEMENTS D'AÉRONEFS	RIC
TECHNICIEN EN PÂTES ET PAPIERS (SERVICES TECHNIQUES)	RIE	CONTRÔLEUR DE PETITS APPAREILS ÉLECTRIQUES	RIC
TECHNOLOGUE EN CÂBLODISTRIBUTION	RIE	CONTRÔLEUR DE TÉLÉVISEURS	RIC
TECHNOLOGUE EN CARTOGRAPHIE	RIE	CORDONNIER	RIC
TECHNOLOGUE EN CARTOGRAPHIE PÉTROLIÈRE	RIE	COUPEUR À LA COUPEUSE ÉLECTRIQUE PORTATIVE	RIC
TECHNOLOGUE EN ÉQUIPEMENT AUDIOVISUEL	RIE	COUPEUR À LA MAIN (CONFECTION)	RIC
TECHNOLOGUE EN EXPLOITATION FORESTIÈRE	RIE	COUPEUR DE FOURRURE	RIC
TECHNOLOGUE EN PHOTOGRAMMÉTRIE	RIE	COUPEUR DE PIÈCES DE CUIR	RIC
TECHNOLOGUE EN RÉPARATION CAO/FAO	RIE	COUSEUR DE CHAUSSURES À LA MAIN	RIC
TECHNOLOGUE EN SCIENCES FORESTIÈRES	RIE	CUEILLEUR DE FRUITS	RIC
TECHNOLOGUE EN SYLVICULTURE	RIE	DÉCORATEUR DE MEUBLES	RIC
TÔLIER	RIE	DÉGUSTATEUR DE BOISSONS	RIC
TRACEUR DE CHARPENTES MÉTALLIQUES	RIE	ÉCLUSIER	RIC
TRIEUR DE BILLES	RIE	ÉLECTRICIEN	RIC
TUYAUTEUR	RIE	ÉLECTRICIEN D'ENTRETIEN	RIC
TUYAUTEUR-SOUDEUR	RIE	ÉLECTRICIEN DE CENTRALE ÉLECTRIQUE	RIC
		ÉLECTROMÉCANICIEN DE MACHINES DISTRIBUTRICES	RIC
ACCORDEUR DE PIANO	RIC	ÉLECTROMÉCANICIEN DE SYSTÈMES AUTOMATISÉS	RIC
AFFÛTEUR D'OUTILS DE MACHINES À BOIS	RIC	EMPAQUETEUR DE FRUITS ET DE LÉGUMES	RIC
AGENT DE PISTE D'ATTERRISSAGE	RIC	ENCADREUR	RIC
AIDE-ARBORICULTEUR	RIC	ESSAYEUR DE TEXTILES	RIC
AIDE-CORDONNIER	RIC	EXTERMINATEUR	RIC
AIDE-ÉLECTRICIEN D'ENTRETIEN	RIC	FINISSEUR DE MEUBLES	RIC
AIDE-MÉCANICIEN D'ENTRETIEN D'ATELIER OU D'USINE	RIC	FOSSOYEUR	RIC
AIDE-MÉCANICIEN DE PETITS MOTEURS	RIC	FUMEUR DE VIANDE	RIC
AIDE-NETTOYEUR À SEC	RIC	INSPECTEUR D'INSTALLATIONS ÉLECTRIQUES	RIC
AIDE-RÉPARATEUR DE MACHINES À COUDRE	RIC	INSPECTEUR EN BÂTIMENTS (CONSTRUCTION)	RIC
AIGUILLEUR DE TÉLÉVISION	RIC	INSPECTEUR EN CONSTRUCTION (TRAVAUX PUBLICS)	RIC
AIGUILLEUR DE TRAIN	RIC	INSPECTEUR EN SÉCURITÉ DES BÂTIMENTS (GOUVERNEMENT)	RIC
AJUSTEUR-MONTEUR D'AVIATION	RIC	INSTALLATEUR D'ANTENNES PARABOLIQUES	RIC
ARBORICULTEUR	RIC	INSTALLATEUR D'ÉQUIPEMENT AUTOMOBILE	RIC
ARMURIER	RIC	INSTALLATEUR DE CLÔTURES	RIC
ASSEMBLEUR-RÉPARATEUR DE BICYCLETTES	RIC	INSTALLATEUR DE COMPTEURS D'ÉLECTRICITÉ	RIC
ASSISTANT TECHNIQUE EN PHARMACIE	RIC		
BOTTIER	RIC		
CARROSSIER D'USINE	RIC		

R

I

459

INSTALLATEUR DE REVÊTEMENTS EXTÉRIEURS	RIC	OUVRIER DE LA PRODUCTION D'HABITATIONS PRÉUSINÉES	RIC
JARDINIER PAYSAGISTE	RIC	OUVRIER PÉPINIÉRISTE	RIC
LAMINEUR DE FIBRE DE VERRE	RIC	PALEFRENIER	RIC
LUTHIER	RIC	PAREUR DE WAGON DE CHEMIN DE FER	RIC
MAGASINIER	RIC	PERRUQUIER	RIC
MANOEUVRE AGRICOLE	RIC	PLONGEUR	RIC
MANOEUVRE EN TERRASSEMENT ET EN AMÉNAGEMENT PAYSAGER	RIC	POSEUR DE REVÊTEMENTS SOUPLES	RIC
MARÉCHAL-FERRANT	RIC	POSEUR DE SILENCIEUX	RIC
MASSEUR	RIC	POSEUR DE TAPIS	RIC
MÉCANICIEN D'ASCENSEURS	RIC	PRÉPOSÉ À L'ENTRETIEN DE MACHINERIE LOURDE	RIC
MÉCANICIEN DE MACHINES À COUDRE	RIC	PRÉPOSÉ À L'ENTRETIEN DES PARCS	RIC
MÉCANICIEN DE VÉHICULES RÉCRÉATIFS	RIC	PRÉPOSÉ À L'ENTRETIEN DU LINGE	RIC
MÉLANGEUR DE CAOUTCHOUC MOUSSE	RIC	PRÉPOSÉ À LA RÉCUPÉRATION DE PIÈCES D'AUTO	RIC
MONTEUR D'APPAREILS ÉLECTROMÉNAGERS	RIC	PULVÉRISATEUR	RIC
MONTEUR D'ARTICLES MÉTALLIQUES	RIC	REMBOURREUR-ARTISAN	RIC
MONTEUR D'ÉLÉMENTS D'AUTOMOBILE À ENGRENAGE	RIC	REMBOURREUR INDUSTRIEL	RIC
MONTEUR DE BOGGIES	RIC	RÉPARATEUR D'APPAREILS PHOTOGRAPHIQUES	RIC
MONTEUR DE CIRCUITS INTÉGRÉS	RIC	RÉPARATEUR D'ARTICLES DE SPORT	RIC
MONTEUR DE DISTRIBUTEURS AUTOMATIQUES	RIC	RÉPARATEUR D'INSTRUMENTS D'ARPENTAGE ET D'OPTIQUE	RIC
MONTEUR DE LOCOMOTIVES	RIC	RÉPARATEUR DE FILETS DE PÊCHE	RIC
MONTEUR DE MATÉRIEL DE COMMANDE ÉLECTRIQUE	RIC	RÉPARATEUR DE MENUISERIE D'ASSEMBLAGE	RIC
MONTEUR DE MATÉRIEL DE COMMUNICATION	RIC	REPASSEUR À LA MACHINE	RIC
MONTEUR DE MEUBLES	RIC	RESTAURATEUR DE MEUBLES	RIC
MONTEUR DE MOTEURS À LA CHAÎNE	RIC	SELLIER	RIC
MONTEUR DE PORTES ET FENÊTRES	RIC	SERRURIER	RIC
MONTEUR DE STRUCTURES D'AÉRONEFS	RIC	SPÉCIALISTE DE L'INFORMATION DE VOL	RIC
MONTEUR DE VÉHICULES AUTOMOBILES	RIC	TAILLEUR DE MONUMENTS FUNÉRAIRES	RIC
MONTEUR-ÉBÉNISTE	RIC	TAILLEUR DE PIERRE	RIC
NETTOYEUR À SEC	RIC	TECHNICIEN DE LABORATOIRE DE LENTILLES	RIC
NETTOYEUR DE TAPIS	RIC	TECHNICIEN EN AMÉNAGEMENT DU TERRITOIRE	RIC
OPÉRATEUR DE MACHINES À MOULER LES MATIÈRES PLASTIQUES	RIC	TECHNICIEN EN RADIO TÉLÉDIFFUSION	RIC
OPÉRATEUR DE MACHINES FIXES	RIC	TECHNICIEN EN RAVITAILLEMENT	RIC
OPÉRATEUR DE PHOTOCOPIEUR	RIC	TECHNOLOGUE D'ESSAIS ÉLECTRIQUES	RIC
OPÉRATEUR EN TOPOGRAPHIE	RIC	TECHNOLOGUE D'INSTALLATION DE TRAITEMENT CHIMIQUE	RIC
OPÉRATEUR RADIO NAVALE	RIC	TECHNOLOGUE EN ANALYSE D'ENTRETIEN DE SYSTÈMES INDUSTRIELS	RIC
OUVRIER À LA FABRICATION DE BLOCS DE BÉTON	RIC	TECHNOLOGUE EN ARCHITECTURE	RIC
OUVRIER À LA POSE DE GAZON	RIC	TECHNOLOGUE EN GÉNIE CIVIL	RIC
OUVRIER AVICOLE	RIC	TECHNOLOGUE EN PROTECTION DE L'ENVIRONNEMENT	RIC
OUVRIER D'ATELIER DE LAMINAGE	RIC		
OUVRIER D'ÉRABLIÈRE	RIC	TEINTURIER	RIC
OUVRIER D'EXPLOITATION LAITIÈRE	RIC	TESTEUR DE PRODUITS MULTIMÉDIAS	RIC
OUVRIER DE DOCK	RIC	TREMPEUR DE VERRES D'OPTIQUE	RIC
OUVRIER DE FERME D'ÉLEVAGE	RIC		

R
I

VERNISSEUR DE MEUBLES	RIC
VITICULTEUR	RIC

R A Les personnes qui ont ce profil sont attirées par les réalisations concrètes qui font appel à la fois à leur dextérité manuelle et à leur goût pour la création. Elles ont souvent de la facilité à imaginer des formes, à se représenter mentalement des objets à partir d'un dessin ou d'un plan. Elles aiment réaliser concrètement des produits de leur imagination et travaillent avec minutie, en se souciant du détail et de l'esthétique.

ARTISAN DU CUIR	RAI
ARTISAN-TISSERAND	RAI
ASSEMBLEUR-ENCOLLEUR À LA MACHINE	RAI
CONDUCTEUR DE PLIEUSE	RAI
DENTELLIÈRE	RAI
OUVRIER D'ATELIER DE RELIURE	RAI
RELIEUR À LA MAIN	RAI
RELIEUR INDUSTRIEL	RAI

DENTUROLOGISTE	RAS
OCULARISTE	RAS
ORTHÉSISTE-PROTHÉSISTE	RAS

R S Les personnes qui ont ce profil ont une préférence pour un travail concret en rapport avec les objets mais qui leur permet aussi d'être en contact avec des gens ou de rendre service en action. Elles sont habiles à manipuler des machines ou des outils pour accomplir des tâches techniques dont les résultats sont tangibles. Elles ont de la facilité à s'exprimer et s'intègrent bien dans une équipe de travail dont les membres doivent collaborer pour réaliser concrètement une tâche pratique. Elles donnent volontiers de l'aide et des conseils à leur entourage et aiment enseigner leur savoir-faire.

MONTEUR D'INSTALLATIONS AU GAZ	RSI

AGENT DE TRAIN	RSE
AGENT DE TRIAGE	RSE
AGENT DES SERVICES CORRECTIONNELS	RSE
AIDE-CHAUFFEUR DE CAMION	RSE
BOUCHER	RSE
CAPITAINE DE BATEAU DE PÊCHE	RSE
CHARCUTIER	RSE
CHAUFFEUR D'AUTOBUS	RSE
CHAUFFEUR D'AUTOBUS D'EXCURSION	RSE
CHAUFFEUR D'AUTOBUS SCOLAIRE	RSE
CHAUFFEUR DE MACHINERIE DE DÉNEIGEMENT	RSE

CHAUFFEUR DE TAXI	RSE
CHEF DE TRAIN	RSE
CONCIERGE	RSE
CONDUCTEUR DE MÉTRO	RSE
FORGERON	RSE
GARDIEN DE MAISON	RSE
GARDIEN DE TERRAIN DE STATIONNEMENT	RSE
LAVEUR DE VITRES	RSE
MÉCANICIEN DE LOCOMOTIVE	RSE
MONTEUR D'INSTALLATIONS DE PROTECTION CONTRE LES INCENDIES	RSE
OUVRIER D'ENTRETIEN GÉNÉRAL D'USINE OU D'ATELIER	RSE
PRÉPARATEUR DE PLATEAUX À LA CHAÎNE	RSE
PRÉPOSÉ À L'ENTRETIEN GÉNÉRAL D'IMMEUBLES	RSE
PRÉPOSÉ À LA RESTAURATION RAPIDE	RSE
PRÉPOSÉ AUX VOITURES	RSE
RAMONEUR	RSE
SECOND DE BATEAU DE PÊCHE	RSE

CIREUR DE CHAUSSURES	RSC
COMMIS AU RECOUVREMENT	RSC
ENQUÊTEUR EN RECOUVREMENT	RSC
NETTOYEUR DE VÉHICULES MOTORISÉS	RSC
PLACIER	RSC
PORTIER	RSC
PRÉPOSÉ À L'ENTRETIEN DE TERRAIN DE CAMPING	RSC
PRÉPOSÉ À L'ÉQUIPEMENT DE SPORT	RSC
PRÉPOSÉ À LA SALLE DE QUILLES	RSC
PRÉPOSÉ AU LAVAGE DES VOITURES	RSC
PRÉPOSÉ AU REMONTE-PENTE	RSC
PRÉPOSÉ AU TERRAIN D'EXERCICE DE GOLF	RSC
PRÉPOSÉ AU VESTIAIRE	RSC
PRÉPOSÉ AUX ÉTABLISSEMENTS DE SPORTS	RSC

R E Les personnes qui ont ce profil ont une préférence pour les réalisations concrètes et les tâches techniques qui requièrent de la dextérité manuelle, mais elles ont en même temps besoin d'agir pour que le travail se déroule de façon efficace et productive. Énergiques, douées d'un certain leadership et bonnes planificatrices, elles peuvent mettre ces qualités à profit pour diriger des projets ou des équipes de travail dans un domaine d'activités convenant à leur goût des choses concrètes et pratiques ou pour se lancer dans la vente ou dans les affaires.

ACÉRICULTEUR	REI

APICULTEUR	REI
AVICULTEUR (POULES PONDEUSES)	REI
AVICULTEUR (PRODUCTION DE VIANDE)	REI
CÉRÉALICULTEUR	REI
COMMANDANT DE NAVIRE	REI
ÉLEVEUR DE CHIENS	REI
EXPLOITANT AGRICOLE	REI
EXPLOITANT DE FERME LAITIÈRE	REI
GRÉEUR	REI
LIEUTENANT DE LA MARINE MARCHANDE	REI
OFFICIER DE GARDE CÔTIÈRE CANADIENNE	REI
OFFICIER DES OPÉRATIONS MARITIMES DE SURFACE ET SOUS-MARINES	REI
PILOTE DE NAVIRES	REI
POMICULTEUR	REI
PRODUCTEUR D'ANIMAUX À FOURRURE	REI
PRODUCTEUR D'OVINS	REI
PRODUCTEUR DE BOVINS	REI
PRODUCTEUR DE CHEVAUX	REI
PRODUCTEUR DE FRUITS	REI
PRODUCTEUR DE FRUITS ET LÉGUMES ÉCOLOGIQUES	REI
PRODUCTEUR DE GAZON	REI
PRODUCTEUR DE LAPINS	REI
PRODUCTEUR DE LÉGUMES	REI
PRODUCTEUR DE POMMES DE TERRE	REI
PRODUCTEUR DE PORCINS	REI
PRODUCTEUR DE SEMENCES	REI
PRODUCTEUR DE TABAC	REI
RÉPARATEUR DE VOIES FERRÉES	REI

AGENT DE GUICHET AUTOMATIQUE	RES
AQUICULTEUR	RES
ARTILLEUR	RES
ARTILLEUR DE DÉFENSE AÉRIENNE	RES
BRIGADIER SCOLAIRE	RES
CHASSEUR D'HÔTEL	RES
CHERCHEUR EN COMMUNICATION	RES
CONDUCTEUR DE VOITURE BLINDÉE	RES
FANTASSIN	RES
GARDIEN DE SÉCURITÉ	RES
GUIDE DE CHASSE ET DE PÊCHE	RES
HOMME D'ÉQUIPAGE DE CHAR D'ASSAUT	RES
INSPECTEUR DE LA PRÉVENTION DES INCENDIES	RES
OFFICIER DE CONTRÔLE AÉROSPATIAL	RES
OFFICIER EN GÉNIE AÉROSPATIAL	RES
OPÉRATEUR ACOUSTIQUE NAVALE	RES

OPÉRATEUR D'INFORMATION DE COMBATS NAVALS	RES
OPÉRATEUR DE DÉTECTEUR ÉLECTRONIQUE NAVAL	RES
OPÉRATEUR OCÉANOGRAPHIQUE	RES
PÊCHEUR	RES
PHYSIONOMISTE PROFESSIONNEL	RES
POMPIER	RES
POMPIER FORESTIER	RES
PRÉPOSÉ D'ÉTABLISSEMENT PISCICOLE OU AQUICOLE	RES
RADARISTE	RES
SAPEUR	RES
SIGNALEUR NAVAL	RES
TECHNICIEN D'ARMES NAVALES	RES
TECHNICIEN EN DÉFENSE AÉRIENNE	RES

DRESSEUR DE CHIENS	REC
GARDIEN DE JARDIN ZOOLOGIQUE	REC
PRÉPOSÉ AU FOUR CRÉMATOIRE	REC
PRÉPOSÉ AUX SOINS DES ANIMAUX D'AGRÉMENT	REC
TRAPPEUR	REC

R **C** Les personnes qui ont ce profil préfèrent les tâches concrètes clairement définies qui nécessitent l'usage méthodique de machines ou d'outils. Elles sont plus à l'aise dans un travail en rapport avec des objets ou des données qu'avec des idées ou des personnes. Elles sont bien organisées, précises, minutieuses et efficaces dans la mesure où leur travail s'effectue selon des procédures bien établies. Elles aiment que les choses soient bien rangées, bien présentées, finies avec minutie.

AFFÛTEUR DE SCIES	RCI
AIDE-BOUCHER	RCI
AIDE-BOULANGER	RCI
AIDE D'ATELIER D'USINAGE	RCI
AIDE-FORGEUR	RCI
AIDE-FROMAGER	RCI
AIDE-LAITIER	RCI
AIDE-PRESSIER	RCI
AIDE-REMBOURREUR	RCI
AIDE-SOUDEUR	RCI
AIGUISEUR	RCI
ARPENTEUR-GÉOMÈTRE	RCI
AUTOCLAVISTE	RCI
BROCANTEUR	RCI
CALORIFUGEUR	RCI
CHARPENTIER-MENUISIER	RCI

R
E

R

C

I INVESTIGATEUR

I R Les personnes qui ont ce profil sont généralement intéressées par les problèmes complexes relatifs aux phénomènes observables, aux procédés, au fonctionnement des objets. Elles préfèrent toutefois agir concrètement, expérimenter, utiliser des machines ou des outils pour obtenir le résultat recherché, plutôt que de jongler avec des idées ou des données abstraites. Des disciplines comme les sciences expérimentales ou médicales, la haute technologie ou l'ingénierie, conviennent particulièrement à leur profil de «chercheur-penseur en action».

BIOLOGISTE EN PARASITOLOGIE	IRS
BIOLOGISTE MOLÉCULAIRE	IRS
BOTANISTE	IRS
ÉCOLOGISTE	IRS
ENTOMOLOGISTE	IRS
ÉPIDÉMIOLOGISTE	IRS
GÉNÉTICIEN	IRS
GÉOGRAPHE (GÉOGRAPHIE HUMAINE)	IRS
GÉOGRAPHE (GÉOGRAPHIE PHYSIQUE)	IRS
HERPÉTOLOGISTE	IRS
ICHTYOLOGISTE	IRS
IMMUNOLOGUE	IRS
INHALOTHÉRAPEUTE	IRS
MASSOTHÉRAPEUTE	IRS
MICROBIOLOGISTE	IRS
MYCOLOGUE	IRS
ORNITHOLOGUE	IRS
PATHOLOGISTE VÉTÉRINAIRE	IRS
PHYSIOLOGISTE	IRS
PHYTOPATHOLOGISTE	IRS
SCIENTIFIQUE EN PRODUITS ALIMENTAIRES	IRS
SPÉCIALISTE DE LA QUALITÉ DES PRODUITS ALIMENTAIRES	IRS
TECHNOLOGUE EN ÉLECTROPHYSIOLOGIE MÉDICALE	IRS
TECHNOLOGUE EN HORTICULTURE ORNEMENTALE	IRS
TECHNOLOGUE EN MÉDECINE NUCLÉAIRE	IRS
TECHNOLOGUE EN RADIOLOGIE DIAGNOSTIQUE	IRS
TECHNOLOGUE EN RADIO-ONCOLOGIE	IRS
TOXICOLOGISTE	IRS
VÉTÉRINAIRE	IRS
VIROLOGISTE	IRS
ZOOLOGISTE	IRS
ACUPONCTEUR	IRE
ANALYSTE DE PHOTOGRAPHIES AÉRIENNES	IRE
AUDITEUR – QUALITÉ	IRE
CHIRURGIEN BUCCAL ET MAXILLO-FACIAL	IRE
CONTRÔLEUR DE PRODUITS PHARMACEUTIQUES	IRE
DENTISTE	IRE
DENTISTE EN SANTÉ PUBLIQUE	IRE
DESIGNER DE L'ENVIRONNEMENT	IRE
ENDODONTISTE	IRE
ESSAYEUR D'ALIMENTS	IRE
HÉMATOLOGUE	IRE
HYDROGÉOLOGUE	IRE

HYGIÉNISTE INDUSTRIEL	IRE
INGÉNIEUR AGRICOLE	IRE
INGÉNIEUR CHIMISTE	IRE
INGÉNIEUR CHIMISTE DE LA PRODUCTION	IRE
INGÉNIEUR CHIMISTE EN RECHERCHE	IRE
INGÉNIEUR CHIMISTE SPÉCIALISTE DES ÉTUDES ET PROJETS	IRE
INGÉNIEUR CIVIL	IRE
INGÉNIEUR CIVIL DES RESSOURCES HYDRIQUES	IRE
INGÉNIEUR CIVIL EN ÉCOLOGIE GÉNÉRALE	IRE
INGÉNIEUR DE L'ENVIRONNEMENT	IRE
INGÉNIEUR DE LA PRODUCTION AUTOMATISÉE	IRE
INGÉNIEUR DES MÉTHODES DE PRODUCTION	IRE
INGÉNIEUR DES TECHNIQUES DE FABRICATION	IRE
INGÉNIEUR DU CONTRÔLE DE LA QUALITÉ INDUSTRIELLE	IRE
INGÉNIEUR DU PÉTROLE	IRE
INGÉNIEUR DU TEXTILE	IRE
INGÉNIEUR ÉLECTRICIEN	IRE
INGÉNIEUR ÉLECTRONICIEN	IRE
INGÉNIEUR EN AÉROSPATIALE	IRE
INGÉNIEUR EN MÉCANIQUE DES SOLS	IRE
INGÉNIEUR EN MÉCANIQUE DU BÂTIMENT	IRE
INGÉNIEUR EN MÉTALLURGIE PHYSIQUE	IRE
INGÉNIEUR EN SCIENCES NUCLÉAIRES	IRE
INGÉNIEUR EN TÉLÉCOMMUNICATION	IRE
INGÉNIEUR EN TRANSFORMATION DES MATÉRIAUX COMPOSITES	IRE
INGÉNIEUR EN TRANSPORT ALIMENTAIRE	IRE
INGÉNIEUR GÉOLOGUE	IRE
INGÉNIEUR INDUSTRIEL	IRE
INGÉNIEUR MÉCANICIEN	IRE
INGÉNIEUR MÉTALLURGISTE	IRE
INGÉNIEUR MINIER	IRE
INGÉNIEUR SPÉCIALISTE DES INSTALLATIONS D'ÉNERGIE	IRE
MÉDECIN LÉGISTE	IRE
MÉDECIN SPÉCIALISTE EN RADIOLOGIE DIAGNOSTIQUE	IRE
MICROBIOLOGISTE MÉDICAL	IRE
MOSAÏSTE EN PHOTOGRAPHIES AÉRIENNES	IRE
OFFICIER DE GÉNIE MILITAIRE	IRE
ORTHODONTISTE	IRE
PARODONTISTE	IRE
PATHOLOGISTE MÉDICAL	IRE
PÉDODONTISTE	IRE
PROSTHODONTISTE	IRE
SPÉCIALISTE EN MÉDECINE BUCCALE	IRE
SPÉCIALISTE EN MÉDECINE NUCLÉAIRE	IRE

I
R

I
R

TECHNOLOGUE EN EXPLOITATION MINIÈRE	IRC		ÉCOGÉOLOGUE	IAR
TECHNOLOGUE EN FABRICATION DE PRODUITS LAITIERS	IRC		ETHNOLOGUE	IAR
TECHNOLOGUE EN FINITION DES TEXTILES	IRC		EXOBIOLOGISTE	IAR
TECHNOLOGUE EN GÉNIE ÉLECTRIQUE	IRC		GÉOCHIMISTE	IAR
TECHNOLOGUE EN GÉNIE ÉLECTRONIQUE	IRC		GÉOLOGUE	IAR
TECHNOLOGUE EN GÉNIE MÉCANIQUE	IRC		GÉOLOGUE PÉTROLIER	IAR
TECHNOLOGUE EN GÉNIE NUCLÉAIRE	IRC		GÉOPHYSICIEN	IAR
TECHNOLOGUE EN GÉOLOGIE	IRC		GÉOPHYSICIEN-PROSPECTEUR	IAR
TECHNOLOGUE EN GÉOLOGIE DE L'ENVIRONNEMENT	IRC		HYDROGRAPHE	IAR
TECHNOLOGUE EN GÉOPHYSIQUE	IRC		HYDROLOGUE	IAR
TECHNOLOGUE EN GESTION INDUSTRIELLE	IRC		HYGIÉNISTE DENTAIRE	IAR
TECHNOLOGUE EN HYDROGÉOLOGIE	IRC		MINÉRALOGISTE	IAR
TECHNOLOGUE EN HYDROLOGIE	IRC		OCÉANOGRAPHE	IAR
TECHNOLOGUE EN INFORMATIQUE	IRC		PALÉONTOLOGUE	IAR
TECHNOLOGUE EN MÉCANIQUE DU BÂTIMENT	IRC		RESTAURATEUR D'OBJETS ANCIENS	IAR
TECHNOLOGUE EN MINÉRALURGIE	IRC		SISMOLOGUE	IAR
TECHNOLOGUE EN PRODUCTION ANIMALE	IRC		TAXIDERMISTE	IAR
TECHNOLOGUE EN PROSPECTION MINIÈRE	IRC		TECHNICIEN EN MUSÉOLOGIE	IAR
TECHNOLOGUE EN ROBOTIQUE	IRC			
TECHNOLOGUE EN SYSTÈMES ORDINÉS	IRC		AGRO-ÉCONOMISTE	IAS
TECHNOLOGUE EN TRANSFORMATION DES MATÉRIAUX COMPOSITES	IRC		CONSEILLER EN IMPORTATION ET EXPORTATION	IAS
TECHNOLOGUE EN TRANSFORMATION DES MATIÈRES PLASTIQUES	IRC		ÉCONOMISTE	IAS
TECHNOLOGUE-MÉTALLURGISTE	IRC		ÉCONOMISTE DES TRANSPORTS	IAS
TECHNOLOGUE-SOUDEUR	IRC		ÉCONOMISTE DU TRAVAIL	IAS
VÉRIFICATEUR DE PANNEAUX DE COMMANDE	IRC		ÉCONOMISTE EN COMMERCE INTERNATIONAL	IAS

I A Les personnes qui ont ce profil aiment jouer avec les idées, résoudre des problèmes et comprendre des phénomènes. Elles préfèrent imaginer et concevoir plutôt que produire et appuient leurs réflexions tantôt sur un raisonnement intellectuel, logique et rigoureux, tantôt sur une approche intuitive, comparable au processus de création artistique. Curieuses et d'esprit indépendant, elles ne craignent pas de s'engager dans des voies nouvelles et elles apprécient les idées innovatrices, originales.

ÉCONOMISTE EN DÉVELOPPEMENT INTERNATIONAL	IAS
ÉCONOMISTE EN ORGANISATION DES RESSOURCES	IAS
ÉCONOMISTE FINANCIER	IAS
ÉCONOMISTE INDUSTRIEL	IAS
LINGUISTE	IAS
PSYCHOMÉTRICIEN	IAS
TRADUCTEUR	IAS

ANTHROPOLOGUE	IAR
AROMATICIEN	IAR
ASTRONAUTE	IAR
ASTRONOME	IAR
BIOCHIMISTE	IAR
BIOCHIMISTE CLINIQUE	IAR
CHIMISTE	IAR
CHIMISTE SPÉCIALISTE DU CONTRÔLE DE LA QUALITÉ	IAR

TECHNICIEN JURIDIQUE	IAC

I S Les personnes qui ont ce profil sont de nature intellectuelle et curieuse tout en recherchant les occasions de contact avec les autres. Elles sont attirées par des activités qui leur permettent d'appliquer leurs connaissances et leurs facultés intellectuelles pour résoudre des problèmes ou comprendre des phénomènes sans pour autant être isolées. Elles peuvent satisfaire à la fois leur côté investigateur et leur côté social soit en recherchant les occasions de discussion et de travail d'équipe pour résoudre des problèmes, soit en oeuvrant dans l'enseignement de matières scientifiques ou dans un domaine de la santé physique ou mentale.

I
S

CHIROPRATICIEN	ISR
CONSEILLER EN CONDITIONNEMENT PHYSIQUE	ISR
OPTOMÉTRISTE	ISR
ORTHOPTICIEN	ISR
ALLERGOLOGUE	ISA
ANESTHÉSISTE RÉANIMATEUR	ISA
AUXILIAIRE DE RECHERCHE ET D'ENSEIGNEMENT	ISA
CARDIOLOGUE	ISA
CHIRURGIEN	ISA
CHIRURGIEN CARDIO-VASCULAIRE	ISA
CHIRURGIEN ORTHOPÉDISTE	ISA
CHIRURGIEN PLASTIQUE	ISA
CHIRURGIEN THORACIQUE	ISA
CRIMINOLOGUE	ISA
DERMATOLOGUE	ISA
DIRECTEUR DE DÉPARTEMENT D'UNIVERSITÉ	ISA
ENDOCRINOLOGUE	ISA
ERGONOMISTE	ISA
EXPERT MÉDICO-LÉGAL	ISA
EXPERT PSYCHO-LÉGAL	ISA
GASTRO-ENTÉROLOGUE	ISA
GÉRIATRE	ISA
INTERNISTE	ISA
LOBBYISTE	ISA
MÉDECIN EN MÉDECINE D'URGENCE	ISA
MÉDECIN ESTHÉTICIEN	ISA
MÉDECIN SPÉCIALISTE EN RADIO-ONCOLOGIE	ISA
NÉPHROLOGUE	ISA
NEUROCHIRURGIEN	ISA
NEUROLOGUE	ISA
NEUROPSYCHOLOGUE	ISA
OBSTÉTRICIEN-GYNÉCOLOGUE	ISA
OMNIPRATICIEN	ISA
ONCOLOGUE MÉDICAL	ISA
OPHTALMOLOGISTE	ISA
OTO-RHINO-LARYNGOLOGISTE	ISA
PÉDIATRE	ISA
PHILOSOPHE	ISA
PHYSIATRE	ISA
PNEUMOLOGUE	ISA
POLITICOLOGUE	ISA
PROFESSEUR D'UNIVERSITÉ	ISA
PROFESSEUR DE MUSIQUE	ISA
PROFESSEUR DE PHILOSOPHIE	ISA
PROFESSEUR EN ENSEIGNEMENT RELIGIEUX	ISA

I
S

PSYCHANALYSTE	ISA
PSYCHIATRE	ISA
PSYCHOCOGNITICIEN	ISA
PSYCHOÉDUCATEUR	ISA
PSYCHOLOGUE	ISA
PSYCHOLOGUE INDUSTRIEL	ISA
PSYCHOLOGUE SCOLAIRE	ISA
PSYCHOSOCIOLOGUE	ISA
PSYCHOTHÉRAPEUTE	ISA
PSYCHOTHÉRAPEUTE PASTORAL	ISA
PSYLOGISTE	ISA
RHUMATOLOGUE	ISA
SOCIOLOGUE	ISA
THÉOLOGIEN	ISA
UROLOGUE	ISA
AUDIOLOGISTE	ISE
COMMIS À LA FISCALITÉ	ISE
DIÉTÉTISTE	ISE
HISTORIEN	ISE
HISTORIEN DE L'ART	ISE
INSPECTEUR DE L'IMMIGRATION	ISE
INSPECTEUR DES DOUANES	ISE
INSPECTEUR DES PRODUITS ALIMENTAIRES	ISE
INSPECTEUR DES PRODUITS ANIMAUX	ISE
INSPECTEUR DES PRODUITS VÉGÉTAUX	ISE
INSPECTEUR EN ENVIRONNEMENT AGRICOLE	ISE
ORTHOPHONISTE	ISE
CORONER	ISC

I E Les personnes qui ont ce profil ont des intérêts qui peuvent sembler difficiles à concilier. Elles sont attirées, d'une part, par des activités intellectuelles qui nécessitent d'analyser, de chercher «le pourquoi du comment», de résoudre des problèmes et, d'autre part, par des activités qui requièrent un esprit d'entreprise, du leadership, le sens de la planification et de la décision. D'une part, elles sont logiques, rationnelles et critiques, d'autre part, elles sont énergiques, ambitieuses et persuasives. Ces tendances s'avèrent toutefois complémentaires dans des fonctions comme la direction de programmes de recherche, la mise en marché de produits de haute technologie ou la gestion de projets scientifiques pouvant déboucher sur la commercialisation de nouveaux produits.

AUDIOPROTHÉSISTE	IER
HOMÉOPATHE	IER
HYPNOTHÉRAPEUTE	IER

I C Les personnes qui ont ce profil sont attirées par les activités qui sollicitent leur capacité d'analyse et de jugement sans toutefois qu'elles aient à faire preuve de créativité pour imaginer des solutions innovatrices à des problèmes ou pour mettre au point de nouveaux procédés. Elles préfèrent au contraire s'en tenir à des méthodes de travail et à des règles bien établies leur permettant d'obtenir un résultat précis. Elles ont un sens développé de l'observation, un esprit logique et un souci de l'exactitude qui conviennent bien aux tâches dans lesquelles il faut marier des données de façon systématique pour obtenir le résultat recherché.

A ARTISTIQUE

A R Les personnes qui ont ce profil s'intéressent aux activités concrètes qui font appel à leur sens esthétique et à leur goût pour la création en ce qui concerne plus particulièrement la conception d'objets, d'images ou d'environnements. Elles ont de la facilité à visualiser mentalement un espace ou des formes représentées de façon schématique (dessin, plan) et sont habiles à se servir d'outils et de matériaux pour fabriquer concrètement les produits de leur imagination. Elles travaillent avec minutie et patience et se soucient du détail, de la présentation, de la finition.

A I Les personnes qui ont ce profil sont attirées par les activités qui font appel à leur imagination créatrice et qui comportent en même temps un certain défi intellectuel. Elles sont souvent douées pour concevoir des produits, des idées ou des procédés originaux qui permettront de résoudre un problème de façon innovatrice. Lorsqu'elles cherchent «le pourquoi du comment» pour surmonter une difficulté, elles se servent tantôt de leur intuition et de leur imagination, tantôt de leur capacité d'analyse rigoureuse et de leur esprit logique. Elles sont indépendantes, curieuses et s'engagent à fond dans leur travail en n'hésitant pas à sortir des sentiers battus pour découvrir du nouveau.

FERRONNIER D'ART	AIR	CHEF COSTUMIER	AIS
GRAPHISTE	AIR	CHEF D'ORCHESTRE	AIS
GRAVEUR D'ART	AIR	CHEF DE PUPITRE	AIS
GRAVEUR D'ART (ORFÈVRERIE)	AIR	CHRONIQUEUR	AIS
HABILLEUR	AIR	CONCEPTEUR DE DÉCORS	AIS
HÉRALDISTE	AIR	CRÉATEUR DE COSTUMES	AIS
ILLUSTRATEUR	AIR	CRITIQUE D'ART	AIS
INFOGRAPHE EN PRÉIMPRESSION	AIR	CRITIQUE LITTÉRAIRE	AIS
INFOGRAPHISTE	AIR	DANSEUR	AIS
INGÉNIEUR DU SON	AIR	DÉCORATEUR-ENSEMBLIER	AIS
LETTREUR	AIR	DÉCORATEUR-ÉTALAGISTE	AIS
MAQUETTISTE	AIR	DIRECTEUR LITTÉRAIRE	AIS
MAROQUINIER	AIR	DIRECTEUR MUSICAL	AIS
MODÉLISTE DE CHAUSSURES	AIR	ÉCRIVAIN	AIS
MODÉLISTE EN CÉRAMIQUE	AIR	ÉDITORIALISTE	AIS
MODÉLISTE EN FOURRURE	AIR	ÉTALAGISTE	AIS
MODÉLISTE EN TEXTILES	AIR	HUMORISTE	AIS
MODÉLISTE EN VÊTEMENTS	AIR	INSTRUMENTISTE	AIS
MONTEUR DE FILMS	AIR	JOURNALISTE (PRESSE ÉCRITE)	AIS
MONTEUR SONORE	AIR	JOURNALISTE (PRESSE PARLÉE)	AIS
ORCHESTRATEUR	AIR	JOURNALISTE SPORTIF	AIS
ORFÈVRE	AIR	LECTEUR DE NOUVELLES	AIS
PEINTRE-SCÉNOGRAPHE	AIR	LEXICOGRAPHE	AIS
PERCHISTE	AIR	MIME	AIS
PHOTOGRAPHE	AIR	MUSICIEN	AIS
PHOTOGRAPHE DE MODE	AIR	MUSICIEN DE RUE	AIS
PHOTOGRAPHE DE PRESSE	AIR	MUSICIEN POPULAIRE	AIS
PHOTOGRAPHE-PORTRAITISTE	AIR	NARRATEUR	AIS
PHOTOGRAPHE PUBLICITAIRE	AIR	RECHERCHISTE	AIS
POTIER CÉRAMISTE	AIR	RÉDACTEUR EN CHEF DE L'INFORMATION	AIS
PRENEUR DE SON	AIR	RÉVISEUR	AIS
SCULPTEUR	AIR	SCÉNARISTE EN MULTIMÉDIA	AIS
SCULPTEUR SUR BOIS (MEUBLES)	AIR	SPÉCIALISTE D'AMÉNAGEMENT INTÉRIEUR DES AVIONS	AIS
SÉRIGRAPHISTE À LA MAIN	AIR		
SONOTHÉCAIRE	AIR		
SOUFFLEUR DE VERRE (ARTISAN)	AIR		
SOUFFLEUR DE VERRE AU NÉON	AIR		
STYLISTE DE MODE	AIR		
TECHNICIEN EN DESIGN INDUSTRIEL	AIR		
TECHNICIEN EN DIFFUSION ET EN ENREGISTREMENT	AIR		
TECHNICIEN INFOGRAPHISTE	AIR		
VIDÉOGRAPHE	AIR		
ACTEUR	AIS		
AUTEUR DRAMATIQUE	AIS		
CARILLONNEUR	AIS		

A I

A S Les personnes qui ont ce profil ont besoin de pouvoir exprimer leur personnalité imaginative dans leur travail tout en ayant l'occasion de partager des moments d'émotion avec leur entourage. Elles sont attirées par les activités d'expression artistique et ont souvent un talent pour la création, une aptitude à trouver des idées originales dont elles souhaitent faire profiter un public, une clientèle. Ce sont des personnes sensibles, perspicaces, d'esprit indépendant et qui désirent être appréciées. Elles ont de la facilité à communiquer leurs idées et leurs sentiments, mais elles sont aussi attentives aux autres, capables d'écoute et de dévouement.

CHANTEUR DE CONCERT	ASI

CHANTEUR POPULAIRE	ASI
CHORISTE	ASI
MUSICOLOGUE	ASI
PROFESSEUR D'ART DRAMATIQUE	ASI
PROFESSEUR D'ARTS PLASTIQUES	ASI
PROFESSEUR DE DANSE	ASII
NTERPRÈTE	ASE
INTERPRÈTE GESTUEL	ASE
SCÉNARISTE-DIALOGUISTE	ASE
MAQUILLEUR-COIFFEUR	ASC

A E Les personnes qui ont ce profil sont attirées par les activités d'expression ou de production artistique qui sollicitent leur talent créateur et leur sens esthétique et jouissent en plus d'un esprit d'entreprise et d'un sens de la planification qui leur permettent d'organiser efficacement leur travail pour réaliser leurs objectifs. Elles ont de la facilité à vendre leurs idées, à rallier leur entourage à la décision qu'elles estiment la meilleure ou aux opinions qu'elles défendent. Elles peuvent être des leaders efficaces ou des gens d'affaires avisés dans un domaine artistique. Elles sont actives, énergiques et ne craignent pas de prendre des risques calculés.

ACROBATE	AER
ASSISTANT À LA RÉALISATION	AER
CADREUR	AER
CASCADEUR	AER
CLOWN	AER
CONTORSIONNISTE	AER
CRACHEUR DE FEU	AER
DIRECTEUR ARTISTIQUE	AER
DIRECTEUR DE LA DISTRIBUTION	AER
DIRECTEUR DE LA PHOTOGRAPHIE	AER
DIRECTEUR DE PRODUCTION (CINÉMA, TÉLÉVISION)	AER
DIRECTEUR DE PRODUCTION MULTIMÉDIA	AER
DIRECTEUR TECHNIQUE DE PRODUCTIONS ARTISTIQUES	AER
DOMPTEUR	AER
ÉCHASSIER	AER
ÉQUILIBRISTE	AER
IMITATEUR	AER
JONGLEUR	AER
MAGICIEN	AER
MONOLOGUISTE	AER
OPÉRATEUR DE TÉLÉSOUFFLEUR	AER
SCRIPTE	AER
TRAPÉZISTE	AER

ASTROLOGUE	AEI
CONCEPTEUR-DESIGNER D'EXPOSITIONS	AEI
METTEUR EN SCÈNE DE THÉÂTRE	AEI
PRODUCTEUR AUDIO EN MULTIMÉDIA	AEI
RÉALISATEUR	AEI
TECHNICIEN EN DESIGN DE PRÉSENTATION	AEI
CHORÉGRAPHE	AES
MANNEQUIN	AES
MARIONNETTISTE	AES
VENTRILOQUE	AES
CHARGÉ DE PROGRAMMATION (RADIO, TÉLÉVISION)	AEC
DISCOTHÉCAIRE	AEC
PRODUCTEUR	AEC
RÉGISSEUR	AEC

S SOCIAL

S R Les personnes qui ont ce profil recherchent les occasions d'être en relation avec les autres dans le cadre d'activités concrètes qui nécessitent des déplacements ou des manipulations de machines pour accomplir quelque chose. Elles préfèrent les activités de groupe en plein air aux activités sédentaires. Du fait qu'elles jouissent en général d'une bonne forme physique et d'une bonne coordination visuo-motrice, elles sont souvent douées pour les sports qui, de surcroît, leur permettent de satisfaire leur besoin de contacts sociaux. Elles peuvent apprécier également les professions de service dans lesquelles elles ont à s'occuper concrètement d'autres personnes pour donner, par exemple, des soins pratiques de santé.

S
R

ENTRAÎNEUR D'ATHLÈTES	SRI
INFIRMIER EN CHIRURGIE	SRI
LUDOTHÉRAPEUTE	SRI
MUSICOTHÉRAPEUTE	SRI
ZOOTHÉRAPEUTE	SRI
AIDE FAMILIAL	SRE
AIDE-ÉDUCATEUR EN GARDERIE	SRE
AUXILIAIRE FAMILIAL ET SOCIAL	SRE
COUREUR AUTOMOBILE	SRE
ENTRAÎNEUR D'ÉQUIPE SPORTIVE	SRE
ERGOTHÉRAPEUTE	SRE
GARDIEN D'ENFANTS	SRE

GOUVERNANT	SRE
PATINEUR ARTISTIQUE	SRE
SPORTIF PROFESSIONNEL	SRE
TECHNICIEN DE MATÉRIEL DIDACTIQUE	SRE
PRÉPOSÉ AUX BÉNÉFICIAIRES	SRC

S I Les personnes qui ont ce profil sont en général attirées par les professions qui leur permettent de répondre aux besoins d'aide physique ou psychologique des gens (comme celles liées à la médecine, la psychologie ou l'éducation) et qui comportent également un certain défi intellectuel convenant à leur côté chercheur. Plusieurs traits de personnalité complémentaires les rendent particulièrement aptes à aider efficacement les autres: d'une part, elles ont de la facilité à entretenir des relations significatives, elles sont perspicaces, bienveillantes et dévouées; d'autre part, elles cherchent à comprendre le «pourquoi du comment» des problèmes ou besoins des gens et s'efforcent d'appuyer leur intervention sur une analyse objective des faits.

S
R

AMBULANCIER	SIR
COORDONNATEUR DE DÉPARTEMENT DANS UN COLLÈGE	SIR
DÉPISTEUR EN SPORT PROFESSIONNEL	SIR
FORMATEUR EN ENTREPRISE	SIR
NATUROPRATICIEN	SIR
PHYSIOTHÉRAPEUTE	SIR
PODIATRE	SIR
PROFESSEUR D'ÉDUCATION PHYSIQUE	SIR
PROFESSEUR D'ENSEIGNEMENT GÉNÉRAL AU CÉGEP	SIR
PROFESSEUR DE CHANT	SIR
PROFESSEUR DE LANGUES MODERNES	SIR
PROFESSEUR EN FORMATION PROFESSIONNELLE AU COLLÈGE	SIR
THÉRAPEUTE EN RÉADAPTATION PHYSIQUE	SIR
THÉRAPEUTE SPORTIF	SIR
BIBLIOTHÉCAIRE	SIA
CATALOGUEUR	SIA
DOCUMENTALISTE	SIA
ÉDUCATEUR PHYSIQUE KINÉSIOLOGIQUE	SIA
ÉDUCATEUR PHYSIQUE PLEINAIRISTE	SIA
ÉDUCATEUR PHYSIQUE RÉADAPTATEUR	SIA
ENSEIGNANT AUX ADULTES	SIA
INFIRMIER	SIA
INFIRMIER DE SERVICE TÉLÉPHONIQUE	SIA
INFIRMIER EN SANTÉ AU TRAVAIL	SIA
INFIRMIER PSYCHIATRIQUE	SIA

INFIRMIER SCOLAIRE	SIA
PROFESSEUR AU SECONDAIRE	SIA
PROFESSEUR D'ÉDUCATION AU CHOIX DE CARRIÈRE	SIA
PROFESSEUR D'ENSEIGNEMENT PROFESSIONNEL AU SECONDAIRE	SIA
TRAVAILLEUR SOCIAL	SIA
EXAMINATEUR DE PERMIS DE CONDUIRE	SIE
MONITEUR DE CONDUITE AUTOMOBILE	SIE
MONITEUR DE CONDUITE DE MOTOCYCLETTE	SIE
AGENT DE LIBÉRATION CONDITIONNELLE	SIC
DIRECTEUR D'ÉCOLE	SIC
DIRECTEUR DE CAMP	SIC
INTERVIEWEUR	SIC

S A Les personnes qui ont ce profil ont une préférence pour les activités qui leur permettent d'être utiles aux autres en offrant un soutien qui est davantage d'ordre culturel ou éducatif que d'ordre matériel. Ce sont des personnes sensibles et dévouées qui recherchent les occasions de partager des moments d'émotion et des idées avec les autres tout en étant d'esprit indépendant, non conformiste, voire original. Elles s'engagent volontiers dans un travail d'équipe faisant appel à leur sens de la collaboration dans la mesure où elles ont la possibilité d'exprimer leur personnalité et leur créativité. Elles sont habituellement attirées par les arts, les langues et la culture en général.

ASSISTANT DENTAIRE	SAI
ÉDUCATEUR EN GARDERIE	SAI
ÉDUCATEUR EN RÉHABILITATION DES AVEUGLES	SAI
ENSEIGNANT AU PRÉSCOLAIRE	SAI
ENSEIGNANT AU PRIMAIRE	SAI
INFIRMIER AUXILIAIRE	SAI
INSTRUCTEUR DE PILOTE D'AVION	SAI
MINISTRE DU CULTE	SAI
ORTHOPÉDAGOGUE	SAI
PROFESSEUR POUR PERSONNES DÉFICIENTES INTELLECTUELLES	SAI
PROFESSEUR POUR PERSONNES HANDICAPÉES DE LA VUE	SAI
ANIMATEUR DE PASTORALE	SAE
CONSEILLER EN COULEURS	SAE
GRAPHOANALYSTE	SAE
ORGANISATEUR DE L'INSTRUCTION RELIGIEUSE	SAE
AIDE-COIFFEUR	SAC

COIFFEUR	SAC
COIFFEUR STYLISTE	SAC
ÉLECTROLYSTE	SAC
ESTHÉTICIEN	SAC
MANUCURE	SAC
POSEUR D'ONGLES ET DE CILS	SAC

S E Les personnes qui ont ce profil éprouvent le besoin d'être en contact actif avec les autres, individus ou groupes, dans le but de leur être utiles. Elles apprécient que les gens se fient à leur expertise pour obtenir l'aide ou le service dont ils ont besoin, mais elles préfèrent qu'on leur laisse le champ libre pour organiser les choses à leur façon et décider de ce qui convient le mieux dans les circonstances. En cas de désaccord, elles useront volontiers de leur capacité d'influence pour convaincre les dissidents. Elles possèdent une détermination, un esprit d'entreprise et un enthousiasme communicatif qui servent bien leur désir de prendre des responsabilités et leur ambition de réussite. Elles ont de la facilité à planifier un projet en fonction d'objectifs et de stratégies déterminées et se révèlent souvent des leaders efficaces.

CAPITAINE DE BANQUET	SER
EXAMINATEUR DES RÉCLAMATIONS D'ASSURANCES	SER
EXPERT EN SINISTRES (ASSURANCES)	SER
INSTRUCTEUR D'ART MARTIAL	SER
INSTRUCTEUR DE CONDITIONNEMENT PHYSIQUE AÉROBIQUE	SER
MONITEUR DE CAMP	SER
MONITEUR DE LOISIRS	SER
MONITEUR DE NATATION	SER
MONITEUR DE SKI	SER
PATROUILLEUR DES PENTES DE SKI	SER
PROFESSEUR D'ÉQUITATION	SER
SERVEUR	SER
SOMMELIER	SER
SURVEILLANT SAUVETEUR DE BAINS PUBLICS	SER
TECHNICIEN EN LOISIRS	SER

AGENT D'ATTRIBUTION DE LA SÉCURITÉ DU REVENU	SEI
ANIMATEUR DE VIE ÉTUDIANTE	SEI
CONSEILLER EN RÉADAPTATION	SEI
CONSEILLER EN RETRAITE	SEI
CONSEILLER EN TOXICOMANIE	SEI
DIRECTEUR DES SERVICES AUX ÉTUDIANTS	SEI
REGISTRAIRE DE COLLÈGE OU D'UNIVERSITÉ	SEI
SEXOLOGUE	SEI

TECHNICIEN D'INTERVENTION EN DÉLINQUANCE	SEI
TECHNICIEN EN ÉDUCATION SPÉCIALISÉE	SEI
TECHNICIEN EN TRAVAIL SOCIAL	SEI
TRAVAILLEUR DE RUE	SEI
TRAVAILLEUR SOCIAL EN SERVICE COLLECTIF	SEI

AGENT DU SERVICE EXTÉRIEUR DIPLOMATIQUE	SEA
ATTACHÉ POLITIQUE	SEA
CONSEILLER POLITIQUE	SEA

AGENT AU CLASSEMENT DES DÉTENUS DANS LES PÉNITENCIERS	SEC
AGENT SYNDICAL	SEC
AIDE PÉDAGOGIQUE INDIVIDUEL	SEC
CHASSEUR DE TÊTES	SEC
COMMIS À LA RÉGULATION ASSISTÉE PAR ORDINATEUR	SEC
CONCILIATEUR EN RELATIONS DU TRAVAIL	SEC
CONSEILLER D'ORIENTATION	SEC
CONSEILLER EN EMPLOI	SEC
CONSEILLER EN GESTION DE CARRIÈRE	SEC
CONSEILLER EN INFORMATION SCOLAIRE ET PROFESSIONNELLE	SEC
CONSEILLER EN RELATIONS INDUSTRIELLES	SEC
DIRECTEUR D'AGENCE DE RENCONTRES	SEC
MAÎTRE D'HÔTEL	SEC
MÉDIATEUR	SEC
RÉPARTITEUR DE TAXIS	SEC
SERVEUR DE BAR	SEC
SPÉCIALISTE EN RELATIONS OUVRIÈRES	SEC
THANATOLOGUE	SEC

S
C

S C Les personnes qui ont ce profil éprouvent le besoin d'entretenir des relations étroites avec des gens, leurs collègues ou la clientèle, possiblement en exerçant une profession de services dont les tâches sont régulières et bien définies. Ce sont des personnes attentives aux autres, bienveillantes et coopératives qui se montrent efficaces, consciencieuses et ordonnées dans leur travail. Elles sont à l'aise dans une équipe de travail régulière dont les tâches sont réparties clairement et laissent le loisir d'échanger quelques blagues ici et là.

MÉDECIN HYGIÉNISTE	SCE

E

ENTREPRENANT

E **R** Les personnes qui ont ce profil recherchent les occasions de prendre les choses en charge pour réaliser des tâches concrètes, en rapport avec des choses matérielles plutôt qu'avec des problèmes abstraits. Elles font preuve d'un grand sens de l'organisation pratique pour atteindre leurs propres buts ou pour diriger une équipe de travail dont les tâches sont d'ordre matériel (fabrication, réparation, transport). Elles ont de la facilité à structurer un travail en déterminant des étapes de réalisation précises et des moyens efficaces d'atteindre les résultats recherchés. Elles ont souvent les habiletés manuelles et techniques et le leadership nécessaires pour êtres respectées comme chef des opérations.

CONTREMAÎTRE DE TRAVAILLEURS FORESTIERS	ERI
ENTREPRENEUR EN AMÉNAGEMENT PAYSAGER	ERI
ENTREPRENEUR EN TRAVAUX PUBLICS	ERI
ENTRAÎNEUR DE CHEVAUX	ERA
AGENT DE POLICE DU PORT	ERS
ENQUÊTEUR	ERS
OFFICIER D'ARTILLERIE OU DE BLINDÉS	ERS
OFFICIER D'INFANTERIE	ERS
POLICIER	ERS
POLICIER COMMUNAUTAIRE	ERS
POLICIER MILITAIRE	ERS
CHEF ACCESSOIRISTE	ERC
CHEF DE GARE	ERC
CONTREMAÎTRE D'ÉBÉNISTES ET DE MENUISIERS EN MEUBLES	ERC
CONTREMAÎTRE DE MÉCANICIENS DE VÉHICULES AUTOMOBILES	ERC
CONTREMAÎTRE DE SALAISON ET DE CONSERVE DE POISSON	ERC
CONTREMAÎTRE INSTALLATEUR EN ÉQUIPEMENTS PÉTROLIERS	ERC
ENTREPRENEUR EN PAVAGE	ERC
ENTREPRENEUR EN TRANSPORT	ERC
GARAGISTE	ERC
INSPECTEUR DE LA CIRCULATION PAR AUTOBUS	ERC
TECHNICIEN EN DIÉTÉTIQUE	ERC
TECHNICIEN EN NUTRITION CLINIQUE	ERC

E **I** Les personnes qui ont ce profil sont attirées par les activités qui sollicitent leur esprit d'entreprise et leur sens de l'organisation tout en satisfaisant leur côté chercheur intéressé par les problèmes scientifiques ou techniques. Elles ont l'ambition et l'audace des gens d'affaires en même temps que la capacité d'analyse et la rigueur logique des chercheurs scientifiques. Elles ont de la facilité à mettre sur pied et à diriger des projets dans lesquels il faut résoudre des problèmes en appliquant des stratégies bien planifiées.

AGRONOME DES SERVICES DE VULGARISATION	EIR
CONSEILLER EN FINANCEMENT AGRICOLE	EIR
MALHERBOLOGISTE	EIR
TECHNOLOGUE EN DÉPISTAGE	EIR
TECHNOLOGUE EN ENVIRONNEMENT AGRICOLE	EIR
TECHNOLOGUE EN HORTICULTURE LÉGUMIÈRE ET FRUITIÈRE	EIR
TECHNOLOGUE EN PRODUCTIONS VÉGÉTALES	EIR
CONSEILLER EN ÉCONOMIE D'ÉNERGIE	EIS
EXPERT-CONSEIL EN COMMERCIALISATION	EIS
EXPERT-CONSEIL EN INFORMATIQUE	EIS
PRÉPOSÉ À LA VENTE DE LIENS ÉLECTRONIQUES	EIS
REPRÉSENTANT AUX VENTES D'ÉQUIPEMENTS AGRICOLES	EIS
REPRÉSENTANT TECHNIQUE	EIS
VENDEUR-TECHNICIEN D'ÉQUIPEMENT LOURD	EIS
VENDEUR-TECHNICIEN DE MATÉRIEL ÉLECTRONIQUE ET ÉLECTRIQUE	EIS
AGENT DES BREVETS	EIC
INSPECTEUR MUNICIPAL	EIC
SURVEILLANT D'ÉTABLISSEMENT DE JEU	EIC

E **A** Les personnes qui ont ce profil ont une préférence pour les activités qui mettent à profit leur esprit d'action et leur talent de persuasion tout en leur fournissant l'occasion d'exprimer leur personnalité, leur esprit indépendant et non conformiste. Ce sont des personnes dynamiques dont l'enthousiasme est communicatif. Elles recherchent les responsabilités, ne craignent pas de prendre des risques et défendent leurs convictions avec énergie. Elles apprécient les idées originales, innovatrices et sont attirées par tout ce qui concerne la création, l'esthétique, l'expression de soi.

ANIMATEUR (RADIO, TÉLÉVISION)	EAR
COMMENTATEUR SPORTIF	EAR
PRÉPOSÉ À L'AUDITOIRE	EAR
AVOCAT	EAS
AVOCAT DE LA COURONNE	EAS
CONSEILLER JURIDIQUE	EAS

E
R

JUGE	EAS
LÉGISTE	EAS
NOTAIRE	EAS

E S Les personnes qui ont ce profil sont attirées par les activités qui leur permettent d'exercer de l'influence sur les autres. Elles sont à l'aise dans des fonctions qui consistent à conseiller des personnes, à orienter leurs choix, à prendre en charge l'organisation de certains aspects de leur vie (loisirs, finances, avenir, travail, etc.). Elles ont de la facilité à entrer en contact avec les autres, à comprendre leurs besoins et à prendre les moyens efficaces pour leur venir en aide. Elles sont sûres d'elles-mêmes, optimistes et convaincantes de sorte que les gens s'en remettent volontiers à elles pour déterminer ce qu'il faut faire et comment le faire. Elles prennent facilement le leadership dans un groupe.

AGENT DE LOCATION DE VÉHICULES	ESR
CHAUFFEUR DE CANTINE MOBILE	ESR
COMMIS DE CLUB VIDÉO	ESR
COMMIS DE DÉPANNEUR	ESR
COMMIS-VENDEUR	ESR
COMMIS-VENDEUR D'ANIMALERIE	ESR
COMMIS-VENDEUR D'ARTICLES DE SPORT	ESR
COMMIS-VENDEUR DE MATÉRIEL PHOTOGRAPHIQUE	ESR
COMMIS-VENDEUR DE POISSONS ET FRUITS DE MER	ESR
COMMIS-VENDEUR DE QUINCAILLERIE	ESR
COMMIS-VENDEUR DE VÊTEMENTS	ESR
COMMIS-VENDEUR EN HORTICULTURE ORNEMENTALE	ESR
CONSEILLER À LA VENTE DE VÉHICULES AUTOMOBILES	ESR
CONSEILLER EN PRODUITS DE BEAUTÉ	ESR
DIRECTEUR D'INSTITUTION FINANCIÈRE	ESR
INFIRMIER EN CHEF	ESR
INSPECTEUR EN PROTECTION ANIMALE	ESR
LIVREUR DE METS PRÉPARÉS	ESR
PRÉPOSÉ À LA LOCATION D'OUTILS	ESR
VENDEUR DE SERVICES D'AUTOMOBILES	ESR
VENDEUR-LIVREUR	ESR
ADMINISTRATEUR DE BASES DE DONNÉES	ESI
ADMINISTRATEUR DE SYSTÈMES INFORMATIQUES	ESI
AGENT COMMERCIAL	ESI
AGENT D'ASSURANCES	ESI
AGENT DE DOTATION	ESI

AGENT DE LOCATION D'EMPLACEMENTS POUR PANNEAUX-RÉCLAMES	ESI
AGENT DES RESSOURCES HUMAINES	ESI
ANALYSTE EN INFORMATIQUE	ESI
ANALYSTE EN INFORMATIQUE DE GESTION	ESI
ANTIQUAIRE	ESI
ARCHITECTE DE SYSTÈMES INFORMATIQUES	ESI
ASSEMBLEUR-INTÉGRATEUR EN MULTIMÉDIA	ESI
CAMBISTE	ESI
CHARGÉ DE PROJET MULTIMÉDIA	ESI
CONCEPTEUR DE LOGICIELS	ESI
CONCESSIONNAIRE D'AUTOMOBILES	ESI
CONSEILLER EN COMMUNICATION ÉLECTRONIQUE	ESI
CONSEILLER MUNICIPAL	ESI
COURTIER D'ASSURANCES	ESI
DÉPUTÉ	ESI
DESIGNER D'INTERFACE MULTIMÉDIA	ESI
DIRECTEUR D'AGENCE DE VOYAGES	ESI
DIRECTEUR D'ÉTABLISSEMENT TOURISTIQUE	ESI
ENCANTEUR	ESI
FRIPIER	ESI
GALÉRISTE	ESI
GÉRANT DE BOUTIQUE DE VÊTEMENTS	ESI
GÉRANT DE COMMERCE DE DÉTAIL	ESI
GÉRANT D'ENTREPÔT	ESI
IMPORTATEUR-EXPORTATEUR	ESI
IMPRÉSARIO	ESI
LIBRAIRE	ESI
MAIRE	ESI
MINISTRE	ESI
NÉGOCIATEUR EN BOURSE	ESI
NUMISMATE	ESI
PHILATÉLISTE	ESI
PREMIER MINISTRE	ESI
REPRÉSENTANT AUX VENTES EN TRANSPORT ROUTIER	ESI
REPRÉSENTANT COMMERCIAL	ESI
VENDEUR DE PUBLICITÉ POUR LA RADIO ET LA TÉLÉVISION	ESI
VENDEUR-TECHNICIEN DE MATÉRIAUX DE CONSTRUCTION	ESI
WEBMESTRE	ESI
AGENT D'INFORMATION	ESA
ATTACHÉ DE PRESSE	ESA
CONSEILLER EN RELATIONS PUBLIQUES	ESA
GUIDE ACCOMPAGNATEUR	ESA
GUIDE TOURISTIQUE	ESA

E
S

PRÉPOSÉ AUX RENSEIGNEMENTS TOURISTIQUES	ESA
PUBLICITAIRE	ESA
RÉCRÉOLOGUE	ESA
SPÉCIALISTE DES RELATIONS PUBLIQUES	ESA
ADMINISTRATEUR	ESC
AGENT D'ADMINISTRATION	ESC
AGENT D'ASSURANCE-EMPLOI	ESC
AGENT DE BORD	ESC
AGENT DE DÉVELOPPEMENT ÉCONOMIQUE	ESC
AGENT DE PROMOTION TOURISTIQUE	ESC
ANALYSTE DES MARCHÉS	ESC
ARBITRE	ESC
ARMATEUR	ESC
AUBERGISTE	ESC
CHARGÉ DE VEILLE STRATÉGIQUE	ESC
CHEF DE CABINET	ESC
CHEF RÉCEPTIONNISTE D'HÔTEL	ESC
CHRONOMÉTREUR	ESC
COMMISSAIRE DE BORD	ESC
COMPTABLE ADJOINT	ESC
COORDONNATEUR DES CONGRÈS ET DES BANQUETS	ESC
COORDONNATEUR DES SERVICES DE TOURISME	ESC
CRIEUR	ESC
CROUPIER	ESC
CURATEUR PUBLIC	ESC
DIRECTEUR ADMINISTRATIF	ESC
DIRECTEUR D'ÉQUIPE DE SPORT PROFESSIONNEL	ESC
DIRECTEUR D'ÉTABLISSEMENT DE LOISIRS	ESC
DIRECTEUR D'EXPLOITATION DES TRANSPORTS ROUTIERS	ESC
DIRECTEUR D'HIPPODROME	ESC
DIRECTEUR D'USINE DE PRODUCTION DE TEXTILES	ESC
DIRECTEUR D'USINE DE PRODUCTION DE VÊTEMENTS	ESC
DIRECTEUR DE CIMETIÈRE	ESC
DIRECTEUR DE DÉPARTEMENT DE SOINS HOSPITALIERS	ESC
DIRECTEUR DE FUNÉRAILLES	ESC
DIRECTEUR DE LA RESTAURATION	ESC
DIRECTEUR DE PRODUCTION DES MATIÈRES PREMIÈRES	ESC
DIRECTEUR DE PRODUCTION INDUSTRIELLE	ESC
DIRECTEUR DES COMMUNICATIONS (POLITIQUE)	ESC

DIRECTEUR DES RESSOURCES HUMAINES	ESC
DIRECTEUR DES SOINS INFIRMIERS	ESC
DIRECTEUR DU SERVICE DE DIÉTÉTIQUE	ESC
DIRECTEUR GÉNÉRAL D'ÉTABLISSEMENTS HÔTELIERS	ESC
DIRECTEUR GÉNÉRAL DE CENTRE HOSPITALIER	ESC
DIRECTEUR GÉNÉRAL DES VENTES ET DE LA PUBLICITÉ	ESC
DIRECTEUR-GÉRANT DE RESTAURANT	ESC
ÉDITEUR	ESC
ENTREPRENEUR EN CONSTRUCTION	ESC
ENTREPRENEUR EN SERVICES DE NETTOYAGE	ESC
GÉRANT D'IMPRIMERIE	ESC
GÉRANT DE CYBERCAFÉ	ESC
HUISSIER	ESC
INSPECTEUR DU SERVICE DE RESTAURATION	ESC
MAÎTRE DE POSTE	ESC
MARCHAND DES QUATRE SAISONS	ESC
OENOLOGUE	ESC
OFFICIER DE LOGISTIQUE	ESC
ORGANISATEUR DE CONGRÈS ET AUTRES ÉVÉNEMENTS SPÉCIAUX	ESC
PROTECTEUR DU CITOYEN	ESC
SOUS-MINISTRE	ESC
SPÉCIALISTE EN ENTRETIEN DES CLOCHERS	ESC
SUPERVISEUR DES SERVICES ALIMENTAIRES	ESC
SURINTENDANT DE PARC	ESC
SURVEILLANT DE PERSONNEL DE BUREAU	ESC
TECHNICIEN ADMINISTRATIF EN GESTION INFORMATISÉE	ESC
TECHNICIEN EN ADMINISTRATION	ESC
TECHNICIEN EN ADMINISTRATION DU COMMERCE INTERNATIONAL	ESC
TECHNICIEN EN ADMINISTRATION ET COOPÉRATION	ESC
TECHNICIEN EN FINANCE	ESC
TECHNICIEN EN GESTION DE SERVICES ALIMENTAIRES	ESC
TECHNICIEN EN LOGISTIQUE DU TRANSPORT INTERMODAL	ESC
TECHNICIEN EN MARKETING	ESC
TECHNICIEN EN TRANSPORT	ESC
TÉLÉPHONISTE EN TÉLÉMARKETING	ESC
VENDEUR À DOMICILE	ESC

E C Les personnes qui ont ce profil sont attirées par les activités qui font place à leur sens de l'initiative et de l'organisation pour assurer le bon fonctionnement d'une entreprise ou d'un service en fonction d'objectifs clairs et de méthodes de travail bien établies. Elles sont ordonnées, précises,

E
S

consciencieuses et ont de la facilité à mémoriser les détails, qualités qui se révèlent fort utiles dans les tâches de gestion administrative qui nécessitent d'organiser systématiquement des données pour y voir clair avant de prendre une décision. Ce sont des personnes énergiques, débrouillardes, qui font preuve d'une grande détermination pour surmonter les difficultés faisant obstacle à leurs buts.

INSPECTEUR DU TRANSPORT MOTORISÉ	ECR

AGENT DE GESTION IMMOBILIÈRE	ECI
AGENT DES LOYERS	ECI
DIRECTEUR DES ACHATS DE MARCHANDISES	ECI
ÉVALUATEUR AGRÉÉ	ECI
ÉVALUATEUR COMMERCIAL	ECI
TECHNOLOGUE DE L'ÉVALUATION FONCIÈRE ET IMMOBILIÈRE	ECI

TECHNICIEN EN DOCUMENTATION	ECA

ACHETEUR	ECS
ACHETEUR ADJOINT	ECS
ADMINISTRATEUR FIDUCIAIRE	ECS
AGENT IMMOBILIER	ECS
CONSEILLER EN LOCATION	ECS
CONSEILLER EN TRANSPORT DE MARCHANDISES	ECS
COURTIER EN DOUANE	ECS
GÉRANT IMMOBILIER	ECS
GREFFIER	ECS
GREFFIER-AUDIENCIER	ECS
INSPECTEUR D'INSTITUTIONS FINANCIÈRES	ECS
PLANIFICATEUR FINANCIER	ECS
PROTONOTAIRE	ECS
SOUS-CHEF DE CUISINE	ECS
TARIFICATEUR D'ASSURANCES	ECS

C CONVENTIONNEL

C R Les personnes qui ont ce profil ont une préférence pour les tâches bien définies, méthodiques, encadrées par des directives claires ou par des procédures précises. Elles sont plus à l'aise dans un travail concret et pratique en rapport avec des objets ou des données comptables que dans un travail de réflexion sur des idées ou des problèmes abstraits. Douées d'une bonne dextérité manuelle et d'une bonne coordination motrice, elles sont habiles à se servir de machines ou d'outils pour exécuter un travail précis, régulier, voire routinier. Ce sont des personnes efficaces, minutieuses et fiables qui se préoccupent de bien faire leur travail sans vouloir changer le monde.

COMMIS À LA FACTURATION	CRI
COMMIS AU BUDGET	CRI
COMMIS AU PRIX DE REVIENT	CRI
COMMIS AUX COMPTES À RECEVOIR	CRI
COMMIS DE BUREAU	CRI
COMMIS DU SERVICE DE LA PAIE	CRI
TECHNOLOGUE EN GÉODÉSIE	CRI

ARCHIVISTE MÉDICAL	CRS
CAISSIER D'INSTITUTION FINANCIÈRE	CRS
COMMIS AU CLASSEMENT	CRS

COMMIS À LA SAISIE DE DONNÉES	CRE
COMMIS DE SUPERMARCHÉ	CRE
ÉTIQUETEUR DE PRIX	CRE
OPÉRATEUR À LA SAISIE DES DONNÉES	CRE
PRÉPOSÉ À L'EMBALLAGE	CRE

C I Les personnes qui ont ce profil recherchent les occasions de mettre à profit leur souci de l'ordre et de la méthode dans un contexte convenant à leur côté investigateur porté à s'interroger sur «le pourquoi du comment». Respectueuses de l'autorité tout en ayant le sens critique et un bon jugement, elles peuvent être à l'aise dans un rôle de surveillance ou de contrôle dans lequel elles ont à déceler des situations qui dérogent aux règles établies et à faire en sorte de redresser les choses. Elles sont habiles à découvrir «ce qui cloche» dans un ensemble de faits ou de données car elles ont le sens de l'observation et de l'analyse et ont la mémoire du détail. Ce sont des personnes strictes qui refusent l'à peu près et qui prennent la peine de se renseigner en cas de doute.

AGENT-CONSEIL DE CRÉDIT	CIS
COMMIS AUX PETITES ANNONCES	CIS
COMMIS D'ASSURANCES	CIS
COORDONNATEUR DU TRANSPORT DE VOYAGEURS PAR AUTOBUS	CIS
RÉPARTITEUR EN TRANSPORT ROUTIER DE PERSONNES ET DE MARCHANDISES	CIS
VÉRIFICATEUR DES IMPÔTS	CIS

ANALYSTE EN GESTION D'ENTREPRISES	CIE
COMMIS AU SERVICE DE LA VOIE FERRÉE	CIE
COMMIS AUX APPROVISIONNEMENTS	CIE
COMMIS DE BOURSE	CIE

477

COMMIS DE SERVICES FINANCIERS	CIE
CONSEILLER EN ORGANISATION DU TRAVAIL	CIE
CORRECTEUR D'ÉPREUVES	CIE
OPÉRATEUR D'UNITÉ DE TRAITEMENT DE TEXTE	CIE
RELEVEUR DE COMPTEURS	CIE
TECHNICIEN DE RECHERCHE, ENQUÊTE ET SONDAGE	CIE
TECHNICIEN EN COLLECTE D'INFORMATION	CIE
TECHNICIEN EN ENQUÊTE ADMINISTRATIVE	CIE
TECHNICIEN EN GESTION DE DOCUMENTS	CIE

C S Les personnes qui ont ce profil préfèrent accomplir des tâches dont les objectifs et les procédures sont clairement définis dans un contexte qui leur permet de rendre service aux gens ou du moins d'être en contact avec les autres. Elles sont habiles à enregistrer, classer ou compiler des données et des documents selon des règles systématiques et sont capables d'une grande rapidité d'exécution sans faire d'erreur. Un travail de bureau régulier et sédentaire leur convient pour autant qu'elles sont dans un milieu leur permettant d'entretenir de bonnes relations avec des collègues ou d'avoir des contacts avec la clientèle du service. Ce sont des personnes ordonnées, efficaces et consciencieuses qui s'efforcent de satisfaire les attentes de leur entourage et qui ont le sens de la collaboration.

C
I

CAISSIER D'ÉTABLISSEMENT COMMERCIAL	CSI
CAISSIER DE BILLETTERIE	CSI
CAISSIER DE CAFÉTÉRIA	CSI
TENEUR DE LIVRES	CSI

COMMIS DE BIBLIOTHÈQUE	CSA
SECRÉTAIRE	CSA
SECRÉTAIRE DE DIRECTION	CSA
SECRÉTAIRE JURIDIQUE	CSA
SECRÉTAIRE MÉDICAL	CSA
STÉNOGRAPHE JURIDIQUE	CSA
TECHNICIEN EN BUREAUTIQUE	CSA

ADJOINT ADMINISTRATIF	CSE
AGENT DE VOYAGES	CSE
AGENT VENDEUR DE BILLETS	CSE
BAGAGISTE	CSE
CHEF DE SERVICE DE PROMOTION DES VENTES	CSE
COMMIS À LA RÉSERVATION	CSE
COMMIS AU SERVICE DU PERSONNEL	CSE
COMMIS AUX PLAINTES	CSE
EXAMINATEUR DES TITRES DE PROPRIÉTÉ	CSE
FORFAITISTE	CSE

PRÉPOSÉ AU SERVICE À LA CLIENTÈLE	CSE
PRÉPOSÉ AUX RENSEIGNEMENTS	CSE
RÉCEPTIONNISTE D'HÔTEL	CSE
RÉCEPTIONNISTE-TÉLÉPHONISTE	CSE
TÉLÉPHONISTE	CSE

C E Les personnes qui ont ce profil ont une préférence pour les tâches bien définies dans lesquelles elles savent clairement ce qu'elles ont à faire et ce qu'on attend d'elles, mais elles ont besoin d'avoir le champ libre pour organiser leur travail comme bon leur semble. Elles font preuve d'initiative et ne craignent pas les responsabilités. Ce sont des personnes débrouillardes et sûres d'elles-mêmes qui aiment prendre leurs propres décisions. Douées d'un certain talent de persuasion, elles défendent leurs opinions avec énergie et ont de l'influence sur leur entourage. Elles sont efficaces dans des tâches régulières de bureau ou de service commercial qui requièrent un bon sens de la planification et qui laissent place à l'initiative.

COMMIS AU GUICHET DES POSTES	CER

ANALYSTE FINANCIER	CEI
CONSEILLER EN VALEURS MOBILIÈRES	CEI
COORDONNATEUR DE LA PRODUCTION	CEI

CHEF CUISINIER	CES
CHEF PÂTISSIER	CES
COMMIS D'INSTITUTION FINANCIÈRE	CES
COMPTABLE AGRÉÉ	CES
COMPTABLE DE SUCCURSALE DE BANQUE	CES
COMPTABLE EN MANAGEMENT ACCRÉDITÉ (CMA)	CES
COMPTABLE GÉNÉRAL LICENCIÉ (CGA)	CES
FISCALISTE	CES
GASTRONOME PROFESSIONNEL	CES

REMERCIEMENTS

Nous tenons à souligner l'excellente collaboration de tous ceux et celles qui ont participé à la préparation du Dictionnaire Septembre des métiers et professions.

Nous voulons remercier plus particulièrement tous les établissements d'enseignement secondaire, collégial et universitaire ainsi que les associations et ordres professionnels qui ont lu et validé les définitions des métiers et professions présentées dans le dictionnaire et qui nous ont transmis les données les plus à jour à ce sujet.

Nous adressons également nos remerciements aux entreprises suivantes qui ont accepté de participer à une vaste enquête visant à recueillir toute information susceptible d'actualiser encore davantage les définitions proposées dans le dictionnaire.

Accès Sommet, Serge Lanoue
AGMV «L'imprimeur» inc., Marc Delisle
Albacor Micro Systems ltd, Frank J. Hofstetter
Alex Coulombe ltée, Rodrigue Lemieux
Aliments Krispy Kernels inc., Pierre Dulac
Amadéus Logiciels inc., David Bertrand
Appartements La Pergola enr., Jacques Pineau
Arts et images productions, Mario Desmarais
Asea Brown Boveri inc., Raymond Beaulieu
Aska Film, Céline Courchesne
Association des gens d'affaires du sud-ouest de Montréal, André Pilon
Assurances Bernier, Garon, Lemay et ass., Gilles Bernier
Astuce, Production infographique, Claire Savard
Audet Soudure inc., Jean-Paul Lavoie
Autobus Transco, Michel Larocque
AV Tech inc., Yves Mercier
Axa Canada, Louis Desmeules
B.C.R. Litho ltée, Guy Robichaud
Banque centrale populaire du Maroc, Mohamed Allouch
Baronet inc., division Bois, Roland Lacroix
Bauer inc., Denis Ouellette
Benjamin Moore & Cie limitée, Sylvie Drouin
Bennett Fleet, Ralph G. Fleet
Bernier,Renauld et ass., communication et marketing, Martin Bernier
Best Foods Canada inc. division Produits Bovril, Ken Hall
Béton Carrière ltée, Walter Bélanger
Béton dynamique, Bernard Marcotte
Béton Girard inc., Pierre Girard
Biacom, Gisèle Bérubé
Boisaco inc., Guy Deschênes
Boiteau Luminaire inc., Gilles Boiteau
Boutique hors-taxe de Québec inc., Jean-Marc Simard
C.H.V. Hydraulique, Michel Dubois
Canac Marquis Grenier ltée, Jean Laberge
Canimex inc., Michel Goulet
Cargo Communication Marketing inc., Noëlla Lavoie
Centre de fusion CF ltée, Jocelyn Gélinas
Centre de réadaptation Les Filandières, Jacques Harnois
Charpentier Garneau inc., Claude A. Garneau
CIMA +, Raymond Nantel
Comm. de l'Exposition provinciale de Québec, Nicole Bilodeau
Compagnie minière Québec Cartier, François Pelletier
Concept VIP, Denis Viens
Confédération des caisses populaires et d'économie Desjardins du Québec, Anne Girard
Construction Anjinnov inc., Albert Lacharité
Construction B.M.L., division de Sintra inc., Ginette Perron
Consulab Educatech inc., Jean-Pierre Daigle

Corporation des concessionnaires d'automobiles du Québec inc., Sonya Trudeau
Corporation Stone-Consolidated, Marc Bélisle
Crête et fils inc., Pierre Dupont
Datamark inc., Dawson Parker
Déli-Bon inc., Mario Spattz
Desjardins, Ducharme, Stein, Monast, Jean Brunet
Dessau inc., Philippe Wahbe
Domtar inc., Josée Landriaut
Donat Flamand, Richard Boucher
Dorcas Communication graphique, Stéphane L'Hébreux
Dry-Con inc., Gilles Crépeau
En genre et en Nombre inc., Monique Gillet
Entreprises Julien, Gilles Saint-Pierre
Entreprises P.E.B. ltée, Laurier Beaulieu
Équipement Précibec inc., François Charbonneau
Équipements Gilbert, Chantale Langlois
Exec-U-Net, Montaha Hidefi
Fabrication Culinar inc. (usine Viau), Anita Soucy
Fafard et frères ltée, division Milot, Serge Vallée
Félix Huard inc., Raymond Garon
Fenêtres Montmagny inc., Raymond Gourgues
Fontaine ltée, Hélène Bergeron
Forex Saint-Michel inc., division scierie, Richard Cuddihy
Fortier Franklin Legault inc., François Perreault
Fromagerie Boivin, Luc Boivin
Fromagerie Hamel, Marc Picard
Gestion Capidem inc., Gilles Desharnais
GM – Plastiques, division de Spartech Canada inc., Gilles Veilleux
Goyette inc., Alain Caron
Granicor inc., Alain Robitaille
Grenier inc., Charles Roy
Groupe AML, Marie-Josée Blanchet
Groupe Captel inc., division Servitel, Jean-Pierre Séguin
Groupe Cédrico inc., Suzanne Viens
Groupe Dynaco, Gaston Doré
Groupe HBA Experts-conseils S.E.N.C., Michel-N. Houle
Groupe LGS inc., Claude Couture
Groupe Wilco ltée, Normand Sawyer
Hibon inc., Denis Labarre
Houle et fils inc., Guy Tessier
Hubbard Holding inc., Claude Lemire
IMH Cabinet conseil gestion informatique inc., Sylvie Audet
Imprimerie Goliath, Alain David
Imprimerie Miro inc., Réjean Vaskelis
Imprimeries Quebecor, Sylvie Voyer
Industrie Mirage, Josée Leroux
Industries Cascades inc., Caroline Ouellette
Industries Ling, Raymond Beaulieu
Industries Maibec inc., Gilbert Tardif

Industries Tanguay, Michel Grenier
Innoform, division de Crain-Drummond, inc., Alain Bélisle
Innovitech inc., Camille Gagnon
Intégration jeunesse de Québec inc., Sylvie Baillargeon
Intertape Polymer inc., Caroline Bernard
Ivanhoe inc., Philippe Leduc
Jackspratt Mfg inc., Marcel Camden
Journal de Québec, Jean-Claude Labbé
L'Équipeur, Éric Saint-Pierre
L'Esprit sport, Mary-Ann Dalzell
La Capitale, assurance générale, Linda Gaboury
La crevette du nord atlantique inc., Amédée Lapierre
La Garantie, Jules R. Quenneville
Lafarge, Groupe Matériaux de construction, div. de Lafarge
   Canada inc., Jean-Guy Legris
Laiterie Chalifoux inc., Patrick Chalifoux
Lakeshore School Board, Charleen Graham
Landis & Gyr Powers ltd, Marcel Laflamme
Langlois Gaudreau, Viviane Gravel
Laval Fortin, Yvon Fortin
Lavo ltée, Gilles Proulx
Le Boulot Vers, Jeanne Doré
Le réseau Caisse Chartier, Claire Labrecque
Leedye, division de Lagran Canada inc., Christian Langlois
Les aciers Canam, Dimitri Couture
Les Aliments CanAmera, François Pellerin
Les Aliments Krinos Canada ltée, John Giannopoulos
Les cuirs Di Capra international, Bernard Bélanger
Les Emballages Carrousel, Brigitte Jalbert
Les Équipements de sécurité Arkon, Peter Marcovitch
Les produits Alcove ltée, Jacques Saint-Pierre
Les produits de Sport I-Tech inc., Hani Basile
Les produits forestiers D.G. ltée, Richard Dumas
Les Scieries des Montagnes inc., Denis Deschênes
Les scieries du Lac St-Jean inc., Solange Laroche
Les Technologies industrielles SNC inc., Claude Daigneault
Les Tricots Maxime inc., Denis Thériault
Les tuyaux Logard inc., Louis Beauregard
Lévesque Plywood, Gilbert Poirier
Lincoln Barrière, Jacques Saint-Pierre
Louis Garneau Sports, Louis Garneau
MacLaren, division papier journal, Jacques Thériault
Macyro inc., Paul Forest
Makibois inc., Jean-Guy Cole
Marsh/McHennan Pratte et Morrissette, Jean J. Leclerc
Martin & Associés, Pierre Martin
Meilleur et fils ltée, Sonia Lessard
Merlin Communications, Daniel Bélanger
Messageries Canbec, Yves Charbonneau
Minolta (Montréal) inc., Katia Julien
MLH + A inc., Richard Larouche
Modulations inc., Viateur Paiement
Moulibois, Gaston Lavoie
Multi-Marques inc., Normand Lépine
Musée Le Coeur de pomme, Denyse Audet
Mutuelle des fonctionnaires québécois, Jean-Guy Larochelle
Naud inc., Jacques Naud
Nissan Canada inc., Steve Rosa
Norsk Hydro Canada inc., Pierre Joyal
Nutrinor, Marie Lajoie
Office national du film, Claude Chantelois
Optel Technologies inc., Daniel Cantin
Personnel Clé, Marie Fortier

Pétro-Canada, Michel Charbonneau
Photo Compo L'Oeil inc., Yves Croteau
Pluralité inc., gr. international, Odette L'Anglais
Poirier R., division de Groupe Shur – gain Québec inc.,
   Michel Fontaine
Pro-Hydraulique enr., Gilbert Bédard
Productions Novel inc., Pierre Ricard
Productions Vidéo 30 inc., Sylvie Berthiaume
Produits Alba inc., Luc Vaillancourt
Produits Marc-O (1987) inc., Luc Paquin
Produits Shell Canada ltée, André Dumet
Protection Incendie Polygon inc., Robert Lapierre
Prothèses orthèses Savard inc., Alain Simard
Queloz et Associés inc., Marcel Lantagne
Radisson inc., Guy Parent
Raymond, Chabot, Martin, Paré, Roger Demers
Remises Réal Lamontagne inc., Réal Lamontagne
Richard et cie ltée, Nathalie Richard
Robinson, Sheppard, Shapiro, Julie Gamache
Roche ltée – Groupe conseil, François Plamondon
RTA inc., Jacques Roy
Sani-Mobile inc., Louis Larivière
Sauger Groupe Conseil inc., Harold Sohier
Sculpture Tremblay ltée, Henriette Ménard Tremblay
Servec inc., Azarias Servant
Service d'entretien Distinction, Pierre Cloutier
Service d'entretien Empro, Simon Cliche
Shermag inc., Marcel Decelles
Sico inc., Richard Côté
Signabec inc., Alain Bisson
Sintra inc., Robert Desilet
SMA inc., Johanne Devin
Société Conseil Mercer ltée, Michel Drolet
Société coop agricole des Appalaches, Jacqueline Laflamme
Société de radio-télévision du Québec, Dominique Michaud
Soudure et location AFC inc., Suzy Lareau
Speedmore Corporation, Jean-Pierre Théoret
STEB, division Sintra inc., Fernand Allard
Structures d'acier B.R.L. 2000 inc., René Levasseur
Studio Momentum, Alain Gariépy
Supermarchés G.P., Paul Bourget
Systèmes d'enseignes Électrobits inc., Daniel Larocque
Techaid inc., William F. Allen
Télé-Québec, Pierre Gougeon
Tembec Usine Béarn, Daniel Bellemare
Thérèse Bergeron, communication, Thérèse Bergeron
Thomas Bellemare ltée – Division Béton, Paul Gélinas
Trust National, Alain Belley
Tune 1000, the Universal Network, Gerry Labelle
Turbo Cristal inc., Laurier Pedneault
Tye-Sil Corporation, Jean Beaulieu
Typographie Sajy inc., Linda Roberge
UAP inc., Jean Douville
Uni Sélect inc., Jacques Landreville
UniBéton, division de Ciment Québec inc., Yvon Fortin
Unico, Donald Lortie
Valmobico inc., Carol Painchaud
Venmar Ventilation H.D.H. inc., Sylvie Gervais
Vidéo Femmes, Ginette Gosselin
Village des Sports, Guy Drouin
Ville de Boucherville, Langis Paradis
Westburne inc., Claude Marier ∎